TOUT SIMENON

GEORGES SIMENON

ŒUVRE ROMANESQUE

8

Maigret et le corps sans tête
La boule noire
Maigret tend un piège
Les complices
En cas de malheur
Un échec de Maigret
Le petit homme d'Arkhangelsk
Maigret s'amuse

LIBRE
EXPRESSION

PRESSES DE LA CITÉ

Note de l'éditeur

En 1945, Georges Simenon rencontre Sven Nielsen qui va devenir son éditeur et son ami. Entre 1945 et 1972 — année où le romancier prend la décision de cesser d'écrire — paraissent aux Presses de la Cité près de 120 titres — « Maigret » et « romans » confondus — qui constituent la majeure partie de l'œuvre romanesque de Georges Simenon.

Présentés ici dans l'ordre de leur publication, ces romans forment les quatorze premiers volumes de notre intégrale de l'œuvre de Georges Simenon. Celui en qui Gide voyait « le plus grand de tous, le plus vraiment romancier que nous ayons eu en littérature ».

© Georges Simenon, 1989
ISBN 2-89111-377-2
Nº Editeur : 5735
Dépôt légal : mai 1989

SOMMAIRE

MAIGRET ET LE CORPS SANS TÊTE

1

La trouvaille des frères Naud

Le ciel commençait seulement à pâlir quand Jules, l'aîné des deux frères Naud, apparut sur le pont de la péniche, sa tête d'abord, puis ses épaules, puis son grand corps dégingandé. Frottant ses cheveux couleur de lin qui n'étaient pas encore peignés, il regarda l'écluse, le quai de Jemmapes à gauche, le quai de Valmy à droite, et il s'écoula quelques minutes, le temps de rouler une cigarette et de la fumer dans la fraîcheur du petit matin, avant qu'une lampe s'allumât dans le petit bar du coin de la rue des Récollets.

A cause du mauvais jour, la façade était d'un jaune plus cru que d'habitude. Popaul, le patron, sans col, pas peigné lui non plus, passa sur le trottoir pour retirer les volets.

Naud franchit la passerelle et traversa le quai en roulant sa seconde cigarette. Quand son frère Robert, presque aussi grand et efflanqué que lui, émergea à son tour d'une écoutille, il put voir, dans le bar éclairé, Jules accoudé au comptoir et le patron qui versait un trait d'alcool dans son café.

On aurait dit que Robert attendait son tour. Il roulait une cigarette avec les mêmes gestes que son frère. Quand l'aîné sortit du bar, le plus jeune descendit de la péniche, de sorte qu'ils se croisèrent au milieu de la rue.

— Je mets le moteur en marche, annonça Jules.

Il y avait des jours où ils n'échangeaient pas plus de dix phrases dans le genre de celle-là. Leur bateau s'appelait « Les Deux Frères ». Ils avaient épousé des sœurs jumelles et les deux familles vivaient à bord.

Robert prit la place de son aîné au bar de Popaul, qui sentait le café arrosé.

— Belle journée, annonçait Popaul, court et gras.

Naud se contenta de regarder par la fenêtre le ciel qui se teintait de rose. Les pots de cheminées au-dessus des toits étaient la première chose, dans le paysage, à prendre vie et couleur tandis que sur les ardoises ou les tuiles, comme sur certaines pierres de la chaussée, le froid des dernières heures de la nuit avait mis une délicate couche de givre qui commençait à s'effacer.

On entendit le toussotement du diesel. L'arrière de la péniche cracha, par saccades, une fumée noire. Naud posa de la monnaie sur le zinc, toucha sa casquette du bout des doigts et traversa de nouveau le quai.

L'éclusier, en uniforme, avait fait son apparition sur le sas et préparait l'éclusée. On entendait des pas, très loin, quai de Valmy, mais on ne voyait encore personne. Des voix d'enfants parvenaient de l'intérieur du bateau où les femmes préparaient le café.

Jules réapparut sur le pont, alla se pencher sur l'arrière, les sourcils froncés, et son frère devinait ce qui n'allait pas. Ils avaient chargé de la pierre de taille à Beauval, à la borne 48 du Canal de l'Ourcq. Comme presque toujours, on en avait embarqué quelques tonnes de trop et, la veille déjà, en sortant du bassin de La Villette pour entrer dans le Canal Saint-Martin, ils avaient remué la vase du fond.

En mars, d'habitude, on ne manque pas d'eau. Cette année-ci, il n'avait pas plu de deux mois et on ménageait l'eau du canal.

Les portes de l'écluse s'ouvrirent. Jules s'installa à la roue du gouvernail. Son frère descendit à terre pour retirer les amarres. L'hélice commença à tourner et, comme tous les deux le craignaient, ce fut une boue épaisse qu'elle remua et qu'on vit monter à la surface en faisant de grosses bulles.

Appuyé de tout son poids sur la perche, Robert s'efforçait d'écarter l'avant du bateau de la rive. L'hélice avait l'air de tourner à vide. L'éclusier, habitué, attendait patiemment en battant des mains pour se réchauffer.

Il y eut un choc, puis un bruit inquiétant d'engrenage et Robert Naud se tourna vers son frère qui cala le moteur.

Ils ne savaient ni l'un ni l'autre ce qui arrivait. L'hélice n'avait pas touché le fond, car elle était protégée par une partie du gouvernail. Quelque chose avait dû s'y engager, peut-être une vieille amarre comme il en traîne au fond des canaux et, si c'était cela, ils auraient du mal à s'en défaire.

Robert, muni de sa perche, se dirigea vers l'arrière, se pencha, essaya, dans l'eau sans transparence, d'atteindre l'hélice, tandis que Jules allait chercher une gaffe plus petite et que Laurence, sa femme, passait la tête par l'écoutille.

— Qu'est-ce que c'est ?

— Sais pas.

Ils se mirent, en silence, à manœuvrer les deux perches autour de l'hélice calée et, après quelques minutes, l'éclusier, Dambois, que tout le monde appelait Charles, vint se camper sur le quai pour les regarder faire. Il ne posa pas de questions, se contenta, en silence, de tirer sur sa pipe au tuyau réparé avec du fil.

On voyait quelques passants, tous pressés, descendre vers la République et des infirmières en uniforme se dirigeant vers l'hôpital Saint-Louis.

— Tu l'as ?

— Je crois.

— Un câble ?

— Je n'en sais rien.

Jules Naud avait accroché quelque chose avec sa gaffe et, au bout d'un certain temps, l'objet céda, de nouvelles bulles d'air montèrent à la surface.

Lentement, il retirait la perche et, quand le crochet arriva près de la surface, on vit apparaître un étrange paquet ficelé dont le papier journal avait crevé.

C'était un bras humain, entier, de l'épaule à la main, qui, dans l'eau, avait pris une couleur blême et une consistance de poisson mort.

Depoil, le brigadier du 3e Quartier, tout au bout du quai de Jemmapes, achevait son service de nuit quand la longue silhouette de l'aîné des Naud parut dans l'encadrement de la porte.

— Je suis au-dessus de l'écluse des Récollets avec le bateau « Les Deux Frères ». L'hélice a calé quand on a mis en route et nous avons dégagé un bras d'homme.

Depoil, qui appartenait depuis quinze ans au Xe Arrondissement, eut la réaction que tous les policiers mis au courant de l'affaire allaient avoir.

— D'homme ? répéta-t-il, incrédule.

— D'homme, oui. La main est couverte de poils bruns et...

Périodiquement, on retirait un cadavre du Canal Saint-Martin, presque toujours à cause d'un mouvement d'une hélice de bateau. Le plus souvent, le cadavre était entier, et alors il arrivait que ce fût un homme, un vieux clochard, par exemple, qui, ayant bu un coup de trop, avait glissé dans le canal, ou un mauvais garçon qui s'était fait refroidir d'un coup de couteau par une bande rivale.

Les corps coupés en morceaux n'étaient pas rares, deux ou trois par an en moyenne, mais invariablement, aussi loin que la mémoire du brigadier Depoil pouvait remonter, il s'agissait de femmes. On savait tout de suite où chercher. Neuf fois sur dix, sinon davantage, c'était une prostituée de bas étage, une de celles qu'on voit rôder la nuit autour des terrains vagues.

« Crime de sadique », concluait le rapport.

La police connaissait la faune du quartier, possédait des listes à jour des mauvais sujets et individus douteux. Quelques jours suffisaient généralement à l'arrestation de l'auteur d'un délit quelconque, qu'il s'agît d'un vol à l'étalage ou d'une attaque à main armée. Or, il était rare qu'on mette la main sur un de ces meurtriers-là.

— Vous l'avez apporté ? questionnait Depoil.

— Le bras ?

— Où l'avez-vous laissé ?

— Sur le quai. Est-ce que nous pouvons repartir ? Il faut que nous descendions au quai de l'Arsenal, où on nous attend pour décharger.

Le brigadier alluma une cigarette, commença par signaler l'incident au central de Police-Secours, puis demanda le numéro privé du commissaire du quartier, M. Magrin.

— Je vous demande pardon de vous éveiller. Des mariniers viennent de retirer un bras humain du canal... Non ! Un bras d'homme... C'est la réflexion que je me suis faite aussi... Comment ?... Il est ici, oui... Je lui pose la question...

Il se tourna vers Naud, sans lâcher le récepteur.

— Il a l'air d'avoir séjourné longtemps dans l'eau ?

Naud, l'aîné, se gratta la tête.

— Cela dépend de ce que vous appelez longtemps.

— Est-il très décomposé ?

— On ne peut pas dire. A mon avis, il peut y avoir dans les deux ou trois jours...

Le brigadier répéta dans l'appareil :

— Deux ou trois jours...

Puis il écouta, en jouant avec son crayon, les instructions que le commissaire lui donnait.

— Nous pouvons écluser ? répéta Naud quand il raccrocha.

— Pas encore. Comme le commissaire le dit très bien, il est possible que d'autres morceaux soient accrochés à la péniche et qu'en mettant celle-ci en route on risque de les perdre.

— Je ne peux pourtant pas rester là éternellement ! Il y a déjà quatre bateaux avalants qui s'impatientent derrière nous.

Le brigadier, qui avait demandé un autre numéro, attendait qu'on lui réponde.

— Allô ! Victor ? Je t'éveille ? Tu étais déjà à déjeuner ? Tant mieux. J'ai du boulot pour toi.

Victor Cadet n'habitait pas très loin de là, rue du Chemin-Vert, et un mois passait rarement sans qu'on fît appel à ses services au Canal Saint-Martin. C'était sans doute l'homme qui avait retiré le plus d'objets hétéroclites, y compris des corps humains, de la Seine et des canaux de Paris.

— Le temps que je prévienne mon assistant.

Il était sept heures du matin, boulevard Richard-Lenoir, Mme Maigret, déjà fraîche et habillée, sentant le savon, était occupée, dans sa cuisine, à préparer le petit déjeuner, tandis que son mari dormait encore. Quai des Orfèvres, Lucas et Janvier avaient pris la garde à six heures et c'est Lucas qui reçut la nouvelle de la découverte qu'on venait de faire dans le canal.

— Curieux ! grommela-t-il à l'adresse de Janvier. On a retiré un bras du Canal Saint-Martin et ce n'est pas un bras de femme.

— D'homme ?

— De quoi serait-il ?

— Cela aurait pu être un bras d'enfant.

C'était arrivé aussi, une seule fois, trois ans auparavant.

— Vous prévenez le patron ?

Lucas regarda l'heure, hésita, hocha la tête.

— Cela ne presse pas. Laissons-lui le temps de prendre son café.

A huit heures moins dix, un attroupement assez important s'était formé devant la péniche « Les Deux Frères » et un sergent de ville tenait les curieux à distance d'un objet posé sur les dalles et qu'on avait recouvert d'un morceau de bâche. Il fallut écluser la barque de Victor Cadet, qui se trouvait en aval, et qui vint se ranger le long du quai.

Cadet était un colosse et on avait l'impression qu'il avait dû faire faire son costume de scaphandrier sur mesure. Son aide, au contraire, était un petit vieux qui chiquait tout en travaillant et envoyait dans l'eau de longs jets de salive brune.

Ce fut lui qui assujettit l'échelle, amorça la pompe et enfin vissa l'énorme sphère de cuivre au cou de Victor.

Deux femmes et cinq enfants, tous avec des cheveux d'un blond presque blanc, se tenaient debout à l'arrière des « Deux Frères » ; l'une des femmes était enceinte, l'autre tenait un bébé sur le bras.

Le soleil frappait en plein les immeubles du quai de Valmy et c'était un soleil si clair, si gai, qu'on pouvait se demander pourquoi ce quai-là avait une réputation sinistre. La peinture des façades, certes, n'était pas fraîche, le blanc ou le jaune étaient délavés mais, par ce matin de mars, l'aspect en était aussi léger qu'un tableau d'Utrillo.

Quatre péniches attendaient, derrière « Les Deux Frères », avec du linge qui séchait sur des cordes, des enfants qu'on s'efforçait de tenir tranquilles et l'odeur du goudron dominait l'odeur moins agréable du canal.

A huit heures et quart, Maigret, qui finissait sa seconde tasse de café et s'essuyait la bouche avant de fumer sa première pipe, reçut le coup de téléphone de Lucas.

— Tu dis un bras d'homme ?

Lui aussi s'étonnait.

— On n'a rien retrouvé d'autre ?

— Victor, le scaphandrier, est déjà au travail. On est obligé de dégager l'écluse le plus vite possible, sous peine d'embouteillage.

— Qui s'en est occupé jusqu'ici ?

— Judel.

C'était un inspecteur du Xe Arrondissement, un garçon terne mais consciencieux à qui on pouvait se fier pour les premières constatations.

— Vous y passez, patron ?

— Ce n'est pas un grand détour.

— Vous voulez que l'un de nous vous y rejoigne ?

— Qui est au bureau ?

— Janvier, Lemaire... Attendez. Voilà Lapointe qui arrive.

Maigret hésita un moment. Autour de lui aussi, il y avait du soleil, et on avait pu entrouvrir la fenêtre. Peut-être l'affaire était-elle sans importance, sans mystère, et, dans ce cas, Judel continuerait à s'en charger. Au début, on ne peut pas savoir ! Si le bras avait été un bras de femme, Maigret n'aurait pas hésité à parier que le reste serait de la routine.

Parce qu'il s'agissait d'un bras d'homme, tout était possible. Et, si l'affaire s'avérait compliquée, si le commissaire décidait de prendre l'enquête en main, les jours à suivre dépendraient en partie du choix qu'il allait faire car, de préférence, il continuait et finissait une enquête avec l'inspecteur qui l'avait commencée avec lui.

— Envoie Lapointe.

Il y avait un certain temps qu'il n'avait collaboré étroitement avec lui et sa jeunesse l'amusait, son enthousiasme, sa confusion quand il croyait avoir commis une gaffe.

— Je préviens le chef ?

— Oui. J'arriverai sans doute en retard au rapport.

On était le 23 mars. Le printemps avait officiellement commencé l'avant-veille et, ce qu'on ne peut pas dire tous les ans, on le sentait déjà dans l'air, à tel point que Maigret faillit sortir sans pardessus.

Boulevard Richard-Lenoir, il prit un taxi. Il n'y avait pas d'autobus direct et ce n'était pas un temps à s'enfermer dans le métro. Comme il s'y attendait, il arriva à l'écluse des Récollets avant Lapointe, trouva l'inspecteur Judel penché sur l'eau noire du canal.

— On n'a rien trouvé d'autre ?

— Pas encore, patron. Victor est occupé à faire le tour de la péniche pour s'assurer que rien n'y est accroché.

Il s'écoula encore dix minutes et Lapointe avait eu le temps de débarquer d'une petite voiture noire de la P.J. quand des bulles claires annoncèrent que Victor n'allait pas tarder à paraître.

Son aide se précipita pour dévisser la tête de cuivre. Tout de suite, le scaphandrier alluma une cigarette, regarda autour de lui, reconnut Maigret, lui adressa un bonjour familier de la main.

— Rien d'autre ?

— Pas dans ce secteur-ci.

— La péniche peut continuer son chemin ?

— Je suis certain qu'elle n'accrochera rien, sinon la vase du fond.

Robert Naud, qui avait entendu, lançait à son frère :

— Mets le moteur en marche.

Maigret se tourna vers Judel.

— Vous avez leur déposition ?

— Oui. Ils l'ont signée. D'ailleurs, ils vont passer au moins quatre jours à décharger quai de l'Arsenal.

Ce n'était pas loin en aval, un peu plus de deux kilomètres, entre la Bastille et la Seine.

Cela prit du temps de faire démarrer le bateau dont le ventre trop plein raclait le fond, mais il se trouva enfin dans l'écluse dont on referma les portes.

La plupart des curieux commençaient à s'éloigner. Ceux qui restaient n'avaient rien à faire et seraient probablement là toute la journée.

Victor n'avait pas retiré son costume de caoutchouc.

— S'il y a d'autres morceaux, expliquait-il, ils sont plus haut en amont. Des cuisses, un tronc, une tête, c'est plus lourd qu'un bras et cela a moins de chance d'être entraîné.

On ne voyait aucun courant à la surface du canal et les détritus qui flottaient paraissaient immobiles.

— Il n'y a pas de courant comme dans une rivière, bien entendu. Mais, à chaque éclusée, un mouvement d'eau, presque invisible, ne s'en produit pas moins sur toute la longueur du bief.

— De sorte qu'il faudrait faire des recherches jusqu'à l'autre écluse ?

— C'est l'administration qui paie et vous qui commandez, conclut Victor entre deux bouffées de cigarette.

— Cela prendra longtemps ?

— Cela dépend de l'endroit où je trouverai le reste. Si le reste est dans le canal, évidemment !

Pourquoi aurait-on jeté une partie du corps dans le canal et une autre dans un terrain vague, par exemple ?

— Continuez.

Cadet fit signe à son adjoint d'amarrer le bateau un peu plus haut, s'apprêta à remettre la tête de cuivre.

Maigret prit Judel et Lapointe à part. Ils formaient, sur le quai, un petit groupe que les curieux regardaient avec le respect que l'on voue inconsciemment aux officiels.

— Vous devriez à tout hasard faire fouiller les terrains vagues et les chantiers d'alentour.

— J'y avais pensé, dit Judel. J'attendais vos instructions pour commencer.

— De combien d'hommes disposez-vous ?

— Ce matin, deux. Après-midi, je pourrai en avoir trois.

— Essayez de savoir si, les jours derniers, il n'y a pas eu de rixes dans les parages, peut-être des cris, des appels au secours.

— Oui, patron.

Maigret laissa le policier en uniforme pour garder le bras humain recouvert d'une bâche qui se trouvait toujours sur les dalles du quai.

— Tu viens, Lapointe ?

Il se dirigeait vers le bar du coin, peint en jaune vif, et poussait la porte vitrée de « Chez Popaul ». Un certain nombre d'ouvriers des environs, en tenue de travail, cassaient la croûte autour du comptoir.

— Qu'est-ce que vous prenez ? s'empressa le patron.

— Vous avez le téléphone ?

Il l'apercevait au même moment. C'était un appareil mural, qui ne se trouvait pas dans une cabine mais tout à côté du comptoir.

— Viens, Lapointe.

Il n'avait pas envie de téléphoner en public.

— Vous ne désirez rien boire ?

Popaul paraissait offensé et le commissaire lui promit :

— Tout à l'heure.

On voyait le long du quai des bicoques d'un seul étage aussi bien que des immeubles de rapport, des ateliers et de grandes constructions en béton qui contenaient des bureaux.

— Nous trouverons bien un bistrot avec une cabine.

Ils suivaient le trottoir, pouvaient maintenant apercevoir, de l'autre côté du canal, le drapeau décoloré et la lanterne bleue du poste de police, avec, derrière, la masse sombre de l'hôpital Saint-Louis.

Ils parcoururent près de trois cents mètres avant de trouver un bar sombre dont le commissaire poussa la porte. Il fallait descendre deux marches de pierre et le sol était fait de petits carreaux rouge foncé comme dans les immeubles de Marseille.

Il n'y avait personne dans la pièce, rien qu'un gros chat roux, couché près du poêle, qui se leva paresseusement, se dirigea vers une porte entrouverte et disparut.

— Quelqu'un ! appela Maigret.

On entendait le tic-tac précipité d'un coucou. L'air sentait l'alcool et le vin blanc, l'alcool plus que le vin, avec un relent de café.

Il y eut un mouvement dans une pièce de derrière. Une voix de femme dit avec une certaine lassitude :

— Tout de suite !

Le plafond était bas, enfumé, les murs noircis, la pièce plongée dans une demi-obscurité que seuls quelques rayons de soleil traversaient comme les vitraux d'une église. Mal écrits sur un carton appliqué au mur, on lisait les mots :

Casse-croûte à toute heure

Et, sur une autre pancarte :

On peut apporter son manger

A cette heure-ci, cela ne semblait tenter personne et Maigret et Lapointe devaient être les premiers clients de la journée. Une cabine téléphonique se trouvait dans un coin. Maigret attendait, pour s'y rendre, que la patronne paraisse.

Quand on la vit, elle finissait de planter des épingles dans ses cheveux d'un brun sombre, presque noir. Elle était maigre, sans âge, quarante ans ou quarante-cinq peut-être, et elle s'avançait avec un visage maussade, traînant ses pantoufles de feutre sur les carreaux.

— Qu'est-ce que vous voulez ?

Maigret regarda Lapointe.

— Le vin blanc est bon ?

Elle haussa les épaules.

— Deux vins blancs. Vous avez un jeton de téléphone ?

Il alla s'enfermer dans la cabine et appela le bureau du procureur pour faire son rapport verbal. C'est un substitut qu'il eut à l'autre bout du fil et qui marqua le même étonnement que les autres en apprenant que le bras qu'on avait pêché dans le canal était un bras d'homme.

— Un scaphandrier continue les recherches. Il pense que le reste, si reste il y a, se trouve en amont. Je voudrais, personnellement, que le docteur Paul examine le bras le plus tôt possible.

— Je peux vous rappeler où vous êtes ? Je vais essayer de le toucher immédiatement et je vous sonnerai.

Maigret lut le numéro sur l'appareil, le donna au substitut, se dirigea vers le comptoir où deux verres étaient versés.

— A votre santé ! dit-il en se tournant vers la patronne.

Elle ne fit pas mine d'avoir entendu. Elle les regardait sans aucune sympathie, attendant qu'ils s'en aillent pour retourner à ses occupations, vraisemblablement à sa toilette.

Elle avait dû être jolie. En tout cas, comme tout le monde, elle avait été jeune. Maintenant, ses yeux, sa bouche, tout son corps donnaient des signes de lassitude. Peut-être était-elle malade et guettait-elle l'heure de sa crise ? Certaines gens qui savent qu'à telle heure ils vont recommencer à souffrir ont cette expression à la fois sourde et tendue qui ressemble à l'expression des toxicomanes attendant l'heure de leur dose.

— On doit me rappeler au téléphone, murmura Maigret comme pour s'excuser.

C'était un endroit public, certes, comme tous les bars, les cafés, un endroit en quelque sorte anonyme, et pourtant ils avaient l'un comme l'autre l'impression de gêner, de s'être introduits dans un milieu où ils n'avaient que faire.

— Votre vin est bon.

C'était vrai. La plupart des bistrots de Paris annoncent un « petit vin de pays », mais il s'agit le plus souvent d'un vin trafiqué qui vient tout droit de Bercy. Celui-ci, au contraire, avait un parfum de terroir que le commissaire essayait d'identifier.

— Sancerre ? demanda-t-il.

— Non. Il vient d'un petit village des environs de Poitiers.

Voilà pourquoi il avait un arrière-goût de pierre à fusil.

— Vous avez de la famille là-bas ?

Elle ne répondit pas et Maigret l'admira de pouvoir rester immobile, à les regarder en silence, le visage sans expression. Le chat était venu la rejoindre et se frottait à ses jambes nues.

— Votre mari ?

— Il est justement parti en chercher.

Chercher du vin, c'était ce qu'elle avait voulu dire. Il n'était pas aisé d'entretenir la conversation et, au moment où le commissaire faisait signe de remplir les verres, la sonnerie du téléphone vint à son secours.

— C'est moi, oui. Vous avez rejoint Paul ? Il est libre ? Dans une heure ? Bon ! J'y serai.

Son visage se renfrogna alors qu'il écoutait la suite. Le substitut lui annonçait en effet que l'affaire avait été confiée au juge d'instruction Coméliau, presque l'ennemi intime de Maigret, le magistrat le plus conformiste et le plus râleur du Parquet.

— Il demande expressément que vous le teniez au courant.

— Je sais.

Cela signifiait que Maigret recevrait chaque jour cinq ou six coups de téléphone de Coméliau et que, chaque matin, il faudrait aller lui rendre des comptes dans son bureau.

— Enfin !... soupira-t-il. On fera de son mieux !

— Ce n'est pas ma faute, commissaire. Il était le seul juge disponible et...

Le rayon de soleil avait légèrement obliqué dans le café et atteignait maintenant le verre de Maigret.

— On y va ! murmura-t-il en tirant de l'argent de sa poche. Je vous dois ?

Et, en chemin :

— Tu as pris la voiture ?

— Oui. Elle est restée près de l'écluse.

Le vin avait mis du rose aux joues de Lapointe et ses yeux brillaient un peu. D'où ils étaient, ils apercevaient, au bord du canal, un groupe de curieux qui suivaient les évolutions du scaphandrier. Quand Maigret et l'inspecteur arrivèrent à leur hauteur, l'aide de Victor leur désigna dans le fond de la barque un paquet plus volumineux que le premier.

— Une jambe et un pied, lança-t-il après avoir craché dans l'eau.

L'emballage était moins abîmé que le précédent et Maigret n'éprouva pas le besoin de l'examiner de près.

— Tu crois que c'est la peine de faire venir un fourgon ? demanda-t-il à Lapointe.

— Il y a évidemment de la place dans le coffre arrière.

Cela ne leur souriait ni à l'un ni à l'autre, mais ils ne voulaient pas non plus faire attendre le médecin légiste avec qui ils avaient rendez-vous à l'Institut Médico-Légal, un bâtiment moderne et clair, au bord de la Seine, pas loin de l'endroit où le canal rejoint le fleuve.

— Qu'est-ce que je fais ? questionnait Lapointe.

Maigret préféra ne rien dire et, surmontant sa répugnance, l'inspecteur porta les deux colis l'un après l'autre dans le coffre de l'auto.

— Cela sent ? lui demanda le commissaire quand il revint au bord de l'eau.

Et Lapointe, qui tenait les mains écartées du corps, fronça le nez en faisant signe que oui.

Le docteur Paul, en blouse blanche, les mains gantées de caoutchouc, fumait cigarette sur cigarette. Il prétendait volontiers que le tabac est un des plus sûrs antiseptiques et il lui arrivait, au cours d'une autopsie, de fumer ses deux paquets de bleues.

Il travaillait avec entrain et même avec bonne humeur, penché sur la table de marbre, parlait entre deux bouffées de fumée.

— Bien entendu, tout ce que je peux vous dire maintenant n'a rien de définitif. D'abord, j'aimerais voir le reste du corps, qui nous en apprendra plus qu'une jambe et qu'un bras, ensuite il faut, avant de me prononcer, que je me livre à un certain nombre d'analyses.

— Quel âge ?

— Autant que j'en peux juger à première vue, l'homme devait avoir entre cinquante et soixante ans, plus près de cinquante que de soixante. Regardez cette main.

— Qu'est-ce que je dois y voir ?

— C'est une main large et forte qui, à certain moment, a dû se livrer à de gros travaux.

— Une main d'ouvrier.

— Non. Plutôt de paysan. Je parierais pourtant qu'il y a des années et des années que cette main-là n'a pas tenu un outil lourd. L'homme n'était pas très soigné, comme vous pouvez le voir par les ongles, en particulier par ceux des orteils.

— Un clochard ?

— Je ne crois pas. Je vous répète que j'attends le reste, si on le retrouve, pour me prononcer.

— Il est mort depuis longtemps ?

— Ce n'est à nouveau qu'une hypothèse. Ne vous emballez pas là-dessus, car je vous dirai peut-être le contraire ce soir ou demain. Pour le moment, je parierais pour trois jours, pas davantage. Et je serais tenté de dire moins.

— Pas la nuit dernière ?

— Non. Mais la nuit d'avant, peut-être.

Maigret et Lapointe fumaient aussi, évitant autant que possible de poser leur regard sur la table de marbre. Le docteur Paul, lui, paraissait prendre plaisir à son travail et maniait ses outils avec des gestes de prestidigitateur.

Il se disposait à remettre ses vêtements de ville quand on appela Maigret à l'appareil. C'était Judel, là-bas, quai de Valmy.

— On a retrouvé le torse ! annonçait-il avec une certaine excitation.

— Pas la tête ?

— Pas encore. Victor prétend que ce sera plus difficile, à cause du poids qui l'a sans doute enfoncée davantage dans la vase. Il a trouvé aussi un portefeuille vide et un sac à main de femme.

— Près du tronc ?

— Non. Assez loin. Cela ne paraît pas avoir de corrélation. Comme il dit, chaque fois qu'il plonge dans le canal, il pourrait ramener à la surface de quoi monter un stand à la foire aux puces. Un peu avant de trouver le tronc, il a sorti un lit-cage et deux seaux de toilette.

Paul attendait avant de retirer ses gants, tenant ses mains à l'écart.

— Du nouveau ? demanda-t-il.

Maigret fit signe que oui. Puis à Judel :

— Vous avez le moyen de me l'envoyer à l'Institut Médico-Légal ?

— C'est toujours possible...

— J'attends ici. En vitesse, car le docteur Paul...

Ils passèrent le temps sur le seuil, où l'air était plus frais et plus agréable et d'où ils voyaient le va-et-vient incessant sur le pont d'Austerlitz. De l'autre côté de la Seine, des péniches ainsi qu'un petit bateau de mer débarquaient leur chargement devant les Magasins Généraux et il y avait quelque chose de jeune, d'enjoué, ce matin-là, dans le rythme de Paris, une saison commençait, un printemps tout neuf, et les gens étaient optimistes.

— Pas de tatouages ni de cicatrices, je suppose ?

— Pas sur les parties que j'ai examinées, non. La peau est plutôt d'un homme qui vit à l'intérieur.

— Il semble très velu.

— Oui. Je peux presque vous décrire le type auquel il appartient. Brun, pas très grand, plutôt petit mais râblé, avec des muscles saillants, des poils sombres et drus sur les bras, les mains, les jambes et la poitrine. Les campagnes françaises produisent beaucoup de ces individus-là, solides, volontaires, têtus. Je suis curieux de voir sa tête.

— Quand on la retrouvera !

Un quart d'heure plus tard, deux agents en uniforme leur apportaient le tronc et le docteur Paul se frottait presque les mains en se dirigeant vers la table de marbre comme un ébéniste vers son établi.

— Ceci me confirme que ce n'est pas du travail de professionnel, grommela-t-il. Je veux dire que l'homme n'a pas été dépecé par un boucher, ni par un spécialiste de La Villette. Encore moins par un chirurgien ! Pour les os, on s'est servi d'une scie à métaux ordinaire. Pour le reste, on semble avoir utilisé un grand couteau à découper comme on en trouve dans les restaurants et dans la plupart des cuisines. Cela a dû prendre du temps. On s'y est repris à plusieurs fois.

Il marqua un temps d'arrêt :

— Regardez cette poitrine velue...

Maigret et Lapointe ne lui accordèrent qu'un bref regard.

— Pas de blessure apparente ?

— Je ne vois rien. Ce qui est certain, bien entendu, c'est que l'homme n'est pas mort par immersion.

C'était presque drôle. L'idée qu'un homme, dont on retrouvait les tronçons dans le canal, aurait pu s'y être noyé...

— Tout à l'heure, je m'occuperai des viscères et, en particulier, dans la mesure du possible, du contenu de l'estomac. Vous restez ?

Maigret fit signe que non. Ce n'était pas un spectacle qu'il appréciait particulièrement et il avait hâte d'avaler un verre, non plus de vin, mais d'un alcool bien dur, pour chasser le mauvais goût qu'il avait à la bouche et qui lui semblait être un goût de cadavre.

— Un instant, Maigret... qu'est-ce que je vous disais ?... Vous voyez ce trait plus clair et ces petits points livides sur le ventre ?

Le commissaire dit oui sans regarder.

— Le trait est la cicatrice laissée par une opération qui remonte à plusieurs années. Appendicite.

— Et les petits points ?

— C'est le plus curieux. Je ne jure pas d'avoir raison, mais je suis presque sûr que ce sont les traces laissées par des plombs de chasse ou des chevrotines. Cela confirmerait que l'homme, à un moment donné, a vécu à la campagne, paysan ou garde-chasse, je n'en sais rien. Il a dû, il y a très longtemps, vingt ans, sinon davantage, recevoir une décharge de fusil. Je compte sept.... non, huit cicatrices du même genre, en arc-en-ciel. Je n'ai vu cela qu'une seule fois dans ma vie et ce n'était pas aussi régulier. Il faudra que j'en fasse prendre une photographie pour mes archives.

— Vous me téléphonez ?

— Où serez-vous ? Au Quai ?

— Oui. Au bureau et je déjeunerai probablement place Dauphine.

— Je vous appellerai pour vous dire ce que j'aurai découvert.

Maigret fut le premier, dehors, dans le soleil, à s'essuyer le front, et Lapointe ne put s'empêcher de cracher à plusieurs reprises comme s'il avait, lui aussi, un goût âcre dans la bouche.

— Je ferai désinfecter le coffre de l'auto dès que nous serons au Quai, annonça-t-il.

Avant de monter en voiture, ils entrèrent dans un bistrot et burent un verre de marc. L'alcool était si fort que Lapointe eut un haut-le-cœur, tint un moment la main devant sa bouche, les yeux pleins d'anxiété, en se demandant s'il n'allait pas vomir.

Il se rasséréna enfin, balbutia :

— Je vous demande pardon...

Comme ils sortaient, le patron du bar dit à un de ses clients :

— Encore des gens qui sont venus reconnaître un macchabée. Ils ont tous la même réaction.

Installé juste en face de l'Institut Médico-Légal, il avait l'habitude.

2

La cire à bouteilles

Quand Maigret pénétra dans le grand couloir du Quai des Orfèvres, une lueur de gaîté dansa un instant sur ses prunelles car même ce couloir-là, le plus grisâtre, le plus terne de la terre, était aujourd'hui touché par le soleil, tout au moins sous la forme d'une sorte de poussière lumineuse.

Entre les portes des bureaux, des gens attendaient sur les bancs sans dossier et quelques-uns avaient les menottes aux poignets. Il allait se diriger vers le bureau du chef pour le mettre au courant des découvertes du quai de Valmy quand un homme se leva et toucha le bord de son chapeau en guise de salut.

Avec la familiarité de gens qui se voient chaque jour depuis des années, Maigret lui lança :

— Alors, Vicomte, qu'en dites-vous ? Vous qui vous plaigniez que ce soient toujours des filles publiques qu'on coupe en morceaux...

Celui que tout le monde appelait le Vicomte ne rougit pas, encore qu'il eût probablement compris l'allusion. Il était pédéraste, de façon discrète il est vrai. Il « faisait » le Quai des Orfèvres depuis plus de quinze ans pour un journal de Paris, une agence de presse et une vingtaine de quotidiens de province.

Il était le dernier à s'habiller encore comme on s'habillait dans les pièces de boulevard au début du siècle et un monocle pendait à un large ruban noir sur sa poitrine. Peut-être était-ce à cause de ce monocle, dont il ne se servait presque jamais, qu'on lui avait donné son sobriquet ?

— On n'a pas repêché la tête ?

— Pas à ma connaissance.

— Je viens de téléphoner à Judel, qui prétend que non. Si vous avez du nouveau, commissaire, ne m'oubliez pas.

Il alla se rasseoir sur son banc tandis que Maigret se dirigeait vers le bureau du chef. La fenêtre en était ouverte et, d'ici aussi, on voyait des péniches passer sur la Seine. Les deux hommes bavardèrent pendant une dizaine de minutes.

Quand Maigret poussa la porte de son propre bureau, une note l'attendait sur le buvard et il sut tout de suite de qui elle était. Il s'agissait, comme il s'y attendait, d'un message du juge Coméliau le priant de lui téléphoner dès son arrivée.

— Ici le commissaire Maigret, monsieur le juge.

— Bonjour, Maigret. Vous venez du canal ?

— De l'Institut Médico-Légal.

— Le docteur Paul est là-bas ?

— Il travaille en ce moment sur les viscères.

— Je suppose que le corps n'a pas été identifié ?

— On ne peut guère y compter en l'absence de la tête. A moins d'un coup de chance...

— C'est justement de quoi je désirais vous entretenir. Dans une affaire ordinaire, où l'identité de la victime est connue, on sait plus ou moins où l'on va. Vous me suivez ? Dans cette affaire-ci, au contraire, nous n'avons aucune idée de qui, demain, après-demain ou dans une heure, il sera peut-être question. Toutes les surprises, y compris les plus désagréables, sont possibles et nous devons nous montrer d'une extrême prudence.

Coméliau détachait les syllabes et s'écoutait parler. Tout ce qu'il faisait, ce qu'il disait, était d'une « extrême » importance.

La plupart des juges d'instruction ne prennent pratiquement une affaire en main qu'une fois que la police l'a débrouillée. Coméliau, lui, tenait à diriger les opérations dès le début de l'enquête et peut-être cela tenait-il avant tout à sa peur des complications. Son beau-frère était un homme politique en vue, un des quelques parlementaires qu'on retrouve dans presque tous les ministères. Coméliau disait volontiers :

— Vous comprenez qu'à cause de lui ma situation est plus délicate que celle d'un autre magistrat.

Maigret finit par s'en débarrasser avec la promesse de l'appeler chaque fois qu'il aurait le moindre fait nouveau, fût-ce, le soir, à son domicile. Il parcourut son courrier, passa dans le bureau des inspecteurs pour en envoyer quelques-uns sur différentes affaires en cours.

— Nous sommes bien mardi ?

— Oui, patron.

Si le docteur Paul ne se trompait pas dans ses premières estimations et si le corps était resté environ quarante-huit heures dans le Canal Saint-Martin, cela faisait remonter le crime au dimanche, sans doute à la soirée ou à la nuit du dimanche, car il était peu probable qu'on soit allé jeter les colis sinistres, en plein jour, à moins de cinq cents mètres d'un poste de police.

— C'est toi, madame Maigret ? lança-t-il plaisamment à sa femme quand il l'eut au bout du fil. Je ne rentrerai pas déjeuner. Qu'est-ce que tu avais préparé ?

Un haricot de mouton. Il n'eut pas de regrets, car c'était trop lourd pour une journée comme celle-là.

Il appela Judel.

— Rien de neuf ?

— Victor est occupé à casser la croûte sur le bord du bateau. On a maintenant le corps entier, sauf la tête. Il demande s'il doit continuer les recherches.

— Bien entendu.

— Mes hommes sont au travail, mais n'ont encore rien de précis. Une bagarre a éclaté, dimanche soir, dans un bar de la rue des Récollets. Pas « Chez Popaul ». Plus loin, près du faubourg Saint-Martin. Une concierge se plaint que son mari ait disparu, mais il y a plus d'un mois qu'il n'est pas rentré chez lui et son signalement ne correspond pas.

— Je passerai probablement là-bas dans l'après-midi.

Au moment d'aller déjeuner à la Brasserie Dauphine, il poussa la porte des inspecteurs.

— Tu viens, Lapointe ?

Il n'avait aucun besoin du jeune inspecteur pour s'asseoir à sa table habituelle dans le petit restaurant de la place Dauphine. Cela le frappa, alors qu'ils longeaient le quai en silence ! Un sourire glissa sur ses lèvres au souvenir d'une question qu'on lui avait posée à ce sujet. C'était son ami Pardon, le docteur de la rue Popincourt chez qui il avait pris l'habitude d'aller dîner une fois par mois avec sa femme, qui, un soir, lui avait demandé très sérieusement :

— Pourriez-vous me dire, Maigret, pourquoi les policiers en civil, tout comme les plombiers, vont toujours par deux ?

Cela ne l'avait jamais frappé et il dut admettre que c'était vrai. Lui-même s'occupait rarement d'une enquête sans être accompagné d'un de ses inspecteurs.

Il s'était gratté la tête.

— Je suppose que la première raison date du temps où les rues de

Paris n'étaient pas sûres et où il valait mieux être deux qu'un seul pour s'aventurer dans certains quartiers, surtout la nuit.

Cela restait valable dans certains cas, dans celui d'une arrestation, par exemple, ou d'une descente dans des endroits louches. Maigret n'en avait pas moins continué à réfléchir.

— Il existe une seconde raison, valable aussi pour les interrogatoires au Quai des Orfèvres. Si un policier seul recueille un témoignage, il sera toujours possible au suspect qui a parlé à contrecœur de nier ses aveux par la suite. Deux affirmations ont plus de poids qu'une seule devant un jury.

Cela se tenait, mais il n'en était pas encore satisfait.

— Du point de vue pratique, c'est presque une nécessité. Au cours d'une filature, par exemple, on peut avoir besoin de téléphoner sans quitter des yeux la personne qu'on surveille. Ou encore celle-ci peut pénétrer dans un immeuble à plusieurs issues.

Pardon, qui souriait aussi, avait objecté :

— Lorsqu'on me fournit plusieurs raisons, j'ai tendance à croire qu'aucune n'est suffisante par elle-même.

A quoi Maigret avait répondu :

— Dans ce cas, je vais parler pour moi. Si je me fais presque toujours accompagner par un inspecteur, c'est que, seul, je craindrais de m'ennuyer.

Il ne raconta pas l'histoire à Lapointe, car on ne doit jamais faire montre de scepticisme devant les jeunes et Lapointe avait encore le feu sacré. Le déjeuner fut agréable, paisible, avec d'autres inspecteurs et commissaires qui défilaient au bar, quatre ou cinq qui mangeaient dans la salle.

— Vous croyez que la tête a été jetée dans le canal et qu'on la retrouvera ?

Maigret se surprit à hocher négativement la tête. La vérité, c'est qu'il n'y avait pas encore réfléchi. Sa réponse était instinctive. Il aurait été incapable de dire pourquoi il avait l'impression que le scaphandrier Victor fouillerait en vain la vase du Canal Saint-Martin.

— Qu'aurait-on pu en faire ?

Il n'en savait rien. Peut-être la déposer, dans une valise, à la consigne de la gare de l'Est, toute proche, par exemple, ou à la gare du Nord qui n'est pas beaucoup plus éloignée. Ou encore l'expédier à n'importe quelle adresse de province par un de ces immenses camions des services rapides que le commissaire avait vus stationner dans une des rues qui donnent sur le quai de Valmy. Il avait vu souvent ces camions-là, rouge et vert, traverser la ville en direction des grand-routes, et il n'avait jamais su où ils avaient leur port d'attache. C'était là-bas, près du canal, rue Terrage. A certain moment, le matin, il en avait compté plus de vingt qui stationnaient le long du trottoir portant tous l'inscription : « Transports Zénith — Roulers et Langlois ».

Cela indiquait qu'il ne pensait à rien en particulier. L'affaire l'intéressait sans le passionner. Son intérêt venait surtout de ce qu'il y avait longtemps qu'il n'avait travaillé dans les environs du canal. A certaine époque, lors de ses débuts, chacune des rues du quartier lui était familière, ainsi que bon nombre des silhouettes qui se glissaient, le soir, le long des maisons.

Ils étaient encore à table et prenaient leur café quand on appela Maigret au téléphone. C'était Judel.

— Je ne sais pas si j'ai bien fait de vous déranger, patron. On ne peut pas encore parler d'une piste. Un de mes hommes, Blancpain, que j'ai mis en faction à proximité du scaphandre, a eu l'attention attirée, il y a environ une heure, par un jeune homme en triporteur. Il lui a semblé qu'il l'avait déjà vu le matin, puis une demi-heure plus tard, et ainsi de suite, à plusieurs reprises, pendant la matinée. D'autres curieux ont stationné un certain temps sur le quai, mais celui-là, d'après Blancpain, se tenait à l'écart et paraissait plus intéressé que les autres. D'habitude, un livreur en triporteur a une tournée à faire et n'a pas de temps à perdre.

— Blancpain l'a interpellé ?

— Il a eu l'intention de le faire, s'est dirigé vers lui aussi tranquillement que possible pour ne pas l'effaroucher. Il n'avait parcouru que quelques mètres quand le jeune homme, donnant tous les signes de la peur, a sauté sur sa machine et s'est élancé à fond de train vers la rue des Récollets. Blancpain n'avait pas de voiture, aucun moyen de transport à sa disposition. Il a essayé en vain de rattraper le fuyard tandis que les passants se retournaient sur lui et que le triporteur disparaissait dans le trafic du faubourg Saint-Martin.

Les deux hommes se turent. C'était vague, évidemment. Cela pouvait ne rien signifier comme cela pouvait constituer un point de départ.

— Blancpain a son signalement ?

— Oui. Il s'agit d'un garçon de dix-huit à vingt ans qui a l'air de venir de la campagne, car il a encore le visage très coloré. Il est blond, porte les cheveux assez longs et un blouson de cuir sur un chandail à col roulé. Blancpain n'a pas pu lire l'inscription sur le triporteur. Un mot qui finit par « ail ». Nous sommes en train de vérifier la liste des commerçants du quartier susceptibles d'utiliser un livreur en triporteur.

— Que dit Victor ?

— Que, du moment qu'on le paie, cela lui est égal d'être sous l'eau ou dehors, mais qu'il est persuadé qu'il perd son temps.

— Rien dans les terrains vagues ?

— Pas jusqu'ici.

— J'espère, tout à l'heure, avec le rapport du médecin, recevoir quelques détails sur le mort.

Il les eut à son bureau, vers deux heures et demie, par téléphone. Paul lui enverrait plus tard son rapport officiel.

— Vous prenez note, Maigret ?

Celui-ci attira un bloc de papier.

— Ce ne sont que des estimations, mais elles sont assez proches de la réalité. Voici d'abord le signalement de votre homme, pour autant qu'on puisse l'établir sans la tête. Il n'est pas grand ; environ 1 m 67. Le cou est court, épais, et j'ai lieu de penser que le visage est large, avec une mâchoire solide. Cheveux sombres, avec peut-être quelques cheveux blancs vers les tempes, pas beaucoup. Poids : 75 kilos. L'aspect devait être celui d'un homme trapu, plus carré que rond, plus musclé que gras, encore qu'il ait fini par s'empâter. Le foie indique un solide buveur, mais je ne pense pas qu'on soit en présence d'un ivrogne. Plutôt le genre de ceux qui prennent un verre toutes les heures ou toutes les demi-heures, surtout du vin blanc. J'ai d'ailleurs retrouvé des traces de vin blanc dans l'estomac.

— De la nourriture aussi ?

— Oui. Nous avons de la chance qu'il s'agisse d'un plat indigeste. Son dernier déjeuner ou son dernier dîner a été composé surtout de porc rôti et de haricots.

— Longtemps avant la mort ?

— Je dirais deux heures à deux heures et demie. J'ai prélevé les matières accumulées sous les ongles des mains et des pieds et les ai envoyées au laboratoire. Moers vous donnera directement son avis.

— Les cicatrices ?

— Rien de changé à mon opinion de ce matin. L'appendectomie a été pratiquée il y a cinq ou six ans, par un bon chirurgien si j'en crois la qualité du travail. Les traces de petits plombs datent d'au moins vingt ans et je suis tenté de doubler ce chiffre.

— Age ?

— Cinquante à cinquante-cinq ans.

— Il aurait reçu la décharge de fusil de chasse quand il était enfant ?

— C'est mon opinion. Santé générale satisfaisante, sauf l'engorgement du foie que je vous ai signalé. Cœur et poumons en bon état. Le poumon gauche porte la cicatrice d'une très ancienne tuberculose sans signification, car il arrive souvent que des enfants ou des bébés fassent une légère tuberculose sans même qu'on s'en aperçoive. Maintenant, Maigret, si vous en désirez davantage, apportez-moi la tête et je ferai mon possible.

— On ne l'a pas retrouvée.

— Dans ce cas, on ne la retrouvera pas.

Il confirmait Maigret dans son opinion. Il y a comme ça, au Quai des Orfèvres, un certain nombre de croyances qu'on a fini par considérer comme des axiomes. Le fait, par exemple, que ce soient presque invariablement des filles publiques de bas étage qu'on coupe en morceaux. Le fait aussi qu'on retrouve un certain nombre de tronçons, mais plus rarement la tête.

On n'essaie pas d'expliquer, mais chacun y croit.

— Si on m'appelle, alla-t-il dire dans le bureau des inspecteurs, je suis là-haut, au laboratoire.

Il grimpa lentement jusqu'aux combles du Palais de Justice, où il trouva Moers penché sur des éprouvettes.

— Tu travailles sur « mon » cadavre ? questionna-t-il.

— J'étudie les spécimens que Paul nous a envoyés.

— Tu as des résultats ?

D'autres spécialistes travaillaient dans l'immense salle où, dans un coin, on voyait, debout, le mannequin qui servait aux reconstitutions, par exemple à s'assurer qu'un coup de couteau n'avait pu être donné que dans telle ou telle position.

— J'ai l'impression, murmura Moers, qui parlait toujours à mi-voix, comme dans une église, que votre homme ne sortait pas beaucoup.

— Pourquoi ?

— J'ai étudié les matières extraites des ongles des orteils. C'est ainsi que je peux vous dire que les dernières chaussettes qu'il a portées étaient en laine bleu marine. Je retrouve aussi des traces de ce feutre dont on fait les pantoufles appelées des charentaises. J'en conclus que l'homme devait beaucoup vivre en pantoufles.

— Si c'est exact, Paul devrait pouvoir nous le confirmer, car de vivre en pantoufles pendant des années, cela finit par déformer le pied, tout au moins si j'en crois ma femme, qui me répète sans cesse...

Il n'acheva pas sa phrase, essaya d'atteindre l'Institut Médico-Légal que le docteur Paul avait quitté, parvint à toucher celui-ci à son domicile particulier.

— Ici, Maigret. Une question, docteur, à la suite d'une remarque de Moers. Avez-vous eu l'impression que notre homme vivait plus souvent en pantoufles qu'en souliers ?

— Transmettez mes compliments à Moers. J'ai failli vous en parler tout à l'heure, mais j'ai jugé que c'était trop vague et que je risquais de vous lancer sur une fausse piste. L'idée m'est venue, à l'examen des pieds, que nous nous trouvions peut-être en présence d'un garçon de café. Chez eux, comme chez les maîtres d'hôtel et... chez les agents de police, surtout les agents de la circulation, la plante des pieds a tendance à s'affaisser, non pas par le fait de la marche mais de leur longue station debout.

— Vous m'avez dit que les ongles des mains n'étaient pas soignés.

— C'est exact. Vraisemblablement, un maître d'hôtel n'aurait pas les ongles en deuil.

— Ni un garçon de grande brasserie ou de café bourgeois.

— Moers n'a rien découvert d'autre ?

— Pas jusqu'à présent. Merci, docteur.

Maigret passa encore près d'une heure à rôder dans le laboratoire, se penchant sur les uns et sur les autres.

— Cela vous intéresse de savoir qu'il avait aussi, sous les ongles, de la terre mélangée de salpêtre ?

Moers savait aussi bien que Maigret où on trouve le plus souvent un tel mélange : dans une cave, surtout dans une cave humide.

— Il y en a peu ? Beaucoup ?

— C'est ce qui me frappe. L'homme ne paraît pas s'être sali ainsi en une seule occasion.

— Autrement dit, il avait l'habitude de descendre à la cave ?

— Ce n'est qu'une hypothèse.

— Et les mains ?

— Je retrouve, sous les ongles des doigts, une matière similaire, mais mêlée à d'autres matières, à de menus éclats de cire rouge.

— Comme celle dont on se sert pour sceller les bouteilles de vin ?

— Oui.

Maigret était presque déçu, car cela devenait trop facile.

— En somme, un bistrot ! grommela-t-il.

Et il se demanda, à ce moment-là, si l'affaire ne serait pas terminée le soir même. L'image de la femme brune et maigre qui leur avait servi à boire le matin lui revenait à la mémoire. Elle l'avait beaucoup frappé et il avait pensé deux ou trois fois à elle pendant la journée, pas nécessairement en connection avec l'homme coupé en morceaux, mais parce que ce n'était pas un personnage ordinaire.

Les individus pittoresques ne manquent pas dans un quartier comme celui du quai de Valmy. Mais, rarement, il avait rencontré le genre d'inertie qu'il avait constaté chez cette femme. C'était difficile à expliquer. La plupart des gens, en vous regardant, échangent quelque chose avec vous, si peu que ce soit. Un contact s'établit, même si ce contact est une sorte de défi.

Avec elle, au contraire, il ne se produisait rien. Elle s'était approchée du comptoir sans étonnement, sans crainte, sans qu'il soit possible de lire quoi que ce fût sur ses traits en dehors d'une lassitude qui ne devait jamais la quitter.

A moins que ce fût de l'indifférence ?

Deux ou trois fois, en buvant son verre, Maigret avait plongé le regard dans le sien et il n'avait rien découvert, n'avait provoqué aucun mouvement, aucune réaction.

Or, ce n'était pas la passivité d'une personne inintelligente. Elle n'était pas ivre non plus, ni droguée, en tout cas à ce moment-là. Déjà le matin, il s'était promis de retourner la voir, ne serait-ce que pour se rendre compte du genre de clientèle qui fréquentait l'établissement.

— Vous avez une idée, patron ?

— Peut-être.

— Vous dites cela comme si ça vous contrariait.

Maigret préféra ne pas insister. A quatre heures, il interpellait Lapointe qui faisait du travail de bureau.

— Tu veux me conduire ?

— Au canal ?

— Oui.

— J'espère qu'ils ont eu le temps de désinfecter la voiture.

Les femmes avaient déjà des chapeaux clairs et, cette saison, c'était le rouge qui dominait, un rouge vif de coquelicot. On avait descendu les vélums orangés ou rayés des terrasses où presque tous les guéridons étaient occupés et les gens marchaient d'un pas plus allègre qu'une semaine auparavant.

Quai de Valmy, ils descendirent de l'auto à proximité du rassemblement qui indiquait l'endroit où Victor fouillait toujours le fond du canal. Judel était là.

— Rien ?

— Non.

— Pas de vêtements non plus ?

— Nous avons travaillé sur la ficelle. Si vous le croyez utile, j'en enverrai au laboratoire. A première vue, c'est de la grosse ficelle ordinaire, comme on en use chez la plupart des commerçants. Il en a fallu une certaine quantité pour faire les différents paquets. J'ai envoyé quelqu'un interroger les quincailliers d'alentour. Jusqu'ici, pas de résultat. Quant aux journaux, dont j'ai mis les lambeaux à sécher, ils sont pour la plupart de la semaine dernière.

— De quand est le dernier ?

— De samedi matin.

— Tu connais le bistrot qui se trouve un peu plus haut que la rue Terrage, à côté d'un laboratoire de produits pharmaceutiques ?

— Chez Calas ?

— Je n'ai pas regardé le nom sur la devanture : une petite salle sombre, en contrebas du trottoir, avec un gros poêle à charbon au milieu et un tuyau noir qui traverse presque toute la pièce.

— C'est ça. Chez Omer Calas.

Les inspecteurs du quartier connaissent ces endroits-là mieux que ceux du Quai des Orfèvres.

— Quel genre ? questionna Maigret en regardant les bulles d'air qui indiquaient les allées et venues de Victor au fond du canal.

— Tranquille. Je ne me souviens pas qu'ils aient eu des ennuis avec nous.

— Omer Calas vient de la campagne ?

— C'est probable. Je pourrais m'en assurer en consultant les registres. La plupart des tenanciers de bistrots arrivent à Paris comme valets de chambre ou comme chauffeurs épousant la cuisinière, et finissent par s'installer à leur compte.

— Ils sont là depuis longtemps ?

— Ils y étaient avant que je sois nommé dans le quartier. J'ai toujours connu l'endroit tel que vous l'avez vu. C'est presque en face du poste de police et il m'arrive de franchir la passerelle pour y aller prendre un coup de blanc. Leur vin blanc est bon.

— C'est le patron qui sert d'habitude ?

— La plupart du temps. Sauf, une partie de l'après-midi, quand il va faire un billard dans une brasserie de la rue La Fayette. C'est un enragé du billard.

— Sa femme est au comptoir quand il s'absente ?

— Oui. Ils n'ont ni bonne ni garçon. Je crois me souvenir qu'à un certain moment ils ont eu une petite serveuse, mais j'ignore ce qu'elle est devenue.

— Quelle clientèle ont-ils ?

— C'est difficile à dire, fit Judel en se grattant la nuque. Les bistrots du quartier ont tous plus ou moins le même genre de clients. Et, en même temps, chacun a une clientèle différente. « Chez Popaul », par exemple, près de l'écluse, c'est bruyant du matin au soir. On y boit sec, on y parle fort et l'air est toujours bleu de fumée. Passé huit heures du soir, vous pouvez être sûr d'y trouver trois ou quatre femmes, qui elles-mêmes ont leurs habitués.

— Et chez Omer ?

— D'abord, ils ne sont pas autant sur le passage. Ensuite, c'est plus sombre, plus triste. Car ce n'est pas gai, là-dedans, vous avez dû vous en rendre compte. Le matin, ils ont les ouvriers des chantiers des environs qui viennent boire le coup et, à midi, il y en a quelques-uns qui apportent leur manger et qui commandent une chopine de blanc. L'après-midi est plus calme, faute de passage, comme je vous l'ai dit. Sans doute est-ce pour ça qu'Omer choisit ce moment-là pour aller faire un billard. Il doit entrer quelqu'un de loin en loin. Puis, à l'heure à l'apéritif, cela bouge à nouveau.

» Il m'est arrivé de pousser la porte, le soir. Chaque fois, j'ai aperçu une table de joueurs de cartes et une ou deux silhouettes, pas plus, debout devant le zinc. Ce sont des endroits où, si on n'est pas un habitué, on a toujours l'impression de gêner.

— Omer et la femme sont mariés ?

— Je ne me suis jamais posé la question. C'est facile à vérifier. Nous pouvons aller tout de suite au commissariat et consulter les registres.

— Vous me donnerez le renseignement plus tard. Il paraît qu'Omer Calas est en voyage ?

— Ah ! C'est elle qui vous l'a dit ?

— Oui.

La péniche des frères Naud, à cette heure-ci, était amarrée au quai de l'Arsenal où les grues avaient commencé à décharger la pierre de taille.

— J'aimerais que vous établissiez une liste des bistrots des environs, en particulier de ceux où le patron ou le serveur sont absents depuis dimanche.

— Vous croyez que ?...

— L'idée est de Moers. Elle est peut-être bonne. Je vais faire un tour là-bas.

— Chez Calas ?

— Oui. Tu viens, Lapointe ?

— Je fais revenir Victor demain ?

— Je pense que ce serait jeter par les fenêtres l'argent des contribuables. S'il n'a rien trouvé aujourd'hui, c'est qu'il n'y a plus rien à trouver.

— Il est de cet avis-là.

— Qu'il débauche quand il en aura assez et qu'il n'oublie pas, demain, d'envoyer son rapport.

En passant devant la rue Terrage, Maigret jeta un coup d'œil aux camions qui stationnaient devant un immense portail surmonté des mots : « Roulers et Langlois ».

— Je me demande combien ils en ont... murmura-t-il, en pensant à voix haute.

— Quoi ? questionna Lapointe.

— Des camions.

— Chaque fois que je vais en auto à la campagne, j'en rencontre sur la route et ils sont bougrement difficiles à dépasser.

Les pots de cheminée n'étaient plus du même rose que le matin mais tournaient au rouge sombre sous les rayons du soleil couchant, et dans le ciel, maintenant, on discernait des traces de vert pâle, le même vert, ou presque, que prend la mer un peu avant la tombée du jour.

— Vous pensez, patron, qu'une femme aurait été capable de faire ce travail-là ?

Il pensait à la femme maigre et brune qui les avait servis le matin.

— C'est possible. Je n'en sais rien.

Peut-être Lapointe trouvait-il aussi que ce serait trop facile ? Quand une enquête s'avère compliquée et que le problème paraît impossible à résoudre, tout le monde, au Quai, à commencer par Maigret, devient grognon et impatient. Si, au contraire, un cas qui a d'abord paru difficile se révèle simple et banal, les mêmes inspecteurs et le même commissaire ne parviennent pas à cacher leur déception.

Ils étaient arrivés à la hauteur du bistrot. Parce qu'il était bas de plafond, il était plus sombre que les autres et on y avait déjà allumé une lampe au-dessus du comptoir.

La même femme que le matin, vêtue de la même façon, servait deux clients aux allures d'employés et elle ne tressaillit pas en reconnaissant Maigret et son compagnon.

— Qu'est-ce que ce sera ? se contenta-t-elle de leur demander sans se donner la peine de leur sourire.

— Du vin blanc.

Il y en avait trois ou quatre bouteilles, sans bouchon, dans le bac de zinc derrière le comptoir. On devait descendre de temps en temps à la cave pour les remplir à la barrique. Tout à côté du comptoir, le sol n'était pas recouvert de carreaux rouges et on voyait une trappe d'environ un mètre sur un mètre qui donnait accès au sous-sol.

Maigret et Lapointe ne s'étaient pas assis. Aux phrases qu'ils entendaient prononcer par les deux hommes debout auprès d'eux, ils devinaient que ce n'étaient pas des employés mais des infirmiers qui allaient prendre leur service de nuit à l'hôpital Saint-Louis, de l'autre côté du canal. L'un d'eux, à un certain moment, s'adressa à la patronne, sur le ton familier d'un habitué.

— Quand est-ce qu'Omer rentre ?

— Vous savez bien qu'il ne me le dit jamais.

Elle avait parlé sans embarras, avec la même indifférence que, le matin, elle avait parlé à Maigret. Le chat roux était toujours près du poêle, d'où il semblait n'avoir pas bougé.

— Il paraît qu'ils sont à chercher après la tête ! fit celui qui avait posé la question.

En disant cela, il se pencha pour observer Maigret et son compagnon. Peut-être les avait-il aperçus le long du canal ? Peut-être avait-il simplement l'impression que c'étaient des policiers ?

— On ne l'a pas trouvée, hein ? continua-t-il, en s'adressant directement à Maigret.

— Pas encore.

— Vous espérez qu'on la trouvera ?

L'autre observait le visage du commissaire et finit par prononcer :

— Ce n'est pas vous le commissaire Maigret ?

— Oui.

— Il me semblait bien. J'ai souvent vu votre portrait dans les journaux.

La femme n'avait toujours pas bronché, n'avait pas paru entendre.

— C'est marrant que, pour une fois, ce soit un homme qu'on ait coupé en morceaux ! Tu viens, Julien ? Qu'est-ce que je vous dois, madame Calas ?

Ils sortirent en adressant un vague salut à Maigret et à Lapointe.

— Vous avez beaucoup de clients parmi le personnel de l'hôpital ?

Elle se contenta de répondre :

— Quelques-uns.

— Votre mari est parti dimanche soir ?

Elle le regarda avec des yeux sans expression et prononça de la même voix indifférente :

— Pourquoi dimanche ?

— Je ne sais pas. J'ai cru entendre dire...

— Il est parti vendredi après-midi.

— Il y avait beaucoup de monde au bar quand il a quitté la maison ?

Elle parut réfléchir. Il lui arrivait de sembler tellement absente, ou tellement indifférente à ce qui se disait qu'elle en avait presque l'air d'une somnambule.

— Il n'y a jamais grand monde l'après-midi.

— Vous ne vous rappelez personne ?

— Peut-être qu'il y avait quelqu'un. Je ne sais plus. Je n'ai pas fait attention.

— Il a emporté des bagages ?

— Naturellement.

— Beaucoup ?

— Sa valise.

— Comment était-il habillé ?

— Il portait un complet gris. Je crois. Oui.

— Vous savez où il est en ce moment ?

— Non.

— Vous ignorez où il est allé ?

— Je sais qu'il a dû prendre le train pour Poitiers et, de là, le bus pour Saint-Aubin ou pour un autre village des environs.

— Il descend à l'auberge ?

— D'habitude.

— Il ne lui arrive pas de coucher chez des amis ou des parents ? Ou bien chez les vignerons qui lui fournissent du vin ?

— Je ne lui ai pas demandé.

— De sorte que si vous deviez le toucher d'urgence pour une question importante, si vous tombiez malade, par exemple, vous ne pourriez pas le prévenir ?

L'idée ne la surprit pas, ne l'effraya pas.

— Il finira toujours bien par revenir, répondit-elle de sa voix monotone et sans résonance. La même chose ?

Les deux verres étaient vides et elle les remplit.

3

Le jeune homme du triporteur

Ce fut, en fin de compte, un des interrogatoires les plus décevants de Maigret. Ce ne fut d'ailleurs pas un interrogatoire à proprement parler, puisque aussi bien la vie du petit bar continuait. Longtemps, le commissaire et Lapointe restèrent debout au comptoir, à boire leur verre comme des clients. C'était comme clients qu'ils étaient là, en réalité. Si un des infirmiers, tout à l'heure, avait reconnu Maigret et avait prononcé son nom à voix haute, le commissaire, en s'adressant à Mme Calas, n'avait pas fait allusion à ses fonctions officielles. Il lui parlait à bâtons rompus, avec de longs silences, et, de son côté, quand il ne lui demandait rien, elle évitait de s'occuper de lui.

Elle les laissa un bon moment seuls dans la salle tandis qu'elle disparaissait par une porte de derrière qu'elle laissa entrouverte. Cela devait être la cuisine. Elle mettait quelque chose au feu. Un petit vieux entra sur ces entrefaites, qui, en habitué, se dirigea sans hésiter vers une table de coin et prit une boîte de dominos dans un casier.

Elle entendit, du fond, les dominos qu'il brassait sur la table, comme s'il s'apprêtait à jouer tout seul. Sans le saluer, elle revint vers ses bouteilles, versa un apéritif rosé dans un verre et alla le poser devant le consommateur.

Celui-ci attendait et il ne s'écoula que quelques minutes avant qu'un autre petit vieux, qui aurait pu être son frère, tant ils appartenaient au même type, vint prendre place en face de lui.

— Suis en retard ?

— Non. J'étais en avance.

Mme Calas remplit un verre d'une autre sorte d'apéritif et cela se passait toujours en silence, à la façon d'une pantomime. En passant, elle poussa un commutateur qui alluma une seconde lampe dans le fond de la salle.

— Elle ne vous inquiète pas ? souffla Lapointe à l'oreille de Maigret.

Ce n'était pas de l'inquiétude que ressentait le commissaire, mais un intérêt comme il n'avait pas eu depuis longtemps l'occasion d'en porter à un être humain.

Lorsqu'il était jeune et qu'il rêvait de l'avenir, n'avait-il pas imaginé une profession idéale qui, malheureusement, n'existe pas dans la vie réelle ? Il ne l'avait dit à personne, n'avait jamais prononcé les deux mots à voix haute, fût-ce pour lui-même : il aurait voulu être un « raccommodeur de destinées ».

Curieusement, d'ailleurs, dans sa carrière de policier, il lui était arrivé assez souvent de remettre à leur vraie place des gens que les hasards de la vie avaient aiguillés dans une mauvaise direction. Plus curieusement, au cours des dernières années, une profession était née, qui ressemblait quelque peu à celle qu'il avait imaginée : le psychanalyste, qui s'efforce de révéler à un homme sa vraie personnalité.

Or, si quelqu'un n'était visiblement pas à sa place, c'était cette femme qui allait et venait en silence sans qu'on puisse rien deviner de ses pensées et de ses sentiments.

Certes, il avait déjà découvert un de ses secrets, si on pouvait parler de secret, car sans doute tous les clients du bar étaient-ils au courant. Deux fois encore, elle était retournée dans la pièce du fond et, la seconde fois, le commissaire avait nettement entendu le crissement d'un bouchon dans le goulot d'une bouteille.

Elle buvait. Il aurait juré qu'elle n'était jamais ivre, ne perdait jamais le contrôle d'elle-même. Comme les vrais ivrognes, ceux pour lesquels la médecine ne peut rien, elle connaissait sa mesure et entretenait, chez elle, un état déterminé, cette sorte d'indifférence somnambulesque qui intriguait à première vue.

— Quel âge avez-vous ? lui demanda-t-il quand elle reprit sa place derrière le comptoir.

— Quarante et un ans.

Elle n'avait pas hésité. Elle avait répondu sans coquetterie ni amertume. Elle savait qu'elle en paraissait davantage. Sans doute depuis longtemps ne vivait-elle plus pour les autres et ne se préoccupait-elle plus de leur opinion. Son visage était fané, avec un cerne profond sous les yeux, les coins de la bouche qui tombaient et, déjà, des plis mous sous le menton. Elle avait dû maigrir et sa robe devenue trop large lui pendait sur le corps.

— Née à Paris ?

— Non.

Il était sûr qu'elle devinait ce qu'il y avait derrière ses questions, mais elle n'essayait pas de les éviter, ne répondait pas non plus un mot de trop.

Les deux vieux, derrière Maigret, faisaient leur partie de dominos comme ils devaient la faire chaque fin d'après-midi.

Ce qui chiffonnait le commissaire, c'est qu'elle se cachât pour boire. A quoi bon, puisqu'elle n'avait pas cure de l'opinion des gens, gagner la pièce du fond pour aller prendre une rasade d'alcool ou de vin à même la bouteille ? Lui restait-il sur ce point-là un certain respect humain ? Cela semblait improbable. Les ivrognes, arrivés à ce degré-là, prennent rarement la peine de se cacher, à moins qu'ils aient à tromper la surveillance de leur entourage.

Était-ce la réponse à la question ? Il existait un mari, Omer Calas. Devait-on supposer qu'il empêchait sa femme de boire, en tout cas devant les clients ?

— Votre mari se rend souvent dans les environs de Poitiers pour acheter du vin ?

— Chaque année.

— Une fois ?

— Ou bien deux. Cela dépend.

— De quoi ?

— Du vin qu'on débite.

— Il part toujours un vendredi ?

— Je n'ai jamais fait attention.

— Il avait annoncé son intention d'entreprendre ce voyage ?

— A qui ?

— A vous.

— Il ne m'annonce pas ses intentions.

— Peut-être à des clients, à des amis ?

— Je n'en sais rien.

— Ces deux-là étaient ici vendredi dernier ?

— Pas à l'heure où Omer est parti. Ils n'arrivent pas avant cinq heures.

Maigret se tourna vers Lapointe.

— Veux-tu téléphoner à la gare Montparnasse pour savoir quelles sont, l'après-midi, les heures de trains pour Poitiers ? Adresse-toi au commissaire de la gare.

Maigret parlait à voix basse et, si elle avait observé ses lèvres, Mme Calas aurait deviné les mots qu'il disait, mais elle ne s'en donnait pas la peine.

— ... Demande-lui de se renseigner auprès des employés, en particulier de ceux des guichets. Donne le signalement du mari...

La cabine téléphonique ne se trouvait pas au fond de la salle, comme cela arrive le plus souvent, mais près de la devanture. Lapointe demanda un jeton, fit quelques pas vers la porte vitrée. La nuit était à peu près tombée et un brouillard bleuâtre flottait de l'autre côté des vitres. Maigret, qui tournait le dos à la rue, se retourna vivement quand il entendit les pas précipités de l'inspecteur. Il eut l'impression de voir sur le trottoir une ombre qui fuyait, un visage jeune qui, dans la pénombre, paraissait blême et informe.

Lapointe avait tourné le bec-de-cane de la porte et courait à son tour dans la direction de La Villette. Il n'avait pas pris le temps de refermer la porte derrière lui et Maigret fit quelques pas à son tour, se campa au milieu du trottoir. A peine distingua-t-il encore, assez loin, deux silhouettes qui se poursuivaient et qui disparurent, mais il entendit encore un certain temps des bruits de pas précipités sur le pavé.

Lapointe avait dû avoir l'impression de reconnaître quelqu'un de l'autre côté de la vitre. Maigret, qui n'avait presque rien vu, croyait cependant avoir compris. Le jeune homme qui s'était éloigné en courant ressemblait à la description du jeune homme au triporteur qui, alors que le scaphandrier travaillait dans le fond du canal, s'était déjà enfui une première fois à l'approche d'un policier.

— Vous le connaissez ? demanda-t-il à Mme Calas.

— Qui ?

Il était vain d'insister. Il était d'ailleurs possible qu'elle n'eût pas regardé vers la rue au bon moment.

— C'est toujours si calme, ici ?

— Cela dépend.

— De quoi ?

— Du jour. De l'heure.

Comme pour lui donner raison, une sirène se faisait entendre, marquant la sortie du personnel d'un atelier des environs, et, quelques minutes plus tard, on entendait comme une procession sur le trottoir, la porte s'ouvrait, se refermait, s'ouvrait encore une dizaine de fois tandis que des gens s'asseyaient aux tables et que d'autres, comme Maigret, se tenaient debout devant le comptoir.

Pour beaucoup, la patronne ne leur demandait pas ce qu'ils prenaient et leur servait d'office leur boisson habituelle.

— Omer n'est pas ici ?

— Non.

Elle n'ajoutait pas :

— Il est en voyage.

Ou bien :

— Il est parti vendredi pour Poitiers.

Elle se contentait de répondre à la question directe, sans détails superflus. D'où sortait-elle ? Il ne se sentait pas capable d'émettre même une hypothèse. Les années l'avaient ternie, comme vidée d'une partie d'elle-même. A cause de la boisson, elle vivait dans un monde à part et n'avait que des contacts indifférents avec la réalité.

— Il y a longtemps que vous habitez ici ?

— Paris ?

— Non. Ce café.

— Vingt-quatre ans.

— Votre mari le tenait avant de vous connaître ?

— Non.

Il se livrait à un calcul mental.

— Vous aviez dix-sept ans quand vous l'avez rencontré ?

— Je le connaissais avant.

— Quel âge a-t-il à présent ?

— Quarante-sept ans.

Cela ne correspondait pas tout à fait avec l'âge donné par le docteur Paul, mais la marge n'était pas tellement grande. C'est d'ailleurs sans conviction que Maigret continuait à poser des questions, plutôt pour satisfaire sa curiosité personnelle. N'aurait-ce pas été un miracle que, dès le premier jour, le hasard lui fasse découvrir, sans même qu'il ait besoin d'y mettre du sien, l'identité du corps sans tête ?

On entendait un murmure de conversations et la fumée des cigarettes commençait à former une nappe mouvante un peu plus haut que les têtes. Des gens sortaient. D'autres entraient. Les deux joueurs de dominos restaient aussi imperturbables que s'ils étaient seuls au monde.

— Vous avez une photographie de votre mari ?

— Non.

— Vous ne possédez pas un seul portrait de lui ?

— Non.

— Et de vous ?

— Non plus. Sauf sur ma carte d'identité.

Cela n'arrive pas une fois sur mille, Maigret le savait par expérience, que des gens n'aient pas une photographie d'eux-mêmes.

— Vous habitez l'étage au-dessus ?

Elle fit signe que oui. La maison, il l'avait constaté du dehors, n'avait qu'un seul étage. Au-dessus du café et de la cuisine devaient se trouver deux ou trois chambres, vraisemblablement deux chambres et un cabinet de toilette ou un débarras.

— Par où monte-t-on ?

— Par l'escalier qui est dans la cuisine.

Elle gagna la cuisine un peu plus tard et, cette fois, remua avec une cuiller quelque chose qui cuisait. La porte s'ouvrait bruyamment et Maigret vit Lapointe, les joues roses, les yeux brillants, court d'haleine, qui faisait passer un jeune homme devant lui.

Le petit Lapointe, comme on disait au Quai, non à cause de sa taille mais parce qu'il était le plus jeune et le dernier venu, n'avait jamais été aussi fier de lui.

— Il m'a fait courir un bout de chemin ! dit-il en souriant et en tendant le bras vers son verre resté sur le comptoir. Deux ou trois fois, j'ai cru qu'il allait me semer. Heureusement qu'au lycée j'étais champion du cinq cents mètres.

Le jeune homme, lui aussi, était à bout de souffle et sa respiration était brûlante.

— Je n'ai rien fait, proclama-t-il en se tournant vers Maigret.

— Dans ce cas, tu n'as rien à craindre.

Il regarda Lapointe.

— Tu as pris son identité ?

— Par précaution, j'ai gardé sa carte en poche. C'est bien lui qui conduit un triporteur pour la maison Pincemail. C'est lui aussi qui se trouvait ce matin sur le quai et qui s'est éloigné précipitamment.

— Pourquoi ? demanda Maigret à l'intéressé.

Celui-ci avait l'air buté des jeunes gens qui s'efforcent de passer pour de mauvais garçons.

— Tu ne veux pas répondre ?

— Je n'ai rien à dire.

— Tu n'en as rien tiré en chemin ? demanda-t-il à Lapointe.

— Nous étions trop essoufflés pour parler beaucoup. Il s'appelle Antoine Cristin. Il a dix-huit ans et vit avec sa mère dans un logement de la rue du Faubourg Saint-Martin.

Quelques-uns des clients les observaient, mais pas avec une curiosité exagérée car, dans le quartier, on est habitué à voir surgir la police.

— Que faisais-tu sur le trottoir ?

— Rien.

— Il avait le visage collé à la vitre, expliqua Lapointe. Dès que je l'ai aperçu j'ai pensé à ce que Judel nous a dit et je me suis précipité dehors.

— Pourquoi t'es-tu enfui, puisque tu ne faisais rien de mal ?

Il hésita, s'assura qu'au moins deux de leurs voisins écoutaient et prononça avec un frémissement des lèvres :

— Parce que je n'aime pas les flics.

— Mais tu les observes à travers la vitre ?

— Ce n'est pas interdit.

— Comment savais-tu que nous étions ici ?

— Je ne le savais pas.

— Alors, pourquoi es-tu venu ?

Il rougit, se mordit la lèvre, qu'il avait épaisse.

— Réponds.

— Je passais.

— Tu connais Omer ?

— Je ne connais personne.

— La patronne non plus ?

Celle-ci était à nouveau derrière le comptoir et les regardait sans qu'on puisse lire la moindre crainte, la moindre appréhension sur son visage. Si elle avait quelque chose à cacher, elle était plus forte qu'aucun coupable ou qu'aucun témoin que Maigret eût jamais rencontré.

— Tu ne la connais pas ?

— De vue.

— Tu n'es jamais entré ici pour boire un verre ?

— Peut-être.

— Où est ton triporteur ?

— Chez mon patron. Je finis le travail à cinq heures.

Maigret adressa à Lapointe un signe que celui-ci comprit, car c'était un des rares signes conventionnels entre gens de la P.J. L'inspecteur entra dans la cabine téléphonique, appela, non la gare Montparnasse, mais le poste de police qui se trouvait presque en face, de l'autre côté du canal, finit par avoir Judel au bout du fil.

— Le gamin est ici, chez Calas. Dans quelques minutes, le patron le laissera partir, mais il voudrait que quelqu'un soit prêt à le prendre en filature. Rien de neuf ?

— Toujours de fausses pistes, ou des pistes qui mènent nulle part : des rixes, dimanche soir, dans quatre ou cinq cafés ; quelqu'un qui croit avoir entendu un corps tomber à l'eau ; une prostituée qui prétend qu'un Arabe lui a volé son sac à main...

— A tout à l'heure.

Maigret, comme indifférent, restait à côté du jeune homme.

— Qu'est-ce que tu bois, Antoine ? Du vin ? De la bière ?

— Rien.

— Tu ne bois jamais ?

— Pas avec les flics. Il va quand même falloir que vous me laissiez partir.

— Tu parais sûr de toi.

— Je connais la loi.

Il avait de gros os, une bonne chair drue de jeune paysan à qui Paris n'avait pas encore pris sa santé. Combien de fois Maigret avait-il vu des gosses du même genre finir, un soir, par assommer une débitante de tabac ou une vieille mercière pour quelques centaines de francs ?

— Tu as des frères et sœurs ?

— Je suis enfant unique.

— Ton père vit avec toi ?

— Il est mort.

— Ta mère travaille ?

— Elle fait des ménages.

Et Maigret à Lapointe :

— Rends-lui sa carte d'identité. Elle porte la bonne adresse ?

— Oui.

Le gamin n'était pas encore sûr que ce ne soit pas un piège.

— Je peux aller ?

— Quand tu voudras.

Il ne dit ni merci ni au revoir, mais le commissaire surprit un clin d'œil furtif qu'il adressait à la patronne.

— A présent, téléphone à la gare.

Il commanda deux autres verres de vin blanc. Le café s'était vidé en partie. Il n'y avait plus, outre lui et Lapointe, que cinq consommateurs, y compris les joueurs de dominos.

— Je suppose que vous ne le connaissez pas ?

— Qui ?

— Le jeune homme qui vient de partir.

Elle n'hésita pas à répondre :

— Si !

C'était si simple que Maigret en était désarçonné.

— Il vient souvent ?

— Assez souvent.

— Pour boire ?

— Il ne boit guère.

— De la bière ?

— Et quelquefois du vin.

— C'est après son travail que vous le voyez ?

— Non.

— Pendant la journée ?

Elle fit oui de la tête et son calme inaltérable finissait par exaspérer le commissaire.

— Quand il passe.

— Vous voulez dire quand, avec son triporteur, il lui arrive de passer sur le quai ? Autrement dit, quand il a des livraisons dans le quartier ?

— Oui.

— C'est généralement vers quelle heure ?

— Trois heures et demie ou quatre heures.

— Il fait une tournée régulière ?

— Je crois.

— Il s'accoude au bar ?

— Ou bien il s'assied.

— Où ?

— A cette table-là. Près de moi.

— Vous êtes très amis ?

— Oui.

— Pourquoi ne l'a-t-il pas admis ?

— Sans doute pour faire le faraud.

— Il a l'habitude de faire le faraud ?

— Il essaie.

— Vous connaissez sa mère ?

— Non.

— Vous êtes du même village ?

— Non.

— Il est entré, un beau jour, et vous avez lié connaissance ?

— Oui.

— Est-ce que, vers trois heures et demie, votre mari, d'habitude, n'est pas dans une brasserie à jouer au billard ?

— Le plus souvent.

— Croyez-vous que ce soit par hasard qu'Antoine choisisse ce moment-là pour vous rendre visite ?

— Je ne me le suis pas demandé.

Maigret se rendit compte de l'énormité apparente de la question qu'il allait poser, mais il croyait sentir autour de lui des choses plus irréelles encore.

— Il vous fait la cour ?

— Cela dépend de ce que vous entendez par là.

— Il est amoureux ?

— Je suppose qu'il m'aime bien.

— Vous lui donnez des cadeaux ?

— Je lui glisse parfois un billet que je prends dans la caisse.

— Votre mari le sait ?

— Non.

— Il ne s'en aperçoit pas ?

— C'est arrivé.

— Il s'est fâché ?

— Oui.

— Il ne s'est pas méfié d'Antoine ?

— Je n'en ai pas l'impression.

Quand on avait descendu les deux marches du seuil, on pénétrait dans un monde où toutes les valeurs étaient différentes et où les mots eux-mêmes avaient un autre sens. Lapointe était toujours dans la cabine, en communication avec la gare Montparnasse.

— Dites-moi, madame Calas, vous me permettez de vous poser une question plus personnelle ?

— Vous ferez quand même ce que vous avez envie de faire.

— Antoine est votre amant ?

Elle ne broncha pas. Son regard ne se détourna pas de Maigret.

— C'est arrivé, admit-elle.

— Vous voulez dire que vous avez eu des relations avec lui ?

— Vous auriez fini par le savoir. Je suis sûre qu'il ne sera pas long à parler.

— Cela s'est produit souvent ?

— Assez.

— Où ?

La question avait son importance. Quand Omer Calas était absent, sa femme devait être prête à servir les clients qui entraient. Maigret avait eu un regard vers le plafond. Mais, de la chambre, au premier étage, entendrait-elle la porte s'ouvrir et se refermer ?

Avec toujours la même simplicité, elle désigna des yeux le fond de la salle, la porte ouverte sur la cuisine.

— Là-bas ?

— Oui.

— Vous n'avez jamais été surpris ?

— Pas par Omer.

— Par qui ?

— Un client, une fois, qui portait des souliers à semelles de caoutchouc et qui, ne voyant personne, s'est dirigé vers la cuisine.

— Il n'a rien dit ?

— Il a ri.

— Il n'en a pas parlé à Omer ?

— Non.

— Il est revenu ?

Maigret eut une intuition. Jusqu'ici, il ne s'était pas trompé sur le personnage de Mme Calas et ses hypothèses les plus audacieuses s'étaient révélées exactes.

— Il est revenu souvent ? insista-t-il.

— Deux ou trois fois.

— Quand Antoine était ici ?

— Non.

Il était facile de savoir si le jeune homme était dans le café car, dans ce cas, avant cinq heures, il devait laisser son triporteur devant la porte.

— Vous étiez seule ?

— Oui.

— Vous avez dû l'accompagner dans la cuisine ?

Il eut l'impression qu'une lueur passait dans ses yeux, une ironie à peine perceptible. Se trompait-il ? Il lui semblait que, dans son langage muet, elle lui disait :

— A quoi bon me questionner, puisque vous avez compris ?

Elle aussi comprenait le commissaire. C'était comme s'ils avaient été tous les deux de la même force, plus exactement comme s'ils possédaient l'un et l'autre la même expérience de la vie.

Ce fut si rapide qu'une seconde plus tard le commissaire aurait juré qu'il avait été le jouet de son imagination.

— Il y en a beaucoup d'autres ? questionna-t-il plus bas, comme en confidence.

— Quelques-uns.

Alors, sans bouger, sans se pencher vers elle, il posa une dernière question :

— Pourquoi ?

Et, à cette question-là, elle ne put répondre que par un geste vague. Elle ne prenait pas d'attitudes romantiques, ne bâtissait pas un roman autour d'elle.

Il lui avait demandé pourquoi et, s'il ne comprenait pas de lui-même, elle n'avait rien à lui expliquer.

D'ailleurs, il comprenait. Ce n'était qu'une confirmation qu'il cherchait et elle n'avait pas eu besoin de parler pour la lui donner.

Il savait maintenant à quel point elle était descendue. Ce qu'il ignorait encore, c'est d'où elle était partie pour en arriver là. Répondrait-elle avec la même sincérité aux questions sur son passé ?

Il ne put essayer tout de suite, car Lapointe le rejoignait. Il but une gorgée de vin, commença :

— Il y a bien un train pour Poitiers, en semaine, à 4 heures 48. Le commissaire de la gare a déjà interrogé deux des employés qui n'ont vu personne répondant au signalement fourni. Il va continuer l'enquête et vous donnera le résultat au Quai. D'après lui, cependant, il serait plus sûr de téléphoner à Poitiers. Comme le train s'arrête plusieurs fois en route et continue ensuite vers le sud, il y descend moins de voyageurs qu'il en monte à Montparnasse.

— Passe la consigne à Lucas. Qu'il téléphone à Saint-Aubin et aux villages les plus proches. Il doit exister une gendarmerie quelque part. Il y a aussi les auberges.

Lapointe demanda d'autres jetons et Mme Calas les lui passa avec indifférence. Elle ne posait pas de questions, semblait trouver naturel qu'on vînt ainsi l'interroger sur le voyage de son mari. Elle était pourtant au courant de la trouvaille faite dans le Canal Saint-Martin et des recherches qui avaient duré toute la journée, presque sous ses fenêtres.

— Vous avez vu Antoine vendredi dernier ?

— Il ne vient jamais le vendredi.

— Pourquoi ?

— Parce qu'il fait une tournée différente.

— Mais après cinq heures ?

— Mon mari est presque toujours rentré.

— Il n'est venu ni dans l'après-midi, ni dans la soirée.

— C'est exact.

— Vous êtes mariée depuis vingt-quatre ans à Omer Calas ?

— Je vis avec lui depuis vingt-quatre ans.

— Vous n'êtes pas mariés ?

— Si. Nous nous sommes mariés à la mairie du Xe Arrondissement, mais il y a seize ou dix-sept ans seulement. Il faudrait que je compte.

— Vous n'avez pas d'enfant ?

— Une fille.

— Elle vit ici ?

— Non.

— A Paris ?

— Oui.

— Quel âge a-t-elle ?

— Elle vient d'avoir vingt-quatre ans. Je l'ai eue à dix-sept.

— C'est la fille d'Omer ?

— Oui.

— Sans aucun doute possible ?

— Sans aucun doute.

— Elle est mariée ?

— Non.

— Elle vit seule ?

— Elle a un logement dans l'île Saint-Louis.

— Elle travaille ?

— Elle est assistante d'un des chirurgiens de l'Hôtel-Dieu, le professeur Lavaud.

Pour la première fois, elle en disait plus que le strict nécessaire. Est-ce qu'elle conservait malgré tout certains des sentiments de tout le monde et était-elle fière de sa fille ?

— Vous l'avez vue vendredi dernier ?

— Non.

— Elle ne vous rend jamais visite ?

— Quelquefois.

— Quand est-elle venue pour la dernière fois ?

— Il y a environ trois semaines, peut-être un mois.

— Votre mari était ici ?

— Je crois.

— Votre fille s'entend bien avec lui ?

— Elle a aussi peu de rapports que possible avec nous.

— Par honte ?

— Peut-être.

— A quel âge a-t-elle quitté la maison ?

Il y avait, maintenant, un peu de roseur à ses pommettes.

— Quinze ans.

Sa voix était plus sèche.

— Sans prévenir ?

Elle fit oui de la tête.

— Avec un homme ?

Elle haussa les épaules.

— Je ne sais pas. Cela ne change rien.

Il ne restait plus dans la salle que les joueurs de dominos qui remettaient ceux-ci dans la boîte et frappaient la table avec une pièce de monnaie. Mme Calas comprit et alla remplir leur verre.

— Ce n'est pas Maigret ? questionna l'un d'eux à mi-voix.

— Oui.

— Qu'est-ce qu'il veut ?

— Il ne me l'a pas dit.

Pas plus qu'elle ne le lui avait demandé. Elle se dirigea vers la cuisine, revint au bar, murmura :

— Quand vous aurez fini, il sera temps que je mange.

— Où prenez-vous vos repas ?

— Là ! dit-elle en désignant une des tables du fond.

— Je n'en ai plus pour longtemps. Votre mari a-t-il eu, il y a quelques années, une crise d'appendicite ?

— Il y a cinq ou six ans. On l'a opéré.

— Qui ?

— Le nom va me revenir. Attendez. Le docteur Gran... Granvalet. C'est cela ! Il habitait le boulevard Voltaire.

— Il n'y habite plus ?

— Il est mort. C'est en tout cas ce qu'un client, qui s'est fait opérer par lui, lui aussi, nous a appris.

Par Granvalet, si celui-ci avait vécu, on aurait pu savoir si Omer Calas portait des cicatrices en arc-en-ciel sur le ventre. Il faudrait, le lendemain, essayer ses assistants et les infirmières. Pour autant, bien entendu, qu'Omer n'ait pas été retrouvé vivant dans un village des environs de Poitiers.

— Votre mari, jadis, il y a très longtemps, a-t-il reçu une décharge de plombs de chasse ?

— Pas depuis que je le connais.

— Il n'était pas chasseur ?

— Peut-être lui arrivait-il de chasser quand il vivait à la campagne.

— Vous n'avez jamais remarqué, sur son ventre, des cicatrices assez effacées qui forment un arc de cercle ?

Elle parut réfléchir, fronça les sourcils, hocha enfin la tête.

— Vous êtes sûre ?

— Il y a longtemps que je ne le regarde plus de si près.

— Vous l'avez aimé ?

— Je ne sais pas.

— Combien de temps a-t-il été votre seul amant ?

— Des années.

Elle avait mis dans ces mots-là une résonance particulière.

— Vous vous êtes connus très jeunes ?

— Nous sommes du même village.

— Où ?

— Un hameau à peu près à mi-distance entre Montargis et Gien. Cela s'appelle Boissancourt.

— Vous y retournez quelquefois ?

— Jamais.

— Vous n'y êtes jamais retournée ?

— Non.

— Depuis que vous êtes avec Omer ?

— J'avais dix-sept ans quand je suis partie.

— Vous étiez enceinte ?

— De six mois.

— Les gens le savaient ?

— Oui.

— Vos parents aussi ?

Toujours avec la même simplicité, qui avait quelque chose d'hallucinant, elle laissa tomber un sec :

— Oui.

— Vous ne les avez pas revus ?

— Non.

Lapointe, qui avait fini de donner des instructions à Lucas, sortait de la cabine en s'épongeant.

— Qu'est-ce que je vous dois ? demanda Maigret.

Elle posa sa première question :

— Vous partez ?

Et ce fut son tour de répondre par un monosyllabe :

— Oui.

4

Le jeune homme sur le toit

Maigret avait hésité à sortir sa pipe de sa poche, ce qui lui arrivait dans bien peu d'endroits, et, quand il l'avait fait, il avait pris l'air innocent de quelqu'un qui occupe machinalement ses doigts tout en parlant.

Tout de suite après le rapport, qui n'avait pas été long, dans le bureau du chef, et après un entretien avec celui-ci devant la fenêtre ouverte, il était passé, par la petite porte, des locaux de la P.J. à ceux du Parquet. C'était l'heure où presque tous les bancs étaient occupés dans le couloir des juges d'instruction, car deux paniers à salade venaient d'arriver dans la cour. Parmi les détenus qui attendaient, menottes aux poignets, entre deux gardes, il y en avait plus des trois quarts que Maigret connaissait et quelques-uns, sans paraître lui en vouloir, le saluèrent au passage.

Deux ou trois fois, la veille, le juge Coméliau avait téléphoné à son bureau. Il était maigre, nerveux, avec de petites moustaches brunes qui devaient être teintes et un maintien d'officier de cavalerie. Sa première phrase avait été :

— Dites-moi exactement où vous en êtes.

Docile, Maigret venait d'accéder à son désir, parlant des découvertes successives de Victor dans le fond du Canal Saint-Martin, de la tête introuvable, et, à ce point-là, déjà, il avait été interrompu.

— Je suppose que le scaphandrier continue ses recherches aujourd'hui ?

— Je n'ai pas cru que ce soit nécessaire.

— Il semblerait pourtant que, si on a retrouvé le tronc et les membres dans le canal, la tête ne soit pas loin.

C'était bien ce qui rendait les rapports avec lui si difficiles. Il n'était pas le seul juge d'instruction dans son cas, mais c'était sans contredit le plus agressif. Dans un sens, il n'était pas bête. Un avocat, qui avait fait jadis son Droit avec lui, affirmait que Coméliau avait été un des étudiants les plus brillants de sa génération.

Il fallait supposer que son intelligence était incapable de s'appliquer à certaines réalités. Il appartenait à un milieu déterminé, à une grande bourgeoisie aux principes rigides, aux tabous plus sacrés encore, et il ne pouvait s'empêcher de tout juger en vertu de ces principes et de ces tabous.

Patiemment, le commissaire expliquait :

— D'abord, monsieur le juge, Victor connaît le canal comme vous connaissez votre bureau et comme je connais le mien. Il en a parcouru le fond, mètre par mètre, plus de deux cents fois. C'est un garçon consciencieux. S'il dit que la tête n'est pas là...

— Mon plombier est un homme qui connaît son métier aussi et qui passe pour consciencieux. N'empêche que, quand je le fais venir, il commence toujours par m'affirmer qu'il est impossible que quelque chose soit défectueux dans la tuyauterie.

— Il est rare, dans le cas d'un cadavre coupé en morceaux, qu'on retrouve la tête dans les mêmes parages que le corps.

Coméliau s'efforçait de comprendre, observait Maigret avec de petits yeux vifs, tandis que le commissaire continuait :

— Cela s'explique. Autant il est difficile d'identifier des membres dépecés, surtout s'ils ont séjourné un certain temps dans l'eau, autant une tête est aisément reconnaissable. Comme c'est moins encombrant qu'un tronc, il est logique que celui qui veut s'en débarrasser se donne la peine de s'éloigner davantage.

— Supposons qu'il en soit ainsi.

Sans en avoir l'air, Maigret avait alors sa blague à tabac dans la main gauche et n'attendait qu'un moment d'inattention de son interlocuteur pour bourrer sa pipe.

Il parla de Mme Calas, décrivit le bar du quai de Valmy.

— Qu'est-ce qui vous a conduit chez elle ?

— Le hasard, je l'avoue. J'avais à téléphoner. Dans un autre bar, le téléphone se trouvait à portée d'oreille de chacun, sans cabine.

— Continuez.

Il mentionna le départ de Calas, le train de Poitiers, les relations de la tenancière avec Antoine Cristin, le garçon au triporteur, sans omettre les cicatrices en forme de croissant.

— Vous dites que cette femme prétend ignorer si son mari avait ou non ces cicatrices ? Et vous la croyez de bonne foi ?

Cela indignait le juge, dépassait son entendement.

— Pour parler franc, Maigret, ce que je ne comprends pas, c'est que vous n'ayez pas emmené cette femme et ce garçon dans votre bureau pour leur faire subir un de ces interrogatoires qui vous réussissent d'habitude. Je suppose que vous ne croyez pas un mot de ce qu'elle vous a raconté ?

— Pas nécessairement.

— Prétendre qu'elle ignore où est allé son mari et quand il rentrera...

Comment un Coméliau, qui vivait toujours dans l'appartement de la Rive Gauche, face au Luxembourg, où il était né, aurait-il pu se faire une idée de la mentalité des Calas ?

Le tour n'en était pas moins joué : une allumette avait jeté une brève lueur et la pipe de Maigret était allumée. Coméliau, qui avait la phobie du tabac, allait la regarder fixement, comme chaque fois qu'on avait l'outrecuidance de fumer dans son cabinet, mais le commissaire était bien décidé à conserver son air candide.

— Il est possible, concédait-il, que tout ce qu'elle m'a dit soit faux. Il est possible aussi que ce soit vrai. Nous avons repêché du canal les tronçons d'un corps sans tête. Il peut s'agir de n'importe quel homme de quarante-cinq à cinquante-cinq ans. Jusqu'ici, rien ne permet de l'identifier. Combien d'hommes de cet âge ont-ils disparu pendant les derniers jours et combien sont partis en voyage sans annoncer leur destination exacte ? Vais-je faire comparaître Mme Calas dans mon bureau et la traiter en suspecte parce qu'elle a l'habitude de boire en cachette, parce qu'elle a pour amant un jeune garçon qui conduit un triporteur et qui s'enfuit à l'approche de la police ? De quoi aurons-nous l'air si, demain ou tout à l'heure, on découvre quelque part une tête qui ne soit pas celle de Calas ?

— Vous faites surveiller sa maison ?

— Judel, du Xe Arrondissement, a mis un homme en faction sur le quai. Hier soir, après le dîner, je suis retourné faire un tour là-bas.

— Vous n'avez rien découvert de nouveau ?

— Rien de précis. J'ai interrogé, à mesure que je les rencontrais dans la rue, un certain nombre de filles. L'atmosphère du quartier est différente la nuit de ce qu'elle est en plein jour. Je voulais surtout savoir si, vendredi soir, personne n'a remarqué d'allées et venues suspectes aux alentours du café et si on n'a rien entendu.

— Rien ?

— Pas grand-chose. Une des filles m'a cependant fourni une indication que je n'ai encore pu contrôler.

» D'après elle, la femme Calas aurait un autre amant, un homme entre deux âges, aux cheveux roux, qui semble habiter le quartier ou y travailler. La fille qui m'en a parlé, il est vrai, est pleine de rancune, car elle prétend que la tenancière du petit bar leur fait du tort à toutes.

» — Si encore, m'a-t-elle dit, elle se faisait payer, on n'aurait rien à dire. Mais, avec elle, cela ne coûte rien. Quand les hommes sont en peine, ils savent où s'adresser. Il suffit d'attendre que le patron ait le dos tourné. Je ne suis pas allée y voir, bien sûr, mais on affirme qu'elle ne dit jamais non.

Coméliau soupira douloureusement à l'énoncé de ces turpitudes.

— Vous agirez comme vous voudrez, Maigret. Pour moi, tout cela paraît assez clair. Et il ne s'agit pas de gens avec qui il soit nécessaire de mettre des gants.

— Je la reverrai tout à l'heure. Je verrai aussi sa fille. Enfin, j'espère obtenir des renseignements au sujet de l'identité du corps par les infirmières qui ont assisté, voilà cinq ans, à l'opération de Calas.

Il y avait à ce sujet-là un détail curieux. La veille au soir, alors qu'il rôdait dans le quartier, Maigret était entré un moment dans le bistrot où Mme Calas était assise sur une chaise, à moitié endormie, tandis que quatre hommes jouaient aux cartes. Il lui avait demandé à quel hôpital son mari avait eu l'appendice enlevé.

Calas, pour autant qu'on en savait, était plutôt un dur, un homme qu'on n'imaginait pas douillet, anxieux de sa santé, hanté par la peur de mourir. Il n'avait eu à subir qu'une opération courante, sans gravité, comme sans risque.

Or, au lieu d'aller à l'hôpital, il avait dépensé une somme assez considérable pour se faire opérer dans une clinique privée de Villejuif. Non seulement c'était une clinique privée, mais elle était tenue par des religieuses qui y servaient comme infirmières.

Lapointe devait être là-bas à l'heure qu'il était et ne tarderait pas à téléphoner son rapport.

— Pas de mollesse, Maigret ! articula Coméliau alors que le commissaire gagnait la porte.

Il ne s'agissait pas de mollesse. Il ne s'agissait pas de pitié non plus, mais c'était impossible à expliquer à un Coméliau. D'une minute à l'autre, Maigret s'était trouvé plongé dans un monde si différent du monde de tous les jours qu'il n'avançait qu'à tâtons. Le petit café du quai de Valmy et ses habitants avaient-ils quelque chose à voir avec le corps jeté dans le Canal Saint-Martin ? C'était possible, comme il était possible qu'on soit en présence de coïncidences.

Il regagna son bureau et il commençait à prendre l'air grognon, maussade, qui lui venait presque toujours à une certaine étape d'une enquête. La veille, il faisait des découvertes et les emmagasinait sans se demander où elles le conduiraient. Maintenant, il se trouvait en face de bouts de vérité qu'il ne savait comment relier les uns aux autres.

Mme Calas n'était plus seulement un personnage pittoresque comme il en avait rencontré quelques-uns au cours de sa carrière, elle présentait à ses yeux un problème humain.

Pour Coméliau, c'était une ivrognesse dévergondée, qui couchait avec n'importe qui.

Pour lui, c'était autre chose, il ne savait pas encore quoi au juste, et, tant qu'il l'ignorerait, tant qu'il ne « sentirait » pas la vérité, il resterait en proie à un vague malaise.

Lucas était dans son bureau, à déposer du courrier sur le buvard.

— Rien de nouveau ?

— Vous étiez dans la maison, patron ?

— Chez Coméliau.

— Si j'avais su, je vous aurais branché la communication. Il y a du nouveau, oui. Judel est dans tous ses états.

Maigret pensa à Mme Calas et se demanda ce qui lui était arrivé, mais ce n'était pas d'elle qu'il s'agissait.

— C'est au sujet du jeune homme, Antoine, si j'ai bien compris.

— Oui. Antoine. Il a encore disparu ?

— C'est cela. Il paraît que vous avez demandé, hier soir, qu'un inspecteur s'accroche à ses talons. Le jeune homme est rentré directement chez lui, Faubourg Saint-Martin, presque au coin de la rue Louis-Blanc. L'inspecteur que Judel avait chargé de la planque a interrogé la concierge. Le garçon habite avec sa mère, qui est femme de ménage, au septième étage de l'immeuble. Ils occupent deux pièces mansardées. Il n'y a pas d'ascenseur. Je vous répète ces détails comme Judel me les a fournis. Il paraît que la maison est une de ces grandes bâtisses affreuses, où s'entassent cinquante ou soixante ménages et où la marmaille déborde dans les escaliers.

— Continue.

— C'est à peu près tout. D'après la concierge, la mère du jeune homme est une femme méritante et courageuse. Son mari est mort dans un sanatorium. Elle a été tuberculeuse aussi, prétend qu'elle est guérie, mais la concierge en doute. Pour en revenir à l'inspecteur, il a téléphoné à Judel afin de demander des instructions. Judel n'a pas voulu prendre de risques et lui a ordonné de surveiller l'immeuble. Il est resté dehors jusqu'à minuit environ, après quoi il est entré avec les derniers locataires et a passé la nuit dans l'escalier.

» Ce matin, un peu avant huit heures, la concierge lui a désigné une femme maigre qui passait devant la loge et lui a appris que c'était la mère d'Antoine. L'inspecteur n'avait aucune raison de l'interpeller ou de la suivre. Ce n'est qu'une demi-heure plus tard, par désœuvrement, qu'il a eu la curiosité de monter au septième étage.

» Cela lui a paru curieux que le garçon ne sorte pas à son tour pour aller à son travail. Il a collé l'oreille à la porte, n'a rien entendu, a frappé. En fin de compte, s'apercevant que la serrure était des plus simples, il a essayé son passe-partout.

» Il a vu un lit dans la première pièce, qui est en même temps la cuisine, le lit de la mère, et, dans la chambre voisine, un autre lit, défait. Mais il n'y avait personne, et la lucarne était ouverte.

» Judel est vexé de n'avoir pas pensé à cela et de ne pas avoir donné d'ordres en conséquence. Il est évident qu'au cours de la nuit le gamin est passé par la lucarne et a cheminé sur les toits en quête d'une autre lucarne ouverte. Il est probablement sorti par un immeuble de la rue Louis-Blanc.

— On est sûr qu'il n'est plus dans la maison ?

— Ils sont occupés à interroger les locataires.

Maigret pouvait imaginer le sourire ironique du juge Coméliau en apprenant cette nouvelle.

— Lapointe ne m'a pas appelé ?

— Pas encore.

— Personne ne s'est présenté à l'Institut Médico-Légal pour reconnaître le corps ?

— Rien que des clients habituels.

On en comptait à peu près une douzaine, surtout des femmes d'un certain âge qui, chaque fois qu'on découvre un corps non identifié, se précipitent pour le reconnaître.

— Le docteur Paul n'a pas téléphoné ?

— Je viens de placer son rapport sur votre bureau.

— Si Lapointe appelle, dis-lui de revenir au Quai et de m'attendre. Je ne suis pas loin.

Il se dirigea, à pied, vers l'île Saint-Louis, contourna Notre-Dame, franchit la passerelle de fer et se trouva un peu plus tard dans l'étroite et populeuse rue Saint-Louis-en-l'Ile. C'était l'heure où les ménagères faisaient leur marché et il n'était pas facile de se faufiler entre elles et les petites charrettes. Maigret trouva l'épicerie au-dessus de laquelle, selon Mme Calas, sa fille, qui s'appelait Lucette, occupait une chambre. Il suivit l'allée à côté de la boutique, atteignit une cour aux pavés inégaux à laquelle un tilleul donnait l'air d'une cour d'école de campagne ou de presbytère.

— Vous cherchez quelqu'un ? lui cria une voix de femme, par une fenêtre du rez-de-chaussée.

— Mlle Calas.

— Au troisième à gauche, mais elle n'est pas chez elle.

— Vous ne savez pas quand elle rentrera ?

— C'est rare qu'elle revienne déjeuner. On ne la revoit guère que vers six heures et demie. Si c'est urgent, vous la trouverez à l'hôpital.

L'Hôtel-Dieu, où Lucette Calas travaillait, n'était pas loin. Ce n'en fut pas moins compliqué d'arriver au service du professeur Lavaud, car c'était l'heure la plus mouvementée de la journée, des hommes et des femmes en uniforme blanc, des infirmiers poussant des civières, des malades aux pas indécis ne cessaient d'aller et venir dans les couloirs, franchissant des portes qui menaient Dieu sait où.

— Mlle Calas s'il vous plaît ?

On le regardait à peine.

— Connais pas. C'est une malade ?

Ou bien on lui désignait le fond d'un corridor :

— Par là-bas...

On l'envoya ainsi dans trois ou quatre directions différentes jusqu'à ce qu'il atteignît enfin, comme un port, un corridor soudain calme où une jeune fille était assise devant une petite table.

— Mademoiselle Calas ?

— C'est personnel ? Comment êtes-vous venu jusqu'ici ?

Il avait dû s'égarer dans une région qui n'était pas accessible au commun des mortels. Il se nomma, montra même sa médaille, tant il sentait qu'ici son prestige était faible.

— Je vais voir si elle peut se déranger. Je crains qu'elle se trouve dans la salle d'opération.

On le laissa seul pendant dix bonnes minutes et il n'osait pas fumer. Quand la jeune fille revint, elle était suivie d'une infirmière assez grande, au visage calme et serein.

— C'est vous qui demandez à me parler ?

— Commissaire Maigret, de la Police Judiciaire.

A cause de l'atmosphère claire et nette de l'hôpital, de l'uniforme blanc, du bonnet d'infirmière, le contraste était encore plus frappant avec le bar du quai de Valmy.

Lucette Calas, sans se troubler, le regardait avec étonnement, comme quelqu'un qui ne comprend pas.

— C'est bien moi que vous voulez voir ?

— Vos parents habitent bien le quai de Valmy ?

Ce fut très rapide, mais le commissaire fut certain de voir comme un éclat plus dur dans ses yeux.

— Oui. Mais je...

— Je désire seulement vous poser quelques questions.

— Le professeur ne va pas tarder à avoir besoin de moi. C'est l'heure où il fait sa tournée des malades et...

— Je n'en ai que pour quelques minutes.

Elle se résigna, regarda autour d'elle, avisa une porte entrouverte.

— Nous pouvons entrer ici.

Il y avait deux chaises, un lit articulé, des instruments qui devaient servir à la chirurgie et que Maigret ne connaissait pas.

— Y a-t-il longtemps que vous êtes allée voir vos parents ?

Il nota un tressaillement, au mot « parents », et crut comprendre.

— J'y vais aussi rarement que possible.

— Pourquoi ?

— Vous les avez vus ?

— J'ai vu votre mère.

Elle n'ajoutait rien, comme si l'explication était suffisante.

— Vous leur en voulez ?

— Je ne peux guère leur en vouloir que de m'avoir mise au monde.

— Vous n'êtes pas allée là-bas vendredi dernier ?

— Je n'étais même pas à Paris, mais à la campagne avec des amis, car c'était mon jour de congé.

— Vous ne savez donc pas si votre père est en voyage ?

— Pourquoi ne me dites-vous pas la raison de ces questions ? Vous venez ici me parler de gens qui sont officiellement mes parents mais avec qui, depuis longtemps, je me sens étrangère. Pourquoi ? Leur est-il arrivé quelque chose ?

Elle alluma une cigarette, dit en passant :

— Ici, on peut fumer. Tout au moins à cette heure-ci.

Mais il n'en profita pas pour sortir sa pipe.

— Cela vous surprendrait qu'il soit arrivé quelque chose à l'un ou à l'autre ?

Elle le regarda en face, laissa tomber :

— Non.

— Qu'est-ce qui aurait pu arriver, par exemple ?

— Que Calas, à force de taper sur ma mère, l'ait abîmée.

Elle n'avait pas dit « mon père », mais « Calas ».

— Il lui arrive souvent de la battre ?

— Je ne sais plus maintenant. Jadis, c'était presque quotidien.

— Votre mère ne protestait pas ?

— Elle baissait la tête sous les coups. Je me demande si elle n'aime pas ça.

— Qu'aurait-il pu arriver d'autre ?

— Qu'elle se décide à verser du poison dans sa soupe.

— Elle le hait ?

— Tout ce que je sais c'est que voilà vingt-quatre ans qu'elle vit avec lui sans essayer de lui échapper.

— Vous la croyez malheureuse ?

— Voyez-vous, monsieur le commissaire, j'essaie de ne pas y penser du tout. Enfant, je n'avais qu'un rêve : m'en aller. Et, dès que j'en ai été capable, je suis partie.

— Vous aviez quinze ans, je sais.

— Qui vous l'a dit ?

— Votre mère.

— Il ne l'a donc pas tuée.

Elle parut réfléchir, releva la tête.

— C'est lui ?

— Que voulez-vous dire ?

— Elle l'a empoisonné ?

— Ce n'est pas probable. Il n'est même pas certain qu'il lui soit arrivé malheur. Votre mère prétend qu'il est parti vendredi après-midi pour les environs de Poitiers où il a, paraît-il, l'habitude d'acheter son vin blanc.

— C'est exact. Ces voyages-là avaient déjà lieu de mon temps.

— Or, on a retiré du Canal Saint-Martin un corps qui pourrait être le sien.

— Personne ne l'a identifié ?

— Jusqu'ici, non. Cette identification est d'autant plus difficile que nous n'avons pas retrouvé la tête.

Peut-être parce qu'elle travaillait dans un hôpital, elle n'eut même pas un haut-le-corps.

— Que croyez-vous qu'il lui soit arrivé ? questionna-t-elle.

— Je l'ignore. Je cherche. Il semble y avoir un certain nombre d'hommes mêlés à la vie de votre mère. Je vous demande pardon de vous en parler.

— Si vous vous figurez que c'est nouveau !

— Votre père, jadis, dans son adolescence ou dans son enfance, a-t-il reçu une charge de plombs de chasse dans le ventre ?

Elle se montra surprise.

— Je n'en ai jamais entendu parler.

— Bien entendu, vous n'avez jamais vu de cicatrices ?

— Si c'est sur le ventre... fit-elle avec un léger sourire.

— Quand êtes-vous allée quai de Valmy pour la dernière fois ?

— Attendez ! Il doit bien y avoir un mois de ça.

— Vous y êtes allée en visite, comme on va voir ses parents ?

— Pas exactement.

— Calas était là ?

— Je m'arrange pour y aller quand il n'y est pas.

— L'après-midi ?

— Oui. Il a l'habitude de jouer au billard du côté de la gare de l'Est.

— Il n'y avait pas d'homme avec votre mère ?

— Pas ce jour-là.

— Vous aviez un dessein précis en lui rendant visite ?

— Non.

— De quoi avez-vous parlé ?

— Je ne sais plus. De choses et d'autres.

— Il a été question de Calas ?

— J'en doute.

— Est-ce que, par hasard, vous n'alliez pas chez votre mère pour lui demander de l'argent ?

— Vous faites fausse route, monsieur le commissaire. A tort ou à raison, je suis plus fière que ça. Il y a eu des époques où j'ai manqué d'argent, et même où j'ai eu faim, mais je ne suis jamais allée frapper à leur porte pour mendier leur aide. A plus forte raison maintenant que je gagne bien ma vie.

— Vous ne vous souvenez de rien de ce qui s'est dit au cours de votre dernière entrevue quai de Valmy ?

— De rien de précis.

— Parmi les hommes qu'il vous arrivait de rencontrer au bar, y avait-il un jeune homme sanguin qui conduit un triporteur ?

Elle fit non de la tête.

— Et un homme entre deux âges, aux cheveux roux ?

Cette fois, elle réfléchit.

— Il a le visage marqué de petite vérole ? questionna-t-elle.

— Je l'ignore.

— Si oui, c'est M. Dieudonné.

— Qui est M. Dieudonné ?

— Je n'en sais guère davantage. Un ami de ma mère. Il y a des années qu'il est client du café.

— Un client de l'après-midi ?

Elle comprit.

— C'est en tout cas l'après-midi qu'il m'est arrivé de le voir. Peut-être n'est-ce pas ce que vous croyez. Je ne garantis rien. Il m'a fait l'effet d'un homme tranquille, qu'on imagine, le soir, en pantoufles, au coin du feu. C'est d'ailleurs presque toujours assis devant le poêle, en face de ma mère, que je l'ai aperçu. Ils avaient l'air de se connaître depuis longtemps, de ne plus se mettre en frais l'un pour l'autre. Vous comprenez ? On aurait pu les prendre pour un vieux couple.

— Vous n'avez pas la moindre idée de son adresse ?

— Je l'ai entendu dire en se levant, d'une voix feutrée que je reconnaîtrais :

» — Il est temps que j'aille au travail.

» Je suppose qu'il travaille dans le quartier, mais j'ignore ce qu'il fait. Il n'est pas habillé comme un ouvrier. Je le prendrais plutôt pour quelqu'un qui tient les écritures.

Ils entendirent une sonnerie dans le couloir et la jeune fille se leva d'une détente automatique.

— C'est pour moi, dit-elle. Je vous demande pardon.

— Il est possible que j'aille vous relancer rue Saint-Louis-en-l'Ile.

— Je n'y suis que le soir. Ne venez pas trop tard, car je me couche de bonne heure.

Il la vit, tout en suivant le couloir, hocher la tête comme quelqu'un qui n'est pas encore habitué à une idée nouvelle.

— Excusez-moi, mademoiselle. La sortie, s'il vous plaît ?

Il paraissait si perdu que la jeune fille assise au bureau sourit et le précéda dans le corridor jusqu'à un escalier.

— A partir d'ici, vous êtes sauf. Une fois en bas, vous tournez à gauche, puis une seconde fois à gauche.

— Je vous remercie.

Il n'osa pas lui demander ce qu'elle pensait de Lucette Calas. Quant à ce qu'il en pensait lui-même, il aurait été en peine de le dire.

Il s'arrêta un instant pour un vin blanc, en face du Palais de Justice. Quand, un peu plus tard, il se retrouva Quai des Orfèvres, Lapointe était arrivé et l'attendait.

— Alors, les bonnes sœurs ?

— Elles ont été tout ce qu'il y a de gentilles. J'avais peur de me sentir mal à l'aise, mais elles m'ont si bien reçu que...

— Les cicatrices ?

Lapointe n'était pas aussi enchanté du résultat obtenu.

— D'abord, le médecin qui a pratiqué l'opération est mort il y a trois ans, comme Mme Calas nous l'a dit. La religieuse qui dirige le secrétariat a retrouvé le dossier. On n'y mentionne pas de cicatrices, ce qui est assez naturel mais, par contre, j'ai appris que Calas souffrait d'un ulcère à l'estomac.

— On a opéré l'ulcère ?

— Non. Avant une opération, ils font, paraît-il, un examen complet dont ils consignent les résultats.

— Il n'est pas question de signes distinctifs ?

— Rien de ce genre. Gentiment, la religieuse est allée questionner des bonnes sœurs qui auraient pu avoir assisté à l'opération. Aucune d'elles ne se souvient de Calas avec précision. Une seule croit se rappeler qu'avant d'être endormi il a demandé qu'on lui laisse le temps de faire une prière.

— Il était catholique ?

— Non. Il avait peur. Ce sont des détails que les bonnes sœurs n'oublient pas. Les cicatrices ne les ont pas frappées.

On en restait au même point, en présence d'un corps sans tête qu'il était impossible d'identifier de façon certaine.

— Qu'est-ce que nous faisons ? murmurait Lapointe qui, devant un Maigret bougon, préférait parler bas.

N'était-ce pas le juge Coméliau qui avait raison ? Si le mort du Canal Saint-Martin était Omer Calas, il y avait des chances, en faisant subir à sa femme un interrogatoire serré, d'obtenir des renseignements précieux. Un tête-à-tête avec Antoine, le gamin au triporteur, quand on mettrait la main sur lui, ne serait sans doute pas sans résultats non plus.

— Viens.

— Je prends l'auto ?

— Oui.

— Où allons-nous ?

— Au canal.

En passant, il chargerait les inspecteurs du Xe Arrondissement de chercher dans les environs un homme roux, avec des marques de petite vérole, répondant au prénom de Dieudonné.

La voiture se faufilait entre les autobus et les camions, atteignait le boulevard Richard-Lenoir, non loin de l'appartement de Maigret, quand le commissaire grommela soudain :

— Passe par la gare de l'Est.

Lapointe le regarda avec l'air de ne pas comprendre.

— L'idée ne vaut peut-être rien, mais je préfère vérifier. On nous raconte que Calas est parti vendredi après-midi en emportant une valise. Supposons qu'il soit rentré le samedi. Si c'est lui qu'on a assassiné et découpé en morceaux, il a fallu qu'on se débarrasse de cette valise. Je suis persuadé qu'elle n'est plus quai de Valmy et que nous n'y trouverons pas non plus les vêtements qu'il est censé avoir emportés en voyage.

Lapointe suivait son raisonnement en hochant la tête.

— On n'a pas retrouvé de valise dans le canal, ni de vêtements alors que le cadavre a été déshabillé avant d'être dépecé.

— Et on n'a pas retrouvé la tête ! précisa Lapointe.

L'hypothèse de Maigret n'avait rien d'original. Ce n'était qu'une question de routine. Six fois sur dix, quand des personnes coupables de meurtre veulent se débarrasser d'objets compromettants elles se contentent d'aller les déposer à une consigne de gare.

Or, la gare de l'Est est à deux pas du quai de Valmy. Lapointe finissait pas trouver le moyen d'y parquer la voiture, suivit Maigret dans la salle des pas perdus.

— Vous étiez de service vendredi après-midi ? demanda-t-il à l'employé de la consigne.

— Seulement jusqu'à six heures.

— On a déposé beaucoup de bagages ?

— Pas plus que les autres jours.

— Y en a-t-il, parmi ceux déposés vendredi, qui n'aient pas encore été retirés ?

L'employé se retourna vers les planches sur lesquelles des valises et des colis divers étaient alignés.

— Deux ! répondit-il.

— Appartenant à la même personne ?

— Non. Les numéros ne se suivent pas. D'ailleurs, le cageot recouvert de toile a été déposé par une grosse femme dont je me souviens, car j'ai remarqué qu'elle sentait le fromage.

— Ce sont des fromages ?

— Je n'en sais rien. Non, au fait. Cela ne sent plus. Peut-être était-ce la femme qui sentait ?

— Et le second colis ?

— C'est une valise brune.

Il désignait du doigt une valise bon marché qui avait beaucoup servi.

— Elle ne porte pas de nom ni d'adresse ?

— Non.

— Vous ne vous rappelez pas la personne qui l'a apportée ?

— Je peux me tromper, mais je jurerais que c'était un jeune homme de la campagne.

— Pourquoi de la campagne ?

— Il en avait l'air.

— Parce qu'il avait le teint coloré ?

— Peut-être.

— Comment était-il habillé ?

— Je crois qu'il avait un blouson de cuir et une casquette.

Maigret et Lapointe se regardaient, pensant tous les deux à Antoine Cristin.

— Quelle heure pouvait-il être ?

— Aux alentours de cinq heures. Oui. Un peu après cinq heures, car le rapide de Strasbourg venait d'entrer en gare.

— Si on venait pour réclamer la valise, voulez-vous téléphoner tout de suite au poste de police du quai de Jemmapes ?

— Et si le type prend peur et s'en va ?

— De toute façon, nous serons ici dans quelques minutes.

Il n'y avait qu'un moyen d'identifier la valise, c'était d'aller chercher Mme Calas et de la lui montrer. Elle regarda avec indifférence les deux hommes entrer dans le café et se dirigea vers le comptoir pour les servir.

— Nous ne boirons rien maintenant, dit Maigret. Nous sommes venus vous chercher afin que vous identifiez un objet qui se trouve non loin d'ici. Mon inspecteur va vous accompagner.

— Il faut que je ferme la maison ?

— Ce n'est pas la peine, car vous serez de retour dans quelques minutes. Je reste.

Elle ne mit pas de chapeau, se contenta de troquer ses pantoufles contre des souliers.

— Vous allez servir les clients ?

— Je n'en aurai probablement pas l'occasion.

Quand la voiture s'éloigna, avec Lapointe au volant et Mme Calas à côté de lui, Maigret resta un moment campé sur le seuil, un drôle de sourire aux lèvres. C'était la première fois de sa carrière qu'il restait seul dans un petit café comme s'il en était le propriétaire et l'idée l'amusa tellement qu'il se glissa derrière le comptoir.

5

La bouteille d'encre

Les rayons de soleil formaient, aux mêmes endroits que la veille au matin, des dessins dont un, en forme d'animal, sur le coin arrondi du comptoir d'étain ; et il y en avait un autre sur un chromo représentant une femme en robe rouge qui tendait un verre de bière mousseuse.

Comme Maigret l'avait déjà senti la veille, ce petit café-là, à l'instar de beaucoup de cafés et de bars de Paris, avait plutôt l'atmosphère d'une de ces auberges de campagne, vides pendant la plus grande partie de la semaine, mais qui se remplissent soudain le jour du marché.

Peut-être la tentation lui vint-elle de se servir lui-même à boire, mais c'était une envie enfantine dont il rougit et, les mains dans les poches, la pipe aux dents, il se dirigea vers la porte du fond.

Il n'avait pas encore vu ce qu'il y avait derrière cette porte-là, par laquelle Mme Calas disparaissait souvent. Comme il s'y attendait, il trouva une cuisine où régnait un certain désordre, mais moins sale qu'il l'avait pensé. Tout de suite à gauche de la porte, sur un buffet en bois peint en brun, une bouteille de cognac était entamée. Ce n'était donc pas du vin que la tenancière buvait ainsi à longueur de journée, mais de l'alcool, et comme on ne voyait pas de verre à côté, elle devait avoir l'habitude de le prendre à même le goulot.

Une fenêtre donnait sur la cour, ainsi qu'une porte vitrée qui n'était pas fermée à clef et qu'il ouvrit. Des fûts vides s'alignaient dans un coin, des paillons qui avaient enveloppé des bouteilles s'entassaient, des seaux défoncés, des cercles de fer rouillés, et il se sentit si loin de Paris, l'illusion fut si forte, qu'il n'aurait pas été surpris d'apercevoir un tas de fumier et des poules.

La cour donnait sur une impasse aux murs sans fenêtres qui devait déboucher sur une rue latérale.

Machinalement, il leva les yeux vers les fenêtres du premier étage du bistrot, dont les vitres n'avaient pas été lavées depuis longtemps et où pendaient des rideaux décolorés. Se trompa-t-il ? Il lui sembla que quelque chose avait bougé derrière ces vitres. Or, il se souvenait d'avoir vu le chat couché près du poêle.

Il rentra dans la cuisine, sans se presser, s'engagea dans l'escalier tournant qui conduisait à l'étage. Les marches craquaient. Il n'y avait pas jusqu'à une vague odeur de moisissure qui ne lui rappelât les auberges où il lui était arrivé de dormir dans de petits villages.

Deux portes donnaient sur le palier. Il en poussa une et se trouva dans ce qui devait être la chambre des Calas. Elle prenait jour sur le quai. Le lit de noyer, à deux places, n'avait pas été fait ce matin-là et les draps en étaient assez propres. Le mobilier ressemblait à celui qu'il aurait trouvé dans n'importe quel logement de ce genre, des meubles anciens, qu'on se transmet de père en fils, lourds et polis par le temps.

Dans l'armoire, des vêtements d'homme pendaient. Entre les fenêtres se trouvait un fauteuil recouvert de reps grenat et, à côté, une radio d'ancien modèle. Au milieu de la pièce, enfin, une table ronde était recouverte d'un tissu d'une couleur indéfinissable et flanquée de deux chaises en acajou.

Il se demanda ce qui, dès l'entrée, l'avait frappé, dut faire plusieurs fois des yeux le tour de la chambre avant que son regard se posât à nouveau sur le tapis de table. Un flacon d'encre, qui paraissait neuf, y était posé, un porte-plume et enfin un de ces buvards-réclames comme ceux que, dans les cafés, on met à la disposition des clients.

Il l'ouvrit, sans s'attendre à faire une découverte, et, en effet, il n'en fit pas, ne trouva à l'intérieur que trois feuilles de papier blanc. En même temps il tendait l'oreille, croyant entendre un craquement. Ce n'était pas dans le cabinet de toilette, qui donnait directement dans la chambre. Regagnant le palier, il ouvrit la seconde porte, découvrant une autre chambre, aussi grande que la précédente, et qui, servant de grenier et de débarras, était encombrée de meubles en mauvais état, de vieux magazines, de verrerie, d'objets hétéroclites.

— Il y a quelqu'un ? questionna-t-il à voix haute, presque sûr de n'être pas seul dans la pièce.

Il resta un moment sans bouger puis, d'un mouvement silencieux, tandis le bras vers un placard dont il ouvrit brusquement la porte.

— Pas de bêtises, cette fois-ci, commença-t-il.

Il n'était pas trop surpris de reconnaître Antoine, qui se tenait tapi au fond du placard comme une bête traquée.

— Je me doutais qu'on te retrouverait bientôt. Sors de là !

— Vous m'arrêtez ?

Le jeune homme regardait avec effroi les menottes que le commissaire avait tirées de sa poche.

— Je ne sais pas encore ce que je ferai de toi, mais je ne tiens pas à ce que tu joues une fois de plus la fille de l'air. Tends les poignets.

— Vous n'en avez pas le droit. Je n'ai rien fait.

— Tends les poignets !

Il devina que le gamin hésitait à jouer sa chance et à essayer de lui passer entre les jambes. S'avançant, il se servit de toute sa masse pour le coller contre le mur et, après que le gosse se fut un peu débattu en lui lançant des coups de pied dans les jambes, il parvint à refermer les menottes.

— Maintenant, suis-moi !

— Qu'est-ce que ma mère a dit ?

— J'ignore ce que ta mère en dira mais, nous, nous avons un certain nombre de questions à te poser.

— Je ne répondrai pas.

— Viens toujours.

Il le fit passer devant lui. Ils traversèrent la cuisine et Antoine, en arrivant dans le bar, parut saisi par le vide et par le silence.

— Où est-elle ?

— La patronne ? N'aie pas peur. Elle reviendra.

— Vous l'avez arrêtée ?

— Assieds-toi dans ce coin-là et n'en bouge pas.

— Je bougerai si je veux !

Il en avait vu tellement, de cet âge-là, dans des situations plus ou moins semblables, qu'il aurait pu prévoir chacune de ses réactions et de ses répliques.

Il n'était pas fâché, à cause du juge Coméliau, d'avoir mis la main sur Antoine, mais il ne s'attendait pas non plus à ce que le gamin lui apporte des éclaircissements.

Quelqu'un poussa la porte de la rue, un homme d'un certain âge, qui fut surpris de trouver Maigret planté au milieu du petit café et de ne pas apercevoir Mme Calas.

— La patronne n'est pas ici ?

— Elle ne tardera pas à rentrer.

L'homme vit-il les menottes ? Comprit-il que Maigret était un policier et préférait-il ne pas trop l'approcher ? Toujours est-il qu'il toucha sa casquette et s'éloigna précipitamment en balbutiant quelque chose comme :

— Je reviendrai.

Il ne devait pas avoir atteint le coin de la rue que l'auto noire s'arrêtait devant la porte et que Lapointe en sortait le premier, ouvrait la portière pour Mme Calas, prenait enfin une valise brune dans la voiture.

Elle aperçut Antoine du premier coup d'œil, fronça les sourcils, se tourna vers Maigret avec inquiétude.

— Vous ne saviez pas qu'il était chez vous ?

— Ne réponds pas ! lui lança le jeune homme. Il n'a pas le droit de m'arrêter. Je n'ai rien fait. Je le défie de prouver que j'ai fait quelque chose de mal.

Sans s'attarder, le commissaire se tournait vers Lapointe.

— C'est la valise ?

— Au début, elle n'en a pas paru trop sûre, puis elle a dit oui, puis elle a prétendu qu'elle ne pouvait pas savoir sans l'ouvrir.

— Tu l'as ouverte ?

— J'ai préféré que vous soyez présent. J'ai remis à l'employé un reçu provisoire. Il insiste pour qu'on lui envoie le plus tôt possible une réquisition en règle.

— Tu la demanderas à Coméliau. L'employé est toujours là ?

— Je suppose. Il ne paraissait pas se disposer à quitter son service.

— Téléphone-lui. Demande-lui s'il peut se faire remplacer un quart d'heure. Cela ne doit pas être impossible. Qu'il saute dans un taxi et qu'il vienne ici.

— Je comprends, fit Lapointe en regardant Antoine.

L'homme de la consigne allait-il le reconnaître ? Si oui, tout devenait de plus en plus facile.

— Téléphone aussi à Moers. Je voudrais qu'il vienne également, pour une perquisition, en compagnie des photographes.

— Bien, patron.

Mme Calas, qui était restée, comme en visite, au milieu de la pièce, questionnait à son tour, comme Antoine l'avait fait :

— Vous m'arrêtez ?

Elle parut désemparée quand il répondit simplement :

— Pourquoi ?

— Je peux aller et venir ?

— Dans la maison, oui.

Il savait ce qu'elle voulait et, en effet, elle se dirigea vers la cuisine où elle disparut dans le coin où se trouvait la bouteille de cognac. Pour donner le change, elle remua de la vaisselle, troqua ses souliers, auxquels elle n'était pas habituée et qui devaient lui faire mal, contre ses pantoufles de feutre.

Quand elle revint, elle avait repris son aplomb et elle se dirigea vers le comptoir.

— Je vous sers quelque chose ?

— Un vin blanc, oui. Et un autre pour l'inspecteur. Peut-être Antoine a-t-il envie d'un verre de bière ?

Il se comportait en homme pas pressé. On aurait même pu croire qu'il ignorait ce qu'il ferait la minute d'après. Ayant bu une gorgée de vin, il se dirigea vers la porte à laquelle il donna un tour de clef.

— Vous avez la clef de la valise ?

— Non.

— Vous savez où elle se trouve ?

— Vraisemblablement dans « sa » poche.

Dans la poche de Calas, puisque celui-ci était censé avoir quitté la maison avec sa valise.

— Passez-moi des pinces, un outil quelconque.

Elle fut un certain temps à mettre la main sur une paire de pinces. Maigret posa la valise sur une des tables, attendant, pour forcer la serrure peu solide, que Lapointe eût fini ses appels téléphoniques.

— Je t'ai commandé un vin blanc.

— Merci, patron.

Le métal se tordit, finit pas se déchirer, et Maigret souleva le couvercle. Mme Calas était restée de l'autre côté du comptoir et, si elle regardait dans leur direction, elle ne paraissait pas particulièrement intéressée.

La valise contenait un complet gris en tissu assez fin, une paire de chaussures presque neuves, des chemises, des chaussettes, rasoir, peigne et brosse à dents ainsi qu'un pain de savon enveloppé dans du papier.

— Cela appartient à votre mari ?

— Je suppose.

— Vous n'en êtes pas sûre ?

— Il possède un complet comme celui-là.

— Il n'est plus là-haut ?

— Je n'ai pas cherché.

Elle ne les aidait pas, n'essayait pas non plus de donner le change. Depuis la veille, elle répondait aux questions avec le minimum de mots et de précision, sans que pourtant cela prît le caractère agressif de l'attitude d'Antoine, par exemple.

Antoine, lui, se cabrait sous le coup de la peur. La femme, au contraire, semblait n'avoir rien à craindre. Les allées et venues des policiers, les découvertes qu'ils pouvaient faire lui étaient indifférentes.

— Tu ne remarques rien ? disait Maigret à Lapointe en fouillant la valise.

— Que tout a été fourré dedans pêle-mêle ?

— Oui. C'est ainsi, la plupart du temps, qu'un homme fait sa valise. Il y a un détail plus curieux. Calas, soi-disant, partait en voyage. Il emportait un complet de rechange ainsi que des souliers et du linge. Théoriquement, c'est là-haut, dans sa chambre, qu'il aurait fait sa valise.

Deux hommes en blouse de plâtrier secouèrent la porte, collèrent leur visage à la vitre, eurent l'air de crier des mots qu'on n'entendit pas et s'éloignèrent.

— Peux-tu me dire pourquoi, dans ces conditions, il aurait emporté du linge sale ?

Une des deux chemises, en effet, avait été portée, ainsi qu'un caleçon et une paire de chaussettes.

— Vous pensez que ce n'est pas lui qui a placé ces objets dans la valise ?

— C'est peut-être lui. C'est probablement lui. Mais pas au moment de partir en voyage. Quand il a fait sa valise, il était sur le point de rentrer chez lui.

— Je comprends.

— Vous avez entendu, madame Calas ?

Elle fit signe que oui.

— Vous continuez à prétendre que votre mari est parti vendredi après-midi en emportant cette valise ?

— Je n'ai rien à changer à ce que j'ai dit.

— Vous êtes sûre qu'il n'était pas ici jeudi ? Et que ce n'est pas le vendredi qu'il est *rentré ?*

Elle se contenta de hocher la tête.

— Vous ne croirez quand même que ce que vous voudrez croire.

Un taxi s'arrêtait devant le bar. Maigret alla ouvrir la porte, cependant que l'employé de la consigne descendait de voiture.

— Vous pouvez le garder. Je ne vous retiendrai qu'un instant.

Le commissaire le fit entrer dans le café et l'homme, un bon moment, se demanda ce qu'on lui voulait, regarda autour de lui pour se repérer. Son regard s'arrêta sur Antoine, toujours assis dans le coin de la banquette.

Puis il se tourna vers Maigret, ouvrit la bouche, examina le jeune homme à nouveau.

Pendant tout ce temps-là, qui parut long, Antoine le fixait dans les yeux d'un air de défi.

— Je crois bien que... commença l'homme avec un geste pour se gratter la nuque.

Il était honnête, se débattait avec sa conscience.

— Voilà ! A le voir comme ça, je dirais que c'est lui.

— Vous mentez ! cria le jeune homme d'une voix rageuse.

— Peut-être vaudrait-il mieux que je le voie debout.

— Lève-toi.

— Non.

— Lève-toi !

La voix de Mme Calas fit, derrière le dos de Maigret :

— Lève-toi, Antoine.

— Comme ça, murmura l'employé après un instant de réflexion, j'hésite déjà moins. Il n'a pas un blouson de cuir ?

— Va voir là-haut, dans la chambre de derrière, dit Maigret à Lapointe.

Ils attendirent en silence. L'homme de la gare eut un coup d'œil vers le comptoir et Maigret comprit qu'il avait soif.

— Un vin blanc ? questionna-t-il.

— Ce n'est pas de refus.

Lapointe revint avec le blouson qu'Antoine portait la veille.

— Passe-le.

Le jeune homme regarda la patronne pour lui demander conseil, se résigna de mauvaise grâce, après qu'on lui eut retiré les menottes.

— Vous ne voyez pas qu'il a envie de se mettre bien avec les flics ? Ils sont tous les mêmes. On n'a qu'à leur dire « police » et ils se mettent à trembler. Alors, maintenant, est-ce que vous allez encore prétendre que vous m'avez déjà vu ?

— Je crois que oui.

— Vous mentez.

L'employé s'adressa à Maigret, d'une voix calme où tremblait quand même une certaine émotion.

— Je suppose que ma déclaration est importante ? Je ne voudrais pas faire injustement tort à quelqu'un. Ce garçon ressemble à celui qui est venu dimanche à la gare déposer la valise. Comme je ne pouvais pas prévoir qu'on me questionnerait à son sujet, je ne l'ai pas examiné attentivement. Peut-être que, si je le revoyais à la même place, dans le même éclairage...

— On vous le conduira à la gare aujourd'hui ou demain, décida Maigret. Je vous remercie. A votre santé !

Il le reconduisit à la porte, qu'il referma derrière lui. Il y avait, dans l'attitude du commissaire, comme une mollesse indéfinissable qui n'était pas sans intriguer Lapointe. Celui-ci n'aurait pas pu dire quand cela avait commencé. Peut-être bien, en réalité, dès le début de l'enquête, dès qu'ils étaient venus, la veille, quai de Valmy, ou qu'ils étaient entrés dans le bistrot des Calas.

Maigret agissait comme d'habitude et faisait ce qu'il avait à faire. Mais n'y mettait-il pas un manque de conviction que ses inspecteurs lui avaient rarement vu ? C'était difficile à définir. Il avait l'air d'agir un peu à contrecœur. Les indices matériels l'intéressaient à peine et il semblait ruminer des idées qu'il ne communiquait à personne.

C'était surtout sensible ici, dans le café, et plus encore quand il s'adressait à Mme Calas ou qu'il l'observait à la dérobée.

On aurait juré que la victime ne comptait pas, que le cadavre coupé en morceaux n'avait aucune importance à ses yeux. A peine s'était-il occupé d'Antoine et il devait faire un effort pour penser à certains devoirs professionnels.

— Téléphone à Coméliau. Je préfère que ce soit toi. Raconte-lui en quelques mots ce qui s'est passé. Il vaut peut-être mieux qu'il signe un mandat de dépôt au nom du gamin. Il le fera de toute façon.

— Et elle ? questionna l'inspecteur en désignant la femme.

— J'aimerais mieux pas.

— S'il insiste ?

— Il agira à sa guise. Il est le maître.

Il ne prenait pas la précaution de parler à voix basse et les deux autres écoutaient.

— Vous feriez bien de manger un morceau, conseilla-t-il à Mme Calas. Il est possible qu'on ne tarde pas à vous emmener.

— Pour longtemps ?

— Le temps que le juge décidera de vous garder à sa disposition.

— Je coucherai en prison ?

— Au Dépôt d'abord, probablement.

— Et moi ? questionna Antoine.

— Toi aussi.

Maigret ajouta :

— Pas dans la même cellule !

— Tu as faim ? demanda Mme Calas au gamin.

— Non.

Elle se dirigea quand même vers la cuisine, mais c'était pour avaler une gorgée d'alcool. Quand elle revint, elle s'informa :

— Qui gardera la maison pendant ce temps-là ?

— Personne. Ne craignez rien. Elle sera surveillée.

Il ne pouvait s'empêcher de la regarder toujours de la même façon, comme si, pour la première fois, il se trouvait en présence de quelqu'un qu'il ne comprenait pas.

Il avait rencontré des femmes habiles, et certaines lui avaient tenu tête longtemps. Chaque fois, cependant, dès le début, il n'en avait pas moins senti qu'il aurait le dernier mot. C'était une question de temps, de patience, de volonté.

Avec Mme Calas, il n'en allait pas de même. Il ne pouvait la ranger dans aucune catégorie. Si on lui avait dit qu'elle avait assassiné son mari de sang-froid et l'avait elle-même coupé en morceaux sur la table de la cuisine, il n'aurait pas protesté. Mais il n'aurait pas protesté non plus si on lui avait affirmé qu'elle ignorait tout du sort de son mari.

Elle était là, devant lui, en chair et en os, maigre et fanée dans sa robe foncée qui lui pendait sur le corps comme un vieux rideau pend à une fenêtre ; elle était bien réelle, avec, dans ses prunelles sombres, le reflet d'une vie intérieure intense ; et pourtant il y avait en elle quelque chose d'immatériel, d'insaisissable.

Savait-elle qu'elle produisait cette impression-là ? On aurait pu le croire à la façon calme, peut-être ironique, dont, de son côté, elle regardait le commissaire.

De là venait le malaise ressenti tout à l'heure par Lapointe. Il s'agissait moins d'une enquête de la police pour découvrir un coupable que d'une affaire personnelle entre Maigret et cette femme.

Ce qui ne se rapportait pas directement à elle n'intéressait que médiocrement le commissaire, Lapointe devait en avoir la preuve un instant plus tard, quand il sortit de la cabine téléphonique.

— Qu'est-ce qu'il a dit ? questionna Maigret, parlant de Coméliau.

— Il va signer un mandat et le faire porter à votre bureau.

— Il veut le voir ?

— Il suppose que vous tiendrez à le questionner d'abord.

— Et elle ?

— Il signera un second mandat. Vous en ferez ce que vous voudrez mais, à mon avis...

— Je comprends.

Coméliau s'attendait à ce que Maigret regagne son bureau, fasse comparaître tour à tour Antoine et Mme Calas, les interroge pendant des heures jusqu'à ce qu'ils se mettent à table.

On n'avait toujours pas découvert la tête du cadavre. On n'avait aucune preuve formelle que Calas était l'homme dont les restes avaient été repêchés dans le Canal Saint-Martin. A tout le moins, maintenant, existait-il, à cause de la valise, de fortes présomptions, et il était souvent arrivé qu'un interrogatoire, commencé avec moins d'atouts, se terminât au bout de quelques heures par des aveux complets.

Non seulement c'était l'idée du juge Coméliau, mais c'était aussi celle de Lapointe qui cacha mal son étonnement quand Maigret lui commanda :

— Emmène-le au Quai. Installe-toi avec lui dans mon bureau et questionne-le. N'oublie pas de lui faire monter à manger et à boire.

— Vous restez ?

— J'attends Moers et les photographes.

Gêné, Lapointe fit signe au jeune homme de se lever. Avant de sortir, celui-ci lança encore à Maigret :

— Je vous avertis que cela vous coûtera cher.

A peu près au même moment, le Vicomte, qui avait rôdé dans les divers bureaux de la P.J. comme il le faisait chaque matin, continuait sa tournée par le couloir des juges d'instruction.

— Rien de nouveau, monsieur Coméliau ? On n'a toujours pas retrouvé la tête ?

— Pas encore. Mais on a à peu près formellement identifié la victime.

— Qui est-ce ?

Pendant dix minutes, Coméliau répondit de bonne grâce aux questions, pas fâché que, pour une fois, ce fût lui et non Maigret qui eût les honneurs de la presse.

— Le commissaire est là-bas ?

— Je suppose.

De sorte que la perquisition chez Calas et l'arrestation d'un jeune homme dont on ne donnait que les initiales étaient annoncées deux heures plus tard dans les journaux de l'après-midi, puis à l'émission de cinq heures de la radio.

Resté seul avec Mme Calas, Maigret était allé prendre un verre sur le comptoir et l'avait transporté sur une table à laquelle il s'était assis. De son côté, elle n'avait pas bougé, gardant, derrière le bar, l'attitude classique d'une tenancière de bistrot.

On entendit les sirènes d'usine annoncer midi. En moins de dix minutes, plus de trente personnes vinrent se casser le nez à la porte fermée et certains, voyant Mme Calas à travers la vitre, gesticulaient comme s'ils essayaient de parlementer avec elle.

— J'ai vu votre fille, fit soudain la voix de Maigret dans le silence.

Elle le regarda sans mot dire.

— Elle m'a confirmé la visite qu'elle vous a rendue il y a environ un mois. Je me demande de quoi vous avez parlé.

Cela ne constituait pas une question et elle ne crut pas devoir répondre.

— Elle m'a donné l'impression d'une personne équilibrée, qui a intelligemment mené sa barque. Je ne sais pas pourquoi l'idée m'est venue qu'elle est amoureuse de son patron et qu'elle est peut-être sa maîtresse.

Elle ne bronchait toujours pas. Cela l'intéressait-il ? Lui restait-il à l'égard de sa fille un sentiment quelconque ?

— Les débuts n'ont pas dû être faciles. C'est dur, pour une fille de quinze ans, de se débrouiller seule dans une ville comme Paris.

Elle le regarda avec des yeux qui semblaient voir à travers lui, questionna d'une voix fatiguée :

— Qu'espérez-vous ?

Qu'espérait-il, en effet ? N'était-ce pas Coméliau qui avait raison ? Ne devrait-il pas, en ce moment, être occupé à faire parler Antoine ? Quant à elle, quelques jours dans une cellule du Dépôt changerait peut-être son attitude ?

— Je me demande pourquoi vous avez épousé Calas et pour quelle raison, plus tard, vous ne l'avez pas quitté.

Ce ne fut pas un sourire qui vint à ses lèvres mais une expression qui pouvait passer pour de la moquerie — ou pour de la pitié.

— Vous l'avez fait exprès, n'est-ce pas ? continuait Maigret sans préciser sa pensée.

Il faudrait bien qu'il y arrive. Il y avait des moments, comme maintenant, où il lui semblait qu'il n'aurait besoin que d'un léger effort, non seulement pour tout comprendre, mais pour que disparaisse ce mur invisible qui se dressait entre eux.

Trouver le mot qu'il fallait dire, et alors elle serait simplement humaine devant lui.

— Est-ce que l'*autre* était ici, vendredi après-midi ?

Il obtenait quand même un résultat, puisqu'elle tressaillait.

— Quel autre ? finit-elle par demander à regret.

— Votre amant. Le vrai.

Elle aurait voulu paraître indifférente, ne pas poser de questions, mais elle finit pas céder.

— Qui ?

— Un homme roux, entre deux âges, au visage marqué de petite vérole, qui se prénomme Dieudonné.

Elle s'était complètement refermée. Il n'y avait plus rien à lire sur ses traits. D'ailleurs, une voiture s'arrêtait dehors, dont sortait Moers, avec trois hommes et leurs appareils.

Une fois de plus, Maigret alla ouvrir la porte. Certes, il n'avait pas réussi. Il ne croyait pas non plus avoir tout à fait perdu le temps qu'il venait de passer en tête à tête avec elle.

— Qu'est-ce qu'il faut examiner, patron ?

— Tout. La cuisine, d'abord, puis les deux chambres et le cabinet de toilette au premier étage. Il y a aussi la cour, et enfin la cave qui doit se trouver sous cette trappe.

— Vous croyez que c'est ici que l'homme a été tué et dépecé ?

— C'est possible.

— Et cette valise ?

— Étudie-la, ainsi que son contenu.

— Nous en avons pour tout l'après-midi. Vous restez ?

— Je ne crois pas, mais je passerai sans doute tout à l'heure.

Il entra dans la cabine, appela Judel au poste de police d'en face et lui donna des instructions pour que la maison reste sous surveillance.

— Vous faites mieux de m'accompagner, annonça-t-il ensuite à Mme Calas.

— J'emporte des vêtements et des objets de toilette ?

— C'est peut-être prudent.

En passant par la cuisine, elle s'arrêta pour une longue rasade. On l'entendit ensuite aller et venir dans la chambre du premier.

— Vous n'avez pas peur de la laisser seule, patron ?

Maigret haussa les épaules. S'il existait des traces à effacer, des objets compromettants à faire disparaître, on avait dû en prendre soin depuis longtemps.

Il fut surpris, pourtant, qu'elle soit si longtemps absente. On l'entendait toujours s'agiter et il y eut des bruits de robinet, de tiroirs qu'on ouvre et qu'on referme.

Dans la cuisine, elle s'arrêta à nouveau et sans doute se disait-elle que c'était le dernier alcool qu'il lui était donné de boire avant longtemps.

Quand elle parut enfin, les trois hommes la regardèrent avec une même surprise à laquelle, chez Maigret, se mêlait une pointe d'admiration.

Elle venait, en moins de vingt minutes, d'opérer dans sa personne une transformation presque totale. Elle portait maintenant une robe et un manteau noirs qui lui donnaient beaucoup d'allure. Bien coiffée et chapeautée, on aurait dit que les traits de son visage eux-mêmes s'étaient raffermis et sa démarche était plus nette, son maintien ferme, quasi orgueilleux.

S'attendait-elle à l'effet produit ? Y avait-elle apporté une certaine coquetterie ? Elle ne sourit pas, ne parut pas s'amuser de leur étonnement, se contenta de murmurer en s'assurant qu'elle avait ce qu'il lui fallait dans son sac et en mettant ses gants :

— Je suis prête.

Elle répandait une odeur inattendue d'eau de Cologne et de cognac. Elle s'était poudré le visage, avait passé un bâton de rouge sur ses lèvres.

— Vous n'emportez pas de valise ?

Elle dit non, comme avec défi. D'emporter du linge et des vêtements de rechange n'était-ce pas s'avouer coupable ? C'était en tout cas admettre qu'on pouvait avoir des raisons de la retenir.

— A tout à l'heure ! lança Maigret à Moers et à ses collaborateurs.

— Vous prenez la voiture ?

— Non. Je trouverai un taxi.

Cela lui fit une curieuse impression de se trouver avec elle sur le trottoir et de marcher au même pas dans le soleil.

— Je suppose que c'est en descendant vers la rue des Récollets que nous avons le plus de chance de trouver un taxi ?

— Je suppose.

— J'aimerais vous poser une question.

— Vous ne vous êtes pas gêné, jusqu'ici.

— Combien de temps y a-t-il que vous ne vous êtes habillée de cette façon ?

Elle prit la peine de réfléchir.

— Au moins quatre ans, dit-elle enfin. Pourquoi demandez-vous ça ?

— Pour rien.

A quoi bon le lui dire, puisqu'elle le savait aussi bien que lui ? Il eut tout juste le temps de lever le bras pour arrêter un taxi qui les dépassait et il en ouvrit la portière à sa compagne, la fit monter devant lui.

6

Les débris de ficelle

A la vérité, il ne savait pas encore ce qu'il allait faire d'elle. Il est probable qu'avec un autre juge d'instruction, il n'aurait pas agi comme il l'avait fait jusqu'ici et aurait pris des risques. Avec Coméliau, c'était dangereux. Non seulement le magistrat était tâtillon, soucieux de la forme, inquiet de l'opinion publique et des réactions du gouvernement, mais il s'était toujours méfié des méthodes de Maigret, qu'il ne trouvait pas orthodoxes, et plusieurs fois dans le passé les deux hommes s'étaient heurtés de front.

Maigret savait que le juge le tenait à l'œil, prêt à lui faire porter la responsabilité de la moindre erreur ou de la moindre imprudence.

Il aurait de beaucoup préféré laisser Mme Calas quai de Valmy jusqu'à ce qu'il se soit fait une idée plus précise de son caractère et du rôle qu'elle avait pu jouer. Il aurait placé un homme, deux hommes en faction à proximité du bistrot. Mais le policier de Judel avait-il empêché le jeune Antoine de s'échapper de l'immeuble du Faubourg Saint-Martin ? Antoine n'était pourtant qu'un gamin, n'avait guère plus d'intelligence qu'un enfant de treize ans. Mme Calas était d'une autre trempe. En passant devant les kiosques, il pouvait voir que les journaux annonçaient déjà la perquisition dans le petit café. En tout cas, le nom de Calas s'étalait en grosses lettres sur la première page.

Il imaginait son entrée chez le juge, le lendemain par exemple, si les journaux du matin avaient annoncé :

Mme Calas a disparu

Sans tourner la tête vers elle, il l'observait du coin de l'œil et elle ne paraissait pas y prendre garde. Elle se tenait très droite sur son siège, non sans dignité, et il y avait de la curiosité dans sa façon de regarder la ville.

Pendant quatre ans au moins, avait-elle avoué tout à l'heure, elle ne s'était pas habillée. Elle n'avait pas dit dans quelles circonstances, à quelle occasion elle avait porté pour la dernière fois sa robe noire. Peut-être y avait-il plus longtemps encore qu'elle n'était pas descendue dans le centre et n'avait pas vu la foule se presser sur les Boulevards ?

Puisque, à cause de Coméliau, il ne pouvait agir à sa guise, il était obligé de s'y prendre autrement.

Quand on approcha du Quai des Orfèvres, il ouvrit la bouche pour la première fois.

— Je suppose que vous n'avez rien à dire ?

Elle le regarda avec une pointe de surprise.

— A quel sujet ?

— Au sujet de votre mari.

Elle haussa imperceptiblement les épaules, prononça :

— Je n'ai pas tué Calas.

Elle l'appelait par son nom de famille, comme certaines femmes de paysans et de boutiquiers ont l'habitude d'appeler leur mari. Cela frappa Maigret comme si, chez elle, cela manquait de naturel.

— J'entre dans la coùr ? demanda le chauffeur en ouvrant la vitre.

— Si vous voulez.

Le Vicomte était là, au pied du grand escalier, avec deux autres journalistes et des photographes. Ils avaient eu vent de ce qui se passait et il était vain de vouloir leur cacher la prisonnière.

— Un instant, commissaire...

Pensa-t-elle que c'était Maigret qui les avait fait venir ? Elle passa, très raide, tandis qu'ils prenaient des photos et la suivaient dans l'escalier. Ils avaient dû photographier le jeune Antoine aussi.

Même là-haut, dans le couloir, Maigret hésitait encore et il finit par pousser la porte du bureau des inspecteurs. Lucas n'était pas là. Il s'adressa à Janvier.

— Tu veux l'emmener pendant quelques minutes dans un bureau vide et rester avec elle ?

Elle avait entendu. On lisait toujours un reproche muet dans le regard qu'elle laissait peser sur le commissaire. Peut-être était-ce davantage de la déception qu'un reproche ?

Il sortit sans rien ajouter, pénétra dans son propre bureau où Lapointe, qui avait retiré son veston, était assis à sa place. Face à la fenêtre, Antoine se tenait droit sur une chaise, très rouge, comme s'il avait trop chaud.

Entre eux, sur un plateau qu'on avait fait monter de la Brasserie Dauphine, on voyait des restes de sandwiches et deux verres au fond desquels restait un peu de bière.

Comme le regard de Maigret se posait sur le plateau, puis sur lui, Antoine parut vexé d'avoir cédé à son appétit, s'étant probablement promis de les « punir » en refusant toute nourriture. Ils avaient l'habitude, au Quai, de cette attitude-là, et le commissaire ne put s'empêcher de sourire.

— Ça va ? demanda-t-il à Lapointe.

Des yeux, celui-ci lui fit comprendre qu'il n'avait obtenu aucun résultat.

— Continuez, mes enfants !

Il monta chez Coméliau, qu'il trouva dans son bureau, prêt à aller déjeuner.

— Vous les avez arrêtés tous les deux ?

— Le jeune homme est dans mon bureau, avec Lapointe qui le questionne.

— Il a parlé ?

— Même s'il sait quelque chose, il ne dira rien avant qu'on lui mette des preuves sous le nez.

— Il est intelligent ?

— Justement, il ne l'est pas. On finit d'habitude par avoir raison de quelqu'un d'intelligent, ne fût-ce qu'en lui démontrant que ses réponses ne tiennent pas debout. Un imbécile se contente de nier, en dépit de l'évidence.

— Et la femme ?

— Je l'ai laissée avec Janvier.

— Vous allez l'interroger vous-même ?

— Pas maintenant. Je n'en sais pas assez pour cela.

— Quand comptez-vous le faire ?

— Peut-être ce soir, ou demain, ou après-demain.

— Et en attendant ?

Maigret parut si docile, si bon enfant que Coméliau se demanda ce qu'il avait derrière la tête.

— Je suis venu vous demander ce que vous décidez.

— Vous ne pouvez pas la garder indéfiniment dans un bureau.

— C'est difficile en effet. Surtout une femme.

— Vous ne trouvez pas plus prudent de l'envoyer au Dépôt ?

— C'est à vous de juger.

— Personnellement, vous la relâcheriez ?

— Je ne suis pas sûr de ce que je ferais.

Les sourcils froncés, Coméliau réfléchissait, rageur. Il finit par lancer à Maigret, comme un défi :

— Envoyez-la-moi.

Pourquoi le commissaire souriait-il en s'éloignant le long du couloir ? Imaginait-il le tête-à-tête entre Mme Calas et le juge exaspéré ?

Il ne la revit pas cet après-midi-là, se contenta de rentrer dans le bureau des inspecteurs et de dire à Torrence :

— Le juge Coméliau demande à voir Mme Calas. Veux-tu transmettre la commission à Janvier ?

Quand le Vicomte, dans l'escalier, essaya de s'accrocher à lui, il s'en débarrassa en affirmant :

— Allez donc voir Coméliau. Je suis certain qu'il a, ou qu'il aura bientôt du nouveau pour la presse.

Il se dirigea à pied vers la Brasserie Dauphine, s'arrêta au bar pour un apéritif. Il était tard. Presque tout le monde avait fini de déjeuner. Il décrocha le téléphone.

— C'est toi ? dit-il à sa femme.

— Tu ne rentres pas ?

— Non.

— Tu prends le temps de déjeuner, j'espère ?

— Je suis à la Brasserie Dauphine et je vais justement le faire.

— Tu seras ici pour dîner ?

— Peut-être.

Parmi les odeurs qui flottaient toujours dans l'air, à la brasserie, il en était deux qui dominaient les autres : celle du pernod, autour du bar, et celle du coq au vin qui venait par bouffées de la cuisine.

La plupart des tables étaient inoccupées dans la salle à manger où quelques collègues en étaient au café et au calvados. Il hésita, finit par rester debout et commander un sandwich. Le soleil était aussi brillant que le matin, le ciel aussi clair, mais quelques nuages blancs y couraient très vite et une brise qui venait de se lever soulevait la poussière des rues et collait les robes des femmes à leur corps.

Le patron, derrière le comptoir, connaissait assez Maigret pour comprendre que ce n'était pas le moment d'entamer une conversation. Maigret mangeait distraitement, en regardant dehors du même œil que les passagers d'un bateau regardent le déroulement monotone et fascinant de la mer.

— Un autre ?

Il dit oui, peut-être sans savoir ce qu'on lui avait demandé, mangea d'ailleurs le second sandwich et but le café qu'on lui avait servi sans qu'il le commande.

Quelques minutes plus tard, il était dans un taxi, qui l'emmenait quai de Valmy, et le fit arrêter au coin de la rue des Récollets, en face de l'écluse où trois péniches attendaient. Malgré la saleté de l'eau, à la surface de laquelle venaient parfois éclater des bulles peu ragoûtantes, quelques pêcheurs à la ligne, comme toujours, fixaient leur bouchon.

Il passa devant la façade peinte en jaune de « Chez Popaul » et le patron le reconnut, Maigret le vit, à travers la vitre, qui le désignait du doigt à un groupe de clients. D'énormes poids lourds portant le nom « Roulers et Langlois » étaient alignés le long du trottoir.

Maigret passa devant deux ou trois boutiques comme il s'en trouve dans tous les quartiers populeux de Paris. Un étalage de légumes et de fruits débordait jusqu'au milieu du trottoir. Un peu plus loin, c'était une boucherie où on ne voyait personne, puis, à deux pas de chez Calas, une épicerie si sombre qu'on ne distinguait rien à l'intérieur.

Mme Calas était obligée de sortir de chez elle, ne fût-ce que pour faire son marché, et il était probable qu'elle fréquentait ces boutiques-là, en pantoufles, avec, sur les épaules, l'espèce de châle en grosse laine noire que, dans le café, il avait remarqué.

Judel avait dû s'occuper de ces gens-là. La police du quartier les connaît, les met plus en confiance que quelqu'un du Quai des Orfèvres.

La porte du bar était fermée à clef. Le front collé à la vitre, il n'aperçut personne à l'intérieur mais, dans la cuisine, une silhouette accrochait parfois un rayon de soleil. Il frappa, dut frapper à nouveau deux ou trois fois avant que Moers apparût et, le reconnaissant, se précipitât vers la porte.

— Je vous demande pardon. Nous faisions du bruit. Vous avez attendu longtemps ?

— Cela n'a pas d'importance.

Ce fut lui qui donna le tour de clef à la serrure.

— Tu as été souvent dérangé ?

— Des clients essayent d'ouvrir et s'en vont. D'autres frappent à la porte, insistent, gesticulent pour demander qu'on leur ouvre.

Maigret regarda autour de lui, passa derrière le comptoir, à la recherche d'un buvard-réclame comme il en avait aperçu un sur la table de la chambre à coucher. D'habitude, dans un café, il existe plusieurs buvards de ce genre et cela le surprit de n'en pas trouver un alors qu'il y avait trois boîtes de dominos, quatre ou cinq tapis et une demi-douzaine de jeux de cartes.

— Continue, dit-il à Moers. Je te rejoindrai tout à l'heure.

Il se faufila entre les appareils que les techniciens avaient déployés dans la cuisine et monta au premier, d'où il redescendit avec l'encre et le buvard.

Assis à une table du café, il écrivit en grosses lettres :

Fermé provisoirement.

Il avait hésité à tracer le second mot, pensant peut-être à Coméliau qui, à cette heure, était en tête à tête avec Mme Calas.

— Tu n'as pas vu des punaises quelque part ?

Moers répondit, de la cuisine :

— Sur la planche de gauche, sous le comptoir.

Il les trouva, alla appliquer son avis au croisillon de la porte. Quand il se retourna, il sentit quelque chose de vivant qui lui frôlait la jambe et reconnut le chat roux qui, la tête levée vers lui, le regardait en miaulant.

Il n'avait pas pensé à ça. Si la maison devait rester vide pendant un certain temps, on ne pouvait y laisser le chat.

Il gagna la cuisine, trouva du lait dans un broc de faïence, une assiette à soupe fêlée.

— Je me demande à qui je vais confier la bête.

— Vous ne pensez pas qu'un voisin s'en chargerait ? J'ai aperçu une boucherie, un peu plus loin.

— J'irai m'informer tout à l'heure. Qu'est-ce que vous avez trouvé jusqu'ici ?

Ils étaient en train de passer la maison au peigne fin, ne laissant aucun coin, aucun tiroir inexploré. Moers passait le premier, examinant d'abord les objets avec un verre grossissant, utilisant au besoin un microscope portatif qu'il avait apporté et les photographes venaient derrière lui.

— Nous avons commencé par la cour, car c'est là qu'il y avait le plus de désordre. J'ai pensé aussi que, parmi les détritus variés, on pouvait avoir été tenté de cacher quelque chose.

— Je suppose que les poubelles ont été vidées depuis dimanche ?

— Lundi matin. Nous les avons néanmoins examinées, en quête de taches de sang, par exemple.

— Rien ?

— Rien, répéta Moers, avec l'air d'hésiter.

Cela signifiait qu'il avait une idée mais n'en était pas sûr.

— Qu'est-ce que c'est ?

— Je ne sais pas, patron. Une impression. Nous avons tous les quatre la même. Nous en parlions justement quand vous êtes arrivé.

— Explique.

— Tout au moins pour ce qui est de la cour et de la cuisine, il se passe quelque chose de bizarre. Nous ne sommes pas dans le genre de maison où on s'attendrait à trouver une propreté méticuleuse. Il suffit de regarder dans les tiroirs pour constater qu'il y régnait plutôt un certain laisser-aller. On avait l'habitude d'y fourrer les objets au petit bonheur et la plupart sont couverts de poussière.

Maigret, qui regardait autour de lui, croyait avoir compris et montrait son intérêt.

— Continue.

— A côté de l'évier, nous avons trouvé de la vaisselle de trois jours et des casseroles qui n'ont pas été nettoyées depuis dimanche. On peut supposer que c'était une habitude, à moins que la femme ait négligé le ménage en l'absence du mari.

Moers avait raison. Le désordre — et même une certaine saleté — devaient être coutumiers.

— Logiquement, nous aurions donc dû trouver un peu partout de la saleté vieille de cinq jours ou de dix. Et, en effet, dans certains tiroirs, dans certains recoins, il en est de plus vieille que ça. Par contre, presque partout ailleurs, il semble qu'on ait procédé récemment à un grand nettoyage et Sambois a déniché dans la cour deux bouteilles d'eau de Javel dont une au moins, qui est vide, a été achetée récemment, à en juger par l'état de l'étiquette.

— Quand penses-tu que ce nettoyage aurait été fait ?

— Trois ou quatre jours. Je vous fournirai plus de précisions dans mon rapport. Il faut, avant cela, que je me livre à un certain nombre d'analyses au laboratoire.

— Des empreintes digitales ?

— Elles confirment notre théorie. Dans les tiroirs, dans les placards, nous en avons relevé qui appartiennent à Calas.

— Tu es sûr ?

— Elles correspondent, en tout cas, à celles du corps repêché dans le canal.

On possédait enfin une preuve que l'homme coupé en morceaux était bien le bistrot du quai de Valmy.

— Ces empreintes-là se retrouvent là-haut également ?

— Pas sur les meubles, mais seulement à l'intérieur de ceux-ci. Dubois n'a pas étudié le premier étage en détail et nous y retournerons plus tard. Ce qui nous a frappés, c'est qu'il n'y a pas un grain de poussière sur les meubles et que le plancher a été nettoyé avec soin. Quant aux draps de lit, ils n'ont pas servi plus de trois ou quatre nuits.

— Tu as trouvé des draps sales quelque part ?

— J'y ai pensé. Non.

— On faisait la lessive à la maison ?

— Je n'ai vu aucun appareil ni aucun récipient pour cela.

— Ils confiaient donc le linge à une blanchisserie.

— C'est à peu près certain. Or, à moins que le blanchisseur soit passé hier ou avant-hier...

— Je vais essayer de savoir de quelle blanchisserie il s'agit.

Maigret était sur le point d'aller interroger un des boutiquiers du voisinage. Moers l'arrêta, ouvrit un tiroir du buffet de cuisine.

— Vous avez le nom ici.

Il montrait une liasse de factures parmi lesquelles il y en avait de la « Blanchisserie des Récollets ». La plus récente datait d'une dizaine de jours.

Maigret se dirigea vers la cabine téléphonique, composa le numéro, demanda si on était venu prendre du linge quai de Valmy cette semaine-là.

— La tournée n'a lieu que le jeudi matin, lui répondit-on.

C'était le jeudi précédent que le livreur était passé pour la dernière fois.

Moers avait raison de s'étonner. Deux personnes n'avaient pas vécu dans la maison depuis le jeudi sans salir du linge qu'on aurait dû retrouver quelque part, des draps de lit en tout cas, puisque ceux de la chambre étaient presque propres.

Maigret, songeur, rejoignit les spécialistes.

— Qu'est-ce que tu disais des empreintes ?

— Jusqu'ici, dans la cuisine, nous en avons relevé de trois catégories, sans compter les vôtres et celles de Lapointe que je connais par cœur. D'abord, les plus nombreuses, des empreintes de femme. Je suppose que ce sont celles de la patronne.

— Ce sera facile à contrôler.

— Ensuite, celles d'un homme que je crois assez jeune. Il y en a peu et ce sont les plus fraîches.

Antoine, vraisemblablement, à qui Mme Calas avait dû servir à manger dans la cuisine quand il était arrivé au cours de la nuit.

— Enfin, il y a deux empreintes d'un autre homme, dont une en partie effacée.

— Plus les empreintes de Calas dans les tiroirs ?

— Oui.

— En somme, cela se présente comme si, récemment, dimanche par exemple, on avait nettoyé la maison de fond en comble sans s'occuper de l'intérieur des meubles ?

Tous pensaient au corps coupé en morceaux qui avait été retiré pièce par pièce des eaux du canal.

Le dépeçage n'avait pas été effectué dans la rue, ni dans un terrain vague. Cela avait demandé du temps, car chaque morceau avait été soigneusement enveloppé de papier de journal et ficelé.

Dans quel état se trouvait, après coup, la pièce où pareil travail s'était accompli ?

Maigret regrettait moins, maintenant, d'avoir livré Mme Calas aux assauts furieux du juge Coméliau.

— Tu es descendu à la cave ?

— Nous avons jeté un premier coup d'œil partout. Dans la cave, à première vue, il n'y a rien d'anormal, mais nous y retournerons aussi.

Il les laissa travailler et, pendant un certain temps, arpenta le café où le chat roux se mit à le suivre dans ses allées et venues. Le soleil éclairait les bouteilles rangées sur l'étagère et mettait des reflets doux sur un coin du zinc. En passant près du gros poêle, il crut que le feu était éteint, l'ouvrit et, trouvant encore de la cendre rouge, le rechargea machinalement.

L'instant d'après, il passait derrière le comptoir, hésitait entre les bouteilles, en choisissait une de calvados et s'en versait un verre. Le tiroir-caisse était entrouvert devant lui, avec dedans quelques billets et de la menue monnaie. Sur le mur, à droite, près de la fenêtre, une liste des consommations portait leur prix en regard.

Il prit, dans sa poche, le prix d'un calvados, disposa l'argent dans le tiroir, sursauta, comme pris en faute, en voyant une silhouette se profiler derrière la vitre. C'était l'inspecteur Judel, qui s'efforçait de voir à l'intérieur.

Maigret alla lui ouvrir.

— Je pensais bien vous trouver ici, patron. J'ai téléphoné au Quai et on m'a répondu qu'on ignorait où vous étiez.

Judel regarda autour de lui avec une certaine surprise, cherchant sans doute des yeux Mme Calas.

— C'est vrai que vous l'avez arrêtée ?

— Elle est chez le juge Coméliau.

Judel désignait du menton la cuisine, où il reconnaissait les techniciens.

— Ils ont découvert quelque chose ?

— C'est encore trop tôt pour savoir.

Et surtout trop long à expliquer. Maigret n'en avait pas le courage.

— Je suis content de vous avoir rejoint, car je ne voulais pas agir sans votre avis. Je crois que nous avons retrouvé l'homme roux.

— Où est-il ?

— Si mes renseignements sont exacts, à deux pas d'ici. A moins que, cette semaine, il ne fasse pas partie de l'équipe de nuit. Il travaille comme pointeur aux Transports Zénith, l'entreprise que...

— Rue des Récollets. Je sais. Roulers et Langlois.

— J'ai pensé que vous préféreriez l'interpeller vous-même.

La voix de Moers leur parvint de la cuisine.

— Vous avez un instant, patron ?

Maigret se dirigea vers le fond du café. Le châle noir de Mme Calas était étalé sur la table et Moers, qui l'avait d'abord examiné à la loupe, mettait au point son microscope.

— Vous voulez jeter un coup d'œil ?

— Que dois-je voir ?

— Remarquez-vous sur le noir de la laine, des traits brunâtres qui ressemblent à des brindilles d'arbre ? En réalité, c'est du chanvre. L'analyse nous le confirmera, mais j'en ai la certitude. Ce sont des brindilles presque invisibles à l'œil nu qui se sont détachées d'un morceau de ficelle.

— Le même genre de ficelle que…

Maigret faisait allusion à la ficelle qui avait servi à envelopper les restes de l'homme coupé en morceaux.

— J'en jurerais presque. Mme Calas ne devait pas faire souvent des paquets. Nous n'avons pas retrouvé un seul bout de ficelle de cette sorte dans la maison. Il y a bien des bouts de ficelle dans un tiroir mais c'est ou de la ficelle plus fine, ou de la ficelle de fibre, ou encore de la ficelle rouge.

— Je te remercie. Je suppose que tu seras encore ici quand je reviendrai ?

— Qu'est-ce que vous faites du chat ?

— Je l'emporte.

Le chat se laissa prendre et Maigret le tenait sous le bras en sortant de la maison. Il hésita à entrer à l'épicerie, se dit que l'animal serait mieux chez un boucher.

— Ce n'est pas le chat de Mme Calas ? lui demanda la bouchère quand il s'approcha du comptoir.

— Si. Cela vous ennuierait-il de le garder quelques jours ?

— Du moment qu'il ne se bat pas avec les miens…

— Mme Calas est votre cliente ?

— Elle passe ici tous les matins. Est-ce vrai que ce soit son mari qui…

Au lieu de s'exprimer avec des mots sur un sujet si morbide, elle préféra désigner le canal du regard.

— Cela paraît être lui.

— Qu'est-ce qu'on a fait d'elle ?

Et, comme Maigret cherchait une réponse évasive, elle continua :

— Je sais que tout le monde n'est pas de mon avis et qu'il y a beaucoup à dire sur son compte, mais, pour moi, c'est une malheureuse qui n'est pas responsable.

Quelques minutes plus tard, les deux hommes attendaient, pour pénétrer dans la grande cour de Roulers et Langlois, que le défilé des camions leur permît de se faufiler sans danger. Une cage vitrée, à droite, portait le mot « Bureau » en lettres noires. La cour était entourée de plates-formes surélevées qui ressemblaient à des quais de gare de marchandises et d'où on chargeait des colis, des sacs et des caisses sur les camions. Il régnait un va-et-vient continu, brutal, un vacarme assourdissant.

— Patron ! appela Judel alors que Maigret touchait le bouton de la porte.

Le commissaire se retourna, aperçut un homme roux, debout sur une des plates-formes, qui tenait un étroit registre d'une main, un crayon de l'autre, et qui les regardait fixement. Il était de taille moyenne et portait une blouse grise. Ses épaules étaient larges, la peau de son visage, claire et colorée, criblée de trous laissés par la petite vérole, faisait penser à une peau d'orange.

Des hommes chargés de colis passaient devant lui, criaient un nom, un numéro, puis le nom d'une ville ou d'un village, mais il ne paraissait plus les entendre, ses yeux bleus toujours fixés sur Maigret.

— Ne le laisse pas filer, recommanda celui-ci à Judel.

Il entra au bureau, où une jeune fille s'informa de ce qu'il désirait.

— Un des patrons est ici ?

Elle n'eut pas à répondre, car un homme à cheveux gris coupés ras s'avança, interrogateur.

— Vous êtes un des patrons ?

— Joseph Langlois. Il me semble que je vous ai vu quelque part ?

Sans doute avait-il vu la photographie de Maigret dans les journaux. Le commissaire se nomma et Langlois attendit la suite en homme qui se méfie.

— Qui est l'employé roux que j'aperçois de l'autre côté de la cour ?

— Qu'est-ce que vous lui voulez ?

— Je n'en sais encore rien. Qui est-ce ?

— Dieudonné Pape, qui travaille pour moi depuis plus de vingt-cinq ans. Je serais surpris que vous trouviez quelque chose sur son compte.

— Marié ?

— Il est veuf depuis des années. Au fait, je crois qu'il est devenu veuf deux ou trois ans après son mariage.

— Il vit seul ?

— Je suppose. Sa vie privée ne me regarde pas.

— Vous avez son adresse ?

— Il habite rue des Écluses-Saint-Martin, à deux pas d'ici. Vous savez le numéro, mademoiselle Berthe ?

— 56.

— Il travaille toute la journée ?

— Il fait ses huit heures, comme tout le monde, mais pas nécessairement pendant la journée. Le dépôt marche jour et nuit, des camions chargent et déchargent à toute heure. Cela nous oblige à avoir trois équipes et l'horaire de chacune change chaque semaine.

— De quelle équipe faisait-il partie la semaine dernière ?

Langlois se tourna vers la jeune fille qu'il avait appelée Mlle Berthe.

— Vous voulez voir ?

Elle consulta un dossier.

— De la première équipe.

Le patron traduisit :

— Cela veut dire qu'il a pris son service à six heures du matin pour le quitter à deux heures de l'après-midi.

— Votre dépôt est ouvert le dimanche aussi ?

— Il y a seulement deux ou trois hommes de garde.

— Il en était dimanche dernier ?

La jeune fille, encore une fois, consulta ses fiches.

— Non.

— Jusqu'à quelle heure doit-il travailler aujourd'hui ?

— Il est de la seconde équipe. Il débauchera donc à dix heures du soir.

— Vous ne pourriez pas le faire remplacer ?

— C'est impossible de me dire ce que vous lui voulez ?

— Je le regrette.

— C'est important ?

— Probablement très important.

— De quoi le soupçonnez-vous ?

— Je préfère ne pas répondre.

— Quoi que vous ayez en tête, j'aime mieux vous avertir tout de suite que vous faites fausse route. Si je n'avais que des employés comme lui, je ne me ferais pas de soucis.

Il n'était pas content. Sans avouer à Maigret ce qu'il allait faire et sans inviter le commissaire à le suivre, il sortit du bureau vitré, contourna la cour et s'approcha de Dieudonné Pape.

Celui-ci ne broncha pas pendant que son patron lui parlait et se contenta de regarder fixement la cage vitrée. Tourné vers le fond des magasins, Langlois eut l'air d'appeler quelqu'un et, en effet, un petit vieux ne tarda pas à paraître, en blouse aussi, un crayon à l'oreille. Ils échangèrent quelques mots et le nouveau venu prit l'étroit registre des mains de l'homme roux qui suivit son patron autour de la cour.

Maigret n'avait pas bougé. Les deux hommes entrèrent et Langlois annonça à voix haute :

— C'est un commissaire de la Police Judiciaire qui désire vous parler. Il paraît qu'il a besoin de vous.

— Quelques renseignements à vous demander, monsieur Pape. Si vous voulez m'accompagner...

Dieudonné Pape montra sa blouse.

— Je peux me changer ?

— Je vais avec vous.

Langlois ne dit pas au revoir au commissaire, qui suivit le magasinier jusqu'à une sorte de couloir transformé en vestiaire. Pape ne posa aucune question. Il devait avoir dépassé la cinquantaine et donnait l'impression d'un homme calme et méticuleux. Il endossa son pardessus, mit son chapeau, se dirigea vers la rue tandis que Judel marchait à sa droite et Maigret à sa gauche.

Il parut surpris qu'il n'y eût pas de voiture dehors, comme s'il s'était attendu à ce qu'on l'emmène tout de suite au Quai des Orfèvres. Quand, au coin de la rue, en face du bar peint en jaune, on le fit tourner à gauche au lieu de descendre vers le centre de la ville, il ouvrit la bouche pour dire quelque chose, s'arrêta à temps.

Judel avait compris que Maigret les conduisait au bar de Calas. La porte en était toujours fermée et Maigret frappa. Moers vint leur ouvrir.

— Entrez, Pape.

Maigret tournait la clef dans la serrure.

— Vous connaissez bien la maison, n'est-ce pas ?

L'homme était dérouté. S'il avait prévu qu'il serait interpellé par la police, il était en tout cas surpris de la façon dont les choses se passaient.

— Vous pouvez retirer votre pardessus. Il y a du feu. Asseyez-vous à votre place. Car je suppose que vous avez une place habituelle ?

— Je ne comprends pas.

— Vous êtes un familier de la maison, n'est-ce pas ?

— Je suis un client.

Il essayait de se rendre compte de ce que les hommes faisaient dans la cuisine avec leurs appareils et devait se demander où était Mme Calas.

— Un très bon client ?

— Un bon client.

— Vous êtes venu ici dimanche ?

Il avait une tête d'honnête homme, avec à la fois de la douceur et de la timidité dans ses yeux bleus comme dans les yeux de certains animaux qui semblent toujours se demander pourquoi les humains se montrent si durs avec eux.

— Asseyez-vous.

Il le fit, intimidé, parce qu'on le lui ordonnait.

— Je vous ai posé une question au sujet de dimanche.

— Je ne suis pas venu.

Il avait réfléchi avant de répondre.

— Vous êtes resté chez vous toute la journée ?

— Je suis allé chez ma sœur.

— Elle habite Paris ?

— Nogent-sur-Marne.

— Elle a le téléphone ?

— Le 317 à Nogent. Son mari est entrepreneur de construction.

— Vous avez rencontré d'autres personnes que votre sœur ?

— Son mari, ses enfants, puis, vers cinq heures, des voisins qui ont l'habitude d'aller chez elle jouer aux cartes.

Maigret fit signe à Judel, qui comprit et se dirigea vers la cabine téléphonique.

— A quelle heure avez-vous quitté Nogent ?

— J'ai pris le bus de huit heures.

— Vous n'êtes pas passé par ici avant de rentrer chez vous ?

— Non.

— Quand avez-vous vu Mme Calas pour la dernière fois ?

— Samedi.

— De quelle équipe étiez-vous la semaine dernière ?

— De l'équipe du matin.

— C'est donc après deux heures de l'après-midi que vous êtes venu ici ?

— Oui.

— Calas y était ?

Il dut encore réfléchir.

— Pas quand je suis arrivé.

— Mais il est rentré ?

— Je ne m'en souviens pas.

— Vous êtes resté longtemps dans le café ?

— Assez longtemps.

— C'est-à-dire ?

— Plus de deux heures. Je ne sais pas au juste.

— Qu'avez-vous fait ?

— J'ai pris un verre en bavardant.

— Avec des clients ?

— Surtout avec Aline.

Il rougit en prononçant ce nom et s'empressa d'expliquer :

— Je la considère comme une amie. Il y a longtemps que nous nous connaissons.

— Combien d'années ?

— Plus de dix ans.

— Voilà plus de dix ans que vous venez ici chaque jour ?

— Presque chaque jour.

— De préférence en l'absence du mari ?

Cette fois, il ne répondit pas, baissa la tête, préoccupé.

— Vous êtes son amant ?

— Qui vous a dit ça ?

— Peu importe. Vous l'êtes ?

Au lieu de répondre, il questionna, inquiet :

— Qu'est-ce que vous avez fait d'elle ?

Et Maigret répondit franchement :

— Elle est en ce moment chez le juge d'instruction.

— Pourquoi ?

— Pour répondre à certaines questions au sujet de la disparition de son mari. Vous n'avez pas lu le journal ?

Comme Dieudonné Pape restait immobile, à réfléchir, le regard perdu, Maigret appela :

— Moers ! Veux-tu lui prendre ses empreintes ?

L'homme se laissa faire, plus soucieux qu'effrayé, et ses doigts posés sur le papier ne tremblaient pas.

— Compare.

— Avec lesquelles ?

— Les deux de la cuisine, dont une est en partie effacée.

Quand Moers s'éloigna, Dieudonné Pape prononça doucement, d'un ton de reproche :

— Si c'est pour savoir si je suis allé dans la cuisine, vous n'aviez qu'à me le demander. Il m'arrive souvent de m'y rendre.

— Vous y êtes allé samedi dernier ?

— Je m'y suis préparé une tasse de café.

— Vous ne savez rien de la disparition d'Omer Calas ?

Il avait toujours l'air de réfléchir, en homme qui hésite à prendre une décision capitale.

— Vous ignorez qu'il a été assassiné et que son corps, dépecé, a été jeté dans le canal ?

Ce fut assez impressionnant. Ni Judel, ni Maigret ne s'y attendaient. Lentement, l'homme tourna son regard vers le commissaire, dont il parut scruter la physionomie, et il finit par prononcer, toujours d'une même voix douce qui contenait un reproche :

— Je n'ai rien à dire.

Maigret insista, aussi grave que son interlocuteur :

— C'est vous qui avez tué Calas ?

Et Dieudonné Pape répéta en hochant la tête :

— Je n'ai rien à dire.

7

Le chat de Mme Calas

Maigret était en train de manger son dessert quand il devint conscient de la façon dont sa femme l'observait, un sourire un tantinet moqueur et maternel sur les lèvres. Il feignit d'abord de ne pas le remarquer, plongea le nez dans son assiette, avala encore quelques cuillerées d'œufs au lait, avant de lever les yeux.

— J'ai une tache sur le bout du nez ? finit-il par grommeler.

— Non.

— Alors pourquoi ris-tu de moi ?

— Je ne ris pas. Je souris.

— Avec l'air de te moquer. Qu'ai-je de comique ?

— Tu n'es pas comique, Jules.

C'était rare qu'elle l'appelle ainsi, et cela arrivait seulement quand elle était attendrie.

— Qu'est-ce que je suis ?

— Te rends-tu compte que, depuis que tu es à table, tu n'as pas prononcé un seul mot ?

Non, il ne s'en était pas rendu compte.

— Pourrais-tu dire ce que tu as mangé ?

Il répondit, faussement grognon :

— Des rognons d'agneau.

— Et avant ?

— De la soupe.

— A quoi ?

— Je ne sais pas. Sans doute aux légumes.

— C'est cette femme qui te tracasse à ce point-là ?

La plupart du temps, et c'était encore le cas cette fois-ci, Mme Maigret ne savait des affaires dont son mari s'occupait que ce qu'elle en lisait dans les journaux.

— Tu ne crois pas qu'elle l'ait tué ?

Il haussa les épaules en homme qui essaie de se débarrasser d'une idée fixe.

— Je n'en sais rien.

— Ou bien que Dieudonné Pape l'ait fait et qu'elle soit sa complice ?

Il avait envie de lui répondre que cela n'avait aucune importance. Et, en effet, à ses yeux, ce n'était pas la question. Ce qui importait, c'était de comprendre. Or, non seulement il ne comprenait pas encore, mais il pataugeait davantage à mesure qu'il connaissait mieux les personnages.

S'il était rentré dîner chez lui au lieu de rester attelé à son enquête, c'était justement pour se changer les idées, pour se retremper dans le train-train de tous les jours, comme pour voir sous un autre angle les protagonistes du drame du quai de Valmy.

Au lieu de cela, comme sa femme le lui faisait remarquer en le taquinant, il avait dîné sans ouvrir la bouche, sans cesser un instant de penser à Mme Calas, à Pape et, incidemment, au jeune Antoine.

C'était rare qu'il se sente si loin de la solution d'un problème, plus exactement qu'un problème se pose de cette façon-là, aussi peu technique.

Les sortes de crimes ne sont pas si nombreuses. En général, on peut les classer, grosso modo, en trois ou quatre grandes catégories.

Les crimes de professionnels ne posent que des questions de routine. Qu'un mauvais garçon de la bande des Corses descende, dans un bar de la rue de Douai, un membre de la bande des Marseillais, cela devient, pour le Quai des Orfèvres, un problème quasi mathématique, qui se résout à l'aide d'une routine consacrée.

Qu'un ou deux jeunes dévoyés attaquent une tenancière de bureau de tabac ou un encaisseur de banque et cela entraîne une chasse à l'homme qui a ses règles aussi.

Dans le crime passionnel, on sait tout de suite où on va.

Dans le crime d'intérêt, enfin, à base d'héritage, d'assurance-vie ou d'un plan plus compliqué, pour se procurer l'argent de la victime, on avance sur un terrain sûr dès qu'on a découvert le mobile.

C'était, en l'occurrence, sur ce terrain-là que se plaçait le juge Coméliau, peut-être parce qu'il ne pouvait admettre que des gens appartenant à un monde autre que le sien, à plus forte raison des habitants du quai de Valmy, puissent avoir une vie intime compliquée.

Du moment que Dieudonné Pape était l'amant de Mme Calas, Dieudonné Pape et Mme Calas s'étaient débarrassés du mari, à la fois pour être libres et pour s'emparer de son argent.

— Il y a plus de dix ans qu'ils sont amants, avait rétorqué Maigret. Pourquoi auraient-ils attendu tout ce temps-là ?

Le juge écartait l'objection du geste. Calas pouvait avoir touché une somme assez importante, ou bien les amants avaient attendu une occasion propice, ou encore Mme Calas et son mari s'étaient disputés et Mme Calas avait décidé qu'elle en avait assez. Ou...

— Et si nous découvrons qu'en dehors de son bistrot, qui ne vaut pas lourd, Calas n'avait pas d'argent ?

— Il reste le bistrot. Dieudonné en a eu assez de travailler aux Transports Zénith et a décidé de finir ses jours en pantoufles dans la chaude atmosphère d'un petit café.

C'était la seule objection qui avait quelque peu troublé Maigret.

— Et Antoine Cristin ?

Maintenant, en effet, le juge avait sur les bras deux coupables possibles au lieu d'un. Cristin aussi était l'amant de Mme Calas, et il était plus susceptible que Pape d'avoir eu besoin d'argent.

— Les deux autres se sont servis de lui. Vous verrez que nous découvrirons qu'il a été leur complice.

Voilà ce que l'histoire devenait en passant du quai de Valmy au cabinet d'un juge d'instruction. Et, en attendant que la vérité se fasse jour, ils étaient tous les trois bouclés.

Maigret était d'autant plus maussade, fâché contre lui-même, qu'il n'avait pas tenté de résister à Coméliau, qu'il avait cédé tout de suite, par paresse, par crainte de complications.

Dès le début de sa carrière, il avait appris de ses aînés, puis par sa propre expérience, qu'il ne faut jamais questionner un suspect sur le fond avant de s'être fait une idée nette sur l'affaire. Un interrogatoire ne consiste pas à lancer des hypothèses au petit bonheur, à répéter à quelqu'un qu'il est coupable en espérant qu'après lui avoir martelé le cerveau pendant un certain nombre d'heures il avouera.

Même le plus borné des accusés est comme doué d'un sixième sens et sent immédiatement si la police affirme au hasard ou si elle n'avance que sur des bases solides.

Maigret, toujours, avait préféré attendre. Il lui arrivait même, dans les cas difficiles, quand il ne se sentait pas sûr de lui, de juger préférable de laisser le suspect en liberté aussi longtemps qu'il le fallait, quitte à prendre un certain risque.

Cela lui avait toujours réussi.

— Un suspect qu'on arrête, disait-il volontiers, ressent, contrairement à ce qu'on pourrait croire, un certain soulagement, car il sait désormais sur quel terrain il se trouve. Il n'a plus à se demander si on le suit, si on l'épie, si on le soupçonne, si on n'est pas en train de lui tendre un piège. On l'accuse. Donc, il se défend. Et il jouit désormais de la protection de la loi. En prison, il devient un être presque sacré et tout ce qu'on fera contre lui devra être accompli selon un certain nombre de règles précises.

Aline Calas l'avait bien montré. Une fois dans le cabinet du juge, elle n'avait pour ainsi dire plus desserré les dents. Coméliau n'avait pas obtenu d'elle plus de réactions que d'une des pierres transportées par les frères Naud.

— Je n'ai rien à dire, se contentait-elle de prononcer d'une voix neutre.

Et, comme il la pressait de questions, elle avait ajouté :

— Vous n'avez pas le droit de m'interroger sans la présence d'un avocat.

— Dans ce cas, dites-moi le nom de votre avocat.

— Je n'en ai pas.

— Voici la liste des membres du Barreau de Paris. Choisissez un nom.

— Je ne les connais pas.

— Choisissez au hasard.

— Je n'ai pas d'argent.

On était obligé de nommer un avocat d'office, ce qui entraînait des formalités et prenait un certain temps.

Coméliau avait fait monter le jeune Antoine, vers la fin de l'après-midi, et celui-ci qui, pendant des heures, avait résisté aux questions de Lapointe, n'allait pas en dire davantage au magistrat.

— Je n'ai pas tué M. Calas. Je ne suis pas allé quai de Valmy samedi après-midi. Je n'ai pas déposé de valise à la consigne de la gare de l'Est. L'employé ment ou se trompe.

Sa mère, pendant ce temps-là, un mouchoir roulé en boule à la main, les yeux rouges, attendait dans le couloir de la P.J. Lapointe était allé lui parler. Lucas avait essayé à son tour. Elle s'obstinait à attendre, répétant qu'elle voulait voir le commissaire Maigret.

Cela arrivait souvent avec des gens simples, qui se figurent qu'ils n'obtiendront rien des sous-ordres et qui tiennent coûte que coûte à parler au grand patron.

Le commissaire n'aurait pas pu la recevoir à ce moment-là, car il quittait le bar du quai de Valmy en compagnie de Judel et de Dieudonné Pape.

— Tu fermeras et apporteras la clef au Quai ? recommandait-il à Moers.

Tous les trois avaient franchi la passerelle et gagné le quai de Jemmapes. La rue des Écluses-Saint-Martin était à deux pas, dans un quartier tranquille qui, derrière l'hôpital Saint-Louis, faisait penser à la province. Pape n'avait pas de menottes. Maigret avait jugé qu'il n'était pas homme à essayer de s'enfuir en fonçant à toutes jambes devant lui.

Il était calme et digne, du même calme, aurait-on dit, que Mme Calas, ne paraissait pas tellement accablé que triste, avec une sorte de voile qui ressemblait à de la résignation.

Il parlait peu. Il ne devait jamais parler beaucoup. Il ne répondait aux questions que par les mots indispensables et parfois ne répondait pas du tout, se contentant de regarder le commissaire de ses yeux bleu lavande.

Il habitait un vieil immeuble de cinq étages à l'aspect assez confortable et petit-bourgeois. Quand ils passèrent devant la loge, la concierge se leva pour venir les regarder à travers la vitre mais ils ne s'arrêtèrent pas, montèrent au second étage où Pape ouvrit avec sa clef la porte de gauche.

Son appartement était composé de trois pièces, une salle à manger, une chambre, une cuisine, sans compter une sorte de débarras qu'on avait transformé en salle de bains et où Maigret fut assez surpris de trouver une baignoire. Les meubles, sans être modernes, étaient moins vieillots qu'au quai de Valmy et le tout était d'une propreté remarquable.

— Vous avez une femme de ménage ? avait demandé Maigret avec surprise.

— Non.

— Vous faites vous-même le nettoyage ?

Dieudonné Pape n'avait pu s'empêcher de sourire avec satisfaction, fier de son intérieur.

— La concierge ne monte jamais vous donner un coup de main ?

Au-delà de la fenêtre de la cuisine était suspendu un garde-manger, assez bien garni de victuailles.

— Vous préparez aussi vos repas ?

— Toujours.

Au-dessus de la commode, dans la salle à manger, on voyait, dans un cadre doré, une photographie agrandie de Mme Calas, si pareille à celles qu'on trouve dans la plupart des petits ménages qu'elle donnait une atmosphère bourgeoise et conjugale à l'appartement.

Se souvenant qu'on n'avait trouvé aucune photo quai de Valmy, Maigret avait questionné :

— Comment vous l'êtes-vous procurée ?

— Je l'ai prise avec mon appareil et l'ai fait agrandir boulevard Saint-Martin.

L'appareil photographique était dans un tiroir de la commode. Dans un angle de la salle de bains une petite table était couverte de baquets de verre et de flacons de produits servant à développer les pellicules.

— Vous faites beaucoup de photographie ?

— Oui. Surtout du paysage.

C'était vrai. En fouillant les meubles, Maigret avait trouvé un lot de photographies représentant des coins de Paris et, en moins grand nombre, des vues de la campagne. Beaucoup représentaient le canal et la Seine. Pour la plupart, Dieudonné Pape avait dû longtemps attendre, afin d'obtenir certains effets de lumière assez étonnants.

— Quel costume portiez-vous pour aller chez votre sœur ?

— Le bleu marine.

Il possédait trois complets, y compris celui qu'il avait sur le corps.

— Tu les emportes, avait dit Maigret à Judel. Les souliers aussi.

Et, comme il trouvait du linge sale dans un panier d'osier, il l'avait fait joindre au reste.

Il avait remarqué un canari qui sautillait dans une cage, mais ce n'est qu'au moment de sortir qu'il pensa à ce qu'il allait devenir.

— Vous connaissez quelqu'un qui acceptera de s'en occuper ?

— Je suppose que la concierge le fera volontiers.

Maigret avait emporté la cage et s'était arrêté devant la loge à laquelle il n'avait pas eu besoin de frapper.

— Vous ne voulez pas dire que vous l'emmenez ? s'était-elle écriée avec colère.

Ce n'était pas du canari qu'elle parlait, mais de son locataire. Elle avait reconnu Judel, qui était du quartier. Peut-être avait-elle reconnu Maigret aussi. Et elle avait lu les journaux.

— Traiter un homme comme lui, le meilleur de la terre, comme un malfaiteur !

Elle était toute petite, noiraude, débraillée. Sa voix était pointue. On aurait pu s'attendre, tant elle était furieuse, à ce qu'elle se mette à griffer.

— Voulez-vous vous charger du canari pendant quelque temps ?

Elle lui avait littéralement arraché la cage des mains.

— Vous verrez ce que les locataires et tous les gens du quartier vont dire ! Et d'abord, monsieur Dieudonné, nous irons tous vous voir à la prison.

Les femmes du peuple, passé un certain âge, vouent souvent ce genre de culte à des célibataires ou à des veufs comme Dieudonné Pape dont elles admirent la vie réglée. Quand les trois hommes s'éloignèrent, elle était encore sur le trottoir, à pleurer et à faire des signes d'adieu.

Maigret avait dit à Judel :

— Porte les vêtements et les chaussures à Moers. Il saura ce qu'il doit en faire. Qu'on continue à surveiller la maison du quai de Valmy.

Il ordonnait cette surveillance sans raison précise, plutôt pour éviter tout reproche qu'on pourrait lui adresser par la suite. Docile, Dieudonné Pape attendait au bord du trottoir et, un peu plus tard, régla son pas sur celui de Maigret tandis que tous les deux longeaient le canal en quête d'un taxi.

Dans la voiture, il ne dit rien et Maigret, de son côté, évita de lui poser des questions. Bourrant sa pipe, il la tendit à son compagnon.

— Vous fumez la pipe ?

— Non.

— La cigarette ?

— Je ne fume pas.

Il posa quand même une question, mais qui ne paraissait avoir aucun rapport avec la mort de Calas.

— Vous ne buvez pas non plus ?

— Non.

C'était une anomalie supplémentaire. Maigret avait de la peine à accorder cela avec le reste. Mme Calas était une alcoolique et il y avait des années qu'elle avait commencé à boire, vraisemblablement avant même de connaître Pape.

Or, il est rare que quelqu'un qui boit par nécessité supporte la présence d'une personne sobre.

Le commissaire avait connu des couples plus ou moins semblables à celui que formaient Mme Calas et Dieudonné Pape. Dans chacun des cas dont il se souvenait, l'homme et la femme se livraient à la boisson.

Il avait ruminé tout cela à table, inconsciemment, pendant que sa femme l'observait sans qu'il s'en rende compte. Il avait pensé à bien d'autres choses.

A la mère d'Antoine, entre autres, qu'il avait trouvée dans le couloir de la P.J. et qu'il avait introduite dans son bureau. A cette heure-là, il avait déjà confié Pape à Lucas en lui recommandant :

— Préviens Coméliau qu'il est ici et, si le juge te le demande, conduis-le chez lui. Sinon, emmène-le au Dépôt.

Pape n'avait pas réagi, avait suivi Lucas dans un des bureaux tandis que Maigret s'éloignait avec la femme.

— Je vous jure, monsieur le commissaire, que mon fils est incapable d'avoir fait ça. Il ne ferait pas de mal à une mouche. Il essaie d'avoir l'air d'un dur, parce que c'est la mode parmi les garçons d'aujourd'hui. Moi, qui le connais, je sais que ce n'est qu'un enfant.

— Je vous crois, madame.

— Alors, si vous me croyez, pourquoi ne me le rendez-vous pas ? Je vous promets que je ne le laisserai plus sortir le soir et que je l'empêcherai d'aller voir des femmes. Quand je pense que celle-là a presque mon âge et n'a pas honte de s'en prendre à un gamin dont elle pourrait être la mère ! Je sentais bien, depuis quelque temps, qu'il y avait quelque chose sous roche. Quand je l'ai vu s'acheter du cosmétique pour les cheveux, se laver les dents deux fois par jour, et même mettre du parfum, je me suis dit...

— Vous n'avez que cet enfant-là ?

— Oui. Et je l'élève avec d'autant plus de soin que son père est mort tuberculeux. J'ai tout fait pour lui, monsieur le commissaire. Si seulement je pouvais le voir, lui parler ! Vous croyez qu'on ne me laissera pas, qu'on peut empêcher une mère de voir son fils ?

Il n'avait que la ressource de l'envoyer à Coméliau. C'était un peu lâche, il le savait, mais il n'avait pas le choix. Elle avait dû attendre encore sur un banc, dans le couloir, là-haut, et Maigret ignorait si le juge avait fini par la recevoir.

Moers était rentré au Quai des Orfèvres un peu avant six heures et lui avait remis la clef du quai de Valmy, une grosse clef d'un vieux modèle que Maigret avait en poche en même temps que la clef de l'appartement de Pape.

— Judel t'a confié les vêtements, les chaussures et le linge ?

— Oui. Je les ai au laboratoire. Je suppose que je dois chercher des traces de sang ?

— Surtout, oui. Demain matin, je t'enverrai peut-être dans son appartement.

— Je reviendrai travailler ce soir après avoir mangé un morceau. Je suppose que c'est urgent ?

C'était toujours urgent. Plus on s'attarde à une affaire, moins les pistes sont fraîches et plus les gens ont eu le temps de se mettre en garde.

— Vous passerez ce soir ?

— Je l'ignore. En partant, laisse quand même une note sur mon bureau.

Comme il se levait en bourrant sa pipe, en homme qui ne sait où se mettre, et comme il regardait son fauteuil avec hésitation, Mme Maigret risqua :

— Qu'en dirais-tu de laisser ton esprit en repos pendant un soir ? Ne pense plus à ton affaire. Lis, ou bien, si tu préfères, allons au cinéma, et demain matin tu te réveilleras avec les idées fraîches.

Il lui lança un regard narquois.

— Tu as envie d'aller au cinéma ?

— On joue un assez bon film au Moderne.

Elle lui servit son café et, s'il avait eu une pièce de monnaie à la main, il aurait été tenté de jouer sa soirée à pile ou face.

Mme Maigret avait bien soin de ne pas le presser, de lui laisser prendre son café à petites gorgées. Il arpenta la salle à manger à grands pas, s'arrêtant de temps en temps pour fixer le tapis.

— Non ! décida-t-il enfin.

— Tu sors ?

— Oui.

Avant de passer son manteau, il se versa un petit verre de prunelle.

— Tu rentreras tard ?

— Je ne sais pas. C'est improbable.

Peut-être parce qu'il n'avait pas l'impression que ce qu'il allait faire avait assez d'importance, il ne prit pas de taxi, n'appela pas non plus le Quai des Orfèvres pour se faire envoyer une des voitures du service. Il marcha jusqu'à l'entrée du métro, ne sortit du souterrain qu'à la station Château-Landon.

Le quartier avait repris sa physionomie inquiétante de la nuit, avec des ombres le long des maisons, des femmes immobiles au bord des trottoirs et, dans les bars, un éclairage glauque qui les faisait ressembler à des aquariums.

Un homme se tenait debout à quelques pas de la porte des Calas et se précipita vers Maigret quand celui-ci s'arrêta, lui braqua une torche électrique sur le visage.

— Oh ! Pardon, monsieur le commissaire. Je ne vous avais pas reconnu dans l'obscurité.

C'était un des agents de Judel.

— Rien à signaler ?

— Rien. Ou plutôt si. Je ne sais pas si c'est intéressant. Voilà une heure environ, un taxi est passé sur le quai et s'est mis à ralentir à environ cinquante mètres. Il a continué à rouler, plus lentement encore en arrivant devant la maison, mais il ne s'est pas arrêté.

— Tu as vu qui était dedans ?

— Une femme. Lorsque la voiture est passée devant le bec de gaz, j'ai pu constater qu'elle était jeune, vêtue d'un manteau gris, sans chapeau. Plus loin, le taxi a repris de la vitesse et a tourné à gauche dans la rue Louis-le-Blanc.

Était-ce Lucette, la fille de Mme Calas, qui était venue s'assurer que sa mère n'avait pas été remise en liberté ? Elle savait par les journaux qu'on l'avait emmenée au Quai des Orfèvres mais, jusqu'ici, les journaux n'avaient rien dit de plus.

— Tu crois qu'elle t'a vu ?

— C'est probable. Judel ne m'a pas recommandé de me cacher. La plus grande partie du temps, je fais les cent pas pour me réchauffer.

Une autre hypothèse pouvait s'envisager. Lucette Calas n'avait-elle pas l'intention d'entrer dans la maison au cas où celle-ci n'aurait pas été surveillée ? Et, dans ce cas, pour y prendre quoi ?

Il haussa les épaules, tira la clef de sa poche, la fit tourner dans la serrure. Il ne trouva pas tout de suite l'interrupteur électrique dont il n'avait pas encore eu l'occasion de se servir. Une seule lampe s'alluma et il dut aller vers le bar où se trouvait un autre interrupteur pour allumer la lampe du fond.

Moers et ses aides avaient tout remis en ordre avant leur départ, de sorte qu'il n'y avait rien de changé dans le petit café, sinon que le feu avait fini par s'éteindre et que l'air s'était refroidi. Alors qu'il se dirigeait vers la cuisine, Maigret sursauta, car quelque chose venait de remuer sans bruit près de lui et il lui fallut quelques secondes pour se rendre compte que c'était le chat qu'il avait laissé tout à l'heure chez la bouchère.

L'animal se frottait maintenant contre sa jambe et Maigret se pencha pour le caresser en grommelant :

— Par où es-tu entré, toi ?

Cela le tracassa. La porte qui, de la cuisine, donnait dans la cour, était fermée au verrou. La fenêtre était fermée aussi. Il s'engagea dans l'escalier, fit de la lumière au premier étage où il comprit en trouvant une fenêtre entrouverte. Il existait une remise dans la cour de la maison voisine, avec un toit de zinc d'où le chat s'était élancé pour un saut de plus de deux mètres.

Maigret redescendit, et, comme il restait un peu de lait dans le broc de faïence, il le donna à la bête.

— Et maintenant ? dit-il tout haut comme s'il s'adressait à l'animal.

De quoi avaient-ils l'air tous les deux, dans la maison vide ?

Il ne s'était jamais rendu compte de ce qu'un comptoir de bar, sans patron derrière, sans clients, peut avoir de solitaire et de désolé. C'était pourtant ainsi que la pièce se présentait chaque soir quand Calas, les derniers consommateurs partis, avait mis les volets et tourné la clef dans la serrure.

Ils restaient tous les deux alors, lui et sa femme, et ils n'avaient plus qu'à éteindre, à traverser la cuisine et à monter se coucher. Mme Calas était le plus souvent dans un état de torpeur hébétée que lui donnaient toutes les lampées de cognac prises dans la journée.

Devait-elle se cacher de son mari pour boire ? Ou bien, satisfait des récréations qu'il s'offrait dehors chaque après-midi, traitait-il avec indulgence la passion de sa femme pour la bouteille ?

Maigret constatait tout à coup qu'il y avait un personnage dont on ne savait à peu près rien et que c'était le mort. Dès le début, pour tout le monde, il avait été l'homme coupé en morceaux. Chose curieuse, que le commissaire avait souvent remarquée, les gens n'ont pas les mêmes réactions, la même pitié par exemple, ou la même répulsion, devant des membres retrouvés par-ci par-là que devant un cadavre entier. On dirait que le mort devient plus anonyme, presque bouffon, et c'est tout juste si on n'en parle pas avec un sourire.

Il n'avait vu ni la tête de Calas, qu'on n'avait toujours pas retrouvée et qu'on ne retrouverait sans doute jamais, ni sa photographie.

L'homme était d'origine paysanne, court et trapu. Il allait chaque année acheter du vin chez les vignerons des environs de Poitiers, portait des complets de laine assez fine et jouait l'après-midi au billard dans les environs de la gare de l'Est.

En dehors de sa femme, existait-il une femme ou plusieurs dans sa vie ? Pouvait-il ignorer ce qui se passait chez lui en son absence ?

Il avait fatalement rencontré Pape et, s'il était doué de la moindre subtilité, il avait deviné les relations qui s'étaient établies entre celui-ci et sa femme.

Tous deux ne donnaient pas seulement l'impression d'une paire d'amants mais plutôt d'un déjà vieux ménage, des gens qu'unit un sentiment paisible et profond, à base de compréhension mutuelle, d'indulgence, de cette tendresse spéciale qu'on ne rencontre que chez les couples d'un certain âge qui ont beaucoup à se faire pardonner.

S'il savait cela, est-ce qu'il s'y résignait ? Fermait-il les yeux, ou, au contraire, faisait-il des scènes à sa femme ?

Quelle était sa réaction devant les autres, ceux, comme le jeune Antoine, qui venaient subrepticement profiter de la faiblesse d'Aline Calas ? Savait-il cela aussi ?

Maigret avait fini par se diriger vers le bar et sa main hésitait entre les bouteilles d'alcool, finissait pas saisir une bouteille de calvados. Il pensa qu'il ne faudrait pas oublier de mettre l'argent dans le tiroir-caisse. Le chat était allé s'asseoir près du poêle et, au lieu de s'y endormir, s'agitait, surpris de ne sentir aucune chaleur.

Maigret comprenait les relations entre Mme Calas et Pape. Il comprenait Antoine aussi, et les autres qui ne faisaient que passer.

Ce qu'il ne comprenait pas, c'était Calas et sa femme. Comment et pourquoi ces deux-là s'étaient-ils mis ensemble, s'étaient-ils mariés ensuite, avaient-ils vécu enfin pendant tant d'années l'un avec l'autre, avaient-ils même eu une fille dont ils semblaient s'être désintéressés comme si elle n'avait rien de commun avec eux ?

Aucune photographie ne venait l'éclairer, aucune correspondance, rien de ce qui, dans un intérieur, permet de deviner la mentalité de ses habitants.

Il vida son verre et s'en servit un autre avec mauvaise humeur, puis, son verre à la main, alla s'installer à la table où il avait vu Mme Calas s'asseoir comme si c'était sa place habituelle.

Il frappa sa pipe contre son talon, en bourra une autre, l'alluma, les yeux fixés sur le comptoir, sur les verres, sur les bouteilles, et il se demanda alors s'il n'était pas en train de trouver la réponse à sa question, à une partie tout au moins de sa question.

De quoi, en somme, la maison était-elle composée ? D'une cuisine où l'on ne mangeait pas, car le couple prenait ses repas dans le café, à la table du fond, puis d'une chambre où l'on ne faisait que dormir.

Qu'il s'agisse de Calas ou de sa femme, c'était ici qu'ils vivaient, dans le bar, qui constituait pour eux ce que la salle à manger ou la pièce commune sont à un ménage ordinaire.

Quand le couple était arrivé à Paris, ne s'était-il pas tout de suite, ou presque, installé quai de Valmy, d'où il n'avait plus bougé ?

Maigret avait même l'impression, maintenant, que cela éclairait aussi d'un jour nouveau les relations de Mme Calas et de Dieudonné Pape et il sourit.

Cela restait assez vague et il aurait été incapable d'exprimer sa pensée par des phrases précises. Il n'en perdait pas moins cette mollesse qui affectait son comportement depuis quelques heures. Vidant son verre, il se dirigea vers la cabine, composa le numéro du Dépôt.

— Ici, le commissaire Maigret. Qui est à l'appareil ? C'est vous, Joris ? Comment est votre nouvelle cliente ? La femme Calas, oui, comme vous dites. Comment ? Et qu'est-ce que vous avez fait ?

Il la plaignait. Deux fois, elle avait appelé. Les deux fois, elle avait essayé de décider le gardien à lui apporter un peu d'alcool en lui promettant de lui payer n'importe quel prix. L'idée ne lui était pas venue qu'elle allait terriblement souffrir d'en être privée.

— Non, évidemment...

Il ne pouvait conseiller à Joris de lui en donner en dépit des règlements. Peut-être lui en porterait-il lui-même, le lendemain matin, ou lui en donnerait-il dans son bureau ?

— Je voudrais que vous regardiez dans les papiers qu'on lui a pris. Sa carte d'identité doit s'y trouver. Je sais qu'elle vient des environs de Gien, mais je ne me souviens pas du nom du village.

Il dut attendre assez longtemps.

— Comment ? Boissancourt, par Saint-André. Boissancourt avec un A ? Merci, vieux ! Bonne nuit ! Ne soyez pas trop dur pour elle.

Il appela les Renseignements, se nomma.

— Voudriez-vous être assez gentille, mademoiselle, pour chercher

Boissancourt, par Saint-André, entre Montargis et Gien, et me lire la liste des abonnés.

— Vous restez à l'appareil ?

— Oui.

Ce ne fut pas long car la surveillante était excitée à l'idée de collaborer avec le fameux commissaire Maigret.

— Vous prenez note ?

— Oui.

— Aillevard, route des Chênes, sans profession.

— Passez.

— Ancelin, Victor, boucher. Vous ne voulez pas le numéro ?

— Non.

— Honoré de Boissancourt, château de Boissancourt.

— Passez.

— Docteur Camuzet.

— Donnez-moi quand même son numéro.

— Le 17.

— Ensuite ?

— Calas, Robert, négociant en bestiaux.

— Numéro ?

— 21.

— Calas, Julien, épicier. Le numéro est 3.

— Pas d'autre Calas ?

— Non. Il y a un Louchez, sans profession, un Piedbœuf, maréchal-ferrant, et un Simonin, marchand de grains.

— Voulez-vous m'appeler le premier Calas de la liste, puis, probablement, le second ?

Il entendit les demoiselles du téléphone s'entretenir le long de la ligne, une voix annoncer :

— Saint-André écoute.

Puis on sonna le 21 et la sonnerie résonna longtemps avant qu'une voix de femme se fasse entendre.

— Qu'est-ce que c'est ?

— Ici, le commissaire Maigret, de la Police Judiciaire de Paris. Vous êtes Mme Calas ? Votre mari est chez vous ?

Il était au lit avec la grippe.

— Êtes-vous de la même famille qu'un certain Omer Calas ?

— Qu'est-ce qu'il est devenu, celui-là ? Il a fait un mauvais coup ?

— Vous le connaissez ?

— C'est-à-dire que je ne l'ai jamais vu, car je ne suis pas d'ici, mais de la Haute-Loire, et il était déjà parti quand je me suis mariée.

— C'est un parent de votre mari ?

— Son cousin germain. Il a encore un frère dans le pays, Julien, qui est épicier.

— Vous ne savez rien de plus à son sujet ?

— Au sujet d'Omer ? Non, et je ne tiens pas à en savoir davantage.

Elle dut raccrocher, car une autre voix demanda :

— Vous désirez la seconde communication, monsieur le commissaire ?

On répondit plus rapidement et il y eut un homme au bout de la ligne. Celui-ci était encore plus réticent.

— J'entends bien ce que vous me dites. Mais qu'est-ce que vous me voulez au juste ?

— Omer Calas était votre frère ?

— J'ai eu un frère qui s'appelait Omer.

— Il est mort ?

— Je n'en sais rien. Il y a plus de vingt ans, presque vingt-cinq, que je n'ai plus de ses nouvelles.

— Un certain Omer Calas a été assassiné à Paris.

— J'ai entendu ça tout à l'heure à la radio.

— Vous avez entendu son signalement aussi ? Cela ressemble-t-il à votre frère ?

— Après si longtemps, on ne peut rien dire.

— Vous saviez qu'il habitait Paris ?

— Non.

— Qu'il était marié ?

Silence.

— Vous connaissez sa femme ?

— Écoutez. Je n'ai rien à vous dire. Quand mon frère est parti, j'avais quinze ans. Je ne l'ai pas revu. Je n'ai jamais reçu de lettres de lui. Je ne cherche pas à savoir. Si vous voulez des renseignements, vous feriez mieux de vous adresser à maître Canonge.

— Qui est-ce ?

— Le notaire.

Quand il eut enfin le numéro du notaire Canonge, la femme de celui-ci s'écria :

— Pour une coïncidence, c'est une coïncidence !

— Quoi ?

— Que vous téléphoniez justement. Comment avez-vous su ? Tout à l'heure, après avoir entendu la nouvelle à la radio, mon mari s'est demandé s'il devait vous téléphoner ou aller vous voir. Il a finalement décidé de se rendre à Paris et a pris le train de 8 h 22. Il sera à la gare d'Austerlitz un peu après minuit, je ne sais pas à quelle heure au juste.

— Où a-t-il l'habitude de descendre ?

— Jadis, le train allait jusqu'à la gare d'Orsay et il continue à descendre à l'*Hôtel d'Orsay*.

— Comment est votre mari ?

— Un bel homme, grand et fort, avec des cheveux gris. Il porte un pardessus brun, un complet brun et, outre sa serviette, il a emporté une valise en peau de porc. Je me demande encore ce qui vous a fait penser à lui.

Quand Maigret raccrocha, il eut malgré lui un sourire satisfait, faillit s'offrir un dernier petit verre mais se dit qu'il aurait tout le temps d'en prendre à la gare.

Il lui restait à téléphoner à Mme Maigret qu'il rentrerait assez tard dans la nuit.

8

Le notaire de Saint-André

Mme Canonge n'avait pas exagéré. Son mari était réellement un bel homme d'environ soixante ans qui faisait penser davantage à un *gentleman farmer* qu'à un tabellion de province. Maigret, debout à l'extrémité du quai, près de la barrière, le reconnut tout de suite de loin, marchant d'un bon pas parmi les voyageurs du train de minuit 22 qu'il dominait de la taille, une valise en peau de porc d'une main, sa serviette de l'autre, et on devinait à son aisance qu'il était un habitué de la gare et même de ce train-là.

Grand et fort, il était le seul à être vêtu avec une recherche presque trop marquée. Son pardessus n'était pas d'un brun quelconque, mais d'un marron rare et doux que Maigret n'avait jamais vu, et sa coupe révélait le grand tailleur.

Il avait le teint coloré sous ses cheveux argentés et, même dans la mauvaise lumière du hall de gare, on sentait l'homme soigné, rasé de près, peut-être discrètement parfumé à l'eau de Cologne.

Une cinquantaine de mètres avant la barrière, son regard avait repéré Maigret parmi les personnages qui attendaient et il avait froncé les sourcils, en homme qui n'est pas sûr de sa mémoire. Lui aussi avait dû voir souvent la photographie du commissaire dans les journaux. Arrivé plus près, il hésitait encore à lui sourire, à s'avancer la main tendue.

Ce fut Maigret qui fit deux pas en avant.

— Maître Canonge ?

— Oui. Vous êtes le commissaire Maigret ?

Il déposait sa valise à ses pieds, serrait la main offerte.

— Vous n'allez pas me dire que c'est par hasard que vous êtes ici ?

— Non. J'ai téléphoné chez vous au cours de la soirée. Votre femme m'a appris que vous aviez pris le train et que vous descendriez à l'*Hôtel d'Orsay*. Pour plus de sécurité, j'ai préféré venir vous attendre.

Il restait un détail que le notaire ne comprenait pas.

— Vous avez lu mon annonce ?

— Non.

— Curieux ! Je pense que nous devons d'abord sortir d'ici. Vous m'accompagnez à l'*Hôtel d'Orsay* ?

Ils prirent un taxi.

— Je suis venu à Paris pour vous voir et comptais vous téléphoner demain à la première heure.

Maigret ne s'était pas trompé. Son compagnon répandait une légère odeur d'eau de Cologne et de cigare fin.

— Vous avez mis Mme Calas en prison ?

— Le juge Coméliau a signé un mandat d'arrêt.

— C'est une histoire extraordinaire...

Ils suivaient les quais et, quelques minutes plus tard, arrivaient devant l'*Hôtel d'Orsay* où le portier accueillit le notaire comme un vieux client.

— Je suppose que le restaurant est fermé, Alfred ?

— Oui, monsieur Canonge.

Celui-ci expliquait à Maigret, qui le savait fort bien :

— Avant la guerre, quand tous les trains du P.O. venaient jusqu'ici, le restaurant de la gare restait ouvert la nuit. C'était pratique. Je suppose que cela ne vous tente pas de causer dans une chambre d'hôtel ? Nous pourrions peut-être aller prendre un verre quelque part ?

Ils durent marcher assez loin dans le boulevard Saint-Germain, pour trouver une brasserie ouverte.

— Qu'est-ce que vous buvez, commissaire ?

— Un demi.

— Avez-vous une très bonne fine pour moi, garçon ?

Tous les deux, débarrassés de leur chapeau et de leur pardessus, s'étaient installés sur la banquette et, tandis que Maigret allumait sa pipe, Canonge coupait le bout d'un cigare à l'aide d'un canif d'argent.

— Je suppose que vous n'êtes jamais venu à Saint-André ?

— Jamais.

— C'est à l'écart de la grand-route et il n'y a rien pour attirer le touriste. Si j'ai bien compris ce que la radio a annoncé cet après-midi, l'homme coupé en morceaux du Canal Saint-Martin n'est autre que cette canaille de Calas ?

— Ses empreintes correspondent avec celles qui ont été relevées dans la maison du quai de Valmy.

— Lorsque j'ai lu les quelques lignes que les journaux ont consacrées à la découverte du corps, j'en ai eu l'intuition et j'ai même failli vous passer un coup de fil.

— Vous connaissiez Calas ?

— Je l'ai connu, autrefois. J'ai mieux connu celle qui est devenue sa femme. A votre santé ! Ce que je me demande à présent, c'est par où commencer, car l'histoire est plus compliquée qu'on pourrait le croire. Aline Calas ne vous a pas parlé de moi ?

— Non.

— Vous la croyez mêlée au meurtre de son mari ?

— Je ne sais pas. Le juge d'instruction en est persuadé.

— Que dit-elle pour sa défense ?

— Rien.

— Elle avoue ?

— Non. Elle se contente de se taire.

— Je crois, commissaire, que c'est le personnage le plus extraordinaire que j'aie rencontré de ma vie. Et pourtant, dans les campagnes, nous voyons un certain nombre de phénomènes, je vous assure.

Il devait être habitué à ce qu'on l'écoute et il s'écoutait lui-même parler, avec pour tenir son cigare entre ses doigts soignés un geste bien à lui qui mettait en valeur une chevalière en or.

— Il vaut mieux que je commence par le commencement. Vous n'avez jamais entendu parler d'Honoré de Boissancourt, évidemment ?

Le commissaire fit signe que non.

— C'est, ou plutôt c'était encore il y a un mois, dans notre région, le « riche homme ». Outre le château de Boissancourt, il possédait une quinzaine de fermes comportant en tout dans les deux mille hectares, plus un bon millier d'hectares de bois et deux étangs. Si vous êtes familier avec la province, vous voyez ça.

— Je suis né à la campagne.

Non seulement Maigret était né à la campagne, mais son père n'était-il pas régisseur d'une propriété du même genre ?

— Maintenant, il est utile que vous sachiez ce qu'était ce Boissancourt. Pour cela, je dois remonter à son grand-père, que mon père, qui était notaire à Saint-André, a encore connu. Il ne s'appelait pas Boissancourt mais Dupré, Christophe Dupré. Fils d'un métayer du château, il s'est d'abord établi marchand de bestiaux et il était assez dur et assez retors pour faire une fortune rapide. Je suppose que vous connaissez ce genre d'homme-là aussi.

Maigret avait un peu l'impression, en l'écoutant, de revivre son enfance, car, dans leur campagne, il y avait une sorte de Christophe Dupré, qui était devenu un des hommes les plus riches du pays et dont le fils était maintenant sénateur.

— A une certaine époque, Dupré s'est mis à acheter et à vendre des blés et ses spéculations lui ont réussi. Avec ses gains, il a acheté de la terre, une ferme d'abord, puis deux, puis trois, de sorte que, quand il est mort, le château de Boissancourt, qui appartenait autrefois à une veuve sans enfants, était passé entre ses mains avec ses dépendances. Christophe avait un fils et une fille. Il a marié la fille à un officier de cavalerie et son fils, Alain, à la mort du père, a commencé à se faire appeler Dupré de Boissancourt. Petit à petit, il a laissé tomber le Dupré et enfin, quand il a été élu au Conseil Général, il a obtenu un décret légalisant son nouveau nom.

Cela aussi rappelait bien des souvenirs à Maigret.

— Voilà pour les anciennes générations. Honoré de Boissancourt, le petit-fils de Christophe Dupré qu'on pourrait appeler le fondateur de la dynastie, est mort il y a un mois.

» Il avait épousé jadis une demoiselle Émilie d'Espissac, d'une vieille famille ruinée des environs, qui, après lui avoir donné une fille, est morte d'un accident de cheval alors que l'enfant était en bas âge. J'ai bien connu la mère, une femme charmante qui portait sa laideur avec mélancolie et qui s'était laissé sacrifier par ses parents sans protestations.

On a prétendu que Boissancourt a donné un million à ceux-ci, en quelque sorte pour l'acheter. En qualité de notaire de la famille, je puis dire que le chiffre est exagéré, mais il n'en est pas moins vrai que la vieille comtesse d'Espissac a reçu une somme importante le jour de la signature du contrat.

— Quel genre d'homme était le dernier Boissancourt ?

— J'y viens. J'étais son notaire. Pendant des années, j'ai dîné au château une fois la semaine et j'ai toujours chassé sur ses terres. Je le connaissais donc bien. Tout d'abord, il avait un pied bot, ce qui explique peut-être en partie son caractère triste et ombrageux. Le fait aussi que l'histoire de sa famille fût connue de chacun, que la plupart des châteaux de la région lui fussent fermés n'a sans doute pas aidé à le rendre sociable.

» Toute sa vie, il a eu l'impression que les gens le méprisaient et qu'ils s'entendaient à le voler, de sorte qu'il passait son temps à se défendre avant d'être attaqué.

» Il s'était réservé, dans le château, une tourelle, transformée en une sorte de cabinet de travail où, pendant des journées entières, il revoyait les comptes, non seulement des métayers et des gardes, mais des moindres fournisseurs, corrigeant à l'encre rouge les chiffres du boucher et de l'épicier. Il descendait souvent à la cuisine, à l'heure du repas des domestiques, pour s'assurer qu'on ne leur servait pas des mets coûteux.

» Je suppose, il n'y a pas de mal à ce que je trahisse entre nous ce qui constitue un secret professionnel, encore que n'importe qui à Saint-André pourrait vous raconter la même chose.

— Mme Calas est sa fille ?

— Vous l'avez deviné.

— Et Omer Calas ?

— Il a travaillé au château pendant quatre ans en qualité de valet de chambre. C'est le fils d'un journalier ivrogne qui ne valait pas lourd.

» Nous voilà maintenant à vingt-cinq ans en arrière.

Il fit signe au garçon qui passait, dit à Maigret :

— Cette fois, vous prenez une fine avec moi ? Deux fines, garçon ! Tout cela évidemment, continuait-il l'instant d'après en se tournant vers le commissaire, vous ne pouviez le soupçonner en visitant le bistrot du quai de Valmy.

Ce n'était pas entièrement exact et Maigret n'était pas le moins du monde surpris de ce qu'il apprenait.

— Il m'est arrivé de discuter d'Aline avec le vieux docteur Pétrelle, malheureusement mort, que Camuzet a remplacé. Camuzet ne l'a pas connue et ne pourra rien vous en dire. Quant à moi, je suis incapable de vous décrire son cas en termes techniques.

» Tout enfant, déjà, elle était différente des autres petites filles et il y avait, chez elle, quelque chose qui gênait. Elle n'a jamais joué avec d'autres, n'a jamais non plus été à l'école, car son père tenait à ce qu'elle ait une institutrice privée. Elle n'en a pas eu une, mais une douzaine au moins, car l'enfant s'arrangeait pour leur faire la vie impossible.

» Rendait-elle son père responsable du fait qu'elle menait une existence différente des autres ? Ou bien, comme Pétrelle le prétendait, était-ce beaucoup plus compliqué ? Je l'ignore. Les filles, le plus souvent, paraît-il, adorent leur père, parfois avec exagération. Je n'en ai pas l'expérience, car ma femme et moi n'avons pas d'enfant. Est-ce que ce genre d'adoration-là peut se transformer en haine ?

» Toujours est-il qu'elle paraissait s'ingénier à mettre Boissancourt au désespoir et qu'à douze ans on l'a surprise tentant d'incendier le château.

» Le feu a été sa manie pendant tout un temps et on était obligé de la surveiller de près.

» Ensuite, il y a eu Omer, qui avait cinq ou six ans de plus qu'elle et qui était alors ce que les paysans appellent un beau gars, dur et dru, les yeux pleins d'insolence dès que le patron avait le dos tourné.

— Vous avez vu ce qui se passait entre eux ? questionna Maigret qui regardait vaguement la brasserie presque vide où les garçons attendaient le départ des derniers clients.

— Pas alors. C'est avec Pétrelle, toujours, que, plus tard, nous en avons parlé. D'après Pétrelle, elle a dû commencer à s'intéresser à Omer alors qu'elle n'avait pas plus de treize ou quatorze ans. Cela arrive à d'autres filles de cet âge, mais garde d'ordinaire un caractère vague et plus ou moins platonique.

» En a-t-il été différemment avec elle ? Calas, que les scrupules n'étouffaient pas, s'est-il montré plus cynique que les hommes le sont d'habitude en pareil cas ?

» Toujours est-il que Pétrelle était persuadé que, pendant longtemps, des relations équivoques ont existé entre eux. Il les mettait en grande partie sur le besoin qu'avait Aline de défier son père et de le décevoir.

» C'est possible. Ce n'est pas mon domaine. Si j'entre dans ces détails, c'est pour rendre le reste plus compréhensible.

» Un jour, alors qu'elle n'avait pas dix-sept ans, elle est allée trouver le médecin en cachette pour se faire examiner et il lui a confirmé qu'elle était enceinte.

— Comment a-t-elle pris la chose ? demanda Maigret.

— Pétrelle m'a raconté qu'elle l'avait regardé fixement, durement, articulant entre ses dents :

» — *Tant mieux !*

» Sachez qu'entre-temps Calas avait épousé la fille du boucher, parce qu'elle était enceinte aussi, et qu'elle lui avait donné un enfant, quelques semaines plus tôt.

» Il continuait à travailler comme valet de chambre au château, car il n'avait pas d'autre métier, et sa femme vivait chez ses parents.

» Un dimanche, le village a appris qu'Aline de Boissancourt et Omer Calas avaient disparu.

» Par les domestiques, on a su qu'une scène dramatique avait éclaté, le soir précédent, entre la jeune fille et son père. Pendant plus de deux heures, on les avait entendus discuter avec véhémence dans le petit salon.

» Boissancourt n'a jamais rien tenté, à ma connaissance, pour retrouver sa fille. Autant que je sache, elle ne lui a jamais écrit non plus.

» Quant à la première femme de Calas, elle a fait de la neurasthénie et a traîné pendant trois ans jusqu'à ce qu'on la retrouve pendue à un arbre du verger.

Les garçons avaient empilé les chaises sur la plupart des tables et l'un d'eux les regardait en tenant une grosse montre d'argent à la main.

— Je crois que nous ferions mieux de les laisser fermer, suggéra Maigret.

Canonge tint à payer les consommations et ils sortirent. La nuit était fraîche, le ciel étoilé, et ils marchèrent un moment en silence. Ce fut le notaire qui suggéra :

— Nous trouverons peut-être un autre endroit ouvert pour prendre un dernier verre ?

Ils parcoururent ainsi, chacun réfléchissant de son côté, une bonne partie du boulevard Raspail, dénichèrent à Montparnasse une petite boîte à l'éclairage bleuâtre d'où sourdait de la musique.

— On entre ?

Au lieu de se laisser conduire à une table, ils s'assirent au bar, où deux filles s'acharnaient sur un gros homme plus qu'à moitié ivre.

— La même chose ? questionna Canonge en prenant un nouveau cigare dans sa poche.

Quelques couples dansaient. Deux filles quittèrent l'autre bout de la salle pour venir s'asseoir à côté d'eux, mais le commissaire leur adressa un signe et elles n'insistèrent pas.

— Il y a encore des Calas à Boissancourt et à Saint-André, disait le notaire.

— Je sais. Un marchand de bestiaux et un épicier.

Canonge eut un petit rire.

— Ce serait drôle que le marchand de bestiaux devienne assez riche à son tour pour racheter le château et les terres ! L'un des Calas est le frère d'Omer, l'autre son cousin. Il a aussi une sœur qui a épousé un gendarme de Gien. Lorsque Boissancourt a été terrassé par une hémorragie cérébrale, voilà un mois, alors qu'il se mettait à table, je suis allé les voir tous les trois afin de savoir s'ils avaient jamais eu des nouvelles d'Omer.

— Un instant, l'interrompit Maigret. Boissancourt n'a pas déshérité sa fille ?

— Tout le monde, dans le pays, était persuadé qu'il l'avait fait. On se demandait qui allait hériter de la propriété car, dans un village comme celui-là, chacun dépend plus ou moins du château.

— Je suppose que vous saviez ?

— Non. Pendant les dernières années, Boissancourt a rédigé plusieurs testaments, différents les uns des autres, mais ne me les a jamais remis en garde. Il a dû les déchirer tour à tour car on n'en a retrouvé aucun.

— De sorte que sa fille hérite de ses biens ?

— Automatiquement.

— Vous avez fait insérer une annonce dans les journaux ?

— Comme d'habitude dans ces cas-là, oui. Je ne pouvais pas y mettre le nom de Calas, étant donné que j'ignorais s'ils étaient mariés. Peu de gens lisent ces sortes d'annonces. Je n'en attendais guère de résultats.

Il avait vidé son verre de fine et regardait le barman d'une certaine façon. Si son train comportait un wagon-restaurant, il avait déjà dû boire un ou deux verres, avant d'arriver à Paris, car son teint était animé, ses yeux luisants.

— La même chose, commissaire ?

Peut-être Maigret, lui aussi, avait-il bu plus qu'il ne le croyait ? Il ne dit pas non. Il se sentait bien, physiquement et intellectuellement. Il avait même l'impression qu'il était doué d'un sixième sens qui lui permettait d'entrer dans la peau des personnages évoqués.

Est-ce que, sans l'aide du notaire, il n'aurait pas été capable de reconstituer cette histoire ? Il n'était pas si loin de la vérité, il y a quelques heures, et, la preuve, c'est que l'idée lui était venue de téléphoner à Saint-André.

S'il n'avait pas tout deviné, l'idée qu'il s'était faite de Mme Calas n'en correspondait pas moins à celle qu'il pouvait en avoir maintenant qu'il savait.

— Elle s'est mise à boire, murmura-t-il, avec la soudaine envie de parler à son tour.

— Je sais. Je l'ai vue.

— Quand ? La semaine dernière ?

Sur ce point-là aussi, il avait pressenti la vérité. Mais Canonge ne lui laissait pas la parole et, à Saint-André, il ne devait pas être habitué à ce qu'on l'interrompe.

— Laissez-moi procéder par ordre, commissaire. N'oubliez pas que je suis notaire et que les notaires sont des gens méticuleux.

Cela le fit rire et la fille assise à deux tabourets de lui en profita pour lui demander :

— Je peux commander un verre aussi ?

— Si vous voulez, mon petit, à condition que vous n'interveniez pas dans notre conversation. C'est plus important que vous ne pouvez imaginer.

Satisfait, il se tourna vers Maigret.

— Pendant trois semaines, donc, mon annonce n'a donné aucun résultat, sinon quelques lettres de folles. Ce n'est pas l'annonce, en fin de compte, qui m'a fait découvrir Aline, mais le plus grand des hasards. Voilà une semaine, on m'a retourné de Paris, par service rapide, un fusil de chasse que j'avais envoyé à réparer. J'étais chez moi quand on me l'a livré et il se fait que j'ai ouvert moi-même la porte au chauffeur du camion.

— Un camion des Transports Zénith ?

— Vous savez cela ? C'est exact. J'ai offert un verre de vin au livreur, comme c'est l'habitude à la campagne. L'épicerie Calas se trouve juste en face de chez moi, sur la place de l'église. En buvant son verre, l'homme, qui regardait par la fenêtre, a murmuré :

» — Je me demande si c'est de la même famille que le bistrot du quai de Valmy.

» — Il existe un Calas quai de Valmy ?

» — Un drôle de petit bistrot, où je n'avais jamais mis les pieds avant la semaine dernière. C'est un des pointeurs qui m'y a emmené.

Maigret aurait parié que le pointeur n'était autre que Dieudonné Pape.

— Vous ne lui avez pas demandé si le pointeur était roux ?

— Non. Je lui ai demandé quel était le prénom du Calas en question. Il s'est mis à chercher dans sa tête, se souvenant vaguement d'avoir lu le nom sur la devanture. J'ai suggéré Omer et il m'a affirmé que c'était ça.

» A tout hasard, le lendemain, j'ai pris le train pour Paris.

— Le train du soir ?

— Non. Celui du matin.

— A quelle heure êtes-vous arrivé quai de Valmy ?

— Un peu après trois heures de l'après-midi. J'ai trouvé, dans le bistrot, assez sombre, une femme que je n'ai pas reconnue tout de suite. Je lui ai demandé si elle était Mme Calas et elle m'a répondu que oui. Puis je lui ai demandé son prénom. Elle m'a donné l'impression d'être à moitié ivre. Elle boit, n'est-ce pas ?

Il buvait, lui aussi, pas de la même manière, assez, cependant, pour avoir maintenant les yeux noyés d'eau.

Maigret n'était pas sûr qu'on ne leur ait pas rempli leur verre une fois de plus et la femme, qui avait changé de tabouret, était penchée sur le notaire dont elle tenait le bras. Si elle suivait son récit, il n'en paraissait rien sur son visage dénué d'expression.

— Vous êtes bien née Aline de Boissancourt ? lui ai-je dit.

» Et elle m'a regardé sans protester. Je me souviens qu'elle était assise près du poêle avec un gros chat roux dans son giron.

» J'ai continué :

» — Avez-vous appris la mort de votre père ?

» — Elle a fait non, sans montrer de surprise ou d'émotion.

» — J'étais son notaire et suis maintenant chargé de sa succession. Votre père, madame Calas, n'a pas laissé de testament, de sorte que le château, les terres et toute sa fortune vous reviennent.

» Elle a questionné :

» — Comment avez-vous eu mon adresse ?

» — Par un chauffeur de camion qui est venu ici par hasard.

» — Personne d'autre ne la connaît ?

» — Je ne le pense pas.

» Elle s'est levée et s'est dirigée vers la cuisine.

Pour aller boire à la bouteille de cognac, évidemment !

— Quand elle est revenue, elle avait l'air de quelqu'un qui a pris une décision.

» — Je ne veux pas de cet argent, a-t-elle déclaré d'une voix indifférente. Je suppose que j'ai le droit de renoncer à l'héritage ?

» — On a toujours le droit de refuser un héritage. Cependant...

» — Cependant quoi ?

» — Je vous conseille de réfléchir et de ne pas vous décider à la légère.

» — J'ai réfléchi. Je refuse. Je suppose que j'ai aussi le droit d'exiger que vous ne révéliez pas où je suis ?

» Tout en parlant, il lui arrivait de jeter un regard inquiet dehors, comme si elle craignait de voir surgir quelqu'un, peut-être son mari. C'est du moins ce que j'ai supposé.

» J'ai insisté, comme c'était mon devoir. Je n'ai pas trouvé d'autres héritiers Boissancourt.

» — Je ferais sans doute mieux de revenir, ai-je proposé.

» — Non. Ne revenez pas. Il ne faut à aucun prix qu'Omer vous voie ici.

» Effrayée, elle a ajouté :

» — Ce serait la fin de tout !

» — Vous ne pensez pas que vous devriez consulter votre mari ?

» — Surtout pas lui !

» J'ai encore parlementé puis, au moment de partir, je lui ai laissé ma carte en lui recommandant de me téléphoner ou de m'écrire si elle changeait d'avis pendant les prochaines semaines. Un client est entré, qui avait l'air d'un familier de la maison.

— Un roux au visage grêlé ?

— Je crois que oui.

— Que s'est-il passé ?

— Rien. Elle a glissé ma carte dans la poche de son tablier et m'a reconduit à la porte.

— Quel jour était-ce ?

— Jeudi dernier.

— Vous ne l'avez pas revue ?

— Non. Mais j'ai vu son mari.

— A Paris ?

— Dans mon étude, à Saint-André.

— Quand ?

— Samedi matin. Il est arrivé à Saint-André vendredi après-midi ou vendredi soir et s'est présenté une première fois chez moi le vendredi vers huit heures. J'étais à jouer au bridge chez le docteur et la bonne lui a dit de revenir le lendemain.

— Vous l'avez reconnu ?

— Oui, encore qu'il se soit épaissi. Il a dû coucher à l'auberge du pays où, bien entendu, il a appris la mort de Boissancourt. On a dû lui dire aussi que sa femme était l'héritière de la fortune. Il n'a pas tardé à se montrer insolent, prétendant qu'en qualité de mari il avait le droit d'accepter l'héritage au nom de sa femme. Ils sont mariés sans contrat, c'est-à-dire sous le régime de la communauté des biens.

— De sorte qu'ils ne pouvaient rien l'un sans l'autre ?

— C'est ce que je lui ai expliqué.

— Vous avez eu l'impression qu'il avait eu une conversation avec sa femme à ce sujet ?

— Non. Au début, il ignorait même qu'elle avait refusé l'héritage. Il semblait croire qu'elle l'avait touché à son insu. Je ne vous raconte pas l'entretien en détail, car ce serait trop long. A mon avis, il a trouvé ma carte que sa femme a dû laisser traîner, oubliant sans doute que je la lui avais remise. Que pouvait venir faire quai de Valmy un notaire de Saint-André, sinon s'occuper de la succession de Boissancourt ?

» Ce n'est que petit à petit, chez moi, qu'il a découvert la vérité. Il est parti furieux, m'annonçant que j'aurais de ses nouvelles et claquant la porte.

— Vous ne l'avez pas revu ?

— Je n'ai plus eu de ses nouvelles. Cela se passait samedi matin et il a pris l'autobus de Montargis, où il s'est embarqué pour Paris.

— Par quel train, à votre avis ?

— Probablement celui qui arrive à trois heures et quelques minutes à la gare d'Austerlitz.

Cela signifiait qu'il était rentré chez lui aux alentours de quatre heures, un peu plus tôt s'il avait pris un taxi.

— Quand j'ai lu, continuait le notaire, qu'on avait découvert dans le Canal Saint-Martin, justement quai de Valmy, les restes d'un homme coupé en morceaux, j'avoue que j'ai tressailli et que la coïncidence m'a frappé. Comme je vous l'ai dit tout à l'heure, j'ai failli vous téléphoner, puis je me suis dit que vous ririez peut-être de moi.

» Ce n'est qu'en entendant le nom de Calas à la radio, cet après-midi, que j'ai décidé de venir vous voir.

— Je peux ? demandait la fille, à côté de lui, désignant son verre vide.

— Mais oui, mon petit. Qu'est-ce que vous pensez de ça, commissaire ?

Ce mot-là suffit pour que la fille lui lâchât le bras.

— Je ne suis pas surpris, murmura Maigret, qui commençait à avoir la tête lourde.

— Avouez que vous n'avez pas soupçonné une histoire pareille ! Il n'y a que dans les campagnes qu'on rencontre de tels phénomènes et, moi-même, j'avoue...

Maigret ne l'écoutait plus. Il pensait à Aline Calas, qui était devenue enfin, dans son esprit, un personnage complet. Il pouvait même l'imaginer petite fille.

Or, ce personnage-là ne le surprenait pas. Il aurait été en peine de l'expliquer avec des mots, surtout à un homme comme le juge Coméliau, et il s'attendait, le lendemain, à l'incrédulité de celui-ci.

Coméliau allait rétorquer :

— Elle ne l'en a pas moins tué, avec la complicité de son amant.

Omer Calas était mort et il ne s'était évidemment pas suicidé. Quelqu'un lui avait donc porté le coup fatal, avait ensuite coupé son corps en morceaux.

Maigret croyait entendre la voix pointue de Coméliau :

— Ce n'est pas du sang-froid, ça ? Vous n'allez quand même pas prétendre qu'il s'agit d'un crime passionnel ? Non, Maigret. Il m'arrive de vous suivre, mais cette fois...

Coméliau lui tendit un verre plein.

— A votre santé !

— A la vôtre.

— A quoi étiez-vous en train de penser ?

— A Aline Calas.

— Vous croyez qu'elle a suivi Omer rien que pour faire enrager son père ?

Même avec le notaire, et même après quelques verres de fine, c'était impossible d'exprimer ce qu'il croyait comprendre. Il fallait d'abord admettre que tout ce que faisait la gamine, jadis, au château de Boissancourt, était déjà une protestation.

Le docteur Pétrelle aurait sans doute exposé le cas mieux que lui. Ses tentatives d'incendie, d'abord. Puis ses relations sexuelles avec Calas. Enfin son départ avec celui-ci, alors que d'autres, dans son cas, aurait provoqué un avortement.

Peut-être était-ce aussi une forme de défi ? Ou de dégoût ?

Maigret avait déjà tenté de faire admettre par d'autres, y compris par des hommes d'expérience, que ceux qui dégringolent, en particulier ceux qui mettent un acharnement morbide à descendre toujours plus bas et qui se salissent à plaisir, sont presque toujours des idéalistes.

C'était inutile. Coméliau lui répondrait :

— Dites plutôt qu'elle a toute sa vie été vicieuse.

Quai de Valmy, elle s'était mise à boire. Cela s'accordait avec le reste. Et encore qu'elle soit restée, sans jamais être tentée de s'échapper, qu'elle se soit raccrochée à l'atmosphère du bistrot.

Il croyait comprendre Omer aussi, qui avait réalisé le rêve de tant de gars de la campagne : gagner assez d'argent comme valet de chambre ou comme chauffeur pour devenir propriétaire d'un bistrot à Paris.

Omer y menait une vie paresseuse, se traînant du comptoir à la cave, allant une fois ou deux par an acheter du vin dans le Poitou et passant ses après-midi dans une brasserie de la gare de l'Est à jouer à la belote ou au billard.

On n'avait pas eu le temps d'enquêter sur sa vie privée. Maigret se promettait de le faire les jours suivants, ne fût-ce que pour sa satisfaction personnelle. Il était persuadé qu'outre sa passion pour le billard, Omer avait des aventures brèves et cyniques avec des petites bonnes et des ouvrières du quartier.

Escomptait-il l'héritage Boissancourt ? C'était improbable, car il devait penser comme tout le monde que le châtelain avait déshérité sa fille.

Il avait fallu la carte de visite du notaire pour lui donner de l'espoir.

— Ce que je ne parviens pas à comprendre, disait Canonge, ce qui me dépasse, mon vieux Maigret — et j'ai vu dans ma vie des héritiers de toutes sortes — c'est qu'elle ait refusé une fortune qui lui tombait du ciel.

Pour le commissaire, au contraire, c'était normal. Que lui aurait apporté l'argent, au point où elle en était ? Serait-elle allée s'installer avec Omer au château de Boissancourt ? Se seraient-ils mis à mener tous les deux, à Paris ou ailleurs, sur la Côte d'Azur, par exemple, une vie calquée sur celle des grands bourgeois ?

Elle avait préféré rester dans son coin, dans le coin qu'elle s'était fait, un peu comme un animal dans son terrier.

Elle y traînait des jours qui se ressemblaient, avec des lampées de cognac derrière la porte de la cuisine et, l'après-midi, la visite de Dieudonné Pape.

Lui aussi était devenu une habitude. Plus que ça, peut-être, car il savait et elle n'avait pas honte devant lui, ils pouvaient rester côte à côte en silence devant le poêle.

— Vous croyez qu'elle l'a tué ?

— Je ne pense pas.

— Son amant ?

— C'est probable.

Les musiciens rangeaient leurs instruments et, ici aussi, on allait fermer. Ils se retrouvèrent sur le trottoir et reprirent le chemin de Saint-Germain-des-Prés.

— Vous habitez loin ?

— Boulevard Richard-Lenoir.

— Je vous fais un pas de conduite. Pourquoi son amant a-t-il tué Omer ? Espérait-il la décider à accepter l'héritage ?

Tous les deux avaient la démarche flottante mais ils se sentaient bien à arpenter les rues de Paris où ils n'étaient dérangés de loin en loin que par le passage d'un taxi.

— Je ne le pense pas.

Le lendemain, il faudrait qu'il parle à Coméliau sur un autre ton, car il se rendait compte que sa voix avait quelque chose de sentimental.

— Pourquoi l'a-t-il tué ?

— Que croyez-vous qu'ait été le premier soin d'Omer en rentrant de Saint-André ?

— Je ne sais pas. Je suppose qu'il était furieux et qu'il a ordonné à sa femme d'accepter l'argent.

Une image revenait à la mémoire de Maigret : une bouteille d'encre et un buvard contenant quelques feuilles de papier blanc, sur la table de la chambre à coucher.

— Cela s'accorde avec son caractère, n'est-ce pas ?

— Parfaitement.

— Supposez qu'Omer ait voulu la forcer à signer un papier dans ce sens et qu'elle se soit obstinée.

— C'était l'homme à lui flanquer une raclée. Je connais les paysans de chez nous.

— Il lui arrivait périodiquement de la battre.

— Je commence à voir où vous voulez en venir.

— En rentrant, il ne se donne pas la peine de se changer. C'est le samedi après-midi, vers quatre heures. Il fait monter Aline dans la chambre, ordonne, menace, la frappe.

— Et son amant arrive ?

— C'est l'explication la plus plausible. Dieudonné Pape connaît la maison. Entendant le vacarme au premier étage, il traverse la cuisine et monte à la rescousse d'Aline.

— Et il tue le mari ! conclut comiquement le notaire.

— Il le tue, volontairement ou par accident, en lui donnant un coup de je ne sais quel instrument sur la tête.

— Après quoi il le découpe en morceaux.

Cela faisait rire Canonge, qui était d'une humeur enjouée.

— Crevant ! lança-t-il. Ce qui me paraît crevant, c'est l'idée de découper Omer en morceaux. Voyez-vous, si vous aviez connu Omer...

Au lieu de le dégriser, le grand air accentuait les effets de l'alcool.

— Vous me raccompagnez un bout de chemin ?

Ils firent demi-tour, tous les deux, puis une fois encore.

— C'est un curieux homme, soupira Maigret.

— Qui ? Omer ?

— Non, Pape.

— Il s'appelle Pape par surcroît ?

— Non seulement Pape, mais Dieudonné Pape.

— Crevant !

— C'est l'homme le plus paisible que j'aie rencontré.

— C'est pour ça qu'il a découpé Omer en morceaux ?

C'était vrai qu'il fallait un homme comme lui, solitaire, patient, méticuleux, pour effacer avec tant de succès les traces du meurtre. Même Moers et ses hommes, malgré leurs appareils, n'avaient rien trouvé dans la maison du quai de Valmy, qui fournît la preuve qu'un crime y avait été commis.

Aline Calas avait-elle aidé à tout nettoyer à fond, à faire disparaître le linge et les objets qui auraient pu porter des taches révélatrices ?

Pape n'avait commis qu'une faute, difficile d'ailleurs à éviter : il n'avait pas prévu que Maigret s'étonnerait de l'absence de linge sale dans la maison et aurait l'idée de s'adresser à la blanchisserie.

Qu'est-ce que le couple espérait ? Que des semaines, des mois se passeraient avant qu'on retrouve, dans le canal, une partie des restes de Calas, et qu'alors ces restes soient impossibles à identifier ? C'est ce qui serait arrivé si la péniche des frères Naud n'avait pas transporté quelques tonnes de pierre de taille de trop et si elle n'avait pas raclé la vase du canal.

La tête avait-elle été jetée dans la Seine ou dans un égout ? Maigret le saurait peut-être dans quelques jours. Il était persuadé qu'il saurait tout et cela ne provoquait plus chez lui qu'une curiosité technique. Ce qui importait, c'était le drame qui s'était joué entre les trois personnages et au sujet duquel il avait la conviction de ne pas se tromper.

Il aurait juré que, les traces du crime effacées, Aline et Pape avaient caressé l'espoir d'une nouvelle vie, pas très différente de la précédente.

Pendant un certain temps, Pape aurait continué, comme par le passé, à venir l'après-midi passer une heure ou deux dans le petit café et, peu à peu, ses visites se seraient prolongées jusqu'à ce que, le mari oublié par les clients et les voisins, il s'installe tout à fait dans la maison.

Aline aurait-elle continué à se laisser faire par Antoine Cristin et par d'autres ?

C'était possible. Maigret n'osait pas s'aventurer dans ces profondeurs-là.

— Cette fois-ci, je vous dis bonsoir !

— Je peux vous téléphoner demain à l'hôtel ? J'aurai besoin de vous pour un certain nombre de formalités.

— Vous n'aurez pas besoin de téléphoner. Je serai à votre bureau à neuf heures.

Bien entendu, à neuf heures, le notaire n'y était pas et Maigret avait oublié qu'il avait promis d'y être. Le commissaire ne se sentait pas trop gaillard et c'est avec un sentiment de culpabilité qu'il avait ouvert les yeux quand sa femme, après avoir déposé son café sur la table de nuit, lui avait touché l'épaule.

Elle avait un sourire particulier, plus maternel que d'habitude et un peu attendri.

— Comment te sens-tu ?

Il ne se souvenait pas avoir eu un tel mal de tête en s'éveillant, ce qui signifiait qu'il avait beaucoup bu. Cela lui était rarement arrivé de rentrer ivre et, ce qui le vexait le plus, c'est qu'il n'avait pas eu conscience de boire. C'était venu petit à petit, verre de fine après verre de fine.

— Te souviens-tu de tout ce que tu m'as dit cette nuit au sujet d'Aline Calas ?

Il préférait ne pas s'en souvenir car il avait l'impression qu'il était devenu de plus en plus sentimental.

— Tu avais l'air d'en être amoureux. Si j'étais jalouse...

Il rougit et elle s'empressa de le rassurer.

— Je plaisante. Tu vas aller raconter tout ça à Coméliau ?

Il lui avait donc parlé de Coméliau aussi ? C'était, en effet, ce qui lui restait à faire. Seulement, il n'en parlerait pas dans les mêmes termes !

— Rien de nouveau, Lapointe ?

— Rien, patron.

— Veux-tu mettre une annonce dans les journaux de cet après-midi demandant au jeune homme que quelqu'un a chargé, dimanche, de déposer une valise à la gare de l'Est de se faire connaître de la police ?

— Ce n'est pas Antoine ?

— J'en suis persuadé. Pape n'aurait pas donné cette commission à un familier de la maison.

— L'employé affirme que...

— Il a vu un jeune homme d'à peu près l'âge d'Antoine, vêtu d'un blouson de cuir. Il y en a des quantités, dans le quartier, qui répondent à cette description-là.

— Vous avez des preuves contre Pape ?

— Il avouera.

— Vous allez les interroger ?

— Je pense que Coméliau, au point où en est l'enquête, tiendra à s'en charger lui-même.

Cela devenait facile. Il ne s'agissait plus de poser des questions au petit bonheur, d'aller à la pêche, comme on disait dans la maison. Maigret se demandait d'ailleurs s'il tenait tant que ça à pousser Aline Calas et Dieudonné Pape dans leurs derniers retranchements. L'un et l'autre se débattraient jusqu'au bout, jusqu'à ce qu'il ne leur soit plus possible de se taire.

Il passa près d'une heure là-haut, chez le juge, d'où il téléphona au notaire Canonge. Celui-ci dut être réveillé en sursaut par la sonnerie.

— Qui est-ce ? lança-t-il d'une façon si drôle que Maigret sourit.

— Le commissaire Maigret.

— Quelle heure est-il ?

— Dix heures et demie. Le juge Coméliau, qui est en charge de l'instruction, désirerait vous voir le plus tôt possible dans son cabinet.

— Dites-lui que je viens tout de suite. Dois-je apporter les papiers Boissancourt ?

— Si vous voulez.

— Je ne vous ai pas fait coucher trop tard ?

Le notaire avait dû se coucher plus tard encore. Dieu sait où il avait rôdé quand Maigret l'avait quitté, car le commissaire entendit dans l'appareil une voix de femme qui disait paresseusement :

— Quelle heure est-il ?

Maigret redescendit à son bureau. Lapointe questionna :

— Il va les interroger ?

— Oui.

— En commençant par la femme ?

— Je lui ai conseillé de commencer par Pape.

— Il se mettra à table plus facilement ?

— Oui. Surtout si, comme je le suppose, c'est lui qui a donné le coup de mort à Calas.

— Vous sortez ?

— Un renseignement à demander à l'Hôtel-Dieu.

Ce n'était qu'un point de détail. Il dut attendre la fin d'une opération en cours pour voir Lucette Calas.

— Vous êtes maintenant au courant, par les journaux, de la mort de votre père et de l'arrestation de votre mère ?

— Quelque chose de ce genre-là devait arriver.

— Quand vous êtes allée la voir, la dernière fois, c'était pour lui demander de l'argent ?

— Non.

— Pourquoi ?

— Pour lui annoncer que j'épouserai le professeur Lavaud dès qu'il aura obtenu son divorce. Il peut avoir la curiosité de voir mes parents et j'aurais aimé qu'elle soit présentable.

— Vous ne saviez pas que Boissancourt était mort ?

— Qui est-ce ?

Son étonnement était sincère.

— Votre grand-père.

Il ajouta d'un ton neutre, comme s'il lui annonçait une nouvelle sans importance :

— A moins d'être convaincue d'assassinat, votre mère hérite d'un château, de dix-huit fermes et de je ne sais combien de millions.

— Vous êtes sûr ?

— Vous pourrez voir le notaire Canonge, qui est descendu à l'*Hôtel d'Orsay* et qui est chargé de la succession.

— Il y sera toute la journée ?

— Je suppose.

Elle ne lui demanda pas ce qui adviendrait de sa mère et il la quitta en haussant les épaules.

Maigret ne déjeuna pas ce jour-là, car il n'avait pas faim, mais deux verres de bière lui remirent plus ou moins l'estomac en état. Il resta enfermé tout l'après-midi dans son bureau. Il avait posé devant lui les clefs du bistrot du quai de Valmy et du logement de Pape et il parut prendre un malin plaisir à abattre de la besogne administrative dont il avait horreur à l'ordinaire.

Quand le téléphone sonnait, il le saisissait avec plus de vivacité que d'habitude mais ce ne fut qu'à cinq heures et quelques minutes qu'il reconnut la voix de Coméliau à l'autre bout du fil.

— Maigret ?

— Oui.

Le juge avait peine à contenir un frémissement de triomphe.

— J'ai eu raison de les faire arrêter.

— Tous les trois ?

— Non. Je viens de remettre le jeune Antoine en liberté.

— Les autres ont avoué ?

— Oui.

— Tout ?

— Tout ce que *nous* supposions. J'ai eu la bonne idée de commencer par l'homme et, quand j'ai terminé le récit circonstancié de ce qui avait dû se passer, il n'a pas protesté.

— La femme ?

— Pape a répété ses aveux en sa présence, de sorte qu'il lui a été impossible de nier.

— Elle n'a rien ajouté ?

— Elle m'a seulement demandé, en sortant de mon cabinet, si vous vous étiez occupé de son chat ?

— Qu'avez-vous répondu ?

— Que vous aviez autre chose à faire.

De ça, Maigret devait en vouloir toute sa vie au juge Coméliau.

Lakeville (Connecticut), 25 janvier 1955.

LA BOULE NOIRE

Le petit moteur de la tondeuse à gazon communiquait sa trépidation au bras de Higgins et, par son bras, à son corps entier, de sorte qu'il n'avait plus l'impression de vivre au rythme de son propre cœur mais à celui de la machine. Rien que dans la rue, il y en avait trois, plus ou moins pareilles, qui fonctionnaient en même temps, avec le même bruit rageur, parfois des ratés, et, quand l'une d'entre elles s'arrêtait, on en entendait d'autres plus loin dans le quartier.

Avril venait de commencer. Il était huit heures du soir. Ce n'était ni l'été ni l'hiver, ni le jour ni la nuit. Le ciel était d'une teinte unie, encore claire, qui était peut-être du bleu déteint mais peut-être aussi le gris du crépuscule sur lequel se découpait en blanc cru le clocher pointu de l'église catholique. Quand il était petit, Higgins aurait appelé ça un soir de fin du monde, mais il n'était plus petit, il avait quarante-cinq ans, une femme, quatre enfants et il était occupé, comme, à la même heure, la plupart des hommes de Williamson, à tondre la pelouse qui entourait sa maison.

Les fenêtres du rez-de-chaussée étaient déjà éclairées et quand, suivant sa machine bourdonnante, il lui arrivait de s'en approcher, il attrapait au passage des bruits de vaisselle.

Ce soir-là était pour lui un soir important, capital, mais personne d'autre que lui ne s'en doutait, pas même Nora, ni Carney, qui était pourtant son complice et qui, d'un moment à l'autre, allait lui téléphoner.

Il était trop tôt pour qu'il reçoive la nouvelle. Higgins ne savait pas exactement comment, là-bas, cela se passait, mais Bill Carney lui en avait donné une vague idée.

— Le comité d'admission se réunit tous les premiers mardis du mois.

Higgins avait été surpris, inquiet.

— Il se présente des candidats tous les mois ?

— Pas nécessairement.

— Le comité se réunit quand même ?

— On se retrouve au bar. On prend un verre ou deux.

» Quelqu'un demande :

» — Du travail, ce soir ?

» Et le secrétaire répond :

» — Une candidature.

En montant un peu plus haut dans Prospect Street, cent mètres à peine, Higgins aurait pu apercevoir un pan du lac et, au bord, les longs bâtiments couverts d'ardoises du *Country Club*. Il y était allé deux fois pour jouer au golf, invité par Bill Carney. Il se souvenait surtout du vestiaire qui sentait les chaussures humides et du bar aux murs recouverts de chêne sombre, avec des gravures en noir et rouge représentant des chasses à courre. Le barman, qui était roux et portait une veste blanche immaculée, l'avait également impressionné et Higgins avait envié l'aisance de Carney, le geste qu'il lui suffisait de faire pour qu'on lui serve son whisky favori.

Vers trois heures, cet après-midi, il n'avait pu s'empêcher de téléphoner à Carney, à la pharmacie.

— Ici, Walter.

Pourquoi avait-il eu l'impression que son ami ne mettait pas autant d'empressement que d'habitude à lui répondre, que sa voix était moins cordiale ? Peut-être se faisait-il des idées ? Le pharmacien mesurait plus de six pieds et pesait dans les deux cent cinquante livres, avec des yeux bleus et un teint clair de bébé. On devinait, à le voir, qu'au collège, il avait fait partie de l'équipe de rugby. C'était l'homme toujours jovial et accueillant qui vous écrase l'épaule d'une tape familière et qu'on imagine mal sans son éternel cigare à la bouche.

— Je te demande pardon, mon vieux, de t'appeler au magasin...

— Pas du tout. De quoi s'agit-il ?

Fallait-il croire qu'il avait déjà oublié ?

— C'est au sujet de ce soir. Tu crois que cela aura lieu ?

— Pourquoi la séance n'aurait-elle pas lieu ?

— Je ne sais pas. Je suppose que, si un certain nombre de membres du comité n'étaient pas libres...

— Il suffit que nous soyons quatre pour voter.

— Vous serez quatre ?

— Cinq.

— Sûrement ?

Il avait insisté :

— A quelle heure espères-tu connaître le résultat ?

Il avait eu tort de déranger Bill Carney à son *drugstore* où il était probablement occupé à préparer une ordonnance, peut-être à répondre à une cliente. C'était cela ! Si Bill lui avait paru si peu empressé, c'est qu'il était en conversation avec une cliente importante. Cela lui arrivait à lui aussi.

— Je ne peux pas te dire exactement, vieux. Cela se passe entre amis. Nos réunions ne sont pas minutées comme un programme de radio. Tu seras chez toi ?

— Toute la soirée. Je ne bougerai pas.

Pourquoi avait-il éprouvé le besoin d'ajouter, d'une voix qui tremblait d'humilité :

— Tu as bon espoir ?

— Je t'ai déjà dit que c'était dans le sac.

Or, il était triste, sans raison précise, peut-être en partie à cause de l'heure, de cette lumière d'un autre monde qui baignait la ville qu'on aurait crue vide ou morte, avec seulement quelques fenêtres éclairées et le va-et-vient des moteurs trépidants.

Quand il vit sa femme lui faire signe, à la porte de la cuisine, une casserole à la main, il coupa les gaz et éprouva le même soulagement physique que, chez le dentiste, lorsque la fraise électrique s'arrête de fouiller une dent malade.

Il était trop loin d'elle pour qu'elle se mette à lui crier ce qu'elle voulait et elle se contenta de lui désigner l'étage supérieur de la maison. Cela signifiait qu'Isabel, la dernière, n'était pas encore endormie et le réclamait. Il se dirigea vers la maison, traversa la pièce commune où Archie, qui aurait bientôt treize ans, était penché sur ses devoirs.

— Voilà un quart d'heure qu'elle te réclame, *Dad*.

— Maman n'est pas montée ?

— C'est toi qu'elle veut.

La maison, après trois ans, avait encore l'air neuve et Higgins ne s'y était pas tout à fait habitué. Il monta l'escalier, trouva la porte d'Isabel entrouverte, celle-ci couchée sur le dos, les yeux ouverts dans la demi-obscurité.

— Pourquoi ne veux-tu pas dormir ?

— J'ai besoin d'un autre baiser.

— Tu m'as déjà rappelé deux fois.

Il y avait, dans le regard calme de la gamine, qui n'avait que six ans, quelque chose qui le troublait toujours, comme si, vis-à-vis d'elle, il se sentait mauvaise conscience.

— Tu me promets de dormir ?

— Si je peux.

— Tu le pourras si tu le veux.

— J'ai besoin d'une autre histoire.

Elle ne « désirait » jamais ceci ou cela, ne parlait pas d'une « envie » quelconque : elle « avait besoin ».

— Je t'ai raconté ton histoire.

— Elle n'était pas assez longue.

Il s'assit au bord du lit, résigné, se demandant quelle nouvelle aventure allait arriver au cochon Pic, qu'il avait eu la malencontreuse idée d'inventer un soir qu'elle faisait de la température. Il y avait un an de cela et, depuis, chaque soir, il devait lui raconter une histoire de Pic, qu'il avait déjà mis à toutes les sauces, à tel point qu'il lui arrivait d'y penser avec inquiétude en revenant du magasin.

— Ferme les yeux.

— Quand tu auras commencé.

Elle ne pouvait pas deviner que ce n'était pas un soir comme les autres, que l'attente le rendait presque malade de nervosité et qu'à table, tout à l'heure, il avait dû faire un effort pour avaler.

C'était cependant pour elle, pour eux, pour toute sa famille, sa femme et ses quatre enfants, que cela avait de l'importance.

Nora qui, en bas, finissait la vaisselle, ne soupçonnait rien non plus.

L'année précédente, il lui avait annoncé, gêné, sans savoir pourquoi il était gêné :

— Je me présente au *Country Club*.

Cela se passait à peu près à la même heure, plus tard dans la saison, en mai, il s'en souvenait fort bien, deux ou trois jours après l'anniversaire de l'aînée. Ils étaient occupés à regarder la télévision, car ils venaient juste d'acheter un appareil. Les trois plus jeunes étaient couchés. Florence était sortie. Il avait d'abord cru que Nora ne l'avait pas entendu, car elle n'avait rien dit, n'avait pas tourné la tête de son côté.

— C'est tout l'effet que cela te produit ?

— Du moment que tu penses que c'est utile...

Il avait rougi, comme tout à l'heure en parlant à Carney au téléphone. Cela l'humiliait toujours de rougir ainsi, car il avait conscience de ne pas avoir tort, de ne rien faire de mal, de faire, au contraire, tout ce qui est au pouvoir d'un homme pour rendre sa famille heureuse et assurer son avenir.

Il lui avait tenu un long discours. C'était un signe aussi. Avec les clients, surtout ceux qui venaient le trouver pour une réclamation, il parlait toujours trop et il avait beau le savoir, il était incapable de s'en empêcher.

D'abord, lui avait-il expliqué, non seulement sa femme et lui, mais leurs enfants, pourraient aller se baigner l'été à la plage privée du club, au lieu de patauger dans la foule de la plage publique.

On trouvait aussi, au club, des canots dont les membres avaient la disposition.

— Tu sais bien qu'ils possèdent tous leur propre bateau et que certains en ont deux ou trois.

— Qu'est-ce qui nous empêche d'acheter un bateau aussi ?

— Nous en avons encore pour treize ans pour payer la maison.

— C'est le cas de tout le monde.

Elle n'avait pas insisté. Les semaines avaient passé. Bill Carney, un soir, était venu lui apporter la mauvaise nouvelle : un des membres, on ne savait qui, un grincheux, sûrement, ou un jaloux, avait déposé une boule noire dans le sac du scrutin. Il ne fallait que des boules blanches, une seule noire suffisait à écarter le candidat qui conservait néanmoins le droit de se représenter l'année suivante.

Il n'en avait rien dit à Nora. Est-ce qu'elle était au courant ? Carney, ou un autre, lui en avait-il parlé ? Il n'avait plus fait allusion au club et, cette année, ce n'est qu'après de longues hésitations qu'il s'était présenté une seconde fois.

— Tu penses que j'ai des chances, Bill ?

— Parbleu ! Surtout que le colonel ne fait plus partie du comité.

Il s'agissait de Whitefield, un colonel à la retraite qui possédait la plus belle propriété de Williamson et qui aurait voulu ne voir au club que les familles installées dans la région depuis plusieurs générations.

— On l'a placé à la tête du comité des fêtes. Ce sera gai !

— Cela ne t'ennuie pas d'être mon parrain une seconde fois ?

— J'en suis enchanté, vieux. Compte sur moi.

Se doutaient-ils, là-bas, au bord du lac, que, pendant qu'ils discouraient de son sort, il était occupé, lui, à raconter l'histoire d'un petit cochon nommé Pic ?

— Une longue, *Dad* !

Une auto qui passait dans la rue et qui s'arrêtait à proximité de leurs fenêtres le fit sursauter, car il pensa que c'était peut-être Bill avec la réponse.

— Tu vois, Isabel. L'histoire est finie. Pic est couché. A ton tour de dormir.

— Oui, *Dad*.

Il ne lui faisait pas tort en se laissant obséder par cette candidature. C'était important pour la place de la famille dans la société de Williamson et dans la société tout court. Florence, leur aînée, qui ne voyait qu'une amie, toujours la même, ce qui n'est pas naturel à dix-huit ans, aurait de multiples occasions de se changer les idées. Elle l'inquiétait souvent. Il n'en disait rien à Nora. C'était rare qu'il parle à sa femme de ce qui le tracassait et il se demandait pourquoi, car ils formaient sans aucun doute le ménage le plus uni du pays.

Est-ce que, de son côté, elle lui avouait tout ce qui lui passait par la tête ?

Il soupçonnait que non, depuis que, après avoir eu trois enfants, dont le plus jeune, Archie, avait alors sept ans, elle s'était aperçue qu'elle était à nouveau enceinte. A l'époque, elle avait trente-neuf ans et ni l'un ni l'autre ne songeait à un nouvel accroissement de la famille.

Nora aimait les enfants. Ils n'avaient jamais rien fait pour en limiter le nombre.

Se trompait-il en croyant qu'elle avait accepté cette maternité-là avec plus de résignation que de joie et que même, peut-être à son insu, elle n'avait pas été loin de lui en vouloir ? Elle ne prononçait pas le nom d'Isabel de la même manière que celui des autres et il lui arrivait de dire en parlant d'elle :

— *Ta* fille.

Celle-ci ne le sentait-elle pas ? N'était-ce pas pour cela qu'elle se rapprochait de son père ?

Or, voilà qu'à quarante-cinq ans, Nora était à nouveau enceinte et, cette fois, elle en était visiblement gênée, non seulement devant les voisins mais vis-à-vis des aînés, comme si elle avait commis un acte honteux ou indécent. Florence n'avait fait aucun commentaire en apprenant la nouvelle ; elle s'était contentée de regarder son père avec une sorte de mépris qui ne s'adressait pas seulement à lui, mais à tous les hommes. Son frère Dave, qui avait seize ans, s'était exclamé :

— Encore ! J'espère qu'on ne va pas le mettre à coucher dans ma chambre ?

Higgins descendit alors qu'Archie, debout devant le frigidaire ouvert, se préparait un sandwich avant d'aller au lit.

— Tu as fini dehors ? demanda Nora.

— Pas tout à fait.

— Tu travailles, ce soir ?

— Une heure ou deux.

C'était encore une chose difficile à expliquer et peut-être ne comprenait-elle pas ça non plus. Comme directeur du *Supermarket*, il faisait de grosses journées, commençant parfois à sept heures du matin et même à six heures les jours où il y avait d'importants arrivages, finissant rarement avant sept heures du soir. Les employés, la caissière, les serveuses travaillaient leurs huit heures. Lui pas. Aujourd'hui encore, il avait dû rester après la fermeture, car ils avaient le lendemain la vente réclame d'une nouvelle pâte à chaussures. Une semaine passait rarement sans une vente de ce genre. Un représentant arrivait à l'avance avec son matériel publicitaire et il fallait transformer un rayon ou deux du magasin selon des plans établis.

Le dernier avait failli se vexer, une fois tout en place.

— On va s'en envoyer un ? avait-il proposé.

Il désignait, en face, le *Jimmie's Tavern*, qui allumait son enseigne au néon rouge bien avant que le soleil fût couché.

— Je vous remercie. Je ne bois pas.

— Jamais ?

— Jamais.

— Régime ?

Il finissait par répondre que oui, afin que les gens n'insistent pas.

Ce n'était pas vrai. Il n'avait jamais bu de sa vie. Il ne voulait pas boire, et pas seulement parce qu'il appartenait depuis quelques années à l'église méthodiste.

— Un cigare, alors ?

Les représentants ont tous les poches bourrées de cigares qu'ils vous tendent comme un pourboire. Ce n'est pas tant pour vous acheter que pour vous mettre dans une humeur favorable, afin que vous poussiez leurs produits.

— Je ne fume pas non plus.

Était-ce si extraordinaire qu'il n'eût pas envie de fumer ? Et que, quand un de ces représentants essayait de lui faire un cadeau, parfois en argent, il refusât poliment, mais fermement ? Après tout, il n'était qu'un employé, lui aussi, un employé de confiance, qui avait la responsabilité d'une des cent et quelques succursales des *Supermarkets Fairfax*. Il avait commencé tout en bas de l'échelle, à balayer les planchers, puis à faire les livraisons, pas ici, mais à Oldbridge, dans le New Jersey, où il était né.

Si on lui avait confié la direction d'un magasin, c'est qu'on le savait travailleur et honnête.

Et l'autre besogne, qu'il s'imposait de son plein gré après sa journée, n'était pas inutile non plus. Il faisait maintenant partie de la communauté de Williamson. S'il n'en était pas un des personnages les plus importants, il n'était pas non plus une valeur négligeable et les

Rotary l'avaient si bien compris qu'ils l'avaient nommé secrétaire adjoint. On l'avait aussi invité à faire partie du comité du nouveau groupe scolaire et il avait accepté le poste de trésorier qui lui prenait au moins deux soirées par semaine.

Il ne cherchait pas les titres honorifiques, comme président ou vice-président, qui revenaient de droit à d'autres, mais il faisait de son mieux pour se rendre utile et chacun savait qu'on pouvait se fier à lui.

— Bonne nuit, *Dad*.

— Bonne nuit, fils. Dave n'est pas rentré ?

— Maman lui a permis d'aller au cinéma.

— Et Florence ?

— Elle est sûrement chez Lucile.

Florence travaillait depuis un an à la banque de Williamson, où elle était entrée tout de suite après la *High School*. Depuis, son père savait encore moins que par le passé ce qu'elle avait dans la tête et elle lui donnait souvent l'impression de ne pas faire partie de la maison. Elle y dormait, y prenait la plupart de ses repas, mais comme elle l'aurait fait dans une pension de famille. Sa mère ne paraissait pas s'en inquiéter.

— Je vais terminer le gazon, annonça-t-il en sortant.

La pénombre ne permettait plus un travail propre et les petits moteurs s'étaient tus alentour. Il poussa la tondeuse dans le garage, au fond duquel il s'était installé un atelier. C'était l'endroit de la maison où il se sentait le mieux chez lui, peut-être parce que cela paraissait déjà moins neuf que le reste.

Sur ce point-là encore... Mais à quoi bon ? Sa femme n'avait jamais été enthousiaste à l'idée de faire bâtir, parce qu'elle tenait à ses habitudes. L'ancienne maison, dans le bas de la ville, était commode. Seulement, qui avait-on pour voisins ? Qui habitait leur rue, en dehors d'ouvriers de la fabrique de chaussures qui portaient presque tous des noms étrangers ?

Les enfants jouaient sur la chaussée. Nora les surveillait par la fenêtre. On n'avait pas besoin d'auto pour se rendre à Main Street.

Il avait pris la décision qu'il devait prendre, il en était sûr. Nora en aurait la preuve dans quelques minutes ou dans une heure, dès que le téléphone sonnerait enfin, ou que l'auto de Carney s'arrêterait devant la porte. Aujourd'hui, il avait commis une petite tricherie. D'abord, en fin d'après-midi, il était entré dans le magasin de vins et liqueurs appartenant au *Supermarket*. Cela faisait partie de la même chaîne, dépendant de la même administration, mais le magasin se trouvait dans un bâtiment adjacent et avait son gérant particulier.

— Vous me donnerez une bouteille de champagne, Mr. Langroll.

Il s'attendait à l'étonnement de son interlocuteur et avait pris un air badin.

— Une surprise que je veux faire à des amis, tout au moins à un ami.

— Vous voulez du champagne français ?

— Le meilleur que vous ayez.

C'était pour Bill Carney, quand il viendrait avec la nouvelle car, si même il téléphonait, Higgins lui demanderait de passer un moment à la maison. Nora, qui n'avait bu du champagne que deux ou trois fois dans sa vie, serait ravie. Il ne lui en avait pas parlé, avait laissé la bouteille dans la voiture et était allé chercher des cubes de glace dans le frigidaire.

— Qu'est-ce que tu vas faire de toute cette glace ?

— Je t'en parlerai plus tard.

A présent, le champagne et la glace se trouvaient dans un seau sous son établi. Cela l'avait amusé lorsqu'il l'y avait mis. Pourquoi, à mesure que le temps s'écoulait, ses idées tournaient-elles au noir ?

Peut-être, simplement, parce qu'il était fatigué ? Il s'était senti fatigué tout l'hiver et il avait fait une bronchite qu'il n'avait pas pris le temps de soigner. Cela lui était souvent arrivé. Toute sa vie, en somme, aussi loin qu'il pouvait remonter dans ses souvenirs, il avait travaillé plus que les autres. Il ne s'en était jamais plaint. Il en était fier. Cela lui procurait une satisfaction intime qu'il n'aurait pas été capable d'expliquer.

Sa femme aussi, avec quatre enfants à élever et, maintenant, une maison presque trop grande pour eux à tenir, avait de la besogne plein les bras. Elle ne se plaignait pas non plus, mais ce n'était pas la même chose. Elle aurait pu, elle, vivre autrement. Peut-être aurait-elle aimé vivre autrement ? Lui pas.

Il se pencha pour toucher la bouteille, et l'étiquette humide, qui portait des mots en français, se détacha. Il la remettrait en place au moment de servir, sinon Carney s'imaginerait que c'était du champagne de Californie.

— Tu as fermé le garage ?

— Pas encore. Je dois y retourner tout à l'heure.

Elle ne lui demanda pas pourquoi. Ce n'était pas la femme à le harceler de questions. Parfois il aurait préféré qu'elle lui en pose davantage et il lui arrivait de se demander si elle était déjà ainsi au début. C'était difficile à dire car, au début, c'était lui qui ne posait pas de questions, trop heureux qu'elle eût accepté de l'épouser.

Elle n'était pas de Williamson mais, comme lui, d'Oldbridge, dans le New Jersey. Il n'y avait pas dix ans qu'il avait été nommé à Williamson. Son dernier poste, à la succursale d'Oldbridge, était chef de rayon aux fruits et légumes et, quand Nora l'avait épousé, bien avant, il était encore garçon livreur.

Ils avaient été à la *High School* ensemble, dans la même classe. Elle savait donc qui il était et ne pouvait se faire d'illusions sur son compte. Pendant les années qu'ils avaient été condisciples, l'idée ne serait jamais venue à Higgins de l'inviter à sortir avec lui.

La famille de Nora n'était pas riche. Son père, magasinier à la quincaillerie, avait perdu sa femme quelques années plus tôt, s'était remarié et le nouveau ménage avait deux bébés.

Nora était une des jeunes filles les plus populaires de l'école, une des plus jolies aussi, et des plus intelligentes. Les garçons se disputaient la faveur de l'emmener au cinéma ou à une danse et elle était restée longtemps à sortir avec les uns et les autres sans faire de choix parmi eux. Puis, soudain, elle s'était décidée en faveur de Bert Tyler.

Higgins pouvait remuer ces souvenirs-là sans être jaloux. Si Tyler était un assez mauvais sujet, c'était un beau garçon, alors que lui-même avait une grosse tête sans expression et une gaucherie dont il ne s'était jamais guéri.

Il admirait Nora, sans en être réellement amoureux. Comme ses camarades, il se contentait d'envier Bert quand il les voyait passer ensemble dans la *hot rod* du garçon.

L'école terminée, Nora s'était rendue à New York, et Tyler, de son côté, avait disparu de la circulation.

Pourquoi était-elle revenue à Oldbridge ? Pourquoi, un jour qu'elle faisait ses achats au *Supermarket*, avait-elle presque sauté au cou de Higgins ?

— Toujours ici, Walter ?

— Mais oui.

— Content ?

— Il paraît que je vais monter en grade.

— Avec qui sors-tu ?

— Avec personne.

Il avait rougi. Elle l'avait remarqué, n'en avait pas moins continué :

— Peut-être, un soir, auras-tu envie de m'emmener au cinéma ?

On n'avait jamais revu Bert Tyler à Oldbridge. Depuis cette époque, Higgins n'avait plus entendu parler de lui.

Ils avaient mis plus d'une année à se marier et c'était elle qui avait dû insister quand il avait objecté qu'il ne gagnait pas assez d'argent pour deux.

Ils étaient six, à présent, avec un septième en route, et ils habitaient une maison neuve, dans le meilleur quartier de Williamson. Avait-il bien travaillé, oui ou non ? Les faits ne lui avaient-ils pas donné raison ?

Dans ce cas, pourquoi commencerait-il tout à coup, en pleine maturité, à quarante-cinq ans, à avoir tort ? Nora serait la première à se réjouir quand, tout à l'heure, Bill Carney leur annoncerait la nouvelle. Ce qu'il fallait, c'est qu'il garde son sang-froid et surtout qu'il ne laisse pas l'inquiétude l'envahir, car alors les idées dont il avait honte par la suite lui trottaient par la tête.

— Toujours le groupe scolaire ?

— Oui.

Il s'était aménagé, dans un coin du *living-room*, un bureau que ses fils lui empruntaient pour faire leurs devoirs. Il savait ce que sa femme pensait :

— C'est toujours toi !

Parce qu'on lui réservait le travail ennuyeux, celui qui réclamait beaucoup de temps et de minutie. Et si ce n'était pas ennuyeux pour lui ? Si c'était lui qui le réclamait, ce travail, qui en demandait toujours davantage, comme un privilège ?

— On commencera bientôt la construction ?

— Dès que la participation de l'État sera votée.

C'était difficile à expliquer et elle ne s'y intéressait d'ailleurs pas.

— Tu peux mettre la télévision. Elle ne me gêne pas.

— Je n'en ai pas envie.

— Tu préfères te coucher ?

— J'attends que Dave soit rentré.

Le cinéma finissait à dix heures. Dave en avait pour quelques minutes à faire la route à vélo et, lui aussi, dès son arrivée, se précipiterait vers le frigidaire.

Il était passé neuf heures. Que pouvaient-ils bien faire au *Country Club* ? Higgins les connaissait tous, encore que moins intimement que Bill Carney qu'il considérait comme un ami. Il se demandait qui, parmi eux, avait une raison quelconque pour voter contre lui et il ne voyait personne.

Le docteur Rodgers était leur médecin et Dieu sait combien de fois on l'avait fait venir, surtout pour les enfants. Il s'asseyait toujours un moment dans le *living-room* avant de s'en aller et sa femme était une des bonnes clientes du *Supermarket*.

Olsen, l'avocat, était plus distant, mais c'était un genre qu'il se donnait parce qu'il était fier d'être né à Boston. Il buvait beaucoup. A soixante-cinq ans, il avait été marié trois fois et un de ses fils était l'ami de Dave.

Quant à Louis Tomasi, le propriétaire du *White Horse Inn*, l'auberge élégante sur la route de Hartford, c'était un homme qui, en principe, aurait dû être pour lui, car il était parti, lui aussi, du bas de l'échelle, et avait commencé sa carrière comme garçon de bar.

Restait Oscar Blair, le fabricant de chaussures, à l'air digne et aux cheveux d'argent, qui était ivre dès onze heures du matin et trouvait cependant le moyen de passer une bonne partie de son temps chez une divorcée mère de cinq enfants.

Carney aurait déjà dû téléphoner. Son silence était un mauvais signe. A moins que, comme cela devait arriver de temps en temps, ils se soient tous mis à boire et à raconter des histoires, oubliant qu'il attendait anxieusement une réponse.

Carney faisait de la politique. Aux dernières élections, il avait été élu sénateur de l'État, à Hartford, sans que cela parût lui tourner la tête. Higgins le rencontrait chez le coiffeur, puis aux déjeuners du *Rotary*. Il les aurait vus plus souvent, les uns et les autres, n'eût été qu'il ne buvait pas et qu'il n'allait pour ainsi dire jamais à des *cocktail-parties*.

Était-ce une raison pour l'empêcher d'entrer au *Country Club* ? On ne faisait pas qu'y boire. Il y avait un golf de neuf trous qui passait pour un des meilleurs de la région, avec, presque tout le long du parcours, la vue du lac. Chaque semaine, on donnait deux ou trois danses, dont une pour les jeunes, et on organisait, l'été des régates sur le lac, des concours de natation, l'hiver des séances de patinage.

Le docteur Rodgers ne buvait pas non plus et ne sortait que quand c'était indispensable.

— Tu attends un coup de téléphone ?

— Pourquoi demandes-tu ça ?

— Je ne sais pas. Il me semblait.

Il faillit lui avouer la vérité. Si quelqu'un l'avait mise au courant, elle devait se demander pourquoi il lui cachait sa candidature. Peut-être s'imaginait-elle qu'il n'avait pas confiance en elle ? Ce n'était pas une question de confiance. La preuve, c'est que, la première fois, il lui en avait parlé. Peut-être était-ce une question de fierté, de pudeur, ou la peur d'être à nouveau rabroué devant elle ?

Elle ne soupçonnait sûrement pas que, depuis leur mariage, et même depuis qu'ils avaient commencé à sortir ensemble, il vivait dans la crainte de lui être inférieur.

Il lui semblait qu'un jour elle s'apercevrait qu'elle s'était trompée sur son compte, qu'elle regretterait alors sa décision de jadis et toutes les opportunités auxquelles elle avait renoncé pour lui.

Il s'efforça de concentrer son esprit sur les documents du groupe scolaire et Dave finit par rentrer, ce qui signifiait qu'il était plus de dix heures.

— Il y a quelque chose à manger ?

Il avait la taille d'un homme, une grosse voix d'homme, mais son aspect et son comportement n'en étaient pas moins ceux d'un enfant. On l'entendit farfouiller dans le frigidaire et demander de loin, la bouche pleine :

— Florence est rentrée ?

— Pas encore.

— Je me demande ce qu'elles peuvent faire toutes les deux, des soirées entières, sans garçons !

Mastiquant toujours, il posa les lèvres sur le front de son père.

— Soir, *Dad*.

— Bonsoir, fils.

— Soir, maman.

— Bonsoir, Dave.

Un bon grand bougre pas trop brillant à l'école, mais plein de bonne volonté et toujours prêt à donner un coup de main.

Penchée sur un magazine, Nora dit un peu plus tard :

— Tu sais ce qu'elles étudient ?

Higgins sursauta.

— Qui ?

— Florence et Lucile.

— Elles étudient quelque chose ?

— Oui. Florence ne m'en a pas parlé, mais j'ai vu un cahier qui traînait dans sa chambre. Si elles restent si tard le soir, c'est qu'elles font de l'astronomie.

Il regarda Nora en homme qui revient de loin et répéta comme sans se rendre compte du sens du mot :

— De l'astronomie ?

Sa voix était si grave, son étonnement si sincère que Nora se mit à rire pour la première fois de la soirée, probablement pour la première fois depuis plusieurs jours.

— Je suppose qu'elles s'étendent sur l'herbe toutes les deux pour étudier le ciel.

La sonnerie du téléphone retentit. Higgins fut un instant sans oser se précipiter vers l'appareil, qu'il ne décrocha enfin qu'avec une crainte quasi superstitieuse.

— C'est toi, Walter ?

La voix de Carney était pâteuse comme celle d'un homme qui a beaucoup bu et on entendait d'autres voix en arrière-fond.

— C'est moi, oui. Alors ?

— Alors, vieux, je suis désolé et je me demande si je ne vais pas leur flanquer ma démission. Figure-toi qu'il y a encore un cochon qui...

Higgins ne bougea pas. Il resta là, parfaitement immobile, le récepteur à la main, à attendre la suite. Quelqu'un, là-bas, avait dû s'approcher de Carney et essayait de lui prendre le récepteur des mains. On devinait comme un brouhaha qui cessa tout à coup quand la communication fut coupée.

Nora, qui ne regardait pas son mari, demanda de sa voix de tous les jours :

— Qui est-ce ?

Ne recevant pas de réponse, elle leva la tête. Son mari avait toujours l'écouteur à la main. Ses traits étaient figés comme ceux d'un mort, ses yeux si vides que, parce qu'on venait justement de parler de Florence, Nora s'effraya.

— Une mauvaise nouvelle ?

Il avala sa salive qui fit un drôle de bruit dans son gosier, remua la tête de gauche à droite, de droite à gauche, remit enfin le récepteur à sa place.

— Rien, parvint-il à articuler.

Il ne la regarda pas, ne se tourna pas une seule fois dans sa direction du reste de la soirée et, face aux documents du groupe scolaire, il repoussait parfois une page, inscrivait des chiffres au bas d'une colonne.

Florence rentra à onze heures et, à onze heures et demie, les dernières lumières de la maison s'éteignirent.

2

Au lever du jour, il avait les yeux grands ouverts comme s'il ne les avait pas fermés de la nuit et son visage restait aussi dénué d'expression que, la veille au soir, aussitôt après le coup qui l'avait frappé. Nora dormait, toute chaude, à son côté. Quand elle était enceinte, elle dormait sur le dos et sa respiration était plus longue, plus profonde que d'habitude, avec soudain des trémolos suivis de ratés pendant lesquels ses narines se pinçaient.

Avant son premier accouchement, les dernières semaines surtout, cela avait souvent effrayé Higgins qui prêtait l'oreille, suspendait son propre souffle quand celui de sa femme s'arrêtait, avec l'impression qu'elle était en train de mourir contre lui.

Il resta encore un bon moment étendu, à fixer sur le mur une gravure représentant des oiseaux qu'ils avaient achetée en même temps que la chambre à coucher. En fait, il ne la voyait pas. Il était aussi courbaturé que si toutes les fatigues accumulées à son insu pendant des années s'étaient mises soudain à peser sur lui.

Dans la chambre voisine, Isabel commençait à remuer. Chaque matin, ou presque, elle s'éveillait à moitié au lever du soleil et geignait en se retournant dans son lit jusqu'à ce qu'elle retrouve le sommeil.

Il finit par sortir une jambe, puis l'autre des draps, prudemment, au ralenti, et, marchant sur la pointe des pieds, se dirigea vers la salle de bains. En passant devant le miroir, il eut la brève vision d'un œil ouvert sous les cheveux bruns de sa femme, fit semblant de ne pas s'en apercevoir et Nora ne dit rien, feignit à nouveau de dormir.

Il lui arrivait fréquemment de se lever le premier, de très bonne heure. En bas, il ouvrait la porte de la cuisine pour laisser entrer l'air frais du matin et, avec des mouvements toujours les mêmes, se préparait un petit déjeuner copieux.

D'habitude, c'était le meilleur moment de sa journée. Il ne l'avouait pas, par crainte qu'on s'imagine qu'il préférait la solitude et qu'il était plus heureux sans sa famille. C'était faux. Son bien-être venait probablement de ce qu'il était frais et dispos, avec une journée encore blanche devant lui.

Par la fenêtre et la porte ouvertes, il voyait les écureuils gris se poursuivre sur la pelouse et sur le tronc des arbres, les merles sautiller, certaines fois un lapin qui le regardait d'un œil rond où ne se lisait aucune crainte.

Ce matin-là, il n'éprouva aucun de ces petits plaisirs habituels, pas même celui que lui procurait l'odeur du café, puis du bacon qui grésillait dans la poêle. Si on lui avait demandé à quoi il pensait, il aurait répondu qu'il ne pensait pas, et c'était à peu près vrai. Il avait trop pensé pendant la nuit, de trop de façons différentes. Les gens qui ont beaucoup bu doivent éprouver le même vide au réveil, accompagné du même sentiment de honte.

Il n'avait pas honte de quelque chose en particulier. Il avait honte simplement. Comme s'il s'était trouvé tout nu au milieu du *Supermarket*, parmi ses employés et les clients indignés. C'était d'ailleurs un rêve qu'il avait fait plusieurs fois.

La communauté l'avait repoussé. Ce n'était pas tout à fait exact, soit. Le *Country Club* n'était pas la communauté entière. Il ne se comprenait pas moins.

Le moment était arrivé, en somme, où, après l'avoir laissé aller de l'avant et l'avoir même encouragé, on lui disait fermement de ne pas aller plus loin.

— *Je les tuerai tous !*

C'était stupide. Il ne le pensait pas. Il n'avait aucune intention de tuer. Ce bout de phrase-là était pourtant le premier qui lui était venu à l'esprit, avec autant de netteté que s'il l'avait prononcé à voix haute, lorsque, la veille au soir, il s'était étendu dans son lit.

— *Je les tuerai.*

Et, en pensant ainsi, il se raidissait. Ses poings, ses mâchoires étaient serrés tandis que Nora, près de lui, s'efforçait de s'endormir.

Il continuait à se demander si elle savait et il était humilié qu'elle ne lui dise rien. Car, si, sachant, elle se taisait, cela signifiait qu'elle considérait, elle aussi, qu'il venait de se faire rabrouer.

Combien étaient-ils à savoir, qui ne lui diraient rien non plus, mais qui le regarderaient passer dans la rue en pensant :

« On l'a enfin remis à sa place, celui-là ! »

C'était cela, en définitive. C'était pis que cela. On lui signifiait qu'il n'était pas digne d'appartenir à la communauté. A une partie de la communauté, soit ! Il pouvait assister aux déjeuners du *Rotary* et assumer, après sa journée, le travail du groupe scolaire, défiler, le 4 juillet, en uniforme avec la Légion. Seulement il n'avait pas le droit d'aller jouer au golf au *Country Club* où un des coiffeurs de la ville avait été admis.

On ne lui fournissait aucune raison. Cela ne le regardait pas. On ne lui disait rien. Quelqu'un qui n'avait pas à se nommer, qu'il ne connaîtrait sans doute jamais, n'avait qu'à mettre une boule noire dans un petit sac et il était condamné. Tant pis s'il passait la fin de ses jours à se demander pourquoi !

Il entendit au-dessus de sa tête les pas feutrés de Nora, puis la chasse d'eau, enfin des frôlements dans l'escalier et la porte s'ouvrit sans bruit, une odeur de lit lui parvint, elle dit, faute de trouver d'autres mots :

— Tu es levé !

A l'ordinaire, quand il devait se rendre au magasin de bonne heure, il le lui annonçait la veille, car c'était elle, alors, qui conduisait Isabel à l'école maternelle tandis que les autres jours il la déposait en passant.

Les deux garçons, eux, attendaient le bus de l'école, au coin de Maple Street. Quant à Florence, toujours la dernière levée, et qui mangeait à peine le matin pour gagner du temps, elle se rendait à la banque à vélo.

Nora, comme les autres jours, en robe de chambre bleu pâle, le visage sans poudre ni maquillage, commençait à mettre la table pour les enfants.

— On dirait qu'il va faire beau.

Le soleil était particulièrement clair et les petits nuages qui nageaient dans le ciel avaient un éclat de nacre. L'odeur de l'herbe coupée la veille au soir pénétrait dans la cuisine, se mêlait aux odeurs de la maison.

— Tu as une vente réclame ?

— Oui. Une nouvelle pâte à chaussures.

— Elle est bonne ?

— Elle doit l'être.

— Je passerai au magasin vers dix heures. Fais-moi garder un rôti de bœuf.

Il aurait pu éclater de rire en prétendant que tout cela n'existait pas, que, pendant des années, vingt à peu près, ils avaient vécu une vie imaginaire. C'est à peine si la maison lui paraissait faite d'une matière solide, le monde réel, et s'il reconnaissait la femme qui lui parlait et à laquelle il avait pourtant fait quatre enfants, sans compter celui qui lui gonflait le ventre.

Il y avait une tricherie quelque part. Cela aussi lui était venu à l'esprit au cours de la nuit, et bien d'autres idées qu'il reprendrait en temps voulu pour en faire soigneusement le tri, car elles ne pouvaient pas être toutes fausses.

Cela arrive-t-il à d'autres ? à des gens sains, bien portants, à ce que l'on appelle des gens équilibrés, de regarder autour d'eux et de reconnaître à peine le décor familier de leur maison, de penser soudain :

— Qu'est-ce que je fais ici ?

Des maris regardent-ils parfois leur femme, après vingt ans de mariage, comme s'ils la rencontraient pour la première fois dans la rue ?

Même les enfants ! Il entendait les garçons aller et venir, là-haut, et il n'avait aucun désir de les voir, il se hâta de partir avant qu'ils descendent.

Au garage, il reçut un choc en se trouvant nez à nez avec un seau qui contenait une bouteille de champagne à côté de laquelle l'étiquette nageait dans la glace fondue. Ici encore, il aurait fallu pouvoir rire, mais il en était incapable. Tout cela était affreusement sérieux, même cette bouteille, devenue grotesque, dont il était obligé d'aller se débarrasser quelque part en se cachant comme s'il commettait un délit. Le terrain était trop bien peigné, autour de la maison et dans tout le quartier, pour qu'on y trouve un coin pour y jeter des ordures.

Il plaça la bouteille à côté de lui, sur la banquette de l'auto, et au lieu de descendre vers Main Street, fit un détour pour se rapprocher du lac. Pas du côté du *Country Club* dont l'accès était interdit, mais du côté de la plage publique où on louait des bateaux de pêche aux amateurs de passage.

L'eau devait être encore froide. Il se formait au bord, sur le sable mêlé de cailloux, une frange qui, en plus pâle et en plus maigre, rappelait l'ourlet de la mer. Par-ci, par-là, une truite, en touchant la surface, dessinait des ronds qui s'élargissaient à l'infini avant de s'effacer.

Il lui fallait s'assurer qu'on ne le regardait pas. On ne pouvait le voir que des fenêtres d'une villa habitée par une vieille femme impotente qui ne quittait plus son lit.

Il lança la bouteille aussi loin qu'il put en grommelant entre ses dents :

— Les saligauds !

Ce n'était pas dans son caractère. Ce mot-là, d'habitude, ne lui venait pas à l'esprit. Il lui était monté aux lèvres pendant la nuit, avec le reste. Peut-être avait-il plus pensé pendant cette nuit-là que pendant toute sa vie. Pourtant, il avait dormi. En plusieurs fois. Il pensait les dents serrées. Puis ses idées et les images qu'elles évoquaient se déformaient jusqu'à ce qu'il se sentît sombrer dans le sommeil et, un peu plus tard, il se réveillait avec le souvenir vague qu'une catastrophe lui était arrivée.

Le mot paraissait trop fort. Il savait lui, qu'il ne l'était pas. Ce qui s'était produit la veille en quelques instants, alors que sa femme ne s'apercevait de rien, c'était bel et bien un écroulement. L'écroulement de tout ce qu'il avait obstinément bâti depuis qu'il avait l'âge de raison. L'écroulement de lui-même, en somme, du Walter J. Higgins tel que les gens le connaissaient et tel qu'il se connaissait, car il se rendait compte que celui-là n'existait plus, n'existerait jamais plus.

On l'avait trompé. On l'avait trahi. On s'était joué de lui. Il y avait à Williamson une personne au moins qui devait avoir un petit rire satisfait en pensant au bon tour qu'elle lui avait joué.

— *Je les tuerai tous !*

Une fois, pendant la nuit, à une des périodes où sa lucidité était brouillée par le sommeil, cette pensée-là s'était précisée avec une exagération qui la rendait hallucinante. Il ne pouvait se rendre compte du temps qu'il avait mis à échafauder son plan de vengeance et il n'était pas certain qu'à ce moment il ne rêvait pas.

Les tuer tous ! De ce point de départ-là, son esprit avait travaillé et il s'était dit que c'était à sa portée, à lui et à lui seul, à cause de sa situation dans la petite ville. Il pouvait, s'il lui plaisait, les tuer tous, tous les habitants, ou presque, de Williamson, par exemple en empoisonnant un aliment de consommation courante. Le pain ? Le bacon ? Cela demanderait une étude minutieuse, une mise au point qui prendrait du temps. Ce n'en était pas moins possible, surtout qu'il arrivait à Carney, quand Higgins allait bavarder avec lui au *drugstore*, de laisser celui-ci seul un certain temps dans le cagibi aux ordonnances où se trouvaient les poisons.

Il ne le ferait pas. Il n'avait pas envisagé sérieusement de le faire. A quoi, d'ailleurs, cela l'aurait-il avancé ?

Dans son rêve ou son demi-rêve, il avait une raison presque plausible : cela lui permettait ensuite de se défendre à la face du monde. Pas de se défendre, mais plutôt d'expliquer son geste. Il ne voyait pas avec précision le tribunal devant lequel il parlait et cela n'avait pas d'importance. C'était le monde. Ou la société. Il préférait la société. La *communauté*, comme il l'avait si souvent répété avec les autres.

— *J'ai passé ma vie à travailler pour la communauté et la communauté m'a rejeté sans se donner la peine de m'entendre. Je suis désormais un homme qu'on montre du doigt dans la rue et ma famille partage une honte que je n'ai pas méritée.*

C'était absurde. Il en était gêné, à présent, dans le soleil qui faisait monter une buée de la terre, dans sa voiture qui glissait sur la route humide de rosée. Mais n'est-ce pas parfois la nuit qu'on approche de plus près la vérité ?

On ne le montrerait pas du doigt. Sa femme et ses enfants ne seraient sans doute jamais au courant de son humiliation. Il n'en restait pas moins qu'il venait d'être l'objet d'un affront qui était aussi une injustice.

Or, toute sa vie avait été basée sur sa foi en la justice.

Et aussi sur sa confiance dans la communauté.

A qui pouvait-il s'en prendre ? Pas pour tuer, mais pour savoir d'où lui venait le coup ? Pour essayer de deviner la raison qui l'avait fait exclure ?

Il avait passé le comité en revue, toujours pendant la nuit, pas une fois, mais dix fois, vingt fois, et les personnages, à chaque fois, se déformaient d'une façon différente.

Hier, jusqu'au moment où le téléphone avait sonné, ils étaient encore pour lui des notables, des citoyens de choix et il ne mettait en doute ni leurs mérites, ni leurs droits, à plus forte raison leur intégrité.

Est-ce volontairement qu'il s'était aveuglé de la sorte, parce qu'il espérait devenir un des leurs ?

Qu'était au juste Oscar Blair, par exemple, l'homme le plus en vue et le plus riche de Williamson, sinon un vieux saligaud hypocrite ? Si n'importe qui, en ville, avait mené une vie double comme la sienne, tout le monde l'aurait condamné, sans doute Blair lui-même aurait-il mis à la porte l'employé ou l'ouvrier qui aurait fait un enfant à une femme autre que la sienne.

Mrs. Alston, qui habitait Nob Hill, n'était pas sa femme. Ses deux derniers enfants étaient nés depuis qu'elle avait divorcé de son troisième mari. Blair passait la plupart de ses soirées chez elle et la bonne affirmait qu'on gardait ses pantoufles, son pyjama et une réserve de son bourbon favori.

Mrs. Blair était-elle au courant ? Il ne lui était pas possible d'ignorer la conduite de son mari. Elle n'en était pas moins la présidente de la plupart des œuvres de charité.

C'était une femme presque aussi grande que Bill Carney, aussi corpulente, avec un œil de verre un peu plus pâle que son bon œil et, pour ses visites au nom des œuvres, elle conduisait une petite auto grise que toute la ville connaissait.

Elle ne frappait pas seulement à la porte des riches, mais à la porte de ceux qui gagnaient durement leur vie et pour qui chaque fin de mois présentait un nouveau problème.

Le teint couperosé, la voix rauque, elle leur arrachait à tous leur obole, que ce soit pour la lutte contre le cancer, contre la tuberculose ou pour le redressement de la jeunesse délinquante.

Or, les Blair auraient pu, à eux seuls, sans rien changer à leur train de vie, donner la somme entière.

Il n'aimait pas penser ainsi, voir les gens sous ce jour-là. Il avait toujours respecté Mrs. Blair. Il avait soudain l'impression de grimacer.

Chaque fois que quelqu'un avait parlé de la sorte devant lui, il s'était senti aussi gêné que devant un geste indécent.

C'était plus fort que lui. Maintenant, il haïssait Blair, se prenait à détester la présidente qui n'hésitait pas à renvoyer une pêche gâtée trouvée au fond d'un cageot de six livres.

Est-ce que, jusque-là, il s'était aveuglé exprès, pour son confort, pour son ambition ?

C'était encore de cela qu'il leur en voulait, de l'obliger non seulement à les réexaminer dans une lumière nouvelle, mais à se réexaminer lui-même.

Il aimait bien Carney. La veille, il l'appelait son ami. Son *drugstore*, presque en face du *Supermarket*, était prospère. Mais pourquoi avait-il acheté des terrains sur la colline sud peu de temps après avoir été nommé sénateur à Hartford et, comme par hasard, quelques semaines avant qu'on parle du percement de la nouvelle route à grand trafic ?

Higgins s'était posé tant de questions, au cours de sa nuit interminable, qu'il n'essayait plus d'y répondre.

Il y avait les autres, l'avocat Olsen, le docteur Rodgers, Louis Tomasi qui avaient eu leur part et peut-être avait-il été injuste. Il était plus calme, à présent, une journée comme les autres journées commençait, avec, pour chaque heure, un emploi du temps à peu près fixe. Main Street se mettait à vivre. Le marchand de journaux, toujours le premier à ouvrir, fumait sa pipe sur le pas de sa porte et lui envoya un bonjour de la main. Il ne savait probablement pas. Il ne faisait pas partie du club. C'était un émigré de fraîche date qui conservait un fort accent autrichien et qui, avec sa femme, parlait encore allemand.

Ce qui venait d'arriver à Higgins ne lui arriverait-il pas à son tour ?

Il rangea sa voiture derrière le *market*, afin de laisser la totalité du *parking* aux clients et, au moment où il sortait, aperçut sa fille Florence qui se dirigeait à bicyclette vers la banque. Elle regardait droit devant elle et ne le vit pas. Pour la première fois, cela lui parut curieux de voir passer un de ses enfants sans savoir ce que celui-ci pensait, sans même savoir ce qu'il pensait de lui.

Pourquoi Florence s'était-elle mis en tête d'étudier l'astronomie ? Pourquoi, au lieu de sortir avec les garçons, d'aller à des danses, passait-elle ses soirées avec une seule amie ? Cela indiquait-il qu'elle ne trouvait pas son contentement ni dans sa famille ni dans la communauté ?

Bill Carney, seul dans son *drugstore* qui n'était pas encore ouvert et où il était entré par-derrière, s'approchait de la porte principale pour en retirer le verrou et Higgins, sans réfléchir, traversa la rue pour lui parler. Les employés n'étaient pas arrivés. L'odeur, dans le magasin, était plus forte que pendant le reste de la journée.

Il était impossible de ne pas voir que Carney, gêné, ne savait quelle contenance prendre. Il était évident aussi qu'il avait trop bu la veille, car ses paupières étaient bouffies, ses yeux rougeâtres, et le cigare, dans la bouche, n'était pas allumé, il se contentait de le mâchonner avec une moue dégoûtée.

— Hello, Walter ! lança-t-il en se dirigeant vers le comptoir, en homme qui a une tâche importante à remplir.

— Hello, Bill !

Et l'autre, sans le regarder, lui tournant le dos pour arranger des pains de savon rose :

— Déçu ?

Il disait cela comme s'il s'agissait d'une petite déception de tous les jours.

— Je m'excuse de t'avoir annoncé la nouvelle aussi brutalement que je l'ai fait. On a beaucoup bu hier au soir. Je crois qu'à la fin j'étais complètement rond. Personne ne parlait d'entrer en séance. Cela se passe toujours de la même façon. Une fois qu'ils sont installés dans les fauteuils du bar, il n'y a plus moyen de les en tirer.

Il parlait pour parler, par crainte de ce que Higgins pourrait lui dire.

— Au fond, la plupart des membres du club ne s'y rendent que pour boire en paix, sans être vus par leurs employés ou leurs ouvriers. Les soirs où les femmes ne sont pas admises, surtout, c'est tout juste s'ils sont capables de retrouver leur voiture en sortant.

— Qui a voté contre moi ?

— Je l'ignore. Le vote est secret. Peut-être ce qui est arrivé est-il de ma faute ? Peut-être, étant donnée la tournure que prenait la soirée, aurais-je été mieux avisé en remettant le vote à un autre jour ? Je leur ai rappelé que nous avions à statuer sur une candidature.

» — Qui ? a demandé Olsen, d'un air contrarié.

» Il était déjà fort rouge à ce moment-là, et n'avait aucune envie de se lever.

» — Walter Higgins, lui ai-je répondu.

» Et quelqu'un a remarqué :

» — Encore !

Higgins, à son tour, demanda :

— Qui ?

— Je ne me rappelle pas. Même si je m'en souvenais, je n'aurais pas le droit de te le dire car, dès ce moment-là, on peut considérer que nous étions en séance et les séances sont secrètes. J'ai fini par les faire passer dans la salle des comités et ils ont emporté leur verre. Tu vois ! Je te dis tout ce qu'il m'est permis de dire, afin que tu comprennes. Quand j'ai aperçu la boule noire, j'ai été furieux, tu as dû t'en rendre compte par mon coup de téléphone, qu'ils ne m'ont pas permis d'achever. Ils m'ont littéralement arraché l'appareil des mains.

Il était occupé maintenant à boutonner sa longue blouse de pharmacien dont le blanc faisait davantage ressortir la fatigue des traits.

— J'essayerai d'arranger ça à la prochaine séance.

— Non !

Carney se décida enfin à regarder Higgins en face et fut surpris, un peu effrayé, de son aspect.

— Ne me dis pas que tu prends la chose au tragique ! Si tu savais, mon vieux, le nombre de gens qui ont reçu des boules noires ! Pas seulement une, mais parfois trois et quatre, avec la seule boule blanche du parrain.

— A qui est-ce arrivé ?

Higgins se rendait compte qu'il était pâle et tendu, mais il n'y pouvait rien. Sa voix avait un son dur qui ne lui était pas habituel.

— Ceci aussi doit rester secret mais, entre nous, Moselli, le coiffeur, s'est présenté cinq fois et ce n'est que par lassitude ou par pitié qu'on a fini par l'admettre. Peut-être aussi à cause de sa femme, qui était malade à cette époque-là et qui essayait si fort d'être reçue dans les meilleures maisons.

— Qui est-ce qui sait ?

— Que veux-tu dire ?

— Pour moi. Que j'ai été refusé.

— Le comité, bien entendu.

— Et encore ?

— Mais... personne.

— Le barman n'était pas là ?

— Justin allait et venait comme d'habitude, mais ce n'est pas lui qui parlerait. S'il devait raconter tout ce qu'il sait, j'en connais qui oseraient à peine se montrer dans la rue.

— Pour Moselli, tu viens toi-même de me mettre au courant.

— Tu me le reproches ?

— Pourquoi les autres n'en feraient-ils pas autant ?

— Écoute, vieux, j'ai des ordonnances qui m'attendent. Tu viens ici pour m'engueuler, alors que j'ai fait tout mon possible pour te rendre service. Ce n'est pas ma faute s'il y a, au club, quelqu'un qui ne t'aime pas ou qui, peut-être, n'aime pas les épiciers. Pour Moselli, tout ce qu'on avait contre lui était son métier de coiffeur. Je suis prêt à reparler de toi le mois prochain. Ce n'est pas régulier, mais il existe des précédents.

— Je t'ai déjà dit que je ne voulais pas.

— Alors, prends-en ton parti. Je regrette. Je suis désolé. Excuse-moi auprès de ta femme.

— Elle ne sait pas.

— Ah !

Carney lui jeta un drôle de coup d'œil.

— Tu veux dire que tu t'es présenté sans le lui dire ?

— Oui.

— A tes gosses non plus ?

— Je n'en ai parlé à personne.

— En somme, pourquoi tiens-tu tant à faire partie du club, alors que tu ne bois pas, que tu ne joues pas au golf trois fois par an et que tu n'as pas de bateau ?

Comme la veille au moment du coup de téléphone, Higgins ne broncha pas, resta là, debout, rigide, à fixer intensément son ami. C'était, dans son esprit, comme si celui-ci venait de le gifler. Il encaissait. Mais son regard devenait d'une dureté que Carney ne lui avait jamais connue et le pharmacien regretta sa maladresse.

— Je comprends que tu aies envie d'en faire partie comme tout le monde, mais de là, à...

Sans l'écouter davantage, sans un mot, ni un au revoir ni un merci, Higgins avait fait volte-face et sortait du *drugstore*, traversait Main Street en direction de son *market* où le personnel était arrivé mais où il dut entrer par la porte de derrière.

Il lui fallait rester calme, maître de lui, lucide. Dix personnes l'observaient qui dépendaient de lui, dont il avait la responsabilité, dont il était le patron.

N'était-ce pas drôle ? Quelqu'un lui avait fait confiance, quelqu'un de plus important que tous les membres du *Country Club* réunis, non pas à la légère, mais après l'avoir mis à l'épreuve pendant des années, comme lui-même mettait maintenant son personnel à l'épreuve.

Il était devenu un patron à son tour. Il ne siégeait pas au sommet de la pyramide, comme Mr. Schwartz, qui avait fini par prendre la place des héritiers Fairfax, ni même comme l'inspecteur régional qui venait chaque semaine revoir ses comptes. Il n'en était pas moins à peu près à égale distance du bas et du haut de l'échelle.

Chacun lui disait, tandis qu'il s'avançait à travers le magasin :

— Bonjour, Mr. Higgins.

De la même façon qu'il disait, lui, avec une familiarité respectueuse, quand il le rencontrait :

— Bonjour, Mr. Blair.

Ou :

— Bonjour, docteur.

Ou encore :

— Bonjour, Mr. Olsen.

Il les haïssait. A la minute même, il les haïssait tellement que son *leitmotiv* de la nuit lui remontait aux lèvres :

— *Je les tuerai !*

L'attitude de Bill Carney avait été écœurante. Il avait la gueule de bois. Son haleine était fétide. Ses amis, la veille, avaient dû lui arracher le téléphone pour l'empêcher de dire Dieu sait quoi. Il avait dormi d'un sommeil lourd, agité et, à son réveil, avait sans doute pensé avec une grimace :

— *Zut ! Tout à l'heure, il faudra que je m'appuie le Higgins !*

Celui-ci revivait déjà, avec un décalage, la scène qui venait de se dérouler en face, Carney qui ouvrait sa porte en espérant que son ami ne traverserait pas la rue, puis qui, le voyant sur le seuil, se demandait comment il allait s'en tirer.

Pendant tout le temps qu'ils étaient restés face à face, le pharmacien avait dû souhaiter l'arrivée d'un employé ou d'un client, mais il n'était venu personne pour le tirer d'affaire. On les avait laissés tous les deux dans la solitude du *drugstore*, Higgins aussi tendu qu'un homme qui va faire un mauvais coup.

Est-ce que Carney avait eu peur de lui ? S'était-il demandé si son visiteur était armé ?

Cela paraissait saugrenu mais Higgins, lui, ne souriait pas à cette idée, car il se souvenait d'histoires qu'il avait lues dans les journaux, en particulier d'un ancien combattant qui était entré chez son voisin paralysé et l'avait tué à bout portant parce qu'il refusait de faire taire sa radio. Quand on lit ces choses-là, on se dit qu'il s'agit de fous. A supposer que Higgins, tout à l'heure, ait tiré sur Bill, cela aurait-il signifié qu'il était fou ?

Une énorme boîte de pâte à chaussures en carton pendait du plafond. Sur une table, un soulier, dix fois plus grand que nature aussi, était poli par une brosse qu'animait un mécanisme électrique. C'était la réclame de la semaine et une jeune vendeuse qui aurait pu être une starlette de cinéma avait été envoyée par le fabricant pour faire la démonstration aux clients.

— Bonjour, Mr. Higgins. Mon patron m'a priée de vous dire qu'il passera vers onze heures. Il a une autre vente en cours à Waterbury.

Son patron à elle, c'était le représentant qui avait voulu offrir une tournée au *Jimmie's Tavern* puis qui avait tendu un cigare.

Higgins regarda sa montre, l'horloge électrique du magasin, qui toutes les deux marquaient huit heures, et il adressa un signe à la caissière.

— Vous pouvez ouvrir, Miss Carroll.

Celle-ci était peut-être la seule personne au monde à l'admirer. Car il ne croyait pas à l'admiration de Nora, encore moins à celle de ses enfants, sauf peut-être d'Isabel, qui changerait en grandissant.

Miss Carroll, elle, qui vivait avec sa mère dans un logement au-dessus du magasin de meubles, avait une façon presque gênante de le regarder. Dès qu'elle l'apercevait, on aurait dit qu'elle s'arrêtait de respirer et son visage s'animait d'une seconde à l'autre, se colorait, ses yeux prenaient vie, sa poitrine se gonflait sous sa robe noire.

Elle appartenait à la succursale de Williamson bien avant lui et, quand il y avait été nommé, elle n'avait pas plus de vingt-cinq ans. Elle était déjà la même, avec déjà son aspect et son embonpoint de fille un peu mûre.

— Le poisson n'est pas arrivé, Mr. Higgins, vint-elle lui dire après être allée retirer les verrous et tourner la clef dans la serrure.

— Vous avez téléphoné à Newhaven ?

— Je viens de les avoir au bout du fil. Le camion a eu une panne et sera ici un peu avant midi.

Cela lui faisait du bien de penser à des problèmes de tous les jours, comme, ce matin, cela l'avait soulagé, dans la cuisine, d'avoir à préparer son petit déjeuner.

— Vous avez les fiches roses ?

Il avait toujours été fier de l'entreprise à laquelle il appartenait, un peu comme si celle-ci avait été son œuvre.

Quand il ne faisait que balayer le magasin à Oldbridge, ou quand, plus tard, il conduisait une camionnette de livraison, il n'était pas à même d'apprécier les beautés techniques de l'affaire. Depuis qu'il en était un rouage plus important, qu'il occupait ce qu'on pouvait appeler sans exagérer un poste de commande, il y avait des jours où il se sentait comme un jongleur qui exécute un numéro minutieusement répété et sans bavures devant une foule ébahie.

La foule, c'était lui. Il se regardait mettre en train la machine qu'il dirigeait et qui n'était elle-même qu'une partie d'une machine plus compliquée.

En réalité, Archibald Fairfax, le fondateur, dont on voyait le portrait de vieillard à favoris blancs et à veste haut boutonnée dans chacune des succursales, n'avait fait sa fortune que parce qu'il avait été un des premiers à obtenir, par des achats massifs, des prix plus bas que le petit commerce.

Dès qu'une localité lui paraissait propice, il y installait un magasin avec un gérant auquel une organisation centrale envoyait les denrées.

Pour l'époque, c'était sans doute remarquable, puisque cela avait réussi. Mais quand ses fils, puis ses petits-fils avaient laissé péricliter l'affaire, et que Mr. Schwartz, patiemment, avait pris les rênes en mains, le véritable travail avait commencé.

C'était difficile d'expliquer à un profane en quoi ce travail consistait, de montrer, par exemple, que, depuis le moment où elle entrait dans un *Supermarket Fairfax* jusqu'au moment où elle en sortait, une cliente n'agissait pas à son gré, mais à son insu, au gré de l'organisation.

Il ne s'agissait plus de vendre n'importe quoi à n'importe qui et des techniciens, chaque jour, étudiaient les rapports qui leur étaient envoyés par des hommes comme Higgins.

Celui-ci, heure par heure, était tenu au courant des moindres

fluctuations de la vente, de la plus petite évolution dans les goûts de
la clientèle.

Des camions, dont les appels téléphoniques modifiaient souvent la
course, sillonnaient les routes et, dans plus de cent succursales
identiques, les rayons étaient remplis à mesure qu'ils se vidaient sans
que jamais la machine s'arrête ou ralentisse.

Les fiches de la veille, roses, vertes et bleues, l'attendaient sur son
bureau et les petits trous pratiqués par les caisses enregistreuses avaient
pour lui un sens secret.

— Allô ! Vous me donnerez le bureau de Hartford, s'il vous plaît.

Il redevenait lui-même, maniait à nouveau cette sorte de jouet aussi
merveilleux pour lui qu'un train électrique pour un enfant et son visage
se détendait peu à peu, prenait une expression d'importance.

Tout en parlant à l'appareil, il découvrait, par la vitre de son bureau,
toute l'étendue du magasin, les allées et venues des clientes, les trois
caisses enregistreuses qui fonctionnaient sans répit, les légumes, dans
leurs sachets de cellophane, sur leurs rayons de marbre blanc, la
boucherie et ses immenses plateaux de viande débitée avec le prix de
chaque *steak* ou de chaque côtelette inscrit sur une étiquette, les piles
de conserves aux boîtes multicolores, la boulangerie, la crémerie et ses
cinquante-deux variétés de fromages.

— Allô ! Ici, Williamson.

Il ne disait pas Higgins. Son nom ne comptait pas. Pas plus qu'à
l'armée. Et il n'aurait pas été fâché d'annoncer, comme à l'armée :

— Ici, poste 233.

Il avait fait la guerre, qui avait été pour lui la continuation de sa vie
civile, à son corps défendant, car il avait sincèrement le désir de se
battre, d'aller comme les autres aux Philippines, en Afrique du Nord
ou en Italie.

Au lieu de cela, on avait fait de lui un sergent instructeur dans un
camp de Virginie d'abord, puis dans un camp du sud de l'Angleterre.

Était-ce de cela, peut-être, que quelqu'un lui gardait rancune ? L'idée
ne lui en était pas encore venue et le frappait, il rougissait car, cela
aussi, aurait été une injustice. Quatre fois il avait demandé à être versé
dans une unité combattante et, les quatre fois, on lui avait répondu
qu'il était plus utile à son poste. Quand il avait été blessé, quelques
jours avant le débarquement en Normandie, cela n'avait pas été au
front mais par l'éclatement d'un V2 en bordure du camp.

On l'avait décoré, comme les trois autres qui avaient été blessés avec
lui, comme on avait décoré à titre posthume celui qui était mort. Il
n'avait pas honte de sa guerre. Comme au *Supermarket*, comme dans
sa famille, comme dans sa communauté, il avait mis le meilleur de lui-
même et ce n'était pas lui qui avait demandé à entrer dans la Légion,
puis à en devenir le secrétaire et enfin, l'année précédente, au défilé
de *Memorial day*, à en porter le drapeau.

Allait-on salir ça aussi ? Était-ce la raison pour laquelle quelqu'un
avait voté contre lui la veille ? Si oui, le coup venait d'Olsen, qui avait

perdu deux de ses fils à la guerre et qui en voulait à tous ceux qui en étaient revenus vivants.

— Allô ! Hartford ? Ici, Williamson. C'est au sujet du camion 22 qui devait...

A travers la vitre, devant lui, il reconnaissait Mrs. Rodgers, la femme du docteur, menue, les traits fins sous ses cheveux blancs, qui tâtait délicatement les poulets d'une main dégantée.

Un énorme camion jaune, en s'arrêtant au bord du trottoir, plongeait soudain le magasin dans l'ombre et Higgins prononçait devant l'appareil :

— Le camion 22 est arrivé.

3

Il se trouvait dans son bureau, vers dix heures, quand, à travers la vitre, il avait aperçu Nora debout au rayon de la boucherie. Elle ne regardait pas de son côté. Le plus souvent, lorsqu'elle venait faire son marché, ils évitaient de se parler, afin qu'elle n'ait pas l'air de recevoir un traitement de faveur.

Sa grossesse était avancée et elle avait le masque, comme pour Dave, l'aîné des garçons. Une voisine avait dit alors que le masque annonçait presque toujours un fils mais, pour Archie, le visage de Nora ne s'était pas tiré, jamais au contraire elle n'avait paru aussi jeune et aussi appétissante. Il importait moins que jamais, après quatre enfants, que celui-ci soit un garçon ou une fille.

Nora, en vingt ans, n'avait guère changé, moins, lui semblait-il, que la plupart des femmes, et elle ne s'était pas durcie, comme tant de clientes qui, passée la quarantaine, prenaient un aspect presque masculin.

Était-elle heureuse ? Avait-elle été heureuse avec lui ? Jamais elle ne s'était plainte. Mais jamais non plus il ne l'avait vue aussi gaie que quand elle était jeune fille, avant son séjour à New York. N'en est-il pas ainsi de toutes les femmes et de tous les hommes ? Ce qui l'inquiétait, en tout cas le rendait mélancolique, c'est qu'à l'époque de sa gaieté il n'était rien pour elle et que la gravité lui était venue après son mariage.

Il ne voulait pas penser à cela aujourd'hui et c'était justement le jour où il se posait des questions qui lui venaient rarement à l'esprit. C'était *leur* faute. *Ils* avaient troublé son univers et il regardait maintenant les choses les plus familières avec inquiétude, comme s'il les voyait pour la première fois sous leur vrai jour.

A midi, il était en conversation avec le représentant en pâtes à chaussures, près de la vitrine du magasin, quand Florence était passée, retournant à la maison pour déjeuner. Elle se tenait très droite sur son vélo qui brillait dans le soleil et ses cheveux presque acajou flottaient sur sa nuque.

Les jeunes gens la considéraient-ils comme une jolie fille et avaient-ils envie de lui faire la cour ? Elle avait moins de charme et de vivacité que sa mère au même âge et on ne se retournait pas sur elle comme on le faisait autrefois sur Nora. Les quatre enfants possédaient tous certains traits de leur mère, mais ils tenaient de lui des épaules trop massives et ils avaient, surtout Florence, la tête et la nuque assez grosses.

D'autres employés de la banque et des bureaux de Main Street se contentaient, à midi, d'un sandwich et d'une tasse de café chez Fred, qui tenait une *cafeteria* familiale à côté du cinéma. Florence, elle, malgré le peu de temps dont elle disposait, rentrait presque toujours à la maison où ils étaient trois à table. C'était leur seul repas entre grandes personnes, car les plus jeunes déjeunaient à l'école.

Son entretien fini avec le représentant, qui insistait une fois de plus pour lui offrir un verre, il alla chercher sa voiture derrière le magasin et il continuait à penser à Florence. Il pensait souvent à elle, plus souvent qu'à ses autres enfants, pas parce qu'elle avait été la première, mais sans doute parce que les autres ne présentaient pas le même problème.

Même à l'âge d'Isabel, il n'avait jamais eu l'impression de la comprendre et c'était maintenant à tel point qu'il se sentait parfois embarrassé devant elle comme devant une étrangère.

— Tu ne penses pas qu'elle est avare ? avait-il demandé un jour à Nora.

— A mon avis, ce n'est pas de l'avarice. Cette fille-là a une idée dans la tête et elle fera tout pour la réaliser.

Nora, elle, paraissait savoir. Sans doute les femmes se comprennent-elles mieux entre elles ?

A douze ans, déjà, après la classe, Florence allait garder des enfants, à tant de l'heure, cinquante *cents*, s'il se souvenait bien, dans les maisons du voisinage. Ce n'était pas, comme les autres gamines, pour s'offrir de la crème glacée, des colifichets ou des jouets. Son argent, elle le mettait de côté et maintenant elle avait un compte en banque dont personne, dans la famille, ne connaissait le montant.

On lui laissait ce qu'elle gagnait, à charge pour elle, depuis un an qu'elle travaillait régulièrement, de pourvoir à sa toilette et à ses menues dépenses. Or, si elle était toujours correctement mise, il était évident qu'elle dépensait le moins possible pour s'habiller.

A la fin de la *High School*, il s'était attendu à ce qu'elle annonce son intention d'aller travailler à New York ou à Hartford, comme plusieurs de ses camarades. Elle faisait si peu partie de la maison qu'il se demandait encore pourquoi elle était restée. Parce qu'elle avait un bon salaire et qu'elle économisait le logement et la nourriture qui, ailleurs, lui en aurait pris la plus grande partie ? C'était possible.

Nora, quand il lui en parlait, haussait les épaules.

— On verra bien plus tard, disait-elle.

Ce que Nora ignorait, parce que la pudeur de son mari l'empêchait de le lui confier, c'est justement ce qui, chez Florence, le gênait le plus. Le même phénomène commençait avec Isabel, en plus vague.

Pour les garçons, il était le père, il était *Dad*, tout comme Nora était la mère, et on sentait que cela leur suffisait, qu'ils ne se posaient pas de questions.

Florence, elle, le regardait avec l'air de le juger et, maintes fois, il avait été obligé de détourner la tête tant il était embarrassé.

Que pensait-elle de lui ? Lui en voulait-elle de ne pas être un homme riche ? de ne pouvoir lui acheter une voiture, comme certaines de ses camarades en avaient déjà à son âge, de ne pas l'envoyer au collège, ni l'emmener au théâtre à New York, en vacances en Floride ou en Californie ?

Elle n'était allée à New York que quatre ou cinq fois, toujours pour des achats, et même les voyages à Hartford étaient comptés.

Elle devait se rendre compte qu'il faisait son possible et qu'il s'était littéralement élevé à la force des poignets. Elle était en âge de comprendre, elle, quand ils habitaient encore le New Jersey et que, le soir, au lieu de travailler pour les *Rotary* ou le groupe scolaire, il accroissait leur revenu insuffisant en faisant la comptabilité et les déclarations d'impôts des petits commerçants et des artisans du pays.

En ce temps-là, c'était fréquent qu'il soit encore penché sur ses livres à trois heures du matin, alors qu'il se levait à six, et il lui était arrivé de ne pas se coucher du tout.

Pas une fois, il n'avait senti chez elle quoi que ce fût qui ressemblât à de la reconnaissance ou à de la tendresse. Même une certaine sorte de pitié, à l'occasion, lui aurait fait plaisir.

En somme, elle le regardait comme on observe un nid de fourmis.

Lui en voulait-elle de ce que, à cause de ses deux frères, on n'avait pas beaucoup de temps pour s'occuper d'elle ? Il ne savait pas. Il ne savait rien et se demandait si d'autres parents sont plus avancés que lui en ce qui concerne leurs enfants. Certains le prétendent, de bonne foi, mais ne se font-ils pas des illusions ?

Les deux femmes étaient à table quand il pénétra dans la cuisine dont un coin avait été aménagé par l'architecte en une coquette salle à manger. A midi, c'était la règle de ne pas s'attendre, car ni Higgins ni Florence n'avaient d'heure régulière.

Que se passait-il quand les deux femmes étaient ainsi seules, chacune d'un côté de la table ? Conversaient-elles plus librement qu'en sa présence ? Leur arrivait-il de parler de lui ?

Il en eut l'impression, aujourd'hui, mais cela pouvait tenir de son état d'esprit et il s'efforça de mettre une certaine gaieté sur son visage. Peut-être exagéra-t-il car Florence, sans cesser de manger, lui lança un regard aussi sévère que s'il avait fait le clown en public.

— Belle journée ! s'exclama-t-il avec un coup d'œil vers le jardin où les érables mettaient des taches d'ombre vibrante sur le vert clair de la pelouse.

Nora se leva pour le servir. Leur fille, qui mangeait toujours, attendit qu'il fût assis, parut hésiter, prononça enfin :

— Qu'est-ce qui t'a pris de te présenter une seconde fois, après qu'ils t'ont refusé l'an dernier ?

Il sentit un flot de sang monter à ses joues, ses oreilles devenir brûlantes.

— Qui t'a parlé de ça ?

— Peu importe, puisque c'est la vérité.

— Comment sais-tu que c'est la vérité ?

Il disait des mots quelconques pour gagner du temps et il lui sembla que, derrière son dos, sa femme adressait des signes à Florence. Elle devait savoir aussi, ce qui signifiait que la ville entière était au courant.

— Tu te rends pas compte, continuait sa fille, qu'ils ne t'accepteront jamais ?

— Pourquoi ?

— Est-ce qu'ils t'ont accepté, l'an dernier ?

— C'est presque une règle, la première fois, de repousser une candidature.

— On t'a raconté ça pour te consoler. T'ont-ils accepté cette année ?

— Il y a eu une seule boule noire.

— Tu l'as vue ?

— Carney m'en a assuré.

— Qu'est-ce qui prouve qu'il ne ment pas ?

— Laisse ton père tranquille, Florence, intervint Nora en posant des viandes froides et un verre de lait devant son mari.

— Au contraire, protesta-t-il. C'est moi, à présent, qui insiste pour qu'elle parle.

— Que veux-tu que je te dise ?

— Qui t'a mise au courant de ce qui s'est passé au club ?

— Tu tiens à le savoir ?

— Énormément.

— Ken Jarvis, qui m'a taquinée tout le matin au bureau.

Ken était un garçon de vingt-deux à vingt-trois ans qui avait travaillé au *Supermarket* tout de suite après la *High School* et qui, Dieu sait comment, après son service militaire, était parvenu à entrer à la banque. Chaque fois que Higgins s'y rendait pour déposer la recette de la journée et que c'était le jeune homme qui était derrière le guichet, Ken lui lançait, l'œil goguenard :

— Comment vont les affaires, *patron ?*

Higgins n'avait pas été plus dur envers lui qu'avec les autres mais lui avait répété plusieurs fois qu'il était un fainéant et que, s'il ne changeait pas, il n'arriverait à rien.

Comment Jarvis était-il au courant de ce qui s'était passé la veille au club ? Il n'en faisait pas partie. Il n'y aurait pas été admis, lui non plus, car son père était un des fermiers les plus pauvres de la région.

— Que t'a-t-il dit, au juste ?

Elle prit son parti, un peu pâle.

— Qu'on s'est moqué de toi, qu'il n'y avait que toi à ne pas t'en apercevoir et qu'on s'attendait à ce que tu te présentes l'année prochaine à nouveau, puis l'année d'après, et ainsi de suite jusqu'à ce qu'on finisse par te prendre à l'ancienneté, comme Moselli.

Au lieu de protester, de se fâcher, il regarda sa fille d'un air si pitoyable que ce fut elle qui détourna la tête.

— Je te demande pardon, balbutia-t-elle après un silence. Je n'aurais pas dû.

— Tu n'aurais pas dû quoi ?

— Te répéter cela. Je déteste Ken, qui prend un malin plaisir à me plaquer ses sales mains sur le corps chaque fois qu'il m'attrape dans un coin, sachant que j'ai horreur de ça. Cela m'a humiliée, ce matin, de donner prise à ses sarcasmes.

— Ce n'est pas toi.

Elle ne protesta pas, mais il comprit, à sa mine, qu'elle avait voulu dire :

— *C'est tout comme. Ce que tu fais rejaillit fatalement sur le reste de la famille.*

Il fallait croire qu'il avait eu tort, puisque sa fille, elle aussi, l'affirmait. C'était sans doute vrai qu'on se moquait de lui. Néanmoins, il se débattit encore, sans conviction.

— Je ne vois pas pourquoi je ne pourrais pas faire partie du club tout comme un autre...

Et Florence, soudain, quasi maternelle, comme une grande personne calmant un enfant :

— N'y pense plus.

— Cela t'ennuie de me répéter mot pour mot les paroles de Jarvis ?

— A quoi bon, *Dad* ? J'aurais mieux fait de me taire.

Elle se leva, posa sa serviette sur la table, se dirigea vers la porte. A l'instant de sortir, elle hésita, revint sur ses pas et se pencha pour un baiser furtif sur la tempe de son père.

Quand elle fut partie, il y eut un silence que Nora rompit comme avec précaution après plusieurs minutes.

— Il ne faut pas attacher d'importance à ses réactions. Ces temps-ci, elle n'est pas bien.

— Elle est malade ?

— Pas exactement. Elle a de petits ennuis, comme la plupart des jeunes filles.

Il n'insista pas, gêné, comprenant qu'elle faisait allusion à certaines fonctions féminines.

— Comment marche la vente réclame ?

— Bien.

— Le représentant est content ?

— Je suppose que oui.

Florence, en quelques phrases, venait de changer son humeur. Du

coup, son indignation, sa colère, son ressentiment envers les gens du
comité avaient disparu, ou étaient passés au second plan. Ce n'était
plus aux autres et à leur attitude qu'il pensait, mais à lui, et il était
submergé de pitié à son propre égard.

De pitié et d'ironie, car, au fond, il n'était qu'un pauvre imbécile
qui s'était nourri d'illusions pendant vingt ans et plus.

N'était-ce pas cela qu'on venait de lui signifier ?

Comment expliquer, alors, qu'une organisation comme celle à
laquelle il appartenait, qu'un homme comme Mr. Schwartz, qui passait
pour s'y connaître, lui aient confié le poste qu'il occupait ?

N'aurait-on pas mieux fait de lui laisser balayer les parquets jusqu'à
l'âge de la retraite ? Il en existe comme ça, de braves gens qui ne sont
bons que pour des tâches obscures. Lui-même employait, au *market*,
un homme de soixante-huit ans qui n'avait jamais fait autre chose que
coltiner des colis et que tout le monde aimait et respectait. On était
tellement habitué à l'appeler papa que la plupart des gens avaient
oublié son nom.

Est-ce cela qu'il aurait dû faire ?

— Tu savais ? demanda-t-il à sa femme en repoussant son assiette
aux trois quarts pleine.

Elle fut tentée de mentir, n'osa pas.

— Oui, admit-elle à regret. Mais j'ignorais quel jour le comité devait
se réunir.

— Qui t'en a parlé ?

— Bill Carney.

— Quand ?

— La semaine dernière, lorsque je suis allée au *drugstore* pour tes
comprimés.

— Que t'a-t-il dit ?

— Que je ferais bien de me commander de nouvelles toilettes pour
les bals du *Country Club* et qu'il se réservait ma première danse. Tu
sais comment il est. Il était persuadé que tu m'avais mise au courant.

— Tu m'en as voulu ?

— Non.

— Et maintenant ?

— Non plus.

— Tu penses aussi qu'on s'est moqué de moi ?

Deux ou trois secondes s'écoulèrent avant qu'elle réponde :

— Pourquoi se moquerait-on de toi ?

— Je ne sais pas. Quelqu'un a mis une boule noire.

— Il y a partout des gens grincheux ou jaloux.

— Florence paraît vexée ?

— A son âge, on se vexe de rien. Elle ne peut pas sentir Jarvis et
celui-ci a saisi l'occasion de se moquer d'elle. Je suis persuadée qu'elle
n'y pense déjà plus.

— Regarde-moi, Nora.

Elle tourna lentement vers lui son visage aux traits durcis par la grossesse.

— Oui ?

— Réponds-moi franchement. Tu me promets d'être franche ?

— Oui.

Il s'efforçait de retenir les larmes qu'il sentait monter à ses paupières, car soudain il était très ému, plus ému, probablement, d'une façon plus profonde, que le soir où Nora et lui avaient décidé de se marier.

— Qu'est-ce que tu penses de moi ?

Il ne pouvait plus la regarder, forcé qu'il était de détourner la tête.

— Tu sais bien, Walter, que tu es le meilleur des hommes.

Cela ne signifiait rien et lui faisait peur, car c'était la réponse banale de quelqu'un qui préfère ne pas parler.

— A part ça ?

— Je ne comprends pas. Tu es bon avec tout le monde. Tu passes ton temps à rendre service. Tu es courageux. Tu te tues pour ta famille.

La voix de Nora se cassait à son tour et elle était à présent aussi troublée que lui. Elle repoussa sa chaise pour se lever — son ventre la rendait maladroite —, s'approcha de lui et, penchée, lui passa un bras autour du cou.

— Je t'aime, Walter.

— Moi aussi.

— Je sais. Alors, à quoi bon s'occuper de ce que pensent les autres ?

Ce n'était pas ce qu'il avait espéré d'elle et cela ne dissipait pas ses inquiétudes.

— Et Florence ?

— Florence est encore une gamine. D'ailleurs, si tu veux m'en croire, Florence ne pense rien.

Il avait eu tort de se laisser aller. Au lieu de le réconforter, sa femme venait, involontairement, de lui faire encore plus mal, il ne savait pas au juste pourquoi.

Ne venait-elle pas de lui dire, en somme, que les autres ne l'acceptaient pas comme un des leurs, mais que cela n'avait pas d'importance puisqu'elle était à son côté ?

Qu'étaient-ils, dans ce cas, dans leur maison neuve de Maple Street qui leur avait coûté si cher et pour laquelle ils travailleraient encore pendant douze ans ? Des parias ? Des êtres différents des autres, bons à débiter du beurre, de la viande et des conserves, mais indignes de participer à la vie sociale de la ville ?

Elle comprit qu'elle avait fait fausse route, qu'elle n'avait réussi qu'à le durcir, mais elle ne trouvait rien d'autre à dire et, avec un soupir, elle renonçait, allait reprendre sa place à table et se pelait une poire.

C'était rare, au cours des vingt ans de leur vie commune, qu'ils aient eu ainsi, en même temps, une minute d'émotion. Cela leur était arrivé quelques instants après la naissance de Florence, à la maternité, puis encore le matin, un matin d'automne tout crissant de feuilles mortes, où ils l'avaient conduite ensemble à l'école maternelle, alors qu'elle avait quatre ans.

Pour les trois autres, ils étaient déjà habitués. Ils étaient encore émus, mais pas avec la même intensité, comme ils l'étaient aussi à chaque distribution de prix, quand ils échangeaient un regard où il y avait à la fois de la joie et de la mélancolie.

Chaque enfant, à son tour, était entré à l'école maternelle et, depuis qu'ils étaient installés à Williamson, la petite fête d'avant les vacances se déroulait sur la même pelouse, devant les mêmes bâtiments blancs, avec les mêmes chants, les mêmes récitations.

Dave y avait passé le premier, lourdaud, le ventre encore bombé, les cheveux coupés ras, puis cela avait été le tour de son frère Archie et enfin, longtemps après, d'Isabel.

Certaines années ils s'étaient rendus successivement à deux écoles, puis il y en avait eu trois, chaque enfant passant à son tour d'une école à l'autre et prenant, dans les jeux et les chœurs, la place du précédent.

Ici et là, on retrouvait les mêmes parents, un peu vieillis, et parfois l'un d'eux annonçait :

— Fini pour moi ! Mon dernier passe aujourd'hui sa graduation.

Ce n'était pas fini pour eux puisque Nora était encore enceinte. Quand Isabel serait à la *Public School* — dans les bâtiments du nouveau groupe scolaire dont son père s'occupait — l'enfant à naître entrerait à l'école maternelle tandis qu'Archie, peut-être, s'il continuait à montrer des dispositions, serait au collège, peut-être à Yale.

— Tu es très triste ?

Il secoua la tête pour ne pas avoir à parler tout de suite.

— Avoue que tu as envie de pleurer.

Comme la veille, il avala sa salive.

— Ce n'est rien. C'est passé.

— A quoi pensais-tu ?

— Aux enfants.

— Qu'est-ce que tu pensais ?

— C'est vague. A leur école. Au fait qu'ils grandissent et que...

— Que quoi ?

— Rien, je te jure.

Il s'efforçait de lui sourire d'un sourire rassurant, se sentant très malheureux et très tendre.

— Tu es une bonne femme, Nora.

— Tu dis cela drôlement.

— Je n'espérais pas, quand je t'ai épousée, que tu serais comme ça.

Il se repentit d'avoir parlé, car il eut l'impression qu'une sorte de voile tombait sur le visage de Nora. Ce qu'il venait de lui dire était pourtant gentil. Cela ne constituait pas une critique, au contraire. Cela signifiait qu'il avait été tellement bouleversé qu'elle accepte de l'épouser qu'il l'aurait prise n'importe comment. Et c'était vrai qu'à la voir à la *High School* on n'aurait pas pu prévoir qu'elle deviendrait une femme

aussi calme, se contentant de la vie monotone et familiale qu'il lui
avait donnée.

— Il est temps que je m'en aille, soupira-t-il en se levant.

— Tu m'en veux ?

— De quoi t'en voudrais-je ?

— J'ai l'impression de t'avoir fait de la peine.

— Mais non.

C'était son tour de se pencher sur elle, de l'embrasser à la naissance
des cheveux en appuyant les lèvres avec plus d'insistance que d'habitude.

Très vite, à l'oreille, il souffla :

— Pardon.

Il ne lui donna pas le temps de lui demander pourquoi. Il n'aurait
pas été capable de répondre, mais il se comprenait. Il était déjà dans
l'allée au bout de laquelle il avait laissé la voiture quand elle l'appela
du seuil.

— Walter !

— Oui ? cria-t-il sans revenir sur ses pas.

— Si tu rencontres Carney ou un des autres...

Il devinait le reste.

— Je te promets d'être sage ! lui lança-t-il.

Encore une émotion qu'elle venait de lui gâcher. Elle craignait qu'il
se révolte, fasse un esclandre, se mette à dos des gens influents et
peut-être qu'il perde sa place.

Ce n'était pas l'intention de Higgins. Il serait bien sage, bien doux,
comme il l'avait toujours été. Il crierait gaiement à Carney, à travers
la rue, quand il le verrait sur le seuil du *drugstore* :

— Hello, Bill !

Et il prononcerait, avec le mélange de familiarité et de respect qui
convenait :

— Bonjour, Mr. Blair.

— Bonjour, docteur.

— Bonjour, Mr. Olsen.

Ce n'était pas leur faute, mais la sienne. Ils avaient raison. Un
Higgins n'avait que faire au *Country Club*. Ce n'était pas plus sa place
que celle de Moselli qui, au fond, après un premier moment de griserie,
devait s'y sentir mal à l'aise. Le *Country Club*, c'était passé. Il n'y
pensait plus. En tout cas pour le moment. Ce qu'il se demandait à
présent, c'est si Nora était malheureuse ou, plus exactement, s'il l'avait
déçue.

Elle paraissait comprendre l'attitude de Florence, ce qui laissait
supposer que, de son côté, il lui était arrivé d'avoir les mêmes réactions
que sa fille. Or, il en était maintenant sûr, Florence avait pour lui un
certain mépris, peut-être nuancé de pitié. La maison, la famille lui
pesaient. Elle aurait voulu naître ailleurs, n'importe où, et, depuis
longtemps, elle avait fait des plans pour s'en aller.

Pourquoi elle n'était pas encore partie, c'était une autre question. Il
n'était pas dans son caractère de se lancer à la légère dans l'inconnu.

Elle savait ce qu'elle voulait et n'agirait qu'une fois sûre d'atteindre son but, en tout cas d'avoir mis les atouts de son côté.

N'était-ce pas, en partie, un trait du caractère de Higgins ? Il n'avait jamais tenté l'aventure, lui non plus. Il avait toujours suivi la même ligne, obstinément, avec un seul but, dont rien ne l'avait détourné.

Ce but-là, il valait mieux ne pas y penser maintenant, alors qu'il venait de lui échapper à tout jamais. Ce n'était pas le *Country Club* en tant que *Country Club*, bien entendu, mais son élection n'en aurait pas moins été comme le symbole, la consécration de sa réussite.

Leur maison était une des étapes, qui longtemps leur avait paru la plus importante, sinon l'étape définitive : pas seulement une maison confortable et gaie, mais une maison d'un genre déterminé, et précisément dans le quartier où celle-ci se dressait.

A l'époque où, chaque soir après son travail, il venait suivre les progrès de la construction, il lui semblait qu'ensuite ce serait fini ; qu'il lui suffirait de jouir des fruits de son effort.

C'était une idée qu'il avait déjà eue auparavant, lors de leur mariage, alors qu'il était encore garçon-livreur et qu'il gagnait trente-cinq dollars par semaine.

— *Le jour où je serai chef de rayon*, avait-il dit gravement à Nora, *et que nous aurons deux cents dollars par mois à dépenser...*

Il se souvenait de l'instant précis où il avait prononcé cette phrase-là. Les élèves de la *High School* d'Oldbridge donnaient, le soir, un concert sur le *campus* et les habitants de la petite ville, à peine plus importante que Williamson, mais plus industrielle étaient assis par groupes dans l'herbe que la nuit assombrissait. Les robes des femmes, les chemises des hommes, étaient autant de taches claires dans la pénombre et les mouchettes se heurtaient au papier coloré des lanternes vénitiennes.

Les garçons en pantalon et en chemise blanche, la casquette galonnée d'argent sur la tête, soufflaient dans les cuivres et un professeur grand et maigre, qui était mort l'année suivante, battait la mesure de ses bras interminables.

Nora était enceinte, comme maintenant. C'était la première fois et cela constituait pour eux un mystère qui les ravissait et les effrayait tout ensemble. Il n'avait pas voulu qu'elle s'assît sur l'herbe, par crainte de l'humidité et de l'effort qu'elle devrait faire pour se relever. Non sans une certaine fierté, il était allé demander à quelqu'un de l'école :

— Me permettez-vous de prendre une chaise pour ma femme qui attend un bébé ?

Ils étaient installés sous un arbre exotique, au feuillage pourpre, qui répandait une odeur sucrée. Nora sur sa chaise, lui à ses pieds, et il caressait parfois la main qu'elle laissait pendre de son côté.

— *Le jour où je serai chef de rayon et où nous aurons deux cents dollars par mois à dépenser...*

Étaient-ils plus heureux à présent ? C'était Florence qu'elle portait alors, la même Florence qui, tout à l'heure, avait dit à son père...

C'était fini. Il n'y pensait plus. Il ne voulait plus y penser. Un homme comme Mr. Schwartz, qu'il voyait une fois l'an à la réunion du personnel supérieur, se laissait-il influencer par des considérations sentimentales ?

On l'avait remis à sa place. Pas seulement le comité d'admission, mais sa fille, puis, involontairement, sa femme.

« Fais ce que tu as à faire et ne t'occupe pas du reste ! »

Qui donc répétait à tout propos cette phrase-là ? C'était Arnold, qu'il appelait Mr. Arnold à l'époque, le gérant de la succursale d'Oldbridge, boucher de son métier, qui ne se consolait pas de ne plus découper des quartiers de bœuf saignant et qui profitait des moments de presse pour, les manches troussées, un long couteau à la main, aller donner un coup de main aux gars de l'étal.

Il était mort aussi, l'année dernière, Higgins l'avait appris par le bulletin mensuel des *Supermarkets Fairfax*. Il avait fini ses jours dans une petite maison de Floride et son fils était avocat à New York, une de ses filles avait épousé un professeur à Harvard.

En passant devant le *Jimmie's Tavern*, où on voyait toujours, au bar, des chauffeurs de poids lourds et les ouvriers de quelque chantier, il regretta un instant de ne pas boire. Il lui sembla que ce serait un soulagement, un repos, de laisser ses idées se brouiller jusqu'à ne plus considérer le monde que comme un rêve. Était-ce cela que les gens cherchaient dans l'alcool ?

Il ne devait pas y penser. Car, de l'alcool, il passerait à sa mère et...

Son front se rembrunit. Heureusement qu'il était arrivé au magasin et que, tout de suite, Miss Carroll se précipita vers lui. On l'avait demandé au téléphone, de la grande direction de Chicago.

— Mr. Schwartz ? s'effraya-t-il.

— C'est une secrétaire qui m'a parlé. Elle ne m'a pas dit pour qui c'était.

Il appela Chicago, plus anxieux qu'il n'aurait voulu, car il aurait dû se sentir la conscience tranquille. C'était instinctif. Sa voix, même en parlant à la secrétaire, prenait d'autres intonations.

— Ici, Williamson.

— Mr. Higgins ?

— Oui.

— Un instant, Mr. Foster va vous parler.

Ce n'était pas le grand patron, mais quand même quelqu'un de l'état-major qui était passé deux ou trois fois à Williamson.

— C'est vous, Higgins ?

— Oui, Mr. Foster. Je m'excuse de n'avoir pas été ici quand vous avez appelé la première fois...

— Cela n'a pas d'importance. Vous avez aujourd'hui une vente réclame.

— Oui.

— Comment marche-t-elle ?

— Très bien jusqu'ici. Je peux vous donner les chiffres.

— Ce n'est pas nécessaire. Je voudrais que, dans les jours qui suivent, vous vous efforciez de connaître les réactions des acheteurs.

— Je les interrogerai comme d'habitude.

— Non. Je désire un sondage plus poussé. Chaque succursale a reçu les mêmes instructions. Entre nous — et ceci doit rester secret — il est possible que nous rachetions l'affaire, qui est partie avec des capitaux insuffisants, mais qui paraît prometteuse. Vous me comprenez ?

— Oui, Mr. Foster.

— N'en dites rien, évidemment, au représentant qui se trouve chez vous. Ne vous montrez pas trop emballé sur les résultats de la vente. Au besoin, pendant quelques jours, freinez-la quelque peu.

Et voilà ! Foster lui parlait presque en égal, le mettait au courant des plans secrets de la société, alors que sa propre fille...

Il se ferait une raison. C'était indispensable. Ils avaient tous besoin de lui, même Florence qui se croyait indépendante.

— Voulez-vous venir, Miss Carroll ?

— Oui, Mr. Higgins.

— Vous avez les fiches de vente de ce matin ?

— Oui, monsieur.

Il les étudia d'un œil habitué à additionner automatiquement les chiffres.

— La vente réclame ?

— Je crois que la demoiselle blonde a été pour beaucoup dans son succès, surtout auprès des hommes.

Au moment de se retirer, elle ouvrit la bouche, rougit, la referma.

— Vous vouliez dire quelque chose ?

— Je ne sais pas si je dois.

— Vous devez.

— Voilà. J'ai appris ce qu'on vous a fait et je voulais vous dire que j'en ai honte pour eux. C'est vous qui leur faisiez trop d'honneur et, au fond, je me demande si cela ne vaut pas mieux ainsi.

— Je vous remercie, Miss Carroll.

— Vous n'êtes pas fâché ?

— Non. .

— Si vous saviez comme tout le monde, ici, vous aime et vous respecte...

Il lui adressa, de la tête, un signe de remerciement qui, en même temps, la congédiait. N'aurait-elle pas mieux fait de se taire, elle aussi ? Elle n'avait prononcé que trois phrases à peine et elle était parvenue à y glisser un mot de trop. Elle avait dit, croyant être gentille :

— Si vous saviez comme tout le monde, *ici*...

Et ailleurs ? Même dans la maison de Maple Street ?...

N'y avait-il donc qu'*ici* qu'il était un homme ?

4

La réunion était pour huit heures et des voitures stationnaient bout à bout tout autour du long bâtiment à colonnes blanches de la mairie. Le ciel, en fin d'après-midi, était devenu lourd, d'un gris d'orage, et, dans l'air immobile, on entendait des chants d'oiseaux.

On avait installé une trentaine de rangs de chaises dans la salle où, sur l'estrade, se dressait le drapeau étoilé, et toutes les places étaient occupées, des hommes se tenaient debout contre le mur du fond alors que, le long de la route, des retardataires que Higgins avait dépassés en arrivant continuaient à se diriger vers la mairie.

Sa place était à la table du comité, sur l'estrade, et, une serviette gonflée de papiers sous le bras, il alla s'y installer sans regarder à gauche ni à droite, se contentant, une fois assis, de saluer ses collègues d'un mouvement de la tête. S'il était plus fébrile qu'à l'ordinaire, il n'en paraissait rien et, en attendant que le maillet du président ouvre la séance, il laissa son regard errer sur les rangées de visages, en homme qui a une longue habitude de ces sortes de réunions.

Le comité avait terminé son travail préparatoire et tous ceux qui s'intéressaient au nouveau groupe scolaire avaient été invités à entendre les rapports, pour, ensuite, voter une résolution.

Le juge de paix Griffith présidait. Il était l'associé d'Olsen, dont la firme d'*attorneys* portait trois noms : Olsen, Griffith, et Wayne. Wayne, qui habitait deux maisons plus haut que les Higgins, dans Maple Street, et dont la femme venait d'avoir un premier bébé, avait remplacé, quelques mois plus tôt, un autre jeune avocat, Irwin Webb, qui était allé chercher fortune en Californie.

On prétendait que, depuis vingt ans, Olsen était incapable d'un travail sérieux et que la firme, dont il se réservait le plus gros des profits, ne continuait à exister que grâce à ses associés. Il se tenait au premier rang, le visage congestionné comme à son habitude, en compagnie de quelques personnalités parmi lesquelles Herbert Jackson, le représentant du Congrès, et le chef de cabinet du gouverneur, venus tout exprès de Hartford.

Oscar Blair assistait rarement à des réunions publiques, seulement aux réunions de charité, mais on était sûr de voir, en bonne place, son directeur, Norman Kellog, qui lui tenait lieu d'observateur et de porte-parole. C'était un homme blond, élégant, sûr de lui, que Higgins n'aimait pas et dont il redoutait le sourire ironique.

Au début, les hautes fenêtres laissaient encore pénétrer une lumière blanchâtre qui se mélangeait à la lumière plus jaune des lampes électriques, mais peu à peu, déjà après le discours du président, la nuit se fit dehors en même temps que la fumée des cigares et des cigarettes formait une nappe mouvante au-dessus des têtes.

Il était venu sans idée préconçue. Quand il avait quitté la maison, Nora lui avait lancé un coup d'œil anxieux auquel il avait répondu par un sourire qui signifiait :

— N'aie pas peur. Je serai sage.

En trois jours, il avait eu le temps de s'habituer à ce vide dans lequel il évoluait désormais. C'était d'ailleurs une sensation curieuse, dans laquelle il n'était pas sans puiser une certaine volupté. Il n'avait plus l'impression de faire partie d'un tout, comme auparavant. Il était seul. Ce n'était pas lui qui l'avait voulu, mais les autres, et force lui était d'accepter leur verdict. Même à la maison, il regardait vivre les siens avec un détachement qui les lui montrait sous un jour nouveau, comme s'il avait pris soudain du recul.

Il se rendait compte, par exemple, que Dave, l'aîné des garçons, n'était pas la bonne brute toute simple qu'il s'était imaginé. Dave aussi l'observait, observait surtout sa sœur Florence à qui il envoyait parfois des piques, anodines en apparence, qui n'en révélaient pas moins une certaine pénétration.

C'était un peu comme si, jusque-là, Higgins avait vécu dans un brouillard qui estompait les contours des objets et noyait les couleurs. Le brouillard s'était dissipé, faisant place, non au soleil, mais à une lumière dure comme il en règne certains soirs, mettant en relief les moindres détails.

Il avait assisté à cent réunions comme celle d'aujourd'hui, qu'elles fussent politiques ou de bienfaisance, et c'était la première fois qu'il découvrait ce qu'il était tenté d'appeler sa géographie de la salle, qui n'était d'ailleurs qu'une projection de la géographie de la ville.

Jamais il ne s'était demandé pourquoi telles gens s'asseyaient dans les premiers rangs tandis que d'autres se groupaient dans certains coins.

C'était pourtant aussi révélateur que les quartiers de Williamson. Il n'y avait pas jusqu'à l'absence de Blair qui n'eût sa signification. Le fabricant de chaussures, dont dépendait le sort de la moitié de la population, se trouvait à un échelon trop élevé pour se montrer en personne à ces sortes de conciliabules. En outre, il n'avait pas le droit de se mettre les uns ou les autres à dos en formulant une opinion sur des problèmes qui, en principe, n'étaient pas les siens.

Un autre gros propriétaire, qui possédait une dizaine de fermes, se trouvait dans le même cas, à cette différence qu'il partageait le plus clair de son temps entre la Floride et New York, où il vivait dans un appartement de Park Avenue, et qu'on ne le voyait à Williamson que quelques semaines par an.

Celui-là aussi, qui s'appelait Stewart Hotcomb, et dont les grands-parents étaient déjà riches, se faisait représenter par son régisseur, un Lithuanien du nom de Krobusek.

Or, dans la salle, Kellog, le représentant de Blair, et Krobusek, l'homme de Hotcomb, étaient assis côte à côte, comme leurs patrons l'auraient été, et tous deux se tenaient non loin de l'avocat Olsen. Cela constituait une sorte de noyau autour duquel se groupaient des personnes importantes et aussi des femmes d'un certain âge qui avaient de la fortune.

Ceux-là ne s'intéressaient pas aux discours, ni aux rapports qui allaient suivre, se penchant les uns sur les autres pour échanger des politesses ou des banalités comme ils l'auraient fait au théâtre.

Le groupe qui venait tout de suite derrière eux comportait surtout des commerçants, des entrepreneurs, le docteur et le sous-directeur de la banque, la secrétaire de la mairie, des professeurs, des institutrices, enfin quelques employés, mais surtout des employés supérieurs, et certains d'entre eux prenaient des notes en vue de la discussion.

Au fond de la salle, enfin, les visages, plus durs, étaient sertis dans la pénombre, des yeux noirs d'Italiens et des cheveux roux d'Irlandais, des femmes avec un bébé sur les bras et des ouvriers qui n'avaient pas eu le temps de se changer.

Higgins, normalement, aurait dû se trouver dans le groupe du milieu. C'est là qu'il aurait pris place, d'instinct, s'il n'avait pas été sur l'estrade. Il remarqua que le docteur Rodgers et sa femme s'étaient assis à la frontière des deux premiers groupes, comme s'ils appartenaient à la fois à l'un et à l'autre. Quant à Bill Carney, il siégeait à la gauche du président et, ce soir, en sa qualité de secrétaire, c'était à lui de lire le premier rapport.

Il aurait été exagéré de prétendre que la réunion était truquée, puisque tout à l'heure chacun allait voter librement. Il n'en était pas moins vrai que le comité, qui avait effectué un travail préliminaire, espérait faire adopter ses conclusions.

Le problème qui se posait était familier à Higgins qui, comme trésorier, connaissait les chiffres par cœur, au point qu'il aurait pu se passer des documents qu'il avait apportés.

L'école publique de Williamson était devenue trop petite pour la population, et on avait dû louer plusieurs maisons particulières où les classes se faisaient dans des conditions précaires. Il était grand temps de construire un nouveau groupe scolaire, plus moderne, en rapport avec l'importance grandissante de la ville.

Carney était occupé justement à donner lecture des statistiques, citant le nombre d'enfants en âge scolaire dix ans auparavant, leur nombre actuel et celui qu'on pouvait escompter dans cinq, dans dix, dans quinze ans.

— Deux solutions, expliquait-il, ont finalement été étudiées par le comité...

Elles l'avaient été sérieusement. Le travail avait demandé plusieurs mois et c'était Higgins qui en avait assumé la plus grosse part, entrant en rapport aussi bien avec les entrepreneurs qu'avec le bureau des statistiques de Washington.

— La première est de bâtir un groupe scolaire à l'échelle des besoins d'aujourd'hui...

Les rangs de devant écoutaient distraitement ou n'écoutaient pas, car, pour eux, la décision était prise. Le groupe du milieu, au courant de la question, attendait le moment des débats mais, dans le fond, les cous se tendaient et aucune parole, aucun chiffre n'était perdu.

La première solution, c'était ce que, dans les séances du comité, on avait fini par appeler le plan de quatre cent mille dollars, cette somme représentant le coût d'une école moderne suffisante pour quelques années.

— Une seconde solution a été proposée et étudiée avec non moins de minutie : celle d'édifier, dès maintenant, une école qui, dans dix, dans quinze ans, réponde encore aux besoins d'une population accrue. Notre trésorier, Walter Higgins, vous fournira dans un moment les chiffres détaillés correspondant à chaque projet.

La solution n° 2 comportait une dépense d'environ six cent mille dollars. Le gouvernement fédéral, dans les deux cas, payerait une partie, l'État du Connecticut une autre part, mais il n'en restait pas moins à amortir le plus gros de la dette à l'aide des impôts communaux.

Le comité était en faveur du premier projet. Il n'y avait pas eu de vote à proprement parler, mais des échanges de vues autour de la table, et Higgins aurait eu de la peine, à présent, de dire qui, le premier, avait déclaré que le second projet était indésirable.

En fait, cela s'était passé de telle sorte qu'il n'avait pas eu lui-même d'opinion et qu'il s'était rangé sans s'en rendre compte à l'opinion unanime.

Son tour vint de se lever et il récita des pages de chiffres qu'il avait préparés et que peu d'auditeurs étaient à même de comprendre. N'était-ce pas toujours à lui qu'échéait le rôle ingrat ? Or, il se passait tout à coup que ces chiffres, il ne les lisait plus pour l'assistance, mais pour lui, en y découvrant de nouvelles significations. C'était au point qu'il lui arriva, vers la fin, de parler presque à voix basse, et que deux ou trois fois on l'interpella du fond de la salle.

— Plus fort !

Il avait une telle habitude de jongler avec les nombres que, tout en les citant, il se livrait à de nouveaux calculs, établissant, par exemple, la mesure exacte dans laquelle les impôts d'un Blair et ceux d'un petit fermier seraient affectés par chacun des projets.

Peut-être, quand il se rassit, avait-il déjà l'intuition de ce qui allait arriver ? Il n'avait pourtant rien décidé. En apparence, en principe, il était encore avec *eux*.

Le juge Griffith, qui avait quarante ans et dont la fille était à l'école avec Florence, promena son regard sur les rangs de visages.

— Quelqu'un demande-t-il la parole ?

D'abord, les assistants se tournèrent les uns vers les autres, personne n'osant lever la main le premier.

— Chacun a bien compris, insista le président, que nous avons à décider si c'est le premier projet ou le second qui sera proposé à Hartford ou à Washington ?

Quelqu'un leva enfin la main, dans les rangs du milieu, un professeur de la *High School*, tout jeune, qui avait déjà trois enfants et que sa femme, assise à côté de lui, avait essayé de retenir, comme si elle craignait que son mari se fasse tort en intervenant.

— Pendant les dix dernières années, dit-il avec une certaine agressivité contenue dans la voix, en homme qui a décidé de vider son sac, le prix de la construction, selon les indices officiels que j'ai consultés, est passé du simple au double, et il continue à augmenter, il augmentera encore, selon toutes probabilités, dans les mêmes proportions. Or, dans cinq ans, dans huit ans ou dans dix, le nouveau groupe scolaire, si on adopte le premier projet qui nous est soumis, sera à nouveau insuffisant pour la population de Williamson.

On applaudit au fond de la salle. Dans les premiers rangs, certains se penchèrent pour chuchoter quelques mots à l'oreille de leur voisin et Olsen, à qui Kellog faisait sans doute part de son inquiétude, eut un geste rassurant de la main. Cela ne signifiait-il pas :

— Laissez-les dire ! Ils voteront quand même comme nous le voulons.

— Quelqu'un d'autre demande-t-il la parole ?

Deux ou trois mains s'étaient levées et c'est à Krobusek que Griffith fit signe du bout de son maillet.

— Je parle au nom des propriétaires, commença le régisseur, qu'ils soient gros ou petits fermiers, ou seulement qu'ils possèdent une maison ou un lopin de terre. L'impôt communal étant basé sur la propriété, ce sont eux, en effet, qui feront en fin de compte les frais de la nouvelle école. Dans ces conditions...

Il cita des chiffres montrant surtout le poids qu'aurait à porter la moyenne propriété et conclut :

— Je ne vois pas pourquoi on nous demanderait de nous ruiner pour des enfants qui ne sont pas nés. Que, demain, une seule des industries de la ville se déplace — il eut un coup d'œil vers Kellog qui représentait l'industrie de la chaussure —, le projet n° 1 lui-même deviendrait du jour au lendemain trop ambitieux pour une population réduite...

D'autres prirent la parole, dont, tout au fond, quelqu'un qui avait trop bu et qui répétait avec conviction :

— J'ai huit enfants et déjà trois petits-enfants. Dans dix ans, j'en aurai vingt pour le moins, car mes filles tiennent de leur mère...

La salle rit. On eut de la peine à le faire asseoir.

Higgins n'avait pas encore pris sa décision. S'il fronçait les sourcils, c'est parce que Carney lui envoyait la fumée de son cigare à la figure.

— Quelqu'un a-t-il encore des observations à présenter, ou des éclaircissements à demander ?

— Qu'on se dépêche seulement de bâtir une école, lança une voix anonyme. Petite ou grande, elle vaudra mieux que l'écurie actuelle !

Griffith leva son maillet, prêt à mettre la question des deux projets aux voix, et c'est alors, presque contre sa volonté, contre la résolution qu'il avait prise avant de venir, que Higgins se leva. En même temps, alors qu'il jetait un coup d'œil sur la salle, il apercevait Florence et son amie Lucile qui venaient d'entrer et se tenaient debout près de la porte.

Au lieu de l'arrêter, leur présence lui donna un coup de fouet.

— Avant qu'on passe au vote, commença-t-il, la voix encore froide et rauque, je voudrais qu'on me permette de présenter quelques objections.

Celles qui lui étaient venues à l'esprit pendant la lecture de son propre rapport.

— Il est exact, comme l'a fait remarquer Mr. Krobusek, que ce sont les propriétaires qui, par leurs taxes, payeront une grosse partie de la construction de l'école.

Bill Carney, assis devant lui, le regardait de bas en haut, se demandant où il voulait en venir. Au premier rang, l'avocat Olsen, le menton dans la main, fixait sur lui ses yeux toujours un peu noyés d'eau avec le même intérêt détaché qu'il aurait fixé un spécimen zoologique. Florence et Lucile ne bougeaient pas, restaient debout, bien qu'un de leurs voisins leur eût offert sa place.

— Seulement, continuait-il, les tempes bourdonnantes soudain d'émotion, s'il n'existait pas d'écoles suffisantes, les propriétaires, que ce soit d'usines ou de fermes, ne trouveraient pas la main-d'œuvre qualifiée, ni même la main-d'œuvre tout court sans laquelle aucune entreprise ne peut exister.

Il venait de rompre avec eux, d'une phrase, et il n'avait pas besoin de regarder les premiers rangs pour savoir que ses paroles avaient jeté un froid. Des têtes se penchaient, des voix murmuraient. Le docteur Rodgers, dont il aperçut un instant le visage, le regardait surpris, les sourcils froncés, mais, sembla-t-il à Higgins, avec plus de surprise que de sévérité.

— Étudions maintenant la différence, du point de vue taxes, entre le premier et le second projet...

Il ne se grisait pas de son importance. Maintenant que le pas était franchi, il était en possession de tout son sang-froid et pouvait même étudier les visages sans en être troublé. C'est vers le fond que l'étonnement était le plus visible. On échangeait des commentaires à mi-voix, on se donnait des coups de coude et des sourires paraissaient, peut-être parce qu'on sentait de la bagarre dans l'air. L'ivrogne aux huit enfants et aux filles qui tenaient de leur mère hochait la tête en grognant :

— Très bien ! Très bien !

Et ses voisins devaient l'empêcher d'applaudir.

Est-ce que Higgins était en train de se venger de son élection manquée ? Il aurait juré que non, en son âme et conscience. Il n'en voulait à personne en particulier mais son intervention n'en était pas moins une déclaration de guerre au clan avec lequel il avait toujours travaillé et auquel il avait rêvé d'appartenir.

Comment aurait-il pu expliquer son impulsion ? Est-ce que Florence, là-bas, près de la porte, qui devait être la plus surprise, se méprenait comme les premiers rangs ?

D'une seconde à l'autre, pour ainsi dire, sans peser le pour et le contre, il avait décidé de rompre. Lui-même ignorait pourquoi il avait cédé à son impulsion mais il avait la certitude de n'avoir pas obéi à un sentiment d'envie ou de vengeance.

Il ne croyait plus. C'était l'explication la plus claire. C'étaient eux qui l'avaient banni, eux qui l'avaient obligé à ouvrir les yeux, et il les voyait sous un jour nouveau, son rapport, tout à l'heure, sur lequel il avait passé tant de soirées, lui était apparu comme un truquage.

Il n'était pas agressif. Il leur signifiait seulement, à la face de toute la ville, qu'il n'était plus des leurs.

Bill Carney, à côté de lui, jouait avec un crayon, tirait de telles bouffées de son cigare que Higgins était obligé d'écarter la fumée qui le prenait à la gorge.

Pas un instant, il n'éleva la voix et, jusqu'à la dernière minute, il se demanda s'il aurait le courage de se servir de son argument le plus dur. Il n'ignorait pas que ce serait donner prise aux sarcasmes. On y verrait la preuve qu'il n'agissait que sous le coup de la déception.

S'il alla jusqu'au bout, ce fut justement par honnêteté vis-à-vis de lui-même, peut-être aussi un peu par défi, mais alors c'était inconscient, et enfin par désir de devenir une sorte de persécuté.

— La différence entre le prix du projet n° 1 et celui du projet n° 2, articula-t-il en détachant les syllabes, est inférieure au prix des nouveaux bâtiments que le *Country Club* a fait édifier l'an dernier pour le plaisir de ses soixante-trois membres.

Cette fois, on murmura dans les premiers rangs, comme s'il venait de prononcer des paroles choquantes, de mauvais goût, ou encore comme si, en public, il s'était livré à des actes indécents. Dans le fond, au contraire, les applaudissements éclatèrent et il y eut quelques bravos aussi, plus timides, dans le milieu.

Lorsqu'il se rassit, il était conscient d'avoir accompli son devoir. Il n'en était pas moins inquiet, encore qu'il refusât de se l'avouer. Il chercha sa fille, la vit assise sur la même chaise que son amie, mais il ne put rien lire sur son visage. Non seulement elle était trop loin, mais il était toujours difficile de lire quoi que ce fût sur les traits de Florence.

— Quelqu'un désire-t-il encore la parole avant que nous passions au scrutin ? questionna le juge Griffith, qui avait jeté un coup d'œil à Olsen pour lui demander conseil et qui avait hâte d'en finir, comme s'il craignait de nouvelles complications.

Olsen, sans se lever, sans faire face au public, s'était contenté de prononcer à haute et intelligible voix :

— Nous ne sommes pas réunis pour nous occuper des affaires d'un club privé et, jusqu'à nouvel ordre, nous vivons encore dans le pays de la liberté individuelle.

Ce qui gâta tout, ce fut l'intervention d'un certain Purchin qui, depuis quelques années, avait un élevage de volaille en bordure de la ville. Il n'était pas marié, vivait seul avec ses bêtes dans une maison délabrée et venait parfois boire en solitaire au *Jimmie's Tavern*.

Il demanda la parole pour reprendre, mais avec une violence haineuse, les arguments et les chiffres de Higgins, et, quand il faisait allusion à celui-ci, il disait :

— Comme le camarade Higgins l'a fort bien démontré...

L'assistance devint houleuse. On le laissa parler assez longtemps mais, en fin de compte, il y eut des remous, des pieds martelèrent le sol en cadence, une voix lança :

— A Moscou !

Higgins, tête basse, n'écoutait pas, anxieux que cela finisse. Quand le président rétablit le silence en frappant la table de son maillet, il lui passa un billet qu'il venait de rédiger au crayon.

— Je suppose qu'il est de mon devoir, avant le vote, de lire la communication qu'on me remet à l'instant. Notre trésorier, Walter Higgins, m'annonce que, quel que soit le résultat du scrutin, il a l'intention de donner sa démission.

Le silence. Rien. Pas une réaction. A se demander si tous ceux qui étaient réunis dans la salle, où il commençait à faire chaud, se rendaient compte du drame qui venait de se jouer. Les regards étaient tournés vers Higgins, qui avait levé la tête afin qu'on puisse le voir en face, et il n'était pas loin, à ce moment-là, de se considérer comme un martyr.

— Que ceux qui sont pour le projet n° 1 lèvent la main.

Tous les premiers rangs votaient pour, ainsi que la moitié à peu près des rangs du milieu, et il y avait quelques mains levées dans le fond.

Olsen adressa un signe à Griffith.

— L'épreuve contraire. Que ceux qui sont adversaires du projet lèvent la main.

Carney, après avoir étudié la salle, murmura en se penchant :

— Si on ne procède pas au pointage des voix, il y aura demain des protestations.

En effet, il était difficile de dire lequel des deux groupes l'emportait. Le comité, à voix basse, tint un conciliabule auquel Higgins évita de prendre part. On décida de distribuer des bouts de papier et de les recueillir dans l'urne de la mairie, que le secrétaire partit chercher, et, pendant ces préparatifs, on commença à entendre des conversations à voix haute.

Higgins avait eu tort de ne pas s'en aller tout de suite après avoir donné sa démission. Il n'avait plus rien à faire sur l'estrade. Tout au plus, s'il y tenait, aurait-il pu rester dans la salle et voter avec les autres. C'était plus difficile de partir à présent, mais il le fit.

— Vous m'excuserez ? dit-il à Griffith, qui le regarda se lever sans protester.

Carney ne dit rien. Il ne leur tendit pas la main, n'emporta pas sa serviette et se dirigea vers la sortie. En passant devant sa fille, toujours assise, il lui sembla qu'elle lui souriait.

Quelques hommes, pendant qu'on préparait le matériel du vote, prenaient le frais sous la colonnade et il s'était mis à tomber une pluie douce et tiède de printemps.

Higgins avait parqué son auto assez loin de la mairie, faute de place. Il était sans chapeau et, tandis qu'il marchait lentement dans l'obscurité, la pluie perlait sur ses cheveux et roulait sur son front.

Il ne savait pas encore s'il avait eu tort ou raison. Il avait agi comme il avait cru devoir le faire, en se rendant compte que cela pouvait l'entraîner loin.

Les Blair et compagnie, tous ceux qu'il avait attaqués ce soir dans leurs intérêts, n'allaient-ils pas se venger en cessant de se servir au *Supermarket* ? Ils en étaient les meilleurs clients, car les gens du fond de la salle ne fournissaient pas plus de la moitié de son chiffre d'affaires.

Il existait un autre *market* à Williamson, qui n'appartenait pas à une chaîne et qui était tenu par quelqu'un du pays. Il y avait aussi dans la ville basse deux ou trois épiceries italiennes dont les cageots de fruits et de légumes débordaient sur le trottoir.

Mr. Schwartz allait-il considérer que Higgins l'avait trahi ?

Que, le mois prochain, les recettes baissent seulement de vingt pour cent, voire de dix, on ne manquerait pas de lui envoyer un inspecteur qui, après une heure, saurait ce qui s'était passé.

Quelle autre situation trouverait-il à son âge ? Personne ne l'emploierait à Williamson, car ceux qui étaient pour lui étaient de pauvres gens ou des gens de la classe moyenne.

Il souriait en y pensant, d'un sourire à la fois désolé et amer. Il se sentait une légèreté qu'il n'avait jamais connue, comme s'il échappait tout à coup aux lois de la pesanteur.

Est-ce parce que, désormais, rien ne l'attachait plus à rien ?

Sa maison, par exemple, la veille encore, était un souci majeur, et ils étaient sans cesse préoccupés, sa femme et lui, des payements qui leur restaient à faire pour qu'elle soit réellement à eux. Il y avait aussi les versements mensuels sur l'appareil de télévision, le nouveau frigidaire et la voiture.

Qu'adviendrait-il de tout cela s'il perdait sa place !

C'était presque inimaginable. Il n'y aurait plus rien ! Plus de maison ! Plus de meubles ! Plus d'auto. Il ne pourrait même plus payer les primes de son assurance-vie.

Il avait envie de rire et de pleurer tout ensemble et il ne se rendit pas compte de ce qu'il dépassait son auto rangée au bord du trottoir, en face de la blanchisserie.

Est-ce que, les premiers temps, pour parer au plus pressé, il serait obligé de faire appel aux économies de Florence ?

Peu importe qu'il ait eu tort ou raison. Il fallait que cela arrive et cela aurait éclaté d'une façon ou d'une autre. Il avait gardé ce poids-là sur l'estomac pendant trois jours et, à la fin, il n'était pas loin de se prendre pour un maniaque.

Purchin lui avait gâché son effet en donnant à son intervention un sens qu'elle n'avait pas. Dans ce qu'il avait dit, lui, il n'y avait aucune arrière-pensée politique, aucune revendication sociale. Il ne récriminait pas, ne menaçait pas. Il fournissait simplement des chiffres qu'il les mettait au défi de contredire, car il était bien placé pour les connaître.

Il revenait sur ses pas quand il aperçut la foule qui commençait à sortir de la mairie et il se hâta de prendre place à son volant et de se diriger vers Maple Street. Le résultat du scrutin ne l'intéressait pas. Il était persuadé qu'il avait parlé pour rien, que le clan avait gagné la partie, mais il n'en avait pas moins fait ce qu'il avait à faire.

Quand il rentra chez lui, les garçons étaient couchés et sa femme cousait en levant parfois la tête vers la télévision. Elle parut surprise, non de le voir, mais par l'expression de son visage, et elle ne cacha pas ses craintes.

— Que t'est-il arrivé ?

Il souriait. Ce n'était pas son sourire ordinaire et ce sourire-là inquiétait Nora. On aurait dit que, cessant soudain de prendre la vie au sérieux, il allait se mettre à faire des gamineries. Seulement, il avait le visage buriné d'un homme de quarante-cinq ans qui a beaucoup travaillé et ses lèvres, pas plus que ses yeux, n'étaient faites pour ce sourire-là.

— Nous saurons un de ces jours ce qui m'arrive, dit-il d'un ton presque enjoué. Peut-être dans un mois.

— Que veux-tu dire ?

— Cela dépendra de bien des choses. D'abord, j'ai donné ma démission.

— Ta démission de quoi ?

— Du groupe scolaire.

— Ils ont critiqué ton rapport ?

— Non.

— Cesse de marcher de long en large. Assieds-toi. Regarde-moi. Je suppose, Walter...

Elle l'étudiait comme si une idée folle lui passait par la tête.

— Tu supposes quoi ?

— Tu n'as pas bu, n'est-ce pas ?

Cela le fit rire.

— Je n'ai pas bu, non. Ce n'est pas à mon âge que je vais commencer. Je leur ai simplement donné ma démission après leur avoir servi deux ou trois vérités.

— Que leur as-tu dit au juste ?

— Je leur ai expliqué pourquoi les propriétaires s'opposent au groupe scolaire n° 2 et j'ai fourni des chiffres.

Ils en avaient assez parlé ensemble pour qu'elle soit au courant.

— Je croyais que tu étais pour le premier projet ?

— J'ai été pour le premier projet.

— Quand as-tu changé d'avis ?

— Ce soir, en lisant mon rapport.

— Walter !

— Oui.

— Tu as fait du scandale ? Avoue-moi la vérité.

— Je te l'ai avouée. J'ai exposé mes idées et cité des chiffres à l'appui.

— C'est tout ?

— Cela ne leur a pas plu. Surtout que Purchin, qui est une sorte de communiste ou d'anarchiste solitaire, s'est mis à débiter un discours incendiaire.

— Qu'est-ce qu'ils t'ont dit ?

— Qui ?

— Carney et les autres du comité ?

— Rien. Ils ont accepté ma démission.

— Ils ne te l'ont pas demandée ?

— Ils n'y ont pas pensé. Ils me l'auraient sans doute réclamée demain ou après-demain.

— Pourquoi as-tu fait ça ?

— Je n'en sais rien.

Son ton restait léger, mais l'expression effrayée de sa femme commençait à lui donner un sentiment de panique.

— Je crois que cela devait arriver de toute façon, reprit-il plus gravement. Je te jure que c'est moi qui ai raison et que le projet n° 1 finira par coûter plus cher que l'autre à la communauté. Ce qu'ils ne voyaient pas, c'est que la part versée par Washington et par l'État du Connecticut sort, en réalité, de la poche de tous les contribuables.

— Walter !

— Cela ne t'intéresse pas ?

— Réponds-moi franchement : tu leur as déclaré la guerre ?

— Peut-être le prendront-ils ainsi.

— Tu as pensé à ta place ?

Il lui lança un coup d'œil qui aurait dû la mettre sur ses gardes.

— Oui.

— Tu te rends compte que tu risques de la perdre ?

— Oui.

— Et que, si tu la perds...

Elle regardait les murs autour d'eux, la maison qui était la leur ; elle avait l'air de désigner les enfants dans leur lit, son ventre qui en portait un autre.

— Tu as pesé le pour et le contre ?

Il lui répondait oui, presque méchamment, cette fois. Et il devait se contenir pour ne pas éclater. Quand il était un homme docile, qui disait *amen* à tout le monde et craignait un froncement de sourcils de ses supérieurs, quand il croyait à Maple Street et au *Country Club*, Nora elle-même ne parvenait pas à lui cacher un certain mépris.

Qui lui avait reproché d'avoir voulu, pas tant pour lui que pour les siens, gravir un échelon de plus dans l'échelle sociale, et qui l'avait traité de naïf quand il s'était montré affecté de son échec ? Avait-il trouvé, chez lui, plus de réconfort qu'auprès de Bill Carney et des autres ?

Maintenant, il regardait les réalités en face. On l'avait obligé à ouvrir les yeux. Les ouvrait-il trop à leur gré et Nora allait-elle encore se mettre de leur côté ?

Il savait désormais qu'il ne pouvait pas plus compter sur elle que sur qui que ce fût, qu'il ne pouvait compter sur personne, sinon lui-même.

Et la vérité, qu'il avait envie de lui crier, c'est qu'il n'avait jamais été lui-même. Pas seulement à cause d'elle, soit ! Mais sûrement en partie à cause d'elle, parce qu'il se figurait qu'il ne la méritait pas, qu'elle était née pour un autre genre de vie qu'il devait lui donner coûte que coûte.

Fallait-il qu'il lui dise ça en face ?

Et encore que, tout à l'heure, en observant les visages dans les derniers rangs, il avait compris que c'était à ceux-là qu'il appartenait ? Cela avait été une plaisanterie de l'installer sur l'estrade. On lui avait flanqué des titres, secrétaire adjoint de ceci, trésorier de cela, mais personne n'y avait cru, que lui, et les autres devaient se moquer de lui.

« Il suffit de le nommer adjoint de quelque chose et il s'appuiera tout le boulot ! »

Même le *market* ! Mais cela, c'était une autre affaire qui viendrait en son temps. Ce n'était pas mûr. Il faudrait qu'il y pense, et sans doute allait-il encore découvrir des vérités cruelles.

Nora ne comprenait-elle donc pas qu'il avait la chair à nu, qu'on venait de l'écorcher vif, qu'il fallait qu'on le laisse en paix et qu'on lui donne le temps de s'y retrouver en lui-même ?

On permet à un homme de suivre son chemin pendant quarante-cinq ans, on l'encourage, on lui crie bravo, puis on l'arrête brutalement alors qu'il arrive presque au but et on lui affirme qu'il s'est trompé de route !

Demi-tour !

Cela le faisait rire. Faire demi-tour, avec la maison sur les bras, une femme, quatre enfants et un autre à naître, et des quantités de versements à effectuer tous les mois sous peine de saisie ou de prison.

Peut-être, après tout, aurait-il été plus sage de se taire, d'avaler son humiliation, sa rage, et de les garder sur l'estomac. Était-ce sa faute s'il avait éclaté ?

— Je crois que tu devrais te coucher. Nous en reparlerons demain.

Parler de quoi, demain ? Dans quel but ? Pour essayer de sauver les meubles ? Pour le décider à aller présenter des excuses à ces Messieurs ?

Son *leitmotiv* du premier jour lui revint à l'esprit, faillit lui monter aux lèvres. Il l'arrêta à temps, par crainte d'effrayer Nora plus encore.

— *Je les tuerai !*

Et, comme il restait debout, les bras ballants, au milieu de la pièce où on n'avait pas pensé à arrêter la télévision, la porte s'ouvrit sans bruit, sans qu'on ait entendu de pas s'approcher. C'était Florence, une écharpe sur ses cheveux acajou, des gouttes de pluie sur le visage et sur les mains. Elle regardait curieusement son père et sa mère avec l'air de se demander s'ils étaient en train de se disputer.

— Maman est fâchée ? questionna-t-elle, tournée vers lui.

— Je ne sais pas.

— Tu lui as dit ?

— Oui.

— Il a été bien, maman. Très calme. Il a failli gagner la partie, à douze voix près.

Il en conçut un certain orgueil, d'avoir presque changé le cours des choses décidé par le clan. En même temps, il fut soulagé, car, s'il avait réellement réussi à faire échouer le projet, il n'y aurait plus eu d'espoir qu'il s'en tire.

Ils lui en voudraient fatalement. Mais leur rancune, puisque rien n'était perdu, serait peut-être moins violente. N'était-ce pas Olsen qui avait déclaré qu'on vivait dans le pays de la liberté individuelle ?

Higgins avait exprimé son opinion, comme c'était son droit, son devoir même, puisqu'ils étaient réunis pour discuter.

Cela avait été une maladresse d'évoquer le *Country Club*, mais c'était là une affaire personnelle. Il l'avait fait exprès, justement parce qu'il tenait à leur donner prise.

Si, maintenant, ils se vengeaient de lui, ne serait-ce pas aller à l'encontre de leurs propres principes ?

Nora se levait en soupirant.

— Enfin ! Espérons que tout se passera au mieux. En attendant, allons dormir.

— Tu es injuste avec *Dad*.

— Je ne lui ai encore adressé aucun reproche.

— Tu n'as pas l'air contente.

Nora préféra ne pas discuter avec sa fille, ferma la télévision, se dirigea vers la cuisine pour y éteindre les lumières.

— Personne n'a besoin de rien dans le frigidaire ?

— Merci, dit-il.

— Merci, répéta Florence en écho.

Elle regardait son père comme si elle découvrait en lui un homme nouveau.

— Lucile aussi a trouvé que tu étais courageux, dit-elle assez vite, sans insister.

Tout ce qu'il savait, quant à lui, c'est qu'il avait un violent mal de tête et que son estomac était serré comme s'il avait envie de vomir.

Dans leur lit, il embrassa sa femme sur la joue. Elle l'embrassa aussi, dans l'obscurité, remarqua :

— Tu es brûlant.

— J'ai le sang à la tête, répondit-il en se calant comme d'habitude sur son côté droit.

— Bonsoir, Walter.

— Bonsoir.

Et ils entendirent grincer le sommier de Florence.

5

Rien, le lendemain, ne se passa comme il l'avait prévu. Quand, pendant la nuit, il s'était réveillé, à deux reprises, il s'était senti chaque fois si courbaturé, le corps si brûlant qu'il avait cru être malade. C'était peut-être le moyen de tout arranger. S'il se retrouvait le matin avec une pneumonie, par exemple, ou une autre maladie grave, il en aurait pour un certain temps avant de faire face aux gens. Il resterait dans son lit et sa femme le soignerait, créerait une zone de calme autour de lui, sans plus demander d'explications. Du monde extérieur, il ne verrait que le docteur Rodgers, dont la présence avait un effet calmant.

Le docteur ne parlait pas beaucoup, mais le peu qu'il disait, il le disait d'une voix grave et pénétrée qui avait une qualité presque hypnotique. Était-il tourmenté par des problèmes, lui aussi ? Doutait-il parfois de lui et des autres ? Se posait-il des questions dans le genre de celles qui assaillaient Higgins depuis le mardi soir ? Cela paraissait impossible, tant on lisait de sérénité sur son visage où flottait un sourire mystérieux d'homme qui connaît toutes les réponses.

Carney, qui ne l'aimait pas et qui se faisait soigner par le docteur Kahn, avait dit un jour de lui :

— C'est un âne satisfait.

Depuis, Higgins ne pouvait regarder le docteur Rodgers sans trouver une ressemblance entre son long visage et une tête d'âne.

Toujours est-il que, le matin, il n'était pas malade et il n'avait aucune raison de rester au lit. S'il s'était levé le premier cette fois, ce n'était pas pour éviter sa famille, mais parce que c'était samedi et qu'il devait arriver de bonne heure au *market*. Le samedi, les enfants se levaient tard, Florence surtout, puisque la banque était fermée, et la cuisine restait en désordre jusqu'à midi, chacun venant y manger à son tour.

Il n'aurait pas pu préciser à quoi il s'était attendu, mais il s'était figuré qu'il allait sentir autour de lui, après son esclandre de la veille, une réaction quelconque. Un mot lui était même venu à l'esprit : « pestiféré ». Il n'avait jamais vu de pestiféré, n'avait qu'une vague idée de ce que cela signifiait, mais le mot sonnait bien et il imaginait les gens, la plupart d'entre eux, en tout cas, s'écartant de lui comme s'il était désormais la honte de la communauté.

N'était-ce pas ce qu'il avait cherché quand il avait mis le *Country Club* en cause ? On savait qu'il avait posé sa candidature, que celle-ci avait été repoussée à deux reprises. Il s'attaquait à ceux dont, la veille, il léchait la main. Ou bien on le traiterait avec mépris, ou bien il deviendrait un objet de risée, et les deux éventualités ne lui déplaisaient pas, sa position serait claire, il pourrait jouir de son écœurement, comme certains malades se font une jouissance morbide de leur douleur.

Or, il se ne produisait rien et il aurait pu croire que l'incident de la veille n'avait jamais eu lieu. La pluie tombait toujours, grise et monotone comme un sourd mal de dents, et elle allait tomber toute la journée. Les autos ruisselaient, les femmes, en pénétrant dans le *market*, secouaient leur imperméable ou leur parapluie. La plupart, parce que les écoles étaient fermées, avaient leurs enfants avec elles, de sorte que le magasin était bruyant.

Exprès, il ne se tint dans son bureau que quand c'était indispensable, passant son temps, comme un maître d'hôtel de grand restaurant, debout tantôt devant un rayon, tantôt devant un autre.

Miss Carroll n'avait rien dit, n'avait pas paru le regarder d'une façon différente des autres jours. Elle avait murmuré de sa voix naturelle :

— Bonjour, Mr. Higgins.

Le reste des employés aussi. Quant aux clients, ils ne s'occupaient de lui que pour lui demander un renseignement ou se plaindre qu'un article ait augmenté.

L'idée lui vint qu'ils le faisaient exprès, qu'il s'agissait d'une conspiration pour souligner son isolement.

Par exemple, à certain moment, il se tenait sur le seuil du magasin quand Bill Carney, qui sortait de chez le coiffeur, vint à passer, nu-tête, sans pardessus, courbant l'échine sous l'averse. Il ne s'arrêta pas pour lui parler, lui adressa un signe de la main et lança :

— Hello, Walter !

Higgins aurait voulu l'appeler, lui demander ce qu'il pensait de ce qui s'était passé, ce qu'il pensait de lui, mais le pharmacien s'engouffrait déjà dans son *drugstore* sans se retourner.

C'était un peu comme si chacun, tout en se comportant d'une façon normale, évitait de lui donner prise. A neuf heures dix, s'accoudant à la caisse principale, il demanda à Miss Carroll :

— La cuisinière des Blair a téléphoné sa commande ?

— Pas encore, Mr. Higgins.

C'était important. Les autres matins, elle dictait une longue liste par téléphone un peu avant neuf heures. Si elle n'appelait pas, cela signifiait que Blair l'avait condamné.

La femme du docteur Rodgers parut sur ces entrefaites et lui adressa un petit salut avant de se diriger vers la boucherie, par laquelle elle commençait toujours. Au même moment, le téléphone sonnait et Miss Carroll, attirant son bloc à elle, lui souffla, la main sur le micro :

— De chez Blair.

Plus tard, alors que, dans son bureau, il donnait des signatures, il aperçut à travers la vitre Mrs. Krobusek qui, en compagnie de sa bonne, faisait son gros marché du samedi.

Il ne pouvait s'empêcher de penser que cette indifférence, cette atmosphère neutre et morne qu'on créait autour de lui était concertée. C'était leur façon de se venger, en lui montrant que ses attaques ne les atteignaient pas.

Il lui revenait un souvenir d'enfance. Il arrivait, lorsqu'ils étaient un groupe de gamins et de filles à jouer, qu'un plus petit, ou un moins habile, se mêle à eux, et alors ils se soufflaient à l'oreille :

— *Il compte pour du poivre et du sel.*

Cela signifiait que le nouveau venu pouvait courir avec les autres, s'imaginer qu'il participait à leur jeu, mais que ses faits et gestes n'avaient pas d'importance. Il comptait pour du poivre et du sel. On l'ignorait. Et lui, qui ne savait pas, s'évertuait à jouer dans la partie un rôle, qui, d'avance, avait été déclaré nul.

N'était-ce pas ce qui se passait ici ? N'était-il pas en train, lui aussi, de compter pour du poivre et du sel ?

Des gens entraient, le saluaient avec une apparente cordialité.

— Hello, Walter !

Ou bien :

— Bonjour, Mr. Higgins.

Et c'était comme s'il ne s'était jamais occupé du groupe scolaire, n'avait jamais pris la parole à la mairie.

Fallait-il y voir une façon subtile de lui faire comprendre qu'il avait commis une incongruité, ou encore cela signifiait-il qu'on ne l'avait jamais pris au sérieux ?

En tout cas, c'était non seulement déroutant, mais humiliant de s'être préparé à une lutte héroïque et de se trouver devant le vide.

On ne lui réclamait pas de comptes. On ne lui demandait rien sinon pourquoi la côte de bœuf avait augmenté de trois *cents* depuis la semaine précédente.

Deux ou trois fois dans la matinée, il eut des frissons, peut-être de s'être promené la veille au soir sous la pluie sans chapeau ni manteau et, tout le temps, il gardait, malgré le calme, peut-être à cause du calme inattendu, exagéré, qui l'entourait, le pressentiment d'une catastrophe imminente. Il ignorait comment elle se produirait, et quand. Cela pouvait arriver à tout instant. Quelqu'un entrerait qui, au lieu de se comporter comme à l'ordinaire, lui lancerait soudain des phrases cruelles et agressives.

Malgré lui, il épiait la porte, notait les visages au passage, à peu près sûr, maintenant, que tous ceux qui venaient généralement faire leur marché le samedi défilaient.

Il n'oublia pas la recommandation qu'on lui avait faite de Chicago au sujet de la pâte à chaussures et se tint longtemps devant le rayon spécial, posant parfois une question à une ménagère.

— Vous l'avez essayée ?

Si elle répondait oui, il insistait :

— Vous êtes satisfaite des résultats ?

Nora vint aussi, vers onze heures, et ne lui dit que quelques mots pour lui demander si elle devait acheter des poulets. Sa démarche était plus lasse que les jours précédents. Selon les calculs du médecin, elle accoucherait dans deux mois et le poids de son ventre la faisait se rejeter en arrière en marchant.

A midi, il pleuvait toujours et rien ne s'était produit. A midi et quart, il décida de rentrer déjeuner, afin de ne pas avoir l'air d'éviter une explication avec sa femme si elle en désirait une, et il dut s'arrêter au garage en passant parce que ses essuie-glaces ne fonctionnaient pas. Purchin était là, à côté de sa vieille *Jeep* dont il faisait le plein d'essence, et il se contenta de lui adresser un signe de la main, sans rien dire.

Higgins ne comprenait plus. Le garagiste annonçait :

— C'est déjà arrangé, Walter. Un mauvais contact.

— Merci, Jim.

Il était sûr, pourtant, que quelque chose allait lui arriver, et le coup lui vint d'où il s'y attendait le moins. Cela eut l'air de n'avoir aucun rapport avec Williamson et avec les activités de Walter J. Higgins, gérant du *Supermarket* et trésorier du groupe scolaire.

Quand il entra chez lui, tout le monde était à table, y compris Isabel et les deux garçons, et il leur donna à tous un baiser sur le front avant de s'asseoir et de déployer sa serviette.

— Je peux aller au cinéma, *Dad* ? demanda Archie en regardant avec inquiétude sa mère qui avait l'habitude de dire non avant même que Higgins ait eu le temps d'ouvrir la bouche.

Cette fois, elle n'intervint pas et, en l'observant, il constata qu'elle paraissait contrariée.

— Si ta mère le permet.

— Qu'il fasse ce qu'il voudra, soupira-t-elle.

— Et toi, Dave, qu'est-ce que tu fais cet après-midi ?

— Si la pluie cesse, je m'entraînerai au *baseball*.

La saison n'était pas commencée, mais les jeunes s'étaient déjà mis à l'entraînement sur le terrain communal. Est-ce que Higgins allait donner cette démission-là aussi ? Car il était trésorier adjoint du club de *baseball* et, un soir par semaine, surveillait l'entraînement des juniors.

— Qu'est-ce que tu as ? demanda-t-il à sa femme qui venait de le servir et reprenait sa place.

— Rien.

— Tu ne te sens pas bien ?

Elle lui fit signe de ne pas insister devant les enfants et cela suffit à l'effrayer. Que s'était-il passé, depuis le moment où il l'avait vue au *market,* qui pût la rendre si soucieuse et dont elle ne pût parler devant les enfants ?

Ceux-ci, pressés, réclamaient le dessert. Isabel, comme d'habitude, restait à la traîne, car elle mastiquait chaque bouchée gravement en les observant tour à tour.

Le repas lui parut interminable.

— Je peux mettre la télévision ? questionna Isabel quand les garçons se furent précipités dehors.

Sur le seuil, Nora criait :

— Dave ! Reviens ! Je veux que tu prennes ton imperméable.

— Il ne pleut presque plus, maman.

— Reviens !

— Je peux faire de la télévision, *Dad* ?

Il dit oui, afin de rester seul avec sa femme dans la cuisine, car Florence montait dans sa chambre où elle allait lire ou écrire sur son lit.

Nora revenait vers lui et, sans achever son dessert, commençait à porter la vaisselle dans l'évier.

— Qu'est-ce que tu as ?

— On a téléphoné de Glendale.

— Quand ?

— Juste au moment où je rentrais, c'est une chance que je sois arrivée à temps, car Archie s'apprêtait à prendre la communication.

Il ne savait comment poser sa question, n'osait pas demander :

— Elle est morte ?

Sa femme se contentait de murmurer :

— Comme les autres fois.

— La nuit dernière ?

— Ou très tôt ce matin. Ils s'en sont aperçus à dix heures et nous ont téléphoné aussitôt.

— Ils ont averti la police ?

— Oui. Mais tu sais comment elle est.

C'était presque comique à force d'ironie. Il était engagé dans une lutte contre une ville entière, se battait en quelque sorte pour ce qu'il considérait comme sa dignité d'homme. Or, le coup qui l'atteignait ne lui venait pas des habitants de Williamson, mais de sa propre mère.

Maintenant, on pouvait s'attendre à tout, à la voir surgir au *market* ou à la porte de la maison de Maple Street, comme à recevoir un coup de téléphone de la police, du shérif ou de quelque commerçant.

Glendale était loin, à près de cent milles, dans l'État de New York, mais elle avait peut-être pris un autobus ou un train, comme elle était capable d'avoir fait de l'*auto-stop* au bord de la route en racontant une histoire déchirante. C'était arrivé une fois et il avait eu toutes les peines du monde à persuader l'automobiliste qui l'avait amenée, un industriel de Providence, qu'il n'était pas un fils dénaturé. Pendant qu'il s'efforçait ainsi de le convaincre, il pouvait voir sa mère, derrière le dos de son interlocuteur, lui adresser des grimaces dont le sens était clair :

— *Bien fait pour toi !*

Elle jubilait, dans ces cas-là. C'étaient les meilleurs moments de sa vie.

— On t'a dit si elle avait de l'argent en poche ?

— Comment n'en aurait-elle pas ? Elle parvient à s'emparer de tout ce qui traîne à sa portée.

Une fois, à Glendale, où cependant on la surveillait de près, elle était parvenue à dévisser le robinet de la salle de bains et à le cacher sous son oreiller comme un trésor.

Ce n'était pas un asile, mais ce qu'on appelait une maison de repos et la pension coûtait à Higgins plus du quart de son salaire. A la rigueur, il aurait pu la faire entrer dans un établissement public. Le dernier spécialiste à qui il en avait parlé avait lui-même soulevé la question.

— Je ne vous promets pas, par exemple, qu'on ne la remettra pas en liberté dans six mois ou dans deux ans. Non seulement les hôpitaux sont pleins à craquer et on est obligé de laisser des déments en circulation, mais, d'un point de vue strictement légal, votre mère n'est pas folle.

Depuis le mardi soir, il lui était arrivé dix fois de commencer à penser à elle et de faire l'impossible pour repousser ce problème. Même avec Nora, c'était un sujet qu'il préférait éviter et il ne lui avait jamais avoué le fond de sa pensée.

Quand on parlait d'alcool, par exemple, ou quand la veille, il regardait les faces dans la pénombre du fond de la salle en se disant que c'était avec ceux-là qu'il aurait dû se trouver...

Quel âge avait-elle maintenant ? Il devait toujours calculer. Quarante-cinq et vingt-trois. Elle avait soixante-huit ans. Elle était petite et menue, si légère qu'on aurait pu croire qu'un coup de vent l'abattrait, et pourtant elle jouissait d'une vitalité incroyable et n'avait jamais été malade de sa vie.

Il allait la voir deux ou trois fois par an, en auto, presque toujours seul. Depuis qu'elle était enceinte, Nora ne l'avait pas accompagné, car on lui déconseillait la voiture. Quant aux enfants, après la dernière visite qu'ils avaient faite avec Florence quand elle avait sept ans, ils n'avaient plus osé les emmener.

— On dirait une petite guenon savante ! avait déclaré la vieille femme après avoir regardé la gamine des pieds à la tête.

Et, une fois dehors, Nora avait constaté que sa belle-mère était parvenue à subtiliser la chaîne en or que Florence portait au cou. On ne l'avait jamais retrouvée. Le directeur de la maison de repos, un Danois du nom d'Andersen, était éberlué par les malices de sa pensionnaire.

L'établissement n'abritait qu'une quarantaine de patientes, la plupart d'un certain âge, quelques-unes infirmes, et, les premières semaines, les plaintes n'avaient cessé d'affluer parce que tous les objets personnels disparaissaient. Higgins, mandé par téléphone, avait parlementé avec sa mère pour qu'elle rende ce qu'elle avait pris.

— Chacun pour soi ! s'était-elle contentée de lui répondre. Quand je n'aurai plus rien, il ne se trouvera personne pour me donner à manger et j'ai eu assez faim comme ça !

Elle prononçait le mot *faim* d'une façon tragique, comme quelqu'un qui en connaît la signification, et Higgins en avait chaque fois le cœur serré.

— Tu sais bien, maman, que je ne te laisserai pas dans le besoin.

— Je ne sais rien du tout. Chacun pour soi. C'est la seule chose que la vie m'ait apprise.

Les habitants de Williamson, surtout à présent, ne le croiraient probablement pas, mais ce n'était pas de gaieté de cœur qu'il s'était décidé à la faire interner. Quand il s'était marié, à Oldbridge, il y avait plusieurs années que sa mère ne vivait plus avec lui. Avait-elle jamais vécu régulièrement avec lui ? A toutes les époques, il lui était arrivé de disparaître pendant des semaines ou des mois. Elle s'en allait n'importe où, trouvait une place de serveuse dans une *cafeteria* ou de femme de chambre dans un hôtel, de laveuse de vaisselle, n'importe quoi.

On ne comprenait ses sautes d'humeur et ses bizarreries que quand on s'apercevait qu'elle buvait en cachette, si adroitement, qu'il fallait un certain temps avant qu'on la soupçonne.

Ce dont on finissait par s'apercevoir aussi, c'est que des objets disparaissaient, parfois de l'argent, mais alors seulement de petites sommes. Une fois qu'elle avait pris deux cuillers à thé et que la police, alertée, la questionnait, elle avait répondu avec indifférence, comme si son geste était naturel :

— Ils en avaient trop. La preuve, c'est qu'ils ont mis un mois à découvrir que ces deux cuillers-là manquaient.

C'était à cette particularité que le médecin faisait allusion quand il discutait de sa responsabilité légale.

— Qu'elle vole sous le coup d'une impulsion quasi irrésistible, disait-il, c'est certain. Mais il est certain aussi qu'elle possède le sens du bien et du mal, de ce qui est permis et de ce qui est défendu, et qu'elle met un malin plaisir à enfreindre la loi.

Elle narguait les plaignants aussi bien que la police.

— Où avez-vous caché les objets que vous avez volés ?

— Je ne les ai pas volés, je les ai pris.

— Où sont-ils ?

— Cherchez.

Souvent, on ne les retrouvait pas. Elle devait avoir quelque part, Dieu sait où, une ou plusieurs cachettes où elle entassait ses *trésors*.

Ce qui la torturait le plus, à Glendale, c'était l'absence de boissons alcooliques, encore qu'on l'ait trouvée sur son lit ivre morte à plusieurs reprises. Comment s'était-elle procuré à boire, cela n'avait jamais été élucidé et le directeur, découragé, avait menacé de la rendre à son fils.

— Pourquoi fais-tu ça, maman ?

Elle le regardait, goguenarde.

— Parce que !

— Tu ne sais pas que c'est mal ?

— Tu m'en reparleras quand tu auras mon âge, ou plutôt tu ne m'en reparleras pas, car tu seras mort avant ça.

Il était persuadé qu'elle ne l'aimait pas, et même qu'elle éprouvait une certaine haine à son égard. Aimait-elle davantage sa sœur que leur père avait emmenée et dont on n'avait jamais eu de nouvelles ?

C'était étrange, pour Higgins, de penser qu'il avait de par le monde une sœur de deux ans plus âgée que lui, sans doute mariée, mère de famille elle aussi, et que tout ce qu'il savait d'elle c'est qu'elle s'appelait Patricia. Patricia Higgins. Si elle était mariée, elle avait changé de nom et il pourrait passer à côté d'elle dans la rue sans le savoir, car elle avait trois ans quand elle était partie et lui-même n'avait alors que dix ou onze mois.

Quelqu'un, à Williamson, était-il au courant de ce passé-là ? La nuit d'après la boule noire, l'idée lui était venue un instant qu'un des membres du comité d'admission avait peut-être des relations à Oldbridge, dans le New Jersey, et avait appris son histoire.

Il existait des pauvres à Williamson aussi, surtout dans le quartier de l'usine à chaussures. Il y avait quelques ivrognes invétérés, sur lesquels la société ne comptait plus et qu'on regardait passer avec indulgence. Il y avait enfin, en marge de la ville, une famille, les O'Connor, qui vivait à l'état presque sauvage dans une cabane entourée de détritus et d'animaux plus ou moins domestiques. Avec le père et la mère, ils étaient onze ou douze, tous roux, tous hirsutes, tous aussi débordants de santé, et les plus jeunes, des jumeaux, qui déferlaient dans les rues en pente sur leur vélo sans pneus, étaient la terreur des mères.

Seulement, aucun O'Connor n'avait encore eu la prétention de s'introduire au *Country Club*. Un des garçons, qui avait seize ans, et qui allait à la *High School*, était plus civilisé que les autres, travaillait avec acharnement pour se créer une situation. L'été précédent, pendant les vacances, il s'était embauché au *Supermarket* et Higgins ne pouvait le regarder sans s'empêcher de penser à sa propre adolescence.

Au moins les O'Connor constituaient-ils une vraie famille et n'avaient-ils jamais eu maille à partir avec la police, sinon pour des questions d'hygiène ou d'animaux abattus clandestinement. Ses origines, à lui, étaient plus troubles. Il les connaissait à peine. Il avait reconstitué l'histoire par bribes et morceaux, devinant les parties qui manquaient, et il n'était pas toujours sûr de la véracité des détails que sa mère lui fournissait de temps en temps avec une satisfaction diabolique.

Elle s'appelait Louisa Fuchs et, d'après ses papiers, était née à Hambourg, en Allemagne, plus exactement à Altona, de l'autre côté du fleuve, où se dressent les chantiers maritimes. C'est là que son père travaillait quand il s'était tué en tombant d'un échafaudage, un jour qu'il était ivre, laissant huit ou neuf orphelins.

— Quel âge avais-tu à cette époque-là, maman ?

— Quinze ans. Il y en avait deux plus âgés que moi, Hans et Emma.

— Ta mère vivait encore ?

— On l'avait mise dans un sanatorium, car elle n'avait pour ainsi dire plus de poumons. Deux de mes frères étaient tuberculeux aussi. Un des deux est mort quand j'étais encore en Allemagne.

— C'est Emma qui vous a élevés ?

Elle le regardait alors avec des yeux pétillants, comme s'il était l'être le plus naïf de la terre.

— On voit bien que tu es américain !

— Elle ne s'est pas occupée de vous ?

— Elle avait assez de s'occuper d'elle-même, de gagner de quoi manger.

— Comment ?

— Comme les filles gagnent leur pain autour des chantiers d'Altona.

Il n'osait pas lui demander :

— Et toi ?

Car il avait peur de la réponse. C'était elle qui continuait :

— A quinze ans, je suis entrée comme serveuse dans un café des quais. A dix-huit ans, je suis parvenue à m'embarquer avec une amie, une grosse fille qui buvait de la bière autant qu'elle pouvait s'en faire payer et qui s'appelait Gertrude. Nous avons débarqué toutes les deux à New York à une époque où la vie n'était pas si facile qu'aujourd'hui pour deux filles qui ne parlaient pas un mot d'anglais et, pendant un an, nous ne sommes pas allées plus loin que le quai où notre bateau avait accosté. On nous a embauchées dans le même hôtel.

Il savait qu'elle avait voyagé ensuite, car elle lui avait parlé de Chicago, de Saint-Louis et de La Nouvelle-Orléans. Elle ne possédait qu'une toute petite photographie d'elle à cette époque, sur laquelle elle apparaissait presque boulotte, avec ses mêmes yeux malicieux et des cheveux frisottants autour du visage.

Avait-elle déjà la manie de subtiliser ce qui lui tombait sous la main et était-ce la raison de tant d'allées et venues ? Est-ce à son amie Gertrude qu'elle devait l'habitude de boire ?

Il aurait aimé savoir et, en même temps, préférait ne pas se trouver face à face avec certaines vérités. Il n'avait jamais su non plus comment elle avait échoué à Oldbridge, une petite ville, presque un village du New Jersey, à quarante-cinq milles de New York. Il y avait là un hôtel, l'*Auberge du Devonshire*, où elle était serveuse quand Higgins l'avait rencontrée.

Sur son père, il avait moins de renseignements encore et il ne l'avait jamais vu puisque celui-ci était parti en emmenant sa sœur alors que lui-même n'était qu'un bébé. Ce qui était certain, c'est qu'il avait épousé Louisa, car celle-ci possédait des papiers en règle auxquels elle tenait comme à la prunelle de ses yeux.

— Qu'est-ce qu'il faisait, maman ?

— Il était voyageur de commerce.

— Que vendait-il ?

Elle avait toujours le même pétillement des prunelles, la même ironie, non pas amère, mais malicieuse, cruelle.

— Cela dépendait.

Elle ajoutait, exprès :

— Il ne valait pas mieux que moi.

— Il a fait de la prison ?

— Peut-être après ? Peut-être avant ? Pas tant qu'il a été avec moi. Il est vrai qu'il était si peu avec moi !

Autant qu'il pouvait reconstituer les faits, son père était descendu à l'*Auberge du Devonshire* au cours d'une de ses tournées. Pourquoi s'était-il attardé dans une obscure localité comme Oldbridge, où il ne devait pas y avoir grand travail pour un voyageur de commerce ? Cela restait un mystère. Toujours est-il qu'il avait épousé Louisa Fuchs et que, pendant un certain temps, ils avaient occupé un logement en ville. Sa mère le lui avait montré, car il existait encore, dans une grande bâtisse qui ressemblait à une caserne, où vivaient une trentaine de familles.

— Il s'en allait pour deux ou trois mois, m'envoyait parfois un mandat ou une carte postale. Ta sœur est née, et il ne l'a vue que six semaines plus tard, quand il est revenu de Californie. Il l'a bien aimée tout de suite. Il voulait que je le suive avec elle, mais je n'ai pas accepté et je suis restée un an sans nouvelles. J'étais en prison quand il est revenu et c'est lui qui m'en a tirée. On m'a toujours cherché des ennuis et cela continue. Neuf mois après, tu naissais et tu avais une si grosse tête que j'ai failli en mourir et que j'en reste infirme pour le reste de mes jours.

Cela le choquait qu'elle lui fournisse des détails comme celui-là, et il savait qu'elle le faisait pour l'embarrasser.

Le dernier psychiatre qu'il avait consulté avait dit :

— Si nous n'étions pas obligés, ici, de travailler comme des brutes, presque à la chaîne, je prendrais votre mère dans mon service et j'étudierais son cas à fond, car c'est une des personnalités les plus extraordinaires que j'aie rencontrées.

On ne pouvait même pas savoir si elle était malheureuse, tant elle paraissait jouir de ses extravagances, surtout quand elle s'en prenait à son fils avec qui elle semblait avoir un vieux compte à régler.

— Tu lui ressembles, lui avait-elle déclaré une fois, parlant de Higgins. Lui aussi avait une grosse tête, mais il était mieux proportionné et plus fort que toi.

Un beau jour, il était revenu à Oldbridge, comme cela lui arrivait périodiquement, et avait annoncé :

— Je m'en vais. J'emmène Patricia et je te laisse le garçon.

Sa mère, paraît-il, avait insisté pour garder la fille, mais il n'en avait pas démordu.

— D'ailleurs, avait-il objecté, le garçon est trop jeune.

On avait entendu des bruits de dispute dans leur logement toute la nuit et des locataires avaient frappé sur les murs pour réclamer le silence. A six heures du matin, Higgins prenait le premier train, en emmenant la gamine.

Nora était au courant, puisqu'elle était d'Oldbridge et qu'elle avait connu Louisa, mais il y avait des détails, comme ceux de Hambourg, dont il ne lui avait jamais parlé.

Pendant son enfance, sa mère faisait des ménages à gauche et à droite, s'embauchait parfois dans un bar ou dans un hôtel des environs, le confiant à une voisine, et, comme son père naguère, restait des deux ou trois mois sans reparaître.

Il avait huit ans la première fois qu'il était allé, tout seul, la réclamer au poste de police, et il en avait pris l'habitude, les agents l'accueillaient cordialement, tout le monde le plaignait, lui trouvait du mérite.

A seize ans, il était accoutumé à vivre presque toujours seul dans l'unique chambre qu'ils occupaient et dont il faisait le ménage, préparait lui-même ses repas.

— Ainsi, tu as décidé de devenir un monsieur ! lui lançait-elle quand elle le rencontrait à l'improviste et le trouvait plongé dans ses livres et ses cahiers.

Cela la faisait rire, d'un rire silencieux, presque menaçant.

— Si tu crois qu'ils permettront au fils de Louisa et de cette canaille de Higgins de devenir quelqu'un comme eux !

Elle buvait toujours davantage et on la ramassait souvent sur le trottoir pour la transporter à l'hôpital. Elle s'en échappait avec une habileté stupéfiante, avait toutes les ruses, toutes les audaces. Dans les magasins, à la fin, elle ne se contentait plus de menus objets mais choisissait les plus encombrants, les plus difficiles à cacher, même s'ils lui étaient complètement inutiles. Quand on la rattrapait à la porte, elle ne se démontait pas.

— Prouvez que je n'allais pas vous payer.

Elle avait pris Nora en grippe dès le premier jour et Higgins était persuadé que c'était pour la faire souffrir que, quelques mois après leur mariage, elle avait annoncé son intention de venir vivre avec eux. Elle ne s'était pas contentée de l'annoncer. Elle était entrée dans leur logement, un matin, avec ses hardes et ses boîtes en carton ficelées qui contenaient Dieu sait quoi.

— Je me suis dit, ma fille, que maintenant que vous voilà enceinte vous serez bien contente d'avoir quelqu'un pour vous aider.

Combien de fois, en rentrant, le soir, avait-il trouvé Nora en larmes dans un coin de la cuisine !

Ils avaient patienté.

Ils ne connaissaient de répit que quand, à la suite d'une plainte plus sérieuse que les autres, Louisa passait quelques semaines en prison.

Le district attorney avait fini par convoquer Higgins à son bureau.

— Il est temps que vous fassiez en sorte que cela cesse ! lui avait-il déclaré, excédé. Cette comédie ne peut pas durer éternellement.

— Vous savez bien qu'elle est irresponsable.

L'autre le regardait d'un œil dur.

— Voulez-vous mon avis ? Cette femme-là n'est pas plus folle que vous ou moi. La vérité, c'est qu'elle a décidé de rendre aux gens, à vous et à votre femme en particulier, tout ce qu'elle a subi dans sa vie, et elle continuera jusqu'au bout.

— Que me conseillez-vous ?

— Ce que vous ferez ne me regarde pas. C'est votre affaire. Je vous demande seulement de nous débarrasser d'elle, faute de quoi, la prochaine fois, je la fourre à l'asile et tout sera dit.

Higgins connaissait ces asiles-là où, une fois, à son insu, on l'avait enfermée et d'où il était parvenu non sans peine à la faire sortir. Quand il s'était trouvé en face d'elle, dans une pièce où elles étaient quinze à vingt, plus ou moins vêtues et échevelées, elle s'était traînée à ses pieds en le suppliant de ne pas l'abandonner.

— Je ne le ferai plus, Walter. Je te jure que je ne le ferai plus, criait-elle avec des sanglots de petite fille. Je suis quand même ta mère. Je t'ai porté dans mon ventre et, maintenant, je ne suis qu'une pauvre vieille femme que les gens montrent du doigt dans la rue. Je sais que je te fais honte et que je te coûte de l'argent. Mais, par pitié, tire-moi d'ici, où ils ne me laisseraient même pas mourir en paix et où j'ai peur. Comprends-tu ? J'ai peur, Walter ! J'ai peur...

C'est alors qu'il avait vu plusieurs médecins, dont le psychiatre de New York, celui-là, qui, s'il en avait eu le temps, aurait aimé étudier le cas de Louisa. C'est lui aussi qui avait suggéré Glendale, si Higgins en avait les moyens et s'il était disposé à supporter la dépense.

Il y avait onze ans de cela, car cela se passait avant que le ménage quittât le New Jersey. Personne à Williamson ne connaissait Louisa car, la seule fois qu'elle était venue, au cours d'une de ses escapades, ils habitaient la ville basse et elle n'avait pas eu le temps de se faire remarquer avant que son fils la prît en main.

Une autre fois, c'était la police de New York qui l'avait avisé de l'arrestation d'une certaine Louisa Higgins, née Fuchs, sans papiers d'identité, qui se disait sa mère et qui avait donné son adresse. On l'avait surprise alors que, chez un marchand de liqueurs, elle glissait une bouteille de whisky dans un sac à provisions volé quelques minutes plus tôt dans un bazar.

Nora le regardait sans rien dire et il n'avait plus envie de manger. Les coudes sur la table, il se tenait la tête entre les mains.

— Tu pleures ? finit-elle par questionner.

— Non.

Pour le lui prouver, il lui montra son visage sur lequel il n'y avait pas trace de larmes.

— Elle ne connaît pas notre nouvelle adresse, suggéra-t-elle pour l'encourager.

Il haussa les épaules. Sa mère aurait vite fait de la découvrir. Qui sait si elle n'était pas déjà dans la ville, au *market*, ou dans leur ancien quartier, à se renseigner ?

Aux enfants, on avait dit que leur grand-mère était malade, infirme, dans un hôpital, puis, quand ils avaient été en âge de comprendre, on leur avait expliqué sans insister qu'elle n'avait plus toute sa raison.

— Qu'est-ce qu'elle fait d'extraordinaire ? avait questionné Archie que cela amusait. Elle imite les animaux ? Elle se croit une vache ou un ours ?

Isabel ne savait pas encore. Quant à Florence, elle avait été très impressionnée lors de sa visite à Glendale et, plusieurs fois, elle avait interrogé son père au sujet de Louisa.

— Il y a des fous parmi ses frères et sœurs ?

— Je ne crois pas.

— Tu n'en es pas sûr ?

— Ils vivent en Allemagne et je n'en ai jamais eu de nouvelles.

— Alors, c'est possible qu'ils soient fous aussi ?

— Rassure-toi, Florence. Ta grand-mère n'est pas folle dans le sens strict du mot. Je l'ai fait examiner par les meilleurs spécialistes. Tu as entendu parler de kleptomanie ?

— Oui. Mais on n'enferme pas les kleptomanes dans un asile.

— D'abord, elle n'est pas dans un asile. Ensuite, cela dépend des cas. Il fallait choisir entre la maison de repos et la prison, où elle aurait passé la plus grande partie de son temps.

— Je crois que j'aimerais mieux aller en prison, avait-elle murmuré avec un frisson.

Quel âge avait-elle quand cette conversation-là avait eu lieu ? C'était quelques jours après le passage de Louisa à Williamson et Florence, qui avait entendu du bruit, s'était relevée, avait trouvé son père avec la vieille femme dans la cuisine. Elle avait quinze ans.

— C'est ça la petite guenon savante que tu m'as amenée un jour ? avait grincé Louisa.

Pour le moment, il n'y avait rien à faire, qu'attendre. On pouvait aussi bien vivre des jours dans l'incertitude, sous la menace d'une catastrophe, que recevoir un coup de téléphone d'un moment à l'autre. Cela dépendait surtout de la facilité avec laquelle Louisa se procurerait de la boisson. C'était devenu son point vulnérable. Si elle trouvait à boire et s'enivrait, elle perdrait sa prudence instinctive, quasi animale, et la police ne tarderait pas à la ramasser quelque part. Si, au contraire, elle restait à peu près sobre, il y avait des chances pour qu'elle soit en route pour Williamson et pour qu'elle arrive à destination.

— Tu es découragé ?

— Non.

Il parlait sincèrement. Ce n'était pas au découragement qu'il était en proie, mais à des sentiments plus complexes, qu'il ne pouvait pas exprimer devant sa femme, en tout cas quant à présent.

En quelques jours, il avait dû réviser la plupart de ses idées et il avait soupçonné dès le début qu'il faudrait bien en arriver à la plus importante, à ce qui était peut-être à la base de tout, encore qu'il se soit sa vie durant efforcé de penser le contraire.

Comme il se levait, car il devait retourner à son travail, Nora surprit une drôle de lueur dans ses yeux, qui lui rappela la lueur dans les yeux de Louisa, et elle se leva pour lui poser les deux mains sur les épaules.

Elle resta ainsi un moment à le regarder en face et sa lèvre trembla lorsqu'elle prononça avant de le quitter précipitamment :

— Pense à nous, Walter !

6

Pendant près de trois heures, tantôt somnolant, tantôt presque entièrement lucide, il avait épié la vie de la maison, parfois comme si ce n'était pas la sienne, comme si c'était une famille étrangère qu'il regardait vivre par le trou de la serrure.

Déjà quand Isabel, comme chaque matin, s'était éveillée pour la première fois, du soleil giclait par les interstices des rideaux et, sans savoir quel jour on était, il aurait pu deviner que c'était dimanche. Cela tenait peut-être aux bruits, qui n'étaient pas les mêmes qu'en semaine, à une certaine détente, à une certaine qualité de calme qui régnait sur la ville et sur la campagne. Les merles se chamaillaient sur la pelouse et deux fois un écureuil sauta d'une branche de l'érable le plus proche pour gambader sur le toit au-dessus de sa tête.

Isabel grommela, puis chantonna, se tourna et se retourna pendant quelques minutes avant de se rendormir. Peut-être Higgins se rendormit-il aussi jusqu'à ce que Nora, à côté de lui, commençât, avec des précautions infinies, à se glisser hors du lit. C'était une règle que, le dimanche, on le laisse dormir, et, jusqu'à ce qu'il se lève, les enfants avaient pour consigne de marcher à pas feutrés et de parler à voix basse.

Un instant, comme il entrouvrait un œil, il aperçut le corps nu de sa femme debout entre le lit et la fenêtre, avec un rayon de soleil frappant en plein son ventre dont le nombril était effacé par la grossesse. Un peu plus tard, l'eau coula dans la baignoire. Ce jour-là, Nora consacrait plus de temps à sa toilette, se lavait les cheveux et, quand elle descendait, ses allées et venues dans la cuisine étaient différentes aussi, c'était un jeu pour lui, d'après les bruits à peine perceptibles, de deviner ce qu'elle faisait.

Ses narines le chatouillaient et il savait maintenant qu'il ne serait pas malade, comme il l'avait espéré la nuit précédente, mais qu'il commençait un rhume de cerveau. Il n'était jamais malade d'une vraie maladie. Il avait fréquemment des bobos ridicules, un rhume, un furoncle, une angine rouge, ou encore il était tellement constipé que son teint en devenait terreux.

Tous les enfants, la veille au soir, étaient sortis, sauf la plus jeune, à qui il avait raconté une histoire dans son lit, et Nora et lui étaient restés dans le *living-room* sans presque parler, à guetter le téléphone qui n'avait pas sonné. C'était déroutant, pour lui, de n'avoir pas à travailler pour le groupe scolaire, comme il l'aurait fait s'il n'avait pas donné sa démission. Il avait essayé de s'intéresser à la télévision puis, laissant marcher l'appareil, s'était plongé dans la lecture d'un magazine.

Il sursautait chaque fois qu'une auto tournait le coin de Maple Street, mais personne n'avait sonné à leur porte et le calme était si absolu, chez eux, quand Nora s'était levée pour tourner le bouton de la télévision, qu'il croyait entendre battre son pouls.

Vers sept heures et demie — il ne s'était pas retourné pour voir l'heure au réveil — Isabel s'était levée et il avait entendu ses pas dans l'escalier. Elle descendait en pyjama. Le dimanche, tout le monde prenait son petit déjeuner en pyjama, car on devait attendre son tour pour disposer de la salle de bains et il était rare que cela ne crée pas de disputes. Il régnait alors, dans la cuisine, une odeur particulière, une odeur de lit, de vie humaine chaude et concentrée.

Nora chuchotait. Isabel oubliait de parler bas et quelques sons plus aigus lui parvenaient. Dave fut le suivant à descendre, ouvrant et refermant violemment la porte du frigidaire comme à son habitude. Ce devait être le premier dimanche de la pêche car, sur le lac, le bourdonnement continu des canots à moteur ressemblait à celui des tondeuses à gazon.

Les cloches de l'église catholique sonnèrent, puis Archie descendit à son tour, endormi, se heurtant au mur de l'escalier et à la rampe, se frottant les yeux. L'odeur du bacon et du café montait jusqu'au premier étage.

Combien de dimanches presque pareils avait-il vécus en se persuadant qu'il était un homme heureux ? Lorsqu'ils habitaient la vieille ville, où leur maison était plus exiguë et où on entendait tous les bruits des voisins, il leur arrivait de rêver :

— *Quand nous aurons une maison moderne...*

Ils étaient sûrs que la vie serait différente, que tous leurs soucis disparaîtraient comme quand, dix-huit ans plus tôt, il murmurait à Nora en lui caressant la main :

— *Quand nous aurons deux cents dollars à dépenser par mois...*

Il essaya sans succès de se rendormir, et, un peu avant neuf heures, alors que la seule Florence était encore couchée, il sortit du lit, passa sa robe de chambre et ses pantoufles et descendit, non sans s'être regardé un instant dans la glace.

Il n'avait pas encore le nez rouge, mais ses yeux étaient plus brillants qu'à l'ordinaire et il sentit sur sa nuque l'air frais qui venait de la fenêtre entrouverte.

— On peut mettre la télévision, *Dad* ?

Nora intervint, comme il le prévoyait :

— Tu pourrais d'abord dire bonjour à ton père, Archie.

— Bonjour, *Dad*. Je peux mettre la télévision ?

— Ta sœur dort encore.

— Elle n'a pas assez dormi ? Je parie qu'elle fait semblant.

Dans d'autres maisons du quartier, de la ville, la vie devait se dérouler au même rythme que chez eux, avec les mêmes gestes, les mêmes mots. Nora et lui échangèrent un coup d'œil qui voulait dire :

— Encore rien !

Ils en étaient surpris et c'était plus inquiétant que rassurant, car cela paraissait signifier que Louisa ne s'était pas encore livrée à ses excès habituels et que, par conséquent, on mettrait davantage de temps à la retrouver. Qu'elle soit quelque part en liberté, avec Dieu sait quels extravagants projets en tête, constituait pour eux une menace de tous les instants et ils ne pouvaient rien tenter pour se protéger, il n'y avait qu'à attendre en souhaitant qu'elle ne vienne pas déclencher un scandale à Williamson.

Il ne s'était rien passé la veille après-midi. L'existence du *market* avait suivi son cours normal, avec des clients qui entraient et sortaient, le saluaient, échangeaient quelques mots avec lui comme si de rien n'était.

Il y avait pourtant quelque chose de nouveau qui le tracassait, mais, depuis qu'il savait sa mère en liberté, l'affaire du *Country Club* et du groupe scolaire était passée au second rang de ses préoccupations.

Il était en train de rentrer sa voiture au garage, au moment où Florence sortait de la maison, car, le samedi, le *market* ne fermait qu'à huit heures. Sa fille était entrée dans le garage pour y prendre sa bicyclette. C'était rare qu'ils soient seuls face à face, surtout en dehors de la maison proprement dite où, comme dans la plupart des maisons modernes, on entendait tout d'une pièce à l'autre.

— Tu sors ? avait-il demandé pour rompre le silence.

Elle avait eu, debout, les deux mains sur le guidon de son vélo, un instant d'hésitation.

— Tu sais, *Dad,* qui a mis la boule noire ? avait-elle alors prononcé sans le regarder en face.

Il avait secoué la tête.

— C'est Bill Carney.

— Qui te l'a dit ?

— Lucile. Elle le tient de son patron.

Lucile était la secrétaire de l'avocat Olsen. C'était une fille sans charme, au nez pointu, avec un bout comme rapporté après coup, une bouche trop grande qui donnait à son visage des expressions comiques.

— Olsen lui en a parlé ?

— Elle a entendu une conversation téléphonique.

— A mon sujet ?

C'était fatalement à son sujet, tout au moins en partie, puisqu'il avait été question de la boule noire.

— Elle ne t'a rien raconté d'autre ?

Elle répondit que non et il la soupçonna de mentir par charité. Son amie avait dû lui fournir d'autres détails qu'elle ne voulait pas lui répéter.

— J'ai toujours pensé, reprit-elle, que Carney ne t'aimait pas.

— Pourquoi ?

— Sans raison précise. Peut-être parce qu'il te sent différent.

Elle était partie sans en dire davantage et c'était surtout le mot
« différent » qui lui était resté. Bill Carney était le seul qu'il n'ait pas
soupçonné d'avoir voté contre lui ; et comment l'aurait-il soupçonné,
alors que c'était lui qui s'était offert, avec un enthousiasme apparent,
à être son parrain ?

Était-ce sa mère, jadis, qui avait raison :

— *Ils ne permettront jamais au fils de Louisa et de cette canaille de
Higgins...*

Quand Florence avait prononcé le mot « différent », était-ce à cela
qu'elle faisait allusion ? Était-ce parce qu'il était différent qu'elle avait
toujours regardé son père avec une curiosité mêlée de réprobation ?

Qu'y avait-il de différent, par exemple, entre le spectacle de leur
cuisine, ce matin, et celui des autres cuisines de Maple Street et de
tout ce qu'on aurait pu appeler le *bon* quartier ? L'architecture de la
maison elle-même était copiée sur celle des autres maisons et leurs
meubles étaient identiques à ceux de Mrs. Stilwel.

Depuis toujours, depuis sa plus tendre enfance, depuis qu'à huit ans
il était allé réclamer sa mère au poste de police d'Oldbridge, il s'était
efforcé, justement, d'observer les gens et de leur ressembler, non pas
ceux, plus ou moins semblables à lui, du quartier qu'ils habitaient
alors, mais ceux qu'on donne en exemple et devant qui chacun s'incline.

Il devait avoir été aveugle car, une semaine plus tôt encore, il était
persuadé qu'il y était parvenu et que personne ne pouvait voir la
différence. Lui-même, oubliant qu'il n'était pas des leurs, pensait
comme eux, réagissait comme eux, élevait sa famille à leur façon.

— Deux œufs, Walter ?

Parfois il n'en prenait qu'un, d'autres fois deux, avec son bacon.
Distrait, il répondit :

— Deux œufs, oui.

Et il ajouta, comme si la nouvelle était importante :

— Je suis enrhumé.

— Bon ! Toute la famille va y passer !

Cela ne ratait pas. Isabel était la première à attraper ses rhumes,
puis c'était le tour de l'aîné et enfin celui d'Archie. Nora arrivait
bonne dernière, toujours plus accablée que les autres, parce que cela
se compliquait de maux de gorge. Il n'y avait que Florence à rester
indemne et il ne se souvenait pas d'avoir appelé le médecin pour elle.
Elle n'avait eu ni les oreillons, ni la coqueluche, ni la varicelle, aucune
des maladies infantiles que ses frères et sœurs avaient faites comme à
la chaîne.

— Je l'entends marcher, *Dad*.

Il tendit l'oreille et, comme il y avait en effet des pas au premier
étage, permit à Archie de se servir de la télévision. Un instant, pendant
que le gamin tournait le bouton, on entendit les grandes orgues d'une

messe catholique, puis la voix menaçante d'un pasteur avant que l'appareil soit enfin fixé sur une émission pour la jeunesse.

Afin d'être sûre qu'on ne la retarderait pas, Florence prenait son bain avant de descendre et Dave demandait :

— Je peux avoir la salle de bains après elle, *Dad* ?

— Où veux-tu aller ce matin ?

— J'ai promis à Russel de l'aider à réparer sa moto.

— C'est cela ! Pour te salir ! protesta Nora.

Ils discutèrent tous les deux. Il y avait invariablement des discussions de ce genre-là, qui finissaient par des punitions et des pleurs.

Higgins alla chercher, dans la boîte aux lettres, au bord du trottoir, son journal du dimanche dont il ne fit que parcourir les titres et il eut près d'une heure à attendre avant de pouvoir s'enfermer dans la salle de bains. L'air était tiède, les feuillages des arbres d'un vert tendre et, devant la maison d'en face, celle des Wilkies qui étaient encore en Floride, le jardinier avait branché l'arroseuse automatique qui laissait tomber un fin nuage de pluie sur un parterre de tulipes.

Il se rasa, s'habilla avec le même soin que les autres dimanches, sans se dire que cela n'avait pas d'importance. Ces rites-là étaient devenus une partie de sa vie et il n'imaginait pas qu'il aurait pu se comporter autrement.

— Lave-toi au moins les mains et brosse tes chaussures qui sont couvertes de poussière !

C'était une phrase qu'on entendait tous les dimanches aussi. Cela signifiait que Dave était rentré de chez son ami Russel et que tout le monde, en bas, s'apprêtait pour le service de onze heures.

Un mille seulement séparait leur maison de l'église méthodiste et, depuis qu'ils habitaient Maple Street, la tradition s'était établie de s'y rendre à pied. Les enfants marchaient devant, le long des pelouses qui s'étendaient devant les maisons. Il n'y avait qu'Isabel à venir parfois se glisser entre son père et sa mère et à leur prendre la main à tous les deux. D'autres familles, sur les trottoirs opposés, à l'ombre des érables, suivaient la même route, au même pas, et des voitures glissaient sans bruit sur l'asphalte, certaines avec des sacs de golf, des cannes à pêche ou un canoë sur le toit.

Que ferait-il si, tout à coup, il rencontrait sa mère, ou si celle-ci surgissait dans l'église pendant le sermon ? Il était persuadé que Nora, qui marchait avec une certaine peine et devait parfois s'arrêter pour reprendre son souffle, avait la même pensée et il lui en voulait, parce que c'était un problème qui n'appartenait qu'à lui.

N'avait-il pas toujours fait le nécessaire pour protéger sa femme et leurs enfants ? N'était-ce pas lui qui était allé consulter le psychiatre de New York et qui avait décidé de placer Louisa à Glendale ? Il n'avait pas attendu que Nora le lui demande. S'il avait eu tort, c'était son affaire aussi.

Il lui était arrivé de temps en temps, surtout quand il était fatigué ou qu'il avait des ennuis au *market*, de se demander s'il avait bien fait ou non et, chaque fois, il avait fini par conclure qu'il n'avait rien à se reprocher.

Il en gardait encore la conviction. Il ne se sentait pas coupable vis-à-vis de sa mère. Il commençait seulement à envisager la question sous un autre jour et, sur ce terrain-là, Nora n'aurait pas pu le suivre.

Elle en savait autant sur sa vie intime qu'on en peut communiquer à quelqu'un d'autre que soi-même. Mais il y a des choses, peut-être les plus importantes, dont on n'a pas tout à fait conscience et qu'on ne regarde jamais en face quand est de sang-froid.

Cela arrive surtout quand on a la fièvre ou encore, certains soirs, au coucher du soleil. Le monde, autour de soi, si bien organisé en apparence, les maisons neuves, les pelouses rasées, les autos sur la route perdent tout à coup leur solidité et leur caractère rassurant. On regarde ses propres enfants comme s'ils étaient des étrangers, on pense à son travail et à la situation qu'on s'est faite dans la société comme si c'était un leurre, sinon une farce.

Il apercevait maintenant, en bordure d'une petite place, l'église blanche, construite en bois, dont les familles gravissaient lentement les marches pour disparaître dans la pénombre de l'intérieur.

Ils les montèrent avec la même componction, soudain baignés de silence et de fraîcheur, allèrent prendre place à leur banc, sauf Florence qui s'asseyait depuis quelques mois à côté de Lucile dans le fond de la nef.

C'était lui qui avait choisi son église, sans raison précise, et aujourd'hui, en observant les visages et les dos autour de lui, il croyait comprendre. On ne voyait ni les Blair, ni les Olsen, ni les Hotcomb, ni la plupart des personnages importants qui, tous, appartenaient à l'église presbytérienne, à la Haute Église.

Comme il avait découvert la géographie de la salle, le soir de la séance à la mairie, il découvrait une sorte de géographie religieuse et cela n'allait pas sans lui donner de l'amertume.

Les fidèles, ici, étaient endimanchés comme eux, avec tous quelque chose de trop neuf, de trop apprêté, de trop bien lavé, et ils appartenaient comme eux aussi à une certaine classe moyenne, celle qui peine pour gravir un ou deux échelons de l'échelle sociale et pour en faire gravir d'autres aux enfants.

Presque tous avaient eu des débuts difficiles et se sentaient rassurés dans l'atmosphère austère de leur temple où tout était net et froid, sans aucune des pompes de la Haute Église.

Ils venaient ici pour s'encourager à de dures disciplines, peut-être aussi pour se persuader qu'ils ne se les imposaient pas en vain.

La plupart des visages étaient graves, empreints d'une sérénité sans joie. Au lieu de l'ample chant des orgues, un maigre harmonium soutenait les voix pendant les hymnes et le pasteur, le révérend Jones, était un athlète aux yeux bleus qui n'avait aucune indulgence pour le péché.

Il parla du Dieu des Armées, commentant d'une voix dure un texte de l'Écriture, et Higgins n'écouta pas, sursautant chaque fois qu'un retardataire entrait à pas feutrés, n'osant pas se retourner.

On voyait quelques Noirs dans la salle, plus endimanchés que les autres, et leurs femmes portaient les chapeaux les plus clairs et les plus gais. Ils auraient sans doute préféré se rendre à un service baptiste, mais il n'y avait pas d'église baptiste dans les environs.

Les Italiens, les Irlandais, les Polonais de la basse ville appartenaient, eux, à l'église catholique, où il leur suffisait d'aller confesser leurs péchés au prêtre pour en être déchargés.

Il avait préparé son argent pour la quête, chanté avec les autres, et Isabel, à côté de lui, chantait aussi, encore qu'elle ne sût pas toujours les paroles.

Il n'était pas sûr de croire. Il avait adopté la religion comme il avait adopté les idées et les règles qui avaient inspiré sa vie jusque-là, mais il n'avait jamais connu la ferveur d'une Lucile, par exemple, ou de Miss Carroll, assise à deux rangs de lui.

Il ne s'était jamais demandé si Nora avait la foi, parce que l'église faisait partie de leur existence au même titre que la maison, l'école, le *market* et les comités dont il s'occupait. En observant sa femme, aujourd'hui, il remarqua qu'elle priait avec ferveur, remuait les lèvres en regardant droit devant elle et il se demanda si, quand elle était enceinte, elle n'était pas en proie à une peur mystérieuse.

Peut-être priait-elle pour que rien ne leur arrive et surtout pour que, comme elle le lui avait murmuré la veille, son mari pense aux siens avant tout au cours de la crise qu'il traversait ?

Elle le sentait vacillant. Elle devait soupçonner que c'était leur existence même, telle qu'ils l'avaient patiemment faite tous les deux, qui était menacée.

C'était vrai. Aujourd'hui encore, à cet instant précis, debout à son banc de chêne clair avec son livre d'hymnes à la main, il était un étranger, non seulement à la ville et aux familles qui l'entouraient, mais à la famille qu'il avait fondée.

Un bruissement, des livres qui se refermaient, des pas sur les dalles, lui annoncèrent que le service était terminé et ils attendirent leur tour pour sortir de leur rangée. Au-dessus des marches, il serra la main au pasteur Jones qui, lui sembla-t-il, garda plus longtemps que d'habitude sa main dans la sienne.

Le pasteur devait être au courant de l'incident de la mairie et de l'affaire du *Country Club*. Voulait-il, par la pression de ses doigts vigoureux, encourager Higgins à rester dans le sein de la communauté ? Cela le gêna et une rougeur lui monta aux joues, comme si on s'introduisait dans un domaine qui n'appartenait qu'à lui.

— Je peux louer un bateau cet après-midi, *Dad* ?

Dave, l'aîné, avait déjà rejoint des camarades et leur groupe marchait en avant, en gesticulant et en traînant les pieds. Archie tenait la main de son père.

— Avec qui as-tu l'intention d'aller sur le lac ?

— Avec Johnny et Philip. Ils ont la permission de leurs parents et on paiera chacun sa part. J'ai l'argent.

Il dit oui sans consulter sa femme, comme il aurait dit oui à tout ce matin-là.

— Moi aussi, *Dad* ? questionnait Isabel.

Nora intervint.

— Pas toi, non. Tu iras sur le lac quand tu sauras nager.

— Je sais nager.

— Pas suffisamment.

— J'ai appris l'été dernier.

— Tu continueras à apprendre cette année.

Combien de parents et d'enfants échangeaient les mêmes dialogues ?

— D'ailleurs, l'eau est encore trop froide.

— Je n'ai pas envie de me baigner, mais d'aller en bateau.

— N'insiste pas, Isabel. C'est non.

— C'est toujours non. A tout ce que je demande, on répond non.

— Tu veux pleurer ?

Tout cela, soudain, lui semblait si vain ! A quoi cela servait-il ? A quoi cela aboutissait-il ? N'était-ce pas les O'Connor qui avaient raison ? Au fait, il en avait aperçu un à l'église, qui venait de les dépasser à vélo, celui de seize ans, qui avait travaillé pour lui au *market*. Le reste de la famille ne fréquentait aucune église mais celui-là s'était engagé dans la voie que Higgins avait suivie.

— Qu'est-ce qu'il y a à manger ? demanda Archie, qui avait toujours faim.

— Du poulet.

— Avec de la purée de pommes de terre et des petits pois ?

Il y avait du poulet et de la purée de pommes de terre tous les dimanches et, chaque lundi, le pot-au-feu. Les menus étaient réglés comme le reste de l'existence et les mêmes plats revenaient à jour fixe, semaine après semaine, avec, autour de la table, des conversations si pareilles qu'on pouvait prononcer les phrases sans y penser.

— Enfin, soupira Nora en rentrant. La matinée a été calme.

Elle ne voulait pas être plus explicite, à cause des enfants, et elle lui disait d'une façon détournée qu'ils avaient en tout cas gagné du temps.

Higgins s'attarda dans le jardin, se demanda où sa mère était à ce moment-là et en voulut à sa femme et à lui-même de parler d'elle comme d'une menace. Où la vieille femme échappée de son asile avait-elle passé la nuit ? Dans quel état était-elle à présent, au milieu d'un monde où personne ne voulait d'elle ?

Elle lui avait dit :

— *Je t'ai porté dans mon ventre...*

C'était pour l'attendrir. Elle jouait la comédie. Elle ne s'était jamais préoccupée du bonheur de son fils, ni inquiétée de ce qu'il deviendrait dans la vie.

Parfois l'idée était venue à Higgins que, depuis qu'il s'était fait une situation, elle l'enviait et elle enviait Nora aussi, et leurs enfants, et le genre d'existence qu'ils menaient tous.

Qui sait si, à une certaine époque, elle n'avait pas essayé, elle aussi ?

Elle avait épousé Higgins. Ils s'étaient donné la peine, tous les deux, d'aller chercher une licence de mariage et de se présenter devant un juge de paix. N'était-ce pas déjà significatif ? Ils avaient loué un logement pour eux deux et y avaient vécu ensemble, si peu que ce fût.

Quels étaient ses rêves lorsqu'elle s'était trouvée enceinte de Patricia ? Elle aurait pu se faire avorter, comme tant d'autres. Elle avait laissé naître l'enfant, acceptant donc l'idée de la maternité.

Elle était venue de loin avec une amie, d'un faubourg populeux de Hambourg, et elle avait erré de ville en ville sur un continent nouveau dont il lui avait fallu apprendre la langue et les habitudes. A la poursuite de quoi se précipitait-elle de la sorte ? N'avait-elle pas d'autre rêve que de boire et de s'approprier les objets qui tombaient à la portée de sa main ?

— *Je ne veux plus avoir faim !*

Il avait eu faim aussi, souvent, quand on le laissait seul, à dix ans, à quinze ans, et il était trop orgueilleux pour coller son visage à la vitre des restaurants. Il ne voulait plus avoir faim non plus. Il ne voulait surtout plus avoir froid, car le froid est pis que tout. Il avait eu froid des nuits entières à croire parfois qu'il allait en mourir.

— Walter !

— Oui.

— La vis du four vient encore de sauter. Tu ne veux pas l'arranger ?

C'était un four à gaz neuf, acheté quelques mois plus tôt, mais une des vis sautait régulièrement.

— Tu n'as pas appelé Gleason ?

— Il est venu deux fois et, quand il est ici, cela n'arrive pas.

Il alla chercher un outil, retira son veston et s'accroupit devant le four brûlant. Les deux plus jeunes étaient déjà à la télévision.

— Le pasteur Jones ne t'a rien dit en sortant ?

— Non. Pourquoi ?

— Pour rien.

— Qu'est-ce qu'il m'aurait dit ?

— Je ne sais pas.

Cela aussi allait le tracasser. Le pasteur Jones avait tendance à s'occuper de la vie privée de ses ouailles et Higgins se demandait si, les derniers jours, sa femme ne l'avait pas rencontré et ne lui avait pas fait de confidences, ce qui expliquerait la poignée de main insistante.

— Il est venu te voir ?

— Pas depuis qu'il est passé pour la vente de charité, le mois dernier.

Il ne lui demanda pas si elle ne lui avait pas rendu visite, sûr que, dans ce cas, elle mentirait. Cela le fit penser au docteur Rodgers, qui avait un peu les allures d'un pasteur et qui, lui aussi, consacrait son existence à rassurer les gens. C'était une idée en l'air qui lui venait. Il savait qu'il ne la mettrait pas à exécution. Il aurait aimé, si cela n'avait pas été ridicule, ou si cela n'avait pas passé pour une faiblesse, avoir un long entretien d'homme à homme, avec quelqu'un comme le docteur Rodgers. Il choisissait celui-là parce que c'était celui qui paraissait le plus sûr de lui et qui, par profession, était appelé à se pencher sur toutes sortes de cas.

Il faudrait pouvoir s'exprimer sans pudeur, comme on pense dans son lit, les yeux fermés.

— Est-ce que, vraiment, docteur, vous croyez que je suis un homme comme les autres ?

La réponse paraissait évidente, mais elle ne l'était pas tant que cela. Il lui dirait tout, lui expliquerait, à lui, ce que la boule noire, si saugrenue et enfantine en apparence, avait représenté pour lui. Alors, il pourrait lui parler de sa mère et de ce qu'il avait fui toute sa vie avec tant d'énergie et d'obstination.

Ne s'était-il pas comporté comme un enfant qui court à toutes jambes droit devant lui, hors d'haleine, parce qu'il a entendu des pas dans le noir et qu'il a peur ?

Qui sait ? Il y avait peut-être, à Williamson, d'autres hommes dans son cas. Il ne connaissait pas le passé de chacun. Parmi les contremaîtres, les artisans, les petits commerçants, certains n'avaient-ils pas connu des problèmes analogues au sien ?

On lui avait affirmé que le docteur, qui était né à Providence, appartenait à une famille pauvre et qu'il n'avait poursuivi ses études que grâce à des bourses. Quant à sa femme, toujours s'il fallait en croire les gens bien informés, elle avait été vendeuse dans un magasin à prix unique où elle avait continué de travailler pendant les premières années de leur mariage.

Cela ne signifiait rien. Le cas de chacun est différent.

— Connaissez-vous, docteur, quelqu'un qui soit heureux ?

Ce n'était pas le mot exact, mais il se comprenait. Il n'existe pas de mot pour ce qu'il voulait dire : quelqu'un qui soit en paix avec soi-même et qui ne se pose pas de questions, ou bien qui a trouvé les réponses. C'était encore plus compliqué que ça !

Il avait cru être cet homme-là. Pas toujours. Pas du matin au soir et du soir au matin. Il avait connu des défaillances et des moments de doute, mais alors il regardait le but qu'il s'était fixé et il se remettait à l'ouvrage.

S'il travaillait chaque soir, par exemple, à des besognes auxquelles il n'était pas tenu et qui ne lui rapportaient rien, ce n'était pas tant pour aider la communauté, ni par vanité, pour le titre de trésorier-adjoint. Il agissait ainsi parce que, autrement, quand il restait des heures à ne rien faire, il sentait le vide autour de lui et était saisi de vertige.

Est-ce pour la même raison que les gens se précipitent dans les cinémas ou bien, à peine rentrés chez eux, tournent les boutons de la télévision ?

A quoi quelqu'un comme Nora, qui restait seule toute la journée dans la maison, pensait-elle du matin au soir ? Elle n'avait pas, pour lui occuper l'esprit et pour lui donner le sens de son utilité, le va-et-vient du *market*, les coups de téléphone, les lettres à dicter et à signer, non plus que la déférence des employés et la cordialité des clients.

— C'est réparé. J'espère que, cette fois, ça tiendra.

— Tu es prêt à manger ?

— Florence n'est pas rentrée ?

— J'entends sa voix dans la rue.

En effet, les deux jeunes filles étaient arrêtées au bord de la pelouse, dans le soleil, et un instant plus tard Lucile s'éloignait dans la direction de Prospect Street.

— A table ! lança-t-il en se penchant vers le *living-room*. Lavez vos mains.

— Elles ne sont pas sales, *Dad*.

— J'ai dit : lavez vos mains.

Parce que c'était une habitude, parce qu'il fallait des règles.

— Tu le laisses vraiment aller sur le lac cet après-midi ?

— Pourquoi pas ? Le temps est doux.

— Comment va ton rhume ?

— Il n'est pas encore déclaré, mais je le sens qui monte.

Sa voix avait déjà légèrement changé et les œufs, le matin, n'avaient pas leur goût habituel. Ce sont toujours les œufs qui ont un autre goût quand on est enrhumé — ce qu'il appelait un goût de rhume.

— Où est Dave ?

— Je suis ici, fit la grosse voix de l'aîné.

— Où étais-tu ?

— Dans le garage, à regonfler les pneus de mon vélo.

— Lave-toi les mains.

— Je viens de les laver.

— Laisse voir.

C'était vrai. Elles étaient encore humides, car il ne les essuyait jamais convenablement.

— Je veux une cuisse ! annonçait Archie.

Et sa sœur répétait d'un ton plus haut, comme on s'y attendait :

— Je veux une cuisse aussi.

Il essaya d'imaginer que la maison avait disparu, qu'il n'y avait plus de maison, qu'ils étaient quelque part dans un *no man's land*, à la dérive, sans four à gaz, sans poulet, sans purée de pommes de terre.

Les enfants, leur serviette nouée autour du cou, commençaient à manger et Nora s'asseyait avec un soupir de soulagement en s'assurant d'un coup d'œil qu'elle n'avait rien oublié quand la sonnerie du téléphone, plus violente, eût-on juré, plus impérieuse que les autres jours, les fit sursauter.

Nora n'eut pas un mouvement pour se lever, ni Florence pour qui étaient la plupart des appels.

Ce fut Higgins qui se leva lentement, sûr que, cette fois, c'était la catastrophe, et il s'efforça de ne pas presser le pas en se dirigeant vers le *living-room*.

— Allô ! l'entendit-on dire, de la cuisine.

Puis il prononça, avec des temps plus ou moins longs entre les mots, des silences qui impressionnaient sa femme :

— Oui... Oui... Oui... Walter J. Higgins... Il y a une heure, en effet, je me trouvais au service...

Nora savait déjà que ce n'était pas une communication ordinaire, car il n'aurait pas été obligé de prononcer cette phrase-là. Il n'aurait pas non plus parlé de cette voix contenue, comme s'il voulait garder son calme coûte que coûte.

— Je dis : je me trouvais au service... Au service religieux... Vous m'entendez mal ? Est-ce que vous m'entendez mieux, maintenant ?

L'appel venait de loin, puisque la communication était mauvaise, et Nora en était quelque peu rassérénée. Ce n'était pas la police locale, ni le shérif, ni quelqu'un de Williamson ou des environs.

— ... C'est exact... Comment ?... Soixante-huit ans... Elle en paraît davantage, oui... Cela correspond et je m'attendais d'ailleurs à une nouvelle de ce genre... Je dis : je m'attendais à une nouvelle de ce genre... Je ne peux pas vous expliquer pourquoi par téléphone. Oui... Oui... je pars dans quelques minutes, le temps de sortir la voiture du garage... Je payerai les frais, oui... Vous dites ?... Je ne sais pas... C'est dimanche et les routes sont probablement encombrées. Il faut bien compter trois heures, peut-être trois heures et demie... J'éviterai la traversée de New York, ce qui gagnera du temps.

Comme pour un orage, quand on compte les secondes qui s'écoulent entre l'éclair et le bruit du tonnerre, Nora se livrait à des déductions, à des calculs. Louisa n'était pas à Glendale, car c'était près de la frontière du Connecticut et Higgins ne mettait pas plus d'une heure et demie à s'y rendre. D'ailleurs, il avait parlé d'éviter New York, ce qui signifiait qu'il allait au-delà de cette ville.

— Je vous remercie, madame...

Ce n'était pas non plus la police qui appelait, car une femme ne se serait pas trouvée à l'autre bout du fil.

Tout le monde regardait vers la porte quand il entra, s'efforçant de paraître naturel. Peut-être n'avait-il pas tant d'effort à faire, car il n'avait pas encore eu le temps de réagir et les mots qu'on lui avait dits ne s'étaient pas transformés en images.

— Tu pars tout de suite ?

Il fit oui de la tête.

— Où, *Dad* ? Où vas-tu ?

— N'ennuyez pas votre père, mes enfants. Il a des affaires importantes à régler.

— Quelles affaires ?

— Tu ne ferais pas mieux de manger d'abord un morceau ?

— Je n'ai pas faim.

— Prends ton manteau. Il fera plus frais à la soirée. Tu ne veux pas que j'aille avec toi ?

— Tu sais bien que le docteur t'a interdit l'auto.

— Je peux y aller, moi, *Dad* ?

— Non, Archie. Tu oublies que tu vas sur le lac.

— Et moi, *Dad* ?

— Toi non plus, Isabel. Restez tous à table. Toi aussi, Nora. Je dois d'abord sortir la voiture et je reviendrai chercher mon manteau.

On l'entendit ouvrir la portière et la refermer, puis le bruit du moteur qu'il mettait en marche et, par la fenêtre, on vit l'auto se ranger le long de la pelouse. Higgins en sortit nu-tête et se dirigea vers la maison. Nora se leva de table.

— Pas vous, les enfants. Continuez de manger.

— Je veux dire au revoir à *Dad*.

— Il viendra vous dire au revoir ici.

Elle prit le manteau et un chapeau dans la penderie et, quand il rentra, demanda :

— Tu as de l'argent ?

— Je crois que j'en ai suffisamment.

— Ton carnet de chèques ?

Il tâta sa poche.

— Oui.

— Les enfants attendent que tu les embrasses.

Il fit le tour de la table et, sans raison, comme il se penchait sur elle, Isabel se mit à pleurer.

— Je ne veux pas que tu partes.

— Je reviendrai à temps pour ton histoire.

— Ce n'est pas vrai, riposta Archie. Tu as dit qu'il te faudrait trois heures pour y aller. C'est plus loin que New York, peut-être aussi loin que Philadelphie.

— Laissez partir votre père.

Isabel répéta en se raccrochant à lui :

— Je ne veux pas qu'il s'en aille.

Il dut se dégager, se précipiter dehors et Nora le suivit.

— Qu'est-il arrivé ? questionna-t-elle à voix basse.

— Elle s'est fait renverser par un bus.

— Où ?

— A l'entrée d'Oldbridge, répondit-il durement, le regard fixe, comme si, pour lui, ces mots avaient une signification particulière.

— C'est l'hôpital qui t'a téléphoné ?

— Oui.

— Son état est grave ?

Il haussa les épaules.

— Ils ne savent pas encore.

Nora fit encore une déduction.

— Elle a en tout cas conservé sa connaissance, puisqu'elle a pu donner ton nom. Comment se sont-ils procuré notre adresse ?

— Ils ont appelé notre ancien numéro et on leur a dit où nous habitons.

— Conduis prudemment.

— Oui.

Par la porte ouverte, il voyait la table entourée des quatre enfants et il détourna la tête.

— Tu ne m'embrasses pas ? demanda-t-elle.

— Pardon.

Il l'embrassa et cela le gêna, comme tout à l'heure, avec le pasteur, qu'elle le retienne avec trop d'insistance.

— Courage, Walter.

Il murmura :

— Merci.

7

Il faillit dépasser la ville où il était né et où il avait vécu pendant trente-cinq ans, car on avait détourné la grand-route qui franchissait jadis le chemin de fer près de l'usine à gaz et qui traversait maintenant les marais sur une sorte de digue.

Pendant les trois heures qu'il venait de passer au volant, il n'avait pas eu conscience de penser, les yeux fixés sur les lignes blanches qui se dévidaient devant lui, avec, dans les oreilles, le bruit obsédant, semblable à un bruit de succion, de milliers de pneus sur l'asphalte.

Tout le long du *Merrit Parkway*, qu'il avait suivi jusqu'à l'entrée de New York, deux rangs d'autos, parfois trois, déferlaient dans chaque sens et ce mouvement-là aussi donnait l'impression d'une fuite par ce qu'il avait d'implacable ; le front plissé, les nerfs tendus, les gens fonçaient droit devant eux comme si leur existence était en jeu, souvent avec une famille entière sur la banquette arrière, et la plupart ne savaient pas où ils allaient, sans doute nulle part, usaient farouchement les heures vides au rythme de leur moteur.

Au bord des routes transversales, aux carrefours, une baraque en planches de couleurs vives se dressait par-ci par-là, où l'on vendait à boire et à manger, des saucisses et de la crème glacée, du whisky ou du café, et les enfants, dans les voitures, avaient un cornet de glace à la main, des hommes se versaient dans le fond de la gorge le contenu d'une boîte de bière.

Higgins, comme il se l'était promis, avait contourné New York par le *Hudson River Drive* et franchi *Washington Bridge* pour gagner le New Jersey.

Les gratte-ciel étaient maintenant derrière lui, en pyramide rose de soleil dans un ciel serein que déchirait parfois un gros quadrimoteur.

Pas une fois, il ne s'était demandé si sa mère était morte ou si elle allait mourir et l'image qui lui restait sur la rétine était la dernière image emportée de Williamson à son insu : les quatre enfants aperçus, par la porte ouverte de la cuisine, autour de la table où ils mangeaient du poulet.

Il dut quitter la grand-route, qui ne pénétrait plus dans Oldbridge, et c'est seulement en atteignant Lincoln Street qu'il reconnut le décor. On avait construit davantage, pendant les dix dernières années, qu'à Williamson et, là où il jouait autrefois dans les terrains vagues, s'élevait un quartier de maisons ouvrières, bâties sur un même modèle, le long d'avenues où les arbres n'avaient pas eu le temps de pousser et où les trottoirs restaient inachevés.

Dans un espace rectangulaire entouré de palissades vertes, des jeunes gens de l'âge de Dave disputaient une partie de *baseball* et une centaine de spectateurs étaient éparpillés par groupes sur les gradins, un arbitre en bleu sombre, avec la casquette à visière courte et qui prenait son rôle au sérieux, s'affairait parmi les joueurs.

Lincoln Street n'avait pas changé, mais c'était dimanche et les magasins étaient fermés, on ne voyait pas une âme sur les trottoirs et seules quelques autos vides stationnaient en bordure, répandant une odeur de tôle chauffée par le soleil. Place de la Mairie, où deux cinémas se faisaient face, des voitures couvraient presque tout le terre-plein. Les habitants qui n'étaient pas chez eux, à dormir ou à regarder la télévision, la fenêtre ouverte, devaient se trouver là, figés devant les écrans peuplés de personnages démesurés, ou encore sur la route, comme tous ceux qu'il avait rencontrés depuis Williamson.

La ville lui sembla morte et une vague angoisse lui serra le cœur tandis qu'il tournait à gauche, puis encore à gauche, toujours dans le vide, frôlant des trottoirs qu'il avait arpentés des milliers de fois, avant de s'arrêter sur la place où se dressait l'hôpital.

Ce n'était pas le même hôpital non plus. Les anciens bâtiments, aux fenêtres garnies de barreaux, aux briques noircies par la fumée des trains qui passaient en contrebas dans une sorte de tranchée, avaient fait place à une construction moderne, en béton et en briques roses, avec une vaste entrée surmontée d'une marquise comme dans un hôtel de luxe.

Il était trois heures et demie à l'horloge électrique de la salle d'attente au sol dallé de blanc, aux murs blancs, aux fauteuils neufs, sur la gauche de laquelle un guichet était aménagé dans la cloison vitrée du bureau.

Par la rumeur qui emplissait les couloirs, par les malades qu'il voyait passer, accompagnés de femmes et d'enfants, quelques-uns dans des chaises roulantes, il savait que c'était l'heure de la visite et, d'ailleurs, il reconnut la vieille dame qui se tenait derrière une table et distribuait des tickets roses aux arrivants.

Jusqu'ici, c'était le seul détail qui n'avait pas changé depuis l'époque où il venait périodiquement voir Louisa à l'hôpital. Un comité de dames de la ville apportait de la lecture aux malades, se chargeait de menues tâches comme, aux heures de visite, de contrôler les entrées et les sorties.

Celle qui se tenait aujourd'hui à la table était déjà là douze ou treize ans auparavant et, comme alors, elle était vêtue de violet et de blanc, avec un petit chapeau de velours orné d'une voilette claire. Il semblait même à Higgins qu'il reconnaissait son odeur sucrée. Il ignorait son nom. La limousine noire, près du perron, avec un chauffeur en livrée beige sur le siège, devait être la sienne et il aurait juré qu'elle n'avait pas vieilli, c'était comme si elle n'avait jamais quitté sa place dans l'antichambre.

— Qui demandez-vous ? murmura-t-elle avec un sourire qui faisait penser à un bonbon.

— Mrs. Higgins, Louisa Higgins.

Elle consulta la liste devant elle et dut se servir d'un lorgnon aux verres épais qui pendait à son cou par un ruban.

— Vous êtes sûr du nom ?

— A moins qu'elle se soit inscrite sous son nom de jeune fille. Dans ce cas, c'est Louisa Fuchs.

— On vous a dit qu'elle est ici ?

— L'hôpital m'a téléphoné ce matin dans le Connecticut pour m'en avertir.

— Vous devriez vous informer au bureau. Je ne trouve rien. Je suis désolée de ne pouvoir vous aider.

Trois petits nègres, bien sages, étaient assis dans des fauteuils et les jambes des deux plus jeunes ne touchaient pas terre. Ils se ressemblaient tous les trois, avec les mêmes yeux marron à la cornée d'un blanc éclatant, et Higgins pensa que leur mère venait sans doute de leur donner un petit frère ou une petite sœur. Ils n'avaient pas le droit de monter à la maternité, par crainte qu'ils apportent des microbes du dehors.

Il frappa au guichet fermé et une jeune fille, occupée à lire un magazine de cinéma, lui ouvrit la vitre.

— Je viens pour voir ma mère, Mrs. Higgins, elle est peut-être inscrite sous le nom de Fuchs, son nom de jeune fille.

— Il y a longtemps qu'elle est à l'hôpital ?

— Depuis ce matin.

— Un instant, s'il vous plaît.

Elle consulta une liste, elle aussi, puis des fiches, se montra surprise, décrocha le téléphone et parla à quelqu'un d'invisible.

— Vous avez une nommée Higgins, ou Fuchs, qui serait arrivée ce matin ?

Elle revint vers lui en secouant la tête.

— Ce nom-là n'est pas porté aux entrées. Vous êtes certain qu'il s'agit de cet hôpital-ci ?

— En existe-t-il un autre à Oldbridge ?

— Il y a une clinique privée, dans le quartier ouest, près du parc.

Il la connaissait. C'était un établissement très coûteux où on n'aurait pas transporté la victime d'un accident de la rue.

— On m'a téléphoné ce matin, insista-t-il.

— Qui ? Vous savez qui vous a téléphoné ?

— Une dame. J'ai cru comprendre que c'était une infirmière.

Il parlait d'une voix humble, sans impatience, impressionné par toute cette blancheur et cette netteté.

— En principe, lui expliquait l'employée, le bureau est fermé le dimanche. Le directeur n'est pas ici. Je suis seule de garde et celle qui était de service ce matin est partie. Quelle heure était-il quand on vous a appelé ?

— Un petit peu après midi.

— Moi, je suis arrivée à une heure.

Il avait les mains moites, envie de se moucher.

— Il s'agit d'une opération ?

— Je suppose. On m'a parlé d'un accident.

A ce moment, une infirmière dont on distinguait le corps en transparence sous sa blouse et ses dessous de nylon, surtout quand elle se tenait devant la fenêtre, entra dans le bureau sans prêter attention à lui.

— Tu as des cigarettes, ma petite ?

— Tu en trouveras un paquet dans mon sac. Prends-le. J'en ai un autre dans le tiroir. Tu n'as pas entendu parler de quelqu'un qui a eu un accident ce matin ?

— La vieille...

L'infirmière allait prononcer un mot qu'elle rattrapa, embarrassée, en apercevant Higgins.

— Celle qui a été renversée par le bus ? se reprit-elle.

— C'est cela, oui, se hâta-t-il de dire.

— Elle est ici ? s'étonna la secrétaire. Comment se fait-il que son nom ne figure pas aux entrées ?

— Ça, ma petite, ce n'est pas mon affaire. Tout ce que je sais, c'est qu'elle est arrivée par la porte des ambulances.

— Dans quelle salle l'a-t-on mise ?

Pour elles, c'était une conversation banale, comme elles en avaient tous les jours. L'infirmière, une fois de plus, tournée vers Higgins, se montrait hésitante.

— Je ne pense pas qu'elle soit en salle. On l'a transportée à la chirurgie d'urgence.

L'autre lui expliquait :

— Dans ce cas, vous ne pourrez pas la voir maintenant. Dans ce service-là, les visiteurs ne sont pas admis.

— Mais puisqu'on m'a téléphoné...

— Je sais...

C'était peut-être une nouvelle, ou une remplaçante, qui hésitait à prendre des responsabilités. Son amie en uniforme, aux cheveux du

même roux que ceux de Florence, se pencha pour lui parler à voix
basse.

— Si tu crois...

Alors, l'infirmière, sans oublier de glisser le paquet de cigarettes
dans la poche de son uniforme, sortit du bureau vitré et dit à Higgins :

— Venez avec moi. Ce n'est pas régulier, mais on verra bien ce que
dira l'infirmière-chef.

— Ce n'est pas elle qui m'a appelé ?

— Pas Mrs. Brown, sûrement, car, comme tout le monde, elle n'a
pris son service qu'à une heure. Suivez-moi.

Elle parla aussi à la vieille dame en violet qui ne protesta pas et ils
suivirent les couloirs où, par les portes entrouvertes, on voyait des
malades sur leur lit, des gens du dehors qui avaient apporté des fleurs,
des bonbons ou des fruits. Un garçonnet de cinq ans, de la taille
d'Isabel, les croisa, marchant avec des béquilles, sa jambe droite
presque horizontale devant lui.

Ils franchirent une sorte de carrefour où, à un bureau surmonté
d'un tableau couvert de fiches, un médecin étudiait les rapports des
infirmières, et deux de celles-ci préparaient de grands plateaux avec
des jus de fruits.

— Par ici...

Elle poussa une porte sur laquelle était écrit : « défense d'entrer ».
Au-delà, c'était le silence. Il semblait n'y avoir personne dans le
couloir, ni dans les locaux adjacents encombrés d'étranges instruments.

— Mrs. Brown ! appela-t-elle à mi-voix.

Et, ne rencontrant que le vide, elle répéta :

— Mrs. Brown !

Elle finit par commander à Higgins :

— Attendez-moi ici.

Et elle alla plus loin, ouvrit une porte qu'elle referma sur elle et qui
était surmontée d'une ampoule électrique rouge.

Plus de dix minutes s'écoulèrent, pendant lesquelles Higgins, en
nage, la chemise collée au dos, n'osa pas retirer son pardessus.

Il ne pensait toujours pas. Ici, il se trouvait en dehors du monde,
comme en dehors de la vie. La naissance, la douleur, la mort n'avaient
pas le même sens qu'ailleurs. Cela l'avait choqué, tout à l'heure, de
découvrir en transparence les longues jambes de l'infirmière, comme
cela l'aurait choqué dans une église, et aussi le fait qu'elle pensait à
emporter les cigarettes.

Un homme sans âge, mal rasé, vêtu de coton à rayures, un seau et
un balai à la main, surgit d'un escalier dont Higgins n'avait pas
soupçonné l'existence et le regarda d'un œil soupçonneux.

— Vous êtes le nouveau docteur ?

— Non.

— Alors, qu'est-ce que vous faites ici ?

— Une infirmière m'a prié de l'attendre et est entrée dans cette
pièce.

Il désignait la porte à la lumière rouge et l'autre s'éloigna en hochant la tête et en grommelant des mots indistincts.

Il n'y avait pas de chaise, rien pour s'asseoir et, peut-être à cause des relents d'éther, il commençait à se sentir les jambes molles. Il ne regarda pas l'heure à sa montre. Cela ne servait à rien. Le temps ne comptait plus.

La porte s'ouvrit enfin et une femme d'une cinquantaine d'années, en uniforme, les traits comme de pierre, l'observa de loin avant de se diriger vers lui. La jeune infirmière qui la suivait se contenta d'adresser à Higgins un signe discret et de disparaître par où ils étaient venus.

— Vous vous appelez Walter J. Higgins ? questionnait l'infirmière-chef, une fiche à la main.

— Oui, madame.

— Louisa Fuchs est votre mère ? C'est à vous que ma collègue a téléphoné ce matin à Williamson, dans le Connecticut ?

— Oui, madame.

Il était trop impressionné pour lui poser des questions.

— Je suppose que votre mère ne vivait pas avec vous ?

— Non, madame.

— Elle habitait seule ?

— Elle était pensionnaire dans une maison de santé de Glendale.

— Chez le docteur Andersen ?

— Oui.

— Folle ?

— Les médecins ont pensé qu'elle serait mieux là.

— Elle s'est échappée ?

On le laissait toujours debout dans le couloir et il essayait de se rendre compte de ce qui se passait derrière la porte qui n'avait pas été complètement refermée.

— Il faudra tout à l'heure que vous veniez avec moi au bureau pour les papiers. La police désire aussi que vous alliez les voir afin de fournir les renseignements nécessaires.

Il demanda d'une voix qu'il fut surpris de trouver naturelle :

— Elle est morte ?

— Vous l'ignoriez ?

Il fit oui sans savoir s'il était ému ou non. Tout ce qu'il aurait voulu, c'était s'asseoir, ne fût-ce qu'un moment.

— Je croyais qu'on vous avait téléphoné !

— Oui, mais on ne m'a pas annoncé qu'elle était morte. On m'a dit qu'il n'était pas encore possible de dire si...

Elle consulta sa fiche.

— Elle est décédée à midi vingt-cinq.

L'heure à laquelle il quittait sa maison, après un dernier regard aux quatre enfants attablés dans la cuisine.

— Elle a parlé ?

— Je n'étais pas ici. Si vous voulez attendre quelques minutes, le docteur Hutchinson, qui était de garde, va bientôt sortir de la salle d'opération. Tenez ! Le voici...

Un homme grand et encore très jeune, un calot sur la tête, ganté de caoutchouc, des bottes de caoutchouc rouge aux pieds, apparaissait dans le couloir et faisait tomber le masque qui lui couvrait le bas du visage. Son front ruisselait de sueur, ses yeux étaient fiévreux de fatigue.

— Alors ? lui demanda-t-elle.

— Il y a toutes les chances pour qu'elle en réchappe. Je monterai la voir d'ici une heure.

Il ne s'agissait pas de Louisa, mais d'une jeune fille qu'il vit passer, étendue, sans connaissance, sur une civière roulante. Il ne distingua d'elle que des cheveux sombres et soyeux qui lui rappelèrent ceux de Nora, des narines pincées, une forme maigre comme sculptée par le drap. On la poussait dans un ascenseur et Mrs. Brown expliquait au médecin :

— C'est le fils de la femme qui est morte à midi vingt-cinq.

Le docteur Hutchinson était entré dans un cabinet de toilette où, débarrassé de ses gants, il se lavait les mains, s'essuyait le visage avec la serviette humide et allumait une cigarette dont il aspirait avidement les premières bouffées tout en lançant à Higgins des coups d'œil curieux.

— Il paraît qu'elle s'est échappée de la maison de santé de Glendale, où elle était pensionnaire, continuait l'infirmière.

— Elle buvait ? demanda le médecin à Higgins.

— Oui.

— C'est ce que j'ai pensé. Elle empestait l'alcool. Elle a dû avoir un étourdissement en traversant la rue, sinon l'accident ne s'expliquerait pas et il faudrait conclure à un suicide.

Il demanda machinalement :

— Pourquoi ?

— Parce que, selon la police, en dehors de ce bus-là, il n'y avait aucune circulation dans la 32e rue Est, qui est assez large.

On l'avait mal renseigné ce matin en lui annonçant que l'accident s'était produit à l'entrée de la ville, ou alors, pour l'infirmière qui lui avait parlé, la ville ne commençait qu'avec les rues commerçantes et les beaux quartiers. La 32e rue Est était celle où il était né, dans l'espèce de caserne que Louisa avait habitée avec son mari après leur mariage.

— Elle a souffert ? questionna-t-il sans trop savoir ce qu'il disait.

— Quand on l'a amenée, elle souffrait certainement, mais elle n'en laissait rien voir. Ce serait exagéré de prétendre qu'elle souriait, et pourtant...

Il reconnaissait bien Louisa, qui avait voulu les narguer jusqu'au bout.

— Je l'ai endormie presque tout de suite et...

— Elle avait sa connaissance ?

— A ce moment-là, oui, et le policier qui l'accompagnait a noté l'adresse qu'elle lui donnait.

— La mienne.

— Je suppose, puisque vous êtes ici.

Quelque chose restait bizarre aux yeux du médecin, Higgins le sentait à la façon dont il le dévisageait, à une certaine froideur voulue.

— Où a-t-elle été blessée ?

— Fracture du crâne, de l'épaule gauche et du bassin. Elle a perdu beaucoup de sang et j'ai tenté la transfusion. C'est pendant celle-ci qu'elle a succombé.

— Elle n'a pas laissé de message ?

— Pas en dehors de votre nom et de votre adresse. Si vous le désirez, l'administration vous remettra ses vêtements. Quant au reste, si elle avait un sac à main ou quoi que ce soit de personnel, vous le trouverez au poste de police. Je suppose que vous avez besoin de lui, Mrs. Brown ?

— Oui, docteur.

— Je peux la voir ? questionna Higgins.

Ils se regardèrent. Le médecin haussa imperceptiblement les épaules.

— Venez avec moi, commanda la femme.

Ils descendirent un escalier qui conduisait au sous-sol éclairé à l'électricité. On y voyait des portes le long du couloir, comme à l'étage au-dessus, et Mrs. Brown en ouvrit une, s'effaça. Dans une pièce étroite, aux murs nus, une forme humaine était recouverte d'un drap blanc, sur une table qui lui parut être de marbre, et il faisait plus froid qu'ailleurs.

L'infirmière-chef s'avança vers le haut de la table, souleva le drap, le rejeta suffisamment pour découvrir la tête et de petites mèches de cheveux grisâtres qui s'échappaient d'un bandage. Une autre bande de toile, destinée à maintenir les mâchoires fermées, cachait en partie les joues, de sorte qu'on ne voyait que les orbites très creuses, le nez étroit et pointu, les lèvres incolores.

Il ne pria pas, ne pleura pas, n'osa pas toucher la morte et il avait soudain froid comme les nuits où, enfant, il restait seul sans parvenir à se réchauffer. Il avait peur aussi, une peur imprécise, et il regarda l'infirmière-chef pour se rassurer.

— C'est bien elle ?

Il fit oui de la tête. Il n'aurait pu parler tout de suite. Il avait hâte de quitter cette pièce où, cependant, ses pieds restaient collés au sol.

— Venez maintenant au bureau, où vous me direz ce que vous comptez faire.

En sortant, elle ferma la lumière et cela le fit sursauter.

— Par ici.

La même jeune fille se tenait dans le bureau et, dans la salle d'attente, les trois négrillons étaient toujours à leur place.

— Vous réclamez le corps ?

Il dit oui et elle commanda à la jeune fille :

— Préparez une formule C, Eleanor. Je suppose que vous désirez que le corps soit envoyé à Williamson ?

Il secoua la tête, honteux de ce qu'on devait prendre pour de l'indifférence ou du cynisme.

— Je préfère qu'elle soit enterrée à Oldbridge où elle a le plus vécu.

— Cela vous regarde. A vos frais, bien entendu ?

— A mes frais, oui.

— Dans ce cas, il faudra vous adresser à une entreprise de pompes funèbres. Vous en connaissez ?

— Je suis né dans la ville.

Elle fronça les sourcils, comme si elle cherchait dans ses souvenirs, mais son visage ne lui rappela rien, le sien ne rappelait rien à Higgins non plus ; ils n'avaient sûrement pas vécu dans le même quartier.

Il répondit aux questions qu'on lui posait et il y eut de nouvelles allées et venues, des coups de téléphone, avant qu'on établisse le montant de ce qu'il devait et qu'il signe un chèque.

Quand il sortit et se retrouva en plein soleil, il fut tellement ébloui qu'il resta un bon moment à chercher sa voiture parmi les autos en stationnement. L'idée ne lui vint pas de téléphoner à Nora pour lui apprendre que sa mère était morte. Il ne pensait pas plus à Williamson que s'il n'y eût jamais mis les pieds et il ne pensait pas aux enfants non plus ; il vivait dans un monde étrange qui appartenait à la fois au présent et au passé et qu'il ne reconnaissait pas.

Ce fut par instinct qu'il trouva le chemin du poste de police, dont la porte n'avait pas changé mais dont on avait repeint les murs intérieurs. Il n'avait pas connu les deux agents en uniforme, tous les deux plus jeunes que lui, mais croyait se souvenir du sergent en civil, sans veston, qui mâchonnait un cigare en tapant à la machine, une visière verte sur le front.

Il dit qui il était, ce qu'il venait faire, et tous les trois le regardaient en silence sans l'interrompre. Après quoi le sergent glissa une formule imprimée dans sa machine à écrire et commença, lui aussi, à lui poser des questions, son nom, son prénom, son adresse, sa profession, le nom de sa mère et sa date de naissance...

— Comment écrivez-vous Altona ?

Il épela le mot.

— Je suppose que vous n'ignorez pas qu'elle avait, ici, un dossier assez chargé ?

— Je suis au courant.

— Quelle est votre profession ?

— Gérant du *Supermarket Fairfax*, à Williamson.

— C'est la même chaîne que celui d'ici ?

— J'ai débuté à la succursale d'Oldbridge.

— Vous réclamez le corps ?

— Je prends la charge des obsèques, oui.

— A Williamson ?

— Ici.

Cela leur paraissait curieux à tous, il ne savait pas pourquoi.

— Il y aura une petite note à payer. Nous avons retrouvé dans son sac à provision deux demi-bouteilles qui portaient une étiquette de chez Baumann. J'ai vu Baumann. Les bouteilles lui ont été volées.

— Je paierai.

— Remarquez que vous n'y êtes pas obligé, mais c'est préférable. Le sac, qui était neuf, a dû être volé aussi, mais personne n'a encore porté plainte. Nous sommes dimanche et les magasins sont fermés. Passe-moi le sac, Fred.

Un des agents apporta un sac en matière plastique noire dont il tira une bouteille de gin à demi pleine. L'autre avait été brisée et on en voyait les morceaux dans le fond du sac qui sentait encore. On voyait aussi deux oranges, des bananes écrasées et un paquet de biscuits que l'alcool avait amollis.

— C'est tout ce que nous avons trouvé. Pas de portefeuille, ni de porte-monnaie. Pas d'argent.

— Vous n'avez pas pu savoir comment elle est venue de Glendale ici ?

— Pas à pied, en tout cas. Ou bien elle avait un peu de monnaie, pour prendre le bus, ou bien elle a fait de l'*auto-stop* le long de la route.

— A quelle heure l'accident a-t-il eu lieu ?

— Dix heures.

— Si elle est allée chez Baumann, cela ne peut être qu'hier.

— Le samedi, le magasin reste ouvert jusqu'à dix heures.

— Je sais. Je me demande où elle a passé la nuit.

Le sergent fit un geste qui signifiait que cela ne le regardait pas.

— Signez ici, à gauche, au bas de la page. Voici un reçu des huit dollars soixante que je remettrai à Baumann.

Higgins savait que, derrière le bureau, s'ouvrait un couloir et, dans ce couloir, une grille derrière laquelle sa mère avait maintes fois passé la nuit, mais ce n'était pas là qu'elle avait passé la dernière.

— Vous verrez les pompes funèbres ? Ces maisons-là sont ouvertes les dimanches aussi bien que les autres jours. Laquelle choisissez-vous ?

— Oward et Turner, s'ils existent toujours.

Il y avait jadis un fils Turner avec lui à la *High School*, mais il était de trois ans plus jeune et ils ne se fréquentaient pas.

— Je suppose qu'elle n'a rien dit à l'agent qui l'a ramassée ?

— Celui qui l'a conduite à l'hôpital n'est pas ici, mais il ne mentionne aucune déclaration dans son rapport.

— Je vous remercie.

— De rien.

Il était persuadé, sans raison valable, que dès qu'il aurait tourné le dos, ils allaient tous les trois éclater de rire. Il ne marchait pas, ne parlait pas de sa façon habituelle. Lui-même se sentait un autre homme, plus vieux, détaché de tout, qu'il reconnaissait à peine. Oward et Turner avaient changé de rue et étaient maintenant installés sur la colline, dans le quartier résidentiel qui s'était étendu mais avait conservé son caractère.

Il n'y a que dans les quartiers est des villes, les vieux quartiers, les quartiers pauvres, que le décor ne change pas, que les rues, les boutiques restent les mêmes, avec les maisons qui se tassent un peu plus chaque année, comme des vieillards, et toujours une même marmaille qui grouille dans les allées.

Il ne sut que répondre quand on lui demanda à quelle date il désirait qu'aient lieu les obsèques. Il n'avait pas pensé qu'il devrait revenir à Oldbridge. Il n'avait pas pensé non plus qu'il en repartirait. Il n'avait plus d'ancre. Rien de son avenir n'était décidé. Il flottait, comme en suspens dans un monde insolite.

— Est-ce que mardi vous conviendrait ?

Il accepta le mardi, pour ne pas avoir à réfléchir.

— Dix heures ?

Pourquoi pas ? On lui montra alors des albums contenant des photographies de cercueils, de pierres tombales, puis le plan du cimetière le plus proche, pas celui qu'il connaissait et qui était maintenant plein, mais un nouveau qu'on avait aménagé à six milles de la localité.

— Je suppose que vous payez maintenant ? L'habitude est...

Il signa un nouveau chèque. Cela n'avait pas d'importance.

— Voulez-vous nous laisser votre numéro de téléphone, afin que nous puissions vous toucher en cas de besoin ?

Il donna celui de Williamson et en parut surpris, comme tous les autres avaient été surpris par son comportement.

Il faillit oublier sa voiture, s'engagea dans la rue en pente douce d'où on découvrait les toits de la ville. Il lui était arrivé de descendre cette rue-là également, mais elle lui était devenue aussi étrangère que le reste. Il aurait pourtant pu mettre un nom sur la plupart des maisons, car, pendant des années, il y avait fait les livraisons avec la camionnette. Certaines clientes lui donnaient un pourboire, d'autres lui faisaient un cadeau à Noël, surtout des cartons de cigarettes, ignorant qu'il ne fumait pas.

N'aurait-il pas dû reprendre la route de New York et du Connecticut ? Il ne savait plus. Il aurait fallu quelqu'un pour le conseiller, pour voir plus clair en lui qu'il n'était capable de le faire. Il laissa glisser son auto le long de la pente, traversa le quartier commerçant où il passa devant le *Supermarket Fairfax*. Une banderole annonçait, pour le lendemain, la même vente réclame qu'ils avaient eue à Williamson, et soudain il parqua la voiture le long du trottoir au coin de la 32e rue.

C'était là, à cinq cents mètres à peine, parmi les immeubles incolores dont le ciment s'écaillait, que se dressait la maison où il était né et où il avait vécu ses premières années. Les boutiques avaient beau avoir leurs volets clos, il les reconnaissait et certains noms, sur les devantures, étaient restés les mêmes que quand il était enfant.

Aux étages, de la musique s'échappait par les fenêtres ouvertes et, par-ci par-là, on voyait un homme ou une femme accoudé ; un jeune couple, à une des fenêtres, se tenait par la taille et, derrière, dans la pénombre, se dessinait un grand lit de cuivre.

On ne lui avait pas dit à quel endroit exact de la rue l'accident s'était produit et il n'avait pas osé le demander. Peut-être, tout à l'heure, n'y avait-il pas pensé ? Il n'eut pas besoin de questionner une grosse femme en robe rouge assise sur une chaise à côté de son seuil car, un peu plus loin, il aperçut des éclats de verre près du trottoir. Le bus, en freinant, avait dû avoir une vitre brisée ; peut-être un passager avait-il été précipité contre elle par le choc ?

En s'approchant davantage, il vit des taches brunes, avec encore un peu de pourpre qui n'avait pas séché. Il se trouvait juste en face du 67, la caserne de sa première enfance, où la plupart des fenêtres, à présent, étaient sans rideaux, comme si les locataires fuyaient les uns après les autres, et dont la porte s'ouvrait sur un couloir sombre et froid.

Il repéra les deux fenêtres, au troisième étage, et cela lui fit peur à nouveau, il eut l'impression qu'un danger le menaçait, il était pris de la folle envie de s'éloigner en courant à perdre haleine.

Son regard, glissant sur la façade, descendait peu à peu et, au premier, s'arrêtait sur un homme qui fumait une cigarette en le regardant, les manches de sa chemise retroussées.

Tous les deux s'observèrent et tous les deux froncèrent les sourcils presque en même temps. Higgins n'osa pas s'en aller, parce que l'autre, dans son cadre de ciment gris, sortait soudain de son immobilité, comme un personnage de tableau qui se serait animé, et lui adressait un grand geste du bras.

— Hé ! Walter...

Higgins l'avait reconnu aussi, un garçon de son âge qui habitait déjà la maison quand il y vivait lui-même et qu'il avait retrouvé ensuite à l'école publique. A cause de son long torse et de ses courtes jambes, on lui avait donné le sobriquet de Shorty. Il ne retrouvait pas son vrai nom tout de suite, le cherchait, comme si c'était soudain très important, s'impatientait de son impuissance.

— C'est toi, hein ? criait Shorty, qui n'avait presque plus de cheveux mais qui avait laissé pousser des moustaches blondes et rases. Monte donc ! Tu te souviens du chemin ?

Un nom étranger : Rader ! Il ne manquait plus que le prénom, qu'on n'employait presque jamais parce qu'on disait Shorty.

Il n'osa pas refuser l'invitation. Une femme était apparue derrière l'épaule de son ancien ami et regardait dans sa direction, murmurait une question à laquelle son mari répondait à mi-voix.

Higgins fit signe qu'il venait et, tête basse, traversa la rue comme sa mère l'avait fait le matin.

Seulement, il n'y eut pas de bus pour le renverser et il pénétra, résigné, sous la voûte.

8

A deux reprises au moins, il avait failli téléphoner à Nora, non seulement pour se rassurer, mais pour lui demander de venir le chercher, et il était si désemparé qu'il envisagea même l'idée d'appeler le docteur Rodgers. Il n'était peut-être pas malade à proprement parler, mais n'était-ce pas pis qu'une angine ou une pneumonie ? Ne jouait-il pas sa vie ? Pourquoi n'y aurait-il pas des gens à qui on puisse faire appel en pareil cas ?

Ce qu'il avait oublié, de la maison d'autrefois, c'était l'odeur, qui le prit à la gorge dès qu'il s'engagea dans l'escalier. Peut-être n'était-elle pas aussi écœurante quand il était enfant, ou peut-être ne s'en apercevait-il pas parce qu'alors il y était habitué ? Déjà il en voulait à Rader de le forcer à cette sorte de pèlerinage au moment où il aurait eu le plus besoin de calme et de sang-froid.

— Entre, mon vieux. Cela fait tellement plaisir de te retrouver ! Tu ne connais pas Yvonne ?

C'était la femme qu'il avait vue à la fenêtre. Elle était mal peignée et son corsage auquel deux boutons manquaient laissait entrevoir des seins flasques et blêmes. Elle ne portait pas de bas. Ses chevilles étaient sales au-dessus des pantoufles.

Elle ne se montrait pas aussi ravie de le voir que son mari et, l'air boudeur, elle alla fermer une télévision d'un modèle déjà ancien qui, au moment où Higgins était entré, diffusait un match de *basket-ball*.

— Je me demandais qui était le type qui reluquait la façade comme s'il cherchait un logement à louer quand je me suis aperçu que c'était toi...

Il parlait avec un entrain qui gênait Higgins. Sa gaieté, semblait-il, grinçait à la façon du rire de Louisa. Plus tard, il se demanda même si son ancien ami ne le faisait pas exprès, comme Louisa aussi, pour le narguer, ou pour lui faire mal.

Il n'était pas rasé, probablement pas lavé de la journée, et le logement était sale et en désordre.

— Ce vieux Walter ! Assieds-toi, que nous trinquions pour fêter ça !

Pourquoi, ici, n'osa-t-il pas avouer qu'il ne buvait pas et dire non ? La table ronde était recouverte d'une toile cirée au dessin effacé, qui avait des trous par endroits, et Shorty y posait fièrement une fiasque de vin italien à la panse entourée de paille, des verres épais, grisâtres.

— Je me suis souvent demandé ce que tu étais devenu. Ce n'est pas chaque jour qu'on rencontre des anciens camarades, car on dirait qu'ils se sont tous éparpillés à travers les États-Unis. Et je ne parle pas de ceux qui sont morts ! A ta santé !

Sa femme saisit un des verres. Le vin était sombre, presque noir, et Higgins faillit en rejeter la première gorgée qui lui râpait la gorge.

— Fameux ! ça et les spaghettis, c'est ce que les Italiens nous ont apporté de mieux. A propos d'Italiens, tu te souviens d'Alfonsi ? Tu le croiras si tu veux, il est devenu curé et il n'y a pas si longtemps qu'il est de retour à Oldbridge où il a maintenant une paroisse. Cela fait un drôle d'effet, quand on l'a connu qui se cachait derrière les poubelles de l'allée avec les filles.

Pourquoi éprouvait-il le besoin de tant parler, sans jamais laisser le silence s'établir ? La pièce où ils se tenaient et à la fenêtre de laquelle Higgins l'avait aperçu du trottoir d'en face, servait à la fois de cuisine, de salle à manger et de *living-room*. Un ragoût cuisait à petit feu sur le réchaud à gaz et les meubles rappelaient ceux qu'on aperçoit dans la boutique de certains brocanteurs où l'on se demande qui peut s'aventurer.

C'était pourtant la réplique presque exacte de la pièce où il avait vécu, enfant, à la différence que, chez lui, il y avait en outre un lit de fer dans un coin, qu'on repliait pendant la journée.

La porte de la chambre à coucher des Rader était ouverte et Higgins avait déjà noté l'évier à eau courante. Celle-ci n'existait pas de son temps et on devait aller chercher l'eau au fond du couloir. Les deux lits n'avaient pas été faits depuis la veille, peut-être depuis plusieurs jours. L'un, de deux personnes, très haut, était en bois sombre ; l'autre n'était qu'un sommier sur quatre blocs de bois, avec des draps douteux et une couverture verdâtre.

— Je ne prétendrai pas que je te trouve bonne mine, mais tu fais l'effet d'un homme prospère.

Rader semblait apprécier d'un coup d'œil la qualité de son complet, de ses chaussures.

— Je n'ai pas à me plaindre, moi non plus. N'est-ce pas, Yvonne ?

Celle-ci était allée s'accouder à la fenêtre et elle tourna la tête, maussade, presque agressive.

— Quoi ?

— Je dis que nous n'avons pas à nous plaindre.

— De quoi ?

— De notre situation. On ne se la foule pas et on mange comme des cochons.

Elle haussa les épaules, se pencha à nouveau vers la rue.

— Étais-tu encore à Oldbridge quand ma mère est morte ?

Higgins ne s'en souvenait pas. Il n'avait jamais, sauf garçonnet, été intime avec Rader et, quand ils avaient déménagé, après une fugue de Louisa, il avait perdu le contact avec lui. Or, pour son ancien ami, c'était comme s'ils avaient vécu en frères toute leur vie. Il remplissait les trois verres.

— A ta santé ! Qu'est-ce que je disais ? Ah ! oui. Quand ma mère est morte, le vieux a décidé qu'il en avait assez de la ville et est allé vivre à la campagne, en Caroline du Sud, avec un beau-frère. J'ai conservé le logement et, ma foi, je crois qu'Yvonne et moi serons les derniers à habiter la baraque. Voilà trois ans que la ville a décidé de la démolir. Ils n'ont pas commencé les travaux et cela peut durer encore longtemps. La moitié des locataires sont partis. Tiens ! Le logement que tu habitais est vide et des gens se sont chauffés avec les portes.

Higgins avait levé son second verre et le vin l'écœurait déjà moins, mettait dans ses veines une chaleur qu'il ne connaissait pas. Est-ce que la tête lui tournait ? Les images, en tout cas, n'étaient plus aussi nettes que tout à l'heure, et il se dit que c'était son rhume qui lui amenait de l'eau dans les yeux.

— Tu as des enfants ?

Il fit oui de la tête, gêné de parler d'eux ici.

— Nous en avons un aussi, qui est dans la marine. Rappelle-moi de te montrer sa photo. Un gars costaud, qui a une tête de plus que moi. Comme son départ nous laissait un lit vide, j'ai proposé à un camarade, qui est veuf et qui n'a personne au monde, de venir vivre avec nous. Tu ne le verras pas car, comme tous les dimanches, il est allé faire son plein au bar du coin et il ne reviendra pas avant le milieu de la nuit.

Higgins se demandait toujours si Rader le faisait exprès ou s'il ne se rendait pas compte.

— Quant à moi, j'ai d'abord travaillé à l'usine à gaz, puis j'ai trouvé le *job* qui me convient. Je conduis un camion du ramassage des poubelles. Cela paraît dégoûtant à première vue mais on s'habitue ; ce n'est pas fatigant ; on fait tous les jours la même tournée et cela paie bien. Le seul ennui est de se lever si tôt le matin...

Son père, Higgins s'en souvenait tout à coup, était gardien de nuit dans un chantier du chemin de fer et avait toujours les yeux rouges parce que le vacarme de la maison l'empêchait de dormir pendant la journée. On le voyait souvent surgir, en chemise et pieds nus, les cheveux ébouriffés, et lancer le premier objet qui lui tombait sous la main vers la marmaille piaillant dans l'escalier.

Shorty le retint pendant plus d'une heure, à parler du passé, de gens que Higgins avait oubliés, d'autres dont il gardait un souvenir précis, comme de Gonzalès dont le père, qui travaillait l'hiver au four à chaux, emmenait toute la famille dans le Sud, à la saison, pour piquer le coton.

— Tu l'as connu aussi, n'est-ce pas ? Je me demande si ce n'est pas lui qui t'a flanqué une telle raclée que tu n'as pas pu aller à l'école de trois jours.

Il avait oublié l'incident, à moins qu'il s'agît d'un autre garçon du quartier.

— Tu n'as pas lu son nom dans les journaux ? On en a parlé dans ceux de New York aussi, qui ont publié son portrait. Pas celui de notre Gonzalès, mais celui d'un de ses fils. A dix-sept ans, il est allé travailler à Philadelphie et on a appris un beau jour qu'il y avait descendu un flic. Ils l'ont condamné à mort. On l'a pendu et, le même jour, son père, notre Gonzalès à nous, s'est tranché la gorge avec son rasoir. A ta santé, vieux frère !

Higgins commençait à se sentir vraiment malade mais n'osait l'avouer.

— On voit de tout, par ici. Pour ne pas remonter plus loin que ce matin, une vieille poivrote s'est jetée sous un autobus et je te prie de croire que ce n'était pas beau. J'étais à la fenêtre. J'ai tout vu comme je te vois. Tu es heureux ?

Qu'aurait-il pu répondre ?

— Où vis-tu ?

— Dans le Connecticut.

— Il paraît que c'est plein de gens riches, par là-bas. Je ne suis jamais monté plus haut que New York et j'aurais plutôt tendance à aller vers le sud, pour le soleil. Dis donc, Yvonne, si on l'invitait à manger un morceau avec nous ?

— Le dîner ne sera pas prêt avant une heure, objecta-t-elle.

— Il faut que je parte avant ça.

— Tu as une voiture ?

— Oui.

— Où l'as-tu laissée ?

— Au coin de la rue.

— En somme, tu as tenu à venir revoir la maison ? Je vais t'avouer une chose qu'un autre que toi ne comprendrait pas. J'y tiens, moi, à cette vieille caserne, et, quand il faudra que je m'en aille, je sais d'avance que je le regretterai.

Higgins s'efforçait de montrer un sourire poli, mais il se sentait de plus en plus mal ; il avait l'impression, maintenant, que le sang se retirait de ses veines, que son estomac chavirait.

Il avait hâte de fuir, de fuir pour de bon, de leur échapper, à sa mère, à Rader, à la maison, à la rue même qui semblaient conspirer pour le retenir. C'était possible que son ancien camarade ait menti, ou se soit trompé, que Louisa ne se soit pas jetée sous le bus, qu'elle ait été prise d'un étourdissement comme le docteur de l'hôpital l'avait suggéré. Maintenant qu'il était ici, cependant, il la croyait capable de l'avoir fait exprès, pour l'obliger à revenir.

— Non ! Tu ne pars pas encore. Un dernier verre et nous te laisserons aller. Tu en veux, Yvonne ?

Qu'est-ce que le couple avait fait toute la journée, en dehors de regarder la rue ou la télévision, de manger, de s'étendre sur le lit défait ?

Il ne fallait pas qu'il s'enlise et il avait conscience qu'il était en train de s'enliser. C'est à ce moment-là, pour la première fois, qu'il pensa qu'il devait téléphoner à Nora, ne fût-ce que pour entendre sa voix, pour s'assurer qu'elle existait réellement, et les enfants, et leur maison.

Tout son être protestait contre ce passé qui s'efforçait de l'emprisonner.

— Je te jure, Shorty, que je dois...

— Tu as entendu, Yvonne ? Il vient de dire Shorty comme avant !

Dans l'escalier, au moment de le libérer enfin, Rader proposa :

— Tu ne veux pas monter jeter un coup d'œil à ton ancien logement ?

Higgins le regarda avec terreur, dut faire un effort pour ne pas s'éloigner en courant. Dans la rue, il était si malheureux, si désemparé, qu'il était tenté de s'asseoir sur un seuil, à attendre que le destin fasse de lui ce que bon lui semblerait. Tout à l'heure, il ne savait déjà plus quand, il s'était senti vieux. Maintenant, au contraire, il était redevenu un enfant qui a besoin d'aide. On ne l'avait jamais aidé, personne ! Tout petit, on l'avait obligé à jouer un rôle d'homme, et il l'avait fait courageusement.

Il ne savait plus. Il était à la dérive. Le docteur Rodgers, qui était instruit et avait de l'expérience, aurait sans doute pu lui venir en aide, mais il n'osait pas lui téléphoner. Qu'aurait fait le docteur si Higgins lui avait dit au bout du fil :

— Je suis à Oldbridge, assis sur un seuil de la 32e rue Est, et je n'en peux plus, je ne sais plus que faire, il faut que vous veniez me chercher.

Il s'était dressé contre eux, à Williamson. Il leur avait lancé un défi et il était impossible qu'ils ne lui en veuillent pas. Il ne croyait plus en eux, ni en personne, ni en rien, et il n'était pas capable non plus de rester ici d'où il était parti.

Ses jambes étaient lasses. Il avait un mauvais goût à la bouche et ses mouvements n'avaient pas leur précision habituelle, il lui arriva deux fois de buter sur le trottoir avant d'atteindre sa voiture, eut de la peine à introduire la clef dans la serrure.

Il était indispensable qu'il s'en aille au plus vite, qu'il rentre dans sa maison, qu'il s'assure de l'existence de quelque chose de réel. Il se trompa encore en sortant de la ville, à cause de la nouvelle route, tourna en rond sans comprendre pendant un quart d'heure et dut s'engager dans un sens interdit, car les automobilistes qu'il croisait lui adressaient de grands gestes impérieux.

Il conduisait mollement et, après avoir été sur le point d'accrocher un camion, il se mit à rouler au ralenti, pris de peur. La nuit tomba alors qu'il n'avait pas encore atteint le *Washington Bridge* et il se souvint qu'il n'avait pas mangé à midi, pensa que son malaise n'était peut-être que de la faim.

Même les restaurants, au bord de la route, avec leurs enseignes au néon, l'impressionnaient, car il n'avait pas l'habitude de s'y arrêter, et il en passa une dizaine avant d'obliquer vers un des *parkings*.

Il était de plus en plus convaincu que Rader l'avait fait exprès, sa mère aussi. C'était assez vague dans son esprit, mais il se comprenait et un sourire amer de victime lui montait aux lèvres. Il y avait des clients autour de toutes les tables du restaurant, couvertes de nappes à carreaux, des hommes autour du bar où régnait une forte odeur d'alcool.

Est-ce qu'un verre de whisky ne lui ferait pas du bien, dans l'état où il se trouvait ? Le docteur, une fois, en avait fait prendre à Nora qui avait eu une syncope et la demi-bouteille était restée longtemps dans l'armoire avant qu'on décide de la jeter.

Pourquoi n'en profiterait-il pas pour téléphoner à sa femme ? Il voyait une cabine téléphonique à côté des toilettes.

— Qu'est-ce que ce sera ? questionnait le barman.

Le respect humain le retenait encore.

— Scotch, bourbon ou rye ?

Il dit rye, sans savoir, but le contenu du petit verre qu'on plaçait devant lui, puis le verre d'eau glacée qu'on lui avait servi en même temps. Presque tout de suite, il se sentit dans le corps la même chaleur que chez Rader.

C'était peut-être la solution, après tout. Le sort déciderait pour lui. Il avait assez lutté, seul, pour se permettre de s'asseoir au bord du chemin et d'attendre qu'on lui tende la main. C'était une façon de parler.

Il n'allait pas s'asseoir en bordure de la route. Il rentrerait chez lui. Mais ce serait pour se coucher et il ne dirait rien à Nora. Qu'elle se débrouille. Il les avait portés à bout de bras pendant assez longtemps et il était fatigué.

Qui sait ? Rader avait peut-être reconnu Louisa, de sa fenêtre, et ce qu'il avait raconté n'était qu'une comédie ? Ce n'était pas possible qu'il soit réellement satisfait de lui, d'une existence qui n'était qu'une grossière caricature de la vie. Il paraissait pourtant fier de son fils engagé dans la marine, fier aussi de manger à sa faim.

— ... comme des cochons ! avait-il précisé.

Il se raccrochait à l'odieuse caserne, où toutes les mauvaises odeurs de l'humanité prenaient à la gorge.

— La même chose ?

Il dit oui, il dut dire oui puisqu'on remplit son verre avec une bouteille qui se terminait par un bec en métal. Après, il ne fut plus aussi certain de ce qui lui arrivait.

Il était toujours talonné par un sentiment de peur et d'urgence. Il fallait qu'il rentre à Williamson au plus tôt pour échapper à un danger, il ignorait lequel, mais il était sûr qu'il existait. Seulement, il ne se sentait pas maître de son auto et les phares qui surgissaient de la nuit et bondissaient à sa rencontre l'effrayaient.

Il contournait New York, roulait sur une route éclairée où on aurait dit que toutes les autos des États-Unis s'étaient donné rendez-vous.

Il ne voulait pas être victime d'un accident, transporté à l'hôpital, enfermé dans une petite pièce en sous-sol dont on éteindrait la lumière.

Il pouvait encore s'arrêter, téléphoner à Nora, la supplier de venir à son secours. Elle trouverait bien à emprunter une voiture, demanderait par exemple à...

Non ! pas celle de Carney. Rien que ce détail-là prouvait combien il avait été stupide. Celle de qui ?

A quoi bon essayer de réfléchir, alors qu'il avait si mal à la tête ? Il se trompa une fois de plus à la fourche de deux *highways* et roula pendant près d'une heure vers Albany en se demandant pourquoi il ne reconnaissait pas la route.

Il aperçut l'auberge en rondin, style *log-cabin*, comme la maison natale de Lincoln, et y entra pour demander son chemin. Il y faisait chaud. Il but encore. Et toujours, dans la nuit, des phares fonçaient vers lui, certains s'allumaient et s'éteignaient pour lui adresser un signal qu'il ne comprenait plus.

Ce n'était pas seulement à Williamson qu'on l'avait trompé, mais dès son enfance, dès sa naissance, tout le monde sans exception, à commencer par sa mère.

Il ne fallait pas dire de mal d'elle, puisqu'elle était morte et qu'on n'a pas le droit de s'en prendre aux morts. D'ailleurs, il ne parlait à personne. Il pensait tout seul. Sa voiture, dans les tournants, était lourde, avec une tendance à glisser vers la droite.

Il était prudent. C'était indispensable. *In-dis-pen-sable*. Et aussi de ne pas dépasser, sans le voir, l'endroit où il devait quitter le *highway* pour prendre la petite route de Williamson.

La montre de bord devait être détraquée, car elle marquait minuit vingt et il n'était pas possible qu'il soit si tard. Il s'arrêta pour un besoin qui devenait lancinant, essaya de vomir sans y parvenir, s'assit un bon moment sur l'herbe à regarder les autos qui défilaient.

Il était une heure et demie du matin quand Nora qui avait fini par se coucher, mais qui avait laissé de la lumière au-dessus de la porte d'entrée, fut réveillée par un grincement de freins en face de chez eux. Elle alla écarter les rideaux, reconnut la voiture au bord du trottoir, s'étonna de ne pas voir son mari en sortir.

Alors, elle passa une robe de chambre et des pantoufles, se précipita dehors. A travers la vitre, elle aperçut, dans l'ombre de l'auto, le visage de Higgins, assis comme d'habitude quand il conduisait, la tête droite, les mains sur le volant.

Il ne se tourna pas vers elle.

— Walter !

Comme il ne bougeait toujours pas, elle ouvrit la portière et crut, tant il vacillait, qu'il allait s'effondrer sur le bord du trottoir.

— Qu'est-ce que tu as ? Que t'est-il arrivé ?

Il la regarda sans la voir et elle sentit alors l'odeur de l'alcool qui régnait dans l'auto.

— Tu as bu ? Tu ne te sens pas bien ?

Il s'efforça en vain de parler. Aucun son ne sortait de sa bouche, qu'il ouvrait et refermait à vide, comme un poisson. Il voulut mettre pied à terre, roula sur le sol et émit un petit rire.

Elle n'était pas assez forte pour le porter. Il ne se relevait pas, n'essayait même pas de se relever, et elle fut obligée d'aller éveiller Florence et l'aîné des garçons.

— Chut ! Suivez-moi sans bruit.

— Qu'est-ce qu'il y a, maman ? questionna, derrière la cloison, Isabel à moitié éveillée.

— Rien. Dors.

Dave demandait en se frottant les yeux :

— Qu'est-il arrivé à *Dad* ?

— Venez ! Il faut que vous le portiez sur son lit.

9

Il resta cinq jours au lit et ce n'est que quand il était seul qu'il se permettait de sourire. Une fois qu'il s'était assis et se regardait dans la glace alors qu'il avait ce sourire-là aux lèvres, il avait été frappé de sa ressemblance avec Louisa.

Au début, quand il avait ouvert les yeux pour la première fois et qu'il avait vu au réveil qu'il était passé midi, il avait ressenti une telle honte qu'il avait refermé les paupières en s'efforçant de se rendormir. Il y était parvenu et lorsque, plus tard, Nora lui avait apporté du café, il avait balbutié :

— Pardon !

Il avait ajouté en guise d'excuse :

— Ma mère est morte.

— Je sais. J'ai téléphoné à l'hôpital d'Oldbridge.

— Je suis malade, Nora.

— J'ai téléphoné au docteur aussi, qui passera te voir à quatre heures. C'est pour cela que je t'ai éveillé.

C'était vrai qu'il était malade. A cause de cela, on ne lui en voulait pas, ou, si on lui en voulait, on ne le lui laissait pas voir et on lui parlait avec douceur. Son pouls était irrégulier, tantôt rapide et tantôt trop lent. Des spasmes, par instants, lui serraient si fort la poitrine qu'à ce moment-là il était persuadé qu'il allait mourir.

Il y était résigné. Peut-être était-ce, de toutes, la meilleure solution. Il envisageait la mort avec sérénité, presque avec plaisir ; imaginant les détails des obsèques et l'attitude de chacun derrière son cercueil. Ne regretteraient-ils pas, alors, de lui avoir refusé une dernière satisfaction en lui fermant les portes du *Country Club* ?

A d'autres moments, quand les comprimés que le docteur Rodgers lui avait prescrits produisaient leur effet, il se sentait bien, le corps et l'esprit engourdis, mais pas assez pour qu'il perde entièrement conscience.

En somme, c'était ce qu'il avait souhaité qu'il lui arrive, sauf l'humiliation d'avoir été porté dans son lit par Florence et par Dave.

— Comment suis-je rentré ici ? avait-il demandé à sa femme.

— Tu as arrêté l'auto devant la porte et tu n'as plus bougé.

— On m'a transporté dans la maison ? Qui ?

Elle le lui avait appris.

— Ils n'ont rien dit ?

— Ils étaient impressionnés, un peu effrayés.

— Florence aussi ?

Cela lui faisait plaisir que son aînée se soit alarmée à son sujet.

— Comme je ne savais pas ce qui s'était passé, j'ai téléphoné à Oldbridge.

Grâce à son état de santé, il n'avait pas à y retourner pour assister à l'enterrement de sa mère et cela le faisait sourire, comme s'il jouait ainsi un bon tour à Louisa.

— Comment s'arrangent-ils au *market* ?

— Miss Carroll a téléphoné à Hartford et ils ont envoyé un remplaçant.

— Qui ?

— Je ne me souviens pas de son nom.

— Comment est-il ?

— Un petit brun, assez gras.

— C'est Patel. Je le connais.

Il fallait croire que son état était sérieux, puisque le docteur Rodgers venait le voir deux fois par jour. Si Nora les avait laissés seuls, il lui aurait sans doute posé la question.

Était-ce encore utile ? Il avait compris que cela ne se fait pas, qu'il existe des choses dont il n'est pas convenable de parler. Peut-être cela n'aurait-il eu pour résultat que de choquer le docteur, qui avait probablement déjà compris.

Il avait eu le temps de faire le point, dans son lit, surtout quand les maux de tête et les nausées des deux premiers jours l'avaient enfin laissé en paix. Il épiait, comme les dimanches matin, les bruits de la maison, de la rue, de la ville et, grâce au médicament qu'il prenait, cela formait dans sa tête une sorte de musique familière.

La seule question qu'il posa au docteur fut :

— Mon cœur est encore bon ?

— A la condition de ne pas recommencer, lui avait répondu Rodgers, sans sévérité, sans que cela puisse être pris pour un reproche.

Petit à petit, dans l'esprit de Higgins, cette phrase-là ne s'était plus seulement appliquée à ce qu'il avait bu, mais avait couvert bien des choses, au point qu'il croyait comprendre pourquoi Bill Carney avait voté contre lui et qu'il ne lui en voulait pas.

Ce n'était pas encore au point. Il n'en était pas moins sûr de se trouver dans la bonne voie. S'il avait compté pour du poivre et du sel selon l'expression de son enfance, c'est qu'il ne connaissait pas la règle du jeu. Car c'était un jeu aussi. Il ne s'en était pas rendu compte, parce qu'il avait dû commencer trop jeune ou qu'il était parti de trop bas, le fils, comme sa mère disait, sardonique, de Louisa et de cette vieille canaille de Higgins.

Or, ce n'était pas cela qui avait de l'importance. Ce qui était important, c'était de se conformer à la règle, certes, mais en sachant que c'était un jeu, faute de quoi on rendait la position des autres impossible.

Était-ce clair ? Le docteur Rodgers, par exemple, ne croyait sans doute pas à la moitié des remèdes qu'il prescrivait et savait fort bien qu'un patient à qui il parlait avec optimisme n'en avait pas pour un mois à vivre. Il ne pouvait pas le lui dire. Il devait inspirer confiance. Comme Bill Carney était obligé de laisser croire qu'il s'était fait envoyer au Sénat de Hartford par dévouement à la communauté.

Oscar Blair lui-même, si sûr de lui en apparence, leur devait à tous d'être l'image de la réussite et de la prospérité alors qu'en réalité, il était accablé de problèmes insolubles. S'il avait été heureux avec sa femme aux multiples présidences, il n'aurait pas été forcé de courir chez Mrs. Alston, trois fois divorcée, à qui il avait fait deux enfants qu'il n'avait pas le droit de reconnaître. Que se passait-il quand il rentrait chez lui ? Que dirait-il plus tard, aux enfants ? Pourquoi buvait-il du matin au soir ?

Higgins y avait mis le temps. Il avait été naïf. Et, quand il avait cru posséder enfin quelques bribes de vérité, il leur avait crié sa révolte à la face.

Préférait-il retourner vivre dans la caserne de son enfance, comme son ex-camarade Rader ? Cela avait failli lui arriver et il en avait encore froid dans les moelles.

Il était décidé, à présent, à faire tout ce qu'on lui demanderait de faire, et même à présenter des excuses pour son esclandre de la mairie. Le fait que sa mère était morte, qu'il était rentré malade à Williamson, facilitait les choses. Dans le journal hebdomadaire local, on avait publié, le mercredi, un entrefilet annonçant que Mrs. Louisa Higgins, née Fuchs, la *mère de notre distingué concitoyen Walter J. Higgins*, était décédée le dimanche précédent à Oldbridge, New Jersey, *des suites d'un accident*, et que lui-même, à la suite du choc, souffrait d'une dépression nerveuse.

Peut-être, au journal, savait-on ce qui en était sur le compte de Louisa. Ils avaient sans doute téléphoné à l'hôpital, peut-être à la police. Ils n'éprouvaient pas le besoin d'imprimer la vérité, justement parce qu'ils suivaient la règle du jeu et, à son sujet aussi, ils se montraient discrets.

Il n'était pas fier de la décision qu'il avait prise et, par moments, il en éprouvait de la honte. Cela lui arriverait encore, et aussi de sentir le vide autour de lui, d'éprouver une amère impression de solitude.

C'était nécessaire. C'était le prix à payer. Il n'avait pas le choix. Personne n'a le choix et il était sûr que, quand il regardait le docteur Rodgers d'une certaine façon, celui-ci comprenait qu'il n'était plus le même Higgins. C'était un peu comme si tous les deux s'étaient adressé un clin d'œil.

Est-ce cela qu'on appelle devenir un homme ? Si oui, jusqu'à l'âge de quarante-cinq ans, il était resté un enfant.

— Comment vas-tu, *Dad* ?

Ils venaient tour à tour, à des heures différentes de la journée, le voir dans sa chambre et Isabel le regardait curieusement, car elle n'était pas habituée à ce qu'il reste au lit.

— Tu as mal ?

— Non.

— Alors, pourquoi ne te lèves-tu pas ?

Archie montait moins souvent que les autres car la maladie, quelle qu'elle fût, l'impressionnait comme l'impressionnait la maternité de sa mère, qui le dégoûtait même un peu.

Dave, lui, ne se posait pas encore de questions car, dans son grand corps d'homme, il restait un enfant. Cela viendrait un jour pour lui aussi. Est-ce que son père lui donnerait la recette ? En aurait-il le courage ? Probablement pas, car il soupçonnait que chacun doit la découvrir par lui-même.

Quant à Florence, on aurait dit qu'elle attendait, encore méfiante ; elle se rendait compte qu'une transformation s'était opérée chez son père, mais tenait à en savoir davantage avant de se former une opinion.

Est-ce parce qu'il était resté un naïf, un petit garçon pauvre qui n'avait pas compris, qu'elle l'avait méprisé ? Car elle avait eu pour lui, il en était sûr, un certain mépris. Il ne lui en tenait pas rigueur non plus, trop soulagé d'avoir fait une sorte de paix avec lui-même.

— Ne te presse pas de te lever, lui dit Nora un matin qu'elle le voyait debout près de son lit, car tu auras besoin de ton énergie la semaine prochaine.

— Pourquoi ?

— Miss Carroll m'a couru après comme je sortais du *market*. Il paraît que, lundi ou mardi, on s'attend à la visite, non seulement de Mr. Larsen, mais de Mr. Schwartz qui l'accompagne dans une tournée générale des succursales.

— J'y serai.

— Bien sûr. C'est pour cela que je te conseille de te reposer d'ici là.

Mr. Schwartz était peut-être une canaille. Il n'en savait rien. Cela ne le regardait pas. Qu'est-ce que cela pouvait lui faire ?

Si Louisa avait réellement essayé de lui adresser un signe, elle avait échoué, car il n'aurait jamais plus faim de sa vie, il ne respirerait plus l'odeur écœurante de la maison de la 32ᵉ rue Est, sa femme ni ses enfants ne connaîtraient pas la misère non plus.

Et si le vertige ou le dégoût le prenaient à nouveau, qu'est-ce qui l'empêcherait de boire comme il l'avait fait une fois et comme le faisaient la plupart des autres ?

Lui-même, maintenant, serait choqué si quelqu'un de son personnel, par exemple... Au fait ! Cela n'allait-il pas se produire avec Miss Carroll, que le nouveau Higgins allait sûrement décevoir ?

Il n'y pouvait rien. Il ne retournerait jamais en arrière et il n'était pas impossible qu'un jour, après l'avoir observé un certain temps, ce soient *eux*, les Carney et compagnie, qui viennent lui demander d'entrer au *Country Club*.

— Tu as l'air mieux, remarquait Nora.

— Je me sens mieux que je n'ai jamais été.

— Je ne parle pas seulement au physique.

— Moi non plus.

Avait-elle compris ? Ce n'était pas possible de lui poser la question. Il n'était pas encore sûr qu'elle *en soit*.

— Je peux t'avouer à présent que tu m'as fait peur.

— A moi aussi.

— Que veux-tu dire ?

— Rien.

Il lui souriait, d'un sourire plein de promesses.

— Tu verras. Désormais, tout ira bien.

— Je ne me suis jamais plainte.

— Je sais.

— J'ai confiance, Walter. J'ai toujours eu confiance en toi.

Voulait-elle dire qu'elle avait toujours su qu'il deviendrait un homme comme les autres ?

Dans ce cas, elle allait être contente de lui, Florence aussi, et tout le monde à Williamson, sans oublier Mr. Schwartz.

— Tu es le meilleur homme de la terre.

Cela, c'était une autre question, car il lui fallait payer le prix, comme chacun.

Mais cela ne regardait que lui.

La Gatounière, Mougins (Alpes-Maritimes), 28 avril 1955.

MAIGRET TEND UN PIÈGE

1

Branle-bas au Quai des Orfèvres

A partir de trois heures et demie, Maigret commença à relever la tête de temps en temps pour regarder l'heure. A quatre heures moins dix, il parapha le dernier feuillet qu'il venait d'annoter, repoussa son fauteuil, s'épongea, hésita entre les cinq pipes qui se trouvaient dans le cendrier et qu'il avait fumées sans prendre la peine de les vider ensuite. Son pied, sous le bureau, avait pressé un timbre et on frappait à la porte. S'épongeant d'un mouchoir largement déployé, il grognait :

— Entrez !

C'était l'inspecteur Janvier qui, comme le commissaire, avait retiré son veston, mais avait conservé sa cravate tandis que Maigret s'était débarrassé de la sienne.

— Tu donneras ceci à taper. Qu'on me l'apporte à signer dès que ce sera fait. Il faut que Coméliau le reçoive ce soir.

On était le 4 août. Les fenêtres avaient beau être ouvertes, on n'en était pas rafraîchi car elles faisaient pénétrer un air chaud qui semblait émaner du bitume amolli, des pierres brûlantes, de la Seine elle-même qu'on s'attendait à voir fumer comme de l'eau sur un poêle.

Les taxis, les autobus, sur le pont Saint-Michel, allaient moins vite que d'habitude, paraissaient se traîner, et il n'y avait pas qu'à la P.J. que les gens étaient en bras de chemise ; sur les trottoirs aussi les hommes portaient leur veston sur le bras et tout à l'heure Maigret en avait noté quelques-uns en short, comme au bord de la mer.

Il ne devait être resté que le quart des Parisiens à Paris et tous devaient penser avec la même nostalgie aux autres qui avaient la chance, à la même heure, de se tremper dans les petites vagues ou de pêcher, à l'ombre, dans quelque rivière paisible.

— Ils sont arrivés, en face ?

— Je ne les ai pas encore aperçus. Lapointe les guette.

Maigret se leva comme si cela demandait un effort, choisit une pipe qu'il vida et qu'il se mit en devoir de bourrer, se dirigea enfin vers une fenêtre devant laquelle il resta debout, cherchant des yeux certain café-restaurant du quai des Grands-Augustins. La façade était peinte en jaune. Il y avait deux marches à descendre et, à l'intérieur, il devait faire presque aussi frais que dans une cave. Le comptoir était encore un vrai comptoir d'étain à l'ancienne mode, avec une ardoise au mur, le menu écrit à la craie, et l'air sentait toujours le calvados.

Jusqu'à certaines boîtes de bouquinistes, sur les quais, qui étaient cadenassées !

Il resta immobile quatre ou cinq minutes, à tirer sur sa pipe, vit un taxi qui s'arrêtait non loin du petit restaurant, trois hommes qui en descendaient et se dirigeaient vers les marches. La plus familière des trois silhouettes était celle de Lognon, l'inspecteur du XVIIIe arrondissement qui, de loin, paraissait encore plus petit et plus maigre et que Maigret voyait pour la première fois coiffé d'un chapeau de paille.

Qu'est-ce que les trois hommes allaient boire ? De la bière, sans doute.

Maigret poussa la porte du bureau des inspecteurs où régnait la même atmosphère paresseuse que dans le reste de la ville.

— Le Baron est dans le couloir ?

— Depuis une demi-heure, patron.

— Pas d'autres journalistes ?

— Le petit Rougin vient d'arriver.

— Photographes ?

— Un seul.

Le long couloir de la Police Judiciaire était presque vide aussi, avec seulement deux ou trois clients qui attendaient devant la porte de collègues de Maigret. C'était sur la demande de celui-ci que Bodard, de la Section Financière, avait convoqué, pour quatre heures, l'homme dont on parlait chaque jour dans les journaux, un certain Max Bernat, inconnu deux semaines plus tôt, soudain héros du dernier scandale financier qui mettait en jeu des milliards.

Maigret n'avait rien à voir avec Bernat. Bodard n'avait rien à demander à celui-ci, dans l'état de l'enquête. Mais, parce que Bodard avait annoncé négligemment qu'il verrait l'escroc à quatre heures, ce jour-là, il y avait dans le couloir au moins deux des spécialistes des faits divers et un photographe. Ils y resteraient jusqu'à la fin de l'interrogatoire. Peut-être même, si le bruit se répandait que Max Bernat était au Quai des Orfèvres, en arriverait-il d'autres.

Du bureau des inspecteurs, on entendit, à quatre heures précises, le léger brouhaha annonçant l'arrivée de l'escroc qu'on venait d'amener de la Santé.

Maigret attendit encore une dizaine de minutes, tournant en rond, fumant sa pipe, s'épongeant de temps en temps, jetant un coup d'œil au petit restaurant de l'autre côté de la Seine, et enfin il fit claquer deux doigts, lança à Janvier :

— Vas-y !

Janvier décrocha un téléphone et appela le restaurant. Là-bas, Lognon devait guetter près de la cabine, dire au patron :

— C'est sûrement pour moi. J'attends une communication.

Tout se déroulait selon les prévisions. Maigret, un peu lourd, un peu inquiet, rentrait dans son bureau où, avant de s'asseoir, il se versait un verre d'eau à la fontaine d'émail.

Dix minutes plus tard, une scène familière se déroulait dans le couloir. Lognon et un autre inspecteur du XVIIIe, un Corse nommé Alfonsi, gravissaient lentement l'escalier avec, entre eux, un homme qui paraissait mal à l'aise et tenait son chapeau devant son visage.

Le Baron et son confrère Jean Rougin, debout devant la porte du commissaire Bodard, n'eurent besoin que d'un coup d'œil pour comprendre et se précipitèrent tandis que le photographe mettait déjà son appareil en batterie.

— Qui est-ce ?

Ils connaissaient Lognon. Ils connaissaient le personnel de la police presque aussi bien que celui de leur propre journal. Si deux inspecteurs qui n'appartenaient pas à la P.J., mais au commissariat de Montmartre, amenaient au Quai des Orfèvres un quidam qui se cachait le visage avant même d'apercevoir les journalistes, cela ne pouvait signifier qu'une chose.

— C'est pour Maigret ?

Lognon ne répondait pas, se dirigeait vers la porte de celui-ci à laquelle il frappait discrètement. La porte s'ouvrait. Les trois personnages disparaissaient à l'intérieur. La porte se refermait.

Le Baron et Jean Rougin se regardaient en hommes qui viennent de surprendre un secret d'État mais, sachant qu'ils pensaient tous les deux la même chose, n'éprouvaient le besoin d'aucun commentaire.

— Tu as un bon cliché ? demanda Rougin au photographe.

— Sauf que le chapeau cache son visage.

— C'est toujours ça. Expédie-le en vitesse au journal et reviens attendre ici. On ne peut pas prévoir quand ils sortiront.

Alfonsi sortit presque tout de suite.

— Qui est-ce ? lui demanda-t-on.

Et l'inspecteur de paraître embarrassé.

— Je ne peux rien dire.

— Pourquoi ?

— C'est la consigne.

— D'où vient-il ? Où l'avez-vous pêché ?

— Demandez au commissaire Maigret.

— Un témoin ?

— Sais pas.

— Un nouveau suspect ?

— Je vous jure que je ne sais pas.

— Merci pour la coopération.

— Je suppose que si c'était le tueur vous lui auriez passé les menottes ?

Alfonsi s'éloigna, l'air navré, en homme qui aimerait en dire davantage, le couloir reprit son calme, pendant plus d'une demi-heure il n'y eut aucune allée et venue.

L'escroc Max Bernat sortit du bureau de la Section Financière mais il était déjà passé au second plan dans l'intérêt des deux journalistes. Ils questionnèrent bien le commissaire Bodard, par acquit de conscience.

— Il a fourni les noms ?

— Pas encore.

— Il nie avoir été aidé par des personnages politiques ?

— Il ne nie pas, n'avoue pas, laisse planer le doute.

— Quand le questionnerez-vous à nouveau ?

— Dès que certains faits auront été vérifiés.

Maigret sortait de son bureau, toujours sans veston, le col ouvert, et se dirigeait d'un air affairé vers le bureau du chef.

C'était un nouveau signe : malgré les vacances, malgré la chaleur, la P.J. s'apprêtait à vivre une de ses soirées importantes et les deux reporters pensaient à certains interrogatoires qui avaient duré toute la nuit, parfois vingt-quatre heures et plus, sans qu'on pût savoir ce qui se passait derrière les portes closes.

Le photographe était revenu.

— Tu n'as rien dit au journal ?

— Seulement de développer le film et de tenir les clichés prêts.

Maigret resta une demi-heure chez le chef, rentra chez lui en écartant les reporters d'un geste las.

— Dites-nous au moins si cela a un rapport avec...

— Je n'ai rien à dire pour le moment.

A six heures, le garçon de la Brasserie Dauphine apporta un plateau chargé de demis. On avait vu Lucas quitter son bureau, pénétrer chez Maigret d'où il n'était pas encore sorti. On avait vu Janvier se précipiter, le chapeau sur la tête, et s'engouffrer dans une des voitures de la P.J.

Fait plus exceptionnel, Lognon parut et se dirigea, comme Maigret l'avait fait, vers le bureau du chef. Il est vrai qu'il n'y resta que dix minutes, après quoi, au lieu de s'en aller, il gagna le bureau des inspecteurs.

— Tu n'as rien remarqué ? demanda le Baron à son confrère.

— Son chapeau de paille, quand il est arrivé ?

On imaginait mal l'inspecteur Malgracieux, comme tout le monde l'appelait dans la police et dans la presse, avec un chapeau de paille presque gai.

— Mieux que ça.

— Il n'a pourtant pas souri ?

— Non. Mais il porte une cravate rouge.

Il n'en avait jamais porté que de sombres, montées sur un appareil en celluloïd.

— Qu'est-ce que cela signifie ?

Le Baron savait tout, racontait les secrets de chacun avec un mince sourire.

— Sa femme est en vacances.

— Je la croyais impotente.

— Elle l'était.

— Guérie ?

Pendant des années, le pauvre Lognon avait été obligé, entre ses

heures de service, de faire le marché, la cuisine, de nettoyer son
logement de la place Constantin-Pecqueur et, par-dessus tout cela, de
soigner sa femme qui s'était déclarée une fois pour toutes invalide.

— Elle a fait la connaissance d'une nouvelle locataire de l'immeuble.
Celle-ci lui a parlé de Pougues-les-Eaux et lui a mis en tête d'aller y
faire une cure. Si étrange que cela paraisse, elle est partie, sans son
mari, qui ne peut pas quitter Paris en ce moment, mais avec la voisine
en question. Les deux femmes ont le même âge. La voisine est veuve…

Les allées et venues, d'un bureau à l'autre, devenaient de plus en
plus nombreuses. Presque tous ceux qui appartenaient à la brigade de
Maigret étaient partis. Janvier était revenu. Lucas allait et venait,
affairé, le front en sueur. Lapointe se montrait de temps en temps, et
Torrence, Mauvoisin, qui était nouveau dans le service, d'autres encore
qu'on essayait de saisir au vol mais à qui il était impossible d'arracher
un traître mot.

La petite Maguy, reporter dans un quotidien du matin, arriva bientôt,
aussi fraîche que s'il n'y avait pas eu toute la journée trente-six degrés
à l'ombre.

— Qu'est-ce que tu viens faire ici ?

— La même chose que vous.

— C'est-à-dire ?

— Attendre.

— Comment as-tu appris qu'il se passe quelque chose ?

Elle haussa les épaules et se passa un crayon de rouge sur les lèvres.

— Combien sont-ils là-dedans ? questionna-t-elle en désignant la
porte de Maigret.

— Cinq ou six. On ne peut pas les compter. Ça entre et ça sort. Ils
ont l'air de se relayer.

— La chansonnette ?

— En tout cas, le type doit commencer à avoir chaud.

— On a monté de la bière ?

— Oui.

C'était un signe. Quand Maigret faisait monter un plateau de bière,
c'est qu'il comptait en avoir pour quelque temps.

— Lognon est toujours avec eux ?

— Oui.

— Triomphant ?

— Difficile à dire, avec lui. Il porte une cravate rouge.

— Pourquoi ?

— Sa femme fait une cure.

Ils se comprenaient. Ils appartenaient à une même confrérie.

— Vous l'avez vu ?

— Qui ?

— Celui sur qui ils s'acharnent.

— Tout, sauf son visage. Il se cachait derrière son chapeau.

— Jeune ?

— Ni jeune ni vieux. Passé la trentaine, autant qu'on en puisse juger.

— Habillé comment ?

— Comme tout le monde. De quelle couleur, son complet, Rougin ?

— Gris fer.

— Moi, j'aurais dit beige.

— L'air de quoi ?

— De n'importe qui dans la rue.

On entendait des pas dans l'escalier et Maguy murmura, comme les autres tournaient la tête :

— Ce doit être mon photographe.

A sept heures et demie, ils étaient cinq de la presse dans le couloir et ils virent monter le garçon de la Brasserie Dauphine avec de nouveaux demis et des sandwiches.

Cette fois, c'était bien le grand jeu. Tour à tour, les reporters se dirigèrent vers un petit bureau, au fond du couloir, pour téléphoner à leur journal.

— On va dîner ?

— Et s'il sort pendant ce temps-là ?

— Et s'il y en a pour toute la nuit ?

— On fait venir des sandwiches, nous aussi ?

— Chiche !

— Et de la bière ?

Le soleil disparaissait derrière les toits mais il faisait encore jour et, si l'air ne grésillait plus, la chaleur n'en restait pas moins lourde.

A huit heures et demie, Maigret ouvrit sa porte, l'air épuisé, les cheveux collés à son front. Il jeta un coup d'œil au couloir, parut sur le point de rejoindre les gens de la presse, se ravisa, et la porte se referma derrière lui.

— On dirait que ça barde !

— Je t'ai annoncé que nous en avions pour la nuit. Tu étais là, quand ils ont interrogé Mestorino ?

— J'étais encore dans les bras de ma mère.

— Vingt-sept heures.

— Au mois d'août ?

— Je ne sais plus quel mois c'était, mais...

La robe en coton imprimé de Maguy se plaquait à son corps et il y avait de grands cernes sous ses bras, on voyait, sous le tissu, le dessin du soutien-gorge et du slip.

— On fait une belote ?

Les lampes s'allumèrent au plafond. La nuit tomba. Le garçon du bureau de nuit alla prendre sa place au fond du couloir.

— On ne pourrait pas faire un courant d'air ?

Il alla ouvrir la porte d'un bureau, la fenêtre, puis, ailleurs, un autre bureau, et, après quelques instants, en y mettant beaucoup d'attention, on parvint à déceler quelque chose qui ressemblait à une légère brise.

— C'est tout ce que je peux pour vous, messieurs.

A onze heures, enfin, il y eut un remue-ménage derrière la porte de Maigret. Lucas sortit le premier, fit passer l'inconnu qui avait toujours son chapeau à la main et le tenait toujours devant son visage. Lognon fermait la marche. Tous les trois se dirigeaient vers l'escalier reliant la P.J. au Palais de Justice et, de là, aux cellules de la Souricière.

Les photographes se bousculèrent. Des flashes rapides illuminèrent le couloir. Moins d'une minute plus tard, la porte vitrée se refermait et tout le monde se précipitait vers le bureau de Maigret qui ressemblait à un champ de bataille. Des verres traînaient, des bouts de cigarettes, des cendres, des papiers déchirés, et l'air sentait le tabac déjà refroidi. Maigret lui-même, toujours sans veston, le corps à demi engagé dans son placard, se lavait les mains à la fontaine d'émail.

— Vous allez nous donner quelques tuyaux, commissaire ?

Il les regarda avec les gros yeux qu'il avait toujours dans ces cas-là et qui paraissaient ne reconnaître personne.

— Des tuyaux ? répéta-t-il.

— Qui est-ce ?

— Qui ?

— L'homme qui sort d'ici.

— Quelqu'un avec qui j'ai eu une assez longue conversation.

— Un témoin ?

— Je n'ai rien à dire.

— Vous l'avez mis sous mandat de dépôt ?

Il semblait reprendre un peu vie, s'excusait, bonhomme.

— Messieurs, je suis désolé de ne pouvoir vous répondre mais, franchement, je n'ai aucune déclaration à faire.

— Vous comptez en faire une prochainement ?

— Je l'ignore.

— Vous allez voir le juge Coméliau ?

— Pas ce soir.

— Cela a un rapport avec le tueur ?

— Encore une fois, ne m'en veuillez pas si je ne vous fournis aucune information.

— Vous rentrez chez vous ?

— Quelle heure est-il ?

— Onze heures et demie.

— Dans ce cas, la Brasserie Dauphine est encore ouverte et je vais y aller manger un morceau.

On les vit partir, Maigret, Janvier et Lapointe. Deux ou trois journalistes les suivirent jusqu'à la brasserie où ils prirent un verre au bar tandis que les trois hommes s'attablaient dans la seconde salle et donnaient leur commande au garçon, fatigués, soucieux.

Quelques minutes plus tard, Lognon les rejoignit, mais pas Lucas.

Les quatre hommes s'entretenaient à mi-voix et il était impossible d'entendre ce qu'ils disaient, de deviner quoi que ce fût au mouvement de leurs lèvres.

— On file ? Je te reconduis chez toi, Maguy ?

— Non. Au journal.

Une fois la porte refermée, seulement, Maigret s'étira. Un sourire très gai, très jeune monta à ses lèvres.

— Et voilà ! soupira-t-il.

Janvier dit :

— Je crois qu'ils ont marché.

— Parbleu !

— Qu'est-ce qu'ils vont écrire ?

— Je n'en sais rien mais ils trouveront le moyen d'en tirer quelque chose de sensationnel. Surtout le petit Rougin.

C'était un nouveau venu dans la profession, jeune et agressif.

— S'ils s'aperçoivent qu'on les a roulés ?

— Il ne faut pas qu'ils s'en aperçoivent.

C'était presque un nouveau Lognon qu'ils avaient avec eux, un Lognon qui, depuis quatre heures de l'après-midi, avait bu quatre demis et qui ne refusa pas le pousse-café que le patron venait leur offrir.

— Votre femme, vieux ?

— Elle m'écrit que la cure lui fait du bien. Elle se tracasse seulement à mon sujet.

Cela ne le faisait quand même pas rire, ni sourire. Il existe des sujets sacrés. Il n'en était pas moins détendu, presque optimiste.

— Vous avez fort bien joué votre rôle. Je vous remercie. J'espère qu'en dehors d'Alfonsi, personne ne sait rien, à votre commissariat ?

— Personne.

Il était minuit et demi quand ils se séparèrent. On voyait encore des consommateurs aux terrasses, plus de monde dehors, à respirer la fraîcheur relative de la nuit, qu'il n'y en avait eu dans la journée.

— Vous prenez l'autobus ?

Maigret fit signe que non. Il préférait rentrer à pied, tout seul, et, à mesure qu'il marchait le long des trottoirs, son excitation tombait, une expression plus grave, presque angoissée, envahissait son visage.

Plusieurs fois il lui arriva de dépasser des femmes seules qui rasaient les maisons et chaque fois elles tressaillirent, avec l'envie de se mettre à courir au moindre geste ou d'appeler au secours.

En six mois, cinq femmes qui, comme elles, rentraient chez elles, ou se rendaient chez une amie, cinq femmes qui marchaient dans les rues de Paris avaient été victimes d'un même assassin.

Chose curieuse, les cinq crimes avaient été commis dans un seul des vingt arrondissements de Paris, le XVIIIe, à Montmartre, non seulement dans le même arrondissement mais dans le même quartier, dans un secteur très restreint qu'on pouvait délimiter par quatre stations de métro : *Lamarck, Abbesses, Place Blanche* et *Place Clichy.*

Les noms des victimes, des rues où les attentats avaient eu lieu, les heures, étaient devenus familiers aux lecteurs des journaux et, pour Maigret, constituaient une véritable hantise.

Il connaissait le tableau par cœur, pouvait le réciter sans y penser comme une fable qu'on a apprise à l'école.

2 *février*. Avenue Rachel, tout près de la place Clichy, à deux pas du boulevard de Clichy et de ses lumières : Arlette Dutour, 28 ans, fille publique, vivant en meublé rue d'Amsterdam.

Deux coups de couteau dans le dos, dont un ayant provoqué la mort presque instantanée. Lacération méthodique des vêtements et quelques lacérations superficielles sur le corps.

Aucune trace de viol. On ne lui avait pris ni ses bijoux, de peu de valeur, ni son sac à main qui contenait une certaine somme d'argent.

3 *mars*. Rue Lepic, un peu plus haut que le Moulin de la Galette. Huit heures et quart du soir. Joséphine Simmer, née à Mulhouse, sage-femme, âgée de 43 ans. Elle habitait rue Lamarck et revenait d'accoucher une cliente tout en haut de la Butte.

Un seul coup de couteau dans le dos, ayant atteint le cœur. Lacération des vêtements et lacérations superficielles sur le corps. Sa trousse d'accoucheuse se trouvait sur le trottoir à côté d'elle.

17 *avril*. (A cause des coïncidences de chiffres, du 2 février et du 3 mars, on s'était attendu à un nouvel attentat le 4 avril, mais il ne s'était rien passé.) Rue Étex, en bordure du cimetière de Montmartre, presque en face de l'hôpital Bretonneau. Neuf heures trois minutes, du soir toujours. Monique Juteaux, couturière, 24 ans, célibataire, vivant avec sa mère boulevard des Batignolles. Elle revenait de chez une amie habitant l'avenue de Saint-Ouen. Il pleuvait et elle portait un parapluie.

Trois coups de couteau. Lacérations. Pas de vol.

15 *juin*. Entre neuf heures vingt minutes et neuf heures et demie. Rue Durantin, cette fois, toujours dans le même secteur, Marie Bernard, veuve, 52 ans, employée des postes, occupant avec sa fille et son gendre un appartement du boulevard Rochechouart.

Deux coups de couteau. Lacérations. Le second coup de couteau avait tranché la carotide. Pas de vol.

21 *juillet*. Le dernier crime en date. Georgette Lecoin, mariée, mère de deux enfants, âgée de 31 ans, habitant rue Lepic, non loin de l'endroit où le second attentat avait été commis.

Son mari travaillait de nuit dans un garage. Un de ses enfants était malade. Elle descendait la rue Tholozé à la recherche d'une pharmacie ouverte et avait cessé de vivre vers neuf heures quarante-cinq, presque en face d'un bal musette.

Un seul coup de couteau. Lacérations.

C'était hideux et monotone. On avait renforcé la police du quartier des Grandes-Carrières. Lognon avait, comme ses collègues, remis ses vacances à une date ultérieure. Les prendrait-il jamais ?

Les rues étaient patrouillées. Des agents étaient planqués à tous les points stratégiques. Ils l'étaient déjà lors des deuxième, troisième, quatrième et cinquième assassinats.

— Fatigué ? demanda Mme Maigret en ouvrant la porte de leur appartement au moment précis où son mari atteignait le palier.

— Il a fait chaud.

— Toujours rien ?

— Rien.

— J'ai entendu tout à l'heure à la radio qu'il y a eu un grand remue-ménage au Quai des Orfèvres.

— Déjà ?

— On suppose que cela a trait aux crimes du XVIIIe. C'est vrai ?

— Plus ou moins.

— Vous avez une piste ?

— Je n'en sais rien.

— Tu as dîné ?

— Et même soupé, voilà une demi-heure.

Elle n'insista pas et, un peu plus tard, tous les deux dormaient, la fenêtre grande ouverte.

Il arriva le lendemain à neuf heures à son bureau sans avoir eu le temps de lire les journaux. On les avait posés sur son buvard et il allait les parcourir quand la sonnerie du téléphone retentit. Dès la première syllabe, il reconnut son interlocuteur.

— Maigret ?

— Oui, monsieur le juge.

C'était Coméliau, bien entendu, chargé de l'instruction des cinq crimes de Montmartre.

— Tout cela est vrai ?

— De quoi parlez-vous ?

— De ce qu'écrivent les journaux de ce matin.

— Je ne les ai pas encore vus.

— Vous avez effectué une arrestation ?

— Pas que je sache.

— Il serait peut-être préférable que vous passiez tout de suite à mon cabinet.

— Volontiers, monsieur le juge.

Lucas était entré et avait assisté à l'entretien. Il comprit la grimace du commissaire, qui lui lança :

— Dis au chef que je suis au Palais et que je ne reviendrai sans doute pas à temps pour le rapport.

Il suivit le même chemin que, la veille, Lognon, Lucas et le mystérieux visiteur de la P.J., l'homme au chapeau devant le visage. Dans le couloir des juges d'instruction, des gendarmes le saluèrent, des prévenus ou des témoins qui attendaient le reconnurent et certains lui adressèrent un petit signe.

— Entrez. Lisez.

Il s'attendait à tout cela, évidemment, à un Coméliau nerveux et agressif, contenant avec peine l'indignation qui faisait frémir sa petite moustache.

Une des feuilles imprimait :

La police tient-elle enfin le tueur ?

Une autre :

Branle-bas Quai des Orfèvres
Est-ce le maniaque de Montmartre ?

— Je vous ferai remarquer, commissaire, que, hier à quatre heures, je me trouvais ici, dans mon cabinet, à moins de deux cents mètres de votre bureau et à portée d'un appareil téléphonique. Je m'y trouvais encore à cinq heures, à six heures, et je ne suis parti, appelé par d'autres obligations, qu'à sept heures moins dix. Même alors, j'étais accessible, chez moi d'abord, où il vous est arrivé maintes fois de me joindre au bout du fil, ensuite chez des amis dont j'avais eu soin de laisser l'adresse à mon domestique.

Maigret, debout, écoutait sans broncher.

— Lorsqu'un événement aussi important que...

Levant la tête, le commissaire murmura :

— Il n'y a pas eu d'événement.

Coméliau, trop lancé pour se calmer de but en blanc, frappa les journaux d'une main sèche.

— Et ceci ? Vous allez me dire que ce sont des inventions de journalistes ?

— Des suppositions.

— Autrement dit, il ne s'est rien passé du tout et ce sont ces messieurs qui ont supposé que vous aviez fait comparaître un inconnu dans votre bureau, que vous l'avez interrogé pendant plus de six heures, que vous l'avez envoyé ensuite à la Souricière et que...

— Je n'ai interrogé personne, monsieur le juge.

Cette fois, Coméliau, ébranlé, le regarda en homme qui ne comprend plus.

— Vous feriez mieux de vous expliquer, afin que je puisse fournir à mon tour des explications au procureur général dont le premier soin, ce matin, a été de m'appeler.

— Une certaine personne est en effet venue me voir hier après-midi en compagnie de deux inspecteurs.

— Une personne que ces inspecteurs avaient appréhendée ?

— Il s'agit plutôt d'une visite amicale.

— C'est pour cela que l'homme se cachait le visage avec son chapeau ?

Coméliau désignait une photographie qui s'étalait sur deux colonnes en première page des différents journaux.

— Peut-être est-ce l'effet d'un hasard, d'un geste machinal. Nous avons bavardé...

— Pendant six heures ?

— Le temps passe vite.

— Et vous avez fait monter de la bière et des sandwiches.

— C'est exact, monsieur le juge.

Celui-ci frappait à nouveau le journal du plat de la main.

— J'ai ici un compte rendu détaillé de toutes vos allées et venues.

— Je n'en doute pas.

— Qui est cet homme ?

— Un charmant garçon du nom de Mazet, Pierre Mazet, qui a travaillé dans mon service voilà une dizaine d'années, alors qu'il venait de passer ses examens. Par la suite, espérant un avancement plus rapide, et aussi, je pense, à la suite de je ne sais quel chagrin d'amour, il a demandé un poste en Afrique-Équatoriale où il a vécu cinq ans.

Coméliau ne comprenait plus, regardait Maigret, sourcils froncés, en se demandant si le commissaire se moquait de lui.

— Il a dû quitter l'Afrique à cause des fièvres et les médecins lui interdisent d'y retourner. Quand il sera physiquement retapé, il est probable qu'il sollicitera sa réintégration à la P.J.

— C'est pour le recevoir que vous avez créé ce que les journaux n'hésitent pas à appeler un branle-bas de combat ?

Maigret se dirigea vers la porte, s'assura qu'il n'y avait personne à les écouter.

— Oui, monsieur le juge, admit-il enfin. J'avais besoin d'un homme dont le signalement soit aussi quelconque que possible et dont le visage ne soit familier ni au public ni à la presse. Le pauvre Mazet a beaucoup changé pendant son séjour en Afrique. Vous comprenez ?

— Pas très bien.

— Je n'ai fait aucune déclaration aux reporters. Je n'ai pas prononcé un seul mot laissant entendre que cette visite avait un rapport quelconque avec les crimes de Montmartre.

— Mais vous n'avez pas démenti.

— J'ai répété que je n'avais rien à dire, ce qui est la vérité.

— Résultat... s'écria le petit juge en désignant à nouveau les journaux.

— Le résultat que je désirais atteindre.

— Sans me consulter, bien entendu. Sans même me tenir au courant.

— Uniquement, monsieur le juge, afin de ne pas vous faire partager ma responsabilité.

— Qu'espérez-vous ?

Maigret, dont la pipe était éteinte depuis un moment, l'alluma avec l'air de réfléchir, et laissa tomber lentement :

— Je n'en sais encore rien, monsieur le juge. J'ai seulement cru que cela valait la peine de tenter quelque chose.

Coméliau ne savait plus très bien où il en était et fixait la pipe de Maigret à laquelle il n'avait jamais pu s'habituer. Le commissaire était le seul, en effet, à se permettre de fumer dans son cabinet et le juge y voyait une sorte de défi.

— Asseyez-vous, prononça-t-il enfin, à regret.

Et, avant de s'asseoir lui-même, il alla ouvrir la fenêtre.

2

Les théories du professeur Tissot

C'était le vendredi précédent que Maigret et sa femme s'étaient dirigés tranquillement, le soir, en voisins, vers la rue Picpus, et tout le long des rues de leur quartier des gens étaient assis sur les seuils, beaucoup avaient apporté leur chaise sur le trottoir. La tradition des dîners mensuels chez le docteur Pardon continuait avec, depuis un an à peu près, une légère variante.

Pardon avait pris l'habitude, en effet, outre le couple Maigret, d'inviter l'un ou l'autre de ses confrères, presque toujours un homme intéressant, soit par sa personnalité, soit par ses recherches, et c'était souvent en face d'un grand patron, d'un professeur illustre, que le commissaire se trouvait assis.

Il ne s'était pas rendu compte, au début, que c'étaient ces gens-là qui demandaient à le rencontrer et qui l'étudiaient, lui posant des questions innombrables. Tous avaient entendu parler de lui et étaient curieux de le connaître. Il ne fallait pas longtemps pour qu'ils se sentent avec Maigret sur un terrain commun et certaines conversations d'après-dîner, aidées par quelque vieille liqueur, dans le paisible salon des Pardon, aux fenêtres presque toujours ouvertes sur la rue populeuse, avaient duré assez tard dans la nuit.

Dix fois, à la suite d'un de ces entretiens, l'interlocuteur de Maigret lui avait soudain demandé en le regardant gravement :

— Vous n'avez jamais été tenté de faire de la médecine ?

Il répondait, presque rougissant, que cela avait été sa première vocation et que la mort de son père l'avait contraint à abandonner ses études.

N'était-ce pas curieux qu'ils le sentent, après tant d'années ? Leur façon, à eux et à lui, de s'intéresser à l'homme, d'envisager ses peines et ses faillites, était presque la même.

Et le policier n'essayait pas de cacher qu'il était flatté que des professeurs au nom universellement connu finissent par parler métier avec lui comme s'ils étaient confrères.

Pardon l'avait-il fait exprès ce soir-là, à cause du tueur de Montmartre qui préoccupait tous les esprits depuis des mois ? C'était possible. C'était un homme très simple, certes, mais en même temps un homme qui avait des délicatesses extrêmement subtiles. Cette année-là, il avait dû prendre ses vacances tôt dans la saison, en juin, car il n'avait trouvé de remplaçant que pour ce moment-là.

Quand Maigret et sa femme étaient arrivés, un couple se trouvait déjà dans le salon devant le plateau d'apéritifs, un homme carré, bâti en paysan, les cheveux gris et drus taillés en brosse sur un visage sanguin et une femme noiraude d'une vivacité exceptionnelle.

— Mes amis Maigret... Madame Tissot... Le professeur Tissot... avait présenté Pardon.

C'était le fameux Tissot qui dirigeait Sainte-Anne, l'Asile des Aliénés de la rue Cabanis. Bien qu'il fût souvent appelé à témoigner comme expert devant les tribunaux, Maigret n'avait jamais eu l'occasion de le rencontrer et il découvrait un type de psychiatre solide, humain, jovial qu'il ne connaissait pas encore.

On ne tarda pas à se mettre à table. Il faisait chaud mais, vers la fin du repas, une pluie fine et douce se mit à tomber, dont le bruissement, au-delà des fenêtres restées ouvertes, accompagna leur soirée.

Le professeur Tissot ne prenait pas de vacances car, bien qu'ayant un appartement à Paris, il rentrait presque chaque soir dans sa propriété de Ville-d'Avray.

Comme ses prédécesseurs, il commença, tout en parlant de choses et d'autres, à observer le commissaire, par petits coups d'œil rapides, comme si chaque regard ajoutait une touche à l'image qu'il se formait de lui. Ce ne fut qu'au salon, quand les femmes se furent groupées tout naturellement dans un coin, qu'il attaqua, à brûle-pourpoint :

— Votre responsabilité ne vous effraie pas quelque peu ?

Maigret comprit tout de suite.

— Je suppose que vous parlez des meurtres du XVIIIe ?

Son interlocuteur se contenta de battre des paupières. Et c'était vrai que cette affaire-là était, pour Maigret, une des plus angoissantes de sa carrière. Il ne s'agissait pas de découvrir l'auteur d'un crime. La question, pour la société, n'était pas, comme presque toujours, de punir un assassin.

C'était une question de défense. Cinq femmes étaient mortes et rien ne permettait de supposer que la liste était close.

Or, les moyens de défense habituels ne jouaient pas. La preuve c'est que, dès après le premier crime, toute la mécanique policière avait été mise en mouvement sans que cela empêchât les attentats suivants.

Maigret croyait comprendre ce que Tissot voulait dire en parlant de sa responsabilité. C'était de lui, plus exactement *de la façon dont il envisagerait le problème*, que le sort d'un certain nombre de femmes dépendait.

Pardon l'avait-il senti aussi, et était-ce pour cela qu'il avait arrangé cette rencontre ?

— Encore que ce soit en quelque sorte ma spécialité, avait ajouté Tissot, je n'aimerais pas être à votre place, avec la population qui s'affole, les journaux qui ne font rien pour la rassurer, les gens en place qui réclament des mesures contradictoires. C'est bien le tableau ?

— C'est bien cela.

— Je suppose que vous avez noté les caractéristiques des différents crimes ?

Il entrait tout de suite dans le cœur de la matière et Maigret aurait pu penser qu'il s'entretenait avec un de ses collègues de la P.J.

— Puis-je vous demander, entre nous, commissaire, ce qui vous a le plus frappé ?

C'était presque une colle et Maigret, à qui cela arrivait rarement, se sentit rougir.

— Le type des victimes, répondit-il cependant sans hésiter. Vous m'avez demandé la caractéristique principale, n'est-ce pas ? Je ne vous ai pas parlé des autres, qui sont assez nombreuses.

» Lorsqu'il arrive, comme c'est le cas, que des crimes soient commis en série, notre premier soin, Quai des Orfèvres, est de chercher les points communs entre eux.

Son verre d'armagnac à la main, Tissot approuvait du chef et le dîner avait fortement coloré son visage.

— L'heure, par exemple ? dit-il.

On sentait son désir de montrer qu'il connaissait l'affaire, que lui aussi, à travers les journaux, l'avait étudiée sous tous ses angles, y compris l'angle purement policier.

Ce fut le tour de Maigret de sourire, car c'était assez touchant.

— L'heure, en effet. Le premier attentat a eu lieu à huit heures du soir et c'était en février. Il faisait donc nuit. Le crime du 3 mars s'est commis un quart d'heure plus tard et ainsi de suite pour finir, en juillet, quelques minutes avant dix heures. Il est évident que le meurtrier attend que l'obscurité soit tombée.

— Les dates ?

— Je les ai étudiées vingt fois, au point qu'elles finissent par s'embrouiller dans ma tête. Vous pourriez voir, sur mon bureau, un calendrier couvert de notes noires, bleues et rouges. Comme pour le déchiffrage d'un langage secret, j'ai essayé tous les systèmes, toutes les clefs. On a d'abord parlé de pleine lune.

— Les gens attachent beaucoup d'importance à la lune quand il s'agit d'actes qu'ils ne peuvent expliquer.

— Vous y croyez ?

— En tant que médecin, non.

— En tant qu'homme ?

— Je ne sais pas.

— Toujours est-il que l'explication ne joue pas, car deux attentats sur cinq seulement se sont produits des soirs de pleine lune. J'ai donc cherché ailleurs. Le jour de la semaine, par exemple. Certaines gens s'enivrent chaque samedi. Un seul des crimes a été commis un samedi. Il y a des professions dans lesquelles le jour de congé n'est pas le dimanche mais un autre jour.

Il avait l'impression que Tissot, comme lui, avait envisagé ces différentes hypothèses.

— La première constante, si je puis dire, poursuivit-il, que nous ayons retenue, c'est le quartier. Il est évident que le meurtrier le connaît à merveille, dans ses moindres recoins. C'est même à cette connaissance des rues, des endroits éclairés et de ceux qui ne le sont pas, des distances entre deux points déterminés, qu'il doit, non seulement de ne pas avoir été pris, mais de n'avoir pas été vu.

— La presse a parlé de témoins qui affirment l'avoir aperçu.

— Nous avons entendu tout le monde. La locataire du premier étage, avenue Rachel, par exemple, celle qui se montre la plus catégorique et prétend qu'il est grand, maigre, vêtu d'un imperméable jaunâtre et d'un chapeau de feutre rabattu sur les yeux. D'abord, il s'agit d'une description type, qui revient trop souvent dans ces affaires-là, et dont, au Quai, nous nous méfions toujours. Ensuite, il a été prouvé que, de la fenêtre où cette femme affirme s'être tenue, il est impossible de voir l'endroit désigné.

» Le témoignage du petit garçon est plus sérieux, mais si vague qu'il en devient inutilisable. Il s'agit de l'affaire de la rue Durantin. Vous vous souvenez ?

Tissot fit signe que oui.

— Bref, l'homme connaît à merveille le quartier et c'est pourquoi chacun se figure qu'il l'habite, ce qui y crée une atmosphère particulièrement angoissante. Chacun observe son voisin avec méfiance. Nous avons reçu des centaines de lettres nous signalant la conduite étrange de gens parfaitement normaux.

» Nous avons essayé l'hypothèse d'un homme ne vivant pas dans le quartier, mais y travaillant.

— C'est là une besogne considérable.

— Cela représente des milliers d'heures. Et je ne parle pas des recherches dans nos dossiers, des listes de tous les criminels, de tous les maniaques que nous avons mises à jour et vérifiées. Vous avez dû, comme les autres hôpitaux, recevoir un questionnaire au sujet de vos pensionnaires remis en liberté depuis un certain nombre d'années.

— Mes collaborateurs y ont répondu.

— Le même questionnaire a été adressé aux asiles de province et de l'étranger ainsi qu'aux médecins traitants.

— Vous avez parlé d'une autre constante.

— Vous avez vu la photographie des victimes dans les journaux. Chacune d'elles a été publiée à une date différente. Je ne sais pas si vous avez eu la curiosité de les placer côte à côte.

Une fois de plus, Tissot fit signe que oui.

— Ces femmes sont d'origines diverses, d'abord géographiquement. L'une est née à Mulhouse, une autre dans le Midi, une autre encore en Bretagne, deux à Paris ou dans la banlieue.

» Du point de vue professionnel enfin, rien ne les relie l'une à l'autre ; une fille publique, une sage-femme, une couturière, une employée des postes et une mère de famille.

» Elles n'habitent pas toutes le quartier.

» Nous avons établi qu'elles ne se connaissaient pas, que, plus que probablement, elles ne s'étaient jamais rencontrées.

— Je n'imaginais pas que vous meniez vos enquêtes sous tant d'angles différents.

— Nous avons été plus loin. Nous nous sommes assurés qu'elles ne fréquentaient pas la même église, par exemple, ou le même boucher, qu'elles n'avaient pas le même médecin ou le même dentiste, n'allaient pas, à jour plus ou moins fixe, dans le même cinéma ou dans la même salle de danse. Quand je vous parlais de milliers d'heures...

— Cela n'a rien donné ?

— Non. Je n'espérais d'ailleurs pas que cela donnerait quelque chose, mais j'étais obligé de vérifier. Nous n'avons pas le droit de laisser inexplorée la plus petite possibilité.

— Vous avez pensé aux vacances ?

— Je vous comprends. Elles auraient pu prendre chaque année leurs vacances dans le même endroit, à la campagne ou à la mer, mais il n'en est rien.

— De sorte que le meurtrier les choisit au hasard, selon les opportunités ?

Maigret était persuadé que le professeur Tissot n'en croyait rien, qu'il avait fait la même remarque que lui.

— Non. Pas tout à fait. Ces femmes, comme je vous l'ai dit, à bien examiner leurs photographies, ont quelque chose de commun : la corpulence. Si vous ne regardez pas les visages, si vous vous contentez d'examiner leur silhouette, vous notez que toutes les cinq sont assez petites et plutôt boulottes, presque grasses, avec une taille épaisse et de fortes hanches, même Monique Juteaux, la plus jeune du lot.

Pardon et le professeur échangèrent un regard et Pardon avait l'air de dire :

— Je l'avais parié ! Il l'a remarqué aussi !

Tissot souriait.

— Mes compliments, mon cher commissaire. Je constate que je n'ai rien à vous apprendre.

Il ajouta après une hésitation :

— J'en avais parlé à Pardon, me demandant si la police ferait cette remarque. C'est un peu pour cela, et aussi parce qu'il y a longtemps que je désire vous connaître, qu'il m'a invité ce soir avec ma femme.

Ils étaient restés debout tout ce temps-là. Le docteur de la rue Picpus proposa d'aller s'asseoir dans un coin, près de la fenêtre, d'où ils entendaient des rumeurs de radio. La pluie tombait toujours, si légère que les gouttelettes semblaient se poser délicatement les unes sur les autres pour former sur le pavé une sorte de laque sombre.

Ce fut Maigret qui reprit la parole.

— Savez-vous, monsieur le professeur, la question qui me trouble le plus, celle qui, à mon avis, si elle était résolue, permettrait de mettre la main sur le tueur ?

— Je vous écoute.

— Cet homme n'est plus un enfant. Il a donc vécu un certain nombre d'années, vingt, trente ou davantage, sans commettre de crime.

Or, en l'espace de six mois, il vient de tuer à cinq reprises. La question que je me pose est celle du commencement. Pourquoi, le 2 février, a-t-il soudain cessé d'être un citoyen inoffensif pour devenir un dangereux maniaque ? Vous, savant, voyez-vous une explication ?

Cela fit sourire Tissot, qui eut encore une fois un regard vers son confrère.

— On nous prête volontiers, à nous, savants, comme vous dites, des connaissances et des pouvoirs que nous n'avons pas. Je vais pourtant essayer de vous répondre, non seulement en ce qui concerne le choc initial, mais en ce qui concerne le cas en lui-même.

» Je n'emploierai d'ailleurs aucun terme scientifique ou technique car ceux-ci ne servent le plus souvent qu'à masquer notre ignorance. N'est-ce pas, Pardon ?

Il devait faire allusion à certain de ses confrères contre lequel il avait une dent, car tous les deux parurent se comprendre.

— Devant une série de crimes comme celle qui nous occupe, la réaction de chacun est d'affirmer qu'il s'agit d'un maniaque ou d'un fou. *Grosso modo*, c'est exact. Tuer cinq femmes dans les conditions où les cinq meurtres ont été commis, sans raison apparente, et lacérer ensuite leurs vêtements, n'a rien de commun avec le comportement de l'homme normal tel que nous l'imaginons.

» Quant à déterminer pourquoi et comment cela a commencé, c'est une question fort complexe à laquelle il est difficile de répondre.

» Presque chaque semaine, je suis appelé à témoigner en qualité d'expert en Cour d'Assises. Durant le cours de ma carrière, j'ai vu le sens de la responsabilité en matière criminelle évoluer avec une rapidité telle qu'à mon avis ce sont toutes nos conceptions de la justice qui en sont changées, sinon ébranlées.

» On nous demandait jadis :

» — Au moment du crime, l'accusé était-il responsable de ses actes ?

» Et le mot responsabilité avait un sens assez précis.

» Aujourd'hui, c'est la responsabilité de l'Homme, avec une majuscule, qu'on nous demande d'évaluer, à tel point que j'ai souvent l'impression que ce ne sont plus les magistrats et les jurés qui décident du sort d'un criminel, mais nous, les psychiatres.

» Or, dans la plupart des cas, nous n'en savons pas plus que le profane.

» La psychiatrie est une science tant qu'il y a traumatisme, tumeur, transformation anormale de telle glande ou de telle fonction.

» Dans ces cas-là, en effet, nous pouvons déclarer en toute conscience que tel homme est sain ou malade, responsable de ses actes ou irresponsable.

» Mais ce sont les cas les plus rares et la plupart de ces individus se trouvent dans les asiles.

» Pourquoi les autres, comme probablement celui dont nous parlons, agissent-ils différemment de leurs semblables ?

» Je crois, commissaire, que là-dessus vous en savez autant, sinon plus que nous.

Mme Pardon s'était approchée d'eux avec la bouteille d'armagnac.

— Continuez, messieurs. Nous sommes occupées, de notre côté, à échanger des recettes de cuisine. Un peu d'armagnac, professeur ?

— Un demi-verre.

Ils bavardèrent ainsi, dans une lumière aussi douce que la pluie qui tombait dehors, jusque passé une heure du matin. Maigret n'avait pas tout retenu de cette longue conversation qui avait souvent bifurqué vers des sujets parallèles.

Il se souvenait que Tissot avait dit, par exemple, avec l'ironie d'un homme qui a un vieux compte à régler :

— Si je suivais aveuglément les théories de Fréud, d'Adler ou même des psychanalystes d'aujourd'hui, je n'hésiterais pas à affirmer que notre homme est un obsédé sexuel, encore qu'aucune des victimes n'ait été sexuellement attaquée.

» Je pourrais aussi parler de complexes, remonter à des impressions de la petite enfance...

— Vous repoussez cette explication ?

— Je n'en repousse aucune, mais je me méfie de celles qui sont trop faciles.

— Vous n'avez aucune théorie personnelle ?

— Une théorie, non. Une idée, peut-être, mais j'ai un peu peur, je l'avoue, de vous en parler, car je n'oublie pas que c'est vous qui portez sur vos épaules la responsabilité de l'enquête. Il est vrai que vos épaules sont aussi larges que les miennes. Fils de paysan, hein ?

— De l'Allier.

— Moi, du Cantal. Mon père a quatre-vingt-huit ans et vit encore dans sa ferme.

Il en était plus fier, aurait-on juré, que de ses titres scientifiques.

— Il m'est passé par les mains beaucoup d'aliénés, ou de demi-aliénés, pour employer une expression peu savante, ayant commis des actes criminels et, en matière de constante, selon votre mot de tout à l'heure, il y en a une que j'ai presque toujours retrouvée chez eux : un besoin conscient ou inconscient de s'affirmer. Vous comprenez ce que j'entends par cela ?

Maigret fit signe que oui.

— Presque tous, à tort ou à raison, ont passé longtemps, auprès de leur entourage, pour des êtres inconsistants, médiocres ou attardés et ils en ont été humiliés. Par quel mécanisme cette humiliation, longtemps refoulée, éclate-t-elle soudain sous la forme d'un crime, d'un attentat, d'un geste quelconque de défi ou de bravade ? Ni mes confrères, autant que je sache, ni moi, ne l'avons établi.

» Ce que je dis ici n'est peut-être pas orthodoxe, surtout résumé en quelques mots, mais je suis persuadé que la plupart des crimes qu'on dit sans motif, et surtout des crimes répétés, sont une manifestation d'orgueil.

Maigret était devenu pensif.

— Cela concorde avec une de mes remarques, murmura-t-il.

— Laquelle ?

— Que, si les criminels, tôt ou tard, n'éprouvaient pas le besoin de se vanter de leurs actes, il y en aurait beaucoup moins dans les prisons. Savez-vous où, après ce qu'on appelle un crime crapuleux, nous allons avant tout en chercher l'auteur ? Jadis, dans les maisons de tolérance, aujourd'hui qu'elles n'existent plus, dans le lit des filles plus ou moins publiques. Et ils parlent ! Ils sont persuadés qu'avec elles cela n'a pas d'importance, qu'ils ne risquent rien, ce qui est vrai dans la majorité des cas. Ils se racontent. Souvent ils en rajoutent.

— Vous avez essayé, cette fois-ci ?

— Il n'y a pas une fille de Paris, surtout dans le secteur de Clichy et de Montmartre, qui n'ait été interpellée ces derniers mois.

— Cela n'a rien donné ?

— Non.

— Alors, c'est pis.

— Vous voulez dire que, n'ayant pas éprouvé de détente, il recommencera fatalement ?

— Presque.

Maigret, les derniers temps, avait étudié tous les cas historiques ayant une analogie avec l'affaire du XVIIIᵉ, depuis Jack l'Éventreur, jusqu'au Vampire de Düsseldorf, en passant par l'allumeur de réverbères de Vienne et par le Polonais des fermes de l'Aisne.

— Vous croyez que, d'eux-mêmes, ils ne s'arrêtent jamais ? questionna-t-il. Il y a pourtant le précédent de Jack l'Éventreur qui, d'un jour à l'autre, a cessé de faire parler de lui.

— Qui vous prouve qu'il n'a pas été victime d'un accident, ou qu'il n'est pas mort de maladie ? Je vais aller plus loin, commissaire, et ici ce n'est plus le médecin-chef de Sainte-Anne qui parle, car je m'éloigne par trop des théories officielles.

» Les individus dans le genre du vôtre sont poussés, à leur insu, par le besoin de se faire prendre, et c'est encore une forme de l'orgueil. Ils ne supportent pas l'idée que les gens, autour d'eux, continuent à les prendre pour des êtres ordinaires. Il faut qu'ils puissent crier à la face du monde ce qu'ils ont fait, ce dont ils ont été capables.

» Cela ne signifie pas qu'ils se font prendre exprès, mais, presque toujours, ils s'entourent, à mesure que leurs crimes se multiplient, de moins de précautions, ont l'air de narguer la police, de narguer le destin.

» Certains m'ont avoué que cela avait été un soulagement pour eux d'être enfin arrêtés.

— J'ai reçu les mêmes aveux.

— Vous voyez !

De qui vint l'idée ? La soirée avait été si longue, ils avaient tourné et retourné le sujet sur tant de faces qu'après coup c'était difficile d'établir ce qui venait de l'un et ce qui était la part de l'autre.

Peut-être la suggestion avait-elle été lancée par le professeur Tissot, mais si discrètement que Pardon lui-même ne s'en était pas aperçu.

Il était déjà passé minuit quand Maigret avait murmuré, comme se parlant à lui-même :

— A supposer que quelqu'un d'autre soit arrêté et prenne en quelque sorte la place de notre tueur, usurpe ce qu'il considère comme sa gloire...

Ils y étaient arrivés.

— Je crois, en effet, répondit Tissot, que votre homme serait en proie à un sentiment de frustration.

— Reste à savoir comment il réagirait. Et aussi *quand* il réagirait.

Maigret allait déjà plus loin qu'eux, abandonnant la théorie pour envisager les solutions pratiques.

On ne savait rien du tueur. On ne possédait pas son signalement. Jusqu'ici, il avait opéré dans un seul quartier, dans un secteur déterminé, mais rien ne prouvait qu'il ne sévirait pas demain sur un autre point de Paris ou d'ailleurs.

Ce qui rendait la menace si angoissante, c'est qu'elle restait vague, imprécise.

Se passerait-il un mois avant son prochain crime ? Se passerait-il seulement trois jours ?

On ne pouvait garder à l'infini chaque rue de Paris en état de siège. Les femmes elles-mêmes, qui se terraient chez elles après chaque meurtre, reprenaient bientôt une existence plus normale, se risquaient dehors le soir en se disant que le danger était écarté.

— J'ai connu deux cas, reprit Maigret après un silence, où des criminels ont écrit aux journaux pour protester contre l'arrestation d'innocents.

— Ces gens-là écrivent souvent aux journaux, poussés par ce que j'appelle leur exhibitionnisme.

— Cela nous aiderait.

Même une lettre composée avec des mots découpés dans les journaux pouvait devenir un point de départ dans une enquête où on n'avait rien pour s'appuyer.

— Évidemment, il a devant lui une autre solution...

— Je viens d'y penser.

Une solution toute simple : immédiatement après l'arrestation d'un soi-disant coupable, commettre un autre meurtre pareil aux autres ! Peut-être en commettre deux, trois...

Ils se séparèrent sur le trottoir, devant la voiture du professeur qui retournait avec sa femme à Ville-d'Avray.

— Je vous dépose chez vous ?

— Nous habitons le quartier et avons l'habitude de marcher,

— J'ai dans l'idée que cette affaire-là m'enverra une fois encore comme expert aux Assises.

— A condition que je mette la main sur le coupable.

— Je vous fais confiance.

Ils se serrèrent la main et Maigret eut l'impression qu'une amitié était née ce soir-là.

— Tu n'as pas eu l'occasion de lui parler, dit Mme Maigret un peu plus tard, alors qu'ils marchaient tous les deux le long des maisons. C'est dommage car c'est la femme la plus intelligente que j'aie rencontrée. Comment est son mari ?

— Très bien.

Elle fit semblant de ne pas voir ce que Maigret était en train de faire, furtivement, comme quand il était gamin. Cette pluie-là était si fraîche et si savoureuse que, de temps en temps, il avançait la langue pour en happer quelques gouttes qui avaient un goût spécial.

— Vous aviez l'air de discuter sérieusement.

— Oui...

Ce fut tout sur ce sujet-là. Ils retrouvaient leur maison, leur appartement où les fenêtres étaient restées ouvertes et où Mme Maigret essuya un peu d'eau sur le parquet.

Ce fut peut-être en s'endormant, peut-être le matin à son réveil, que Maigret prit sa décision. Et le hasard voulut que, dans la matinée, Pierre Mazet, son ancien inspecteur, qu'il n'avait pas vu depuis huit ans, se présentât à son bureau.

— Qu'est-ce que tu fais à Paris ?

— Rien, patron. Je me requinque. Les moustiques africains m'ont mis mal en point et les médecins insistent pour que je me repose encore quelques mois. Après cela, je me demande s'il y aura encore une petite place pour moi au Quai.

— Parbleu !

Pourquoi pas Mazet ? Il était intelligent, ne risquait guère d'être reconnu.

— Tu veux me rendre un service ?

— C'est à moi que vous demandez ça ?

— Viens me chercher vers midi et demi et nous déjeunerons ensemble.

Pas à la Brasserie Dauphine, où ils ne passeraient pas inaperçus.

— Au fait, ne remets pas les pieds ici, évite d'aller faire le tour des bureaux et attends-moi plutôt devant le métro Châtelet.

Ils avaient déjeuné dans un restaurant de la rue Saint-Antoine et le commissaire avait expliqué à Mazet ce qu'il attendait de lui.

Il valait mieux, pour la vraisemblance, qu'il ne soit pas amené à la P.J. par quelqu'un du Quai des Orfèvres mais par des inspecteurs du XVIIIe arrondissement et le commissaire avait aussitôt pensé à Lognon. Qui sait ? Cela donnerait peut-être une chance à celui-ci. Au lieu de patrouiller les rues de Montmartre, il se trouverait mêlé plus intimement à l'enquête.

— Choisissez un de vos collègues qui ne parlera pas.

Lognon avait choisi Alfonsi.

Et la comédie s'était déroulée avec plein succès quant à la presse puisque tous les journaux parlaient déjà d'une arrestation sensationnelle.

Maigret répétait au juge Coméliau :

— Ils ont assisté à certaines allées et venues et en ont tiré eux-mêmes les conclusions. Ni moi ni mes collaborateurs ne leur avons rien dit. Au contraire, nous avons nié.

C'était rare de voir un sourire, même ironique, sur le visage du juge Coméliau.

— Et si, ce soir ou demain, les gens ne prenant plus leurs précautions à cause de cette arrestation — ou de cette fausse arrestation — un nouveau crime est commis ?

— J'y ai pensé. D'abord, les soirs qui vont suivre tous les hommes disponibles dans nos services et au commissariat du XVIIIe surveilleront étroitement le quartier.

— Cela a été fait sans résultat, il me semble ?

C'était vrai. Mais ne fallait-il donc rien tenter ?

— J'ai pris une autre précaution. Je suis allé voir le préfet de police.

— Sans m'en parler ?

— Comme je vous l'ai dit, je tiens à porter seul la responsabilité de ce qui peut arriver. Je ne suis qu'un policier. Vous êtes un magistrat.

Le mot fit plaisir à Coméliau qui, du coup, soigna davantage son attitude.

— Qu'avez-vous demandé au préfet ?

— L'autorisation d'utiliser, comme volontaires, un certain nombre de femmes appartenant à la police municipale.

Ce corps auxiliaire, d'une façon générale, ne s'occupait que de l'enfance et de la prostitution.

— Il en a fait réunir un certain nombre répondant à des conditions déterminées.

— Par exemple ?

— La taille et l'embonpoint. J'ai choisi, parmi les volontaires, celles qui se rapprochent le plus du type physique des cinq victimes. Comme elles, elles seront habillées d'une façon quelconque. Elles auront l'air de se rendre, comme des femmes du quartier, d'un endroit à un autre et certaines porteront un paquet, ou un cabas.

— En somme, vous tendez un piège.

— Toutes celles que j'ai choisies ont suivi des cours de culture physique et ont été entraînées au judo.

Coméliau était quand même un peu nerveux.

— J'en parle au procureur général ?

— Il vaudrait mieux pas.

— Savez-vous, commissaire, que je n'aime pas ça du tout ?

Alors, Maigret de répondre avec une candeur désarmante :

— Moi non plus, monsieur le juge !

C'était vrai.

Ne fallait-il pas essayer, par tous les moyens, d'empêcher l'hécatombe de continuer ?

— Officiellement, je ne suis pas au courant, n'est-ce pas ? fit le magistrat en reconduisant son visiteur à la porte.

— Vous ne savez absolument rien.

Et Maigret aurait préféré que cela fût vrai.

3

Un quartier en état de siège

Le Baron qui, comme reporter, fréquentait la P.J. depuis presque autant d'années que Maigret, le petit Rougin, tout jeune mais déjà plus ficelle que ses confrères, quatre ou cinq autres de moindre envergure, dont Maguy, la plus dangereuse parce qu'elle n'hésitait pas à pousser d'un air innocent les portes qu'on n'avait pas la précaution de fermer à clef ou à ramasser les papiers qui traînaient, un ou deux photographes, davantage à un certain moment, passèrent une bonne partie de la journée dans le couloir du Quai des Orfèvres dont ils avaient fait leur quartier général.

Parfois le gros du lot disparaissait pour aller se rafraîchir à la Brasserie Dauphine ou pour téléphoner, mais ils laissaient toujours quelqu'un en permanence, de sorte que la porte du bureau de Maigret ne resta pas sans surveillance.

Rougin, lui, avait eu l'idée de placer en outre un homme de son journal derrière Lognon qui se trouva filé dès le moment où, le matin, il quitta son domicile de la place Constantin-Pecqueur.

Ces gens-là, selon leur expression, connaissaient la musique, avaient presque autant d'expérience des choses de la police qu'un inspecteur chevronné.

Pas un ne se douta, pourtant, de l'opération qui se déroulait presque sous leurs yeux, de la sorte de mise en place géante qui avait commencé aux premières heures du jour, bien avant la visite de Maigret chez le juge Coméliau.

Par exemple, des inspecteurs qui appartenaient à des arrondissements éloignés comme le XIIᵉ, le XIVᵉ ou le XVᵉ étaient partis de chez eux avec des vêtements différant de leurs vêtements de tous les jours, certains d'entre eux en emportant une valise, voire une malle, et ils avaient pris, selon les instructions reçues, la précaution de se rendre avant tout dans une des gares de la capitale.

La chaleur était aussi pénible que la veille, la vie au ralenti, sauf dans les quartiers fréquentés par les touristes. Un peu partout on voyait défiler des cars bourrés d'étrangers et on entendait la voix des guides.

Dans le XVIIIᵉ, plus spécialement dans le secteur où les cinq crimes avaient été commis, des taxis s'arrêtaient devant les hôtels, les meublés, des gens en descendaient, que leurs bagages désignaient comme venant de la province et qui demandaient une chambre, insistaient presque toujours pour qu'elle donne sur la rue.

Tout cela s'effectuait selon un plan précis et certains des inspecteurs avaient reçu l'ordre de se faire accompagner de leur femme.

Il était rare qu'on ait à prendre de telles précautions. Mais, cette fois, pouvait-on faire confiance à qui que ce fût ? On ne savait rien du tueur. C'était encore un côté de la question que Maigret et le professeur Tissot avaient discuté au cours de la soirée chez Pardon.

— En somme, en dehors de ses crises, il se comporte nécessairement en homme normal, sinon ses bizarreries auraient déjà attiré l'attention de son entourage.

— Nécessairement, comme vous dites, avait approuvé le psychiatre. Il est même probable que, par son aspect, par ses attitudes, par sa profession, c'est l'être qu'on soupçonnerait le moins.

Il ne s'agissait pas d'un obsédé sexuel quelconque, car on connaissait ceux-ci et, depuis le 2 février, ils avaient été surveillés sans résultat. Ce n'était pas non plus une de ces épaves ou un de ces êtres inquiétants sur qui on se retourne dans la rue.

Qu'avait-il fait jusqu'à son premier crime ? Que faisait-il entre ceux-ci ?

Était-ce un solitaire, vivant dans quelque logement ou dans quelque meublé ?

Maigret aurait juré que non, que c'était un homme marié, menant une vie régulière, et Tissot aussi penchait pour cette hypothèse.

— Tout est possible, avait soupiré le professeur. On me dirait que c'est un de mes confrères que je ne protesterais pas. Cela peut être n'importe qui, un ouvrier, un employé, un petit commerçant ou un homme d'affaires important.

Cela pouvait donc être aussi un des tenanciers d'hôtels que les inspecteurs envahissaient et voilà pourquoi on ne pouvait pas, comme la plupart du temps, arriver chez eux et annoncer :

— Police ! Donnez-moi une chambre sur la rue et pas un mot à qui que ce soit.

Il valait mieux ne pas se fier aux concierges non plus. Ni aux indicateurs dont on disposait dans le quartier.

Quand Maigret regagna son bureau en quittant Coméliau, il fut assailli comme la veille par les journalistes.

— Vous avez eu une conférence avec le juge d'instruction ?

— Je lui ai rendu visite, ainsi que je le fais chaque matin.

— Vous l'avez mis au courant de l'interrogatoire d'hier ?

— Nous avons bavardé.

— Vous ne voulez toujours rien dire ?

— Je n'ai rien à dire.

Il passa chez le chef. Le rapport était terminé depuis assez longtemps. Le grand patron, lui aussi, était soucieux.

— Coméliau n'a pas exigé que vous renonciez ?

— Non. Bien entendu, en cas de pépin, il me laissera tomber.

— Vous avez toujours confiance ?

— Il faut bien.

Maigret ne tentait pas cette expérience-là de gaieté de cœur et il se rendait compte des responsabilités qu'il encourait.

— Vous croyez que les reporters marcheront jusqu'au bout ?

— Je fais l'impossible pour cela.

D'habitude il travaillait en collaboration cordiale avec la presse qui n'est pas sans rendre de précieux services. Cette fois, il n'avait pas le droit de risquer une indiscrétion involontaire. Même les inspecteurs qui envahissaient le quartier des Grandes-Carrières ignoraient encore ce qui se tramait exactement. Ils avaient reçu l'ordre d'agir de telle façon, de se poster à tel endroit et d'attendre les instructions. Ils se doutaient, bien entendu, qu'il s'agissait du tueur mais ne savaient rien de l'ensemble de l'opération.

— Vous le croyez intelligent ? avait demandé, la veille au soir, Maigret au professeur Tissot.

Il avait son idée là-dessus, mais il aimait en recevoir confirmation.

— De la sorte d'intelligence que possèdent la plupart de ces gens-là. Par exemple, il doit être capable, d'instinct, de jouer la comédie d'une façon supérieure. A supposer qu'il soit marié, il est obligé, par exemple, de reprendre son aspect normal, sans parler de son sang-froid, quand il rentre chez lui après un de ses crimes. S'il est célibataire, il n'en rencontre pas moins d'autres gens, ne fût-ce que sa logeuse ou sa concierge, sa femme de ménage, que sais-je ? Le lendemain, il se rend à son bureau, à son atelier, et il y a nécessairement des gens qui lui parlent du tueur de Montmartre. Or, en six mois, personne ne l'a soupçonné.

» En six mois il ne s'est pas non plus trompé une seule fois sur l'élément temps, et l'élément lieu. Nul témoin ne peut affirmer l'avoir vu en action, ou même fuyant le lieu d'un de ses crimes.

Cela avait amené une question qui troublait le commissaire.

— J'aimerais avoir votre avis sur un point précis. Vous venez de dire qu'il se comporte la plupart du temps comme un homme normal et, sans doute, pense-t-il alors plus ou moins en homme normal ?

— Je comprends. C'est probable.

— Par cinq fois, il a eu ce que j'appellerai une crise, par cinq fois il est sorti de sa normalité pour tuer. A quel moment se place l'impulsion ? Voyez-vous ce que je veux dire ? A quel moment cesse-t-il de se comporter comme vous et moi pour se comporter en tueur ? Cela le prend-il n'importe quand, au cours de la journée, et attend-il que la nuit tombe en préparant son plan d'action ? Au contraire, l'impulsion ne lui vient-elle qu'à l'instant où l'occasion se présente, à l'instant où, passant dans une rue déserte, il aperçoit une victime possible ?

Pour lui, la réponse était d'une importance capitale car elle pouvait restreindre ou élargir le champ des recherches.

Si l'impulsion venait au moment de tuer, l'homme vivait forcément dans le quartier des Grandes-Carrières ou dans les environs, y était appelé, en tout cas, le soir, soit par sa profession, soit pour d'autres raisons banales.

Dans le cas contraire, il était possible qu'il vienne de n'importe où, qu'il ait choisi les rues allant de la place Clichy à la rue Lamarck et à la rue des Abbesses pour des raisons d'opportunité ou pour des raisons connues de lui seul.

Tissot avait réfléchi un bon moment avant de prendre la parole.

— Je ne puis évidemment établir un diagnostic comme si j'avais le patient devant moi...

Il avait dit « patient » comme s'il s'agissait d'un de ses malades et le mot, qui n'échappa pas au commissaire, lui fit plaisir. Cela lui confirmait qu'ils voyaient tous les deux le drame sous le même jour.

— A mon avis, cependant, pour user d'une comparaison, il y a un moment où il part en chasse, comme un fauve, comme un félin, ou tout simplement comme un chat. Vous avez déjà observé un chat ?

— Souvent quand j'étais jeune.

— Ses mouvements ne sont plus les mêmes. Il est ramassé sur lui-même et tous ses sens sont en éveil. Il devient capable de percevoir le moindre son, le moindre frémissement, la plus légère odeur à des distances considérables. Dès cet instant, il flaire les dangers et les évite.

— Je vois.

— C'est un peu comme si, lorsqu'il se trouve dans cet état-là, notre homme était doué de double vue.

— Rien ne vous permet, je suppose, d'émettre une hypothèse sur ce qui déclenche le mécanisme ?

— Rien. Cela peut être un souvenir, la vue d'une passante dans la foule, une bouffée de tel parfum, une phrase entendue au vol. Cela peut être n'importe quoi, y compris la vue d'un couteau ou d'une robe de telle couleur. S'est-on préoccupé de la couleur des vêtements portés par les victimes ? La presse n'en a pas parlé.

— Les couleurs étaient différentes, presque toutes assez neutres pour ne pas être remarquées dans la nuit.

Quand il rentra dans son bureau, il retira son veston comme la veille, sa cravate, ouvrit le col de sa chemise et, parce que le soleil frappait en plein son fauteuil, baissa le store écru. Après quoi il ouvrit la porte du bureau des inspecteurs.

— Tu es là, Janvier.

— Oui, patron.

— Rien de nouveau ? Pas de lettre anonyme ?

— Seulement des lettres de gens qui dénoncent leur voisin.

— Qu'on vérifie. Et qu'on m'amène Mazet.

Celui-ci n'avait pas couché au Dépôt mais était rentré chez lui en quittant le Palais de Justice par une petite porte. Depuis huit heures du matin, il avait dû reprendre sa place à la Souricière.

— Je descends moi-même ?

— Cela vaut mieux.

— Toujours pas de menottes ?

— Non.

Il ne voulait pas tricher à ce point-là vis-à-vis des journalistes. Qu'ils tirent, de ce qu'ils voyaient, les conclusions qu'ils voulaient. Maigret n'allait pas jusqu'à truquer les cartes.

— Allô ! Passez-moi le commissariat des Grandes-Carrières, s'il vous plaît... L'inspecteur Lognon... Allô ! Lognon ?... Rien de neuf, là-bas ?

— Quelqu'un m'attendait ce matin devant ma porte et m'a suivi. Il est maintenant en face du commissariat.

— Il ne se cache pas ?

— Non. Je crois que c'est un journaliste.

— Fais vérifier ses papiers. Tout se passe comme prévu ?

— J'ai trouvé trois chambres, chez des amis. Ils ignorent de quoi il s'agit. Vous voulez les adresses ?

— Non. Arrive ici dans trois quarts d'heure environ.

La même scène que la veille eut lieu dans le couloir quand Pierre Mazet fit son apparition entre deux inspecteurs, son chapeau toujours devant le visage. Les photographes opérèrent. Les journalistes lancèrent des questions qui restèrent sans réponse. Maguy parvint à faire tomber le chapeau qu'elle ramassa sur le plancher tandis que l'ex-colonial se cachait de ses deux mains.

La porte se referma et le bureau de Maigret ne tarda pas à prendre l'aspect d'un poste de commandement.

La mise en place continuait, silencieusement, là-haut, dans les rues paisibles de Montmartre où maintes boutiques étaient fermées pour quinze jours ou pour un mois à cause des vacances.

Plus de quatre cents personnes avaient un rôle à jouer, non seulement les guetteurs dans les hôtels et dans les quelques appartements dont on avait pu disposer sans danger d'indiscrétion, mais celles qui allaient occuper des postes déterminés aux stations de métro, aux arrêts d'autobus, dans les moindres bistrots et restaurant ouverts le soir.

Afin que cela n'eût pas l'air d'un envahissement, on procédait par étapes.

Les femmes auxiliaires, elles aussi, recevaient, par téléphone, des instructions détaillées et, comme dans un quartier général, des plans étaient étalés, sur lesquels les positions de chacun étaient notées.

Vingt inspecteurs, parmi ceux qui ne paraissent pas d'habitude en public, avaient loué, non seulement à Paris, mais dans la banlieue et jusqu'à Versailles, des autos aux plaques innocentes qui stationneraient en temps voulu à des endroits stratégiques où elles ne se remarqueraient pas parmi les autres voitures.

— Fais monter de la bière, Lucas.

— Sandwiches ?

— Cela vaut mieux.

Pas seulement à cause des journalistes, pour faire croire à un nouvel interrogatoire, mais parce qu'ils étaient tous occupés et que personne n'aurait le temps d'aller déjeuner.

Lognon arriva à son tour, toujours avec sa cravate rouge et son chapeau de paille. A première vue, on se demandait ce qu'il y avait de changé en lui et on était surpris de constater à quel point la couleur d'une cravate peut transformer un homme. Il avait l'air presque guilleret.

— Ton type t'a suivi ?

— Oui. Il est dans le couloir. C'est bien un reporter.

— Il en est resté aux alentours du commissariat ?

— Il y en a un d'installé dans le commissariat même.

Un premier journal en parla aux environs de midi. Il répétait les informations des feuilles du matin en ajoutant que la fièvre des grands jours continuait à régner au Quai des Orfèvres mais que le secret le plus absolu entourait toujours l'homme qu'on avait arrêté.

Si la police l'avait pu, disait-on entre autres, *elle aurait sans doute muni son prisonnier d'un masque de fer.*

Cela amusa Mazet. Il aidait les autres, donnait, lui aussi, des coups de téléphone, traçait, sur le plan, des croix au crayon bleu ou rouge, tout heureux de respirer à nouveau l'atmosphère de la maison où il se sentait déjà chez lui.

L'atmosphère changea quand le garçon de la Brasserie Dauphine frappa à la porte car, même pour lui, il était nécessaire de jouer la comédie, après quoi on se précipita sur les demis et les sandwiches.

Les journaux de l'après-midi ne publiaient aucun message du meurtrier, qui ne semblait pas avoir l'intention de s'adresser à la presse.

— Je me repose un moment, mes enfants. J'aurai besoin, ce soir, d'être frais et dispos.

Maigret traversa la pièce des inspecteurs, entra dans un petit bureau désert où il s'installa dans un fauteuil et, quelques minutes plus tard, il était assoupi.

Vers trois heures, il renvoya Mazet à la Souricière et ordonna à Janvier et à Lucas de se reposer tour à tour. Quant à Lapointe, vêtu d'une combinaison bleue, il se promenait dans les rues du quartier des Grandes-Carrières au volant d'un triporteur. La casquette sur l'oreille, la cigarette collée à la lèvre inférieure, il paraissait dix-huit ans et, de temps en temps, de quelque bistrot où il s'arrêtait pour un blanc-vichy, il téléphonait au quartier général.

A mesure que le temps passait, tout le monde commençait à s'énerver et Maigret lui-même perdait un peu de son assurance.

Rien n'indiquait que quelque chose se passerait ce soir-là. Même si l'homme décidait de tuer à nouveau pour s'affirmer, cela pouvait se passer le lendemain soir, le surlendemain, dans huit ou dans dix jours et il était impossible de maintenir longtemps des effectifs aussi importants en alerte.

Il était impossible aussi de garder, pendant une semaine, un secret partagé par tant de monde.

Et si l'homme décidait d'agir tout de suite ?

Maigret avait toujours en tête sa conversation avec le professeur Tissot et des bribes lui en revenaient à chaque instant.

A quel moment l'impulsion lui viendrait-elle ? A cette heure-ci, pendant qu'on était occupé à tendre le piège, il n'était, pour tous ceux qui l'approchaient, qu'un homme comme les autres. Des gens lui parlaient, le servaient sans doute à table, lui serraient la main. Il parlait aussi, souriait, riait peut-être.

Est-ce que le déclic avait déjà eu lieu ? S'était-il produit dès le matin, à la lecture des journaux ?

N'allait-il pas plutôt se dire que, puisque la police croyait tenir un coupable, elle cesserait les recherches et qu'ainsi il était en sûreté ?

Qu'est-ce qui prouvait que Tissot et le commissaire ne s'étaient pas trompés, qu'ils n'avaient pas mal jugé de la réaction de celui que le professeur avait appelé le « patient » ?

Jusqu'ici, il n'avait tué que le soir, attendant que la nuit soit tombée. Mais, à cette heure même, à cause des vacances, de la chaleur, il existait dans Paris des quantités de rues où plusieurs minutes s'écoulaient sans qu'on aperçoive un passant.

Maigret se souvenait des rues du Midi, l'été, à l'heure de la sieste, avec leurs volets clos, de l'engourdissement quotidien de tout un village ou de toute une ville sous un soleil pesant.

Aujourd'hui même, il y avait, dans Montmartre, des rues presque semblables.

Or, la police avait procédé à un certain nombre de reconstitutions.

A chacun des endroits où un crime avait été commis, la topographie était telle que le meurtrier avait pu disparaître dans un minimum de temps. Un temps plus court la nuit que le jour, certes. Mais, même en plein jour, dans des circonstances favorables, il pouvait tuer, lacérer les vêtements de sa victime et s'éloigner en moins de deux minutes.

D'ailleurs pourquoi cela se passerait-il nécessairement dans la rue ? Qu'est-ce qui l'empêchait de frapper à la porte d'un appartement où il savait trouver une femme seule et d'agir alors comme il le faisait sur la voie publique ? Rien, sinon que les maniaques — comme la plupart des criminels et même des voleurs — emploient *presque toujours* une même technique et se répètent dans les moindres détails.

Il ferait jour jusqu'aux environs de neuf heures, la nuit ne serait vraiment obscure qu'aux alentours de neuf heures et demie. La lune, à son troisième quartier, ne serait pas trop brillante et il y avait des chances qu'elle fût voilée, comme la veille, par des nuages de chaleur.

Tous ces détails-là avaient leur importance.

— Ils sont toujours dans le couloir ?

— Seulement le Baron.

Ils s'arrangeaient entre eux, parfois, pour que l'un monte la garde et alerte ses confrères en cas d'événement.

— A six heures, chacun s'en ira comme d'habitude, sauf Lucas, qui restera ici en permanence et que Torrence rejoindra vers huit heures.

Avec Janvier, Lognon et Mauvoisin, Maigret alla prendre l'apéritif à la Brasserie Dauphine.

A sept heures, il rentra chez lui et dîna, la fenêtre ouverte sur le boulevard Richard-Lenoir qui était plus calme qu'à aucun autre moment de l'année.

— Tu as eu chaud ! remarqua Mme Maigret en regardant sa chemise. Si tu sors, tu ferais mieux de te changer.

— Je sors.

— Il n'a pas avoué ?

Il préféra ne pas répondre, car il n'aimait pas lui mentir.

— Tu rentreras tard ?

— C'est plus que probable.

— Espères-tu toujours que, cette affaire-là finie, nous pourrons prendre des vacances ?

Il avait été question, au cours de l'hiver, d'un séjour en Bretagne, à Beuzec-Conq, près de Concarneau, mais, comme cela arrivait presque chaque année, les vacances étaient repoussées de mois en mois.

— Peut-être ! soupira Maigret.

Sinon, cela signifierait que son coup était raté, que le tueur avait passé à travers les mailles du filet, ou qu'il n'avait pas réagi comme Tissot et lui l'avaient escompté. Cela signifierait aussi de nouvelles victimes, l'impatience du public et de la presse, l'ironie ou la fureur du juge Coméliau, voire, comme cela se produit trop souvent, des interpellations à la Chambre et des explications à fournir en haut lieu.

Cela signifierait surtout des femmes mortes, des femmes petites et boulottes, à l'aspect de braves ménagères qui s'en vont faire une course ou rendre une visite le soir dans leur quartier.

— Tu parais fatigué.

Il n'était pas pressé de partir. Il traînait, le dîner fini, dans son appartement, fumant sa pipe, hésitant à se servir un petit verre de prunelle, se campant parfois devant la fenêtre à laquelle il finit par s'accouder.

Mme Maigret ne le dérangea plus. Quand il chercha son veston, seulement, elle lui apporta une chemise fraîche qu'elle l'aida à passer. Il essaya d'agir aussi discrètement que possible, mais elle ne le vit pas moins ouvrir un tiroir et y saisir son automatique qu'il glissa dans sa poche.

Cela ne lui arrivait pas souvent. Il n'avait aucune envie de tuer, même un être aussi dangereux que celui-là. Il n'en avait pas moins donné l'ordre à tous ses collaborateurs d'être armés et de protéger les femmes *à tout prix*.

Il ne retourna pas au Quai. Il était neuf heures quand il arriva au coin du boulevard Voltaire où une voiture qui n'appartenait pas à la police l'attendait, avec un homme au volant. L'homme, attaché au commissariat du XVIIIe, portait un uniforme de chauffeur.

— On y va, patron ?

Maigret s'installa sur la banquette du fond, déjà noyé par la pénombre, et la voiture, ainsi, avait l'air d'une de ces voitures que les touristes louent à la journée près de la Madeleine ou de l'Opéra.

— Place Clichy ?

— Oui.

Durant le parcours, il ne dit pas un mot, se contenta, place Clichy, de grommeler :

— Monte la rue Caulaincourt, pas trop vite, comme si tu cherchais à lire les numéros des maisons.

Aux environs des boulevards, les rues étaient assez animées et, un peu partout, aux fenêtres, des gens prenaient le frais. Il y avait du monde aussi, plus ou moins débraillé, à la terrasse des moindres cafés et la plupart des restaurants servaient leurs clients sur le trottoir.

Il paraissait impossible qu'un crime se commette dans ces conditions-là, et pourtant les conditions étaient presque les mêmes lorsque Georgette Lecoin, la dernière en date des victimes, avait été tuée rue Tholozé, à moins de cinquante mètres d'un bal musette dont l'enseigne au néon rouge éclairait le trottoir.

Pour qui connaissait le quartier à fond, il existait, tout près des artères animées, cent ruelles désertes, cent recoins où un attentat pouvait se commettre presque sans danger.

Deux minutes. On avait calculé qu'il ne fallait que deux minutes au tueur et, s'il était vif, il lui en fallait peut-être moins encore.

Qu'est-ce qui le poussait, son crime commis, à lacérer les vêtements de la victime ?

Il ne touchait pas celle-ci. Il n'était pas question, pour lui, comme dans certains cas connus, de mettre à découvert les parties sexuelles. Il lacérait le tissu à grands coups de couteau, pris d'une sorte de rage, comme un enfant s'acharne sur une poupée ou piétine un jouet.

Tissot en avait parlé aussi, mais avec réticence. On le sentait tenté d'adopter certaines théories de Freud et de ses disciples, mais on aurait dit que cela lui semblait trop facile.

— Il faudrait connaître son passé, y compris son enfance, retrouver le choc initial, qu'il a peut-être lui-même oublié...

Chaque fois qu'il pensait ainsi au meurtrier, Maigret était pris d'une impatience fébrile. Il avait hâte de pouvoir imaginer un visage, des traits précis, une silhouette humaine au lieu de cette sorte d'entité vague que d'aucuns appelaient le tueur, ou le dément, ou encore le monstre, que Tissot, enfin, involontairement, comme on commet un lapsus, avait appelé un patient.

Il rageait de sa propre impuissance. C'était presque un défi personnel qu'on lui lançait.

Il aurait voulu se trouver face à face avec l'homme, n'importe où, le regarder bien en face, les yeux dans les yeux, lui ordonner :

— Maintenant, parle...

Il avait besoin de savoir. L'attente l'angoissait, l'empêchait de porter toute son attention à des détails matériels.

Machinalement, certes, il repérait ses hommes aux divers endroits où il les avait postés. Il ne les connaissait pas tous. Beaucoup ne dépendaient pas de son service. Il n'en savait pas moins que telle silhouette derrière le rideau d'une fenêtre correspondait à tel nom, que telle femme qui passait, essoufflée, se rendant Dieu sait où d'une démarche saccadée à cause de ses talons trop hauts, était une des auxiliaires.

Depuis février, depuis son premier crime, l'homme avait chaque fois retardé l'heure de ses attentats, passant de huit heures du soir à neuf heures quarante-cinq. Mais maintenant que les jours raccourcissaient au lieu de s'allonger, que la nuit tombait plus tôt ?

D'un moment à l'autre, on pouvait entendre le cri d'un passant heurtant dans l'obscurité un corps étendu sur le trottoir. C'était ainsi que la plupart des victimes avaient été découvertes, presque toujours après quelques minutes, une seule fois, selon le médecin légiste, après un quart d'heure environ.

L'auto avait dépassé la rue Lamarck, était entrée dans un secteur où, jusqu'ici, il ne s'était rien passé.

— Qu'est-ce que je fais, patron ?

— Continue et reviens par la rue des Abbesses.

Il aurait pu rester en contact avec certains de ses collaborateurs en prenant une voiture radio, mais celle-ci aurait été trop visible.

Qui sait si, avant chaque attentat, l'homme n'épiait pas les allées et venues du quartier pendant des heures ?

Presque toujours, on sait qu'un assassin appartient à telle ou telle catégorie ; même si on ne possède pas son signalement, on a une idée de son aspect général, du milieu social dans lequel il évolue.

— Faites qu'il n'y ait pas de victime ce soir !

C'était une prière comme il en faisait, enfant, avant de s'endormir. Il ne s'en rendait même pas compte.

— Vous avez vu ?

— Quoi ?

— L'ivrogne, près du bec de gaz.

— Qui est-ce ?

— Un de mes copains, Dutilleux. Il adore se déguiser, surtout en ivrogne.

A dix heures moins le quart, il ne s'était rien passé.

— Arrête-toi devant la Brasserie Pigalle.

Maigret commanda un demi en passant, s'enferma dans la cabine, appela la P.J. Ce fut Lucas qui répondit.

— Rien ?

— Encore rien. Une fille publique, seulement, qui se plaint d'avoir été houspillée par un matelot étranger.

— Torrence est avec toi ?

— Oui.

— Le Baron ?

— Il doit être allé se coucher.

L'heure à laquelle le dernier crime avait été commis était passée. Cela signifiait-il que l'homme se préoccupait moins de l'obscurité que de l'heure ? Ou encore que la fausse arrestation n'avait eu aucun effet sur lui ?

Maigret eut un sourire ironique en regagnant la voiture et c'est à lui-même que s'adressait l'ironie. Qui sait ? Celui qu'il traquait de la sorte dans les rues de Montmartre était peut-être, en ce moment, en vacances sur une plage du Calvados ou à la campagne, dans une pension de famille.

Le découragement s'emparait de lui, soudain, pour ainsi dire d'une seconde à l'autre. Ses efforts, ceux de ses collaborateurs lui paraissaient vains, presque ridicules.

Sur quoi toute cette mise en scène, qui avait pris tant de temps à monter, était-elle basée ? Sur rien. Sur moins que rien. Sur une sorte d'intuition qu'il avait eue après un bon dîner, en bavardant, dans un paisible salon de la rue Picpus, avec le professeur Tissot.

Mais Tissot lui-même n'aurait-il pas été effaré en apprenant le sort que le commissaire avait fait à une conversation en l'air ?

Et si l'homme n'était nullement poussé par l'orgueil, par le besoin de s'affirmer ?

Même tous ces mots-là, qu'il avait prononcés comme s'il faisait une découverte, n'étaient pas maintenant sans l'écœurer.

Il y avait trop pensé. Il avait trop travaillé le problème. Il n'y croyait plus, en venait presque à douter de la réalité du tueur.

— Où, patron ?

— Où tu voudras.

L'étonnement qu'il lut dans les yeux de l'homme tourné vers lui lui fit prendre conscience de son propre découragement et il en eut honte. Il n'avait pas le droit, devant ses collaborateurs, de perdre la foi.

— Monte la rue Lepic jusqu'en haut.

Il passa devant le Moulin de la Galette et regarda l'endroit exact du trottoir où on avait retrouvé le corps de la sage-femme Joséphine Simmer.

La réalité était donc là. Cinq crimes avaient été commis. Et le tueur était toujours en liberté, peut-être prêt à frapper de nouveau.

Est-ce que la femme d'une quarantaine d'années, sans chapeau, qui descendait la rue à petits pas, en tirant un caniche au bout d'une laisse, n'était pas une des auxiliaires ?

Il y en avaient d'autres, dans les rues d'alentour, qui risquaient leur vie à l'instant même. Elles étaient volontaires. Ce n'en était pas moins lui qui leur avait assigné leur tâche. C'était à lui de les protéger.

Toutes les dispositions avaient-elles été prises ?

L'après-midi, sur le papier, le plan lui avait semblé parfait. Chaque secteur considéré comme dangereux était surveillé. Les auxiliaires étaient sur leurs gardes. Des guetteurs invisibles se tenaient prêts à intervenir.

Mais aucun coin n'avait-il été oublié ? Quelqu'un, pendant ne fût-ce qu'une minute, ne relâcherait-il pas sa surveillance ?

Après le découragement, c'était le trac qui s'emparait de lui et peut-être, si cela avait encore été possible, aurait-il ordonné de tout arrêter.

L'expérience n'avait-elle pas assez duré ? Il était dix heures. Il ne s'était rien produit. Il ne se produirait plus rien et cela valait mieux ainsi.

Place du Tertre, aux allures de fête foraine, il y avait foule autour des petites tables où l'on servait du vin rosé et des musiques éclataient dans tous les coins, un homme mangeait du feu, un autre, dans le vacarme, s'obstinait à jouer sur son violon un air de 1900. Or, à moins de cent mètres, les ruelles étaient désertes et le tueur pouvait agir sans danger.

— Redescends.

— Par le même chemin ?

Il aurait mieux fait de s'en tenir aux méthodes habituelles, même si elles étaient lentes, même si elles n'avaient rien donné pendant six mois.

— Dirige-toi vers la place Constantin-Pecqueur.

— Par l'avenue Junot ?

— Si tu veux.

Quelques couples marchaient lentement sur les trottoirs, bras dessus bras dessous, et Maigret en aperçut un, bouche à bouche, les yeux clos, dans une encoignure, juste en dessous d'un bec de gaz.

Deux cafés étaient encore ouverts, place Constantin-Pecqueur, et il n'y avait pas de lumière aux fenêtres de Lognon. Celui-ci, qui connaissait le mieux le quartier, arpentait les rues, à pied, comme un chien de chasse bat les broussailles et un instant le commissaire l'imagina avec la langue pendante et le souffle brûlant d'un épagneul.

— Quelle heure ?

— Dix heures dix. Plus exactement dix heures neuf.

— Chut...

Ils tendirent l'oreille, eurent l'impression d'entendre des pas de gens qui courent, plus haut, vers l'avenue Junot qu'ils venaient de descendre.

Avant les pas, il y avait eu autre chose, un coup de sifflet, peut-être deux.

— Où est-ce ?

— Je ne sais pas.

Il était difficile de se rendre compte de la direction exacte d'où venaient les sons.

Comme ils étaient encore à l'arrêt, une petite auto noire, une de celles de la P.J., les frôla, piquant à toute allure vers l'avenue Junot.

— Suis-la.

D'autres voitures en stationnement, qui paraissaient inoccupées quelques minutes plus tôt, s'étaient mises en mouvement, fonçant toutes dans la même direction, et deux autres coups de sifflet déchirèrent l'air, plus proches, cette fois, car l'auto de Maigret avait déjà parcouru cinq cents mètres.

On entendait des voix d'hommes et de femmes. Quelqu'un courait sur un trottoir et une autre silhouette dégringolait les escaliers de pierre.

Il s'était enfin passé quelque chose.

4

Le rendez-vous de l'auxiliaire

Tout fut si confus, d'abord, dans les rues mal éclairées, qu'il fut impossible de savoir ce qui se passait et ce n'est que beaucoup plus tard, en recollant des témoignages eux-mêmes plus ou moins exacts, qu'on put se faire une idée d'ensemble.

Maigret, dont le chauffeur fonçait à toute allure dans des ruelles en pente qui, la nuit, prenaient l'aspect d'un décor de théâtre, ne savait plus exactement où il se trouvait, sinon qu'on se rapprochait de la place du Tertre dont il lui semblait entendre vaguement les musiques.

Ce qui ajoutait à la confusion, c'est qu'il y avait mouvement dans les deux sens. Des autos, des gens qui couraient — sans doute pour la plupart des policiers — convergeaient vers un point qui semblait être quelque part dans la rue Norvins, tandis que d'autres silhouettes, au contraire, une bicyclette non éclairée, deux voitures, puis trois, se précipitaient en sens inverse.

— Par là ! criait quelqu'un. Je l'ai vu passer...

On poursuivait un homme et c'était peut-être un de ceux que le commissaire avait aperçus. Il crut aussi, dans un petit personnage qui courait très vite et qui avait perdu son chapeau, reconnaître l'inspecteur Malgracieux, mais il ne put en être sûr.

Ce qui comptait pour lui, en ce moment, était de savoir si le tueur avait réussi, si une femme était morte et, quand il aperçut enfin un groupe d'une dizaine de personnes dans l'ombre d'un trottoir, c'est à terre qu'il regarda d'abord avec anxiété.

Il n'eut pas l'impression que les gens étaient penchés vers le sol. Il les voyait gesticuler et déjà, au coin d'une ruelle, un agent en uniforme, jailli Dieu sait d'où, essayait d'arrêter les curieux qui affluaient de la place du Tertre.

Quelqu'un qui surgissait de l'obscurité s'approcha de lui comme il sortait de l'auto.

— C'est vous, patron ?

Les rayons d'une torche électrique cherchèrent son visage, comme si chacun se méfiait de chacun.

— Elle n'est pas blessée.

Il fut un certain temps à reconnaître celui qui lui parlait ainsi, un inspecteur de ses services, pourtant.

— Que s'est-il passé ?

— Je ne sais pas au juste. L'homme a pu s'enfuir. On est à sa poursuite. Cela m'étonnerait qu'il parvienne à s'échapper avec tout le quartier en état de siège.

Enfin, il atteignit le noyau de cette agitation, une femme vêtue d'une robe bleue assez claire qui lui rappela quelque chose et dont la poitrine se soulevait encore à un rythme précipité. Elle recommençait à sourire, du sourire tremblant de ceux qui viennent de l'échapper belle.

Elle reconnut Maigret.

— Je m'excuse de n'être pas parvenue à le maîtriser, dit-elle. Je me demande encore comment il a pu me glisser des mains.

Elle ne savait plus à qui elle avait déjà raconté le début de son aventure.

— Tenez ! Un des boutons de son veston m'est resté dans la main.

Elle le tendait au commissaire, une petite chose lisse et sombre, avec encore du fil et peut-être un peu de tissu qui y restait attaché.

— Il vous a attaquée ?

— Comme je passais devant cette allée.

Une sorte de couloir absolument noir, sans porte, débouchait sur la rue.

— J'étais aux aguets. En apercevant l'allée, j'ai eu comme une intuition et j'ai dû faire un effort pour continuer à marcher du même pas.

Maigret, maintenant, croyait la reconnaître, reconnaître en tout cas le bleu de la robe. N'était-ce pas la même fille qu'il avait aperçue tout à l'heure dans une encoignure, collée à un homme, les lèvres soudées aux lèvres de celui-ci ?

— Il m'a laissée dépasser l'ouverture et, juste alors, j'ai senti un mouvement, l'air qui bougeait derrière moi. Une main a essayé de me saisir la gorge et, je ne sais comment, j'ai réussi une prise de judo.

Le bruit avait dû courir, place du Tertre, de ce qui venait de se passer et la plupart des noctambules abandonnaient les tables couvertes de nappes à carreaux rouges, les lanternes vénitiennes, les carafes de vin rosé pour se précipiter dans une même direction. L'agent en uniforme était débordé. Un car de police montait de la rue Caulaincourt. On allait essayer de canaliser la foule.

Combien d'inspecteurs étaient-ils, dans les rues voisines, aux détours imprévisibles, aux recoins multiples, à traquer le fuyard ?

Maigret eut l'impression que, de ce point de vue-là tout au moins, la partie était d'ores et déjà perdue. Une fois de plus, le tueur avait eu un trait de génie, celui d'opérer à moins de cent mètres d'une sorte de foire, sachant bien que, l'alerte donnée, la foule ne manquerait pas de jeter la pagaille.

Autant qu'il s'en souvînt — il ne prit pas le temps de consulter son plan de bataille — c'était Mauvoisin qui devait se trouver à la tête du secteur et qui, par conséquent, était occupé à diriger les opérations. Il le chercha des yeux, ne le vit pas.

La présence du commissaire n'était d'aucune utilité. Le reste, maintenant, était plutôt une question de chance.

— Montez dans ma voiture, dit-il à la jeune fille.

Il reconnaissait une des auxiliaires et cela le chiffonnait toujours de l'avoir aperçue un peu plus tôt dans les bras d'un homme.

— Comment vous appelle-t-on ?

— Marthe Jusserand.

— Vous avez vingt-deux ans ?

— Vingt-cinq.

Elle était à peu près du même calibre physique que les cinq victimes du tueur, mais tout en muscles.

— A la P.J. ! commanda Maigret à son chauffeur.

Il valait mieux, pour lui, se tenir à l'endroit où toutes les informations aboutiraient fatalement que rester au milieu d'une agitation qui paraissait désordonnée.

Un peu plus loin, il aperçut Mauvoisin qui donnait des instructions à ses collaborateurs.

— Je rentre au Quai, lui lança-t-il. Qu'on me tienne au courant.

Une voiture radio arrivait à son tour. Deux autres, qui devaient croiser dans les environs, ne tarderaient pas à apporter du renfort.

— Vous avez eu peur ? demanda-t-il à sa compagne alors qu'ils atteignaient des rues où l'animation était normale.

La foule, place Clichy, sortait d'un cinéma. Les cafés et les bars étaient éclairés, rassurants, avec encore des consommateurs aux terrasses.

— Pas tellement sur le moment, mais tout de suite après. J'ai même cru que mes jambes allaient flancher.

— Vous l'avez vu ?

— Un instant son visage a été tout près du mien et pourtant je me demande si je serais capable de le reconnaître. J'ai été pendant trois ans monitrice de culture physique avant de passer mon concours de la police. Je suis très forte, vous savez. J'ai fait du judo, comme les autres auxiliaires.

— Vous n'avez pas crié ?

— Je ne sais plus.

On devait apprendre plus tard, par l'inspecteur posté à la fenêtre d'un meublé assez proche, qu'elle n'avait appelé à l'aide qu'une fois son agresseur en fuite.

— Il porte un complet sombre. Ses cheveux sont châtain clair et il paraît assez jeune.

— Quel âge, à votre avis ?

— Je ne sais pas. J'étais trop émue. J'avais bien en tête ce que je devais faire en cas d'attaque mais, lorsque c'est arrivé, j'ai tout oublié. Je pensais au couteau qu'il avait à la main.

— Vous l'avez vu ?

Elle garda le silence pendant quelques secondes.

— Maintenant, je me demande si je l'ai vu ou si seulement j'ai cru le voir parce que je savais qu'il y était. Par contre, je jurerais que ses yeux sont bleus ou gris. Il paraissait souffrir. J'avais réussi une prise de l'avant-bras et je devais lui faire très mal. C'était une question de secondes avant qu'il soit obligé de ployer et de s'étaler sur le trottoir.

— Il a pu se dégager ?

— Il faut croire. Il m'a glissé des mains, je me demande encore comment. J'ai attrapé quelque chose, le bouton de son veston, et l'instant d'après je n'avais plus que ce bouton entre les doigts tandis qu'une silhouette s'éloignait en courant. Tout cela a été extrêmement rapide. A moi, évidemment, cela a semblé long.

— Vous ne voulez pas boire quelque chose pour vous remonter ?

— Je ne bois jamais. Mais je fumerais volontiers une cigarette.

— Je vous en prie.

— Je n'en ai pas. Il y a un mois, j'ai décidé de ne plus fumer.

Maigret fit arrêter la voiture au plus proche bureau de tabac.

— Quelle sorte ?

— Des américaines.

Cela devait être la première fois que le commissaire se trouvait acheter des cigarettes américaines.

Quai des Orfèvres, où il la fit monter devant lui, ils trouvèrent Lucas et Torrence chacun à un téléphone. Maigret leur adressa un signe interrogateur auquel, tour à tour, ils répondirent par une moue.

On n'avait pas encore attrapé l'homme.

— Asseyez-vous, mademoiselle.

— Je me sens tout à fait bien, à présent. Tant pis pour la cigarette. Ce sont les jours suivants qu'il va être dur de ne plus fumer.

Maigret répéta à Lucas, qui avait fini sa communication, le signalement qu'on venait de lui fournir.

— Transmets-le à tout le monde, y compris les gares.

Et, à la jeune fille :

— Quelle taille ?

— Pas plus grand que moi.

Donc, l'homme était plutôt petit.

— Maigre ?

— En tout cas pas gros.

— Vingt ans ? Trente ans ? Quarante ?

Elle avait dit jeune, mais ce mot-là peut avoir des sens fort différents.

— Je dirais plutôt trente.

— Vous ne vous rappelez aucun autre détail ?

— Non.

— Il portait une cravate ?

— Je suppose.

— A-t-il l'air d'un rôdeur, d'un ouvrier, d'un employé ?

Elle coopérait de son mieux, mais ses souvenirs étaient fragmentaires.

— Il me semble que, dans la rue, à toute autre occasion, je ne l'aurais pas remarqué. Ce qu'on appelle quelqu'un de bien.

Elle leva soudain la main, comme une élève à l'école — et il n'y avait pas si longtemps qu'elle avait cessé d'être une écolière.

— Il avait une bague au doigt !

— Une bague ou une alliance ?

— Un instant...

Elle fermait les yeux, semblait reprendre la position qu'elle avait au moment de la lutte.

— Je l'ai d'abord sentie sous mes doigts, puis, au cours de la prise de judo, sa main s'est trouvée près de mon visage... Une chevalière aurait été plus grosse... Il y aurait eu un chaton... C'était certainement une alliance...

— Tu as entendu, Lucas ?

— Oui, patron.

— Les cheveux longs, courts ?

— Pas courts. Je les revois sur une de ses oreilles alors que sa tête était penchée, presque parallèle au trottoir.

— Tu notes toujours ?

— Oui.

— Venez dans mon bureau.

Il retira machinalement son veston alors que, pourtant, la nuit était assez fraîche, tout au moins en comparaison avec la journée.

— Asseyez-vous. Vous êtes sûre que vous ne voulez rien prendre ?

— Sûre.

— Avant que l'homme vous attaque, vous n'avez pas fait une autre rencontre ?

Un flot de sang lui monta aux joues et aux oreilles. Sur des muscles de sportive, elle avait gardé une peau très fine, très tendre.

— Oui.

— Dites-moi tout.

— Tant pis si j'ai eu tort. Je suis fiancée.

— Que fait votre fiancé ?

— Il termine sa dernière année de Droit. Son intention est d'entrer, lui aussi, dans la police...

Pas à la façon de Maigret jadis, par le bas, en commençant sur la voie publique, mais par les concours.

— Vous l'avez vu ce soir ?

— Oui.

— Vous l'avez mis au courant de ce qui se préparait ?

— Non. Je lui ai demandé de passer la soirée place du Tertre.

— Vous aviez peur ?

— Non. J'aimais le sentir pas trop loin de moi.

— Et vous lui aviez donné un autre rendez-vous ?

Elle était mal à l'aise, passait d'une jambe sur l'autre, essayant de savoir, par de petits coups d'œil, si Maigret était fâché ou non.

— Je vais vous dire toute la vérité, monsieur le commissaire. Tant pis si je me suis trompée. On nous avait donné comme instruction, n'est-ce pas, d'agir aussi naturellement que possible, comme n'importe quelle jeune fille ou n'importe quelle femme qui, le soir, est appelée à se trouver dehors. Or, le soir, on voit souvent des couples qui s'embrassent et qui se séparent pour s'en aller chacun de son côté.

— C'est pour cela que vous avez fait venir votre fiancé ?

— Je vous le jure. J'avais fixé le rendez-vous à dix heures. On escomptait qu'il se passerait quelque chose avant cela. Je ne risquais donc rien, à dix heures, d'essayer autre chose.

Maigret l'observait attentivement.

— Vous n'avez pas pensé que, si l'assassin vous voyait sortir des bras d'un homme et continuer seule votre route, cela déclencherait sans doute sa crise ?

— Je ne sais pas. Je suppose que ce n'est qu'un hasard. J'ai mal fait ?

Il préféra ne pas répondre. C'était toujours le dilemme entre la discipline et l'esprit d'initiative. Lui-même, cette nuit-là et les jours précédents, n'avait-il pas fait de sérieux accrocs à la discipline ?

— Prenez votre temps. Asseyez-vous à mon bureau. Vous allez, comme à l'école, raconter par écrit ce qui s'est passé ce soir, en vous efforçant de vous souvenir des moindres détails, même de ceux qui ne paraissent pas importants.

Il savait par expérience que cela donne souvent des résultats.

— Je peux me servir de votre stylo ?

— Si vous voulez. Quand vous aurez fini, vous m'appellerez.

Il retourna dans le bureau où Lucas et Torrence se partageaient toujours les appels téléphoniques. Dans un cagibi au bout du couloir, un radiotélégraphiste enregistrait les messages des voitures radio qu'il envoyait, sur des bouts de papier, par le garçon de bureau.

On était parvenu, petit à petit, là-haut, à disperser le plus gros de la foule mais, comme il fallait s'y attendre, les reporters, alertés, étaient accourus sur les lieux.

On avait d'abord cerné trois pâtés de maisons, puis quatre, puis tout un quartier, à mesure que le temps passait et que l'homme avait eu plus d'opportunités pour s'éloigner.

Les hôtels, les meublés étaient visités, les locataires réveillés pour produire leur carte d'identité et répondre à un interrogatoire sommaire.

Il y avait toutes les chances pour que l'assassin fût déjà passé à travers les mailles du filet, probablement dès les premières minutes, au moment des coups de sifflet, quand les gens s'étaient mis à courir et que la place du Tertre avait déversé son contingent de curieux.

Il existait une autre possibilité : c'est que le tueur habite le quartier, près de l'endroit où il avait commis sa dernière tentative, et qu'il soit simplement rentré chez lui.

Maigret jouait machinalement avec le bouton que Marthe Jusserand lui avait remis, un bouton banal, d'un gris sombre légèrement veiné de bleu. Il ne portait aucune marque. Du gros fil de tailleur y restait attaché et, à ce fil, tenaient encore quelques brins de la laine du complet.

— Téléphone à Moers de venir tout de suite.

— Ici ou au laboratoire ?

— Ici.

Il avait appris par expérience qu'une heure perdue à certain moment d'une enquête peut représenter des semaines d'avance pour le criminel.

— Lognon demande à vous parler, patron.

— Où est-il ?

— Quelque part dans un café, à Montmartre.

— Allô ! Lognon ?

— Oui, patron. La chasse continue. Ils ont cerné une bonne partie du quartier. Mais je suis à peu près certain d'avoir vu l'homme descendre en courant l'escalier de la place Constantin-Pecqueur, juste en face de chez moi.

— Tu n'as pas pu le rejoindre ?

— Non. Je courais, moi aussi, aussi vite que je pouvais, mais il est plus rapide que moi.

— Tu n'as pas tiré ?

C'étaient pourtant les ordres : tirer à vue, dans les jambes de préférence, à condition toutefois de ne pas mettre les passants en danger.

— Je n'ai pas osé, à cause d'une vieille poivrote qui dormait sur les dernières marches et que j'aurais risqué d'atteindre. Après, il était trop tard. Il s'est fondu dans l'obscurité, un peu comme s'il entrait dans le mur. J'ai battu les environs mètre carré par mètre carré. Tout le temps, j'ai eu l'impression qu'il n'était pas loin, qu'il suivait des yeux chacun de mes mouvements.

— C'est tout ?

— Oui. Des collègues sont arrivés et nous avons organisé une battue.

— Sans rien trouver ?

— Seulement qu'un homme est entré vers cette heure-là dans un bar de la rue Caulaincourt où des clients jouaient à la belote. Sans s'arrêter au comptoir, il est entré dans la cabine téléphonique. Il devait donc être muni de jetons. Il a eu une communication et est sorti comme il était venu, sans un mot, sans un regard vers le patron et les joueurs. C'est ce qui l'a fait remarquer. Ces gens-là ignoraient tout de ce qui se passait.

— Rien d'autre ?

— Il est blond, assez jeune, mince et il ne portait pas de chapeau.

— Son costume ?

— Sombre. Mon idée, c'est qu'il a appelé quelqu'un qui est venu le chercher en voiture à un endroit déterminé. On n'a pas pensé à arrêter les voitures dans lesquelles se trouvaient plusieurs personnes.

Cela aurait été la première fois dans les annales criminelles, en effet, qu'un maniaque de cette sorte n'agisse pas seul.

— Je vous remercie, vieux.

— Je reste sur les lieux. Nous continuons.

— Il n'y a que cela à faire.

Ce n'était peut-être qu'une coïncidence. N'importe qui pouvait être entré dans un bar pour donner un coup de téléphone et n'avoir pas eu l'envie ou le temps de consommer.

Cela troublait quand même Maigret. Il pensait à l'alliance dont la jeune auxiliaire lui avait parlé.

Est-ce que l'homme, pour sortir du cordon de police qui l'entourait, avait eu le culot de faire appel à sa femme ? Dans ce cas, quelle explication avait-il fournie à celle-ci ? Dès le matin, elle lirait dans les journaux le récit de ce qui s'était passé à Montmartre.

— Moers arrive ?

— Tout de suite, patron. Il était occupé à lire dans son lit. Je lui ai dit de prendre un taxi.

Marthe Jusserand apportait sa composition, c'est-à-dire le rapport des événements tels qu'elle les avait vécus.

— Je ne me suis pas appliquée au style, bien sûr. J'ai essayé de tout mettre, aussi objectivement que je l'ai pu.

Il parcourut des yeux les deux pages, n'y trouva aucun élément nouveau et ce n'est que quand la jeune fille se retourna pour prendre son sac à main qu'il s'aperçut que sa robe était déchirée dans le dos. Ce détail-là matérialisa soudain le danger que Maigret lui avait fait courir en même temps qu'aux autres auxiliaires.

— Vous pouvez aller vous coucher. Je vais donner des ordres pour qu'on vous reconduise.

— C'est inutile, monsieur le commissaire. Jean est certainement en bas avec sa 4 CV.

Il la regarda, interrogateur et amusé.

— Vous ne lui avez pourtant pas donné rendez-vous Quai des Orfèvres, puisque vous ne pouviez pas savoir que vous y viendriez ?

— Non. Mais il a été un des premiers à accourir de la place du Tertre. Je l'ai reconnu parmi les curieux et les inspecteurs. Il m'a vue aussi alors que je vous parlais et quand je suis montée dans votre voiture. Il s'est certainement douté que vous m'ameniez ici.

Sidéré, Maigret ne put que murmurer en lui tendant la main :

— Eh ! bien, mon petit, je vous souhaite bonne chance avec Jean. Je vous remercie. Et je m'excuse pour les émotions que je vous ai values. Bien entendu, la presse doit continuer à ne rien savoir du piège que nous avions préparé. On ne donnera pas votre nom.

— J'aime mieux ça.

— Bonne nuit...

Il la reconduisit galamment jusqu'au haut dé l'escalier et revint vers ses inspecteurs en hochant la tête.

— Drôle de fille, grommela-t-il.

Torrence, qui avait ses idées sur la jeune génération, murmura :

— Elles sont toutes comme ça aujourd'hui.

Moers fit son entrée quelques minutes plus tard, aussi frais que s'il avait passé une bonne nuit de sommeil. Il n'était au courant de rien. Les plans pour traquer le tueur n'avaient pas été communiqués aux gens des laboratoires.

— Du boulot, patron ?

Maigret lui tendit le bouton et Moers fit la grimace.

— C'est tout ?

— Oui.

Moers le tournait et le retournait entre ses doigts.

— Vous voulez que je monte là-haut pour l'examiner ?

— Je t'accompagne.

C'était presque par superstition. Les coups de téléphone continuaient à se succéder. Maigret n'avait toujours pas confiance. A chaque fois, cependant, il ne pouvait s'empêcher de tressaillir en espérant que le miracle s'était produit. Peut-être, s'il n'était pas là, se produirait-il enfin et viendrait-on lui annoncer au laboratoire qu'on avait mis la main sur le tueur ?

Moers alluma les lampes, se servit d'une loupe, d'abord, de pinces, de toute une série d'instruments délicats avant d'examiner le fil et les brins de laine au microscope.

— Je suppose que vous avez envie de savoir où le vêtement duquel ce bouton a été arraché a été confectionné ?

— Je veux savoir tout ce qu'il est possible de savoir.

— Tout d'abord le bouton, malgré son apparence ordinaire, est de très bonne qualité. Ce n'est pas de ceux dont on se sert pour les vêtements en série. Je pense qu'il ne sera pas difficile, demain matin, de découvrir où il a été fabriqué, car les fabriques de boutons ne sont pas nombreuses. Elles ont presque toutes leur bureau rue des Petits-Champs, porte à porte avec les maisons de tissu en gros.

— Le fil ?

— Le même que celui dont se servent à peu près tous les tailleurs. Le drap m'intéresse davantage. Comme vous le voyez, la trame en est d'un gris assez banal, mais il s'y mêle un fil bleu clair qui le rend caractéristique. Je jurerais qu'il ne s'agit pas de fabrication française mais d'un tissu importé d'Angleterre. Or, ces importations passent par les mains d'un nombre limité de courtiers dont je puis vous fournir la liste.

Moers possédait des listes de toutes sortes, des annuaires, des catalogues grâce auxquels il pouvait rapidement déterminer la provenance d'un objet, qu'il s'agît d'une arme, d'une paire de souliers ou d'un mouchoir de poche.

— Tenez ! Comme vous voyez, la moitié des importateurs ont leur bureau rue des Petits-Champs aussi...

Heureusement qu'à Paris les maisons de gros sont encore plus ou moins groupées par quartier.

— Aucun bureau n'ouvre avant huit heures, la plupart seulement à neuf.

— Je ferai commencer par ceux qui ouvrent à huit heures.

— C'est tout pour cette nuit ?

— A moins que tu voies encore quelque chose à faire.

— Je vais essayer, à tout hasard.

Chercher, sans doute, sur le fil, dans les brins de laine, quelque poussière, quelque matière révélatrice. Un criminel n'avait-il pas été identifié, trois ans plus tôt, grâce à des traces de sciure de bois dans un mouchoir et un autre par une tache d'encre d'imprimerie ?

Maigret était las, tout à coup. La tension des derniers jours, des dernières heures l'avait abandonné et il se trouvait sans ressort, sans goût pour rien, sans optimisme.

Demain matin, il lui faudrait affronter le juge Coméliau, les journalistes qui le harcèleraient de questions embarrassantes. Qu'est-ce qu'il allait leur dire ? Il ne pouvait pas leur avouer la vérité. Il ne pouvait pas non plus mentir sur toute la ligne.

Quand il descendit à la P.J., il constata que l'épreuve des reporters n'était pas pour le lendemain matin mais pour tout de suite. Si le Baron n'était pas là, il y en avait trois autres, dont le petit Rougin aux yeux pétillant d'excitation.

— Vous nous recevez dans votre bureau, commissaire ?

Il haussa les épaules, les fit entrer, les regarda tous les trois, le bloc-notes à la main, le crayon en bataille.

— Votre prisonnier s'est échappé ?

Il était fatal qu'on lui parle de celui-là, qui devenait bien embarrassant maintenant que les événements se sont précipités.

— Personne ne s'est échappé.

— Vous l'avez remis en liberté ?

— Personne n'a été remis en liberté.

— Pourtant, il y a eu, cette nuit, une nouvelle tentative du tueur, n'est-ce pas ?

— Une jeune femme a été assaillie dans la rue, non loin de la place du Tertre, mais elle en a été quitte pour la peur.

— Elle n'a pas été blessée ?

— Non.

— Son agresseur a brandi un couteau ?

— Elle n'en est pas sûre.

— Elle n'est plus ici ?

Ils regardaient autour d'eux, méfiants. On avait dû leur dire, à Montmartre, que la jeune femme était montée dans la voiture du commissaire.

— Comment s'appelle-t-elle ?

— Son nom n'a aucune importance.

— Vous le gardez secret ?

— Mettons qu'il soit inutile de le publier.

— Pour quelle raison ? Elle est mariée ? Elle se trouvait là où elle n'aurait pas dû être ?

— C'est une explication.

— La bonne ?

— Je n'en sais rien.

— Vous ne trouvez pas que cela fait beaucoup de mystères ?

— Le mystère qui me préoccupe le plus est l'identité du tueur.

— Vous l'avez découverte ?

— Pas encore.

— Vous avez de nouveaux éléments grâce auxquels vous espérez la découvrir ?

— Peut-être.

— Bien entendu, on ne peut pas savoir lesquels ?

— Bien entendu.

— La jeune personne dont le nom doit rester si secret a-t-elle vu son assaillant ?

— Mal, mais suffisamment pour que je vous en fournisse le signalement.

Maigret le leur donna, si incomplet qu'il fût, mais ne souffla mot du bouton arraché à la veste.

— C'est vague, n'est-ce pas ?

— Hier, c'était plus vague encore, puisque nous ne savions rien du tout.

Il était de mauvais poil et s'en voulait de les traiter ainsi. Ils faisaient leur métier, comme lui. Il savait qu'il les irritait par ses réponses et encore plus par ses silences mais il ne parvenait pas à se montrer cordial comme d'habitude.

— Je suis fatigué, messieurs.

— Vous rentrez chez vous ?

— Dès que vous m'en laisserez le loisir.

— La chasse continue, là-haut ?

— Elle continue.

— Vous allez relâcher l'homme que l'inspecteur Lognon vous a amené avant-hier et que vous avez interrogé deux fois ?

Il fallait trouver quelque chose à leur répondre.

— Cet homme-là n'a jamais été inquiété. Ce n'était pas un suspect, mais un témoin dont, pour certaines raisons, l'identité ne peut être divulguée.

— Par précaution ?

— Peut-être.

— Il est toujours sous la garde de la police ?

— Oui.

— Il n'a pas eu la possibilité de se rendre cette nuit à Montmartre ?

— Non. Plus de questions ?

— Quand nous sommes arrivés, vous vous trouviez au laboratoire.

Ils connaissaient la maison presque aussi bien que lui.

— On n'y travaille pas sur des suppositions mais sur pièces.

Il les regardait sans broncher.

— Peut-on en conclure que l'homme de la rue Norvins a laissé quelque chose derrière lui, peut-être entre les mains de sa victime ?

— Il serait préférable, dans l'intérêt de l'enquête, qu'on ne tire pas de conclusions de mes allées et venues. Messieurs, je suis éreinté et je vous demande la permission de me retirer. Dans vingt-quatre heures, dans quarante-huit heures, peut-être aurai-je quelque chose à vous dire. Pour le moment, force vous est de vous contenter du signalement que je vous ai fourni.

Il était une heure et demie du matin. Les coups de téléphone s'espaçaient, dans le bureau voisin, où il alla serrer les mains de Lucas et de Torrence.

— Toujours rien ?

Il suffisait de les regarder pour comprendre que la question était inutile. On continuerait à cerner le quartier et à le fouiller ruelle par ruelle, maison par maison, jusqu'à ce que le petit jour se lève sur Paris, éclairant les poubelles au bord des trottoirs.

— Bonne nuit, mes enfants.

A tout hasard, il avait gardé l'auto dont le chauffeur faisait les cent pas dans la cour. Pour trouver un verre de bière fraîche, il aurait fallu aller loin, à Montparnasse ou aux alentours de la place Pigalle, et il n'en avait pas le courage.

Mme Maigret, en chemise de nuit, lui ouvrit la porte avant qu'il ait eu le temps de sortir sa clef de sa poche et il se dirigea, grognon, l'air têtu, vers le buffet où se trouvait le carafon de prunelle. Ce n'était pas de cela, mais de bière qu'il avait envie ; cependant en vidant son verre d'un trait, il avait un peu l'impression de se venger.

5

La brûlure de cigarette

Cela aurait pu prendre des semaines. Tout le monde, ce matin-là, au Quai des Orfèvres, était exténué, avec un mauvais goût dans le bouche. Certains, comme Maigret, avaient dormi trois ou quatre heures. D'autres, qui habitaient la banlieue, n'avaient pas dormi du tout.

Il y en avait encore, là-bas, à fouiller le quartier des Grandes-Carrières, à garder les métros, à observer les hommes qui sortaient des immeubles.

— Bien dormi, monsieur le commissaire ?

C'était le petit Rougin, frais et dispos, plus pétillant que d'habitude, qui, dans le couloir, interpellait Maigret de sa voix haut perchée, un peu métallique. Il paraissait tout particulièrement gai ce matin-là et le commissaire ne comprit qu'en trouvant le journal auquel le jeune reporter était attaché. Lui aussi avait pris un risque. La veille déjà, puis pendant la soirée, et enfin, quand, au Quai des Orfèvres ils étaient venus à trois ou quatre pour harceler Maigret, il s'était douté de la vérité.

Sans doute avait-il passé le reste de la nuit à interroger certaines gens, des hôteliers en particulier.

Toujours est-il que son journal imprimait en gros caractères :

> *Le tueur a échappé au piège tendu par la police.*

Dans le couloir, Rougin devait attendre les réactions de Maigret.

Notre bon ami le commissaire Maigret, écrivait-il, *ne nous contredira probablement pas si nous affirmons que l'arrestation opérée avant-hier et autour de laquelle on a fait, à dessein, grand mystère, n'était qu'une feinte destinée à attirer le tueur de Montmartre dans un piège...*

Rougin avait été plus loin. Il avait réveillé, au milieu de la nuit, un psychiatre notoire, à qui il avait posé des questions assez semblables à celles que le commissaire avait posées au professeur Tissot.

A-t-on escompté que l'assassin viendrait rôder autour de la P.J. pour apercevoir celui qu'on accusait à sa place ? C'est possible. Il est cependant plus probable qu'en heurtant sa vanité on a voulu le pousser à sévir une fois de plus, dans un quartier préalablement peuplé de policiers...

C'était le seul journal à donner ce son de cloche. Les autres reporters avaient pataugé.

— Tu es toujours ici, toi ? grommela Maigret en apercevant Lucas. Tu ne vas pas te coucher ?

— J'ai dormi dans un fauteuil, puis je suis allé faire un plongeon aux Bains Deligny et je me suis rasé dans ma cabine.

— Qui est disponible ?

— Presque tout le monde.

— Rien, naturellement ?

Lucas se contenta d'un mouvement d'épaules.

— Appelle-moi Janvier, Lapointe, deux ou trois autres.

De toute la nuit, il n'avait bu qu'un demi et un verre de prunelle, et pourtant il avait une sorte de gueule de bois. Le ciel s'était couvert, mais pas de vrais nuages qui auraient apporté une certaine fraîcheur. Un voile grisâtre s'était tendu peu à peu au-dessus de la ville, une buée collante descendait lentement dans les rues, chargée de poussière, d'odeur d'essence qui prenait à la gorge.

Maigret ouvrit sa fenêtre et la referma presque aussitôt parce que l'air du dehors était plus irrespirable que celui du bureau.

— Vous allez filer rue des Petits-Champs, mes enfants. Voici quelques adresses. Si vous n'y trouvez rien, vous en chercherez d'autres au Bottin. Que les uns s'occupent du bouton, les autres du tissu.

Il leur expliqua ce que Moers lui avait dit au sujet des grossistes et des importateurs.

— Il se pourrait que, cette fois, nous ayons de la chance. Tenez-moi au courant.

Il restait toujours maussade et ce n'était pas, comme ils le croyaient tous, parce qu'il avait subi un échec, parce que l'homme qu'ils traquaient était parvenu à passer entre les mailles du filet.

Il s'y était attendu. En réalité, cela ne constituait pas un échec, puisque ses prévisions s'étaient trouvées confirmées et qu'ils tenaient enfin un indice, un point de départ, si insignifiant fût-il en apparence.

Ses pensées allaient au tueur qui commençait à se préciser dans son esprit, maintenant qu'une personne au moins l'avait entrevu. Il l'imaginait encore jeune, blond, probablement mélancolique ou amer. Pourquoi Maigret aurait-il parié, à présent, qu'il était de bonne famille, habitué à une vie confortable ?

Il portait une alliance. Il avait donc une femme. Il avait eu un père et une mère. Il avait été un écolier, peut-être un étudiant.

Ce matin, il était seul contre la police de Paris, contre la population parisienne tout entière et, lui aussi, sans doute, avait lu l'article du petit Rougin dans le journal.

Avait-il dormi, une fois sorti du traquenard dans lequel il avait failli rester ?

Si ses crimes lui procuraient un apaisement, voire une certaine euphorie, quel effet lui faisait un attentat raté ?

Maigret n'attendit pas que Coméliau l'appelât et se rendit à son cabinet où il trouva le juge occupé à lire les journaux.

— Je vous avais prévenu, commissaire. Vous ne pouvez pas prétendre que je me suis montré enthousiaste de votre projet, ni que je l'aie approuvé.

— Mes hommes sont sur une piste.

— Sérieuse ?

— Ils ont en main un indice matériel. Cela conduira fatalement quelque part. Cela peut prendre des semaines comme cela peut prendre deux heures.

Cela ne prit même pas deux heures. Lapointe s'était d'abord présenté, rue des Petits-Champs, dans des bureaux aux murs couverts de boutons de toutes sortes. *Maison fondée en 1782*, lisait-on, à la porte, sous le nom des deux associés. Et la collection ainsi exposée était celle de tous les modèles de boutons fabriqués depuis la fondation.

Après avoir exhibé sa médaille de la P.J., Lapointe avait demandé :

— Est-ce possible de déterminer la provenance de ce bouton ?

Pour lui, pour Maigret, pour n'importe qui, c'était un bouton comme un autre, mais l'employé qui l'examinait répondit sans hésiter :

— Cela vient de chez Mullerbach, à Colmar.

— Mullerbach a des bureaux à Paris ?

— Dans cet immeuble-ci, deux étages au-dessus.

Car toute la maison, comme Lapointe et son collègue le constatèrent, était occupée par des marchands de boutons.

Il n'existait plus de M. Mullerbach, mais le fils d'un gendre du dernier Mullerbach. Il reçut fort civilement les policiers dans son bureau, tourna et retourna le bouton entre ses doigts, demanda :

— Qu'est-ce que vous désirez savoir au juste ?

— C'est vous qui avez fabriqué ce bouton ?

— Oui.

— Possédez-vous une liste des tailleurs à qui vous en avez vendu de semblables ?

L'industriel pressa un timbre en expliquant :

— Comme vous le savez peut-être, les fabricants de tissus changent tous les ans les tons et même la trame de la plupart de leurs produits. Avant de mettre leurs nouveautés en vente, ils nous en adressent des échantillons afin que nous puissions fabriquer, de notre côté, des boutons assortis. Ceux-ci sont vendus directement aux tailleurs...

Un jeune homme accablé par la chaleur entrait.

— Monsieur Jeanfils, voulez-vous chercher la référence de ce bouton et m'apporter la liste des tailleurs à qui nous en avons vendu de pareils ?

M. Jeanfils sortit sans bruit, sans avoir ouvert la bouche. Pendant son absence, le patron continua à exposer aux deux policiers le mécanisme de la vente des boutons. Moins de dix minutes plus tard, on frappait à la porte vitrée. Le même Jeanfils entrait, posait sur le bureau le bouton et une feuille de papier dactylographiée.

C'était une liste d'une quarantaine de tailleurs, quatre de Lyon, deux de Bordeaux, un de Lille, quelques autres de diverses villes de France et le reste de Paris.

— Voilà, messieurs. Je vous souhaite bonne chance.

Ils se retrouvèrent dans la rue dont l'animation bruyante choquait presque quand on sortait de ces bureaux où régnait un calme serein de sacristie.

— Qu'est-ce qu'on fait ? questionna Broncard, qui accompagnait Lapointe. On s'y met tout de suite ? J'ai compté. Il y en a vingt-huit à Paris. En prenant un taxi...

— Tu sais où Janvier est entré ?

— Oui. Dans ce gros immeuble, ou plutôt dans les bureaux au fond de la cour.

— Attends-le.

Pour sa part, il pénétra dans un petit bar au sol couvert de sciure de bois, commanda un blanc-vichy et s'enferma dans la cabine téléphonique. Maigret était encore chez le juge Coméliau et c'est là qu'il put le toucher.

— Quarante tailleurs en tout, expliqua-t-il. Vingt-huit à Paris. Je commence la tournée ?

— Ne garde que quatre ou cinq noms. Dicte les autres à Lucas qui enverra des hommes.

Il n'avait pas fini de dicter que Janvier, Broncard et un quatrième entraient dans le bistrot où ils l'attendaient, près du comptoir. Ils paraissaient contents, tous les trois. A certain moment, Janvier vint entrouvrir la porte vitrée.

— Ne coupe pas la communication. Je dois lui parler aussi.

— Ce n'est pas le patron. C'est Lucas.

— Passe-le-moi quand même.

De n'avoir pas dormi, ils avaient tous une sorte de fièvre et leur haleine était chaude, leurs yeux à la fois fatigués et brillants.

— C'est toi, vieux ? Dis au patron que tout va bien. Janvier, ici, oui. Nous sommes tombés dans le mille. Une chance que ce type-là porte des vêtements en tissu anglais. Je t'expliquerai. Je connais à présent toute la routine. Bref, il n'y a qu'une dizaine de tailleurs, jusqu'ici, qui ont commandé de ce tissu-là. Beaucoup plus ont reçu les liasses. Ce sont ces liasses qu'ils montrent au client et, le costume commandé, ils se procurent le métrage. Bref, on peut espérer que cela ira vite, sauf le cas improbable où le complet aurait été fait en Angleterre.

Ils se séparèrent, une fois dehors, avec chacun deux ou trois noms sur un bout de papier, et c'était entre eux comme une loterie. L'un des quatre hommes, probablement, allait, peut-être ce matin même, obtenir le nom qu'on cherchait depuis six mois.

Ce fut le petit Lapointe qui décrocha le gros lot. Il s'était réservé la partie de la rive gauche, aux alentours du boulevard Saint-Germain, qu'il connaissait bien parce qu'il y habitait.

Un premier tailleur, boulevard Saint-Michel, avait effectivement commandé un métrage du fameux tissu. Il put même montrer à l'inspecteur le complet qu'il en avait fait, car il n'était pas encore livré, il n'était même pas terminé mais, avec une seule manche et le col pas encore attaché, il attendait le client pour l'essayage.

La seconde adresse était celle d'un petit tailleur polonais qui logeait à un troisième étage rue Vanneau. Il n'avait qu'un ouvrier. Lapointe le trouva assis sur sa table, des lunettes à monture d'acier sur les yeux.

— Vous reconnaissez ce tissu ?

Janvier en avait demandé plusieurs échantillons pour ses collègues.

— Certainement. Pourquoi ? Vous désirez un complet ?

— Je désire le nom du client pour lequel vous en avez fait un.

— Il y a déjà un certain temps de cela.

— Combien de temps ?

— C'était à l'automne dernier.

— Vous ne vous souvenez pas du client ?

— Je m'en souviens.

— Qui est-ce ?

— M. Moncin.

— Qui est M. Moncin ?

— Un monsieur très bien, qui s'habille chez moi depuis plusieurs années.

Lapointe, tremblant, osait à peine y croire. Le miracle se produisait. L'homme qu'on avait tant cherché, qui avait fait couler tant d'encre, à la recherche duquel toutes les forces de police avaient consacré tant d'heures avait soudain un nom. Il allait avoir une adresse, un état civil et bientôt, sans doute, prendre forme.

— Il habite le quartier ?

— Pas loin d'ici, boulevard Saint-Germain, à côté du métro Solférino.

— Vous le connaissez bien ?

— Comme je connais chacun de mes clients. C'est un homme bien élevé, charmant.

— Il y a longtemps qu'il n'est pas venu vous voir ?

— La dernière fois, c'était en novembre dernier, pour un pardessus, peu de temps après que je lui eus fait ce complet.

— Vous avez son adresse exacte ?

Le petit tailleur feuilleta les pages d'un cahier où des noms et des adresses étaient écrits au crayon, avec des chiffres, les prix des vêtements sans doute, qu'il barrait d'une croix rouge quand ils étaient payés.

— 228 *bis*.

— Vous savez s'il est marié ?

— Sa femme l'a accompagné plusieurs fois. Elle vient toujours avec lui pour choisir.

— Elle est jeune ?

— Je suppose qu'elle a une trentaine d'années. C'est une personne distinguée, une vraie dame.

Lapointe ne parvenait pas à arrêter le frémissement qui s'était emparé de tout son corps. Cela tournait à la panique. Si près du but, il avait peur qu'un accrochage se produise soudain, qui remettrait tout en question.

— Je vous remercie. Je reviendrai peut-être vous voir.

Il oubliait de demander la profession de Marcel Moncin, dégringolait l'escalier, se précipitait vers le boulevard Saint-Germain où l'immeuble portant le numéro 228 *bis* lui parut fascinant. C'était pourtant un immeuble de rapport comme les autres, du même style que tous ceux du boulevard, avec des balcons en fer forgé. La porte était ouverte sur un couloir peint en beige au fond duquel on distinguait la cage d'un ascenseur et, à droite, la loge de la concierge.

Il avait une envie quasi douloureuse d'entrer, de s'informer, de monter à l'appartement de Moncin, d'en finir tout seul avec le fameux tueur, mais il savait qu'il n'avait pas le droit d'agir ainsi.

Juste en face de l'entrée du métro, un agent en uniforme était en faction et Lapointe l'interpella, se fit reconnaître.

— Voulez-vous surveiller cet immeuble pendant les quelques minutes qu'il me faut pour téléphoner au Quai des Orfèvres ?

— Qu'est-ce que je dois faire ?

— Rien. Ou plutôt, si un homme d'une trentaine d'années, mince, plutôt blond, venait à sortir, arrangez-vous pour le retenir, demandez-lui ses papiers, faites n'importe quoi.

— Qui est-ce ?

— Il s'appelle Marcel Moncin.

— Qu'est-ce qu'il a fait ?

Lapointe préféra ne pas préciser qu'il s'agissait, selon toutes probabilités, du tueur de Montmartre.

Quelques instants plus tard, il se trouvait à nouveau dans une cabine téléphonique.

— Le Quai ? Passez-moi tout de suite le commissaire Maigret. Ici, Lapointe.

Il était tellement fébrile qu'il en bégayait.

— C'est vous, patron ? Lapointe. Oui. J'ai trouvé... Comment ?... Oui... Son nom, son adresse... Je suis en face de chez lui...

L'idée lui venait soudain à l'esprit que d'autres complets avaient été faits dans le même tissu et que celui-ci n'était peut-être pas le bon.

— Janvier n'a pas téléphoné ? Si ? Qu'est-ce qu'il a dit ?

On avait retrouvé trois des complets, mais les signalements ne correspondaient pas à la description fournie par Marthe Jusserand.

— Je vous téléphone du boulevard Saint-Germain... J'ai mis un sergent de ville à sa porte... Oui... Oui... Je vous attends... un instant... Je regarde le nom du bistrot...

Il sortit de la cabine, lut, à l'envers, le nom écrit en lettres d'émail sur la vitre.

— Café Solférino...

Maigret lui avait recommandé de rester là sans se montrer. Moins d'un quart d'heure plus tard, debout au comptoir, devant un autre blanc-vichy, il reconnut des petites autos de la police qui s'arrêtaient à différents endroits.

De l'une d'elles, ce fut Maigret en personne qui descendit et il parut à Lapointe plus massif et plus lourd que d'habitude.

— Cela a été tellement facile, patron, que je n'ose y croire...

Maigret était-il aussi nerveux que lui ? Si oui, cela ne se voyait pas. Ou plutôt, pour ceux qui le connaissaient bien, cela se traduisait par un air grognon, ou buté.

— Qu'est-ce que tu bois ?

— Un blanc-vichy.

Maigret fit la grimace.

— Vous avez de la bière à la pression ?

— Bien sûr, monsieur Maigret.

— Vous me connaissez ?

— J'ai vu assez souvent votre portrait dans les journaux. Et, l'an dernier, quand vous vous êtes occupé de ce qui se passait au ministère d'en face, vous êtes venu plusieurs fois boire le coup.

Il avala sa bière.

— Viens.

Pendant ce temps-là s'était effectuée une mise en place qui, si elle était moins importante que celle de la nuit, n'en était pas moins effective. Deux inspecteurs étaient montés jusqu'au dernier étage de l'immeuble. Il y en avait d'autres sur le trottoir, d'autres encore en face, et au coin de la rue, sans compter une voiture radio à proximité.

Ce serait sans doute inutile. Ces tueurs-là se défendent rarement, tout au moins par les armes.

— Je vous accompagne ?

Maigret fit signe que oui et ils pénétrèrent tous les deux dans la loge de la concierge. C'était une loge bourgeoise, avec un petit salon qu'un rideau de velours rouge séparait de la cuisine. La concierge, âgée d'une cinquantaine d'années, se montra calme et souriante.

— Vous désirez, messieurs ?

— M. Moncin, s'il vous plaît ?

— Second étage à gauche.

— Vous ne savez pas s'il est chez lui ?

— C'est probable. Je ne l'ai pas vu sortir.

— Mme Moncin est là aussi ?

— Elle est rentrée de son marché il y a environ une demi-heure.

Maigret ne pouvait s'empêcher de penser à son entretien, chez Pardon, avec le professeur Tissot. La maison était quiète, confortable, et son aspect vieillot, son style du milieu du dernier siècle, avait quelque chose de rassurant. L'ascenseur, bien huilé, avec sa poignée de cuivre brillante, les attendait, mais ils préférèrent monter à pied sur l'épais tapis cramoisi.

La plupart des paillassons, devant les portes de bois sombre, portaient une ou des initiales en rouge et tous les boutons de sonnette étaient astiqués, on n'entendait rien de ce qui se passait dans les appartements, aucune odeur de cuisine n'envahissait la cage de l'escalier.

Une des portes du premier était flanquée de la plaque d'un spécialiste des poumons.

Au second étage, à gauche, on lisait, sur une plaque de cuivre du même format, mais en lettres plus stylisées, plus modernes :

Marcel Moncin
architecte-décorateur

Les deux hommes marquèrent un temps d'arrêt, se regardèrent, et Lapointe eut l'impression que Maigret était aussi ému que lui-même. Ce fut le commissaire qui tendit la main pour presser le bouton électrique. On n'entendit pas la sonnerie, qui devait résonner assez loin dans l'appartement. Un temps qui parut long s'écoula et enfin la porte s'ouvrit, une bonne en tablier blanc, qui n'avait pas vingt ans, les regarda avec étonnement et questionna :

— Qu'est-ce que c'est ?

— M. Moncin est chez lui ?

Elle parut embarrassée, balbutia :

— Je ne sais pas.

Il s'y trouvait donc.

— Si vous voulez attendre une minute, je vais demander à madame...

Elle n'eut pas besoin de s'éloigner. Une femme encore jeune qui, en rentrant de son marché, avait dû passer un peignoir pour avoir moins chaud, se montrait au fond du couloir.

— Qu'est-ce que c'est, Odile ?

— Deux messieurs qui demandent à parler à monsieur, madame.

Elle s'avança, croisant les pans de son peignoir, regardant Maigret droit au visage comme si celui-ci lui rappelait quelqu'un.

— Vous désirez ? demanda-t-elle en cherchant à comprendre.

— Votre mari est ici ?

— C'est-à-dire...

— Cela signifie qu'il y est.

Elle rougit légèrement.

— Oui. Mais il dort.

— Je suis obligé de vous prier de l'éveiller.

Elle hésita, murmura :

— A qui ai-je l'honneur ?

— Police Judiciaire.

— Le commissaire Maigret, n'est-ce pas ? Il me semblait bien vous avoir reconnu...

Maigret, qui s'était avancé insensiblement, se trouvait maintenant dans l'entrée.

— Veuillez éveiller votre mari. Je suppose qu'il est rentré tard, la nuit dernière ?

— Que voulez-vous dire ?

— Est-ce son habitude de dormir jusque passé onze heures du matin ?

Elle sourit.

— Cela lui arrive souvent. Il aime travailler le soir, parfois une partie de la nuit. C'est un cérébral, un artiste.

— Il n'est pas sorti la nuit dernière ?

— Pas que je sache. Si vous voulez attendre au salon, je vais l'avertir.

Elle avait ouvert la porte vitrée d'un salon au modernisme inattendu dans le vieil immeuble, mais qui n'avait rien d'agressif, et Maigret remarqua qu'il aurait pu vivre dans un décor comme celui-ci. Seules les peintures, sur les murs, auxquelles il ne comprenait rien, lui déplaisaient.

Debout, Lapointe surveillait la porte d'entrée. C'était d'ailleurs superflu car, à cette heure, toutes les issues étaient bien gardées.

La jeune femme, qui s'était éloignée dans un froufrou de tissu soyeux, ne resta que deux ou trois minutes absente et revint, non sans s'être passé un peigne dans les cheveux.

— Il sera ici dans un instant. Marcel a une étrange pudeur au sujet de laquelle il m'arrive de le taquiner : il déteste se montrer en négligé.

— Vous faites chambre à part ?

Elle en reçut un petit choc, répondit avec simplicité :

— Comme beaucoup de gens mariés, non ?

N'est-ce pas en effet presque de règle dans un certain milieu ? Cela ne signifiait rien. Ce qu'il s'efforçait de déterminer c'est si elle jouait un rôle, si elle savait quelque chose ou si, au contraire, elle se demandait réellement quel rapport pouvait exister entre le commissaire Maigret et son mari.

— Votre mari travaille ici ?

— Oui.

Elle alla ouvrir une porte latérale donnant accès à un bureau assez vaste dont les deux fenêtres s'ouvraient sur le boulevard Saint-Germain. On y voyait des planches à dessin, des rouleaux de papier, de curieuses maquettes en contre-plaqué ou en fil de fer qui faisaient penser à des décors de théâtre.

— Il travaille beaucoup ?

— Trop pour sa santé. Il n'a jamais été fort. Nous devrions être maintenant à la montagne, comme les autres années, mais il a accepté une commande qui nous empêchera de prendre des vacances.

Il avait rarement vu femme aussi calme, aussi maîtresse d'elle-même. N'aurait-elle pas dû s'affoler, alors que les journaux étaient pleins des histoires du tueur et qu'on savait que Maigret dirigeait l'enquête, en voyant celui-ci se présenter ainsi à son domicile ? Elle se contentait de l'observer, comme curieuse de voir de près un homme aussi célèbre.

— Je vais voir s'il est presque prêt.

Maigret, assis dans un fauteuil, bourra lentement sa pipe, l'alluma, échangea un nouveau coup d'œil avec Lapointe qui ne tenait pas en place.

Quand la porte par laquelle Mme Moncin avait disparu se rouvrit, ce n'est pas elle qu'on vit s'avancer mais un homme qui paraissait si jeune qu'on pouvait croire qu'il y avait maldonne.

Il avait revêtu un complet d'intérieur d'un beige délicat qui faisait ressortir la blondeur de ses cheveux, la finesse de son teint, le bleu clair de ses yeux.

— Je m'excuse, messieurs, de vous avoir fait attendre...

Un sourire qui avait quelque chose de frêle et d'enfantin flottait sur ses lèvres.

— Ma femme vient de m'éveiller en me disant...

Celle-ci n'était-elle pas curieuse de connaître le but de cette visite ? Elle ne revenait pas. Peut-être était-elle à l'écoute derrière la porte que son mari avait refermée ?

— J'ai beaucoup travaillé, ces temps-ci, à la décoration d'une immense villa qu'un de mes amis fait construire sur la côte normande...

Tirant de sa poche un mouchoir de batiste, il s'épongea le front, les lèvres où perlait de la sueur.

— Il fait encore plus chaud qu'hier, n'est-ce pas ?

Il regarda dehors, vit le ciel couleur lavande.

— Cela ne sert à rien d'ouvrir les fenêtres. J'espère que nous aurons un orage.

— Je m'excuse, commença Maigret, d'avoir à vous poser quelques questions indiscrètes. J'aimerais tout d'abord voir le complet que vous portiez hier.

Cela parut le surprendre, sans toutefois l'effrayer. Ses yeux s'écarquillèrent un peu. Ses lèvres se retroussèrent. Il semblait dire :

— Drôle d'idée !

Puis, se dirigeant vers la porte :

— Vous permettez un instant ?

Il ne resta absent qu'une demi-minute au plus, revint avec un complet gris bien pressé sur le bras. Maigret l'examina, trouva, à l'intérieur de la poche, le nom du petit tailleur de la rue Vanneau.

— Vous le portiez hier ?

— Certainement.

— Hier au soir ?

— Jusqu'aussitôt après le dîner. Je me suis changé alors pour endosser ce vêtement d'intérieur avant de me mettre au travail. Je travaille surtout la nuit.

— Vous n'êtes pas sorti après huit heures du soir ?

— Je suis resté dans mon bureau jusqu'à deux heures ou deux heures et demie du matin, ce qui vous explique que je dormais encore quand vous êtes arrivé. J'ai besoin de beaucoup de sommeil, comme tous les grands nerveux.

Il semblait quêter leur approbation, faisant toujours penser davantage à un étudiant qu'à un homme ayant passé la trentaine.

De près, pourtant, on distinguait sur son visage une usure qui contrastait avec sa jeunesse apparente. Il y avait, dans sa chair, quelque chose de maladif ou de fané, qui n'était pas sans lui donner un certain charme, comme cela arrive pour des femmes mûrissantes.

— Puis-je vous demander de me montrer toute votre garde-robe ?

Cette fois, il se raidit un peu et peut-être fut-il sur le point de protester, de refuser.

— Si cela vous fait plaisir. Venez par ici...

Si sa femme guettait derrière la porte, elle eut le temps de se retirer car on la vit, au fond du couloir, qui parlait à la bonne dans une cuisine claire et moderne.

Moncin poussait une autre porte, celle d'une chambre à coucher à la décoration couleur havane clair au milieu de laquelle un lit-divan était défait. Il alla ouvrir les rideaux, car la pièce était plongée dans la pénombre, fit glisser les portes coulissantes d'un placard qui occupait tout un pan de mur.

Six complets se trouvaient, pendus, dans la partie de droite, tous parfaitement pressés, comme s'ils n'avaient pas été portés ou comme s'ils sortaient des mains du teinturier, et il y avait aussi trois pardessus, dont un de demi-saison, ainsi qu'un smoking et un habit.

Aucun des complets n'était du même tissu que l'échantillon que Lapointe avait dans sa poche.

— Tu veux me le passer ? demanda le commissaire.

Il le tendit à leur hôte.

— A l'automne dernier, votre tailleur vous a livré un complet dans ce tissu. Vous vous en souvenez ?

Moncin l'examina.

— Je m'en souviens.

— Qu'est-ce que ce vêtement est devenu ?

Il parut réfléchir.

— Je sais, dit-il enfin. Quelqu'un, sur la plate-forme de l'autobus, me l'a brûlé avec une cigarette.

— Vous l'avez donné à réparer ?

— Non. J'ai horreur des objets, quels qu'ils soient, qui ont été abîmés. C'est une manie, mais je l'ai toujours eue. Enfant, déjà, je jetais un jouet qui avait une égratignure.

— Vous avez jeté ce complet ? Vous voulez dire que vous l'avez mis à la poubelle ?

— Non. Je l'ai donné.

— Vous-même ?

— Oui. Je l'ai pris sur le bras, un soir que j'allais arpenter les quais, comme cela m'arrive parfois, et je l'ai donné à un clochard.

— Il y a longtemps ?

— Deux ou trois jours.

— Précisez.

— Avant-hier.

Dans la partie droite du placard, une douzaine de paires de chaussures, pour le moins, étaient rangées sur des rayons, et, au milieu, des tiroirs contenaient des chemises, des caleçons, des pyjamas et des mouchoirs, le tout dans un ordre parfait.

— Où sont les souliers que vous portiez hier au soir ?

Il ne se coupa pas, ne se troubla pas.

— Je ne portais pas de souliers mais les pantoufles que j'ai aux pieds, puisque je me trouvais dans mon bureau.

— Voulez-vous appeler la bonne ? Nous pouvons retourner au salon.

— Odile ! lança-t-il dans la direction de la cuisine. Venez un instant.

Celle-ci ne devait pas être arrivée depuis longtemps de sa campagne, dont elle avait gardé le velouté.

— Le commissaire Maigret désire vous poser quelques questions. Je vous demande de lui répondre.

— Bien, monsieur.

Elle ne se troublait pas non plus, seulement émue de se trouver en face d'un personnage officiel dont on parlait dans les journaux.

— Vous couchez dans l'appartement ?

— Non, monsieur. J'ai ma chambre au sixième, avec les autres domestiques de la maison.

— Vous êtes montée tard, hier soir ?

— Vers neuf heures, comme presque chaque jour, tout de suite après ma vaisselle.

— Où se trouvait M. Moncin à ce moment-là ?

— Dans son bureau.

— Habillé comment ?

— Comme il l'est maintenant.

— Vous en êtes sûre ?

— Certaine.

— Depuis quand n'avez-vous pas vu son complet gris à petites lignes bleues ?

Elle réfléchit.

— Il faut vous dire que je ne m'occupe pas des vêtements de monsieur. Il est très... très particulier sur ce sujet.

Elle avait failli prononcer « maniaque ».

— Vous voulez dire qu'il les repasse lui-même ?

— Oui.

— Et que vous n'avez pas le droit d'ouvrir ses placards ?

— Seulement pour y mettre le linge quand il revient de la blanchisserie.

— Vous ignorez quand il a porté son complet gris à trame bleue pour la dernière fois ?

— Il me semble que c'était il y a deux ou trois jours.

— Il n'a pas été question, à table, par exemple, quand vous faisiez le service, d'une brûlure faite au revers ?

Elle regarda son patron comme pour lui demander conseil, balbutia :

— Je ne sais pas... Non... Je n'écoute pas ce qu'ils disent à table... Ils parlent presque toujours de choses que je ne comprends pas...

— Vous pouvez aller.

Marcel Moncin attendait, calme, souriant, avec seulement des perles de sueur au-dessus de la lèvre supérieure.

— Je vous demanderai de bien vouloir vous habiller et me suivre au Quai des Orfèvres. Mon inspecteur va vous accompagner dans votre chambre.

— Dans ma salle de bains aussi ?

— Dans votre salle de bains aussi, je m'en excuse. Pendant ce temps-là, je bavarderai avec votre femme. Je suis au regret, monsieur Moncin, mais il m'est impossible d'agir autrement.

L'architecte-décorateur eut un geste vague qui semblait signifier :

— Comme vous voudrez.

Ce n'est qu'à la porte qu'il se retourna pour demander :

— Puis-je savoir en quel honneur...

— Pas maintenant, non. Tout à l'heure, dans mon bureau.

Et Maigret, de la porte du couloir, à Mme Moncin toujours dans la cuisine :

— Vous voulez venir, madame ?

6

Le partage du complet gris-bleu

— C'est le bon, cette fois ? avait gouaillé le petit Rougin tandis que le commissaire et Lapointe traversaient le couloir du Quai des Orfèvres avec leur prisonnier.

Maigret s'était contenté de marquer un temps d'arrêt, de tourner lentement la tête et de laisser peser son regard sur le reporter. Celui-ci avait toussoté et les photographes eux-mêmes avaient mis moins d'acharnement dans leur travail.

— Asseyez-vous, monsieur Moncin. Si vous avez trop chaud, vous pouvez retirer votre veston.

— Merci. J'ai l'habitude de le garder.

En effet, on l'imaginait mal en négligé. Maigret avait retiré le sien et était passé chez les inspecteurs pour donner des instructions. Il était un peu tassé sur lui-même, le cou rentré dans les épaules, avec comme des absences dans les yeux.

Une fois dans son bureau, il rangea ses pipes, en bourra deux, méthodiquement, après avoir fait signe à Lapointe de rester et d'enregistrer l'entretien. Certains virtuoses s'assoient ainsi, hésitants, règlent leur siège, touchent leur piano par-ci par-là comme pour l'apprivoiser.

— Il y a longtemps que vous êtes marié, monsieur Moncin ?

— Douze ans.

— Puis-je vous demander votre âge ?

— J'ai trente-deux ans. Je me suis marié à vingt.

Il y a eut un silence assez long pendant lequel le commissaire fixa ses mains posées à plat sur le bureau.

— Vous êtes architecte ?

Moncin rectifia :

— Architecte-décorateur.

— Cela signifie, je suppose, que vous êtes un architecte spécialisé dans la décoration intérieure ?

Il avait remarqué une certaine rougeur sur le visage de son interlocuteur.

— Pas tout à fait.

— Cela ne vous ennuie pas de m'expliquer ?

— Je n'ai pas le droit de faire les plans d'un immeuble, faute du diplôme d'architecte proprement dit.

— Quel diplôme possédez-vous ?

— J'ai commencé par faire de la peinture.

— A quel âge ?

— A dix-sept ans.

— Vous aviez votre bachot ?

— Non. Tout jeune, je voulais devenir un artiste. Les tableaux que vous avez vus dans notre salon sont de moi.

Maigret n'avait pas été capable, tout à l'heure, de découvrir ce qu'ils représentaient, mais ils l'avaient gêné par ce qu'ils avaient de triste, de morbide. Ni les lignes ni les couleurs n'étaient nettes. Le ton qui dominait était un rouge violacé qui se mêlait à des verts étranges faisant penser à quelque lumière sous-marine et on aurait dit que la pâte s'était étendue d'elle-même, comme une tache d'encre sur un buvard.

— En somme, vous n'avez pas votre diplôme d'architecte et, si je comprends bien, n'importe qui peut s'intituler décorateur ?

— J'apprécie votre façon aimable de préciser. Je suppose que vous voulez me faire entendre que je suis un raté ?

Il avait un sourire amer aux lèvres.

— Vous en avez le droit. On me l'a déjà dit, poursuivit-il.

— Votre clientèle est nombreuse ?

— Je préfère peu de clients, qui ont confiance en moi et me donnent carte blanche, à beaucoup de clients qui exigeraient des concessions.

Maigret vida sa pipe, en ralluma une autre. Rarement interrogatoire avait commencé d'une façon aussi sourde.

— Vous êtes né à Paris ?

— Oui.

— Dans quel quartier ?

Moncin eut une hésitation.

— Au coin de la rue Caulaincourt et de la rue de Maistre.

C'est-à-dire au beau milieu du secteur où les cinq crimes et l'attentat manqué avaient eu lieu.

— Vous y êtes resté longtemps ?

— Jusqu'à mon mariage.

— Vous avez encore vos parents ?

— Seulement ma mère.

— Qui habite... ?

— Toujours le même immeuble, celui où je suis né.

— Vous êtes en bons termes avec elle ?

— Ma mère et moi nous sommes toujours bien entendus.

— Que faisait votre père, monsieur Moncin ?

Cette fois encore, il y eut une hésitation, alors que Maigret n'en avait noté aucune quand il avait été question de la mère.

— Il était boucher.

— A Montmartre ?

— A l'adresse que je viens de vous dire.

— Il est mort ?

— Quand j'avais quatorze ans.

— Votre mère a revendu le fonds de commerce ?

— Elle l'a mis en gérance un certain temps puis l'a revendu tout en conservant l'immeuble, où elle s'est réservé un appartement au quatrième.

On frappa un coup discret à la porte. Maigret se dirigea vers le bureau des inspecteurs d'où il revint en compagnie de quatre hommes qui, tous les quatre, avaient à peu près l'âge, la taille et l'aspect général de Moncin.

C'étaient des employés de la Préfecture que Torrence était allé quérir en hâte.

— Voulez-vous vous lever, monsieur Moncin, et prendre place avec ces messieurs contre le mur ?

Il y eut quelques minutes d'attente pendant lesquelles personne ne parla et enfin on frappa à nouveau à la porte.

— Entrez ! cria le commissaire.

Marthe Jusserand parut, fut surprise de trouver tant de monde dans le bureau, regarda d'abord Maigret, puis les hommes en rang, fronça les sourcils alors que ses yeux s'arrêtaient sur Moncin.

Tout le monde retenait sa respiration. Elle était devenue pâle, car elle venait soudain de comprendre et elle avait conscience de la responsabilité qui pesait sur ses épaules. Elle en avait conscience au point qu'on la vit sur le point de pleurer d'énervement.

— Prenez votre temps, lui conseilla le commissaire d'une voix encourageante.

— C'est lui, n'est-ce pas ? murmura-t-elle.

— Vous devez le savoir mieux que quiconque, puisque vous êtes la seule à l'avoir vu.

— J'ai l'impression que c'est lui. J'en suis persuadée. Et pourtant...

— Pourtant ?

— Je voudrais le voir de profil.

— Mettez-vous de profil, monsieur Moncin.

Il obéit sans qu'un muscle de son visage bougeât.

— J'en suis à peu près sûre. Il n'était pas vêtu de la même manière. Ses yeux non plus n'avaient pas la même expression...

— Ce soir, mademoiselle Jusserand, nous vous conduirons tous les deux à l'endroit où vous avez vu votre assaillant, sous le même éclairage, peut-être avec le même vêtement.

Des inspecteurs couraient les quais, la place Maubert, tous les endroits de Paris où rôdent des gens de la cloche à la recherche du veston au bouton manquant.

— Vous n'avez plus besoin de moi maintenant ?

— Non. Je vous remercie. Quant à vous, monsieur Moncin, vous pouvez vous rasseoir. Cigarette ?

— Merci. Je ne fume pas.

Maigret le laissa sous la garde de Lapointe et celui-ci avait pour instructions de ne pas le questionner, de ne pas lui parler, de ne répondre qu'évasivement au cas où on lui poserait des questions.

Dans le bureau des inspecteurs, le commissaire rencontra Lognon qui était venu prendre des instructions.

— Veux-tu passer chez moi et regarder à tout hasard le type qui s'y trouve avec Lapointe ?

Entre-temps, il donna un coup de téléphone au juge Coméliau, passa un moment chez le chef qu'il mit au courant. Quand il retrouva l'inspecteur Malgracieux, celui-ci, les sourcils froncés, avait l'air d'un homme qui cherche en vain à se rappeler quelque chose.

— Tu le connais ?

Lognon travaillait au commissariat des Grandes-Carrières depuis vingt-deux ans. Il habitait à cinq cents mètres de l'endroit où Moncin était né.

— Je suis sûr de l'avoir déjà vu. Mais où ? Dans quelles circonstances ?

— Son père était boucher rue Caulaincourt. Il est mort, mais la mère vit toujours dans l'immeuble. Viens avec moi.

Ils prirent une des petites voitures de la P.J. qu'un inspecteur conduisit jusqu'à Montmartre.

— Je cherche toujours. C'est énervant. Je suis certain de le connaître. Je jurerais même qu'il y a eu quelque chose entre nous...

— Tu lui as peut-être dressé une contravention ?

— Ce n'est pas cela. Cela me reviendra.

La boucherie était assez importante, avec trois ou quatre commis et une femme grassouillette à la caisse.

— Je monte avec vous ?

— Oui.

L'ascenseur était étroit. La concierge courut vers eux quand elle les vit y pénétrer.

— Pour qui est-ce ?

— Mme Moncin.

— Au quatrième.

— Je sais.

L'immeuble, encore que propre et bien entretenu, n'en était pas moins une ou deux classes en dessous de celui du boulevard Saint-Germain. La cage d'escalier était plus étroite, les portes aussi, et les marches, cirées ou vernies, n'avaient pas de tapis, des cartes de visite, sur les portes, remplaçaient le plus souvent les plaques de cuivre.

La femme qui leur ouvrit était beaucoup plus jeune que Maigret ne s'y était attendu et elle était très maigre, si nerveuse qu'elle en avait des tics.

— Qu'est-ce que vous voulez ?

— Commissaire Maigret, de la Police Judiciaire.

— C'est bien à moi que vous voulez parler ?

Autant son fils était blond, autant elle était brune, avec des petits yeux brillants et quelques poils follets au-dessus de la lèvre.

— Entrez. J'étais occupée à faire mon ménage.

L'appartement n'en était pas moins en ordre. Les pièces étaient petites. Les meubles dataient du mariage de leur propriétaire.

— Vous avez vu votre fils, hier au soir ?

Cela suffit pour la raidir.

— Qu'est-ce que la police a à voir avec mon fils ?

— Veuillez répondre à ma question.

— Pourquoi l'aurais-je vu ?

— Je suppose qu'il vient parfois vous rendre visite ?

— Souvent.

— Avec sa femme ?

— Je ne vois pas ce que cela peut vous faire.

Elle ne les invitait pas à s'asseoir, restait debout, comme si elle espérait que l'entretien serait bref. Sur les murs, il y avait des photographies de Marcel Moncin à tous les âges, quelques-unes prises à la campagne, et aussi des dessins et des peintures naïves qu'il avait dû faire étant enfant.

— Votre fils est-il venu hier au soir ?

— Qui est-ce qui vous l'a dit ?

— Il est venu ?

— Non.

— Cette nuit non plus ?

— Il n'a pas l'habitude de me rendre visite pendant la nuit. Allez-vous m'expliquer, oui ou non, ce que signifient ces questions ? Je vous avertis que je ne répondrai plus. Je suis chez moi. Je suis libre de me taire.

— Madame Moncin, j'ai le regret de vous informer que votre fils est soupçonné d'avoir commis cinq meurtres au cours des derniers mois.

Elle lui fit face, prête à lui sauter aux yeux.

— Qu'est-ce que vous dites ?

— Nous avons de bonnes raisons de croire que c'est lui qui assaille les femmes au coin des rues de Montmartre et qui, la nuit dernière, a raté son coup.

Elle se mit à trembler et il eut l'impression, sans raison précise, qu'elle jouait la comédie. Il lui semblait que sa réaction n'était pas la réaction normale d'une mère qui ne s'attend à rien de semblable.

— Oser accuser mon Marcel !... Mais si je vous dis, moi, que ce n'est pas vrai, qu'il est innocent, qu'il est aussi innocent que...

Elle se mettait à regarder les photographies de son fils enfant et, les doigts crispés, continuait :

— Regardez-le donc ! Regardez-le bien et vous n'oserez plus énoncer de pareilles monstruosités...

— Votre fils n'est pas venu ici dans les dernières vingt-quatre heures, n'est-ce pas ?

Elle répéta avec force :

— Non ! Non ! Et non !

— Quand l'avez-vous vu pour la dernière fois ?

— Je ne sais pas.

— Vous ne vous souvenez pas de ses visites ?

— Non.

— Dites-moi, madame Moncin, a-t-il, enfant, fait une maladie grave ?

— Rien de plus grave que la rougeole et une bronchite. Qu'est-ce que vous essayez de me faire admettre ? Qu'il est fou ? Qu'il l'a toujours été ?

— Lorsqu'il s'est marié, vous étiez consentante ?

— Oui. J'étais assez bête. C'est même moi qui...

Elle n'acheva pas sa phrase, qu'elle parut rattraper au vol.

— C'est vous qui avez arrangé le mariage ?

— Peu importe, à présent.

— Et, maintenant, vous n'êtes plus en bons termes avec votre bru ?

— Qu'est-ce que cela peut vous faire ? Il s'agit de la vie privée de mon fils, qui ne regarde personne, vous entendez, ni moi, ni vous. Si cette femme...

— Si cette femme... ?

— Rien ! Vous avez arrêté Marcel ?

— Il est dans mon bureau, quai des Orfèvres.

— Avec des menottes ?

— Non.

— Vous allez le mettre en prison ?

— C'est possible. C'est même probable. La jeune fille qu'il a attaquée la nuit dernière l'a reconnu.

— Elle ment. Je veux le voir. Je veux la voir, elle aussi, et lui dire...

C'était la quatrième ou la cinquième phrase qu'elle laissait ainsi en suspens. Elle avait les yeux secs, encore que brillants de fièvre ou de colère.

— Attendez-moi une minute. Je viens avec vous.

Maigret et Lognon se regardèrent. Elle n'y avait pas été invitée. C'était elle qui prenait tout à coup les décisions et on l'entendait, dans la chambre voisine, dont elle avait laissé la porte entrouverte, changer de robe, tirer un chapeau d'un carton.

— Si cela vous gêne que je vous accompagne, je prendrai le métro.

— Je vous avertis que l'inspecteur va rester ici et fouiller votre appartement.

Elle regarda le maigre Lognon comme si elle allait le prendre par la peau du dos et le pousser dans l'escalier.

— Lui ?

— Oui, madame. Si vous désirez que les choses se passent dans les règles, je suis disposé à signer un mandat de perquisition.

Sans répondre, mais en grommelant des mots qu'ils ne distinguèrent pas, elle se dirigea vers la porte en ordonnant à Maigret :

— Venez !

Et, du palier, à Lognon :

— Quant à vous, j'ai l'impression de vous avoir déjà vu. Si vous avez le malheur de casser quoi que ce soit, ou de mettre du désordre dans mes armoires...

Tout le long du chemin, dans la voiture, où elle était assise à côté de Maigret, elle parla pour elle-même, à mi-voix.

— Ah ! non, que cela ne se passera pas comme ça... J'irai aussi haut qu'il faudra... Je verrai le ministre, le président de la république si c'est nécessaire... Quant aux journaux, il faudra bien qu'ils publient ce que je leur dirai et...

Dans le couloir de la P.J., elle aperçut les photographes et, quand ils braquèrent vers elle leurs appareils, marcha droit sur eux avec l'intention évidente de les leur arracher. Ils durent battre en retraite.

— Par ici.

Lorsqu'elle se trouva soudain dans le bureau de Maigret où, en dehors de Lapointe qui paraissait assoupi, il n'y avait que son fils, elle s'arrêta, le regarda, soulagée, dit, sans se précipiter vers lui, mais en l'enveloppant d'un regard protecteur :

— N'aie pas peur, Marcel. Je suis ici.

Moncin s'était levé et adressait à Maigret un coup d'œil lourd de reproche.

— Qu'est-ce qu'ils sont en train de te faire ? Ils ne t'ont pas brutalisé, au moins ?

— Non, maman.

— Ils sont fous ! Je te dis, moi, qu'ils sont fous ! Mais je vais aller trouver le meilleur avocat de Paris. Peu importe le prix qu'il me demande. J'y laisserai tout ce que je possède s'il le faut. Je vendrai la maison. J'irai mendier dans les rues.

— Calme-toi, maman.

Il osait à peine la regarder en face et semblait s'excuser auprès des policiers de l'attitude de sa mère.

— Yvonne sait que tu es ici ?

Elle la cherchait des yeux. Comment, dans un moment pareil, sa bru n'était-elle pas au côté de son mari ?

— Elle le sait, maman.

— Qu'est-ce qu'elle a dit ?

— Si vous voulez vous asseoir, madame...

— Je n'ai pas besoin de m'asseoir. Ce que je veux, c'est qu'on me rende mon fils. Viens, Marcel. On verra bien s'ils oseront te retenir.

— Je suis au regret de vous répondre que oui.

— Ainsi, vous l'arrêtez ?

— Je le garde en tout cas à la disposition de la Justice.

— C'est du pareil au même. Vous avez bien réfléchi ? Vous vous rendez compte de vos responsabilités ? Je vous avertis que je ne me laisserai pas faire et que je vais remuer ciel et terre...

— Veuillez vous asseoir et répondre à quelques questions.

— A rien du tout !

Cette fois, elle marcha vers son fils, qu'elle embrassa sur les deux joues.

— N'aie pas peur, Marcel. Ne te laisse pas impressionner. Ta mère est là. Je m'occupe de toi. Tu auras bientôt de mes nouvelles.

Et, avec un dur regard à Maigret, elle se dirigea vers la porte d'un air décidé. Lapointe, par son attitude, réclamait des instructions. Maigret lui fit signe de la laisser partir et on l'entendit dans le couloir qui criait Dieu sait quoi aux journalistes.

— Votre mère paraît vous aimer beaucoup.

— Elle n'a plus que moi.

— Elle était très attachée à votre père ?

Il ouvrit la bouche pour répondre, préféra ne rien dire et le commissaire crut comprendre.

— Quelle sorte d'homme était votre père ?

Il hésita encore.

— Votre mère n'était pas heureuse avec lui ?

Alors, il laissa tomber avec une sourde rancune dans la voix :

— C'était un boucher.

— Vous en aviez honte ?

— Je vous en prie, monsieur le commissaire, ne me posez pas de questions pareilles. Je sais fort bien où vous voulez en venir et je puis vous dire que vous vous trompez sur toute la ligne. Vous avez vu dans quel état vous avez mis ma mère.

— Elle s'y est mise toute seule.

— Je suppose que, quelque part, boulevard Saint-Germain ou ailleurs, vos hommes sont occupés à faire subir le même traitement à ma femme ?

Ce fut au tour de Maigret de ne pas répondre.

— Elle n'a rien à vous apprendre. Pas plus que ma mère. Pas plus que moi. Interrogez-moi tant que vous voudrez, mais laissez-les tranquilles.

— Asseyez-vous.

— Encore ? Ce sera long ?

— Probablement.

— Je suppose que je n'aurai ni à boire ni à manger ?

— Qu'est-ce que vous désirez ?

— De l'eau.

— Vous ne préférez pas de la bière ?

— Je ne bois ni bière, ni vin, ni alcool.

— Et vous ne fumez pas, dit Maigret rêveusement.

Il attira Lapointe dans l'entrebâillement de la porte.

— Commence à l'interroger, par petites touches, sans aller au fond du sujet. Reparle-lui du complet : demande-lui son emploi du temps le 2 février, le 3 mars ; à toutes les dates où des crimes ont été commis à Montmartre. Cherche à savoir s'il allait voir sa mère à jour fixe, dans la journée ou le soir, et pourquoi les deux femmes sont brouillées...

Quant à lui, il alla déjeuner, seul à une table de la Brasserie Dauphine, où il choisit un ragoût de veau qui avait une bonne odeur de cuisine familiale.

Il téléphona à sa femme pour lui annoncer qu'il ne rentrerait pas, faillit aussi téléphoner au professeur Tissot. Il aurait aimé le voir, bavarder avec lui comme ils l'avaient fait dans le salon des Pardon. Mais Tissot était un homme aussi occupé que lui. En outre, Maigret n'avait pas de questions précises à lui poser.

Il était las, mélancolique, sans raison précise. Il se sentait tout près du but. Les événements avaient été plus vite qu'il n'aurait osé l'espérer. L'attitude de Marthe Jusserand était significative et, si elle n'avait pas été plus catégorique, c'était parce qu'elle avait des scrupules. L'histoire du complet donné à un clochard ne tenait pas debout. D'ailleurs on ne tarderait sans doute pas à en entendre parler, car les clochards ne sont pas si nombreux à Paris et ils sont tous plus ou moins connus de la police.

— Vous n'avez plus besoin de moi, patron ?

C'était Mazet, qui avait joué le rôle de présumé coupable et qui, maintenant, n'avait plus rien à faire.

— Je suis passé au Quai. On m'a laissé jeter un coup d'œil sur le type. Vous croyez que c'est lui ?

Maigret haussa les épaules. Avant tout, il avait besoin de comprendre. Il est facile de comprendre un homme qui a volé, qui a tué pour ne pas être pris, ou par jalousie, ou dans un accès de colère, ou encore pour s'assurer un héritage.

Ces crimes-là, les crimes courants, en quelque sorte, lui donnaient parfois du mal, mais ne le troublaient guère.

— Des imbéciles ! avait-il coutume de grommeler.

Car il prétendait, comme certains de ses illustres devanciers, que, si les criminels étaient intelligents, ils n'auraient pas besoin de tuer.

Il n'en était pas moins capable de se mettre dans leur peau, de reconstituer leur raisonnement ou la chaîne de leurs émotions.

Devant un Marcel Moncin, il se sentait comme un néophyte, et c'était si vrai qu'il n'avait pas encore osé pousser l'interrogatoire.

Il ne s'agissait plus d'un homme comme un autre qui a enfreint les lois de la société, qui s'est mis plus ou moins consciemment en marge de celle-ci.

C'était un homme différent des autres, un homme qui tuait sans aucune des raisons que les autres pussent comprendre, d'une façon quasi enfantine, lacérant ensuite, comme à plaisir, les vêtements de ses victimes.

Or, dans un certain sens, Moncin était intelligent. Sa jeunesse n'avait rien eu de particulièrement anormal. Il s'était marié, paraissait faire bon ménage avec sa femme. Et, si sa mère était quelque peu excessive, il n'en existait pas moins entre eux des affinités.

Se rendait-il compte qu'il était perdu ? S'en était-il rendu compte, le matin, quand sa femme était allée le réveiller et lui avait annoncé que la police l'attendait au salon ?

Quelles sont les réactions d'un homme comme celui-là ? Est-ce qu'il souffrait ? Est-ce que, entre ses crises, il avait la honte, ou la haine de lui-même et de ses instincts ? Est-ce qu'au contraire il éprouvait une certaine satisfaction à se sentir différent des autres, une différence qui, dans son esprit, s'appelait peut-être supériorité ?

— Du café, Maigret ?

— Oui.

— Une fine ?

Non ! S'il buvait, il risquait de s'assoupir et il était déjà assez lourd, comme cela arrivait presque toujours à certain point d'une enquête, quand il essayait de s'identifier aux personnages à qui il avait affaire.

— Il paraît que vous le tenez ?

Il regarda le patron de ses gros yeux.

— C'est dans le journal de midi. On a l'air de dire que, cette fois-ci, c'est le bon. Il vous aura donné du mal, celui-là ! Certains prétendaient que, comme pour Jack l'Éventreur, on ne le découvrirait jamais.

Il but son café, alluma une pipe et sortit dans l'air chaud, immobile, prisonnier entre les pavés et le ciel bas qui devenait couleur d'ardoise.

Une sorte de gueux était assis sur une chaise, sa casquette entre les mains, dans le bureau des inspecteurs, et il portait une veste qui jurait avec le reste de sa tenue.

C'était le fameux veston de Marcel Moncin.

— Où l'avez-vous trouvé, celui-là ? demanda Maigret à ses hommes.

— Sur le quai, près du pont d'Austerlitz.

Il ne questionnait pas le clochard mais ses inspecteurs.

— Qu'est-ce qu'il dit ?

— Qu'il a trouvé le veston sur la berge.

— Quand ?

— Ce matin à six heures.

— Et le pantalon ?

— Il y était aussi. Ils étaient deux copains. Ils se sont partagé le complet. Nous n'avons pas encore mis la main sur celui au pantalon, mais cela ne tardera pas.

Maigret s'approcha du pauvre bougre, se pencha, vit en effet, au revers, le trou fait par une cigarette.

— Enlève ça.

Il n'y avait pas de chemise en dessous mais seulement une camisole déchirée.

— Tu es sûr que c'était ce matin ?

— Mon ami vous le dira. C'est le Grand Paul. Tous ces messieurs le connaissent.

Maigret aussi, qui tendit le vêtement à Torrence.

— Porte-le chez Moers. Je ne sais pas si c'est possible mais il me semble qu'on doit pouvoir déterminer, par des analyses, si une brûlure dans du tissu est récente ou ancienne. Dis-lui que, dans le cas présent, c'est une question de quarante-huit heures. Tu comprends ?

— Je comprends, patron.

— Si le revers a été brûlé la nuit dernière ou ce matin...

Il désigna son propre bureau.

— Où en sont-ils, là-dedans ?

— Lapointe a fait monter de la bière et des sandwiches.

— Pour les deux ?

— Les sandwiches, oui. L'autre a pris de l'eau de Vichy.

Maigret poussa la porte. Lapointe, assis à sa place, penché sur des papiers sur lesquels il prenait des notes, cherchait une nouvelle question à poser.

— Tu as eu tort d'ouvrir la fenêtre. Cela n'apporte que de l'air chaud.

Il alla la fermer. Moncin le suivait des yeux, avec un air de reproche, comme un animal que des enfants torturent et qui ne peut se défendre.

— Laisse voir.

Il parcourut les notes, questions et réponses, qui ne lui apprenaient rien.

— Pas de nouveau développement ?

— Maître Rivière a téléphoné pour annoncer qu'il s'occupait de la défense. Il voulait venir tout de suite. Je l'ai prié de s'adresser au juge d'instruction.

— Tu as bien fait. Ensuite ?

— Janvier a téléphoné du boulevard Saint-Germain. Il y a, dans le bureau, des grattoirs de tous les modèles qui ont pu servir aux différents crimes. Dans la chambre, il a trouvé aussi un couteau à cran d'arrêt d'un modèle courant, dont la lame n'a pas plus de huit centimètres.

Le médecin légiste qui avait pratiqué les autopsies, le docteur Paul, avait beaucoup parlé de l'arme, qui l'avait intrigué. D'habitude, les crimes de cette sorte sont commis à l'aide de couteaux de boucher, ou de couteaux de cuisine assez importants, ou enfin avec des poignards, des stylets.

— D'après la forme et la profondeur des blessures, je serais tenté de dire qu'on s'est servi d'un canif ordinaire, avait-il dit. Bien entendu, un canif ordinaire se serait replié. Il est indispensable qu'il soit tout au moins à cran d'arrêt. A mon avis, l'arme n'est pas redoutable en elle-même. Ce qui la rend mortelle, c'est l'adresse avec laquelle on en use.

— Nous avons retrouvé votre veston, monsieur Moncin.

— Sur les quais ?

— Oui.

Il ouvrit la bouche, mais se tut. Qu'est-ce qu'il avait failli demander ?

— Vous avez bien mangé ?

Le plateau était encore là et il restait un demi-sandwich au jambon. La bouteille de Vichy était vide.

— Fatigué ?

Il répondit par un demi-sourire résigné. Tout, chez lui, y compris ses vêtements, était en demi-teintes. Il avait gardé, de l'adolescence, quelque chose de timide et de gentil qui était difficile à exprimer. Cela tenait-il à la blondeur de ses cheveux, à son teint, à ses yeux bleus, ou encore à une santé fragile ?

Sans doute, dès le lendemain, passerait-il entre les mains des médecins et des psychiatres. Mais il ne fallait pas aller trop vite. Après il serait trop tard.

— Je prends ta place, dit Maigret à Lapointe.

— Je peux aller ?

— Attends à côté. Préviens-moi si Moers découvre du nouveau.

La porte refermée, il retira son veston, se laissa tomber dans son fauteuil et mit les coudes sur le bureau. Pendant cinq minutes peut-être il laissa peser son regard sur Marcel Moncin, qui avait détourné la tête et qui fixait la fenêtre.

— Vous êtes très malheureux ? murmura-t-il enfin comme à son corps défendant.

L'homme tressaillit, évita de le regarder, fut un instant avant de répondre :

— Pourquoi serais-je malheureux ?

— Quand avez-vous découvert que vous n'étiez pas comme les autres ?

Il y eut un frémissement sur le visage du décorateur qui parvint néanmoins à ricaner :

— Vous trouvez que je ne suis pas comme les autres ?

— Lorsque vous étiez jeune homme...

— Eh bien ?

— Vous saviez déjà ?

Maigret avait la sensation, à ce moment-là, que, s'il trouvait les mots exacts qu'il fallait dire, la barrière disparaîtrait entre lui et celui qui, de l'autre côté du bureau, se tenait raide sur sa chaise. Il n'avait pas inventé le frémissement. Un décalage s'était produit, l'espace de quelques secondes, et il s'en était sans doute fallu de peu pour que, par exemple, les yeux de Marcel Moncin s'embuent.

— Vous n'ignorez pas que vous ne risquez ni l'échafaud, ni la prison, n'est-ce pas ?

Maigret s'était-il trompé de tactique ? Avait-il choisi la mauvaise phrase ?

Son interlocuteur était à nouveau raidi, maître de lui, d'un calme absolu en apparence.

— Je ne risque rien, puisque je suis innocent.

— Innocent de quoi ?

— De ce que vous me reprochez. Je n'ai plus rien à vous dire. Je ne vous répondrai plus.

Ce n'était pas une parole en l'air. On sentait qu'il avait pris une décision et qu'il s'y tiendrait.

— Comme vous voudrez, soupira le commissaire en pressant un timbre.

7

A la grâce de Dieu !

Maigret commit une faute. Quelqu'un d'autre, à sa place, l'aurait-il évitée ? C'est une question qu'il devait se poser souvent par la suite et à laquelle, bien entendu, il n'obtint jamais de réponse satisfaisante.

Il devait être environ trois heures et demie quand il monta au laboratoire et Moers lui demanda :

— Vous avez reçu mon mot ?

— Non.

— Je viens de vous l'envoyer et sans doute avez-vous croisé l'employé que j'ai chargé de vous le porter. La brûlure, dans le veston, ne date pas de plus de douze heures. Si vous désirez que je vous explique...

— Non. Tu es sûr de ce que tu avances ?

— Certain. Je vais néanmoins procéder à des expériences. Je suppose que rien ne m'empêche de brûler le veston à deux autres endroits, dans le dos, par exemple ? Ces brûlures témoins pourront servir si l'affaire va jusqu'aux Assises.

Maigret fit oui de la tête et redescendit. Au même moment, Marcel Moncin devait déjà se trouver à l'Identité Judiciaire où il se mettait nu pour un premier examen médical et pour les mensurations habituelles puis où, rhabillé, mais sans cravate, on allait le photographier de face et de profil.

Les journaux publiaient déjà des photographies prises par les reporters quand il était arrivé au Quai et des inspecteurs, munis, eux aussi, de portraits, battaient une fois de plus le quartier des Grandes-Carrières, posant sans fin les mêmes questions aux employés du métro, aux commerçants, à tous ceux qui auraient pu remarquer le décorateur la veille ou lors des précédents attentats.

Dans la cour de la P.J., le commissaire monta dans une des voitures et se fit conduire boulevard Saint-Germain. La même bonne que le matin répondit à son coup de sonnette.

— Votre collègue est dans le salon, lui annonça-t-elle.

Elle parlait de Janvier qui s'y trouvait seul, à mettre au net les notes prises au cours de sa perquisition.

Les deux hommes étaient aussi fatigués l'un que l'autre.

— Où est la femme ?

— Il y a environ une demi-heure elle m'a demandé la permission d'aller s'étendre.

— Comment s'est-elle comportée le reste du temps ?

— Je ne l'ai pas beaucoup vue. De temps en temps, elle est venue jeter un coup d'œil dans la pièce où je me trouvais pour savoir ce que je faisais.

— Tu ne l'as pas questionnée ?

— Vous ne me l'aviez pas dit.

— Je suppose que tu n'as rien trouvé d'intéressant ?

— J'ai bavardé avec la bonne. Elle n'est ici que depuis six mois. Le couple recevait peu, ne sortait pas davantage. Les Moncin ne semblent pas avoir d'amis intimes. De temps en temps, ils vont passer le *week end* chez les beaux-parents qui possèdent, paraît-il, une villa à Triel, où ils habitent toute l'année.

— Quelle sorte de gens ?

— Le père est un pharmacien de la place Clichy qui s'est retiré il y a quelques années.

Lapointe montra à Maigret la photographie d'un groupe dans un jardin. On reconnaissait Moncin en veston clair, sa femme qui portait une robe légère, un homme à barbiche poivre et sel ainsi qu'une femme assez grosse qui souriait béatement, la main sur le capot d'une automobile.

— En voici une autre. La jeune femme aux deux enfants est la sœur de Mme Moncin, qui a épousé un garagiste de Levallois. Elles ont aussi un frère qui vit en Afrique.

Il y avait une pleine boîte de photographies, surtout de Mme Moncin, dont une en première communiante, et l'inévitable portrait du couple le jour de son mariage.

— Quelques lettres d'affaires, pas beaucoup. Il ne paraît pas avoir plus d'une douzaine de clients. Des factures. A ce que je peux voir, ils ne les paient qu'après que les fournisseurs ont réclamé trois ou quatre fois.

Mme Moncin, qui avait peut-être entendu entrer le commissaire, ou que la domestique avait avertie, paraissait dans l'encadrement de la porte, le visage plus tiré que le matin, et on voyait qu'elle venait de se recoiffer et de se repoudrer le visage.

— Vous ne l'avez pas ramené ? questionna-t-elle.

— Pas avant qu'il nous fournisse une explication satisfaisante de certaines coïncidences.

— Vous croyez vraiment que c'est lui ?

Il ne répondit pas et, de son côté, elle ne se mit pas à protester avec véhémence, se contenta de hausser les épaules.

— Vous vous apercevrez un jour que vous vous êtes trompé et vous regretterez alors le mal que vous lui faites.

— Vous l'aimez ?

La question, à peine posée, lui parut sotte.

— C'est mon mari, répondit-elle.

Cela signifiait-il qu'elle l'aimait ou que, étant sa femme, elle se devait de rester à son côté ?

— Vous l'avez mis en prison ?

— Pas encore. Il est au Quai des Orfèvres. On va le questionner à nouveau.

— Qu'est-ce qu'il dit ?

— Il refuse de répondre. Vous n'avez vraiment rien à me communiquer, madame Moncin ?

— Rien.

— Vous vous rendez compte, n'est-ce pas, que, si même votre mari est coupable, comme j'ai tout lieu de le suppposer, ce n'est ni la guillotine, ni les travaux forcés qui l'attentent. Je le lui ai répété tout à l'heure. Je ne doute pas, en effet, que les médecins le déclarent irresponsable. L'homme qui, par cinq fois, a tué des femmes dans la rue pour lacérer ensuite leurs vêtements est un malade. Lorsqu'il n'est pas en état de crise, il peut donner le change. Il donne certainement le change, puisque personne ne s'est étonné jusqu'ici de ses attitudes. Vous m'écoutez ?

— J'écoute.

Elle écoutait peut-être, mais on aurait pu croire que cette digression ne la concernait pas et qu'il n'était nullement question de son mari. Il lui arriva même de suivre des yeux une mouche qui gravitait sur le tulle d'un rideau.

— Cinq femmes sont mortes jusqu'ici et tant que le tueur, ou le maniaque, ou le dément, appelez-le comme vous voudrez, restera en liberté, d'autres vies seront en danger. Vous en rendez-vous compte ? Vous rendez-vous compte aussi que si, jusqu'ici, il n'a attaqué que des passantes dans la rue, le processus peut changer, qu'il s'en prendra peut-être demain à des personnes de son entourage ? Vous n'avez pas peur ?

— Non.

— Vous n'avez pas l'impression que, pendant des mois, peut-être des années, vous avez couru un danger mortel ?

— Non

C'était décourageant. Son attitude n'était même pas du défi. Elle restait calme, presque sereine.

— Vous avez vu ma belle-mère ? Qu'est-ce qu'elle a dit ?

— Elle a protesté. Puis-je vous demander pourquoi vous êtes en froid toutes les deux ?

— Je ne tiens pas à parler de ces choses-là. Cela n'a pas d'importance. Que faire d'autre ?

— Tu peux venir, Janvier.

— Vous n'allez pas me renvoyer mon mari ?

— Non.

Elle les reconduisit jusqu'à la porte qu'elle referma derrière eux. Ce fut à peu près tout pour cet après-midi-là. Maigret dîna avec Lapointe et Janvier tandis que Lucas, à son tour, restait en tête à tête avec Marcel Moncin dans le bureau du commissaire. Ensuite, il fallut employer la ruse pour faire sortir le suspect des locaux de la P.J., car les journalistes et les photographes s'étaient installés dans les couloirs et les antichambres.

Quelques grosses gouttes de pluie s'étaient écrasées sur les pavés, vers huit heures, et tout le monde avait espéré l'orage, mais, s'il avait éclaté, c'était quelque part vers l'est, où le ciel était encore d'un noir vénéneux.

On n'attendit pas l'heure exacte à laquelle l'attentat manqué de la nuit précédente s'était produit étant donné que, dès neuf heures, les rues étaient aussi sombres, l'éclairage exactement le même.

Maigret sortit seul, par le grand escalier, en bavardant avec les reporters. Lucas et Janvier feignirent de conduire Moncin à la Souricière, menottes aux poignets cette fois, mais, une fois en bas, gagnèrent le Dépôt où ils le firent monter dans une voiture.

Ils se retrouvèrent tous au coin de la rue Norvins où Marthe Jusserand attendait déjà en compagnie de son fiancé.

Cela ne prit que quelques minutes. Moncin fut amené à l'endroit précis où la jeune fille avait été attaquée. On lui avait remis son veston brûlé.

— Il n'y avait pas d'autres lumières ?

L'auxiliaire regarda autour d'elle, hocha la tête.

— Non. C'était bien la même chose.

— Maintenant, essayez de le regarder dans l'angle où vous l'avez vu.

Elle se pencha de différentes façons, fit placer l'homme à deux ou trois endroits.

— Vous le reconnaissez ?

Fort émue, la poitrine gonflée, elle murmura, après un rapide coup d'œil à son fiancé qui se tenait discrètement à l'écart :

— C'est mon devoir de dire la vérité, n'est-ce pas ?

— C'est votre devoir.

Un autre coup d'œil sembla demander pardon à Moncin qui attendait, comme indifférent.

— Je suis certaine que c'est lui.

— Vous le reconnaissez formellement ?

Elle fit oui de la tête et soudain, elle qui avait été si brave, elle éclata en sanglots.

— Je n'ai plus besoin de vous ce soir. Je vous remercie, lui dit Maigret en la poussant dans la direction de son fiancé. Vous avez entendu, monsieur Moncin ?

— J'ai entendu.

— Vous n'avez rien à dire ?

— Rien.

— Reconduisez-le, vous autres.

— Bonne nuit, patron.

— Bonne nuit, mes enfants.

Maigret monta dans une des voitures.

— Chez moi, boulevard Richard-Lenoir.

Mais, cette fois, il se fit arrêter près du square d'Anvers pour boire un demi dans une brasserie. Son rôle, à lui, était pratiquement terminé. Demain matin, le juge Coméliau voudrait sans doute interroger Moncin et l'enverrait ensuite chez les spécialistes pour un examen mental.

Il ne resterait plus à la P.J. qu'un travail de routine, rechercher des témoins, les questionner, constituer un dossier aussi complet que possible.

Pourquoi Maigret n'était pas satisfait, c'était une autre histoire. Professionnellement, il avait fait tout ce qu'il devait faire. Seulement, il n'avait pas encore compris. Le « choc » ne s'était pas produit. A aucun moment, il n'avait eu la sensation d'un contact humain entre lui et le décorateur.

L'attitude de Mme Moncin le troublait aussi. Avec elle, il essayerait encore.

— Tu parais éreinté, remarqua Mme Maigret, c'est vraiment fini ?

— Qui dit cela ?

— Les journaux. La radio aussi.

Il haussa les épaules. Après tant d'années, elle croyait encore ce qu'impriment les journaux !

— Dans un certain sens, c'est fini, oui.

Il entra dans la chambre, commença à se déshabiller.

— J'espère que, demain, tu vas pouvoir dormir un peu plus tard ?

Il l'espérait également. Il n'était pas tant fatigué qu'écœuré, sans pouvoir dire au juste pourquoi.

— Tu es mécontent ?

— Non. Ne t'inquiète pas. Tu sais que cela m'arrive souvent dans des cas comme celui-ci.

L'excitation de l'enquête, de la recherche, n'existait plus, et on se trouvait soudain dans une sorte de vide.

— Il ne faut pas y faire attention. Verse-moi un petit verre, que je dorme comme une brute pendant dix heures.

Il ne regarda pas l'heure avant de s'endormir, se tourna pendant un certain temps dans les draps déjà moites tandis qu'un chien s'obstinait à hurler quelque part dans le quartier.

Il n'avait plus aucune notion du temps, ni de rien, pas même de l'endroit où il se trouvait quand la sonnerie du téléphone retentit. Il laissa sonner assez longtemps, tendit la main si maladroitement qu'il renversa le verre d'eau sur sa table de nuit.

— Allô...

Sa voix était enrouée.

— C'est vous, monsieur le commissaire ?

— Qui est-ce qui parle ?

— Ici, Lognon... Je vous demande pardon de vous déranger...

Il y avait quelque chose de triste dans la voix de l'inspecteur Malgracieux.

— Oui. Je t'écoute. Où es-tu ?

— Rue de Maistre...

Et, baissant le ton, Lognon poursuivait comme à regret :

— Un nouveau crime vient d'avoir lieu... Une femme... A coups de couteau... Sa robe a été lacérée...

Mme Maigret avait fait de la lumière. Elle vit son mari, resté couché jusque-là, se mettre sur son séant et se frotter les yeux.

— Vous êtes sûr ?... Allô ! Lognon ?

— Oui. C'est toujours moi.

— Quand ? Et, d'abord, quelle heure est-il ?

— Minuit dix.

— Quand cela a-t-il eu lieu ?

— Il y a environ trois quarts d'heure. J'ai essayé de vous atteindre au Quai. J'étais tout seul dans mon service.

— J'arrive...

— Encore une ? questionna sa femme.

Il fit signe que oui.

— Je croyais que l'assassin était sous les verrous ?

— Moncin est à la Souricière. Appelle-moi la P.J. pendant que je commence à m'habiller.

— Allô... La Police Judiciaire ?... Le commissaire Maigret va vous parler...

— Allô ! Qui est à l'appareil ? grommela Maigret. C'est toi, Mauvoisin ? Tu es déjà au courant, par Lognon ? Je suppose que notre homme n'a pas bougé ? Comment ?... Tu viens de t'en assurer ?... Je m'en occupe... Veux-tu m'envoyer tout de suite une voiture ?... Chez moi, oui...

Mme Maigret comprit que le mieux à faire en l'occurrence était de se taire et ce fut elle qui ouvrit le buffet pour verser un verre de prunelle qu'elle tendit à son mari. Il la but machinalement et elle le suivit jusqu'au palier, écouta ses pas décroître dans l'escalier.

Chemin faisant, il ne desserra pas les dents, regardant droit devant lui et, une fois descendu près d'un groupe d'une vingtaine de personnes, à un endroit mal éclairé de la rue de Maistre, fit claquer la portière derrière lui.

Lognon venait à sa rencontre avec la mine de quelqu'un qui annonce un décès dans la famille.

— J'étais à la permanence quand on m'a alerté par téléphone. Je suis accouru aussitôt.

Une ambulance était au bord du trottoir, avec les infirmiers qui attendaient qu'on leur donne des instructions et qui faisaient des taches plus claires dans la nuit. Il y avait aussi quelques curieux qui se taisaient, impressionnés.

Une silhouette féminine était allongée sur le trottoir, presque contre le mur, et une rigole de sang zigzaguait, sombre, déjà épaisse.

— Morte ?

Quelqu'un s'approcha, un médecin du quartier, Maigret le comprit par la suite.

— Je compte au moins six coups de couteau, dit-il. Je n'ai pu me livrer qu'à un examen superficiel.

— Toujours dans le dos ?

— Non. Quatre au moins dans la poitrine. Un autre à la gorge, qui semble avoir été porté après les autres et probablement alors que la victime était déjà tombée.

— Le coup de grâce ! ricana Maigret.

Cela ne signifiait-il pas que, pour lui aussi, ce crime était une sorte de coup de grâce ?

— Il y a des blessures moins profondes aux avant-bras et aux mains.

Cela lui fit froncer les sourcils.

— On sait qui c'est ? questionna-t-il en désignant la morte.

— J'ai trouvé sa carte d'identité dans son sac à main. Une certaine Jeanine Laurent, bonne à tout faire, au service des époux Durandeau, rue de Clignancourt.

— Quel âge ?

— Dix-neuf ans.

Maigret préféra ne pas la regarder. La petite bonne avait certainement mis sa meilleure robe, en tulle bleu ciel, presque une robe de bal. Sans doute était-elle allée danser. Elle portait des souliers à talons très hauts dont un lui était sorti du pied.

— Qui a donné l'alarme ?

— Moi, monsieur le commissaire.

C'était un agent cycliste, qui attendait patiemment son tour.

— J'effectuais ma ronde avec mon camarade ici présent quand j'avisai, sur le trottoir de gauche...

Il n'avait rien vu. Quand il s'était penché sur le corps, celui-ci était encore chaud et le sang continuait à couler des blessures. A cause de cela, il avait cru un instant que la jeune fille n'était pas morte.

— Qu'on la transporte à l'Institut Médico-Légal et qu'on prévienne le docteur Paul.

Et, à Lognon :

— Tu as donné des instructions ?

— J'ai lancé dans le quartier tous les hommes que j'ai pu trouver.

A quoi bon ? Cela n'avait-il pas été déjà fait sans résultat ? Une auto arrivait en trombe, stoppait dans un grincement de freins, le petit Rougin en jaillissait, les cheveux en bataille.

— Alors, mon cher commissaire ?

— Qui vous a prévenu ?

Maigret était grognon, agressif.

— Quelqu'un de la rue... Il existe des gens qui croient encore à l'utilité de la presse... Alors, ce n'est toujours pas le bon ?

Sans s'occuper davantage du commissaire, il se précipitait vers le trottoir, suivi de son photographe, et, pendant que celui-ci opérait, il interrogeait les curieux autour de lui.

— Occupe-toi du reste, grommela Maigret à l'adresse de Lognon.

— Vous n'avez besoin de personne ?

Il fit signe que non et regagna sa voiture, tête basse, avec l'air de broyer des pensées indigestes.

— Où allons-nous, patron ? questionna son chauffeur.

Il le regarda sans savoir que répondre.

— Descends toujours vers la place Clichy ou la place Blanche.

Il n'avait rien à faire au Quai des Orfèvres. Que pouvait-on tenter de plus que ce qui avait été fait ?

Il n'avait pas le courage non plus d'aller s'enfoncer dans son lit.

— Attends-moi ici.

Ils avaient atteint les lumières de la place Blanche où il y avait encore des lumières aux terrasses.

— Qu'est-ce que je vous sers ?

— Ce que vous voudrez.

— Un demi ? Une fine ?

— Un demi.

A une table voisine, une femme aux cheveux platinés, les seins à moitié découverts par une robe collante, s'efforçait, à mi-voix, de décider son compagnon à l'emmener dans une boîte dont on voyait, en face, l'enseigne au néon.

— Je t'assure que tu ne le regretteras pas. C'est peut-être cher, mais...

L'autre comprenait-il ? C'était un Américain, ou un Anglais, qui hochait la tête en répétant :

— *No !... No !*

— Tu ne sais rien dire d'autre ?... *No !... No !...* Et si, moi, je disais « *No* » aussi et si je te lâchais ?...

Il lui souriait, placide, et elle s'impatientait, appelait le garçon pour commander une nouvelle tournée.

— Vous me donnerez aussi un sandwich. Puisqu'il ne veut pas aller souper en face...

D'autres gens, ailleurs, discutaient des sketches d'une revue qu'ils venaient de voir dans un cabaret des environs. Un Arabe vendait des cacahuètes. Une vieille marchande de fleurs reconnut Maigret et préféra s'éloigner.

Il fuma trois pipes pour le moins, sans bouger, à regarder les passants défiler, les taxis, à écouter des bribes de conversations, comme s'il avait besoin de se retremper dans la vie de tous les jours.

Une femme d'une quarantaine d'années, grasse mais encore appétissante, installée seule devant un guéridon sur lequel une menthe à l'eau était servie, lui adressait des sourires engageants sans se douter de son identité.

Il fit signe au garçon.

— Un autre ! commanda-t-il.

Il fallait qu'il se donne le temps de se calmer. Tout à l'heure, rue de Maistre, sa première impulsion avait été de se précipiter à la Souricière, d'entrer dans la cellule de Marcel Moncin et de le secouer jusqu'à ce qu'il parle.

— Avoue, crapule, que c'est toi...

Il en avait une certitude quasi douloureuse. Il était impossible qu'il se soit trompé sur toute la ligne. Et, maintenant, ce n'était plus de la pitié, ni même de la curiosité, qu'il ressentait pour le faux architecte. C'était de la colère, presque de la rage.

Elle s'évaporait petit à petit dans la fraîcheur relative de la nuit, au frottement du spectacle de la rue.

Il avait commis une faute, il le savait, et, maintenant, il savait laquelle.

Il était trop tard pour la rattraper puisqu'une gamine était morte, une fille de la campagne qui, comme des milliers d'autres chaque année, était venue tenter sa chance à Paris et qui était allée danser après une journée passée dans une cuisine.

Il était même trop tard pour vérifier l'idée qui lui était venue. A cette heure-ci, il ne trouverait rien. Et, si des indices existaient, s'il y avait une chance de recueillir des témoignages, cela pouvait attendre le lendemain matin.

Ses hommes étaient aussi harassés que lui. Il y avait trop longtemps que cela durait. Quand ils liraient les journaux, le matin, dans le métro ou l'autobus, en se rendant au Quai des Orfèvres, ils éprouveraient tous la même stupeur, le même accablement qui s'étaient emparés tout à l'heure du commissaire. N'y en aurait-il pas quelques-uns pour douter de lui ?

Lognon, en lui téléphonant, était gêné et, rue de Maistre, avait presque l'air de lui présenter des condoléances.

Il imaginait la réaction du juge Coméliau, son coup de téléphone impérieux dès qu'il ouvrirait son journal.

Lourdement, il se dirigea vers l'intérieur de la brasserie et demanda un jeton au comptoir. C'était pour téléphoner à sa femme.

— C'est toi ? s'exclama-t-elle, surprise.

— Je veux simplement t'annoncer que je ne rentrerai pas cette nuit.

Sans raison précise, d'ailleurs. Il n'avait rien à faire immédiatement, sinon mijoter dans son jus. Il éprouvait le besoin de se retrouver dans l'atmosphère familière du Quai des Orfèvres, de son bureau, avec quelques-uns de ses hommes.

Il ne voulait pas dormir. Il serait temps quand ce serait fini une bonne fois, et alors peut-être même se déciderait-il à demander des vacances.

Il en était toujours ainsi. Il se promettait des vacances puis, quand le moment était venu, trouvait des excuses pour rester à Paris.

— Je vous dois, garçon ?

Il paya, se dirigea vers la petite auto.

— Au Quai !

Il retrouva Mauvoisin avec deux ou trois autres et l'un d'eux mangeait du saucisson en l'arrosant de vin rouge.

— Ne vous dérangez pas pour moi, mes enfants. Rien de nouveau ?

— Toujours la même chose. On interpelle des passants. On a arrêté deux étrangers dont les papiers n'étaient pas en règle.

— Téléphone à Janvier et à Lapointe. Demande-leur à tous les deux d'être ici à cinq heures et demie du matin.

Pendant une heure environ, seul dans son bureau, il lut et relut les procès-verbaux des interrogatoires, en particulier celui de la mère de Moncin et celui de sa femme.

Après cela, il s'affala dans son fauteuil et, la chemise ouverte sur sa poitrine, parut somnoler, face à la fenêtre. Peut-être lui arriva-t-il de s'assoupir ? Il n'en eut pas conscience. En tout cas, il n'entendit pas Mauvoisin entrer à certain moment dans son bureau et se retirer sur la pointe des pieds.

Les vitres pâlirent, le ciel tourna au gris, puis au bleu, et le soleil perça enfin. Quand Mauvoisin entra une seconde fois, il apportait une tasse de café qu'il venait de préparer sur un réchaud et Janvier était arrivé, Lapointe n'allait pas tarder.

— Quelle heure est-il ?

— Cinq heures vingt-cinq.

— Ils sont là ?

— Janvier. Quant à Lapointe...

— J'arrive, patron, lançait la voix de celui-ci.

Ils étaient rasés tous les deux alors que les nuiteux avaient les joues râpeuses, le teint barbouillé.

— Entrez tous les deux.

Était-ce une nouvelle faute de ne pas se mettre en rapport avec le juge Coméliau ? Si oui, il en prenait, comme pour les autres, la responsabilité.

— Toi, Janvier, tu vas te rendre rue Caulaincourt. Emmène un collègue avec toi, n'importe qui, celui qui est le plus frais.

— Chez la vieille ?

— Oui. Tu me l'amèneras. Elle protestera, refusera probablement.

— C'est sûr.

Il lui tendit un papier qu'il venait de signer avec l'air de vouloir écraser sa plume.

— Tu lui remettras cette convocation. Quant à toi, Lapointe, tu iras me chercher Mme Moncin boulevard Saint-Germain.

— Vous me donnez une convocation aussi ?

— Oui. Avec elle, je doute que ce soit indispensable. Vous me les mettrez ensemble dans un bureau que vous aurez soin de boucler et vous viendrez m'avertir.

— Le Baron et Rougin sont dans le couloir.

— Parbleu !

— Cela ne fait rien ?

— Ils peuvent les voir.

Ils passèrent tous les deux dans le bureau des inspecteurs où les lampes étaient encore allumées et Maigret ouvrit la porte de son placard. Il y gardait toujours de quoi se raser. Il le fit et se coupa légèrement au-dessus de la lèvre.

— Tu as encore du café, Mauvoisin ? cria-t-il ?

— Dans un moment, patron. Je suis en train d'en préparer une seconde tournée.

Dehors, les remorqueurs, les premiers, s'étaient mis à vivre, allant chercher le long des quais leur chapelet de péniches qu'ils emmèneraient vers la haute ou la basse Seine. Quelques autobus franchissaient le pont Saint-Michel presque désert et, juste à côté de celui-ci, un pêcheur à la ligne était installé, les jambes pendant au-dessus de l'eau sombre.

Maigret commença à aller et venir, évitant le couloir et les reporters, tandis que les inspecteurs se gardaient bien de lui poser des questions et même de le regarder en face.

— Lognon n'a pas téléphoné ?

— Vers quatre heures, pour annoncer qu'il n'y avait rien de nouveau, sauf que la petite est bien allée danser dans une boîte près de la place du Tertre. Elle s'y rendait une fois la semaine, n'avait pas d'amoureux régulier.

— Elle en est partie seule ?

— C'est ce que pensent les garçons, mais ils n'en sont pas sûrs. Ils ont l'impression qu'elle était sage.

On entendit du bruit dans le couloir, une voix de femme haut perchée, sans pourtant qu'on puisse distinguer les mots prononcés.

Quelques instants plus tard, Janvier entra dans le bureau avec la mine d'un homme qui vient d'accomplir une tâche peu réjouissante.

— Ça y est ! Cela n'a pas été sans peine.

— Elle était couchée ?

— Oui. Elle m'a d'abord parlé à travers la porte, refusant d'ouvrir. J'ai dû la menacer d'aller chercher un serrurier. Elle a fini par passer une robe de chambre.

— Tu as attendu pendant qu'elle s'habillait ?

— Sur le palier. Elle refusait toujours de me laisser entrer dans l'appartement.

— Elle est seule, à présent ?

— Oui. Voici la clef.

— Va attendre Lapointe dans le couloir.

Il fallut encore une dizaine de minutes et les deux inspecteurs rejoignirent Maigret ensemble.

— Elles y sont ?

— Oui.

— Cela a produit des étincelles ?

— Elles n'ont échangé qu'un regard et ont affecté de ne pas se connaître.

Janvier hésita, risqua une question.

— Qu'est-ce qu'on fait, maintenant ?

— Tout de suite, rien. Installe-toi dans le bureau voisin, près de la porte de communication. Si elles se décident à parler, efforce-toi d'entendre.

— Sinon ?

Maigret esquissa un geste vague. Cela ne signifiait-il pas :

— A la grâce de Dieu !

8

La mauvaise humeur de Moncin

A neuf heures, les deux femmes, enfermées dans un bureau exigu, n'avaient toujours pas prononcé une parole. Assises chacune sur une chaise droite, car il n'y avait pas de fauteuil dans la pièce, elles se tenaient immobiles, comme dans la salle d'attente d'un médecin ou d'un dentiste sans la ressource de parcourir un magazine.

— Une des deux s'est levée pour ouvrir la fenêtre, dit Janvier à Maigret qui était allé aux nouvelles, puis elle a repris sa place et on n'entend à nouveau plus rien.

Maigret n'avait pas réfléchi qu'une des deux, en tout cas, ignorait le crime de la nuit.

— Fais porter des journaux dans la pièce. Qu'on les pose sur le bureau comme si c'était une habitude et qu'on s'arrange pour que, de leur place, elles puissent apercevoir les gros titres.

Coméliau avait déjà téléphoné deux fois, la première de chez lui, où il avait dû lire le journal en prenant son petit déjeuner, la seconde du Palais de Justice.

— Réponds-lui qu'on m'a aperçu dans la maison et qu'on me cherche.

Une question importante était déjà résolue par des inspecteurs que le commissaire avait envoyés de bonne heure en mission. Pour la mère de Moncin, la réponse était simple. Il lui était possible d'entrer dans l'immeuble de la rue Caulaincourt et d'en sortir à n'importe quelle heure de la nuit sans déranger la concierge car, en tant que propriétaire, elle avait conservé une clef. Or, la concierge éteignait dans sa loge et se couchait dès dix heures du soir, au plus tard dix heures et demie.

Boulevard Saint-Germain, les Moncin ne disposaient pas de clef. La concierge se couchait plus tard, aux environs d'onze heures. Était-ce pour cela que, sauf celui de la nuit précédente, les attentats avaient eu lieu d'assez bonne heure ? Tant qu'elle n'était pas au lit et que la porte n'était pas fermée, la concierge ne prêtait qu'une attention distraite aux locataires qui rentraient du cinéma, du théâtre ou d'une soirée chez des amis.

Le matin, elle ouvrait le portail vers cinq heures et demie pour tirer les poubelles sur le trottoir et rentrait chez elle faire sa toilette. Parfois il lui arrivait de se recoucher une heure.

Cela expliquait, pour Marcel Moncin, la possibilité d'être sorti sans être vu, après l'attentat manqué, afin de se débarrasser du complet en le déposant sur les quais.

Sa femme avait-elle pu, elle, sortir la veille au soir et rentrer assez tard, probablement passé minuit, sans que la concierge se souvienne de lui avoir tiré le cordon ?

L'inspecteur, de retour du boulevard Saint-Germain, répondait oui.

— La concierge prétend que non, bien entendu, expliquait-il à Maigret. Les locataires ne sont pas du même avis. Depuis qu'elle est veuve, elle a pris l'habitude, le soir, de boire deux ou trois petits verres de je ne sais quelle liqueur des Pyrénées. Parfois, il faut sonner à deux ou trois reprises avant qu'elle ouvre la porte et elle le fait dans un demi-sommeil, sans entendre le nom que les locataires murmurent en passant.

D'autres renseignements arrivaient, pêle-mêle, certains par téléphone. On apprenait, par exemple, que Marcel Moncin et sa femme se connaissaient depuis l'enfance et qu'ils étaient allés à l'école communale ensemble. Un été, alors que Marcel avait neuf ans, la femme du pharmacien du boulevard de Clichy l'avait emmené en vacances avec ses enfants dans une villa qu'ils avaient louée à Étretat.

On apprenait aussi qu'après son mariage le jeune couple avait habité pendant plusieurs mois un appartement que Mme Moncin mère avait mis à sa disposition dans l'immeuble de la rue Caulaincourt, au même étage que le sien.

A neuf heures et demie, Maigret décida :

— Qu'on aille me chercher Moncin à la Souricière. A moins, bien entendu, qu'il soit déjà dans le bureau de Coméliau.

Janvier, de son poste d'observation, avait entendu une des deux femmes se lever, puis le froissement d'une page de journal. Il ne savait pas de laquelle des deux il s'agissait. Aucune voix, néanmoins, ne s'était fait entendre.

Le temps était à nouveau clair, le soleil brillant, mais il faisait moins lourd que les jours précédents, car une brise faisait frémir le feuillage des arbres et, parfois, les papiers sur le bureau.

Moncin entra sans rien dire, regarda le commissaire qu'il se contenta de saluer d'un imperceptible signe de tête et attendit d'être invité à s'asseoir. Il n'avait pas eu la possibilité de se raser et sa barbe claire enlevait un peu de la netteté de son visage, il paraissait plus mou ainsi, les traits comme brouillés, par la fatigue aussi sans doute.

— On vous a mis au courant de ce qui s'est passé hier au soir ?

Il dit, comme avec reproche :

— Personne ne m'a parlé.

— Lisez.

Il lui tendait celui des journaux qui donnait le compte rendu le plus détaillé des événements de la rue de Maistre. Pendant que le prisonnier lisait, le commissaire ne le quittait pas des yeux et il fut certain de ne pas se tromper : *la première réaction de Moncin fut la contrariété*. Il avait froncé les sourcils, surpris, mécontent.

Malgré l'arrestation du décorateur,
nouvelle victime à Montmartre.

Un instant, il pensa à un piège, peut-être à un journal truqué tout exprès pour le faire parler. Il lut avec attention, vérifia la date en haut de la page, se convainquit que le fait divers était vrai.

N'y eut-il pas, chez lui, une sorte de colère rentrée, comme si on lui gâchait quelque chose ?

En même temps, il réfléchissait, cherchait à comprendre, semblait trouver enfin la solution du problème.

— Comme vous le voyez, dit Maigret, quelqu'un s'efforce de vous sauver. Tant pis si cela coûte la vie à une pauvre fille à peine arrivée à Paris !

N'y eut-il pas un furtif sourire sur les lèvres de Moncin ? Il s'efforçait de le contenir, mais cela se marquait quand même, une satisfaction enfantine, vite réprimée.

— Les deux femmes sont ici... continua Maigret du bout des lèvres, en affectant de ne pas le regarder.

C'était une drôle de lutte, comme il ne se souvenait pas d'en avoir engagé. Ils n'évoluaient ni l'un ni l'autre sur un terrain stable. La moindre nuance comptait, un regard, un frémissement des lèvres, un battement de paupières.

Si Moncin était fatigué, le commissaire l'était encore davantage et lui, en outre, était écœuré. Il avait été tenté une fois de plus de remettre l'affaire, telle quelle, entre les mains du juge d'instruction, qui n'aurait qu'à se débrouiller.

— Tout à l'heure, on les amènera, et vous vous expliquerez.

Quel fut le sentiment de Moncin à cet instant ? De la fureur ? C'était possible. Ses prunelles bleues devinrent plus fixes, ses mâchoires se serrèrent, il lança au commissaire un bref regard de reproche. Mais peut-être aussi était-ce de la peur, car, en même temps, la buée de la veille montait à son front, perlait au-dessus de sa lèvre.

— Vous êtes toujours décidé à vous taire ?

— Je n'ai rien à dire.

— Vous ne commencez pas à trouver qu'il est temps que cela finisse ? Vous ne pensez pas, Moncin, que c'est au moins *un crime* de trop ? Si vous aviez parlé hier, celui-ci n'aurait pas été commis.

— Je n'y suis pour rien.

— Vous savez, n'est-ce pas, laquelle des deux a décidé stupidement de vous sauver ?

Il ne sourit plus. Au contraire, il se durcit encore comme s'il en voulait à celle qui avait fait ça.

— Je vais vous dire, moi, ce que je pense de vous. Vous êtes un malade, probablement, car je veux croire qu'un homme au cerveau normal n'agirait, dans aucun cas, comme vous l'avez fait. Cette question-là, c'est aux psychiatres de la résoudre. Tant pis s'ils vous déclarent responsable de vos actes.

Il l'épiait toujours.

— Avouez que vous seriez vexé si on décidait que vous êtes irresponsable ?

Une lueur, en effet, avait passé dans les yeux pâles de l'homme.

— Peu importe. Vous avez été un enfant comme un autre, tout au moins en apparence. Un fils de boucher. Cela vous humiliait, d'être fils de boucher ?

Il n'avait pas besoin de réponse.

— Cela humiliait votre mère, elle aussi, qui voyait en vous une sorte d'aristocrate égaré rue Caulaincourt. Je ne sais pas à quoi ressemblait votre brave homme de père. Parmi tant de photographies pieusement gardées par votre mère, je n'en ai pas trouvé une seule de lui. Elle en a honte, je suppose. Par contre, dès votre petite enfance, on vous photographiait sous toutes les faces et, à six ans, on vous faisait faire un coûteux costume de marquis pour un bal costumé. Vous aimez votre mère, monsieur Moncin ?

Et celui-ci continua à se taire.

— Cela n'a pas fini par vous peser, d'être couvé de la sorte, traité comme un être délicat qui exige des soins constants ?

» Vous auriez pu vous révolter, comme tant d'autres dans votre cas, casser le fil. Écoutez-moi bien. D'aucuns, par la suite, s'occuperont de vous, qui n'iront peut-être pas par quatre chemins.

» Pour moi, vous restez un être humain. Ne comprenez-vous pas que c'est justement ce que je cherche à faire jaillir chez vous : la petite étincelle humaine ?

» Vous ne vous êtes pas révolté parce que vous êtes paresseux et que vous avez un orgueil incommensurable.

» D'autres naissent avec un titre, une fortune, des domestiques, un appareil de confort et de luxe autour d'eux.

» Vous êtes né avec une mère qui vous a tenu lieu de tout cela.

» Qu'il vous arrivât quoi que ce fût, votre mère était là. Vous le saviez. Vous pouviez tout vous permettre.

» Seulement, il vous fallait payer le prix : la docilité.

» Vous lui apparteniez, à cette mère-là. Vous étiez sa chose. Vous n'aviez pas le droit de devenir un homme comme un autre.

» Est-ce elle qui, par crainte que vous commenciez à avoir des aventures, vous a marié, à vingt ans ?

Moncin le regardait avec intensité, mais il n'était pas possible de deviner le fond de sa pensée. Une chose était certaine : il était flatté qu'on s'occupe de lui de la sorte, qu'un homme de la stature de Maigret se penche sur ses faits et gestes et sur ses pensées.

Si le commissaire se trompait soudain, n'allait-il pas réagir, protester ?

— Je ne crois pas que vous ayez été amoureux, car vous êtes trop préoccupé de vous-même pour cela. Vous avez épousé Yvonne pour avoir la paix, peut-être dans l'espoir d'échapper ainsi à l'influence de votre mère.

» Toute gamine, cette Yvonne béait d'admiration devant le garçon blond et élégant que vous étiez. Vous paraissiez fait d'une autre pâte que vos petits camarades, tout fils de boucher que vous étiez.

» Votre mère s'y est laissé prendre. Elle n'a vu en elle qu'une jeune dinde qu'elle façonnerait à sa guise et elle vous a installés tous les deux sur le même palier qu'elle pour mieux vous tenir sous sa coupe.

» Tout cela, n'est-ce pas, ne suffit pas à expliquer qu'on tue ?

» La véritable explication ne viendra pas des médecins qui ne feront, comme moi, qu'éclairer une des faces du problème.

» Vous seul connaissez ce problème dans son entier.

» Or, j'ai la conviction que vous seriez incapable de vous expliquer.

Il obtint cette fois un sourire où il y avait du défi. Cela signifiait-il que, s'il le voulait, Moncin pourrait rendre ses actes compréhensibles à chacun ?

— J'en finis. La petite dinde s'est révélée non seulement une vraie femme, mais une femelle aussi possessive que votre mère. Entre elles deux, la lutte a commencé, dont vous étiez l'enjeu, tandis que, sans nul doute, vous étiez ballotté de l'une à l'autre.

» Votre femme a gagné la première manche, puisqu'elle vous a arraché à la rue Caulaincourt et vous a transplanté dans un appartement du boulevard Saint-Germain.

» Elle vous a donné un nouvel horizon, un nouvel entourage, de nouveaux amis et, de temps en temps, vous vous échappiez pour retourner à Montmartre.

» N'avez-vous pas commencé alors à nourrir contre Yvonne les révoltes que vous aviez eues contre votre mère ?

» *Toutes les deux, Moncin, vous empêchaient d'être un homme !*

Le prisonnier lui jeta un regard lourd de rancune, puis baissa les yeux vers le tapis.

— C'est ce que vous vous imaginiez, ce que vous vous efforciez de croire. Mais vous saviez bien, au fond, que ce n'était pas vrai.

» Vous n'aviez pas le courage d'être un homme. Vous n'en étiez pas un. Vous aviez besoin d'elles, du climat qu'elles créaient autour de vous, de leurs soins, de leur admiration, de leur indulgence.

» Et c'est justement cela qui vous humiliait.

Maigret alla se camper devant la fenêtre pour reprendre haleine et s'épongea le front de son mouchoir, les nerfs aussi frémissants que ceux d'un acteur qui incarne un personnage à son paroxysme.

— Vous ne répondrez pas, soit, et je sais aussi pourquoi il vous est impossible de répondre : ce serait trop pénible pour votre amour-propre. Cette lâcheté, ce compromis perpétuel dans lequel vous avez vécu vous sont trop douloureux.

» Combien de fois l'envie vous est-elle venue de les tuer ? Je ne parle pas des pauvres filles inconnues que vous avez assaillies dans la rue. Je parle de votre mère et de votre femme.

» Je parierais que, gamin, ou adolescent, l'idée vous est parfois passée par la tête de tuer votre mère pour vous affranchir.

» Pas un vrai projet, non ! Une de ces pensées en l'air qu'on oublie aussitôt, qu'on met sur le compte d'un mouvement de rage.

» Et il en a été de même par la suite avec Yvonne.

» Vous étiez leur prisonnier à toutes les deux. Elles vous nourrissaient, vous soignaient, vous choyaient, mais en même temps elles vous possédaient. Vous étiez leur chose, leur bien, qu'elles se disputaient entre elles.

» Et vous, ballotté entre la rue Caulaincourt et le boulevard Saint-Germain, vous vous faisiez pareil à une ombre pour avoir la paix.

» A quel moment, pourquoi, sous le coup de quelle émotion, de quelle humiliation plus violente que les autres le déclic s'est-il produit ? Je n'en sais rien. Vous seul pourriez répondre à la question, et je n'en suis même pas sûr.

» Toujours est-il que le projet, vague d'abord, puis de plus en plus précis, vous est venu de vous affirmer.

» Comment vous affirmer ?

» Pas dans votre profession, car vous savez que vous avez toujours été un raté ou, qui pis est, un amateur. Personne ne vous prend au sérieux.

» Vous affirmer comment, alors ? Par quelle action d'éclat ?

» Car, pour satisfaire votre orgueil, il fallait que ce fût éclatant, il fallait un geste dont tout le monde parle, qui vous donnerait la sensation de planer au-dessus de la foule.

» L'idée vous est-elle venue alors de tuer les deux femmes ?

» C'était dangereux. Les recherches se seraient automatiquement dirigées de votre côté, et il ne serait resté personne pour vous soutenir, vous flatter, vous encourager.

» C'était pourtant à elles, aux femelles dominatrices, que vous en vouliez.

» C'est à des femelles que vous vous en êtes pris, dans la rue, au hasard.

» Cela vous a-t-il soulagé, Moncin, de découvrir que vous étiez capable de tuer ? Cela vous a-t-il donné l'impression que vous étiez supérieur aux autres hommes, ou simplement que vous étiez un homme ?

Il le regardait dans les yeux, durement, et son interlocuteur faillit tomber à la renverse avec sa chaise.

— Parce que tuer a toujours, depuis que l'homme existe, été considéré comme le plus grand crime, il existe des êtres pour considérer que cela suppose un courage exceptionnel.

» Je suppose que, la première fois, le 2 février, cela vous a procuré un soulagement, un moment de griserie.

» Vous aviez pris vos précautions, car vous ne vouliez pas payer, vous entendiez ne pas aller à l'échafaud, en prison ou dans quelque asile de fous.

» Vous êtes un criminel bourgeois, monsieur Moncin, un criminel douillet, un criminel qui a besoin de son confort et de petits soins.

» C'est pourquoi, depuis que je vous ai vu, je suis tenté d'employer avec vous les méthodes qu'on reproche tant à la police. Vous avez peur des coups, de la souffrance physique.

» Si je vous envoyais le revers de ma main au visage, vous vous écrouleriez et qui sait si, par peur d'un second coup, vous ne préféreriez pas des aveux.

Maigret devait être terrible, sans le vouloir, animé qu'il était par la colère qui s'était peu à peu emparée de lui, car Moncin, ramassé sur lui-même, était devenu terreux.

— N'ayez pas peur. Je ne vous frapperai pas. Pour tout dire, je me demande même si c'est tellement à vous que j'en veux.

» Vous avez prouvé que vous êtes intelligent. Vous avez choisi un quartier dont vous connaissez les moindres recoins, comme seulement ceux qui y ont vécu enfant le connaissent.

» Vous avez choisi une arme silencieuse en même temps qu'une arme qui vous procurait, au moment de frapper, une satisfaction physique. Cela n'aurait pas été pareil de presser la gâchette d'un revolver, ou de verser du poison.

» Il vous fallait un geste rageur, violent. Vous aviez besoin de détruire, de sentir que vous détruisiez.

» Vous frappiez et cela ne vous suffisait pas : il était nécessaire qu'ensuite, comme un gamin, vous vous acharniez.

» Vous déchiriez la robe, le linge et sans doute les psychiatres y verront-ils un symbole.

» Vous ne violiez pas vos victimes, parce que vous en êtes incapable, parce que vous n'avez jamais été réellement un homme.

Moncin releva soudain la tête, fixa Maigret, les mâchoires serrées, comme prêt à lui sauter aux yeux.

— Ces robes, ces combinaisons, ces soutiens-gorge, ces culottes, c'était de la féminité que vous mettiez en pièces.

» Ce que je me demande, à présent, c'est si une des deux femmes vous a soupçonné, pas nécessairement la première fois, mais les suivantes.

» Lorsque vous vous rendiez ainsi à Montmartre, annonciez-vous à votre femme que vous alliez voir votre mère ?

» N'a-t-elle pas établi un rapprochement entre les crimes et ces visites ?

» Voyez-vous, monsieur Moncin, je me souviendrai de vous toute ma vie parce que, dans ma carrière, jamais une affaire ne m'a autant troublé, ne m'a pris autant de moi-même.

» Après votre arrestation, hier, ni l'une ni l'autre ne s'est figuré que vous étiez innocent.

» Et l'une d'elles a décidé de vous sauver.

» Si c'est votre mère, elle n'avait que quelques pas à faire pour se rendre rue de Maistre.

» Si c'est votre femme, cela suppose qu'elle acceptait, en admettant que nous vous relâchions, de vivre côte à côte avec un tueur.

» Je ne repousse aucune des deux hypothèses. Elles sont ici, depuis ce matin à la première heure, face à face dans un bureau, et pas une n'a ouvert la bouche.

» Celle qui a tué sait qu'elle a tué.

» Celle qui est innocente sait que l'autre ne l'est pas et je me demande si, chez celle-ci, il n'y a pas une secrète envie.

» N'est-ce pas, entre elles, depuis des années, une lutte à qui vous aimera le plus, à qui vous possédera le plus ?

» Or, comment vous posséder davantage qu'en vous sauvant ?

Le téléphone l'interrompit au moment où il ouvrait la bouche.

— Allô !... Oui, c'est moi... Oui, monsieur le juge... Il est ici... Je vous demande pardon, mais j'en ai encore besoin pendant une heure... Non, la presse n'a pas menti... Une heure !... Elles sont au Quai toutes les deux...

Impatient, il raccrocha, alla ouvrir la porte du bureau des inspecteurs.

— Qu'on m'amène les deux femmes.

Il avait besoin d'en finir. Si l'élan qu'il venait de prendre ne le conduisait pas au terme, il se rendait compte qu'il serait incapable de venir à bout de l'affaire.

Il n'avait demandé qu'une heure, non parce qu'il était sûr de lui, mais un peu comme on mendie. Dans une heure, il passerait la main et Coméliau agirait comme bon lui plairait.

— Entrez, mesdames.

Sa passion n'était sensible que dans une certaine vibration de la voix, dans le calme exagéré de certains gestes, comme de leur tendre une chaise à chacune.

— Je n'essaie pas de vous tromper. Ferme la porte, Janvier... Non ! Ne sors pas. Reste ici et prends des notes. Je dis que je n'essaie pas de vous tromper, de vous faire croire que Moncin a avoué. J'aurais pu vous interroger séparément. Comme vous le voyez, j'ai décidé de ne pas user des petites ficelles du métier.

La mère, qui avait refusé de s'asseoir, se dirigea vers lui, la bouche ouverte, et il lui lança sèchement :

— Taisez-vous ! Pas maintenant...

Yvonne Moncin, elle, était assise sagement sur le bord de sa chaise, comme une jeune dame en visite. Elle avait eu, pour son mari, un regard assez bref, et maintenant elle fixait le commissaire comme si, non contente de l'écouter, elle suivait le mouvement de ses lèvres.

— Qu'il avoue ou non, il a tué, par cinq fois, et vous le savez toutes les deux, car vous connaissez ses points faibles mieux que quiconque. Tôt ou tard, ce sera établi. Tôt ou tard, il finira en prison, ou dans un asile.

» L'une de vous s'est imaginé qu'en commettant un nouveau meurtre elle parviendrait à détourner de lui les soupçons.

» Il nous reste à savoir laquelle des deux a tué, cette nuit, une certaine Jeanine Laurent au coin de la rue de Maistre.

La mère put enfin parler.

— Vous n'avez pas le droit de nous questionner hors de la présence d'un avocat. Je leur interdis à tous les deux de parler. C'est notre droit d'être assistés légalement.

— Veuillez vous asseoir, madame, à moins que vous ayez des aveux à faire.

— Il ne manquerait plus que ça que je fasse des aveux ! Vous agissez comme... comme un malappris que vous êtes et vous... vous...

Pendant les heures qu'elle avait passées en tête à tête avec sa bru, elle avait amassé silencieusement tant de rancœurs qu'elle en perdait la faculté de s'exprimer.

— Je vous répète de vous asseoir. Si vous continuez à vous démener, je vous ferai emmener ailleurs par un inspecteur qui vous interrogera pendant que je m'occuperai de votre fils et de votre belle-fille.

Cette perspective la calma soudain. Ce fut un changement à vue. Elle resta un instant la bouche ouverte de stupeur, puis elle eut l'air de dire :

— Je voudrais bien voir ça !

N'était-elle pas la mère ? Ses droits n'étaient-ils pas plus anciens, plus indiscutables que ceux d'une gamine que son fils n'avait fait qu'épouser ?

Ce n'était pas du ventre d'Yvonne qu'il était sorti, mais du sien.

— Non seulement une de vous deux, reprit Maigret, a espéré sauver Moncin en commettant un crime pareil aux siens alors qu'il était sous les verrous, mais celle-là, j'en suis persuadé, était depuis longtemps au courant. Elle a donc eu le courage de se trouver seule jour après jour avec lui dans une pièce, sans protection, sans aucune chance de lui échapper si l'idée lui venait de la tuer à son tour.

» Celle-là l'a assez aimé, à sa manière, pour...

Le regard que Mme Moncin lança à sa bru ne lui échappa pas. Jamais, sans doute, il n'avait lu tant de haine dans des yeux humains.

Yvonne, elle, n'avait pas bronché. Les deux mains sur un sac en maroquin rouge, elle semblait toujours hypnotisée par Maigret, dont elle ne perdait pas une expression de physionomie.

— Il me reste à vous dire ceci. Moncin, presque à coup sûr, sauvera sa tête. Les psychiatres, comme d'habitude, ne seront pas d'accord à son sujet, discuteront devant un jury qui n'y comprendra rien et il y a toutes les chances pour qu'il bénéficie du doute, auquel cas il sera envoyé pour le reste de ses jours dans un asile.

Les lèvres de l'homme frémirent. A quoi pensait-il à cet instant précis ? Il devait avoir une peur atroce de la guillotine, peur aussi de la prison. Mais n'était-il pas en train d'évoquer des scènes d'asiles d'aliénés telles que l'imagination populaire les voit ?

Maigret fut persuadé que, si on pouvait lui promettre qu'il aurait une chambre pour lui seul, une infirmière, que s'il avait droit à des soins raffinés, à l'attention de quelque professeur illustre, il n'hésiterait pas à parler.

— Pour la femme, il n'en est pas de même. Depuis six mois, Paris vit dans la peur et les gens ne pardonnent jamais la peur qu'ils ont ressentie. Or, les jurés seront des Parisiens, des pères, des époux de femmes qui auraient pu tomber sous le couteau de Moncin à quelque coin de rue.

» Il ne sera pas question de folie.

» A mon avis, c'est la femme qui payera.

» Elle le sait.

» C'est une de vous deux.

» Une de vous deux, pour sauver un homme, pour ne pas perdre, plus exactement, ce qu'elle considérait comme son bien, a joué sa tête.

— Cela m'est égal de mourir pour mon fils, lança soudain Mme Moncin en détachant les syllabes. C'est mon enfant. Peu m'importe ce qu'il a fait. Peu m'importent les roulures qui se promènent la nuit dans les rues de Montmartre.

— Vous avez tué Jeanine Laurent ?

— Je ne connais pas son nom.

— Vous avez commis, la nuit dernière, le meurtre de la rue de Maistre ?

Elle hésita, regarda Moncin et prononça enfin :

— Oui.

— Dans ce cas, pouvez-vous me préciser la couleur de la robe de la victime ?

C'était un détail que Maigret avait demandé à la presse de ne pas publier.

— Je... Il faisait trop noir pour que...

— Pardon ! Vous n'ignorez pas qu'elle a été assaillie à moins de cinq mètres d'un bec de gaz...

— Je n'ai pas fait attention.

— Lorsque, pourtant, vous avez lacéré le tissu...

Le crime avait été commis à plus de cinquante mètres du plus proche réverbère.

Alors, dans le silence, on entendit la voix d'Yvonne Moncin qui énonçait calmement, comme une élève à l'école :

— La robe était bleue.

Elle souriait, toujours immobile, se tournait vers sa belle-mère qu'elle regardait avec défi.

N'était-ce pas elle, dans son esprit, qui avait gagné la partie ?

— Elle était bleue, en effet, soupira Maigret en laissant enfin ses nerfs se détendre.

Et le soulagement fut si soudain, si violent, que des larmes lui en montèrent aux yeux, peut-être des larmes de fatigue ?

— Tu termineras, Janvier, murmura-t-il en se levant et en ramassant une pipe au hasard sur son bureau.

La mère s'était tassée sur elle-même, vieillie soudain de dix ans, comme si on venait de lui arracher sa seule raison de vivre.

Maigret n'eut pas un regard pour Marcel Moncin qui avait laissé tomber sa tête sur sa poitrine.

Le commissaire fendit la foule des reporters et des photographes qui l'assaillaient dans le couloir.

— Qui est-ce ? On le sait ?

Il fit oui, balbutia :

— Tout à l'heure... Dans quelques minutes...

Et il se précipita vers la petite porte vitrée donnant accès au Palais de Justice.

Il ne resta guère qu'un quart d'heure chez le juge Coméliau. Quand il revint, ce fut pour distribuer des instructions.

— Relâche la mère, bien entendu. Coméliau veut voir les deux autres le plus tôt possible.

— Ensemble ?

— D'abord ensemble, oui. C'est lui qui remettra un communiqué à la presse...

Il y avait quelqu'un qu'il aurait aimé voir, mais pas dans un bureau, pas dans les couloirs ou les salles d'un asile : le professeur Tissot, avec qui il aurait bavardé longuement comme ils l'avaient fait un soir dans le salon de Pardon.

Il ne pouvait pas demander à celui-ci d'organiser un autre dîner. Il était trop las pour se rendre à Sainte-Anne et attendre que le professeur puisse le recevoir.

Il poussa la porte du bureau des inspecteurs où tous les regards convergèrent vers lui.

— C'est fini, mes enfants...

Il hésita, fit des yeux le tour de ses collaborateurs, leur sourit d'un sourire las et avoua :

— Moi, je vais me coucher.

C'était vrai. Cela ne lui était pas arrivé souvent, même quand il avait passé la nuit.

— Vous direz au chef...

Puis dans le couloir, aux journalistes :

— Chez le juge Coméliau... Il vous mettra au courant...

On le vit descendre l'escalier tout seul, le dos lourd, et il s'arrêta sur le premier palier pour allumer lentement la pipe qu'il venait de bourrer.

Un des chauffeurs lui demanda s'il voulait la voiture et il fit signe que non.

Il avait envie, d'abord, d'aller s'asseoir à la terrasse de la Brasserie Dauphine comme, la nuit, il s'était assis longtemps à une autre terrasse.

— Un demi, commissaire ?

Comme ironique, d'une ironie qui s'adressait à lui-même, il répondit en levant les yeux :

— Deux !

Il dormit jusqu'à six heures du soir, dans les draps moites, la fenêtre ouverte sur les bruits de Paris, et quand il parut enfin, les yeux encore bouffis, dans la salle à manger, ce fut pour annoncer à sa femme :

— Ce soir, nous allons au cinéma...

Bras dessus, bras dessous, ainsi qu'ils en avaient l'habitude.

Mme Maigret ne lui posa pas de questions. Elle sentait confusément qu'il revenait de loin, qu'il avait besoin de se réhabituer à la vie de tous les jours, de coudoyer des hommes qui le rassurent.

La Gatounière, Mougins (Alpes-Maritimes), le 12 juillet 1955.

LES COMPLICES

1

Ce fut brutal, instantané. Et pourtant il resta sans étonnement et sans révolte comme s'il s'y attendait depuis toujours. D'une seconde à l'autre, dès le moment où le klaxon se mit à hurler derrière lui, il sut que la catastrophe était inéluctable et que c'était sa faute.

Ce n'était pas un klaxon ordinaire qui le poursuivait avec une sorte de colère et d'effroi mais un meuglement pareil à celui qu'on entend, lugubre et déchirant, dans les ports, les nuits de brouillard.

En même temps, il voyait, dans son rétroviseur, la masse rouge et blanche d'un énorme autocar qui fonçait, le visage crispé d'un homme aux cheveux grisonnants et il découvrait que lui-même roulait au milieu de la route.

Il ne pensa pas à dégager sa main qu'Edmonde continuait à serrer entre ses cuisses. Il n'en aurait pas eu le temps.

Il avait presque atteint le bas de la Grande Côte où la route tournait à gauche à angle droit, bouchée, semblait-il à distance, par le mur qui entourait les terres du Château-Roisin.

La pluie tombait depuis quelques minutes, juste assez pour recouvrir l'asphalte d'une pellicule gluante.

Curieusement, à cet instant-là, il accepta tout, la catastrophe et sa culpabilité, il sut que sa vie allait être coupée en deux, qu'elle allait peut-être s'achever et, sans y croire, il fit ce qui restait à faire, s'efforça, de sa seule main gauche, de redresser la traction-avant. Comme il s'y attendait, au lieu de revenir vers la droite, la voiture patina, accentua son mouvement en un tête-à-queue qui la plaça en travers du chemin.

L'autocar passa quand même, par miracle, et Lambert crut entendre l'injure que lui criait le conducteur au visage convulsé, il aperçut, derrière les vitres, des têtes d'enfants qui ne se rendaient compte de rien, un choc se produisait, de la tôle se déchirait et le mastodonte, qui avait accroché un arbre, continuait à dévaler, de travers, vers le bas de la pente.

Sa voiture à lui, qui s'était presque arrêtée, repartait comme si de rien n'était, à nouveau docile, tandis que le car heurtait de toute sa masse, en un formidable coup de bélier, le mur du Château-Roisin.

Lambert ne s'arrêta pas, ne pensa pas à s'arrêter mais à fuir, pour ne pas voir, et il eut la présence d'esprit de ne pas suivre la grand-route mais de se lancer, à droite, sur le chemin de la Galinière.

Edmonde n'avait pas crié, n'avait pas bougé. Il avait seulement senti que son corps se raidissait, se renversait en arrière et il lui semblait qu'elle avait fermé les yeux.

Il n'osait pas regarder dans son rétroviseur pour voir ce qui se passait derrière lui mais il ne put éviter, avant le premier tournant, d'y jeter un coup d'œil et d'apercevoir un énorme brasier.

Jamais il n'avait eu, dans tout son être, une sensation aussi atroce, même quand il avait été enterré par l'éclatement d'un obus. Cela paraissait impossible qu'il continuât de conduire, de regarder devant lui, de respirer. Quelque chose allait se briser dans sa tête, ou dans sa poitrine, et il était tellement couvert de sueur que ses mains glissaient sur le volant.

L'idée lui vint de s'arrêter, de faire demi-tour ; il n'en eut pas le courage. C'était au-dessus de ses forces. Il ne voulait pas voir. La panique le poussait en avant, une force incontrôlable contre laquelle il n'avait aucune prise.

Et pourtant il était capable de penser à des détails. A cent mètres à peu près du tournant, du mur sur lequel le car venait de percuter, il existait une pompe à essence, une épicerie-buvette tenue par les Despujols. Il les connaissait. Il connaissait tout le monde dans un rayon de dix kilomètres de la ville. La vieille Despujols était sourde, mais son mari qui, à cette heure-ci, devait travailler dans le jardin, avait sans doute entendu le vacarme. Est-ce qu'ils avaient le téléphone ? Il ne parvenait pas à s'en souvenir. Sinon, il faudrait que Despujols se rende, à près d'un kilomètre, au hameau de Saint-Marc, pour donner l'alarme. Il n'avait pas d'auto. Il irait à vélo.

Il n'osait toujours pas regarder Edmonde qui gardait la même immobilité. Elle avait dû rabaisser sa robe sans qu'il surprît son geste car il ne voyait plus la tache claire de ses genoux.

Il fallait faire quelque chose, aller quelque part, il ne savait pas encore où. A présent qu'il avait franchi le tournant et s'était engagé sur le chemin de la Galinière, il avait perdu le droit de retourner en arrière. Il ne devait pas non plus se montrer dans le village, distant de huit cents mètres, et il prit le premier chemin de terre, sur la gauche, effrayé à l'idée qu'un paysan pourrait le croiser.

Qu'il atteigne la grand-route du Coudray et il serait sauvé, pourrait prétendre venir de n'importe où, ne rien savoir, n'être pas passé ce jour-là par la Grande Côte.

Une ferme se dressait à droite mais il ne vit personne. Il pleuvait toujours, une pluie en longues hachures de fin d'été, presque, déjà, une pluie d'automne. Les battements de son cœur restaient rapides. Sa main droite continuait à trembler sur le volant.

Il avait honte et il était extrêmement malheureux. Cependant, déjà il se contraignait à penser à tout, à prévoir, et il s'entendit prononcer à voix haute :

— Nous arrêterons à Tréfoux.

C'était presque de l'autre côté de la ville. La route du Coudray contournait celle-ci. Toutes les routes lui étaient familières car il possédait des chantiers un peu partout, qu'il inspectait presque chaque jour. C'était justement d'un de ces chantiers qu'il revenait, à la ferme Renondeau, où ses hommes étaient occupés à monter une grange métallique.

Il était aussi le constructeur de la laiterie coopérative de Tréfoux, avec une fromagerie modèle, et maintenant on édifiait, à deux cents mètres des bâtiments, une vaste porcherie qui allait utiliser les sous-produits.

Il avait beaucoup travaillé, plus encore que son père, plus que n'importe qui en ville et c'était en somme l'effort de vingt-cinq ans qui était soudain menacé.

Combien de secondes avait-il fallu ? Si peu ! Pas même le temps de retirer sa main droite.

L'autocar avait dû corner une première fois vers le milieu de la côte. Il n'en était pas sûr. Il n'y avait pas pris garde. Cela lui revenait cependant comme parfois vous reviennent des bribes de rêve. Le car avait corné pour s'annoncer ; il roulait vite, reconduisait à Paris ou dans quelque ville du Nord les enfants d'une colonie de vacances.

Lambert déboucha sur la route du Coudray et, dès lors, c'était un peu comme s'il rentrait dans la vie. Sur la chaussée lisse, des voitures passaient, des camions, on voyait une pompe à essence rouge à trois cents mètres, une auberge avec une terrasse un peu plus loin. Il faillit s'y arrêter pour boire quelque chose, peut-être pour se créer un alibi en disant négligemment qu'il venait de la ferme Renondeau et se rendait à Tréfoux.

N'était-ce pas prendre trop de précautions ? Cela ne risquait-il pas de se retourner contre lui ? Il lui arrivait souvent de s'arrêter ainsi dans un bistrot de campagne pour vider une fillette de blanc, mais jamais lorsqu'il était accompagné de sa secrétaire.

Edmonde l'accompagnait rarement. Il n'aurait pas pu dire pourquoi, aujourd'hui, sur le point de partir pour chez Renondeau, il lui avait dit tout à coup :

— Prenez les bleus avec vous, mademoiselle Pampin, et attendez-moi dans la voiture.

Marcel, son frère, qui se trouvait dans le bureau, l'avait regardé de la façon calme, exaspérante, qui était la sienne. Qu'est-ce que Marcel pouvait y comprendre ? Chacun fait sa vie à sa guise. Marcel avait choisi celle qui lui plaisait et en paraissait satisfait. Ce n'était pas une raison pour imposer ses principes aux autres.

— Tu as besoin des plans ?

Joseph Lambert avait répondu en regardant son frère dans les yeux :

— Oui.

Ce n'était pas la première fois qu'ils s'affrontaient ainsi, pour autant qu'on puisse appeler ça s'affronter puisque Marcel battait invariablement en retraite. Façon de parler encore, d'ailleurs. Marcel se contentait de ne pas insister avec, aux lèvres, un sourire aussi léger que ses petites moustaches blondes et mousseuses.

A ce moment-là, il ne pleuvait pas encore, le soleil emplissait les bureaux qu'on avait refaits à neuf trois ans plus tôt et qui étaient séparés, comme dans les établissements modernes, par des cloisons de verre. Seul Joseph disposait d'un bureau où il pouvait s'isoler, où il lui était même loisible, sous prétexte de soleil, de baisser les stores vénitiens. Rien ne l'empêchait donc d'y appeler Mlle Pampin comme pour une dictée ou pour n'importe quel travail car personne, même Marcel, ne se serait permis d'entrer sans frapper.

Ce qui venait d'arriver devait sans doute arriver. Il avait prononcé, sans réfléchir, sans envie précise :

— *Prenez vos plans avec vous, mademoiselle Pampin, et attendez-moi dans la voiture.*

Elle n'ignorait pas ce que cela signifiait.

Ils n'étaient plus guère qu'à deux kilomètres au sud de la ville et ils entendaient soudain les sirènes d'incendie.

Lambert savait qu'il était trop tard. Il avait fait la guerre, vu brûler des tanks, des camions, des avions abattus.

Il fallait qu'il conserve son sang-froid, qu'il ne tende pas l'oreille au bruit des sirènes qui lui rappelait le hurlement désespéré de l'autocar.

La laiterie se dressait en aval, au bord du même canal que ses propres chantiers, mais ceux-ci se trouvaient en bordure de la ville, à deux pas d'un quartier populeux. Les ouvriers qui travaillaient à la nouvelle porcherie venaient de débaucher et seul le contremaître était encore là, s'apprêtant à monter sur son vélo avec, en bandoulière, la musette dans laquelle il avait apporté son casse-croûte. Il toucha sa casquette de la main.

— Bonsoir, monsieur Joseph.

Il avait travaillé pendant plus de trente ans pour le père Lambert et avait connu ses fils alors qu'ils n'étaient que des gamins. Il disait monsieur Marcel, monsieur Joseph. Il n'avait guère l'occasion de dire monsieur Fernand, puisque celui-ci vivait à Paris et ne revenait à peu près jamais au pays.

— Bonsoir, Nicolas. Tout va bien, par ici ?

Edmonde n'avait pas quitté la voiture et, pour la première fois depuis la Grande Côte, Lambert risqua un coup d'œil vers elle. Aurait-on pu soupçonner, à la voir, qu'elle venait de participer à une catastrophe ?

Elle était pâle, certes, mais à peine plus que d'habitude. Sa peau était naturellement incolore, ce qui surprenait d'autant plus qu'elle avait le visage presque rond, les joues pleines, un grand corps de fille bien portante.

— On a eu le temps de préparer les derniers caissons ?

— Quelques minutes avant l'averse. Vous avez entendu la sirène ? Il doit y avoir un incendie quelque part.

Lambert répéta :

— Il doit.

Cela le gênait de sentir le regard d'Edmonde fixé sur lui. Que pensait-elle ? Qu'est-ce qu'elle pensait de ce qui s'était passé ? De ce qu'il avait fait ? Qu'est-ce qu'à l'instant même elle pensait de lui ? C'était impossible à deviner. Jamais il n'avait vu un visage aussi indifférent que le sien et son corps avait la même immobilité que ses traits, on pouvait l'observer pendant de longues minutes sans percevoir un mouvement.

Quand il l'avait engagée, un an plus tôt, après la faillite du quincaillier Penjard, dont elle était la secrétaire, les employés s'étaient d'abord amusés de son nom, ne ratant pas une occasion de le répéter et d'en articuler drôlement les syllabes :

— *Bonjour, mademoiselle Pampin !*

— *Bonsoir, mademoiselle Pampin !*

Entre eux, ils l'appelaient la Pampine et un jour, Lambert, par sa fenêtre ouverte, avait entendu un jeune maçon déclarer :

— *Celle-là a tout du bestiau !*

Un homme aux jambières de cuir et aux culottes de velours à côtes s'en venait vers eux de la laiterie, dont il était le directeur. Lambert, debout près de la voiture, lui tendit la main tandis que le contremaître touchait à nouveau sa casquette.

— Salut, Bessières.

— Salut, monsieur Lambert.

Le vieux Nicolas questionnait :

— Vous avez entendu les sirènes ?

— Oui. J'ai tout de suite téléphoné en ville. Il paraît qu'un car plein d'enfants s'est écrasé sur le mur du Château-Roisin et a pris feu.

De son mouchoir, il essuyait son front où perlait de la sueur. Il avait six enfants. On en voyait jouer dans la cour de la laiterie et sa femme était à nouveau enceinte.

C'était la première épreuve sérieuse. Lambert, qui ne s'y attendait pas si vite, n'avait pas eu le temps de décider d'une contenance. La présence d'Edmonde le gênait. Il fut surpris de s'entendre prononcer d'une voix naturelle :

— Une colonie de vacances ?

— Probablement. On n'a pas de détails.

Lambert s'épongea, lui aussi, d'un geste qui lui parut calme, jeta un coup d'œil à sa main pour voir si elle tremblait.

Il valait mieux ne pas préciser qu'il venait de la ferme Renondeau en passant par la route du Coudray. On est toujours tenté de trop parler.

— Je suis venu jeter un coup d'œil, murmura-t-il. Nicolas me disait que, si nous avons quelques jours de soleil, tout sera fini pour la fin du mois.

— Vous entrez prendre un verre ?

— Merci. J'ai encore du travail au bureau.

Il s'était comporté normalement. Cela s'était passé comme d'habitude entre gens qui se connaissent de longue date et qui ont de nombreuses occasions de se rencontrer.

— Tout le monde va bien, chez vous ?

Au lieu de répondre, Bessières murmura :

— Je me demande si je ne vais pas sauter dans ma voiture pour aller jeter un coup d'œil là-bas.

Ce fut tout. Lambert remonta dans sa traction-avant et fit demi-tour. Dans les faubourgs, puis en ville, on sentait déjà une excitation anormale, on voyait des groupes sur les seuils, des hommes, des jeunes gens, qui, à vélo, s'élançaient tous dans la même direction.

Place de l'Hôtel-de-Ville où, dans une demi-heure, il était censé venir faire le bridge au *Café Riche,* une ambulance les croisa, qui remontait vers l'hôpital et qui lui parut vide. Ce fut le plus mauvais moment et il faillit s'arrêter, sans force, sans ressort, au bord du trottoir.

Dans le café, il apercevait Lescure, l'assureur, en compagnie de Nédelec, déjà installés à leur table.

— Vous ne passez pas au bureau ? questionna Edmonde, comme il paraissait flottant.

C'était la première fois qu'elle ouvrait la bouche depuis la Grande Côte. Sa voix était indifférente. Il se demanda pourtant si cette phrase-là ne constituait pas un discret rappel à l'ordre.

— Cela vaut peut-être mieux.

— Il est six heures et demie, dit-elle encore.

Il ne comprit pas ce que l'heure venait faire.

— Eh bien ?

— Je me demandais si vous désiriez que je vous accompagne quai Colbert ou s'il ne valait pas mieux que je descende ici.

Elle avait raison. Les bureaux fermaient à six heures et demie.

— Vous pouvez descendre.

— Je vous laisse le dossier Renondeau ?

— Oui.

— Bonsoir, monsieur Lambert.

— Bonsoir, mademoiselle Pampin.

Elle referma la portière et s'éloigna dans la direction du quartier Saint-Georges, assez proche, qu'elle habitait avec sa mère. De la voir disparaître, il se sentit à la fois soulagé et un peu perdu. Ils n'avaient convenu de rien, n'avaient fait aucune allusion à ce qui s'était passé. Il ne savait même pas si elle allait parler ou se taire. Est-ce que seulement il la connaissait ?

— Tu viens ? questionna Weisberg, le propriétaire de *Prisunic,* un autre des joueurs de bridge, au moment où Lambert remettait son moteur en marche.

— Pas tout de suite. Je dois passer au bureau.

— Tu arrives en ville ?

— A l'instant.

— Tu connais la nouvelle ?

— On me l'a apprise à la laiterie.

— Je suis allé pour jeter un coup d'œil mais je n'ai pas pu. C'est au point que j'ai ensuite couru à la maison afin de m'assurer que mes gosses étaient bien vivants.

Lambert parvint à articuler :

— Il y a des rescapés ?

— Personne. Plus exactement une des gamines, car il y avait des garçons et des filles, mais ce sera un miracle si on parvient à la sauver. Benezech est là-bas, la gendarmerie aussi. On attend le sous-préfet d'un instant à l'autre et le préfet a annoncé qu'il viendrait avant la nuit.

Benezech, le commissaire en chef de la police locale, était un autre des bridgeurs, un grand roux, avec des moustaches à la Vercingétorix et de longs poils clairs sur les mains.

— A tout de suite.

— Oui. A tout de suite.

Dans une heure, dans deux heures, il n'y aurait peut-être plus personne pour lui parler sur ce ton-là et pour lui serrer la main. Il avait remis sa voiture en route et, tout le long du chemin, les visages étaient plus graves, plus sombres qu'à l'ordinaire, des femmes pleuraient sur les trottoirs et dans les boutiques.

Autant qu'il s'en souvenait, la Grande Côte était déserte quand il l'avait descendue. Il était à peu près sûr de n'avoir pas croisé de voitures, de n'avoir aperçu aucun poids lourd arrêté au milieu de la montée comme cela arrivait souvent.

Mais n'y avait-il pas de vélos ? Les aurait-il remarqués ?

Et, quand il avait tourné à droite vers la Galinière, quelqu'un de chez Despujols ne se trouvait-il pas sur le seuil ? C'était peu probable, mais pas impossible. Sa traction-avant était noire et il en existait beaucoup d'autres en ville et dans la région. Les gens ont rarement la présence d'esprit de noter le numéro d'immatriculation.

Un paysan dans son champ, par exemple, aurait fort bien pu le reconnaître au passage. Son visage était caractéristique et il était un des hommes les plus connus du pays.

A partir du Château-Roisin, il était à peu près sûr de lui, car sa mémoire avait tout enregistré, automatiquement, y compris une vache rousse, échappée de son pâturage, qui errait au bord du chemin.

Mais plus haut ? L'homme aux chèvres, en particulier, dont il ne connaissait pas le nom, un original qui possédait une bicoque au bord de la nationale et qui, des heures durant, menait paître quatre ou cinq biques sur les bas-côtés ?

On était si habitué à apercevoir sa silhouette quand on montait ou qu'on descendait la Grande Côte qu'on n'y prêtait plus attention. A ce moment-là, Lambert n'avait encore aucune raison de se préoccuper des gens qu'il croisait. C'était devenu important. Il n'avait pas assez plu, entre l'instant de l'accident et l'arrivée des secours, pour effacer les traces des pneus sur la route. Les gendarmes avaient dû s'y intéresser. Benezech et ses hommes aussi.

Lambert avait lu dans les journaux des reconstitutions étonnantes d'accidents qui n'avaient pas eu de témoins. On saurait tout de suite que l'autocar, qui dévalait la pente, avait tenté une manœuvre désespérée pour éviter une autre voiture roulant au milieu de la route et qui, au lieu de se redresser, avait encore accentué son glissement vers la gauche.

C'était fatal qu'on recherche cette voiture-là.

Juste devant les chantiers surmontés de la raison sociale : « *Les Fils de J. Lambert* », une péniche était amarrée au quai de déchargement avec, tendu sur des cordes, du linge que la pluie détrempait. A une des vitres de la cabine, une petite fille pressait son visage, et ses cheveux décolorés, son nez écrasé sur le carreau, la buée qu'y mettait son haleine lui donnaient un aspect fantomatique.

On avait déjà allumé la lampe à l'intérieur, où il faisait sombre de bonne heure. L'homme devait être allé boire un verre à la buvette de l'écluse à trois cents mètres en aval, pendant que sa femme préparait la soupe.

Les bureaux étaient fermés, les employés partis ainsi que Marcel qui, peut-être, en entendant la sirène, s'était précipité sur les lieux de l'accident. Parce qu'il n'était pas de constitution robuste, on en avait fait un infirmier pendant la guerre et, depuis, il s'était inscrit à la Croix-Rouge. Il prenait son rôle au sérieux. Il prenait toute la vie au sérieux et il était fier, en particulier, que son aîné eût été admis à Polytechnique tandis que le second, Armand, était le plus brillant élève du lycée. Quant à sa fille Monique, où l'aurait-on mise à l'école, sinon au couvent Notre-Dame ?

Il faillit oublier le dossier Renondeau dans la voiture, vint le reprendre, ouvrit la porte des bureaux avec sa clef et posa le document sur la table de Mlle Pampin.

Jouvion, le gardien de chantier, était déjà dans sa cabane, derrière des piles de madriers, de briques et de parpaings, car la fumée montait du tuyau de poêle qu'il avait fait passer à travers le toit de tôle.

Quelqu'un marchait, au premier étage, sa femme ou la bonne, et, pour que tout se passât comme les autres jours, il s'engagea dans l'escalier conduisant à l'appartement.

Jadis, c'était celui de ses parents et il y était né, ainsi que ses deux frères, à une époque où les locaux étaient beaucoup plus exigus et moins modernes. Il avait au moins dix-sept ans quand on avait installé la première salle de bains.

Ni son père, ni sa mère, s'ils étaient revenus à la vie, n'auraient reconnu l'aspect des pièces et leur aménagement. Sa mère était partie la première, voici dix ans, et il n'y avait que trois ans que le vieux Lambert était mort à son tour, non de vieillesse ou de maladie, mais en tombant d'une poutrelle en équilibre instable à vingt mètres du sol. Jusqu'au bout, cela avait été son orgueil. Il écartait les jeunes, disait de sa voix graillonneuse :

— Laisse faire, fiston !

Lambert aperçut Angèle, la bonne, dans la cuisine éclairée, et elle devait être au courant car elle reniflait, les yeux rouges.

— Madame n'est pas à la maison ?

— Non, monsieur. Elle est partie dès qu'elle a appris la nouvelle.

— Seule ?

— Monsieur Marcel l'a emmenée dans sa voiture.

Il se sentit soudain accablé, comme si tout cela était dirigé contre lui, comme si déjà un clan ennemi était en train de se former.

— Monsieur n'est pas allé voir ?

— Non.

— Il paraît que c'est affreux, un des plus horribles accidents qui se soient jamais produits. Tous ces pauvres chérubins qui allaient retrouver leurs parents et qui...

Il alluma une cigarette, fébrilement, la première depuis la Grande Côte.

— Je me demande combien on va pouvoir en sauver. Tout à l'heure, la radio a dit...

Il remarqua seulement que le petit poste de la cuisine fonctionnait mais qu'on l'avait mis en sourdine.

Il ne pouvait pas aller se coucher, déclarer qu'il était malade, fermer sa porte à tout le monde comme il en avait envie. Il fallait qu'il se comporte comme les autres soirs, qu'il parle, écoute, hoche la tête et pousse des soupirs, lui aussi.

— Je rentrerai à l'heure habituelle, Angèle.

Cela signifiait vers huit heures. Il pénétra dans la salle de bains, toujours pour ne rien changer à ses habitudes, se lava les mains et se donna un coup de peigne. Il lui sembla, en se savonnant, que ses mains avaient gardé l'odeur d'Edmonde.

Il fut tenté de boire un verre d'alcool, le plus sec possible, pour rétablir le calme dans sa poitrine, mais il eut le courage de n'en rien faire. Il buvait volontiers. Cela faisait presque partie de son métier. Après quelques verres, il lui arrivait de trop parler, avec une certaine emphase, qu'il prenait alors pour de la sincérité. Parfois au *Café Riche,* il se laissait aller à frapper du poing sur la table et à lancer à voix haute :

— Si seulement nous n'étions pas entourés de cette bande de c... !

Ou encore, indigné, il lançait à l'adresse de Dieu sait qui :

— Le jour où chacun décidera de ne plus se laisser faire par les salauds...

C'était angoissant, ce soir, d'évoluer, dans l'appartement vide, puis dans les bureaux non éclairés qu'il traversait avec l'air de fuir. Il envia les gens de la péniche qui allaient déjà se mettre à table, car ils se levaient à cinq heures du matin. Il envia même le vieux Jouvion qui devait faire cuire des pommes de terre sur le couvercle de fonte de son poêle.

Demain, après-demain, cela irait mieux, car il saurait. Si on devait l'arrêter, il aurait préféré que cela se passe tout de suite. Tant pis ! A la guerre, ne risquait-il pas d'être tué presque à chaque minute ? Ou d'avoir une jambe emportée ? Ou de devenir aveugle ?

Alors ?

Il ne se défendrait pas. Il avait tort. D'accord ! Pas besoin de le lui répéter, puisqu'il avait été le premier à le savoir. Quant au reste, cela ne regardait que lui. Chacun fait ce qu'il peut de sa vie et il se considérait comme aussi propre que n'importe qui de sa connaissance.

Sa voiture démarra et, sur une centaine de mètres, il oublia d'allumer les lanternes. Si la nuit n'était pas tout à fait tombée, il y avait un certain temps que le soleil était couché.

La ville était plus sinistre aux lumières, surtout depuis que les ateliers et les bureaux étaient fermés car tout le monde était dehors, sur les trottoirs, dans les cafés, à discuter, à gesticuler, à se lamenter, avec des femmes qui pleuraient et des enfants dont on ne savait que faire et devant qui on se taisait soudain.

Quatre hommes, pourtant, au *Café Riche,* faisaient leur belote comme les autres soirs, à la table que Lambert avait baptisée la « table du boucher », parce que le boucher Repellin en était le boute-en-train, celui qui prenait le plus de place et parlait le plus fort.

En face, Lescure et Nédelec prenaient leur apéritif en conversant à mi-voix, mais ils n'avaient pas fait mettre le tapis ni apporter les cartes.

— Weisberg n'est pas ici ? s'étonna Lambert. Je l'ai rencontré tout à l'heure et il m'a dit...

— Sa femme l'a appelé par téléphone.

— Quelque chose qui ne va pas chez lui ?

— Un de ses amis, qui a un magasin à Paris, a appris la nouvelle par la radio et, comme son fils...

— Dans le car ? questionna-t-il.

— Oui. C'est probable. On ne sait pas au juste. Deux autocars sont partis presque en même temps, emmenant chacun une moitié de la colonie. Le second continue sa route quelque part et on n'a pas encore pu le rejoindre de sorte qu'on ignore quels sont les enfants tués et quels sont ceux qui sont saufs. La mairie est assaillie de coups de téléphone. Comme ces gens-là connaissaient Weisberg...

— Qu'est-ce que je vous sers, monsieur Lambert ? Comme d'habitude ?

D'habitude, c'était un pernod et il fit oui de la tête.

— J'ai aperçu Benezech en compagnie du lieutenant de gendarmerie. Ils semblaient aussi malades l'un que l'autre. Les hôtels ne savent plus où donner de la tête. Tout le monde retient des chambres, les journaux pour leurs reporters et leurs photographes, les parents qui sont encore dans l'incertitude... Cette nuit, quand le train de Paris arrivera...

Nédelec, le marchand de grains, interrompit l'assureur.

— Deux journalistes, dont un de la radio, sont déjà arrivés par avion et ont failli se tuer en atterrissant dans les champs.

Lescure avait des enfants aussi, et même des petits-enfants, car ses deux filles étaient mariées. Nédelec, lui, qui était veuf, vivait avec sa fille unique qui n'était pas tout à fait normale.

On entendait, sur la place, un trafic plus intense que les autres soirs et quatre ou cinq policiers empêchaient les voitures de se diriger vers la Grande Côte.

Lambert fut surpris lui-même d'être capable de demander, alors qu'il venait de prendre une gorgée d'apéritif :

— On sait combien ils étaient ?

— Quarante-huit, plus le chauffeur, une femme d'un certain âge qu'on suppose être la monitrice et une jeune fille qui lui servait d'aide.

Il se voyait dans la glace, en face de lui, parmi d'autres visages, avec le reflet des lampes allumées et la fumée qui s'étirait un peu au-dessus des têtes. N'avaient-ils rien d'autre à lui apprendre ? Serait-il obligé de poser toutes les questions ?

Il vida son verre, fit signe au garçon de lui en servir un autre.

— On ignore comment cela s'est produit ?

— Des ingénieurs sont arrivés pour aider la police et la gendarmerie. Autant qu'on sache quant à présent, une voiture qui zigzaguait sur la route s'est portée soudain devant le car qui a tenté d'éviter la collision. Le car a heurté un arbre et a été littéralement projeté sur le mur du Château-Roisin. Voilà dix ans qu'on parle de démolir ce mur-là, qui ne sert plus à rien, et de refaire le virage. Combien, depuis dix ans, y a-t-il eu d'accidents à cet endroit-là ?

— Je ne sais pas.

— Benezech m'en parlait l'autre jour. C'est une question que j'ai étudiée, moi aussi, du point de vue des assurances. Soixante-huit accidents, dont douze mortels. Cette fois, évidemment, on va enfin se décider.

Les bureaux de la police étaient juste en face, dans la partie gauche des bâtiments de l'Hôtel de Ville dont toutes les fenêtres étaient éclairées comme le soir du grand bal annuel. Derrière l'une d'elles, on voyait, en ombre chinoise, la silhouette de Benezech, reconnaissable à ses moustaches, ainsi que celle d'un gendarme qui n'avait pas retiré son képi. Des autos, des motos s'arrêtaient sans cesse au pied de l'escalier de pierre où des agents s'efforçaient en vain d'écarter les curieux.

Une voiture noire, portant le nom d'un journal d'un département voisin, s'arrêta au bord du trottoir et un grand garçon en imperméable se précipita dans le café.

— On peut téléphoner ?

Souriac, le patron, debout près du comptoir, se contenta de lui désigner la cabine.

— Vous n'avez pas vu d'autres confrères ?

— Pas encore.

Les quatre, à la table du boucher, maniaient leurs cartes et leurs jetons, l'air quand même un peu gênés. Mais qu'auraient-ils pu faire d'autre ? Ils avaient seulement mis une sourdine à leurs voix.

— Je coupe ! Dix de cœur maître, pique maître, et, pour finir, ce joli petit sept de trèfle qui est bon comme la romaine.

Le boucher était fier d'avoir fait ça et regardait les autres avec défi.

Capel, le professeur d'histoire au lycée, qui, presque chaque soir, faisait la partie de bridge, pénétrait dans le café de son pas mesuré, retirait lentement son chapeau, son imperméable, les suspendait à leur crochet habituel et, se tournant vers la table, questionnait avec surprise :

— On ne joue pas ?

2

Il était huit heures dix quand il rangea sa voiture le long du trottoir et, en levant la tête, il vit de la lumière dans la salle à manger. Sans passer par le bureau, il gravit le grand escalier, entendit la radio dans la cuisine, trouva la salle à manger vide, avec un seul couvert mis. Machinalement, parce que, ce soir, le moindre détail inhabituel lui paraissait dangereux, il poussa la porte de la chambre, questionna, tourné vers l'obscurité :

— Tu es là ?

C'était saugrenu. La chambre était vide aussi. Dans le couloir, alors qu'il se dirigeait vers la cuisine, il faillit se heurter à Angèle.

— Madame n'est pas rentrée ?

— Elle a téléphoné en demandant que vous l'appeliez chez madame Jeanne.

— Il y a longtemps ?

— Vers sept heures et demie. Je vous sers ?

Il fut sur le point de répondre que non, qu'il n'avait pas faim, ou qu'il irait dîner dehors, mais désormais il devait se méfier même de gens aussi insignifiants que la bonne.

— Je téléphone d'abord à Madame.

On pouvait toujours être sûr, quand Nicole n'était pas à la maison, qu'elle s'était rendue chez une de ses trois sœurs, le plus souvent chez Jeanne. Du vivant de leur mère, c'était chez celle-ci que les quatre filles Fabre se réunissaient presque quotidiennement, encore qu'elles fussent toutes mariées, comme si c'était resté leur véritable foyer.

— Allô !... Qui est à l'appareil ?... C'est vous, Jeanne ?... Raymonde ?

La présence de Raymonde au bout du fil signifiait que l'aînée, dont le mari, Barlet, était dans les assurances, comme Lescure, dînait chez sa sœur aussi.

— J'appelle Nicole, Joseph... C'est affreux, n'est-ce pas ?... Nous en sommes toutes malades... La pauvre Jeanne...

On dut lui prendre l'appareil des mains et ce fut la voix de Nicole qui se substitua à celle de sa sœur.

— Joseph ? J'ai téléphoné à Angèle pour lui dire de te servir à dîner. Je reste chez Jeanne, qui a subi tout à l'heure un choc pénible et qui n'en est pas encore remise. Elle revenait de Bonnières avec les enfants...

Bonnières était à quelques kilomètres de la ferme Renondeau et Lambert se souvenait soudain que sa belle-sœur, qui possédait une petite auto, allait souvent y passer l'après-midi chez une amie.

— Elle est revenue par la Grande Côte ?

— Oui. Figure-toi qu'elle est arrivée au Château-Roisin quelques instants seulement après l'accident. En fait, elle a été une des premières sur les lieux, alors que le car flambait et qu'il était impossible d'en approcher. Tu peux imaginer ce que cela a été pour elle, avec ses deux enfants dans la voiture. Elle est rentrée dans un tel état qu'on a dû la mettre au lit...

Il ne trouvait rien à dire. Cela l'effrayait d'apprendre que sa belle-sœur le suivait à deux ou trois kilomètres à peine et que, du haut de la côte, elle aurait pu reconnaître sa traction-avant.

— Je ne rentrerai pas tard, mais tu n'as pas besoin de m'attendre. Tu comptes sortir ?

— Je ne crois pas.

— A tout à l'heure. Victor me ramènera.

Jeanne et son mari, celui qui travaillait comme employé à la mairie, étaient les moins aisés de la famille, les derniers à s'être acheté une 4 CV d'occasion, et cela les excitait encore de s'en servir.

Lambert s'assit, seul, dans la salle à manger, et Angèle parut tout de suite avec la soupière. Il emplit son assiette, distrait, sans regarder la bonne.

— Monsieur a entendu les dernières nouvelles ? Toute les demi-heures, la radio donne un bulletin spécial.

Il ne se rendait pas compte qu'il mangeait et que la chaleur de la soupe lui faisait du bien.

— La catastrophe a eu lieu par la faute d'une auto de tourisme qui, d'après la police, était conduite par quelqu'un en état d'ivresse. L'auto zigzaguait sur la route et le conducteur du car, en essayant de l'éviter...

Il leva les yeux vers elle, se demanda quelle serait la réaction d'Angèle s'il lui déclarait :

— L'auto de tourisme, c'était la mienne, et je n'étais pas ivre.

Sans doute hésiterait-elle d'autant moins à le condamner qu'elle n'avait jamais nourri à son égard qu'une sorte de mépris apitoyé. Elle méprisait les hommes en général, qu'elle considérait comme des monstres, lui en particulier, mais un monstre à peine responsable de ses actes.

A quarante ans, elle était sans grâce, sans féminité. Avait-elle jamais attiré les regards des mâles ? Il fallait le croire, puisqu'elle avait eu un enfant, un gamin, aujourd'hui âgé d'une douzaine d'années, qu'elle faisait élever dans une ferme le plus loin possible de la ville, à plus de quarante kilomètres.

Elle n'en avait jamais parlé, même à Nicole. Il avait fallu un hasard pour que celle-ci l'apprît et elle ne lui en avait pas soufflé mot non plus.

Depuis, tous les hommes, surtout les hommes dans le genre de son patron, constituaient une espèce méprisable, et peut-être ne nourrissait-elle guère plus de tendresse à l'égard de Nicole car elle n'aimait pas non plus ceux qu'elle appelait les riches.

Le monde, à ses yeux, était peuplé de millions de pécheurs, avec seulement quelques justes, comme elle, qui jouaient fatalement le rôle de victimes et qui auraient leur revanche dans une autre vie.

— Il ne s'est pas arrêté pour porter secours à ces chérubins innocents et il n'a même pas eu la décence de donner l'alarme. C'est le vieux M. Despujols qui a dû aller, à pied, jusqu'à Saint-Marc, d'où on a pu enfin téléphoner en ville. Des êtres comme ça, je me demande ce qu'on devrait leur faire.

Elle y mettait tant de passion qu'il craignit un instant qu'elle eût une arrière-pensée. La radio avait-elle parlé d'une traction-avant ?

— Je vous apporte votre côtelette.

Il la mangea comme il avait mangé sa soupe, en observant la bonne qui, quand elle ne lui adressait pas la parole, remuait les lèvres à vide à la façon des dévotes. N'était-ce pas, pour des filles comme elle, une occasion inespérée de s'épancher ? N'y en avait-il pas des centaines, dans la ville et ailleurs, pour qui la catastrophe du Château-Roisin devenait une sorte d'exutoire ?

Il avait l'intention de ne pas sortir, comme il l'avait annoncé à Nicole, et, son dîner terminé, il passa dans le salon où il fut sur le point de faire marcher la radio. Il tourna même le bouton. Le disque s'éclaira, mais il l'éteignit aussitôt, faute de courage, et alla se jeter dans son fauteuil habituel.

Ils sortaient peu, sa femme et lui. A part deux soirs par semaine, où ils allaient faire un bridge chez des amis — Nicole, qui ne jouait pas, emportait un ouvrage —, ils restaient en tête à tête sans échanger dix phrases. Elle tricotait presque toujours, pour les pauvres, car elle participait à toutes les œuvres de la ville. Il lisait les journaux, les magazines, parfois un livre. Certains soirs, n'y tenant plus, il se levait brusquement et allait prendre l'air un quart d'heure sur le quai.

Il n'y avait jamais eu de drame entre eux, ni de disputes graves. Le vide s'était créé insensiblement.

Quand il l'avait épousée, elle était, comme ses trois sœurs, une jolie fille plutôt rieuse et il avait pensé qu'il serait agréable de passer sa vie avec elle.

Son père, le docteur Fabre, était un bon vivant et leur maison était gaie, toujours pleine de chuchotements et de rires.

Il aurait été incapable de dire comment cela s'était produit. Il ne s'était rien produit, en somme, sinon qu'aucune étincelle n'avait jailli. Nicole n'était pas devenue une épouse Lambert. Elle était restée une fille Fabre.

Il n'osait pas demander aux autres gendres comment ils s'en accommodaient. Barlet, l'assureur, ne paraissait pas malheureux, mais il passait trois semaines par mois en tournée. Soubise, qui vendait des engrais, ne songeait qu'à gagner de l'argent et Nazereau, le mari de Jeanne, la cadette, qui était employé à la mairie, paraissait enchanté, quand il rentrait chez lui, d'y trouver une ou deux belles-sœurs.

Nicole, lorsque son mari sortait seul et rentrait tard dans la nuit, ne lui adressait aucun reproche. Il était probable qu'elle était tenue au courant, ne fût-ce que par ses sœurs, de la plupart de ses frasques ; mais elle n'y faisait aucune allusion.

Un soir, seulement, quatre ans plus tôt, à la suite d'une histoire assez scandaleuse avec une fille, elle lui avait simplement dit, alors qu'il se glissait dans le lit de sa femme :

— Non, Joseph. Pas ça. Plus maintenant.

Elle n'avait pas pleuré. Il était persuadé qu'elle n'en avait pas souffert, que peut-être cela avait été pour elle un soulagement. Ils ne faisaient pas chambre à part, parce que l'appartement ne s'y prêtait pas. Chacun avait son lit et, le soir, ils se déshabillaient l'un devant l'autre en toute simplicité. S'il lui arrivait d'être malade, Nicole le soignait.

Aurait-elle dû épouser son frère Marcel ? De son côté, la femme de Marcel aurait-elle été plus heureuse avec lui ?

A quoi bon ? Malgré tout, le fait qu'elle ne soit pas là ce soir lui rendait la maison insupportable et il se leva, prit son chapeau, se dirigea vers la cuisine où Angèle finissait la vaisselle.

— Si Madame rentre avant moi, dites-lui que je prends l'air.

— Vous allez là-bas ? Vous n'y parviendrez pas, car des centaines de voitures arrivent de partout et on a dû établir un barrage.

Il ne prit pas l'auto. Il n'avait réellement envie que de respirer l'air de la nuit et de se calmer les nerfs. Il pensait à trop de choses à la fois. Son cerveau fonctionnait trop vite, comme une mécanique qui s'emballe, et c'était physiquement angoissant.

Il resta un long moment debout à regarder le canal, remarquant qu'une seconde péniche, sans bruit, était venue s'amarrer à la première. Ainsi allongées côte à côte sur l'eau immobile, sans autre lumière qu'un fanal sur le pont, elles donnaient une étrange impression de paix et de confiance.

Les femmes et les enfants étaient couchés. Dans le silence de la nuit, Lambert perçut pourtant un murmure de voix et, ses yeux s'habituant à l'obscurité, il finit par distinguer deux hommes assis près du gouvernail, des manches de chemise très blanches, le point rougeoyant d'une cigarette.

D'un pas indécis, il se dirigea vers la rue de la Ferme où, dans presque toutes les maisons, on entendait les bruits de la radio. Il y avait un petit bar, au coin d'une impasse, à peine éclairé, avec seulement deux clients, au comptoir, qui devisaient avec le patron.

Il aurait aimé entrer, commander n'importe quoi, participer à leur conversation ou seulement les écouter, car soudain il lui venait l'envie d'un contact humain, n'importe lequel. Il savait ce qui arriverait s'il se laissait aller. Il ne se contenterait pas d'un verre. Il en boirait d'autres, pour se casser les nerfs, et, au lieu de cela, il deviendrait bavard et passionné, un besoin irrésistible le prendrait peut-être de se confesser.

C'était arrivé, pour des peccadilles, pour des choses que la plupart des hommes ne se reprochent pas.

Au bout de la rue presque déserte, c'était, après un coude, la rue du Vieux-Marché qui s'amorçait, étroite, une des plus anciennes de la ville, aux boutiques serrées les unes contre les autres, grouillante dans la journée et, maintenant même, assez passante. Une petite épicerie, plus loin une herboristerie mal éclairée n'avaient pas encore fermé leur porte et on devinait de la vie dans l'obscurité des allées, des hommes et des femmes, accoudés, se parlaient d'une fenêtre à l'autre.

Il entendit au passage, sur le ton caractéristique des speakers de la radio :

— ... *La police a de bonnes raisons de croire qu'elle ne tardera pas à identifier...*

Il ne s'arrêta pas pour connaître la suite. Sa première réaction fut :

— Tant mieux !

Ainsi, on en finirait immédiatement. Il ne se défendrait pas. Il était décidé à ne leur fournir aucune explication.

Que risquait-il ? La prison ? Est-ce que ses soirées en tête à tête avec Nicole lui manqueraient tellement ? Les bridges de fin d'après-midi au *Café Riche* n'étaient pas non plus sans l'écœurer et, la preuve, c'est que de temps en temps il éprouvait le besoin de faire un éclat.

Il se demandait pourquoi il avait fui. La panique s'était emparée de lui, de sa chair surtout. Sa première idée, la plus forte, celle qui avait commandé tout le reste, avait été *de ne pas voir*. Il en aurait été incapable. Justement à cause de ce sentiment qu'il avait de sa culpabilité.

A présent, s'il voulait être tout à fait sincère avec lui-même, n'était-ce pas la peur qui le rendait quasi malade ? Il sentait naître dans la ville et sans doute par toute la France une vague de haine à l'égard de l'homme sur qui on n'avait pas encore pu mettre un nom et, s'il se dénonçait, serait-il possible d'endiguer la colère de la foule ?

Personne, il en était sûr, pas même ses amis du *Café Riche*, n'aurait le sang-froid d'examiner son cas avec équité. Dans quelques jours, peut-être, quand l'émotion serait un peu calmée ?

Il n'osait pas regarder en face les passants qu'il croisait, à l'affût de bribes de phrases qu'il attrapait au vol et qui n'étaient pas pour le rassurer.

L'émotion était intense ; les messages de la radio, de demi-heure en demi-heure, l'attisaient au lieu de la dissiper.

La tentation lui vint, parce qu'il passait près de la tranquille rue

Drouet, d'aller frapper à la porte de Louise et, peut-être, de tout lui raconter. Est-ce que Louise, elle, n'était pas capable de comprendre ?

Pendant vingt ans, elle avait été l'amie de son père, en fait, sa maîtresse, personne en ville ne l'ignorait.

Son père avait-il eu plus de chance que lui ? Lambert ne jugeait pas sa mère. Il ne l'avait jamais regardée autrement que comme une mère et n'avait rien à lui reprocher. Elle avait travaillé toute sa vie sans se plaindre, tenant son ménage, élevant ses enfants, veillant à tout, dernière couchée, première levée, soignant les autres sans, pour elle-même, accepter la maladie.

Lorsqu'elle s'était mariée, elle était ouvrière à la filature et Joseph Lambert ouvrier maçon. Plus tard, la maison, à présent transformée, était née, en même temps que les chantiers du quai Colbert qui n'avaient cessé de s'agrandir et qui portaient aujourd'hui, comme un hommage au fondateur, la raison sociale : « *Les Fils de J. Lambert.* »

Pourquoi, vers la cinquantaine, bien que sa femme fût encore alerte, Lambert-le-Vieux avait-il pris une maîtresse ? Son aîné était le seul de la famille à en parler sans honte ni rancune. Marcel, par exemple, évitait toute allusion à Louise et, lors de l'enterrement, avait ostensiblement détourné la tête à son passage.

On feignait de croire qu'elle n'avait agi que par intérêt, tout en sachant que ce n'était pas vrai. Quand le père l'avait rencontrée, elle était dactylo chez le notaire Aubrun et elle y était restée jusqu'à la mort de celui-ci. Elle devait avoir une trentaine d'années à cette époque, vingt ans de moins que son amant, et, malgré sa claudication, c'était une fille attirante, ses yeux surtout étaient beaux, et ses épaules sur lesquelles les femmes se retournaient avec envie.

— Il ne lui en a pas moins bâti une maison, disait-on à sa charge.

C'était exact. Après quelques années, Lambert lui avait construit une petite maison rue Drouet où, par tendresse, ou pour s'amuser, il avait mis tant d'ingéniosité qu'elle ressemblait à un jouet.

On s'attendait, à la mort du père, à ce que Louise figure dans le testament. Il n'en avait rien été et Louise, à cinquante ans passés, travaillait toujours chez un avoué de la rue Lepage, chez qui elle était entrée à la mort de Me Aubrun.

Chaque fois qu'il la rencontrait dans la rue, Lambert la saluait, et une première fois, peu de temps après les obsèques, il était allé la voir pour s'assurer qu'elle ne manquait de rien, car il considérait qu'une injustice avait été commise à son égard. Il avait cru, alors, en la voyant dans son cadre, comprendre la conduite de son père et, le lendemain, il en avait parlé à Marcel qui l'avait interrompu sèchement.

— Je t'en prie, parle d'autre chose.

Peut-être parce que Marcel tenait davantage de leur mère ?

Joseph, lui, avait la chair drue, le corps musclé, trapu, de son père, et aussi ses traits épais, plébéiens, un nez gras qui devenait facilement luisant.

— Qu'est-ce que tu fais par ici ?

Il tressaillit, comme pris en faute, car il n'avait pas reconnu la voix de Lescure, avec qui il avait pourtant pris l'apéritif tout à l'heure.

— Je ne fais rien, balbutia-t-il. Je prends l'air.

— Moi, je rentre. Je viens de la place de l'Hôtel-de-Ville, où je parie que des badauds passeront la nuit entière. Benezech est furieux de cette sorte d'hystérie qui empêche la police de travailler en paix. A propos de l'ami de Weisberg...

— Oui...

— Tout va bien ! Il est fou de joie. Il en pleurait au téléphone et ne trouvait plus ses mots. Son fils a pris le second car, qui est arrivé à Montargis et sera demain à Paris.

Lescure habitait à deux pas, une vieille maison à cour intérieure qui datait du XVIIᵉ siècle et dont le portail était encore surmonté d'armoiries.

— Tu vas là-bas ? questionna-t-il.

— Je ne vais nulle part.

— Tu te sens bien ?

Cela inquiéta Lambert qu'on remarque qu'il n'était pas dans son assiette et il fut sur le point de faire demi-tour pour rentrer chez lui. Il serra la main de Lescure, qu'il avait connu au lycée.

— Bonne nuit.

— Bonne nuit, vieux. Demain ?

— Sans doute.

Même ce mot-là, *demain*, prenait un sens particulier. Où en serait-il le lendemain ? L'homme aux chèvres ne traînait-il pas, vers cinq heures et demie, au bord de la route, et ne l'avait-il pas reconnu au passage ? La radio laissait entendre que la police suivait une piste. Si c'était la sienne, ne serait-on pas déjà venu frapper à sa porte ? Et Benezech n'en aurait-il pas parlé à Lescure, avec qui il était intime ?

Ce que les ingénieurs des Ponts et Chaussées avaient découvert, vraisemblablement, c'est que la voiture était une traction-avant, les traces étant différentes de celles des autres voitures. Or, il devait en exister plus de cinquante dans le pays. Avait-il été possible, malgré la pluie qui avait continué à tomber, de relever des marques caractéristiques de pneus ?

Cela le tarabustait. Il avait changé son train de pneus quatre mois plus tôt, au début de l'été, choisissant une marque courante.

Il existait d'autres possibilités, il en existait tant, au fait, qu'il ne les avait sûrement pas envisagées toutes. Aurait-il deviné, par exemple, que sa belle-sœur Jeanne le suivait ? Du bas de la Grande Côte au carrefour le plus proche de la ferme Renondeau, on comptait environ cinq kilomètres et, à ce carrefour, se dressait un garage avec quatre ou cinq pompes à essence.

Un pompiste l'avait-il vu passer et se diriger vers Château-Roisin quelques minutes avant l'autocar ? Il roulait lentement et c'est bien parce qu'il roulait lentement qu'il n'avait pas été maître de sa voiture au moment voulu. Edmonde ne parlait pas. Lui non plus. Il était à peu près sûr, maintenant, qu'il y avait eu un premier coup de klaxon, assez lointain, comme un avertissement, alors qu'il se trouvait à peu près à mi-côte.

Il l'avait enregistré, puisqu'il le retrouvait dans sa mémoire, et pourtant, sur le coup, il n'y avait pas fait attention et n'en avait pas tenu compte. Un réflexe, en lui, n'avait pas fonctionné, et c'est là que l'accident avait commencé. Il avait entendu le klaxon comme on perçoit un bruit familier qui ne vous frappe plus, comme, vingt fois, il était passé devant l'homme aux chèvres sans le voir.

Il n'était pas ivre. Renondeau avait insisté pour l'emmener boire un coup de vin blanc dans son chai, mais il avait refusé le second verre. Or, il lui était arrivé de boire deux bouteilles et jusqu'à trois sans en être incommodé et sans que sa façon de conduire en fût influencée.

Il y avait autre chose, bien sûr, mais ça, c'était impossible à expliquer. On rappellerait certaines de ses aventures, surtout celle qui avait décidé Nicole à lui interdire l'accès de son lit. Cela s'était produit une nuit où il avait vraiment bu et où il avait emmené une fille à l'*Hôtel de l'Europe*. Il savait qu'elle ne valait pas grand-chose, que c'était une des quatre ou cinq habituées qui rôdaient chaque soir dans les rues entourant l'Hôtel de Ville.

Elle avait exagéré, voilà tout. Elle le connaissait mal, ou bien quelqu'un lui avait dit qu'une fois ivre l'argent ne comptait plus pour lui. Humilié d'être pris pour un naïf, il était devenu furieux et il l'avait flanquée, toute nue, dans le couloir, après lui avoir botté le derrière.

Cela s'était arrangé par la suite avec Benezech. Toute la ville n'en avait pas moins parlé et, pendant des semaines, Marcel avait regardé son frère d'un œil goguenard.

Que ne racontait-on de lui ? On avait le choix. Il ne se cachait pas. Souvent, il y mettait une certaine ostentation, exprès, pour choquer les gens — les peigne-culs, comme il disait alors.

Ne ferait-on pas remarquer qu'il n'avait pas d'enfants et que cela expliquait en partie son insensibilité et sa fuite ?

Or, c'était peut-être parce que Nicole et lui n'avaient pas d'enfants qu'ils ne formaient pas un vrai couple et, ce sujet-là, il valait mieux ne pas y toucher lorsqu'il était d'une certaine humeur.

On admettait, ou on feignait d'admettre, que Nicole était stérile. Or, ses trois sœurs étaient mères. Était-ce une indication ? Il en avait toujours été tracassé au plus secret de lui-même et, maintes fois, s'était promis d'en avoir le cœur net, de se soumettre à certains tests médicaux qui l'auraient renseigné.

Au dernier moment, il reculait, parce qu'il avait peur. Il ne l'avouerait pour rien au monde. Il s'était souvent demandé si d'autres, sa femme par exemple, avaient eu la même idée, et cela suffisait à le rendre malade ou enragé.

Son frère Marcel, sûrement, y avait pensé. Lambert le revoyait, un jour que, dans le jardin, Marcel le regardait, le torse nu, la poitrine velue, soulever, par jeu, de lourds madriers.

Avec, dans les yeux, une fausse admiration, le benjamin avait sifflé :

— Un mâle, hein !

Or, c'était pour amuser le fils de Marcel que, ce dimanche-là, il se livrait à ces exhibitions, n'ayant pas lui-même d'enfants à qui montrer sa force.

— *Un mâle, hein !*

L'horloge de l'Hôtel de Ville, qui formait comme une lune roussâtre au haut de la tour sombre, sonnait neuf heures et demie quand il déboucha sur la place presque aussi animée qu'un soir d'élections. Le *Café Riche* regorgeait, sans une place libre à la terrasse dont on avait levé le vélum depuis que la pluie avait cessé.

L'air restait humide, plus chaud que les soirs précédents. Toutes les fenêtres de l'Hôtel de Ville étaient encore éclairées et la foule, marchant lentement, par couples ou par petits groupes, s'agglomérait surtout en face des bureaux du journal. On avait déjà collé à la vitre un certain nombre de photographies de l'autocar après l'accident. On avait aussi pris des clichés du sous-préfet, du préfet, d'un groupe d'enquêteurs au milieu de la route, du commissaire Benezech en compagnie du lieutenant de gendarmerie.

Sur un panneau, on affichait les dernières nouvelles tapées à la machine.

« *Les docteurs Poitrin et Julémont sont toujours au chevet de la petite Lucienne Gorre qu'ils s'efforcent de sauver. Deux transfusions de sang ont eu lieu et les donneurs se présentent en si grand nombre à l'hôpital qu'il a fallu, par la radio, leur demander de ne plus se déranger.* »

Une autre feuille, qu'on avait entourée d'un ruban noir afin de lui donner l'aspect d'un faire-part mortuaire, alignait les noms des victimes, avec leur âge et leur adresse. Toutes venaient du XIVe arrondissement de Paris, car la colonie de vacances appartenait à une école de cet arrondissement.

« *Par bélinographe* », annonçait une affichette.

Et, dessous, étaient collées d'autres photos, grisâtres et d'autant plus sinistres, de parents massés, là-bas, dans la cour de l'école où ils attendaient des nouvelles. Il pleuvait à Paris aussi et certains tenaient un parapluie.

Lambert restait au dernier rang de la foule, fasciné par cette exposition macabre, insensible aux heurts des passants. On avait eu le temps d'agrandir une photographie pour laquelle on avait aussi trouvé un titre :

« *Schéma de l'accident.* »

C'était simplement la route sur laquelle la pluie, en diluant la poussière, avait formé une couche presque plastique. On y voyait les empreintes des pneux de la traction-avant et on pouvait retracer son parcours, suivre aussi les empreintes plus larges et plus en relief de l'autocar fonçant vers l'arbre dont une autre photographie montrait la blessure.

On savait donc désormais qu'une fois en face du Château-Roisin, l'automobiliste n'avait pas suivi la grand-route mais avait tourné à droite en direction de la Galinière. Les gendarmes, ou les policiers, n'avaient eu qu'à suivre le tracé sur l'asphalte. Jusqu'où cela les avait-il conduits ? Le chemin de la Galinière n'était pas recouvert du même enduit mais d'une matière granuleuse. La pluie y avait-elle effacé le sillon des pneus avant qu'on songe à le relever ?

On n'en parlait pas. Cela ne signifiait rien ; cela pouvait, au contraire, cacher une menace.

Il écarquilla les yeux, tout à coup, devant un spectacle qui n'était pas extraordinaire en soi mais qui, pour lui, à cet instant-là, n'en était pas moins imprévu. Comme il se tenait au bord du trottoir, face aux vitrines du journal, des gens défilaient entre lui et les dos des autres spectateurs.

Or, il voyait deux femmes passer de la sorte, lentement, avec le flot, bras dessus, bras dessous, et lancer, sans s'arrêter, un coup d'œil vers l'étalage. C'était Edmonde Pampin, pâle à son habitude, mais calme, détendue, qui se promenait avec sa mère. Elles ne l'aperçurent pas. La mère était plus petite que sa fille, la taille épaisse, les hanches larges, et toutes deux étaient sorties sans chapeau, elles allaient sans doute, comme un dimanche, faire encore une fois ou deux le tour de la place avant de monter se coucher.

Il ne sut pas exactement pourquoi leur apparition le troublait tant. Peut-être était-ce la sérénité d'Edmonde, qui n'avait eu qu'un regard indifférent pour les photographies ? Elles n'étaient, dans la foule, que deux femmes du peuple, la mère et la fille, qui prenaient le frais par un soir très doux de septembre.

Il eut envie, pour sa propre satisfaction, pour se soulager, de lancer un mot grossier, n'importe lequel, le plus vulgaire qui lui viendrait aux lèvres. Cette fille-là, qui marchait sans déplacer l'air, avec un visage de madone, ne se rendait-elle donc compte de rien ? Ou alors était-elle bête à un tel point ?

Le mot de l'ouvrier maçon lui revint :

— *Un bestiau !*

Et une bouffée de haine lui monta à la tête, lui serra la gorge, il s'arracha à son morceau de trottoir, se mit à marcher dans la direction opposée.

Il venait de décider de boire, quoi qu'il puisse arriver ensuite, mais il n'entra pas au *Café Riche*, trop plein, où se trouvaient trop de camarades. Il poursuivit sa route jusqu'à la rue Neuve et poussa la porte du premier bar.

Ici aussi, il y avait plus de monde que d'habitude mais la plupart des consommateurs suivaient, sur l'écran de la télévision installé entre les deux salles, les péripéties d'un combat de boxe.

— Qu'est-ce que ce sera, monsieur Lambert ?

Le patron le connaissait. Il lui était arrivé souvent de rester à boire, jusqu'à la fermeture, et c'était de ce même bar qu'il emmenait parfois une fille. L'*Hôtel de l'Europe*, où il avait déclenché le fameux scandale, était à deux pas.

— Un marc !

A cause de l'odeur forte et parce que c'est le plus râpeux des alcools. Il avait envie de quelque chose de crapuleux, d'une sorte de protestation, de profession de foi. C'est dans des moments comme celui-là qu'il éclatait en regardant les gens autour de lui :

— *Tas de salauds !*

— Ça va, monsieur Lambert ?

— Ça va, Victor.

— Vous avez vu le mouvement que cette histoire apporte en ville ?

— J'ai vu.

— Et ce n'est pas fini, croyez-moi.

Victor regarda l'horloge sur le mur opposé.

— Le train de Paris arrive dans trois quarts d'heure et amène les familles. Il paraît qu'il y a déjà plus de cinq cents curieux à la gare pour les voir arriver.

— Nom de Dieu !

— Hein ?

Il avait juré entre ses dents, pris de colère, et il se jeta le marc au fond de la gorge d'un geste furieux.

— Rien. Remets ça !

— Je ne voudrais pas être dans les culottes du type à la traction-avant. Je parie que, si on le jetait à la foule, au milieu de la place, il n'en resterait pas un morceau après dix minutes.

Victor, qui en avait vu de toutes les couleurs, était peut-être capable de comprendre ?

— Faut se mettre à la place des parents, poursuivait-il à mi-voix. Moi, je me mets aussi à la place de ce type-là, parce que j'ai assisté à un certain nombre d'accidents dans ma vie. Qu'est-ce qui nous prouve que...

— Ta gueule, Victor !

Quelqu'un s'était retourné vers le patron, l'air dur, la voix catégorique.

— Je fais seulement remarquer que certaines gens...

— J'ai dit : ta gueule ! Tu m'as entendu ?

Et Victor se tut, avec, vers Lambert, un regard qui signifiait :

— A quoi bon ?

Celui qui lui avait fermé la bouche était un des individus les moins recommandables de la ville, un ancien boxeur qui faisait les foires de la région et avait de fréquents ennuis avec la police. L'instant d'avant, il suivait le combat de boxe à la télévision ; il avait suffi d'une allusion au conducteur de la traction-avant pour le pousser hors de ses gonds.

Deux filles, à un guéridon, près de la porte, regardaient vaguement devant elles et Lambert les connaissait de vue, elles devaient, de leur côté, savoir qui il était. L'une d'elles, qui avait une dent en or, lui sourit quand leurs regards se croisèrent.

Il fut tenté. Non pas qu'il eût envie d'elle, mais toujours, comme pour le marc, par protestation. Pourquoi, au point où il en était, ne pas faire quelque chose de bien ignoble ? « Ils » pourraient s'acharner contre lui et son frère Marcel serait content, Angèle et ses pareilles auraient de bonnes raisons de le mépriser.

Il imaginait les journaux du lendemain imprimant :

« La police a fouillé la ville toute la nuit à la recherche de Joseph Lambert, l'auteur de la catastrophe du Château-Roisin, et est parvenue enfin à l'arrêter dans une chambre d'hôtel où il était couché avec une fille publique de bas étage. »

N'est-ce pas dans ces endroits-là qu'on met la main sur la plupart des criminels ? Il n'y avait jamais pensé, mais il commençait à comprendre pourquoi.

La femme à la dent en or, qui avait peut-être surpris son hésitation, ouvrait son sac et se poudrait sans le quitter des yeux.

— Un autre, Victor, commanda-t-il.

Elle demanda, de sa place, en minaudant :

— Moi aussi ?

Il haussa les épaules. Qu'elle boive tout ce qu'elle voudrait, elle et son amie, et toutes celles qui défilaient sur la place comme à la foire !

— Je dois ? questionnait Victor.

— Pourquoi pas ?

Sa femme était chez Jeanne avec ses autres sœurs, toutes les filles Fabre sous le regard ému de ce brave imbécile de Nazereau. Et toutes étaient émues, parbleu ! Et les bonnes âmes de la ville s'en donnaient à cœur joie de pleurer. Ce n'était pas assez des photographies. On se précipitait à la gare pour assister au défilé des parents.

— Ça ne va pas ?

C'était la seconde fois qu'on lui posait la question et, de la part d'un homme comme Victor, c'était dangereux, car il était autrement subtil que Lescure.

— Je suis comme tout le monde, quoi ! lança-t-il.

— Barbouillé, hein ?

Après un silence, Victor questionna :

— Vous êtes allé voir ?

— Non.

— Il y en a qui y sont allés. Après, quand tout le monde s'y est mis, on a dû installer des barrages. Ceux qui ont vu en sont revenus malades.

— Un autre ! grogna-t-il.

Victor hésita. Cela lui était arrivé de conseiller amicalement à Lambert de s'arrêter. Pourquoi ne le fit-il pas cette fois-ci ?

— Vous n'allez pas... questionna-t-il sans finir sa phrase autrement que par un regard aux deux filles.

— Bien sûr que non.

— Cela vaux mieux. Entre nous, je ne suis pas sûr qu'elles soient saines.

Il faillit lui répliquer :

— Ce ne serait peut-être pas si bête d'attraper la vérole !

Il ne le fit pas, paya tout de suite, sentant que cela allait se gâter, qu'il fallait qu'il rentre chez lui au plus vite.

Dans la rue, il se répétait à mi-voix :

— Il faut que je rentre chez moi. Il faut que je rentre...

Il en avait marre de tout, de sa femme, de son frère Marcel, des filles aux dents en or et des joueurs de bridge, de la ville, des journalistes et des photographes, marre de la radio, des curieux qui se promènent avec un air innocent, des femmes qui pleurent et des Victor qui distribuent des conseils. Il en avait marre de lui-même, marre d'être un homme.

3

Comme Lambert passait devant la grille du chantier, une silhouette sortit de l'ombre devant lui et il ne tressaillit pas, prit machinalement dans sa poche son paquet de cigarettes qu'il tendit à Jouvion.

— Garde-le.

— Merci, monsieur Lambert. Bonne nuit.

Et le gardien de nuit disparut dans son domaine de briques, de poutres et de camions au fond duquel brillait la petite lumière de sa cabane.

C'était une tradition, quand Lambert rentrait le soir, de lui donner deux ou trois cigarettes que le vieux ne fumait pas et dont il faisait une chique. Avec son chapeau informe, sa veste trop grande, il ressemblait à un clochard des quais de Paris et comme eux, l'hiver, pour se tenir chaud pendant ses rondes, il glissait de vieux journaux sous sa chemise.

Peut-être était-ce un ancien clochard venu chercher la sécurité au chantier ? Il se rasait une fois l'an, au printemps, le même jour qu'il se faisait couper les cheveux, et il était vraisemblablement le seul en ville, à cette heure, à ne rien savoir de la catastrophe.

L'appartement était obscur, sauf un trait de lumière sous la porte de la cuisine où Lambert trouva Angèle, droite sur sa chaise, la tête penchée en avant, les mains croisées sur son giron. Les yeux mi-clos, elle écoutait une émission théâtrale à la radio.

Tressaillant, elle prononça, comme s'il la prenait en faute :

— Madame n'est pas rentrée.

Il lui répondit :

— Je m'en f... !

Il ne lui souhaita pas le bonsoir, s'éloigna sans un mot de plus, persuadé qu'il venait de lui faire plaisir. Elle avait besoin de se sentir victime de la dureté des hommes et c'était pour cela qu'elle passait sa soirée dans la cuisine sur une chaise inconfortable. Personne ne lui demandait de veiller. Même si elle croyait de son devoir de le faire, elle aurait pu emporter la radio dans sa chambre où elle avait un excellent fauteuil, ou s'étendre sur son lit.

Il se déshabilla, passa un instant dans la salle de bains où il se regarda durement dans la glace et s'endormit d'un sommeil lourd, avec toujours le goût de marc à la bouche. Plus tard, la lampe se ralluma, il entrouvrit les paupières, vit Nicole se déshabiller à son tour mais, quand elle tourna la tête vers lui, il feignit de dormir pour éviter de lui parler. Il se rendormit d'ailleurs avant qu'elle fût couchée et ne se réveilla qu'à six heures.

Comme son père, il n'avait pas besoin de réveille-matin et il aimait être le premier debout dans la maison. Sans bruit, sans allumer la lampe, il revêtait un pantalon, une chemise, une vieille veste et se dirigeait vers la cuisine où il préparait son café. Il n'avait pas la gueule de bois. Il ne l'avait jamais eue. Seulement l'arrière-goût du marc, que le café et une première cigarette dissipèrent.

Au début, Angèle avait prétendu se lever pour lui préparer son café, ce qui lui aurait été une raison de plus de se croire exploitée. Pendant des semaines, il l'avait trouvée à la cuisine avant lui et il avait dû se fâcher pour qu'elle ne lui gâche pas le meilleur moment de sa journée.

Le ciel restait gris comme la veille, d'un gris plus léger, et il y avait déjà de l'animation sur le pont des deux péniches.

Lambert descendit, pieds nus dans ses pantoufles, sans cravate, les cheveux non peignés, ainsi qu'il avait vu son père le faire pendant tant d'années et, avant l'arrivée de qui que ce soit, passa au bureau pour consulter les feuilles de travail.

Ils avaient presque toujours, sauf l'hiver, cinq ou six chantiers en train, parfois à une vingtaine de kilomètres, et certaines besognes, comme le déchargement des péniches, se faisaient à deux équipes afin d'éviter une longue immobilisation des bateaux.

Vingt ans auparavant, l'entreprise n'occupait que l'emplacement de la première cour, celle sur laquelle donnaient les nouveaux bureaux. Il avait fallu racheter des terrains vagues, puis la forge d'un maréchal-ferrant et, plus tard, une guinguette où quelques couples venaient passer les beaux dimanches.

C'était lui, Joseph, qui avait été à l'origine de cette expansion. Sa mère voulait faire de lui un médecin, ou un avocat ; elle avait obtenu qu'il fût envoyé au lycée, où il était resté jusqu'à dix-huit ans sans parvenir, ensuite, à passer son bachot. Après qu'il eut été recalé deux fois, on s'était résigné à le laisser travailler avec son père et, comme celui-ci, il avait grimpé sur les échafaudages, manié la truelle, assujetti des poutres.

Après trois ou quatre ans, il avait déjà ses idées à lui.

— Si nous nous cantonnons à la maçonnerie, avait-il dit un jour à Lambert-le-Vieux, on ne nous confiera jamais de travaux vraiment importants.

Leurs principaux clients étaient les fermiers d'alentour et on commençait à édifier des granges et des silos métalliques.

C'était une nouvelle branche à étudier, de nouvelles équipes à former. Pourquoi, tant qu'on y était, ne pas s'occuper aussi de tout le gros œuvre de menuiserie ?

Lui encore avait suggéré que Marcel, plus jeune de cinq ans, suive les cours d'une bonne école technique, et on l'avait envoyé à Saint-Étienne.

Depuis qu'il en était revenu, les deux frères n'avaient jamais eu un désaccord sur le terrain professionnel. Chacun avait sa besogne, ses responsabilités. Marcel était le cerveau, dans un certain sens, Joseph l'animateur.

Et quand, à la mort du père, Fernand, leur benjamin, qui vivait à Paris, avait réclamé sa part, ils s'étaient entendus pour emprunter à la banque de quoi la lui verser en une seule fois et rester ainsi les maîtres de l'affaire.

Ils l'étaient à égalité. Quant à ce que Fernand avait fait de son argent, ils l'ignoraient. Ils avaient entendu parler d'une galerie de tableaux qu'il aurait ouverte du côté du boulevard Saint-Germain. C'était possible. Avec Fernand, tout était possible. Il ne tenait, lui, ni du père ni de la mère. Avec son visage allongé, ses cheveux trop blonds, ses gestes délicats, il avait toujours été dans la famille comme un élément étranger.

A cause d'une menace de tuberculose, quand il avait onze ou douze ans, on l'avait retiré de l'école et il avait vécu pendant deux ans en serre chaude dans l'appartement où il passait ses journées à dévorer des livres.

Puis on l'avait envoyé en pension dans la Haute-Savoie et il en était revenu si différent des siens que ceux-ci se sentaient gênés devant lui.

A dix-sept ans, sans l'annoncer à personne, il était parti pour Paris et on était resté huit ou neuf mois sans nouvelles. Par la suite, il était revenu de temps en temps, toujours plus affiné, si affiné que Joseph s'était souvent demandé s'il n'était pas pédéraste. Il avait fait partie d'une troupe théâtrale d'avant-garde dont on parlait parfois dans les journaux, travaillé dans une maison d'édition peu connue et, une fois, leur père avait reçu une demande d'argent datée de Capri.

Quel âge avait-il à présent ? Quatre ans de moins que Marcel. Donc neuf ans de moins que Joseph. Soit trente-huit ans. A l'enterrement de leur mère, c'était lui qui s'était montré le plus affecté et il était reparti le soir même, après quoi on ne l'avait revu qu'aux obsèques du vieux Lambert.

Joseph l'avait beaucoup observé ce jour-là, en particulier au cimetière, pendant le défilé des amis et connaissances. Il avait été frappé de ce qu'il y avait comme d'aérien chez son plus jeune frère. On aurait dit que, par une sorte de grâce, celui-ci échappait à la réalité, à la pesanteur comme aux soucis de la vie quotidienne.

Il en avait parlé à Marcel, le lendemain.

— Tu ne crois pas que Fernand se drogue ?

Marcel l'avait regardé de ses yeux froids et moqueurs d'homme qui sait tout et avait haussé les épaules.

A quoi bon penser à Fernand, penser à Marcel qui, à neuf heures, ponctuel et sûr de lui, viendrait prendre place dans son bureau encombré de planches à dessin ?

Des pauvres types mal vêtus, mal réveillés, qui n'étaient pas encore tout à fait réchauffés, commençaient à se grouper sur le quai, des Nord-Africains pour la plupart, qu'on ramassait dans les bas quartiers quand il y avait un bateau à décharger. Ce n'était pas un travail régulier. On était souvent deux semaines sans voir une péniche amarrée au débarcadère.

Ils battaient la semelle dans le matin frais et quelques-uns se frappaient les omoplates de leurs mains avec de grands gestes de pantins.

Enfin, le père Angelot, que tout le monde appelait Oscar, arriva lentement sur sa bicyclette.

Lambert le rencontra dans la cour.

— Ça va, monsieur Lambert ?

— Ça va, Oscar. Vos hommes sont là ?

— Pas tous. Il va sûrement encore en manquer quelques-uns.

Un journal local encadré de noir, comme aux jours de deuil national, dépassait de sa poche, mais Lambert ne demanda pas à le voir.

Le père Angelot se dirigeait vers le vestiaire où il allait se changer tandis que Lambert traversait la chaussée et se campait devant les péniches dont les mariniers avaient retiré les panneaux. C'était un chargement de belles briques roses qui, petit à petit, formeraient sur le quai des files aussi régulières que des maisons.

Les mariniers le saluaient de la main. L'air, près de la cabine, sentait le café et on entendait la voix de la petite fille que sa mère habillait et qu'on apercevait, en sous-vêtement blanc, par le hublot.

Ici aussi traînait, sur le pont, un exemplaire bordé de noir du journal. Le père Angelot s'approchait, donnait un coup de sifflet et les hommes se groupaient autour de lui pour recevoir leurs instructions tandis que d'autres ouvriers, les réguliers, ceux-là, commençaient à arriver à vélo ou à moto.

Un quart d'heure plus tard, les chantiers étaient animés d'un bout à l'autre, on chargeait du matériel et des outils sur les camions et les camionnettes qui allaient conduire les hommes à pied d'œuvre.

— Vous passerez vérifier le coffrage, monsieur Joseph ?

— Je serai là-bas vers dix heures. Ça va ?

— Ça ira. On aura de l'autre boulot en attendant.

Il compta onze journaux qui dépassaient des poches et la mise en train, ce matin-là, était moins bruyante qu'à l'ordinaire, les hommes ne s'interpellaient pas aussi gaiement, on entendit peu de plaisanteries.

C'était l'heure où Nicole se levait et faisait sa toilette. A huit heures, le petit déjeuner serait servi et Lambert prendrait son bain à son tour.

Pour acheter un journal, il aurait dû se rendre à près de trois cents mètres, rue de la Ferme, et il ne voulait pas y aller non peigné, pieds nus dans ses pantoufles.

Il avait à la fois peur et envie de savoir. Sa fièvre, son exaltation de la veille au soir avaient fait place à une humeur morne comme le ciel de ce matin-là, ou mieux comme son reflet dans l'eau sale du canal. Un mauvais goût persistait dans sa bouche, qui n'était plus celui du marc de chez Victor, et il avait honte de son hésitation quand il avait regardé la fille à la dent en or.

Une expression lui revenait de loin, qu'il n'avait jamais entendu employer que par l'étrange vicaire qui leur faisait le catéchisme : *l'arrière-goût amer d'une mauvaise conscience.*

Depuis qu'il était levé, il marchait, se comportait, parlait, regardait les gens à la façon d'un coupable.

Il avait l'impression que tout le monde savait, que Benezech n'attendait qu'une heure décente pour venir l'arrêter. Il rôda dans la menuiserie, dans les magasins, et, comme Oscar était toujours sur le quai aux prises avec ses Nords-Africains, il se glissa dans le vestiaire pour prendre le journal dans sa poche.

Il ne l'ouvrit qu'une fois dans son bureau dont il avait refermé la porte.

La première page était presque entièrement consacrée aux photographies qu'il avait vues la veille à la vitrine, place de l'Hôtel-de-Ville. Il y en avait deux, pourtant, qu'il ne connaissait pas encore. La première, prise par un amateur, représentait, dans un jardin, une petite fille d'environ huit ans qui tenait la tête penchée sur le côté et les bras raides le long du corps.

On lisait :

« *La petite Lucienne Gorre au cours des vacances de l'année dernière.* »

Tout à côté, un lit d'hôpital, un homme en blouse blanche penché sur une forme immobile, sur un visage entouré de pansements.

« *Le docteur Julémont lutte pour conserver l'enfant à la vie.* »

Sur cette photo-là, on distinguait un tube de caoutchouc qui aboutissait au bras de la malade.

Sous-titre, au milieu de la page :

« *Soixante pour cent de chances, déclarent les médecins.* »

Ce n'est qu'à la page suivante qu'on s'occupait de lui.

« *Vaste opération policière pour retrouver la traction-avant.* »

Il faillit ne pas lire, décrocher le téléphone qui se trouvait à portée de sa main sur le bureau, appeler Benezech pour lui déclarer :

— Cessez les recherches, mon vieux. C'est moi.

Cette traction-avant qu'ils étaient des douzaines de policiers et de gendarmes à rechercher dans la région, il pouvait la voir de sa place, à travers la fenêtre, au bord du trottoir où elle avait passé la nuit.

Aucun des ouvriers, en arrivant le matin, ne l'avait-il regardée en se disant : « C'est peut-être celle-ci... » ?

Beaucoup d'entre eux savaient qu'il s'était rendu à la ferme Renondeau et qu'il était probablement passé par la Grande Côte.

Marcel savait en outre qu'il avait emmené Edmonde et savait pourquoi, car il les avait surpris au moins une fois, non pas en auto mais dans ce qu'on appelait le bureau des archives. Marcel, comme il fallait s'y attendre, n'avait rien dit, n'avait fait ensuite aucune allusion à ce qu'il avait vu.

C'est de son frère, soudain, qu'il eut le plus peur, pas tellement peur que Marcel le dénonce mais que Marcel sache. Le plus simple, si cela arrivait, ne serait-il pas de se tirer une balle dans la tête ? Lambert possédait, dans le tiroir de son bureau, un gros revolver d'ordonnance qu'il avait rapporté de la guerre. Il l'y gardait sous la main depuis que, les jours de paie, des attaques à main armée s'étaient produites dans certaines villes.

Pourquoi ne pas en finir maintenant, tout de suite, sans prendre la peine de monter déjeuner, de passer à la salle de bains, de subir un tête-à-tête avec sa femme puis, plus tard, de se trouver en face d'Edmonde ?

Le journal relatait qu'on avait passé la nuit à fabriquer des cercueils pour les victimes cependant qu'avec l'aide des parents déjà arrivés, on s'efforçait de les identifier. Dès la fin de la matinée, la grande salle de l'Hôtel de Ville serait transformée en chapelle mortuaire et la foule admise à défiler.

Aurait-il le courage de subir tout cela ?

Le père de la petite Gorre était veuf, encore très jeune, avec des yeux doux, un visage de faible sur qui s'acharne le malheur. On l'avait photographié dans le couloir de l'hôpital, assis sur une banquette, comme ceux qui, dans l'antichambre de la maternité, attendent qu'on leur annonce une naissance.

La sonnerie du téléphone résonna brutalement et Lambert hésita à décrocher, persuadé que c'était Benezech, ou le lieutenant de la gendarmerie, ou encore Marcel qui venait de découvrir la vérité. Il laissa sonner plusieurs fois, saisit enfin le récepteur parce que le bruit lui était insupportable.

— Allô !

— C'est vous, monsieur Lambert ?

Il se détendit si vite qu'il en devint mou. Il avait reconnu, à l'autre bout du fil, la voix de Nicolas, le contremaître qui dirigeait le chantier de la porcherie.

— Je pensais bien que vous seriez encore au bureau. J'aurais dû, hier soir, compter les sacs de ciment qui me restent. J'ai peur que nous soyons court et, pour ne pas perdre de temps, vous pourriez m'envoyer une vingtaine de sacs.

D'une voix naturelle, Lambert conversa un moment avec Nicolas, tandis que son regard errait sur le journal et y cueillait ce passage :

« C'est une véritable chasse à l'homme qui commence, avec, pour aider la police, la population tout entière que fouette l'indignation... »

Le récepteur toujours à la main, il se redressait, sa chair reprenait sa dureté, ses épaules leur carrure.

— J'envoie un camion dans quelques minutes et je passerai peut-être jeter un coup d'œil vers la fin de la matinée... Non ! Il ne pleuvra pas... Tu peux y aller...

Quand il raccrocha, il ne pensa plus au revolver, se leva, laissa le journal étalé, comme un défi. Du moment qu'il s'agissait d'une chasse à l'homme et que c'était lui qu'on traquait, cela devenait une autre histoire !

Il donna des instructions au magasinier, grimpa là-haut.

— Mon petit déjeuner, Angèle, lança-t-il dès le couloir.

Il s'installa à sa place dans la salle à manger où sa femme ne tarda pas à le rejoindre. Elle était déjà prête pour la journée car ce n'était pas le genre de femme à traîner en peignoir ou en robe d'intérieur.

— Tu es rentré tôt, hier soir, remarqua-t-elle.

Il dit simplement oui, en lui accordant à peine un regard.

— Je suis restée jusqu'à onze heures et demie chez Jeanne qui a subi une telle commotion que nous hésitions à appeler le médecin.

Il murmura sans ironie apparente :

— Pauvre Jeanne !

— Je viens de téléphoner à son mari. Elle est levée. Il paraît que le journal de ce matin est si émouvant que...

Elle s'interrompit :

— Tu l'as lu ?

— Oui.

— Que dit-il ?

— Je vais te le chercher.

C'était plus simple. Il descendit malgré ses protestations, remonta avec le journal bordé de noir qu'il posa à côté d'elle sur la table.

— Tu es allé voir, hier ?

— Non.

Elle l'observa plus attentivement.

— Tu as bu ?

— Quelques verres de marc.

Elle ne lui demanda pas pourquoi, ni où, se pencha sur les photographies de la première page.

— Pourvu qu'ils sauvent cette petite !

Il mangeait ses œufs à la coque en regardant sa femme bien en face et il aurait été difficile de dire à quoi il pensait. Ses prunelles étaient sombres, son front buté comme quand, dans un bar, il flairait la bagarre ou quand il allait la provoquer.

— Si Jeanne était seulement passée deux minutes plus tôt au Château-Roisin, elle aurait vu l'automobiliste.

— Dommage qu'elle ne l'ait pas vu !

— Je me demande comment il a eu le cœur, avec ces enfants qui hurlaient au milieu des flammes, de...

Il parvint à ne pas se lever et même à finir son œuf, mais, si sa femme l'avait regardé à ce moment-là au lieu de s'absorber dans sa lecture, elle aurait compris qu'il se retenait de vomir.

— Quand nous sommes arrivés sur les lieux, Marcel et moi, le feu était éteint, mais les débris fumaient encore. Marcel a travaillé jusqu'à neuf heures du soir avec les pompiers à...

Il se levait de table, sans hâte, se dirigeait vers la porte.

— Excuse-moi. On m'attend au bureau à neuf heures.

Il se rasa, fit sa toilette comme les autres jours et, au moment de passer le complet qu'il portait la veille, se ravisa. Si quelqu'un avait aperçu un homme en complet bleu marine dans une traction-avant, il valait mieux, pendant quelques jours, se montrer avec un vêtement d'une autre couleur. Il en choisit un gris, changea de cravate et même de chapeau.

N'annonçait-on pas une battue dans laquelle il tenait le rôle de gibier ?

— Tu as besoin de la voiture ? questionna Nicole au moment où, à neuf heures moins cinq, il s'engageait dans l'escalier.

— Pourquoi ?

— Si tu ne t'en sers pas, je la prendrai. J'ai rendez-vous à l'Hôtel de Ville pour préparer la chapelle ardente et j'ai promis d'aller d'abord au marché chercher toutes les fleurs que je pourrai trouver. Nous nous sommes partagé la besogne. Renée Bishop fera le tour des horticulteurs...

Il lui tendit la clef sans un mot.

— Tu es sûr que tu...

— Je prendrai la 2 cv.

Il avait failli sourire ironiquement en l'entendant formuler sa requête, car c'était bien la meilleure chose qui pût arriver. Il n'y aurait pas pensé de lui-même. Elle allait se servir de la traction-avant pour le travail du comité et personne ne s'aviserait d'établir un rapprochement avec l'auto recherchée.

— Tu seras ici pour déjeuner ? demanda-t-elle encore.

— C'est probable.

— Il est possible que je sois retenue là-bas...

Il lui fit signe que cela ne le gênait pas, descendit le petit escalier, trouva la plupart des employés et des dactylos à leur place. A travers une des cloisons vitrées, il aperçut Marcel, en bras de chemise, qui travaillait dans le bureau des dessinateurs.

Ils n'allaient pas nécessairement l'un vers l'autre, le matin, pour se saluer, et parfois ils ne se souhaitaient le bonjour qu'au milieu de la matinée, quand ils se rencontraient par hasard ou quand ils avaient à discuter travail.

S'arrêtant près d'un employé qui pointait l'entrée et la sortie du matériel, il lui annonça :

— J'ai envoyé ce matin vingt sacs de ciment à Nicolas, qui craignait de tomber à court.

— Bien, monsieur Lambert.

Pour la plupart, surtout pour les anciens, dès la mort de son père il était devenu monsieur Lambert au lieu d'être monsieur Joseph, alors que son frère, lui, restait monsieur Marcel. Cela lui faisait d'autant plus de plaisir qu'il ne leur avait rien demandé.

— Mlle Pampin n'est pas arrivée ?

Cela le surprenait, à neuf heures cinq, de ne pas la voir à sa place, car elle était ponctuelle.

— Elle était ici il y a un moment. Je ne sais pas où elle...

L'employé regardait autour de lui. Lambert se demandait si Edmonde n'était pas à l'attendre dans son bureau et il fronçait déjà les sourcils quand il la vit sortir des toilettes, si pareille à elle-même qu'il en perdit contenance.

— Bonjour, monsieur Lambert.

Il laissa tomber :

— Bonjour.

Ce n'était pas son ton habituel, mais elle ne marqua aucune surprise, s'assit devant sa table de machine, ouvrit le tiroir, rangea ses crayons, ses gommes, son bloc à sténo.

— Vous dictez maintenant ?

Si c'était pour se trouver seule avec lui et pour lui parler, il allait le savoir tout de suite.

— Oui.

Il poussa la porte de son bureau, s'assit dans sa chaise tournante dont, lorsqu'il dictait, il renversait en arrière le dossier articulé.

— Entrez. Donnez-moi le dossier « à répondre ».

Elle le plaçait devant lui, évoluant sans bruit, sans rien frôler, avec une ondulation du corps qu'il n'avait vue qu'à elle. Elle prit sa place habituelle, installa son bloc sur la tablette et attendit, ne levant les yeux qu'après qu'il eut gardé le silence pendant de longues minutes.

Ce fut lui qui faillit l'attaquer, tant il était suffoqué par son calme, par cette indifférence inhumaine qui lui rappelait tout à coup son frère Fernand. Et Fernand aussi avait cette façon de manier les objets comme s'il jonglait, ou comme s'ils eussent été immatériels.

— *Monsieur...*

Il s'interrompit.

— C'est pour la maison Bigois, de Lille.

— Bien.

— *Je suis au regret de devoir vous annoncer que, malgré nos observations des...* Ici, vous intercalerez les dates de mes deux dernières lettres...

— 18 juillet et 23 août.

Elle disait cela simplement, sans vanité, sans souci d'épater.

— Bon. Je continue... *nos observations des 18 juillet et 23 août, les emballages continuent à être défectueux, ce qui entraîne une perte de près de vingt pour cent...*

— M. Bicard évalue la perte à douze pour cent.

Bicard, c'était le chef comptable de la maison, qui occupait, tout seul, une cage de verre bourrée de registres.

— J'ai dit : *vingt pour cent...*

— Bien, monsieur.

— Je vous demanderai de ne plus m'interrompre.

— Bien, monsieur.

Il tira son mouchoir de sa poche et s'épongea, furieux, perdant pied.

— Où en sommes-nous ?

— *... une perte de près de vingt pour cent...*

— Ajoutez que, dans ces conditions, il nous est impossible de continuer de leur passer nos commandes et terminez par mes regrets et mes salutations distinguées. Vous avez le dossier Beauchet ?

— Je l'ai posé sur votre sous-main.

— Prenez note : *Mon cher Beauchet, j'ai le plaisir de vous envoyer ci-joint le devis que vous nous avez demandé et qui, je crois, recevra votre agrément. Je vous signale toutefois que, si le prix total excède quelque peu les prévisions antérieures, cela est dû aux nouveaux droits de douane sur les bois du Nord. J'ai cru que...*

Il lança rageusement :

— Entrez !

On avait frappé à la porte. Celle-ci s'ouvrait. C'était Marcel, qui passait la tête et paraissait surpris de trouver son frère et Mlle Pampin au travail. A quoi s'était-il attendu ?

— Je te dérange ?

— Qu'est-ce que tu veux ?

C'était surtout Edmonde que Marcel regardait, un peu comme Lambert l'avait regardée quand elle était sortie des toilettes.

— Ta femme est partie ?

— Je n'en sais rien. Pourquoi ?

— Parce que, sinon, je lui demanderais d'aller prendre la mienne, qui n'a pas de voiture. Elles doivent se retrouver à l'Hôtel de Ville à dix heures et...

— Va voir là-haut. Tout ce que je sais, c'est que Nicole m'a demandé l'auto.

— Tu sors, ce matin ?

— Oui. J'ai promis de passer par la ferme Renondeau.

On aurait dit que Marcel hésitait à s'éloigner, avait d'autres questions sur le bout de la langue.

— Alors ? Tu nous laisses travailler ?

— Excuse-moi.

Lambert se trompait peut-être mais il aurait juré que son frère se retirait déçu, en homme qui a espéré autre chose. Avait-il réellement eu des soupçons ? Avait-il cru surprendre Lambert et Edmonde en train de chuchoter comme deux complices ?

— Relisez-moi la dernière phrase.

— *J'ai cru que...*

Il enchaîna et, en moins d'un quart d'heure, dicta une dizaine de lettres. A la fin, il se tenait debout, face à la fenêtre par laquelle il voyait la file des Nord-Africains, comme une longue chenille onduleuse, monter et descendre les planches élastiques reliant la péniche au quai.

— Si je ne suis pas rentré à midi, faites signer le courrier par M. Bicard.

Celui-ci était aussi fondé de pouvoir et, depuis deux ans, recevait une participation dans les bénéfices. C'était un petit homme grassouillet, jovial, qui pouvait passer des heures immobile sur sa chaise, penché sur ses écritures, sans éprouver le besoin de se détendre les muscles. Le crâne chauve, le visage d'un rose de bébé, son seul défaut était d'avoir mauvaise haleine et, le sachant, il avait toujours une boîte de cachou à portée de la main.

— C'est tout pour le moment.

Il attendait curieusement de savoir si elle allait enfin lui dire quelque chose mais elle se leva sans en manifester l'intention et se dirigea vers la porte.

Alors, ce fut lui qui éprouva le besoin de parler.

— Au fait, je vous ai aperçue hier soir en compagnie de votre mère place de l'Hôtel-de-Ville.

Elle lui fit face, surprise.

— Ah ! Je ne vous ai pas vu.

— En face des bureaux du journal.

— Nous sommes en effet sorties une heure pour prendre l'air. Ma mère reste à la maison presque toute la journée.

Quelqu'un avait dit à Lambert que la mère était culottière.

Edmonde attendait, avec l'air de se demander s'il avait autre chose à lui dire.

— C'est tout ! lança-t-il avec une colère rentrée.

Cela le dépassait. Il en était humilié. Il avait horreur de ne pas comprendre et, après un an de rapports aussi intimes qu'un homme et une femme puissent avoir, il ne savait pas encore ce que cette fille-là avait dans la tête.

Un moment, en la regardant sortir, vêtue comme d'habitude d'une robe noire, il se demanda si son intention n'était pas de le faire chanter.

Il s'était posé, au début, une question du même genre. Il évitait autant que possible d'avoir des relations sexuelles avec les jeunes filles travaillant dans ses bureaux, sachant que cela finit presque toujours par créer des complications.

Au lendemain de sa première expérience avec Edmonde, il l'avait épiée, s'attendant à ce qu'elle se permît certaines familiarités, ou à ce qu'elle apportât du laisser-aller dans son travail.

C'est tout le contraire qui s'était produit et qui l'avait presque inquiété. Elle restait la même à tel point qu'il s'était demandé si, la veille, il n'avait pas rêvé. Il était impossible de déceler dans son regard, dans son comportement, dans le son de sa voix rien qui rappelle la femelle dont il avait fait grincer les dents de plaisir.

Pendant plusieurs jours, il avait hésité à la toucher, par crainte qu'elle le repousse.

Il y avait un peu plus d'un an de ça et jamais elle ne l'avait appelé autrement que monsieur Lambert, jamais elle n'avait sollicité la moindre faveur.

Le spasme à peine fini, sa jupe rabaissée d'un geste mécanique, elle redevenait d'une seconde à l'autre la secrétaire aux gestes mesurés et efficients, au regard indifférent, qui venait de sortir de son bureau, et seules, pendant quelques minutes, ses narines restaient pincées comme celles de quelqu'un qui s'est trouvé mal tandis qu'on voyait son cœur battre encore à coups précipités sous sa robe.

Il chercha des yeux le chapeau qu'il avait descendu de l'appartement, le mit sur sa tête, traversa lentement le bureau où Edmonde, qui avait repris sa place, ne lui adressa pas un regard.

Ce fut son tour de passer chez son frère penché sur les plans d'un garage.

— Tu as vu Nicole ?

— Oui. Elle ira prendre ma femme.

Avec Marcel non plus il n'était jamais possible de deviner ce qu'il pensait et, aujourd'hui en particulier, cela le mettait en rogne, comme si les gens s'étaient amusés à jouer avec lui au chat et à la souris.

Pour Marcel, cependant, il savait tout au moins ce que son sourire exprimait : une ironie condescendante. Il était tellement intelligent, tellement sûr de lui, tellement au-dessus de ce pauvre idiot de Joseph qui fonçait droit devant lui comme un taureau !

Pauvre Joseph ! Il avait fait des bêtises. Il en ferait d'autres, puisque c'était sa nature. Heureusement qu'il avait auprès de lui un frère pondéré, exempt de passions, pour remettre avec tact les choses en place.

Pourquoi Marcel n'avait-il pas épousé Nicole, nom de Dieu, puisqu'ils allaient si bien ensemble ? Ils auraient pu passer leur vie devant un miroir à admirer le couple supérieur qu'ils formaient. Et peut-être qu'à eux deux ils auraient fait des petits !

— A tout à l'heure.

— A tout à l'heure.

A la porte, il se retourna brusquement pour s'assurer que son frère ne le suivait pas d'un regard moqueur, mais Marcel était penché sur sa planche à dessin, sa cigarette fumant devant lui dans un cendrier de verre.

Il n'y eut qu'un jeune dessinateur de dix-sept ans, aux cheveux trop longs, à sourire comme s'il avait compris.

L'imbécile !

4

Un journaliste devait écrire une fois de plus, le soir, que le ciel s'était mis en deuil. Chez les Lambert, on disait « un temps de Toussaint ». Pourtant, dans ses souvenirs d'enfance, Joseph Lambert revoyait plutôt, à la Toussaint, des nuages bas, poussés par des rafales qui arrachaient les feuilles mortes, les faisaient tourbillonner et les posaient enfin, comme des bateaux-jouets, sur l'eau frisée du canal.

Aujourd'hui, il n'y avait pas de vent. Il ne pleuvait pas. Le ciel était uni, d'un gris clair, comme une calotte de verre dépoli sous laquelle les sons s'étouffaient, et les passants paraissaient plus sombres, plus furtifs que les autres jours, comme si chacun partageait la responsabilité du drame de la veille.

Lambert le fit exprès, au volant de la 2 CV, de passer par le centre et, place de l'Hôtel-de-Ville, il vit les draperies noires à larmes d'argent qu'on achevait de poser autour du portail. Pour se rendre à la ferme Renondeau, il avait le choix entre trois itinéraires au moins, mais il s'obligea à prendre celui qu'il aurait pris en temps normal, c'est-à-dire par le hameau de Saint-Marc et la Grande Côte.

Saint-Marc n'était qu'à trois kilomètres de la ville et, après les jardins potagers séparés les uns des autres par des barbelés, on apercevait, toute seule, avec son mur exposé à l'ouest recouvert d'ardoises, l'épicerie-buvette des Despujols.

Il roulait lentement. C'était une épreuve qu'il imposait à ses nerfs. La mère Despujols, vêtue de noir, courte et ronde, le ventre en avant à la façon des femmes de la campagne, était debout près de sa pompe à essence et faisait le plein d'une voiture. Il la salua de la main, la vit, dans son rétroviseur, qui le suivait des yeux mais ne put savoir si elle l'avait reconnu.

Le plus pénible était de franchir le virage du Château-Roisin, où on avait entouré de barrières les restes tordus et calcinés de l'autocar et où deux gendarmes montaient la garde cependant que trois ou quatre civils aux allures d'experts furetaient parmi les débris.

D'après le journal du matin, plusieurs théories partageaient les ingénieurs. Certains supposaient que les portes, tordues par le choc, n'avaient pas pu être ouvertes, d'autres que le conducteur, qui s'appelait Bertrand, ayant été tué sur le coup, personne n'avait été capable de les manœuvrer. Quant à savoir pourquoi le car avait flambé instantanément, rendant les secours impossibles, c'était une question qui soulevait des controverses d'autant plus âpres qu'elle mettait de gros intérêts en jeu.

Si on ne parlait pas encore d'argent, on annonçait que la compagnie qui assurait l'autocar avait envoyé sur place ses meilleurs agents afin de déterminer, non seulement les causes exactes de l'accident, mais aussi les raisons pour lesquelles celui-ci s'était transformé en catastrophe.

Les dommages-intérêts se chiffreraient par dizaines de millions et peut-être davantage. Si on retrouvait le propriétaire de la traction-avant et si on établissait sa responsabilité, c'était à ses assureurs qu'il incomberait de payer.

Un des gendarmes avec qui Lambert avait été souvent en rapport le reconnut au passage et lui adressa un signe de la main. Des curieux, venus surtout à vélo, en plus petit nombre que la radio le laissait croire, se tenaient patiemment en dehors des barrières.

Il commença à monter la côte, le visage rouge, le sang à la tête, et il n'avait pas parcouru un kilomètre qu'il apercevait les chèvres sur le bas-côté. Leur propriétaire était là aussi, long et maigre, avec des bras démesurés et des mains en battoirs d'idiot de village.

Il regardait l'auto approcher, immobile, un bâton à la main, et Lambert avait l'impression qu'il n'y prêtait que l'attention qu'il eût accordée à n'importe quelle auto mais qu'il l'avait reconnue. Il ne s'arrêta pas. C'était peut-être le fait de son imagination. Y avait-il vraiment, sur le visage d'habitude inexpressif de l'homme aux chèvres, un sourire sarcastique ? La gendarmerie était-elle déjà venue le questionner, comme elle questionnait tous ceux qui habitaient le long des routes à plusieurs kilomètres à la ronde ?

Il faillit faire demi-tour pour lui parler et en avoir le cœur net. Déjà, la veille, il avait eu l'intuition que c'était de cet homme-là que viendrait le danger.

Il n'avait jamais entendu sa voix. Il ignorait s'il était simple d'esprit ou non. On prétendait qu'il mangeait des corbeaux et des bêtes puantes comme un autre vieux qui, quand Lambert était enfant, dévorait tout ce que les gamins lui apportaient par jeu, y compris les mulots et les limaces.

La côte lui parut longue et il croisa plusieurs gendarmes à motocyclette qui donnaient au paysage une couleur particulière.

Il y en avait deux autres, dont un, le calepin à la main, devant le garage du premier carrefour, près des pompes à essence, et le pompiste roux, que Lambert connaissait pour lui avoir souvent fait faire le plein, répondait aux questions en se grattant la tête.

C'était encore une épreuve. Il devait se comporter naturellement et, en tournant à droite vers la ferme Renondeau, il fit un signe de la main, lança :

— Salut !

Le jeune homme répondit de même. Les gendarmes ne se retournèrent pas. Dans son rétroviseur, Lambert s'assura que le pompiste roux ne le suivait pas des yeux, que sa vue ne lui rappelait pas soudain quelque chose.

C'est ainsi qu'il lui faudrait agir pendant plusieurs jours. Avec Renondeau aussi, qui l'attendait au milieu du chantier où le rectangle de la future grange était dessiné par les coffrages. On l'attendait pour couler le ciment autour des montants métalliques déjà dressés. Il descendit de voiture, serra la main du fermier, se dirigea tout de suite vers le conducteur des travaux et inspecta chacun des coffres. Il avait l'air préoccupé, bourru, qui était ordinairement le sien sur les chantiers. Il regarda le ciel où passait une nuée d'étourneaux.

— On peut y aller, mes enfants !

Côte à côte avec Renondeau, il assista ensuite au remplissage du premier caisson, près de la machine qui faisait un vacarme assourdissant. C'était inutile d'essayer de s'entendre. Le fermier, après un moment, lui désigna la maison et le chai au sommet du pré en pente et on lisait une invitation sur ses lèvres :

— Un coup de blanc ?

Il le suivit dans l'ombre fraîche où les barriques étaient alignées et où Renondeau rinça deux verres épais dans une cuve d'eau.

— A la vôtre, monsieur Lambert.

— A la vôtre, Renondeau.

— Vous n'avez pas amené la petite demoiselle, ce matin ?

Il accompagnait sa question d'un sourire égrillard.

— Pas aujourd'hui, non.

— Un beau brin de fille, dites donc !

— C'est surtout une bonne secrétaire.

L'autre lui reprenait des mains le verre vide pour le remplir au tonneau et Lambert le faissa faire.

— J'ai pensé à vous, hier soir, en entendant la radio. Je me suit dit que, si vous étiez seulement parti un quart d'heure plus tard, vous vous seriez trouvé au Château-Roisin juste au moment de l'accident.

Ce n'était pas un piège, Lambert en était persuadé. Il connaissait assez les paysans pour s'apercevoir quand ils avaient une idée derrière la tête. Et cette phrase-là, innocente en apparence, lui ouvrait des horizons nouveaux.

Il s'était donné du mal, la veille, pour se créer un alibi en laissant croire qu'il n'était pas passé par la Grande Côte mais qu'il avait pris la route du Coudray. Or, le fermier, sans le savoir, venait de lui fournir le meilleur des alibis. S'il avait roulé à une allure normale, en effet, et s'il ne s'était pas arrêté en chemin, il aurait atteint la Grande Côte un quart d'heure environ avant le passage de l'autocar.

— Ce ne devait pas être joli à voir ! poursuivait Renondeau. Je me demande si j'aurais eu le courage de regarder. Enfin !... Un autre ?

— Merci.

— Vous comptez toujours finir le travail avant novembre ?

— Le 1er novembre au plus tard.

— Alors, tout va bien.

Ils se touchèrent la main, Renondeau s'éloigna lentement en direction de l'étable tandis que Lambert retournait vers sa voiture.

Il avait bien fait de ne pas trop répéter qu'il n'était pas passé par la Grande Côte. Si cela devenait indispensable, il y aurait toujours le témoignage de Renondeau, sinon pour le disculper, tout au moins pour brouiller le jeu.

Ce qu'il devait surtout éviter, c'était de s'imaginer d'avance qu'on pensait à lui, car c'est alors qu'il risquait de perdre son sang-froid.

Il roulait à nouveau vers le carrefour, distant d'un peu moins de quatre kilomètres, et le plateau était peu habité, les rares fermes s'élevaient loin de la route, au milieu des champs, une bonne partie des terres appartenait à Renondeau.

A un kilomètre environ, sur la droite, on apercevait un boqueteau et c'était là, en réalité, et non dans la Grande Côte au moment du premier coup de klaxon, comme il l'avait pensé la veille, que la tragédie s'était décidée.

Quand il avait prié Edmonde de l'accompagner, il avait une arrière-pensée, certes, mais elle était encore vague, il ne savait ni où, ni quand cela se passerait. Dans son esprit, ce serait plutôt au retour de la laiterie de Tréfoux, sur le chemin du canal, presque toujours désert et qu'il comptait emprunter.

Edmonde n'avait-elle pas voulu attendre ? Avait-elle agi sans arrière-pensée ? Comme ils atteignaient le boqueteau, elle avait dit, simplement :

— Cela vous ennuierait que je descende un instant ?

Elle n'avait aucune pudeur avec lui. Il la soupçonnait de n'en avoir avec personne. Elle avait poussé la portière, franchi le fossé d'un bond et, sa robe troussée, s'était accroupie à cinq ou six mètres de la route. Il avait hésité à la rejoindre, l'aurait sans doute fait si, un peu plus tôt, ils n'avaient dépassé une charrette de foin qui n'allait pas tarder à les rejoindre.

— Je vous demande pardon, avait-elle murmuré en se rasseyant et en refermant la portière.

Souriant, il avait posé la main sur sa cuisse.

— Maintenant ? avait-il murmuré à son tour.

Ce qui serait impossible à faire admettre, c'est qu'ils n'étaient pas des amoureux, ni des amants, que leurs relations ressemblaient plutôt à un jeu qui avait ses règles, ses signes, ses termes consacrés.

Elle l'avait regardé sans rien dire et il avait compris, à l'immobilité de ses prunelles, que le déclic s'était produit.

Ils entendaient derrière eux les pas des chevaux, le bruit des grandes roues ferrées de la charrette sur le sol. Il avait remis la voiture en marche, au ralenti, conduisant de la main gauche cependant qu'Edmonde se raidissait à son côté.

C'est ainsi qu'ils avait atteint la Grande Côte et qu'ils en avaient commencé la descente. Il conduisait à trente kilomètres à l'heure à peine, attentif, non à la route, mais à des frémissements secrets qui suivaient un rythme déterminé.

S'ils n'étaient pas amoureux l'un de l'autre, s'ils ne s'étaient jamais comportés comme des amoureux, il n'en existait pas moins entre eux une intimité d'une autre sorte qui frisait la complicité.

C'est sur ce plan-là que leurs relations s'étaient établies, dès le premier jour, sans qu'ils le voulussent, par la force des choses. Il y avait de cela un peu plus d'un an et Edmonde ne travaillait alors pour lui que depuis quelques semaines.

A cette époque, il lui trouvait, non un corps de femme, mais le corps insipide d'un énorme bébé et, ce qui le surprenait, c'est qu'avec son regard toujours vide elle se révélât une secrétaire aussi efficace. Il n'était pas loin de penser comme le jeune maçon :

— *Un bestiau !*

Un soir d'août, alors qu'une bonne partie du personnel des bureaux était en vacances et qu'il faisait une chaleur lourde, il était allé se baigner, vers cinq heures, dans la piscine qu'il avait construite pour un camarade à une quinzaine de kilomètres de la ville. On attendait un coup de téléphone de Chalon-sur-Saône.

— Je reste jusqu'à votre retour ? avait-elle demandé au moment où il sortait.

— Cela vaut mieux, oui. D'ailleurs, je serai de retour vers six heures et demie.

Il n'était rentré qu'à sept heures moins dix et, pour couper au court, avait emprunté ce qu'on appelait l'entrée des dessinateurs, qui donnait directement, de la cour, dans le bureau vitré de ceux-ci.

Le silence régnait dans les locaux séparés par des cloisons de verre et, d'abord, il crut qu'il n'y avait plus personne, jusqu'au moment où il avait aperçu sa secrétaire et où il avait reçu un choc.

L'avait-elle entendu venir ? Il était persuadé que non et, maintenant qu'il la connaissait, il savait que cela n'aurait rien changé à son attitude.

Repoussant sa chaise de dactylo, au dossier articulé, elle s'était renversée en arrière et, la robe levée jusqu'au ventre, elle tenait la main entre ses cuisses. Les yeux mi-clos, elle restait tellement immobile qu'il en aurait été inquiet s'il n'avait remarqué un mouvement imperceptible des doigts.

La chaleur de la journée s'était accumulée dans les bureaux et aucune fraîcheur ne pénétrait par les fenêtres ouvertes, seulement une fine poussière qui restait suspendue dans l'air et brillait au soleil.

Pour la première fois, il avait vu les narines d'Edmonde se pincer comme celles d'une morte, sa lèvre supérieure se retrousser en découvrant les dents en une grimace douloureuse qui ne rappelait en rien un sourire.

Son corps s'était tendu enfin, comme pour quelque pénible délivrance, et était resté ainsi longtemps avant de s'affaisser tout à coup en même temps que Lambert devinait un râle.

La tête de la jeune fille s'était laissée aller sur le côté et, quand les paupières s'étaient soulevées, elle l'avait vu, de l'autre côté de la cloison vitrée, n'avait exprimé aucune surprise, n'avait eu aucune réaction. Elle n'était pas encore tout à fait revenue du monde étrange où elle venait de s'échapper, seule, en silence.

Alors, il avait franchi la porte, s'était campé devant elle, la regardant de haut en bas, de bas en haut, et elle avait enfin murmuré :

— Vous étiez là ?

Elle ne cherchait pas à s'excuser. Elle n'avait pas honte, ne rabattait pas sa robe et sa main n'avait pas changé de place. Voyant les doigts bouger à nouveau, il avait prononcé, la voix rauque :

— Vous en voulez encore ?

Le frémissement de la lèvre supérieure avait repris et il avait eu l'impression d'entendre le cœur battre à coups sourds dans la poitrine.

— Levez-vous ! avait-il commandé.

Elle avait obéi, docile, était allée à lui, sans chercher à se blottir, sans chercher ses lèvres.

Dix minutes plus tard, déjà, elle avait repris son attitude de tous les jours et disait d'une voix qui ne gardait aucune trace de ce qui venait de se passer :

— On a téléphoné de Chalon.

C'était lui qui était gêné, peut-être pour la première fois de sa vie, et qui ne savait où poser le regard.

— Les trois wagons ont été chargés ce matin et devraient arriver lundi. Vous recevrez par le courrier de demain matin les feuilles d'expédition.

— Je vous remercie.

— Vous n'avez plus besoin de moi ?

Elle ne disait pas cela par ironie, mais employait sans arrière-pensée la formule consacrée.

— Non. Je vous remercie.

— Bonsoir, monsieur Lambert.

Il avait dû faire un effort pour répondre sur le même ton :

— Bonsoir, mademoiselle Pampin.

Elle avait encore rangé son bureau, était passée aux toilettes pour se remettre de la poudre et du rouge à lèvres. Quelques minutes plus tard, par la fenêtre, il la voyait se diriger vers la rue de la Ferme de sa démarche onduleuse et tranquille.

Par la suite, Marcel devait les surprendre dans la pièce des archives. D'autres aussi, peut-être, qui n'avaient rien dit mais qui échangeaient des clins d'œil derrière leur dos. Il l'avait emmenée plusieurs fois à l'*Hôtel de l'Europe*, où elle l'avait suivi sans protester, mais, chaque fois, aussi bien pour elle que pour lui, cela avait été une déception. Elle ne s'en plaignait pas, ne se cherchait pas d'excuses. Jamais il n'était question de ce qui se passait entre eux et ni l'un ni l'autre ne tentaient de s'expliquer.

En dehors du travail, c'est à peine s'ils échangeaient quelques monosyllabes qui étaient pour eux des repères.

Elle n'avait rien changé à sa vie, à ses habitudes, à sa façon de s'habiller et de se tenir et il n'avait rien changé à son existence non plus, il avait eu, en un an, d'autres aventures rapides qui ne lui avaient procuré aucun plaisir.

Et Marcel qui croyait avoir compris !

Il repassait maintenant par le même chemin que la veille, descendait la Grande Côte à nouveau et, à nouveau, croyait surprendre une expression ironique et cruelle sur les lèvres de l'homme aux chèvres.

Qu'est-ce qu'Edmonde pensait de ce qui était arrivé, de la façon dont il s'était comporté, qu'est-ce qu'elle pensait de lui ? A n'importe qui d'autre, il aurait posé la question. Avec elle, il n'osait pas.

Pourquoi ?

Cela tenait-il à ce que ce qui existait entre eux était sur un autre plan que la vie ordinaire, la vie telle qu'on la conçoit, telle qu'on la fait, telle qu'on la veut ?

C'était un peu comme si, à un moment donné, sans raison apparente, ils échangeaient un signal et s'échappaient tous les deux.

Lui non plus, avec elle, n'avait pas de pudeur. Ils pénétraient dans un domaine différent et ce domaine-là ressemblait davantage au domaine de l'enfance qu'à quelque domaine maudit.

Il se souvenait encore, après si longtemps, avec acuité, d'un mal de dents qu'il avait eu vers sa neuvième année. C'était en été et, à cette époque-là, le tilleul se dressait encore au milieu du chantier. Le dentiste lui avait remis deux comprimés blancs, sans doute un sédatif, et, après le déjeuner, la douleur lui revenant, aiguë, il les avait avalés tous les deux.

— Tu devrais aller t'asseoir dans le jardin et te reposer, lui avait conseillé sa mère.

Il existait, sous le tilleul, une table et trois fauteuils de fer et le gamin s'était installé dans un des fauteuils, les jambes sur un autre, tandis que le feuillage, au-dessus de sa tête, bourdonnant de mouches, laissait filtrer les rayons de soleil.

Les yeux mi-clos, il voyait miroiter l'eau du canal et, juste en face de lui, sur l'autre rive, un vieux retraité, mort depuis, qui, assis sur un pliant, pêchait à la ligne. Il portait un panama et fumait une longue pipe courbe qui pendait sur sa poitrine.

Ce qui s'était passé alors en lui, il aurait été incapable de le décrire et, s'il avait essayé souvent, même adulte, de provoquer le même phénomène, il n'y était jamais parvenu.

Était-ce la chaleur, l'engourdissement d'après le repas ou l'effet des comprimés ? Il continuait à sentir la douleur dans sa joue gauche mais elle ne méritait plus le nom de douleur, transformée en plaisir, en une sorte de volupté, la première, en somme, qu'il eût connue.

D'un point déterminé, ultra-sensible, peut-être le nerf de la dent malade, des vagues s'irradiaient, à la façon du son des cloches dans l'air, gagnaient toute la joue, son œil, sa tempe, pour aller mourir dans sa nuque.

Ces vagues-là, il les sentait naître et, petit à petit, apprenait à les provoquer, à les diriger comme une musique. Le feuillage du tilleul, au-dessus de lui, avec ses ombres et ses lumières, le léger balancement des branches, le vol des mouches, participait à la symphonie au même titre que la vie secrète du canal, sa respiration, les reflets qui s'étiraient au ralenti, le flotteur rouge, au bout de la ligne du pêcheur, et la tache du chapeau de paille dans l'ombre.

Chez le maréchal-ferrant, dont Lambert-le-Vieux n'avait pas encore racheté la forge, le marteau frappait l'enclume à une cadence paresseuse et, dans une cour, des poules caquetaient.

Tout cela se passait dans un monde merveilleux qui lui rappelait quelque chose, il s'efforçait en vain de savoir quoi, et d'où l'avait arraché la voix de sa mère.

— Joseph ! Tu es en plein soleil !

Le soleil, poursuivant sa course dans le ciel, avait en effet fini par atteindre sa retraite sous le tilleul.

— Tu ferais mieux de rentrer, maintenant.

Il s'était levé, engourdi, hébété, et il en avait longtemps voulu à sa mère.

C'est à cause de cette expérience-là, qu'il n'avait jamais été capable de renouveler, qu'il ne jugeait pas sévèrement son frère Fernand. Quel moyen celui-ci avait-il trouvé pour s'échapper ? Il l'ignorait mais il était persuadé que Fernand en avait un et passait une bonne partie du temps loin de la terre.

Il n'avait rien dit de cela à Edmonde. Il soupçonnait qu'elle ignorait elle-même ce qu'elle faisait. En tout cas, elle ne croyait pas que c'était mal, sinon elle aurait réagi autrement quand il l'avait surprise, et bien d'autres fois par la suite.

C'était à lui qu'il arrivait d'avoir des doutes et de se sentir gêné, alors qu'il n'avait jamais, de sa vie, raté une occasion de renverser une fille sur un lit ou dans l'herbe.

Avec les autres, il pouvait rire et même parler de ce qu'ils étaient occupés à faire.

Avec Edmonde, il n'osait pas, l'idée ne lui en venait pas. Et pourtant, il n'y avait aucune communion entre eux. Ils ne la cherchaient pas. C'était plutôt une complicité tacite.

Jusqu'au moment où, la veille, il avait entendu le hurlement effrayé du klaxon et avait découvert dans son rétroviseur l'énorme machine qui dévalait la pente...

Avait-il eu réellement la conviction qu'il était coupable ? Il ne savait plus. Il avait regardé Edmonde qui n'avait pas bronché et qui, le soir, en se promenant bras dessus bras dessous avec sa mère sur la Grand-Place, était aussi innocente que quand elle prenait la dictée.

Était-ce elle qui avait raison ? Il lui en voulait et l'enviait, décidait soudain de refaire de bout en bout le même chemin que la veille. Il gardait assez de présence d'esprit, restait assez astucieux pour se dire que, quand on les questionnerait, dans un jour ou deux, les paysans qui pourraient l'avoir reconnu confondraient les dates.

Il gagna la laiterie par la route du Coudray, trouva Nicolas affairé, passa un quart d'heure avec lui sans apercevoir Bessières.

— Il vient de partir pour l'Hôtel de Ville, lui apprit Nicolas. Il m'a dit que c'est cet après-midi, à quatre heures, qu'on transporte les corps à la gare. Ma femme et ma belle-fille y seront sûrement. Les administrations et les banques ont donné congé à leur personnel.

— Tu veux y aller aussi ?

— Moi pas, monsieur Lambert. J'ai assez de mes propres tracas !

La place de l'Hôtel-de-Ville, à midi, était encore plus animée que la veille au soir et une longue queue s'était formée sur le trottoir devant l'entrée de la chapelle ardente. Mais, au *Café Riche* et dans les autres cafés des environs, les consommateurs étaient clairsemés, comme si les gens avaient honte d'être vus ce jour-là en train de boire.

— Demandez l'*Éclair*... Édition Spéciale...

Il y avait toujours foule en face des bureaux du journal et Lambert arrêta sa voiture pour acheter une des feuilles fraîchement imprimées.

Quand il rentra chez lui, les bureaux étaient fermés, des ouvriers, dans le chantier, assis à l'ombre, cassaient la croûte tandis que les Nord-Africains en faisaient autant sous les arbres au bord du canal et que quelques-uns dormaient, étendus de tout leur long dans la poussière.

— Je vous sers tout de suite ? vint lui demander Angèle. Madame a téléphoné qu'elle ne rentrerait pas avant cinq ou six heures.

Cela signifiait que Nicole accompagnerait le cortège funèbre jusqu'à la gare. Peut-être, après tout, était-ce aussi une façon de s'échapper ? Il ne lui en avait jamais voulu vraiment. Elle l'irritait parfois, l'exaspérait même, surtout à cause de l'opinion qu'elle avait d'elle et à cause de son manque d'indulgence.

Était-elle si sûre d'elle qu'elle voulait le paraître ? Marcel était-il réellement sûr de lui ?

Il lui arrivait d'en douter. Cela pouvait être un masque, ou, qui sait, une pudeur ?

Est-ce que, quand lui-même entrait quelque part, avec ses larges épaules, sa face épaisse, sa voix tonnante, son air d'être prêt à tout casser, les gens ne se figuraient pas qu'il avait en lui une confiance agressive ?

Il mangeait, tout en parcourant le journal qu'il avait déployé devant lui et qui était en partie celui du matin, sauf où l'ordre des pages avait été changé afin de placer les dernières informations en vedette.

« *Bon espoir de sauver Lucienne Gorre.* »

Ce nom-là, hier inconnu, devenait familier à toute la France qui se passionnait pour la santé de la petite rescapée.

Lambert, lui aussi, souhaitait que la gamine se rétablisse et il y avait plus de mérite que les autres car, pour lui, cela pouvait marquer le commencement de la débâcle. Cela dépendait de la place qu'elle occupait dans le car au moment de l'accident. Il se souvenait seulement de visages d'enfants, fillettes et garçons, pressés contre les vitres.

Il n'était pas probable qu'elle eût noté, ou seulement regardé, le numéro de la voiture, mais elle l'avait peut-être vu, lui, et surtout elle avait peut-être vu Edmonde.

Jusqu'à présent on ne parlait que d'une traction-avant qu'on supposait conduite par un homme ivre. Le champ des recherches était vaste. Qu'on apprenne qu'il y avait une autre personne, une jeune femme, à l'avant de l'auto, et la menace se préciserait, même Renondeau ne manquerait pas d'établir un rapprochement.

« *La police, qui a dressé une liste de toutes les tractions-avant immatriculées dans la région, a commencé, de concert avec la gendarmerie, à questionner les habitants dans un rayon qui, d'heure en heure, va en s'élargissant.* »

Il se demanda avec inquiétude pourquoi on précisait « *dans la région* ». Possédait-on des témoignages ou des indices qu'on cachait au public ? Une voiture de n'importe quel département, venant aussi bien de Paris que d'ailleurs, n'aurait-elle pas pu se trouver dans la Grande Côte au moment de l'accident ?

Il trouva, plus bas, l'explication.

« *De trois à six heures, dans l'après-midi d'hier, une patrouille de gardes mobiles a, comme c'est la routine, établi une trappe sur la route au virage de Boildieu, non loin du pont de Marpou, à quatorze kilomètres au nord de la Grande Côte.*

Ainsi, on a une idée assez exacte du nombre et de la marque des voitures qui se sont dirigées vers Château-Roisin à l'heure de la catastrophe.

Or, aucune traction-avant ne figure sur la liste, ce qui indique que le chauffard ne venait pas de loin et ceci incline à penser qu'il appartient à la région. »

Il se leva, mal à l'aise, car c'était une menace directe et il aurait préféré que Renondeau ne lise pas l'article.

— Vous ne mangez plus ?

Il faillit répondre qu'il n'avait pas faim, mais il n'avait pas envie d'éveiller par surcroît des soupçons dans sa propre maison.

— Qu'y a-t-il comme dessert ?

— Des pêches et des poires.

— Servez. Vous pouvez m'apporter le café.

— J'ai demandé à Madame la permission d'aller cet après-midi...

Il avait compris.

— Mais oui.

— Vous n'y allez pas, vous ?

— J'essaierai.

— Les banques ont donné congé à leur personnel.

— Je sais ! répliqua-t-il, excédé.

Il avait eu tort de fuir, soit, et, à présent, il était trop tard, personne ne lui pardonnerait. Fallait-il se rendre, s'exposer à la fureur populaire, devenir d'une minute à l'autre un objet de haine et de mépris ?

Cela signifierait l'écroulement, non seulement pour lui, mais pour tous ceux qui dépendaient de lui. Autant fermer tout de suite les portes des chantiers et déclarer l'entreprise en faillite.

Il était persuadé que Marcel lui-même, s'il agissait de la sorte, l'en blâmerait comme d'une lâcheté car cela entraînerait sa propre ruine.

Et Nicole ? Il essayait de deviner ce que Nicole lui conseillerait de faire et il lui semblait entendre sa voix lui répondre :

— *Pourquoi ne vas-tu pas demander avis à un confesseur, au père Barbe, par exemple ?*

C'était son confesseur à elle, un dominicain qui était aussi le directeur de conscience des trois autres sœurs Fabre et qui, par le fait, devait entendre parler de lui. Il était bel homme et la robe blanche soulignait sa prestance ; il ne manquait jamais, quand il croisait Lambert dans la rue, de le saluer, et celui-ci lui rendait la politesse.

Il n'avait rien contre le père Barbe, ni contre la religion dans laquelle il avait été élevé, et il avait été longtemps enfant de chœur. S'en remettre au dominicain n'en était pas moins la solution facile, tout comme, à présent, il lui serait apparu comme une lâcheté de se rendre.

N'était-il pas plus pénible de tenir bon, de se taire, sans aide, sans réconfort extérieur, et de s'efforcer d'éviter les pièges tendus ?

Les enfants, il les aimait autant que n'importe qui et, toute sa vie, il serait hanté par le souvenir des traits crispés du conducteur, par les visages insouciants des garçons et des filles derrière les vitres.

Toute sa vie, il croirait entendre les cris qu'ils avaient poussés dans la fournaise et qu'il avait fuis, mais dont les journaux parlaient sans retenue tout comme les bonnes âmes qu'il rencontrait.

Demain, ce soir, la ville reprendrait son aspect normal. Le train emmènerait tout à l'heure les cercueils vers Paris. Dans quelques jours, on viendrait enlever la carcasse du car qui avait défoncé le mur du Château-Roisin.

La police, la gendarmerie continueraient leurs recherches. La petite Lucienne Gorre, si elle en réchappait, retournerait à Paris avec son père.

Les gens, petit à petit, oublieraient, mais pas lui, et le souvenir de deux ou trois minutes, même pas, de quelques secondes, ternirait toute son existence.

Il n'avait pas la consolation de trouver un reflet de ses angoisses dans les yeux d'Edmonde, sur qui la catastrophe paraissait n'avoir laissé aucune trace.

Pour le moment, il n'avait pas non plus la ressource de boire, par crainte de se trahir. Il était obligé de contrôler ses gestes, sa voix, ses expressions de physionomie. Et, s'il espérait s'en tirer en inventant quelque voyage d'affaires, ce serait sans doute le meilleur moyen d'éveiller les soupçons.

Il alla se jeter sur son lit, avec l'idée de faire la sieste, ce qui ne lui était pas arrivé depuis les vacances passées avec sa femme à Saint-Tropez. Contrairement à ce qu'il avait prévu, il s'endormit presque tout de suite, ne s'éveilla qu'en entendant la porte s'ouvrir, se mit sur son séant, fut surpris de voir son frère devant lui, et Marcel paraissait aussi surpris que lui.

— Je t'ai cherché partout.

— Quelle heure est-il ?

— Trois heures et quart. J'ai vu ta voiture en bas mais, ne te trouvant nulle part, j'ai pensé que tu étais allé en ville à pied.

— J'ai fait la sieste.

— Je voulais te demander ton avis. J'ai fini par prendre seul la décision et par donner congé au personnel des bureaux. La plupart des établissements...

— Je sais.

— Pour les ouvriers, c'était impossible, à la dernière minute...

— Oui.

Il s'était levé, courbaturé, et se dirigeait vers la salle de bains afin de se passer le visage à l'eau fraîche.

— Je n'ai pas vu Angèle dans la cuisine...

— Elle est là-bas aussi.

— Tu n'y vas pas ?

Il ne répondit pas.

— Le cortège quitte la mairie à quatre heures.

Il s'essuyait la figure et Marcel ne partait toujours pas.

— Joseph ! prononça-t-il après une hésitation.

— Oui.

Il sentit que c'était la plus grosse partie qu'il allait jouer et, contre son attente, se sentit de taille à la gagner. Le danger immédiat lui rendait son calme, la possession de son sang-froid, peut-être parce qu'il affrontait Marcel.

— Eh bien ? J'écoute.

— Regarde-moi.

— Volontiers.

Il le regarda en face, la serviette-éponge toujours à la main.

— C'est toi ?

— Non.

Il le dit avec une telle conviction et une telle simplicité qu'il vit son frère changer d'expression, ses traits se détendre.

— Tu te rends compte que c'est grave, n'est-ce pas ?

— Il serait difficile de ne pas s'en rendre compte.

— Tu es sûr que tu me dis la vérité ?

— Tout à fait sûr. Tu peux aller en paix rejoindre le cortège.

— Et toi ?

— Non.

— Pourquoi ?

— Parce que j'ai été assez sonné comme ça.

Une dernière fois, Marcel plongea son regard dans le sien et, comme à regret, murmura avant de s'éloigner :

— Je te crois.

A la porte, il s'arrêta, se retourna.

— J'espère que tu ne m'en veux pas d'avoir pensé ça ?

— Mais non.

Lambert eut l'audace d'ajouter :

— Cela aurait parfaitement pu m'arriver.

Il n'avait jamais aussi bien menti de sa vie et, jamais non plus, un mensonge ne lui avait tant coûté. Il entendit les pas de son frère dans l'escalier, des portes qui s'ouvraient et se refermaient, enfin le bruit d'un moteur qu'on met en marche.

Il était seul dans l'immeuble. Au fond du chantier, la scie métallique vrombissait et, dehors, les Nord-Africains se suivaient toujours en file indienne sur les planches qui reliaient la péniche à la terre.

Edmonde devait être partie aussi, comme les autres. Elle avait bien fait.

Il resta longtemps le front collé à la vitre, regardant vaguement le défilé des débardeurs, puis il porta une cigarette à ses lèvres. Au moment de l'allumer, une sorte de trop-plein lui monta de la poitrine dans la gorge et il éclata en sanglots, toujours debout, les bras ballants, à regarder le canal que l'eau de ses yeux déformait.

Il était seul et n'avait pas besoin de se cacher le visage.

5

Quand à sept heures, il entra au *Café Riche,* on aurait dit que la foule avait épuisé ses réserves d'émotion. Après seulement vingt-quatre heures d'apitoiement presque continu, après surtout la solennité de la cérémonie à la gare, les gens, harassés, la tête vide, avaient hâte de rentrer chez eux pour retrouver leurs petits tracas de tous les jours.

Les rues, la place de l'Hôtel-de-Ville, où on avait déjà décroché les draperies, étaient presque vides. Cinq ou six personnes au plus stationnaient devant les bureaux du journal pour lire le dernier bulletin de santé de Lucienne Gorre dont l'état restait satisfaisant.

Au café, la plupart des habitués étaient à leur place, encore hésitants, mais Théo, le garçon, leur apportait d'autorité les tapis rouges et les cartes comme pour marquer la reprise de la vie normale.

A la première table aussi le tapis était mis et on n'attendait que Lambert pour faire le quatrième. Lescure était là, avec Nédelec, le marchand de grains, et Capel, le professeur d'histoire.

— Tu y es allé ? lui demanda Lescure quand il s'assit à sa place sur la banquette.

Ils étaient les deux seuls à se tutoyer, à cause de leurs années de lycée.

— Non.

— Moi non plus. Il paraît que la municipalité, pour une fois, a bien fait les choses.

On ne voyait pas Weisberg, moins régulier que les autres. Il lui arrivait de ne venir, vers la fin, que pour une manche, quand un des joueurs devait partir.

— On joue ?

Ils tirèrent au sort. Capel était le type de joueur qui, les cartes en main, ne pensait à rien d'autre et que toute interruption irritait. Célibataire, il vivait dans une pension de famille et se plaignait sans cesse de la nourriture.

— Je suppose, remarqua Nédelec, que nous en avons pour quelques jours à ne pas compter sur notre ami Benezech.

— Surtout maintenant que le jeune Chevalier est arrivé ! fit Lescure qui battait les cartes.

Les lampes étaient allumées. A la table du boucher, en face, les joueurs de belote étaient au complet, avec, comme toujours, en plus, quelques spectateurs.

— Il est vrai que vous ne savez pas qui est Chevalier. Il faut être dans les assurances pour le connaître, car on ne parle guère de lui dans les journaux.

— Qu'est-ce qu'il fait ?

— C'est une sorte de super-flic qui est passé par la plupart des grandes écoles après avoir décroché son bachot à quinze ans. Il est inspecteur pour la compagnie qui assure l'autocar. Je l'ai aperçu tout à l'heure, alors qu'il entrait à l'*Hôtel de France,* et les gens doivent le prendre pour un étudiant, bien qu'il ait probablement dépassé la trentaine.

» Il n'ira pas voir Benezech, mais celui-ci sait sûrement qu'il est ici. Chevalier a pour règle de ne pas prendre contact avec les officiels. Il ne voit pas non plus les experts, mène son enquête à sa façon, seul, qu'il s'agisse d'un vol de bijoux, d'un suicide douteux ou d'un accident comme celui d'hier. Peu lui importe d'y passer des semaines ou des mois et peu importe à la compagnie.

— Un trèfle.

— Passe.

— Un pique.

— Passe.

— Deux cœurs.

— Passe.

— Trois sans-atout.

Capel les jouait et Lescure faisait le mort, enchaînant :

— Ce matin, j'ai reçu un coup de téléphone affolé de ma direction de Paris. Ils ont la frousse et je les comprends. Ils voulaient connaître le nombre de tractions-avant que j'ai assurées dans la région.

— Combien ?

— Vingt-trois, y compris celle de Lambert et celle de Benezech, mais sans parler des taxis qui ont une police spéciale.

Lambert avait joué sa carte sans broncher malgré la phrase de l'assureur qui l'avait frappé.

— De quoi ont-ils peur ? questionna-t-il.

— Tu ne comprends pas ? Qu'on découvre demain le type qui a provoqué l'accident et que ce soit un de nos clients, cela peut nous coûter des centaines de millions.

— Des centaines de millions ! s'exclama Nédelec.

— Voilà deux mois à peine, la Cour de Riom a accordé quinze millions de dommages-intérêts à la veuve d'un garde-barrière tué par un camion au moment où il fermait son passage à niveau. Multipliez par les quarante-huit victimes. Ajoutez le chauffeur et les deux monitrices. C'est un coup à flanquer une compagnie par terre.

— A vous de jouer, Lambert, grommela Capel. On parle beaucoup, ici, ce soir.

— Pardon. Qu'est-ce qui est demandé ?

— Du cœur.

Ils abattirent quelques cartes en silence.

— C'est pour cela que les autres ont envoyé Chevalier, reprit malgré lui Lescure, soucieux.

Lambert risqua :

— Pour établir, dès maintenant, que la responsabilité de l'accident incombe au conducteur de la traction ?

— Pour essayer, en tout cas.

— De sorte que, si on le retrouve, ce sera la bagarre entre les deux compagnies ?

— C'est probable.

— Et chacun essayera de prouver la responsabilité de l'autre partie ?

C'était si évident aux yeux de Lescure qu'il se contenta de hausser les épaules.

— Et si on ne le retrouve pas ? insistait Lambert.

— L'affaire, de toutes façons, ira devant les tribunaux et il y en a pour deux ans au moins, peut-être davantage.

— Vous ne trouvez pas, messieurs, que l'on s'occupe beaucoup plus d'assurances que de bridge ?

Capel, qui avait raté ses trois sans-atout d'une levée, était de mauvais poil.

— A qui de donner ?

— A celui qui le demande, comme d'habitude.

Lambert continuait de jouer, mais le discours de Lescure le préoccupait plus que ses cartes et, tout à l'heure, il avait dû faire un effort pour ne pas laisser éclater son indignation, lancer, comme cela lui arrivait périodiquement, un sonore :

— Tas de salauds !

Pour eux, il ne s'agissait plus d'enfants morts, d'une petite fille qui resterait peut-être infirme toute sa vie, mais d'un certain nombre de millions. La question n'était pas de découvrir le responsable au nom de la justice, mais de savoir qui paierait.

Un inspecteur, leur fameux Chevalier, déjà sur place, avait soin de ne pas prendre contact avec les officiels afin de se garder les mains libres.

Une question lui brûlait les lèvres, qu'il parvint à ne pas poser.

— *En somme,* avait-il envie de demander à Lescure, *en supposant*

que le conducteur de la traction vienne te trouver et avoue avoir causé
l'accident par son imprudence...

Lescure, il en était persuadé, était un honnête homme, mais il
appartenait depuis trente ans à la compagnie et dépendait d'elle.

— *Que se passe-t-il à ce moment-là ? C'est un de tes assurés et, s'il*
va raconter sa petite histoire à Benezech, cela risque, comme tu viens
de le dire, de vous coûter des centaines de millions...

Les grands manitous de la compagnie, à Paris, étaient vraisemblablement, eux aussi, ce que l'on appelle des honnêtes gens.

Il sourit soudain, ce qui ne lui était pas arrivé depuis vingt-quatre
heures, d'un sourire amer et cruel à la fois. Il imaginait le coup de
téléphone angoissé de Lescure à ses chefs. Ou plutôt non : il ne
téléphonerait pas, car l'affaire était trop importante pour courir le
risque d'une indiscrétion.

Il supplierait sans doute son interlocuteur de ne rien dire pendant
un jour ou deux et prendrait le premier train pour Paris.

Ensuite ?

Lambert était dans un état d'esprit où il aurait aimé, par curiosité,
tenter l'expérience.

— Pique demandé, Lambert.

— Pardon.

La compagnie le prierait-elle à son tour de se taire et irait-elle
jusqu'à envoyer un de ses propres inspecteurs, un as aussi, dans les
jambes de Chevalier afin de brouiller les pistes ?

Peut-être pas. Il ne pouvait évidemment pas savoir. Lui demanderait-
on de ne pas mentionner sa passagère et de taire ce qui se passait entre
eux au moment de l'accident ?

— Pourquoi avez-vous joué votre roi sur mon as, Lescure ?

Celui-ci était distrait et Capel devenait nerveux. Le boucher, en face,
qui en était à son quatrième ou cinquième apéritif, parlait de plus en
plus fort et frappait la table du poing.

Si Lambert était venu au *Café Riche,* c'est parce qu'il n'avait pas
été capable de rester plus longtemps dans la maison vide. A certain
moment, il s'était versé un grand verre de cognac et, après l'avoir bu,
avait tendu la main vers la bouteille pour s'en servir un autre, n'avait
résisté qu'à la dernière seconde.

Jamais il n'avait eu tant envie de se saouler.

Nicole rentrerait tard. Angèle, tout en noir, gantée de noir, une
voilette sur le visage, était rentrée à six heures moins le quart avec la
mine qu'elle avait le dimanche en revenant de la messe.

— Vous avez eu tort de ne pas y aller.

Elle avait ajouté, en extase :

— C'était si beau, si émouvant ! Avec les enfants des patronages et
les boy-scouts qui faisaient la haie devant la gare...

Tout à l'heure, il rentrerait chez lui, dînerait avec sa femme puis,
comme ce n'était pas un des jours de sortie du ménage, passerait la
soirée dans le salon.

Cette perspective lui donnait, maintenant encore, le désir de boire et il enrageait d'être incapable de le faire sans trop parler. Prudent, il n'avait pris qu'un seul apéritif au *Café Riche* et était décidé à s'en tenir là.

Il se faisait l'effet, sur sa banquette, d'une sorte d'exilé et il se prenait à haïr ces têtes plus ou moins colorées, plus ou moins difformes qu'il avait chaque jour devant les yeux, ces dos ronds ou creux, ces voix dont la sonorité changeait avec l'heure. Capel surtout, sans raison, l'irritait, et il lui trouva une tête de rat.

Des consommateurs entraient et sortaient, qu'il connaissait pour la plupart et qu'il saluait de la main ou d'un grognement. Un de ses clients vint lui parler à mi-voix d'un toit à réparer et, pour faire enrager le professeur d'histoire qui en avait des tics nerveux, il fit durer la conversation le plus longtemps possible.

C'est à ce moment-là qu'une jeune femme entra, dont le parfum atteignit leur table au passage, et il la connaissait aussi. Elle s'appelait Léa. Il n'était pas le seul dans le café à la connaître intimement. La différence entre lui et les autres, c'est qu'eux ne l'avouaient pas.

Elle n'avait rien de commun avec les filles, comme celle à la dent en or qu'on rencontrait chez Victor, encore moins avec celles qui rôdaient la nuit aux alentours de l'Hôtel de Ville. Ce n'était pas non plus le genre des entraîneuses du *Moulin Bleu,* la boîte de nuit à l'éclairage lunaire qui s'était ouverte six mois plus tôt et où on ne voyait jamais que deux ou trois clients honteux.

Il y en avait eu d'autres, avant elle, une bonne dizaine en tout, si Lambert comptait bien, qui avaient fréquenté le *Café Riche* avec l'assentiment du patron et l'autorisation tacite de Benezech. Elles passaient quelques semaines ou quelques mois dans la ville, disparaissaient un beau jour sans qu'on sût si elles avaient été enlevées par un voyageur de passage ou si elles ne gagnaient pas assez leur vie.

Léa tenait le coup depuis un an. Appétissante et gaie, grassouillette, portant des toilettes discrètement suggestives, elle faisait davantage penser à une femme entretenue qu'à une professionnelle.

Deux ou trois fois — trois fois exactement — Lambert l'avait emmenée, les deux dernières fois devant tout le monde, allant s'asseoir à sa table après le bridge et sortant ensuite en sa compagnie. Les autres devaient s'y prendre différemment, lui adresser un signe en passant devant elle pour aller aux toilettes et la rejoindre ensuite dehors.

— Messieurs, je vous demande en grâce de faire attention au jeu, insista le pauvre Capel. J'ai dit quatre sans-atout.

Il regardait fixement Lescure, son partenaire, avec la crainte que celui-ci ne comprenne pas, voulant évidemment aller au petit schelem ou au grand.

— Passe, soupirait Lambert.

— Cinq trèfles, balbutiait l'assureur, qui ne devait pas avoir grand-chose en main.

— Passe.

— Cinq sans-atout.

Lescure haussa les épaules en homme qui ne sait plus que faire.

— Six trèfles, finit-il par gémir, résigné. C'est vous qui l'aurez voulu.

Pendant ce temps-là, Lambert avait pris une décision. Il ne passerait pas la soirée à regarder tricoter sa femme, ni à écouter la radio ou à lire les journaux encore pleins de la catastrophe. Il la passerait avec Léa, non qu'il eût envie de coucher avec elle, mais parce qu'il éprouvait le besoin d'une présence comme la sienne, d'une partenaire qui ne comptait pas, avec qui il pourrait se détendre.

— Vous jouez ?

— Oui.

Cette envie-là lui était venue souvent, même devant une fille de la rue.

— Je fais l'impasse, bien entendu. Le valet de carreau est ici ? Dans ce cas, je coupe l'as de cœur, je joue trèfle maître, encore trèfle et voilà !

Capel abattait ses cartes et repoussait un peu sa chaise pour se donner de l'air car, non seulement il avait réussi le petit schelem, mais il avait fait le grand, et il s'en prenait maintenant à Lescure qui ne l'avait pas soutenu jusqu'au bout.

Comme, au tour suivant, il faisait le mort, Lambert se leva en murmurant :

— Vous permettez, messieurs ?

Il s'éloigna, non vers la porte des toilettes, mais vers la table où, devant un porto, Léa le regardait en souriant s'approcher, se reculant déjà sur la banquette pour lui laisser de la place.

— Comment ça va ? questionna-t-elle, la main tendue.

Il la serra machinalement, s'assit, regarda de loin ses compagnons qui louchaient dans sa direction.

— Tu es libre, ce soir ?

— Vous savez bien que je suis toujours libre.

— Bon. Où as-tu envie de dîner ?

Elle hésita une seconde.

— A la *Tonne d'Or ?* proposa-t-elle.

Si le restaurant de l'*Hôtel de France* était le plus chic de la ville, la *Tonne d'Or,* presque en sous-sol dans une ruelle près du marché, était celui où on mangeait le mieux, et aussi le plus cher.

— Ça va ! Il n'y a pas trop de monde, dit-il. Voilà ce que tu vas faire. Moi, je suis obligé de rentrer dîner à la maison. Tu mangeras là-bas et je te rejoindrai dès que je pourrai.

— Vous ne me poserez pas un lapin, dites ?

Il haussa les épaules.

— Votre femme ne vous permet pas de dîner en ville ?

A cause de ce mot-là, il faillit renoncer à son projet.

— Fais ce que je te dis et ne t'inquiète pas du reste.

Après quoi il se leva et rejoignit les autres.

— C'est à toi de donner, fit Lescure en lui tendant le paquet de cartes. Tu vois le client qui vient de s'asseoir à la table près de la caisse ?

Il se retourna, aperçut un homme jeune et maigre, qui devait être facilement arrogant, une sorte de super-Marcel, qui donnait sa commande au garçon.

— Alors ?

— C'est lui, Chevalier.

— Et après ?

— Rien. Je te le montre parce que j'en ai parlé tout à l'heure. Je suis persuadé qu'il n'est même pas allé jeter un coup d'œil au Château-Roisin. Cela ne l'intéresse pas. Par contre, avant demain soir, il connaîtra toute la ville aussi bien que nous.

— J'ai dit sans atout, prononçait Capel en détachant les syllabes et en les regardant férocement.

Cela dura ainsi jusqu'à huit heures et quart et le professeur fut le grand gagnant. Les quatre hommes se touchèrent la main comme des gens qui se voient souvent, et, un peu plus tard, Lambert s'éloignait au volant de la 2 CV.

La présence du jeune inspecteur au *Café Riche* l'avait troublé, à la fin, et il avait parlé plus fort, éprouvant le besoin de crâner, comme pour attirer l'attention sur lui. Il se promettait de se contrôler davantage et d'éviter ces enfantillages. C'était indispensable.

Sa femme était rentrée et avait laissé la traction-avant au bord du trottoir. Quand il pénétra dans le salon, Nicole s'y trouvait, fatiguée, les traits tirés, mettant de l'ordre dans les magazines.

— Je t'ai fait attendre ?

— Il n'y a que quelques minutes que le dîner est prêt. On peut servir ?

Elle alla prévenir Angèle, revint au salon.

— Tu as fait ton bridge ?

— Oui.

— Tu sors, ce soir ?

Pourquoi se chercha-t-il une excuse ? D'habitude, il ne rendait pas compte de ses faits et gestes et, quand il avait envie de sortir, il le faisait sans dire où il allait.

— J'ai rendez-vous en ville avec un client.

Elle ne lui demanda pas lequel. Elle savait qu'il mentait et elle n'en laissait rien voir.

— Comment va ta sœur ? questionna-t-il à son tour.

— Elle est tout à fait remise. Seulement, la petite a l'air de commencer la rougeole. Ce n'est pas de chance, juste avant la rentrée des classes. Jussieu doit aller la voir ce soir. Si elle l'a, son frère y passera...

Nicole ne parla ni de la chapelle ardente à l'Hôtel de Ville, ni de la cérémonie à la gare. Il y avait ainsi certains domaines dont il était exclu. Elle paraissait tenir pour acquis que cela ne l'intéressait pas, ou qu'il n'était pas digne de s'y intéresser ; c'était le cas, par exemple, des œuvres dont elle s'occupait, des comités, de tout ce qui touchait à la vie religieuse aussi, bien entendu.

— Marcel m'a dit que vous aviez donné congé au personnel.

Qu'est-ce que Marcel lui avait dit d'autre ? Lui avait-il parlé de ses soupçons et de leur conversation dans la salle de bains ?

Pourquoi Lambert se préoccupait-il de ce qu'on pouvait dire ou ne pas dire ? Il avait hâte de se retrouver dehors, d'échapper à l'atmosphère de la maison où, au fond, depuis qu'on l'avait transformée, depuis qu'elle n'était plus la maison de ses parents, il ne se sentait pas chez lui. Tout était trop net, trop clair, trop propre, d'une propreté agressive qui n'était pas la bonne vieille propreté de sa mère. C'était la maison de Nicole, l'ordre, la propreté de Nicole.

Était-ce vrai ? Ce n'était pas sûr. N'avait-il pas fait les plans de l'appartement et n'avait-il pas toujours rêvé d'une maison de ce genre-là ?

Peut-être seulement sa femme prenait-elle la chose trop au sérieux, y attachait-elle trop d'importance.

Elle-même, dès qu'elle en avait l'occasion, s'échappait pour aller se retremper dans le désordre, chez Jeanne, où chacun se servait à sa guise et où on mangeait dans la cuisine.

— Tu ne prends pas de dessert ?

— Non.

— Tu rentreras tard ?

— C'est probable. Je ne sais pas.

— N'oublie pas de remettre la voiture au garage.

Pourquoi ajoutait-elle ça ? Avait-elle une arrière-pensée ? La veille, il avait laissé la traction-avant dehors pour la nuit et ce n'était pas la première fois que cela arrivait.

Il eut beau l'observer, il lui fut impossible de savoir si elle avait parlé avec intention.

— Bonsoir.

— Bonsoir, Joseph.

Il sentait toujours, dans la façon dont elle prononçait son prénom, quelque chose de protecteur qui le hérissait. Elle lui donnait sa bénédiction, en somme, ou plutôt, d'avance, son absolution, car elle savait qu'il allait faire des bêtises, mais elle savait aussi que c'était dans sa nature et qu'il était incapable d'agir autrement.

Voilà ce que signifiait son onctueux :

— *Bonsoir, Joseph.*

Il avait besoin, lui, de se retrouver devant son volant et de parcourir plusieurs rues dans l'obscurité avant de se sentir à nouveau lui-même, un homme, pas un enfant, pas un être faible ou malade qu'une femme se doit de protéger.

Il rangea sa voiture au coin de la ruelle à sens unique où on ne voyait, à travers des rideaux à carreaux rouges, que les lumières de la

Tonne d'Or. Il poussa la porte, aussitôt enveloppé d'une chaude odeur de cuisine, et Fred, le patron, en tablier et toque blancs, vint au-devant de lui pour lui serrer la main.

— Quelle bonne surprise, monsieur Lambert !

Il savait pourtant par Léa qu'il allait arriver et, en dehors d'une table occupée par quatre Suisses, deux hommes et deux femmes aux cheveux blonds qui avaient l'air de frères et de sœurs, il n'y avait personne dans la salle basse.

Léa avait choisi un coin près de la grande cheminée encadrée de casseroles de cuivre et elle lui tendit à nouveau la main en s'exclamant :

— Déjà ! Vous avez eu le temps de dîner ?

Elle était occupée, elle, à manger du bœuf gros sel, une des spécialités de Fred, qu'elle accompagnait d'une bouteille de Beaujolais.

— Vous en prenez un peu avec moi ?

— Du vin, volontiers. Du bœuf, non.

— Vous étiez cet après-midi à la cérémonie ?

— Non.

— Moi non plus. Ces histoires-là me rendent malade. Hier soir, après avoir écouté un moment la radio, je me suis couchée et j'ai lu dans mon lit.

Peut-être avait-il eu tort de ne pas lui avoir donné rendez-vous ailleurs ? Peut-être même aurait-il mieux fait de ne pas lui donner de rendez-vous du tout ? A cause de l'atmosphère élégante, elle se croyait obligée de parler autrement que d'habitude, ce qui ne lui allait pas. Il la regardait, déçu, se demandant s'il n'allait pas poser un billet sur la table et partir.

Pour aller où ? D'ailleurs, elle avait compris son erreur.

— Qu'est-ce que vous avez, ce soir ?

— Rien.

— Vos amis ne vous ont rien dit, tout à l'heure ?

— A quel sujet ?

Cela la fit rire.

— Parce que vous êtes venu me trouver tranquillement, en plein *Café Riche.* D'habitude, il n'y a que les étrangers de passage à se comporter ainsi. Les autres ont trop peur.

— De quoi ?

— Il demande de quoi ! Il est magnifique ! De leur femme, tiens. Et aussi de ce que diront les gens.

On lui avait apporté un verre et il se versait du Beaujolais.

— Avouez que quelque chose vous tracasse.

— Je n'avoue rien.

— Les autres fois, vous étiez différent. On sentait que vous aviez envie de rigoler.

— Et aujourd'hui ?

— J'ai tort ? questionna-t-elle en le regardant avec un sourire qui cachait mal son sérieux.

Elle dut sentir qu'elle faisait à nouveau fausse route.

— Oui, j'ai tort. Je vous demande pardon. Vous n'êtes pas comme ça, mais j'ai tellement l'habitude de ceux qui ont envie de parler...

— Seulement de parler ?

— Le reste suit presque toujours, bien sûr. Mais ce n'est pas ce qui compte. C'est de parler qu'ils ont surtout envie.

— Qui, par exemple ?

— Vous aimeriez savoir ? Rien qu'à votre table, tout à l'heure, il y en avait deux.

— Lescure ?

— Lequel est-ce ?

— Le plus grand, en complet marron, avec la rosette de la Légion d'honneur.

— Non. Celui-là ne m'a jamais adressé la parole et je ne crois pas qu'il en ait été tenté.

— Nédelec ?

— Je ne retiens pas les noms, mais si c'est le petit gros qui vend des grains...

— Il vous a souvent accompagnée ?

— Deux fois. La première, croyant avoir compris, je suis sortie du café et j'ai marché lentement, en m'arrêtant à toutes les vitrines. J'ai dû aller ainsi presque jusqu'au bout de la ville avant qu'il se décide. C'est un pauvre homme. Il est très malheureux.

— Parce qu'il a perdu sa femme ?

— Aussi. Il l'aimait bien. C'est surtout à cause de sa fille.

— Il t'a parlé de sa fille ?

— Il ne m'a parlé que d'elle et cela finissait par ressembler à une consultation. Je sais qu'elle s'appelle Yvonne, qu'elle a vingt-huit ans, que, non seulement elle est sourde-muette, mais qu'elle n'est pas comme une autre.

Lambert l'avait rencontrée souvent dans la rue, en compagnie de la bonne, mais n'avait jamais entendu dire qu'elle fût simple d'esprit. N'est-ce pas cela que Léa insinuait ?

Yvonne Nédelec était difforme, plutôt inachevée, sans qu'on puisse déterminer à première vue ce qui lui manquait.

— Un jour, alors qu'elle avait à peine huit ans, son père l'a surprise au moment où elle déshabillait sauvagement un garçon plus jeune qu'elle qui pleurait. Cela vous intéresse ?

— Va toujours.

— Plus tard, quand elle a été pubère, elle a commencé à s'en prendre aux hommes.

— Elle les déshabillait aussi ? ironisa-t-il.

— Imbécile ! Il n'y a pas de quoi rire. Elle se frottait à eux et allait si loin qu'il est devenu dangereux de la laisser sans surveillance. Il y a eu un incident avec un encaisseur du gaz qu'on a pris sur le fait alors qu'il commençait à en profiter. La domestique est arrivée juste à temps...

Nédelec ne lui en avait jamais parlé, ni aux autres, et personne sans doute, en dehors de Léa, peut-être aussi des médecins, n'en savait rien dans la ville.

Ils se turent pendant que le garçon desservait et tendait à Léa une carte immense sur laquelle les spécialités étaient écrites en rouge.

— Vous avez pris votre dessert ?

— Non.

— Vous voulez manger des crêpes Suzette avec moi ?

— Si tu y tiens.

Quand ils furent seuls, elle reprit à mi-voix :

— Le pauvre avait besoin de se confier à quelqu'un, surtout que le docteur conseillait une opération pour rendre la fille stérile. Il en était effrayé. Alors, je lui ai dit que j'ai les deux ovaires enlevés et que cela ne m'empêche pas de me porter comme le Pont Neuf, ni de prendre mon plaisir comme tout le monde.

Il se souvint de la cicatrice qu'il avait remarquée la première fois qu'elle s'était déshabillée devant lui.

— Il a fini par coucher avec toi ? questionna-t-il sans ironie apparente.

— Bien sûr.

— C'est par crainte d'avoir des enfants que tu t'es fait opérer ?

— Moi, ce n'est pas le même cas. A l'hôpital, ils ne m'ont pas demandé mon avis. J'étais malade à crever.

— Tu l'as revu ?

— Il y a trois semaines, tout guilleret parce que l'opération a eu lieu et a réussi. Il m'a dit :

» — C'est toujours ce danger-là d'écarté.

» Tu veux que je t'avoue l'arrière-pensée qui m'est venue alors ?

Elle se reprenait à le tutoyer, ce qui ne lui arrivait d'habitude que quand elle commençait à se déshabiller.

— Vas-y.

— Tu sais, c'est sans doute exagéré, mais pas si idiot que ça en a l'air. Si le pauvre vieux trouvait un garçon à peu près convenable, non pour épouser sa fille, car aucun n'en voudrait, mais pour la satisfaire de temps en temps et éviter ainsi qu'elle s'en prenne à n'importe qui...

Il avait compris.

— Qu'est-ce que tu en penses, toi ?

— Je n'en pense rien.

Il plaignait Nédelec à qui, en dehors du bridge, il n'avait jamais prêté grande attention. Il pensait à Edmonde, et cela l'entraînait à évoquer d'autres femmes, d'autres hommes qu'il avait connus, son frère Fernand aussi, et même la femme de Marcel qui, tout le monde le savait en ville, était tombée amoureuse d'un jeune pianiste de passage et n'avait été rattrapée que sur le quai de la gare alors qu'elle prenait le train avec lui.

Ils regardaient en silence flamber les crêpes sur le réchaud en cuivre rouge et Fred officiait en personne, cependant que les Suisses se retournaient pour mieux suivre l'opération.

— C'est bon ! disait Léa en savourant une première bouchée brûlante.

— Café, monsieur Lambert ?

— Deux cafés, oui.

Puis, le patron éloigné :

— Et l'autre, celui des joueurs qui a une tête de rat ?

— Tiens ! Tu as pensé à la tête de rat aussi ? Lui, je ne l'ai vu qu'une fois et je n'ai pas envie de le revoir. Il s'est trompé d'adresse. D'abord, à peine chez moi, il m'a déclaré qu'il était un gamin malappris et que je devais le traiter sévèrement. Figure-toi que j'ai été assez bête pour ne pas comprendre immédiatement. Je lui ai lancé en me déshabillant :

» — Tu rigoles !

» Mais il ne riait pas du tout. Embarrassé, malheureux, il s'efforçait de m'expliquer son cas. Il avait peur des mots, ne savait comment s'y prendre. Il avait besoin, bégayait-il, d'être corrigé, physiquement, sans quoi...

— Compris ! laissa tomber Lambert.

Il n'était pas écœuré, ne riait pas non plus. Il était triste. Et, du coup, il s'en voulait presque d'avoir appelé Capel tête de rat.

— A la fin, il a pleuré sur mon épaule en me racontant son enfance dans je ne sais plus quelle ville du Nord, Roubaix ou Tourcoing, je crois, et il m'a suppliée d'être compatissante.

» Tu sais, ce n'est pas que je sois vieille, ni que je couche à tour de bras, mais je pourrais t'en raconter comme ça jusqu'au matin.

— Pourquoi, quand je suis arrivé au restaurant, as-tu pensé que j'avais envie de parler ?

— Parce que, tout à coup, tu m'as paru avoir des problèmes, toi aussi. Tout le monde, au fond, a des problèmes. J'ai les miens, et si je me laissais aller, je m'apitoierais peut-être sur moi-même pendant des heures.

— Tu ne le fais jamais ?

— Qui est-ce qui m'écouterait ?

— Tu en as parfois envie ?

— Ne parlons pas de ça, cela vaut mieux. Parlons de toi, des crêpes Suzette, de tout ce que tu voudras. Qu'as-tu l'intention de faire, après le café ?

— Rien.

— Tu vois !

Il n'avait bu que deux ou trois verres de Beaujolais et pourtant il avait la poitrine chaude, le sang à la tête.

— Tu ne viens pas chez moi ?

Elle habitait un appartement coquet, très moderne et très féminin, dont elle était fière, qu'elle montrait avec la fierté d'une jeune mariée. Elle lui en avait fait, toute nue, les honneurs dans les moindres détails.

— C'est toi qui fais le ménage ? lui avait-il demandé.

— Qui serait-ce ? Je sais faire la cuisine aussi. Le jour où tu auras envie d'un coq au vin comme tu n'en as jamais mangé, tu n'as qu'à m'avertir la veille.

Il y avait une gêne entre eux, maintenant, et il sentait qu'elle se demandait comment le mettre à l'aise. Cela l'impatientait. Mais Nicole était encore debout et il ne voulait pas rentrer chez lui avant qu'elle soit endormie.

— Tu n'es pourtant pas un compliqué ! murmura Léa comme pour elle-même. Tu es un brave type, qui voudrait tout le monde heureux. Ce n'est pas vrai ?

Il ne répondit pas.

— Tu sais, un autre type bien, ici ? C'est un de tes amis, avec qui je t'ai rencontré souvent, le commissaire Benezech. Je dépends plus ou moins de lui, tu comprends ? Il n'aurait qu'à lever le petit doigt pour que je sois obligée à quitter la région. Des tas d'autres, dans son cas, en profitent, presque tous. Lui pas. Et pourtant je te prie de croire, sans me vanter, qu'il en a une terrible envie. Je l'ai d'ailleurs forcé à l'avouer.

» — Si c'est parce que vous avez peur que je m'en vante ou que je vous fasse chanter... lui ai-je dit.

» Il a failli céder. A la fin, il m'a lancé :

» — Va, mon petit. F... le camp !

» Et il a ajouté drôlement :

» — On verra ça dans quelques années, quand j'aurai pris ma retraite.

» Tu ne trouves pas que c'est chic ? Je ne serais pas surprise qu'il n'ait jamais trompé sa femme, par crainte des complications. Qu'est-ce que tu en penses ?

Il ne pensait plus à Benezech, mais à lui et à Edmonde, car c'était vrai qu'il avait un problème, et une question à poser, lui aussi.

Après tout ce qu'elle venait de lui raconter, il n'osait plus.

— Un armagnac, monsieur Lambert, et une chartreuse pour mademoiselle ?

Il fit oui de la tête, attendit que les consommations fussent servies et, tandis que Fred, à la caisse, mettait ses lunettes pour préparer leur addition, il finit par murmurer, aussi confus que Capel avait dû l'être :

— Dis-moi...

— Oui.

— Cela t'arrive de te caresser ?

— Parbleu ! Pourquoi demandes-tu ça ?

— Pour rien. Réponds.

— J'ai déjà répondu. Cela m'arrive presque chaque jour, le matin, dans mon lit, comme quand j'étais petite fille et que je ne savais pas ce que c'était. Si c'est ça qui te tracasse, dis-toi bien que la plupart des femmes en font autant. Seulement, il y en a beaucoup qui ne l'avouent pas.

Elle ne triomphait pas, bien qu'il y fût venu, comme les autres.

— Qui est-ce ?

Il répondit :

— Personne.

Et il fit signe à Fred d'apporter l'addition.

Par respect humain, il l'accompagna chez elle, où il s'était promis de ne rester que quelques minutes.

Deux heures plus tard, assis au bord du lit sur lequel elle était étendue, les mains croisées derrière la nuque, il lui avait raconté les moindres détails de ses relations avec Edmonde, sauf l'histoire de l'auto, bien entendu.

6

La journée du lendemain, qui était samedi, fut une de ces journées si neutres qu'elles laissent le souvenir d'un vide et qu'on se demande plus tard à quoi on a pu en employer les heures. Il dut se lever vers six heures comme d'habitude, suivre sa petite routine, préparer son café, descendre au bureau, assister, sur le quai, à la mise en train des Nord-Africains qui déchargeaient toujours la péniche.

Au petit déjeuner, Nicole demanda :

— Que penses-tu que je doive acheter pour Marcel ?

Il la regarda avec l'air de revenir de si loin qu'elle ne put s'empêcher de rire.

— Tu as oublié que c'est demain l'anniversaire de ton frère ?

Pas exactement le lendemain. Le mardi suivant. Mais on avait pris l'habitude de fêter tous les anniversaires le dimanche.

— Un livre ? proposa-t-il.

C'était le plus facile et aussi le meilleur moyen de lui faire plaisir. Par goût ou par snobisme, Marcel s'intéressait à l'histoire de l'art et possédait une bibliothèque d'albums de reproductions de tableaux, de sculptures et même de mobiliers.

Nicole décida :

— Je passerai ce matin chez le père Blanche.

C'était le libraire de la rue du Pont, chez qui Marcel se fournissait et qui savait par conséquent quels ouvrages il avait déjà.

Que s'était-il passé ensuite ? Il avait pris son bain, était descendu au bureau où, à cause de ses confidences de la veille à Léa, il avait évité le regard d'Edmonde. Puis, après avoir fourré des papiers dans sa poche, donné des signatures à M. Bicard, le chef comptable, qui irait chercher l'argent à la banque et se chargerait de la paie des ouvriers, il était monté en voiture.

Dédaignant la 2 CV, il avait pris la traction, car il allait assez loin, à Verdigny, où ils venaient d'achever les bâtiments de la nouvelle école et où il avait rendez-vous avec l'architecte. C'était à vingt-deux kilomètres au sud. Il traversa le canal et, tout le long du chemin, n'eut pas conscience de penser.

Il avait décidé, la veille, en revenant de chez Léa, de ne plus se tracasser, de ne plus avoir de problèmes, comme elle disait, et d'attendre les événements.

Soubelet, l'architecte, l'attendait sur le seuil de l'école en compagnie du maire et de deux instituteurs et ils passèrent une heure et demie à examiner les locaux en détail, essayant les robinets, les chasses d'eau et, comme il l'avait prévu, il dut déjeuner avec eux dans un hôtel pour voyageurs de commerce où on leur avait réservé la table ronde.

Après cela, le maire voulut lui montrer sa maison, lui faire goûter son eau-de-vie de prunes.

Il était quatre heures quand il franchissait à nouveau le pont du canal. Les bureaux et les chantiers étaient fermés à cause de la semaine anglaise ; sans s'arrêter quai Colbert, il avait roulé jusqu'au centre de la ville et était entré dans un cinéma.

Il passa ensuite une demi-heure au *Café Riche*, ne fit pas la partie car Weisberg était là et on n'avait pas besoin de lui comme quatrième. Il regarda vaguement tomber les cartes, but un seul verre et rentra chez lui à huit heures.

C'était le jour du bridge chez le docteur Maindron, qu'il avait connu par Nicole et chez qui on rencontrait surtout des médecins. Le docteur Julémont, qui s'y trouvait, fournit des détails sur la santé de la petite Lucienne Gorre qu'il était désormais sûr de sauver.

Rien d'autre ? Il ne voyait rien. Il avait peu parlé, s'était montré plutôt renfermé toute la journée et, en rentrant en voiture avec sa femme, il ne desserra pas les dents.

Certains dimanches d'automne, il allait à la chasse. Il en avait d'autant moins envie cette fois-ci qu'il lui faudrait rentrer de bonne heure pour s'habiller et se rendre chez Marcel. Il prit le parti de dormir, ne se leva que quand Nicole fut déjà partie pour la grand-messe.

Il n'aimait pas les dimanches, les bureaux et les chantiers vides, les heures qu'il ne savait comment employer, et il appréciait encore moins les fêtes de famille comme celle de l'après-midi.

Le temps s'était remis au beau. En allant chercher son café dans le cuisine, il lui parut que les vêtements d'Angèle, qui avait assisté à la première messe, étaient encore imprégnés d'encens.

De sa fenêtre, il voyait quelques pêcheurs, le long du canal, et les mariniers s'étaient endimanchés, la petite fille portait une robe rose avec un gros nœud dans les cheveux.

Il était trop tard pour manger. Il emporta son café dans la salle de bains, se rasa, mécontent du visage que lui montrait le miroir et qui lui parut laid, vulgaire, de ses yeux plus pochés qu'à l'ordinaire, mécontent de tout, en somme, mal à l'aise dans sa peau.

Dans son bain, il se demanda si Edmonde allait à la messe. C'était probable, probable aussi que, le dimanche, elle s'habillait autrement que les autres jours. Il ne l'avait jamais rencontrée le dimanche, n'avait aucune idée de la façon dont elle utilisait son temps. Elle vivait seule avec sa mère, mais elle avait peut-être des oncles et des tantes, ou des amies ?

De toute façon, cela ne présentait aucun intérêt et, s'il y pensait, c'était pour ne pas penser à autre chose.

Il était nu, à s'essuyer devant la fenêtre ouverte, quand il fronça les sourcils en reconnaissant l'homme aux chèvres et cela changea le cours de ses préoccupations. L'homme était endimanché aussi, portait un complet bleu marine trop court et trop étroit qui lui donnait l'air encore plus long, une chemise blanche, une cravate et une casquette.

Il déambulait sur le quai de déchargement en s'arrêtant parfois pour regarder la péniche du même œil vide qu'il regardait défiler les autos dans la Grande Côte.

C'était la première fois que Lambert l'apercevait sans ses chèvres. Jamais il ne l'avait vu en ville, ni quai Colbert, et sa présence, aujourd'hui, lui apportait la certitude que son intuition du premier jour ne l'avait pas trompé.

L'homme aux chèvres l'avait évidemment reconnu quand il était passé avec Edmonde. Était-il ici pour lui parler ? Il marchait de long en large, lentement, puis il s'assit sur des madriers, non plus face au canal mais face aux bâtiments qui portaient en lettres noires : « *Les Fils de J. Lambert.* »

Faute, peut-être, d'avoir son bâton à la main, il ne savait que faire de ses grands bras qu'il croisait et décroisait et il resta longtemps, ensuite, les deux mains à plat sur les genoux. Au moins une fois, il avait levé les yeux vers les fenêtres de l'appartement et il devait avoir aperçu Lambert qui, à ce moment-là, se passait un peigne dans les cheveux.

Son visage, autant qu'on en pouvait juger à distance, était sans expression. Il ne fit aucun geste, ne bougea pas.

Avait-il l'intention de lui proposer un marché ? Si oui, autant lui en donner tout de suite l'occasion, et Lambert s'habilla en hâte, descendit, ouvrit la porte, alluma une cigarette comme quelqu'un qui vient prendre l'air sur son seuil.

Une dizaine de mètres seulement les séparaient. Derrière l'homme, la petite fille habillait sa poupée, assise sur le pont de la péniche, et sa mère écossait des petits pois près du gouvernail. Il y avait cinq pêcheurs, dont un gamin, sur l'autre berge, et une légère brise frisait la surface de l'eau.

L'homme gardait son immobilité et Lambert s'impatientait, faisait quelques pas sur le trottoir pour le tenter. Comme il ne se décidait toujours pas, il traversa la chaussée et alors, au moment où il mettait le pied sur le quai, l'homme aux chèvres se leva précipitamment, s'élança à grandes enjambées vers la rue de la Ferme.

On aurait juré qu'il avait eu peur d'être frappé. Il s'éloignait de plus en plus vite et il parcourut près de cent mètres avant d'oser se retourner.

Lambert fut surpris, quand il le quitta un instant des yeux, de voir sa femme, qui était revenue de la messe par le raccourci, debout sur le seuil de la maison. Elle l'observait avec étonnement.

— Qu'est-ce que tu fais là ? questionna-t-elle.

— Rien. Je prends l'air.

Elle n'insista pas et il ne retourna dans l'appartement qu'une bonne heure plus tard, après être allé acheter des cigarettes et boire un vin blanc.

Qu'est-ce que l'homme aux chèvres était venu faire quai Colbert ? Pourquoi avait-il été pris de panique ? L'explication la plus simple, c'était que la police l'avait questionné, qu'il avait parlé de Lambert et de sa compagne et qu'il rôdait ce matin sur le quai dans l'espoir d'assister à son arrestation.

Or, personne ne venait l'arrêter. Il ne se passait rien. Les rues étaient presque vides sous le soleil et les rares bruits, dans le silence, avaient un son différent des autres jours.

Il n'y avait pas de journal à lire. Il n'avait aucune envie d'écouter la radio et il se traîna d'une pièce à l'autre en fumant des cigarettes jusqu'à l'heure du déjeuner.

A trois heures, Nicole et lui se dirigeaient en voiture vers la maison que Marcel s'était bâtie sur la colline, de l'autre côté de la ville, dans un quartier neuf qui devenait le plus élégant. C'était plutôt une grande villa, moderne sans exagération, entourée d'un jardin en pente que le vieil Hubert entretenait magnifiquement.

Ils n'étaient pas les premiers. Les beaux-parents de Marcel avaient dû déjeuner à la villa, ainsi peut-être qu'une des belles-sœurs du côté d'Armande.

Celle-ci était la fille du sous-directeur de la Banque du Commerce, une banque locale fondée sous Louis-Philippe, dans laquelle il avait débuté comme garçon de bureau. Les Motard avaient d'autres enfants, trois ou quatre, tous mariés, mais une seule des filles habitait encore la région et c'était elle qui était là avec son mari et ses enfants.

La tradition voulait qu'on ne parle de rien en arrivant. On venait voir Marcel et sa femme comme par hasard, en cachant plus ou moins derrière son dos le cadeau qu'on déposait dans un coin.

Motard était un petit homme volontiers solennel et son gendre, Bénicourt, qui travaillait à la banque aussi, sous ses ordres, feignait de boire ses paroles, hochait la tête, approuvait, éclatait de rire à chaque plaisanterie.

Les deux fils de Marcel étaient là, Lucien-le-polytechnicien et Armand-le-fort-en-thème, ainsi que leur sœur, qui avait déjà emmené ses cousines au fond du jardin.

La femme de Marcel était une belle femme qui rappelait un peu Léa, en plus épanoui, en plus éclatant et, à quarante ans, elle était plus désirable que jamais. Elle le savait et se montrait moins réservée que la fille du *Café Riche* dans ses attitudes et dans ses regards. Devant un homme, n'importe lequel, elle avait toujours l'air de vouloir s'assurer de l'effet qu'elle produisait.

— Comment allez-vous, Joseph ?

— Et vous, monsieur Motard ?

Des poignées de main. Des banalités. Les femmes s'embrassaient. Tout le monde était endimanché. Il y avait du parfum dans l'air et des tasses de café traînaient encore sur la table de la véranda.

Marcel allait de l'un à l'autre, très maître de maison, et bientôt une auto s'arrêtait, Françoise, une des sœurs de Nicole, en descendait avec son mari et ses filles.

C'était curieux que la famille de Nicole eût adopté la maison de Marcel, qui n'était que son beau-frère, et non celle de son mari. Souvent, Raymonde, Françoise et Jeanne venaient ici passer l'après-midi du dimanche, alors qu'elles ne mettaient pour ainsi dire jamais les pieds quai Colbert, comme si Lambert leur faisait peur ou comme si elles ne s'y sentaient pas à leur aise.

Il n'y eut qu'une des filles Fabre ce jour-là, deux en comptant Nicole, bien entendu. Celle-ci excusa Raymonde, l'aînée, qui avait dû se rendre à Moulins dans la famille de son mari, et Jeanne qui soignait sa fille atteinte de la rougeole.

Les femmes, petit à petit, se groupaient dans un coin, les hommes dans un autre, tandis qu'enfants et jeunes gens restaient dehors sans trop savoir que faire, car ils étaient d'âges différents et il n'y avait pas de contact possible entre les aînés et les plus jeunes.

Lucien, le polytechnicien, ne tarda pas à rejoindre le clan des hommes et son frère alla s'enfermer dans une autre pièce pour jouer du phonographe.

De quoi parlait-on au juste ? Contrairement à toute attente, il fut peu question de la catastrophe du Château-Roisin, davantage d'avions à réaction puis, pendant une demi-heure, de politique internationale.

Lambert se taisait, grognon, se demandant si Marcel avait plus de goût que lui pour ce genre de réunions. Il donnait, en tout cas, la réplique à son beau-père, et ce fut lui qui dit à certain moment :

— A propos, j'ai fait la connaissance d'un garçon étonnant, qui a d'ailleurs une profession peu courante, un certain Chevalier. Sa tâche consiste à enquêter, de la même façon qu'un policier, pour le compte d'une grande compagnie d'assurances. Écoute ceci, Lucien...

Il poursuivait, tourné vers son fils :

— A quinze ans, il passait son bachot et ensuite, pour son plaisir, par jeu, par défi, ses examens d'entrée à Navale, Polytechnique et Normale...

— Qu'a-t-il choisi en fin de compte ?

— Normale. En même temps, il faisait sa chimie et je ne sais quoi encore. Il est couvert de diplômes et il a à peine trente ans.

— Qu'est-il venu faire ici ?

— Sa compagnie assure l'autocar détruit au Château-Roisin et il cherche à établir les responsabilités.

— Où l'as-tu rencontré ?

— Chez les Bergeret. J'ignore comment il les connaît, peut-être par leur fils, qui a passé par Normale aussi et qui est à peu près de son âge.

Guillaume Bergeret était président du tribunal et c'était dans son bel hôtel particulier de la rue de l'Écuyer que se réunissaient les personnages importants de la ville, les gens des châteaux d'alentour.

— Il a pu se faire une opinion ? interrogea le père Motard.

Si Chevalier avait exprimé une opinion sur le drame, on ne le sut pas ce jour-là car, selon la tradition, Armande venait annoncer aux hommes :

— Messieurs, le goûter est servi.

Les femmes avaient disparu depuis un moment et on les retrouva, avec les enfants au complet, autour de la table de la salle à manger où était servi un énorme gâteau piqué de bougies allumées.

— Bon anniversaire, Marcel.

Chaque année, celui-ci jouait la surprise, la confusion, embrassait les assistants tour à tour, se contentant de frôler la joue des hommes comme on le voit faire aux remises de décorations. On lui donnait les cadeaux enveloppés, qu'il posait sur un guéridon, car, avant de les déballer, il devait souffler les bougies et couper la première tranche de gâteau.

Lambert était-il un monstre ? Il y avait des moments, comme celui-ci, où il lui arrivait de se le demander. Il les regardait l'un après l'autre et les trouvait grotesques, il y avait, pour lui, dans cette scène bien réglée, quelque chose de faux et de désespérant.

— Tu veux déboucher les bouteilles, Joseph ?

Il s'agissait des bouteilles de champagne, préparées sur la table avec les coupes, et Armande ajouta en appuyant :

— Tu en as l'habitude, n'est-ce pas ?

Plus tard, pour les enfants présents, pour les neveux et nièces absents aujourd'hui, il passerait pour le mauvais sujet de la famille, l'oncle dont on a un peu honte mais qu'on envie en secret. Armand, le lycéen, qui avait dû le voir passer dans la rue avec des femmes, le dévorait des yeux et sa sœur évitait toujours de l'embrasser, alors qu'elle embrassait tous les autres, comme si elle avait peur de lui ou d'on ne sait quelle contagion.

Il emplit les coupes, aidé par Motard, qui s'esclaffait à chaque bouchon qui sautait.

— A la santé de Marcel ! En lui souhaitant encore beaucoup d'années aussi heureuses.

Marcel était-il vraiment heureux, avec une femme qu'il avait dû aller rattraper à la gare et qui s'excitait sur tous les mâles ?

Motard, peut-être, était heureux, ou le croyait, et peut-être aussi l'autre imbécile de gendre qui buvait ses paroles dans l'espoir d'occuper un jour sa place à la banque.

L'orage qui s'amassait en lui devait se lire sur son visage, car il rencontra le regard presque suppliant de Nicole qui semblait dire :

— Surtout, ne fais pas d'éclat !

Il n'en fit pas, s'amusa tout seul, à les observer, à écouter ce qu'ils disaient et personne ne s'apercevait — lui non plus, d'ailleurs — qu'il vidait coupe de champagne sur coupe de champagne.

Le cadeau d'Armande à son mari était un nouveau sac de golf en cuir fauve, car depuis trois ans Marcel s'étais mis en tête de jouer au golf, ce qui l'obligeait, le samedi ou le dimanche, à se rendre à plus de cinquante kilomètres. L'étonnant, c'est qu'il réussissait, à force de volonté, et qu'il avait gagné l'année précédente un tournoi assez important.

Nicole, sur le conseil du père Blanche, le libraire, avait choisi cette fois un album sur la sculpture égyptienne.

— Qui désire encore du gâteau ?

Il faisait chaud et, pour ne pas peiner sa femme, Lambert s'astreignait à garder son veston, qu'il aurait retiré un autre dimanche.

Plusieurs personnes parlaient à la fois. Les enfants avaient été les premiers à retourner au jardin ou ailleurs, car on ne les vit plus, sauf le dernier de Raymonde qui avait huit ans et qui, pour une raison mystérieuse, pleurait à chaudes larmes.

— Qu'est-ce que tu as, Jean-Paul ? Dis à maman ce que tu as.

Ce matin, en apercevant l'homme aux chèvres, Lambert avait été effrayé. Il y avait trois jours qu'il vivait dans la peur et, tout à l'heure encore, quand on avait parlé de Chevalier, il avait eu froid dans le dos.

Or, si aujourd'hui ou demain, n'importe quand, on venait l'arrêter, qu'est-ce qu'il perdrait ? Ceci ? Ce qu'il avait sous les yeux ? Ce qu'il était en train de vivre ? Les parties de bridge au *Café Riche* avec Lescure, le pauvre Nédelec et la larve à tête de rat ?

Qu'est-ce qui l'avait retenu de s'envoyer une balle dans la tête comme l'idée lui en était venue ? Qu'est-ce qui l'en empêchait encore ?

Il haïssait les soirées avec Nicole. Au bureau, il passait le plus clair de son temps à grogner. De temps en temps, il tirait une bordée, comme un soldat ou un matelot, dont il revenait courbaturé et hagard.

— Je prétends, moi, prononçait sentencieusement le petit M. Motard, que l'éducation moderne, pour être efficace, devrait tenir compte de...

De quoi ? Encore un qui avait la réponse à toutes les questions. N'éprouvait-il pas de temps à autre, lui aussi, le besoin de s'épancher sur le sein d'une Léa ?

— Fais attention, Joseph.

Cette fois, sa femme ne se contentait plus d'un regard ; elle s'était approchée discrètement pour lui souffler son avertissement à l'oreille.

— A quoi ?

— Chut ! Tu le sais bien.

Ses yeux devenaient brillants, il n'avait pas besoin de se regarder dans la glace pour le découvrir, et ses oreilles tournaient au cramoisi, son nez luisait. Il n'en pouvait rien s'il avait le nez du vieux Lambert. C'était lui, à présent, le vieux Lambert !

— Tu leur ferais tant de peine !

C'était arrivé une fois, il y avait des années, quand les enfants de Marcel étaient encore petits. Ils étaient réunis pour la même occasion, non pas dans cette maison mais dans une autre, plus modeste, que son frère occupait alors, près du chemin de fer. Déjà, avant de partir, il avait bu plusieurs verres, il avait oublié pourquoi, sans doute parce que, ce jour-là aussi, il était mal dans sa peau. M. Motard, qui le tenait par le bouton de son veston, prononçait un interminable discours d'économie politique.

— Voyez-vous, mon jeune ami...

Il appelait tout le monde « mon ami » ou « mon jeune ami ». Que s'était-il passé ensuite ? Il ne s'en était jamais souvenu car, tout en feignant d'écouter son interlocuteur, il vidait tous les verres à portée de sa main. A la fin, il s'était écrié :

— On s'emmerde, ici, messieurs dames. Moi, je f... le camp et j'ai bien l'honneur de vous saluer.

Marcel lui en avait voulu longtemps. Nicole aussi. Seule Armande avait éclaté d'un rire qui s'était arrêté dans sa gorge quand son mari l'avait regardée.

Marcel la tenait, parce qu'elle ne possédait aucune fortune. Si elle avait eu de l'argent, il est probable que son mari ne l'aurait pas ramenée de la gare.

Lescure n'avait pas tout à fait tort, la veille, en prétendant que Chevalier était un garçon remarquable. Il n'était pas allé tripatouiller les débris de l'autocar au pied de la Grande Côte mais, à peine arrivé en ville, il était introduit chez le président Bergeret, de sorte qu'il était déjà au courant de tous les potins.

Les hommes suivaient Marcel dans son bureau tapissé de livres et Lambert les suivait, non sans avoir vidé les quelques coupes encore pleines ou à moitié pleines sur la table. Sa belle-sœur, qui le vit faire, lui sourit. C'était une vraie femelle et sans doute n'aurait-il qu'à lui mettre la main...

On passait les cigares. Marcel n'en fumait pas, mais Lambert en prit un et cela faisait ainsi, l'odeur des cigares se mêlant à celle du champagne, encore plus fête de famille.

On étalait des albums sur le bureau, on se penchait, on admirait. Il alla, lui, regarder par la fenêtre, aperçut la fille de son frère couchée à plat ventre sur l'herbe, toute seule, dans le soleil. Elle avait quatorze ans et elle était déjà très formée, car elle ressemblait à sa mère, ce qu'il valait mieux ne pas dire à Marcel à qui cela ne faisait aucun plaisir.

Du coup, il pensa à Edmonde et, comme le matin, il se demanda où elle était à cette heure-ci. Dans quelque cinéma, avec sa mère ? Ou à une réunion de famille, elle aussi ? Ou encore avec un amoureux ?

Il ignorait tout d'elle. Il ne lui avait jamais demandé si elle avait un amant, savait seulement qu'elle n'était pas vierge quand il l'avait prise pour la première fois.

Allait-il devenir jaloux ?

— Qu'est-ce que vous en pensez, vous, Joseph ?

— De quoi ?

— Des Égyptiens.

Il ressentait déjà, dans sa tête, un flottement qu'il connaissait bien, et la façon dont il fronçait les sourcils, son air buté n'étaient pas moins révélateurs. Sur un meuble, il avisa une carafe de liqueur entourée de verres en cristal, cadeau d'un précédent anniversaire, et, comme tout le monde avait le dos tourné, il se versa à boire. Il vidait son verre d'un trait, à la sauvette, quand Marcel leva les yeux vers lui.

Marcel ne dit rien. Ce n'était pas le moment. Ce fut Lambert qui eut honte d'être surpris et, comme il avait horreur de la honte, il sortit brusquement de la pièce, puis de la villa. Il en avait assez. Nicole lui avait demandé de ne pas faire d'éclat et, s'il restait davantage, cela arriverait fatalement. Il ne rencontra personne. Les femmes devaient être montées chez Armande pour se refaire une beauté et elles finiraient par passer là-haut une partie de l'après-midi.

Il claqua la portière de sa voiture qu'il mit en marche, ce qui suffit à attirer Nicole à la fenêtre.

Tant pis ! Elle trouverait quelqu'un de la famille pour la reconduire. Ils étaient entre eux, à présent, et, au fond, devaient être soulagés de son départ. L'oncle qui a mal tourné, l'espèce de brute aux réactions imprévisibles, était parti.

Il n'avait pas la moindre idée de l'endroit où il se rendait et il lui vint une pensée folle qui, pendant quelques instants, lui parut presque raisonnable. Qu'est-ce qui l'empêchait de se diriger vers la Grande Côte et d'apostropher l'homme aux chèvres afin de savoir une fois pour toutes ce qu'il avait dans le ventre ?

L'autre était bien venu, le matin, rôder sur le quai. Il lui rendrait la pareille, à la différence qu'il irait droit à lui et lui poserait la question.

Ou il avait vu quelque chose, ou il n'avait rien vu.

Ou il avait parlé à la police, ou il s'était tu.

C'était clair. C'était net. Il n'existait pas d'autre alternative. S'il n'avait pas parlé à la police, qui l'avait sûrement questionné comme elle questionnait tout le monde le long de la grand-route, c'est qu'il avait ses raisons.

Toujours clair, non ? Lambert n'était pas ivre. Il avait bu, mais ses idées restaient claires.

Où en était-il ? Bon ! Si l'homme aux chèvres n'avait rien dit, c'est qu'il avait son plan. Et, s'il avait un plan, il n'y avait aucune raison d'attendre.

Voilà !

Il lui parlerait nez à nez, les yeux dans les yeux, en homme.

— Qu'est-ce que tu veux au juste ?

Il était persuadé que l'idiot se mettrait à trembler. Ces gens-là sont des lâches, à l'affût d'un petit profit, mais, dès qu'on les regarde d'une certaine façon, ils se dégonflent.

De l'argent ?

A la rigueur, il lui en donnerait, pour avoir la paix. Combien ?

Non ! Ce n'était pas prudent de lui remettre de l'argent. Il se mettrait à le dépenser et nul n'ignorait qu'il ne possédait rien d'autre que ses chèvres et sa bicoque. On se poserait des questions. La gendarmerie l'apprendrait vite, ou encore Chevalier, qui connaissait déjà si bien la ville et qui ne tarderait pas à être familier avec la campagne.

Il ne lui donnerait rien du tout. Il le ferait taire autrement. Comment ? Il ne le savait pas encore. C'était justement ce qu'il fallait découvrir ; le moyen de le faire taire. Cela demandait réflexion. C'était capital. *Ca-pi-tal !*

Il avait soif, se demandait soudain ce qu'il faisait près de l'usine à gaz où il n'y avait que des maisons ouvrières et pas un seul bistrot. Il accomplit un demi-tour si brutal que les roues grincèrent, s'élança vers le centre de la ville avec l'idée de s'arrêter chez Victor. Il n'était pas d'humeur à s'asseoir au *Café Riche*. Il en avait par-dessus la tête des gens qui ressemblaient à ces messieurs-dames de chez son frère.

Victor était un malin. Il ne lui demanda pas comme d'habitude :

— Ça va, monsieur Lambert ?

Il se contenta de lui serrer la main sans un mot, avec juste un regard interrogateur.

— M'excuse, Victor. Suis allé fêter en famille l'anniversaire de mon très cher frère et cela m'a donné soif. Cela se voit ?

Tout en parlant, il se regardait dans le miroir derrière les bouteilles et il s'aimait encore moins que le matin en se rasant.

— Donne-moi un truc très sec pour faire passer le mauvais goût de la famille, mais pas du marc. Un calvados, tiens, dans un verre à dégustation.

Sa voix résonnait étrangement et il comprit pourquoi en remarquant que le café était vide. A cette heure-ci, le dimanche, Victor ne travaillait presque pas et c'était pour son plaisir qu'il faisait marcher la télévision.

— Tu connais un nommé Chevalier ?

— Non.

— Un grand blond, pète-sec, qui a l'air encore plus intelligent que mon frère Marcel. S'il vient te voir et te parle de moi, tu lui diras que je l'emmerde.

— Qui est-ce ?

Il s'arrêta à temps. Il était en train de jouer avec le feu, peut-être parce qu'il commençait à avoir vraiment la frousse.

— Personne, fit-il d'une voix différente. Laisse tomber.

Victor n'insista pas et Lambert expliqua :

— Ne fais pas attention. C'est la famille qui m'a f... en rogne. Tu aimes les réunions de famille, toi ?

— Je ne sais pas, monsieur Lambert. J'ai été élevé par l'Assistance Publique.

— A Paris ?

— D'abord, puis, à douze ans, dans une ferme de la Corrèze.

— Tu étais malheureux ?

— Je ne me le demandais pas.

— Tu recommencerais ?

— Je ne sais pas. Je suppose.

— Eh bien, moi...

Mais ce n'était pas vrai. Il valait mieux se taire. Il allait dire que, lui, refuserait de recommencer sa vie. Cela lui arrivait de le penser, puis, deux jours plus tard, il allait voir le médecin pour un vague malaise dans la poitrine, une simple lourdeur d'estomac.

Au fond, il avait peur de mourir, tout comme il avait peur de ne plus être Joseph Lambert, entrepreneur, quai Colbert.

— Crevant !

— Quoi ?

— Rien. Je me parle tout seul et je me comprends. Bois un verre sur mon compte.

Victor se servit un fond de menthe verte et beaucoup d'eau.

— A votre santé, monsieur Lambert.

— A la tienne... Dis-moi, entre nous, tu as fait de la prison ?

Le barman se tut un moment.

— Drôle de question, murmura-t-il enfin.

— Tu préfères ne pas répondre ?

— Vous sauriez quand même la vérité en interrogeant Benezech.

— Longtemps ?

— Une fois six mois et une fois un an. La seconde fois, ce n'était pas juste. J'ai payé pour les autres.

Lambert avait eu tort aussi de demander ça. Il était ivre, pas assez, toutefois, pour ne pas s'en rendre compte. Pourquoi, lorsqu'il était lancé de la sorte, devenait-il incapable de s'arrêter ?

— Qu'est-ce que je te dois ?

Il valait mieux s'en aller. D'ailleurs, l'atmosphère dominicale du bar le déprimait.

— Salut, Victor !

— Bonsoir, monsieur Lambert.

Il oublia qu'il avait laissé sa voiture sur la place et prit la rue du Vieux-Marché, pensant à la fois à Victor, à l'homme aux chèvres et à son frère. C'était peut-être dangereux, surtout un dimanche, en plein jour, d'aller trouver l'homme de la Grande Côte. Peut-être le soir, dans l'obscurité, quand il serait rentré dans sa cabane ?

Pourquoi, plus simplement, ne pas aller sonner chez Lescure et lui annoncer la mauvaise nouvelle ?

— Tu te souviens de ce que tu nous as raconté hier au *Café Riche*, les centaines de millions que ta compagnie aurait à payer, et tout ? Eh bien, mon pauvre vieux, ça y est ! Le type à la traction-avant, c'est moi, et il y a quelque part une sorte d'idiot de village qui m'a reconnu. Tire ton plan. Cela ne me regarde plus. Je risque peut-être la prison, mais Victor en a fait et ne s'en porte pas plus mal. Vous autres, il s'agit de millions...

Il fit demi-tour car, de penser à la traction-avant, lui rappelait qu'il venait de la laisser place de l'Hôtel-de-Ville, juste en face du *Café Riche*. Ses amis n'y jouaient pas aux cartes le dimanche. Les tables étaient occupées par des familles qui venaient s'asseoir après leur promenade en attendant l'heure du dîner.

Chevalier était là, seul dans le même coin que la veille, près de la caisse, et Lambert fut persuadé qu'il le regardait monter en voiture.

Lui avait-on parlé de lui ? Il ne fréquentait pas, comme son frère, chez le président Bergeret, ne connaissait que de nom ou de vue ceux qu'on y rencontrait. L'agent de la circulation lui faisait signe d'avancer. Il voulait bien obéir. Mais pour aller où ? Pas chez lui, en tout cas. Il en avait assez d'errer seul dans la maison vide, avec cette punaise d'Angèle dans la cuisine.

— Alors, vous vous décidez ?

Il avança, tourna à gauche parce que c'était le plus facile et, comme la rue conduisait chez Léa, décida de sonner chez elle. Elle non plus ne travaillait pas le dimanche, qui est le jour des familles.

Il poussa le bouton une fois, deux fois, tendant l'oreille, ne percevant aucun bruit à l'intérieur. Alors, il sonna sans discontinuer et finit par entendre des bruits de pas. Une voix demanda :

— Qui est-ce ?

— C'est moi, Lambert.

— Un moment.

C'était la voix de Léa, mais elle était aussi maussade que la sienne. Elle revint après quelques instants, tourna la clef dans la serrure et tira le verrou.

— C'est toi ! murmura-t-elle comme si, un peu plus tôt, elle n'avait pas reconnu son nom.

Et elle le regardait de la même façon que Victor, en fronçant les sourcils. Elle avait compris, elle aussi. Elle se résignait.

— Entre.

— Tu as quelque chose à boire, au moins ?

— Oui. Ne t'en fais pas.

— Tu dormais ?

— Entre !

— Tu es mécontente de me voir ?

— Mais non.

— Avoue que tu es mécontente.

— Non. Je t'en prie, ne reste pas sur le palier. Je ne suis pas encore bien éveillée.

— Problème ! articula-t-il alors comme si ce mot expliquait tout.

— Hein ?

— Je dis : problème. Cela ne te rappelle rien ? Les hommes qui viennent pour rigoler et ceux qui viennent avec leur problème ?

L'appartement était net et seul le lit était défait, avec un roman tombé sur la carpette.

— Quelle est ton intention ? questionna-t-elle. Le dimanche, je ne sors pas et, le matin, j'en profite pour faire mon ménage à fond, le soir pour dormir.

— Peut-être vais-je dormir aussi ?

— Tu parles sérieusement ?

Il commençait déjà à se dévêtir. Pourquoi pas ? Ça ou autre chose ! Ici, il ne serait pas seul et aurait l'avantage de ne pas voir rentrer sa femme avec un visage triste et indulgent. Ce n'était pas de l'indulgence qu'il voulait.

— Seulement, avant, il faut que tu me donnes à boire.

— Je n'ai que du vermouth.

— Apporte le vermouth.

Elle alla chercher la bouteille dans la salle à manger, revint avec un seul verre. La bouteille était aux trois quarts pleine.

— Promets-moi que tu ne feras pas de tapage.

— Je me suis déjà mal conduit chez toi ?

— Pas chez moi, non.

— Tu as peur ?

— J'ai peur de la propriétaire, qui ne raterait pas l'occasion de me mettre à la porte.

C'était curieux : sans maquillage, elle ressemblait à une brave mère de famille et même à une mère de famille de la campagne. Il buvait le vermouth à longs traits et elle le laissait faire, debout, alors qu'en caleçon, avec encore ses chaussettes et ses souliers, il était assis au bord du lit.

— Tu es une bonne fille, déclara-t-il avec conviction.

Ce n'était pas tout à fait ce qu'il avait voulu dire. Il se comprenait. Dans son esprit, c'était un magnifique compliment, quelque chose de très délicat.

Elle ne protestait pas tandis qu'il se versait un second verre, puis un troisième, vidait enfin la bouteille, la regardant toujours avec tendresse et hochant la tête sans qu'il fût possible de savoir ce qu'il voyait réellement.

— Une très bonne fille... Attends !... Voilà le mot : tu es une sœur !

Il était soulagé d'avoir trouvé et les larmes lui en montaient aux yeux, il buvait son reste de vermouth tandis qu'elle s'agenouillait par terre devant lui pour lui retirer ses souliers et ses chaussettes.

Il ne se souvint ni de ça, ni de s'être couché, ni encore, deux heures plus tard, de s'être rendu dans la salle de bains pour vomir en se cognant à tous les murs parce qu'il se croyait quai Colbert et ne reconnaissait pas son chemin.

Il ne se souvint pas non plus de l'avoir appelée Nicole.

7

Il ne dormait pas tout à fait, il n'était pas tout à fait réveillé et il le faisait exprès de se maintenir en équilibre entre la veille et le sommeil. C'était un truc qu'il connaissait bien, qu'il pratiquait souvent, surtout quand il avait bu la veille. Et c'était sans doute la boisson aussi qui rendait sa chair plus sensible, donnait à ses désirs une forme et une acuité particulières.

Il avait commencé à reprendre conscience à la même heure que les autres matins et tout de suite, sans avoir besoin d'ouvrir les yeux, avait su qu'il n'était pas dans son lit et que la cuisse chaude et nue sous sa main était celle de Léa. Il se souvenait. Pas de tout. C'était une impression d'ensemble, avec des détails par-ci par-là. Par exemple, il retrouvait dans sa mémoire l'émotion qu'il avait ressentie la veille en regardant Léa et en pensant à une sœur. Cela ne le faisait pas rire. Il n'en avait pas honte non plus.

Il avait entrouvert les paupières juste assez pour se repérer, apercevoir un rideau crème derrière lequel le jour se levait et il s'était replongé dans sa torpeur, un peu comme il l'avait fait, le jour du mal de dents, sous le tilleul du jardin. Il y avait en lui un refus de revenir à la vie ordinaire et il s'enfonçait presque farouchement dans un univers où ne comptaient plus que les tressaillements de ses sens.

C'était cela, en définitive, qu'Edmonde était capable de faire tout éveillée, en plein jour, n'importe où, dès que se produisait le déclic, et c'était cela aussi qu'avec elle il était parvenu à réussir. Peut-être même, ce déclic, pouvait-elle le provoquer à sa guise ?

L'univers s'éloignait alors jusqu'à n'être plus qu'une sorte de nébuleuse sans importance. Les objets perdaient leur poids, les gens n'étaient plus que des pantins minuscules ou grotesques et tout ce à quoi on attache d'habitude du prix devenait saugrenu. Il ne subsistait, dans un monde rétréci, enveloppant et chaud, bienveillant, que le battement du sang dans les artères, une symphonie d'abord vague, diffuse, qui se précisait peu à peu pour se concentrer enfin dans leur sexe.

Ils n'en rougissaient pas, n'avait pas honte non plus de faire de ce sexe, pour un moment, le noyau de leur existence, ni d'épuiser les possibilités de plaisir.

Il avait hâte de voir Edmonde, de lui adresser le signe, de lire la réponse dans ses yeux et de s'enfoncer avec elle dans cet univers-là.

Il fallait, aujourd'hui, que cela dure très longtemps et qu'il la voie, telle une morte, les narines pincées, la lèvre supérieure retroussée sur ses dents. Sans la laisser revenir à elle, il recommencerait, inventerait de nouvelles caresses qui lui feraient demander grâce. Ils iraient très loin tous les deux, plus loin que jamais, jusqu'à l'extrême bord du précipice, jusqu'à frissonner de peur de n'en pouvoir revenir.

Son désir le rendait sensible des pieds à la tête comme un écorché vif, le contact des draps, même, devenait voluptueux, et pourtant il ne songeait pas à se satisfaire avec Léa que sa main caressait toujours. Il voulait, au contraire, s'exciter encore et, pour cela, s'appliquait à imaginer les plus petits détails de ce qui se passerait tout à l'heure.

Pas dans le bureau, ni dans aucun des locaux du quai Colbert où ils avaient eu de précédentes expériences. La journée s'annonçait chaude, le rideau crème se dorait sous un soleil brillant et, parce qu'il se souvenait du tilleul aux mouches bourdonnantes, il pensait à un pré dans la campagne, ou à une clairière près de laquelle il arrêterait l'auto.

Était-ce par réaction contre ses peurs de la veille ? Il avait faim d'Edmonde, faim de son sexe et des phases mystérieuses de sa jouissance.

Peu importaient l'homme aux chèvres, Benezech, son frère Marcel et le jeune Chevalier. Il avait encore ça que personne ne pouvait lui prendre.

Ce ne serait pas la première fois qu'il s'arrêterait ainsi en bordure d'une prairie. Et chaque fois, en se relevant, il était comme ivre de l'odeur de la terre humide et de celle d'Edmonde. Un jour, ils avaient entendu du bruit derrière la haie, tout près d'eux, mais, enfonçant les ongles dans sa chair, elle l'avait empêché de bouger et jamais elle n'avait été si délirante.

Il devait aller, le matin, vérifier la prise du ciment chez Renondeau. Est-ce alors qu'il l'emmènerait avec lui, ou plus tard, dans l'après-midi par exemple ?

Il rêvait à moitié, créait le décor, des images qui rendaient son envie douloureuse et, comme il caressait toujours Léa, celle-ci, dans son demi-sommeil, se mit sur le dos, écarta les genoux, murmura d'une voix lointaine :

— Viens.

Il dit non et, pour ne pas succomber, se leva tandis qu'elle le suivait d'un regard surpris, pas assez éveillée encore pour avoir le courage de le questionner. Une fois debout, seulement, il se rendit compte qu'il avait mal à la tête, qu'il était vide, mais cela n'avait pas d'importance, ne l'inquiétait pas, il savait que son malaise ne tarderait pas à se dissiper et qu'il lui resterait son désir.

Il s'habilla à moitié avant de se diriger vers la cuisine où il alluma le réchaud à gaz, chercha le café parmi les boîtes blanches d'une étagère, le trouva, en mit quelques mesures dans le moulin fixé au mur.

Il versait l'eau dans la cafetière lorsque Léa parut sans bruit dans l'encadrement de la porte, nue, avec, sur sa peau fine, des lignes roses qu'avaient laissées les plis du drap.

— Qu'est-ce que tu fais ?

— Du café.

— Quelle heure est-il ?

Il regarda le réveil sur la cheminée.

— Six heures vingt.

— Tu pars déjà ?

Il dit oui et, à mesure qu'elle s'éveillait, elle retrouvait sa façon de le regarder de la veille. On aurait dit qu'elle voyait en lui quelque chose qui l'inquiétait, comme un signe, et qu'elle ne le laissait partir qu'à regret.

— Ta femme ?

— Non.

— Elle ne dit rien ?

— Non.

— Tu as de la chance.

C'était inutile de lui expliquer qu'elle se trompait, qu'au contraire il n'avait pas de chance.

— Tes affaires ?

Ce n'étaient pas ses affaires non plus qui l'obligeaient à partir. Il n'était pas indispensable qu'il se rende à la ferme Renondeau ce matin-là.

— La fille dont tu m'as parlé ?

Il fit oui de la tête. A quoi bon mentir, au point où il en était ?

— C'est pour cela que, tout à l'heure, tu n'as pas voulu ?

Elle ne lui en gardait pas rancune mais elle paraissait s'inquiéter davantage.

— Verse-moi une tasse de café aussi, tiens. Cela ne m'empêchera pas de me rendormir. Tu te souviens que tu as été malade ?

— Non.

— C'est sans importance. Je ne te le reproche pas. Le plus difficile a été de te remettre dans le lit. Tu es drôlement lourd !

— Tu as dû me porter ?

— Te hisser, te tirer, te pousser comme j'ai pu.

— Je te demande pardon.

— Tu es bête !

Elle s'assit sur une chaise blanche et c'était curieux de la voir ainsi, sans vêtement sur le corps, boire le café dans la cuisine.

— Tu prends un bain avant de partir ?

— Je le prendrai chez moi.

— Comme tu voudras. Tu n'as pas besoin d'aspirine ?

— Si.

Elle alla lui en chercher deux comprimés dans la salle de bains et elle en profita pour se laver les dents. Il but deux tasses de café, put allumer une cigarette sans que cela lui soulève le cœur.

— Je vais finir de m'habiller, annonça-t-il.

— Tu te lèves toujours aussi tôt ?

— A six heures. Parfois cinq heures et demie.

Elle le suivit dans la chambre et le regarda faire, avec toujours le même air réfléchi. Puis elle l'accompagna jusqu'à la porte dont elle tira le verrou et l'embrassa sur les deux joues.

— Merci, disait-il en la quittant.

Et elle, après qu'il lui eut rendu ses baisers :

— Fais attention à toi.

Cela ne le frappa pas tout de suite, mais seulement dans la rue où il cherchait sa voiture des yeux. Pourquoi avait-elle dit ça, sur un ton si pénétré, alors qu'elle n'était au courant de rien ?

Il y avait déjà quelques Nord-Africains sur le quai Colbert et une péniche à l'avant peint d'un triangle rouge et blanc passait sur le canal, le marinier, sur le pont, saluait ceux du bateau en déchargement, leur lançait un nom d'écluse qui devait être un rendez-vous.

Il pénétra d'abord dans les bureaux et, au passage, un peu gêné, fit une caresse furtive à la table d'Edmonde. Il ne voulait pas que son désir se dissipe. A la lumière plus crue du jour, les images évoquées dans le lit de Léa perdaient déjà de leur plausibilité, les scènes qu'il avait rêvées, les gestes, les mots à dire devenaient moins réels.

Il l'emmènerait quand même à la campagne, n'importe où, et il jouirait d'elle sauvagement. Il en avait besoin. Il avait surtout besoin de se prouver à lui-même que c'étaient eux qui avaient raison, que c'était leur droit, qu'il n'y avait rien de salissant ou de coupable dans le plaisir qu'ils se donnaient l'un à l'autre.

N'était-ce pas cela, au fond, qui le tourmentait encore plus que la peur et que tout le reste ? On lui avait tout à coup sali les seuls moments de vraie joie qu'il eût jamais connus. Ceux-là et ceux du mal de dents, sous le tilleul. C'était la même chose, la même envolée, le même bond dans un autre monde.

Ce qu'il avait obtenu jadis avec deux comprimés d'une drogue quelconque, avec l'engourdissement, les rayons tamisés du soleil et la chanson des mouches, ils l'obtenaient, Edmonde et lui, avec leurs deux corps.

De quoi étaient-ils donc coupables ? Et, s'ils ne l'étaient pas, pourquoi, depuis qu'il connaissait Edmonde, se sentait-il si souvent en proie à une sourde inquiétude ?

Pourquoi, quand le klaxon avait hurlé à la mort...

Il refusait d'y penser, de s'en souvenir. Il ne voulait à aucun prix revivre les trois jours qu'il venait de vivre. Il gravit les marches trois par trois, ouvrit la porte de la cuisine où Angèle sursauta et le regarda comme un revenant.

— Vous me préparerez une tasse de café.

N'était-il pas, pour elle, le diable en personne ?

— Madame n'est pas éveillée et ne m'a pas laissé d'instructions, grommela-t-elle comme il s'éloignait dans le couloir.

— Cela m'est égal.

Ainsi, il avait le temps de prendre une douche froide et de s'habiller. Il était prêt quand s'entrebâilla la porte de la chambre et Nicole se contenta de remarquer :

— Tu es là.

Il ne se chercha pas d'excuses, ne donna aucune explication. Ce n'était plus la peine. Il ne parla pas non plus de ce qui s'était passé chez Marcel.

— Tu te sens bien ?

— Très bien.

— Tu veux qu'on serve le petit déjeuner ?

— Je ne pense pas que je mangerai.

Il n'avait pas l'estomac assez solide pour ça. Sur le quai et dans les chantiers, le travail était embrayé. On entendait le ronronnement de la scie mécanique ponctué par la chute des planches. Son mal de tête avait déjà disparu et seuls persistaient un certain vague dans tout son corps ainsi qu'une sensibilité accrue.

Pendant plus d'une demi-heure, il resta debout, parmi les camions et les piles de matériaux, à prendre contact avec les contremaîtres et les ouvriers, puis il alla jusqu'au quai s'assurer que le déchargement serait terminé le lendemain soir. Les planches, samedi encore horizontales, étaient maintenant en pente presque raide car, à mesure qu'il se vidait, le bateau, plus haut sur l'eau, découvrait ses flancs grisâtres que le marinier enduisait déjà de goudron de Norvège.

A neuf heures, il était dans son bureau au moment de l'arrivée des employés, vit Edmonde passer sur le quai, en reçut, pour la première fois, une sorte de choc, devint fébrile et le temps lui parut long jusqu'à ce qu'il ouvrît enfin la porte de communication.

— Voulez-vous venir un instant, mademoiselle Pampin ?

— Avec mon bloc ?

— Ce n'est pas la peine.

Avait-elle compris ? Croyait-elle que c'était pour tout de suite ? Il ne souriait pas, n'était pas gai, plutôt sombre, au contraire, avec une angoisse diffuse. La porte refermée, elle restait debout et il se demandait maintenant si, après ce qui s'était passé dans la Grande Côte, elle allait encore accepter et si le déclic se produirait.

Il tournait en rond dans le bureau, reculant le moment de la regarder, et elle ne bougeait pas, toute droite, les mains jointes devant elle.

— Je voulais seulement vous dire...

Il levait enfin les yeux vers elle, avait l'impression qu'elle effaçait un sourire furtif.

— Je vous demanderai probablement de m'accompagner aujourd'hui...

— Ce matin ?

Il l'épiait. Il était sûr qu'elle avait déjà reconnu son regard. Ce qu'il aurait voulu savoir, c'est si le choc se produirait.

— Ce matin ou cet après-midi, je ne sais pas encore.

Il ajouta, la voix moins naturelle :

— Nous irons assez loin.

— Bien, monsieur Lambert.

Il dut détourner les yeux, parce qu'il la regardait avec une expression presque suppliante et qu'il ne voulait pas devenir pathétique.

— Vous avez compris ?

— Oui, monsieur.

Il l'observa une fois encore.

— Contente ?

Elle se borna à battre des paupières et il fut à peu près sûr qu'elle était devenue plus pâle, ce qui était le signe.

— A tout à l'heure.

Il venait de rentrer dans les rails. Il était heureux, tout à coup, et il éprouva le besoin de gagner le bureau de Marcel, surpris que son frère ne fût pas encore venu le trouver. Trois dessinateurs étaient penchés sur leur planche et Marcel travaillait en bras de chemise.

Lambert prononça du bout des lèvres :

— Je m'excuse d'être parti, hier après-midi, sans faire mes adieux.

— Cela valait mieux ainsi et il aurait encore mieux valu que tu ne viennes pas du tout.

C'était la première fois qu'il employait ce ton-là, sec, méprisant, et Lambert eut le sang à la tête, serra les poings, hésita à marcher sur son frère et à le saisir aux épaules pour le secouer.

Il se contint et, sa colère passant presque instantanément, se contenta de grommeler, assez haut pour que les employés l'entendent :

— Petit morveux !

Il n'avait de leçons à recevoir de personne, surtout de son frère. Il alla trouver M. Bicard qui, le lundi matin, avait toujours besoin de lui pour des signatures, rentra dans son bureau avec l'idée de le quitter tout de suite pour se rendre à la ferme Renondeau. En ce qui concernait Edmonde, il valait mieux attendre l'après-midi et aller du côté des bois d'Orville.

C'est à ce moment-là, comme il allait prendre son chapeau au portemanteau, qu'un brouhaha se produisit sur le quai et, tournant la tête, il vit un des Nord-Africains se débattre entre les mains de deux de ses compagnons, se dégager, courir à toutes jambes vers la ruelle que Nicole avait prise, la veille, pour revenir de la messe, et que dans la maison on appelait le raccourci.

Une silhouette était étendue par terre parmi des briques répandues et il n'en vit d'abord que les longues jambes, ouvrit la fenêtre pour crier :

— Qu'est-ce que c'est ?

Oscar, sur le quai, lui fit signe de venir. Quand l'homme s'était échappé, il y avait eu des cris, des phrases prononcées en arabe, mais maintenant un silence absolu régnait, on aurait dit que chaque homme s'était immobilisé dans la pose où quelque signal l'avait surpris.

Des bureaux aussi, on avait entendu, et Lambert se trouva traverser la chaussée en même temps que son frère, qui alla se pencher sur l'homme couché sur le sol. Sa chemise était tachée de sang. Les yeux ouverts sur le ciel, il ne laissait échapper aucune plainte.

— Que s'est-il passé, Oscar ?

— Cela s'est fait si vite que je n'ai presque rien vu. Ils étaient sur les planches, l'un derrière l'autre, chacun avec son chargement, et celui qui marchait devant parlait à mi-voix. Cela m'a frappé. Ils n'avaient pas l'air de se disputer. On aurait plutôt dit que le premier récitait une prière. D'une seconde à l'autre, la scène a changé et je n'ai pas eu le temps de faire un pas en avant. Celui qui marchait derrière a balancé son chargement de briques sur le quai et, tirant un couteau de dessous sa chemise, s'est précipité vers son camarade et le lui a planté dans le dos.

Marcel, toujours agenouillé près du blessé, donnait des ordres à un des employés qui l'avait suivi et d'autres s'en venaient, hésitants, des bureaux où les dactylos étaient aux fenêtres.

— C'est à peu près tout. Deux des hommes ont saisi l'assaillant tandis que tous les autres se mettaient à parler en même temps dans leur sabir. Je crois qu'ils leur ordonnaient de le lâcher. S'ils ont essayé de le retenir, ils n'y ont pas mis beaucoup d'énergie et, maintenant, pour le retrouver...

— Qui est-ce ?

— Un Mohammed quelque chose. J'ai son nom sur la liste.

L'employé revenait avec une trousse de secours dont on avait souvent besoin dans les chantiers. Marcel était à son affaire, calme, méticuleux, donnant de brèves instructions à son aide à la façon d'un chirurgien.

— Grave ?

— Je ne crois pas.

L'Arabe les regardait aussi tranquillement que si ce n'était pas de lui qu'il s'agissait et ses compagnons formaient toujours un cercle silencieux.

Lambert questionna :

— Quelqu'un a téléphoné à la police ?

Marcel répondit :

— J'ai fait prévenir Benezech.

Une sirène annonçait déjà l'auto du commissaire en chef qui s'approcha et serra la main de Lambert en murmurant :

— Bagarre ?

— On ne sait pas. Ils étaient occupés à décharger les briques quand l'homme qui était derrière celui-ci s'est précipité pour le frapper de son couteau.

— Un Arabe aussi ?

— Oui.

— Ils l'ont laissé fuir ?

— Deux d'entre eux ont essayé de le retenir, mais...

— Parbleu !

Benezech se tourna vers Oscar.

— Tu as les noms et les adresses ?

— Je les ai là-bas au chantier.

— Va me chercher la feuille.

Le policier, debout, contemplait l'homme étendu sur le gravier.

— Je suppose que tu n'as rien à dire ?

Le visage du Nord-Africain ne bougeait pas et seuls ses yeux se fixaient, sans expression, sur le commissaire.

— Tu ne sais rien, n'est-ce pas ? Ni pourquoi on t'a frappé, ni...

Il haussa les épaules, se tourna vers un inspecteur.

— Fais venir une ambulance. Qu'on l'emmène à l'hôpital.

Après quoi il se tint à l'écart en compagnie d'Oscar qui avait apporté la feuille d'embauche. Edmonde était à une fenêtre aussi, dans sa robe noire qui faisait paraître sa peau plus blanche, mais ce n'était pas vers le groupe du quai qu'elle était tournée et, en suivant la direction de son regard, Lambert aperçut l'homme aux chèvres, seul près d'un arbre, à une vingtaine de mètres de lui.

Des voitures s'étaient arrêtées, quelques curieux avaient eu le temps de s'approcher, de sorte que Lambert ne l'avait pas vu.

Il n'était plus endimanché comme la veille, mais portait ses vêtements de tous les jours. Long et maigre, le dos appuyé au tronc de l'arbre, il retirait une à une les feuilles d'une petite branche qu'il avait ramassée par terre.

Il ne s'intéressait pas au blessé, mais à Lambert, et celui-ci croyait lire de la jubilation dans ses yeux gris pâle.

Maintenant qu'il était revenu, il devenait impossible de croire encore à un hasard et, à cause de la présence de Benezech, la menace se faisait plus précise que jamais. Le commissaire lui tournait le dos, conversant toujours avec Oscar, prenant des notes dans son carnet, mais un moment vint où il se retourna, celui où on entendit l'ambulance arriver.

Alors, Lambert en fut certain, le regard du commissaire, qui ne s'accrochait nulle part, passa sur la silhouette inattendue de l'homme aux chèvres, y revint l'instant d'après, aigu, cette fois, et s'y arrêta un certain temps.

Ce fut plus subtil que ça, plus rapide. Lambert n'en saisit pas moins au vol la surprise de Benezech qui connaissait l'homme et ne s'attendait pas à le trouver quai Colbert.

C'était déjà fini. Le policier parlait aux infirmiers qui avaient apporté une civière. Marcel, redressé, les mettait au courant des soins qu'il venait de donner, tandis qu'Oscar s'efforçait de rassembler ses hommes pour les mettre au travail.

Les visages avaient disparu des fenêtres. L'homme aux chèvres, lentement, avec des mouvements d'animal, comme pour ne pas attirer l'attention, s'éloignait en se maintenant dans la perspective des arbres, mais Lambert eut encore le temps de recevoir un de ses regards avant qu'il disparaisse.

Les portes se refermaient sur l'ambulance qui s'éloignait. Marcel, Benezech et un inspecteur formaient un groupe dans le soleil, devant une des pyramides de briques roses, et on apercevait la petite fille de la péniche qui était restée tout le temps sur le pont de la péniche à regarder.

— On finira par le retrouver, disait Benezech. Tôt ou tard, nous leur mettons la main dessus. Mais on aura beau faire, on ne saura rien et ce sera le diable d'obtenir de ses camarades un témoignage contre lui. Le blessé lui-même se taira.

Était-ce une illusion ou bien regardait-il maintenant Lambert un peu à la façon dont il avait regardé tout à l'heure l'homme aux chèvres, comme si une idée venait de le frapper ?

— Qui, d'entre vous, l'a vu faire ?

— Oscar.

— Et vous, Lambert ?

— Je me suis précipité à la fenêtre dès que j'ai entendu du bruit, mais le blessé était déjà à terre et l'autre s'est dégagé aussitôt pour se mettre à courir.

— Vous ?

C'était au tour de Marcel.

— J'en ai vu encore moins : un homme qui courait, un homme sur le sol et les autres qui regardaient.

L'homme aux chèvres, comme le fuyard, avait dû emprunter la venelle bordée d'un côté par des murs de jardins, de l'autre par une palissade, qui débouchait rue des Capucins. C'était un des endroits les plus calmes, les plus déserts de la ville, avec le feuillage des arbres qui débordait des murs du couvent et seulement une petite porte que personne ne franchissait jamais.

— Je suis obligé de convoquer tous ces gaillards-là pour les interroger. Vous en avez besoin longtemps ?

— Demain soir, le déchargement devrait être terminé.

— Je les ferai donc venir mercredi matin.

Il tendit la main, à Marcel d'abord, à Lambert ensuite.

— Bridge, ce soir ?

— Probablement.

Le regarda-t-il autrement que d'habitude, avec une interrogation et comme de l'étonnement dans les yeux ?

Lambert traversait à nouveau la chaussée et, dans le grand bureau, passait près d'Edmonde qui classait du courrier. Une fois seul, il faillit l'appeler, saisi par l'angoisse. Ce dont il avait peur, à présent, ce n'était plus de la menace encore imprécise qui pesait sur lui, mais de se voir refuser la joie qu'il s'était promise le matin.

Il avait, dans sa torpeur voluptueuse, contre le corps chaud et doux de Léa, combiné la scène dans ses moindres détails et il y en avait même d'impossibles, il avait dû renoncer, au grand jour, à certains de ses rêves.

Rien ne l'empêchait de l'appeler tout de suite, de fermer la porte, ou encore de la faire monter dans sa voiture et de l'emmener n'importe où.

Qu'est-ce qui le retenait d'agir ainsi ? Il n'en savait rien. Il lui semblait qu'il n'était pas mûr. Il voulait, aujourd'hui, que ce soit si extraordinaire qu'il en avait le trac et qu'il remettait à plus tard. D'ailleurs, un peu plus tôt, ne lui avait-il pas donné à entendre que ce serait pour l'après-midi ?

Il tenait à couver son désir, à le rendre si lancinant, si douloureux, qu'en l'assouvissant enfin il s'arracherait à la terre.

La sonnerie du téléphone résonna comme il se disposait à sortir. C'était Nicole.

— Il y a eu une bagarre ? questionna-t-elle, d'en haut, où elle devait être occupée à ranger.

— Un coup de couteau.

— Mort ?

— Non. Marcel croit que la blessure n'est pas grave.

— Tu sors ?

— Je vais à la ferme Renondeau.

— Fais attention.

Cela le frappa. C'était la seconde fois, ce jour-là, qu'on lui donnait une sorte d'avertissement, comme s'il avait porté au front un signe fatidique. Léa, toute nue dans l'entrebâillement de la porte, avait prononcé, rêveuse :

— *Fais attention à toi.*

Sa femme disait seulement :

— *Fais attention.*

C'était plus vague. Cela pouvait signifier de faire attention à la façon dont il conduisait l'auto. Elle savait qu'il avait bu la veille, considérait sans doute qu'il n'était pas tout à fait maître de lui.

— A tout à l'heure, répondit-il.

Et l'instant plus tard, en traversant le grand bureau, il regardait Edmonde avec tant d'intensité que son visage devait être dramatique.

Ils ne se dirent rien. Il lui sembla qu'elle était encore plus fermée que d'habitude, mais fut certain qu'il y avait une promesse dans ses yeux.

Ils n'étaient gais ni l'un ni l'autre. Ils n'étaient jamais gais. N'avaient-ils pas, à présent, l'air de deux maudits ? Pourtant Lambert était persuadé de leur innocence, c'est cela qu'il aurait voulu leur crier à tous sans espoir de se faire entendre.

Par Benezech moins que par n'importe qui, après ce que Léa lui avait confié, Benezech qui tremblait de désir devant la fille et qui, lorsqu'elle s'offrait, résistait farouchement et se consolait par une pauvre plaisanterie.

— *Peut-être quand, dans quelques années, je prendrai ma retraite...*

Léa l'avait admiré ! Léa l'aimait bien, le respectait.

A Lambert, elle avait dit, sans rien savoir :

— *Fais attention à toi.*

Il descendait l'escalier de la cour, qui n'avait que six marches, quand il entendit derrière lui la voix de Marcel.

— Un instant, Joseph !

Il l'attendit et son frère le rejoignit, la lèvre frémissante.

— Juste un mot. Je te prierai, quand tu seras revenu à ton état normal, de me faire des excuses devant mes employés, car il y a des limites. C'est tout.

Il riposta du tac au tac :

— C'est non.

Ils se mesurèrent du regard, Marcel une marche plus haut que son frère, puis se tournèrent le dos sans en dire davantage.

Il ne ferait d'excuses ni à Marcel ni à personne, parce qu'il n'en devait pas, parce qu'il n'était coupable de rien, quoi qu'il eût pu penser un moment. Il en était sûr et s'en persuadait davantage à chaque minute.

C'était si vrai qu'il lui était indifférent de prendre la route du Château-Roisin et même, un peu avant l'épicerie-buvette des Despujols, de dépasser l'homme aux chèvres qui marchait à grands pas réguliers. Ses chèvres, plus haut sur la Grande Côte, bêlaient après lui dans un pré minuscule entouré de barbelés, ne comprenant rien à son absence.

Renondeau était occupé à rentrer le regain.

— Vous les avez rencontrés ? questionna-t-il en s'épongeant de sa manche et en tendant une main dure.

— Qui ?

— Les gendarmes. Pas les nôtres, ceux de Marpou. Ils ont dû aller frapper, plus loin, à la porte du père Jouanneau. C'est au moins la troisième fois qu'on me pose les mêmes questions et ils en font autant dans chaque ferme, d'abord les gendarmes d'ici, qui sont des copains, puis les hommes de la police, maintenant les gendarmes de Marpou : qu'est-ce que vous faisiez mercredi entre cinq et six heures, où vous teniez-vous, pouviez-vous voir passer les autos sur la route, avez-vous remarqué une traction-avant ?

— Qu'est-ce que vous avez répondu ?

— La vérité, parbleu.

Renondeau leur avait-il appris que Lambert avait quitté sa ferme pour se diriger vers la Grande Côte une vingtaine de minutes avant l'accident et qu'il avait une femme à son bord ?

Il n'osa pas le lui demander.

— Alors, ce béton, questionnait le fermier. On va voir ?

Ils rejoignirent le contremaître et, avant de partir, Lambert fut invité au traditionnel coup de blanc dans le chai.

— Vous êtes un sacré veinard, vous, monsieur Lambert.

— Pourquoi ?

— D'abord, parce que vous gagnez de l'argent gros comme vous sans avoir besoin de mettre la main à la pâte. Ensuite, parce que vous circulez tout le temps dans le pays et que vous avez toutes les occasions. Je donnerais cher, pour ma part, pour dire deux mots à la demoiselle de l'autre jour...

C'était curieux qu'il eût cette opinion d'Edmonde car, au bureau, par exemple, les hommes étaient loin de l'apprécier. Le fermier n'avait-il eu qu'à la regarder pour comprendre ?

— A votre santé et à la sienne !

— A la vôtre, Renondeau.

— Et, entre nous, quand vous viendrez encore dans le pré d'en bas, ne vous gênez pas !

Il clignait de l'œil. Lambert ne s'était pas rendu compte, un jour de juin qu'il s'était arrêté avec Edmonde derrière une haie, qu'ils se trouvaient sur les terres de Renondeau. Ce n'était pas la fois où ils avaient entendu du bruit mais, il l'apprenait maintenant, le paysan n'en était pas moins à l'affût.

— Il n'y a pas d'offense, dites ?

— Mais non.

C'était le fermier qui devenait rouge et soupirait :

— Une fameuse femelle !

Lambert, en remontant dans sa voiture, regretta de ne pas l'avoir emmenée. Il n'y avait pas, aujourd'hui, de charrette sur la route, personne en vue, et il eut un regard trouble vers l'endroit où, la dernière fois, elle avait franchi le fossé d'un bond.

Il était trop tard pour aller la chercher. Dans quelques minutes, la sirène du chantier se ferait entendre et elle s'en irait avec les autres pour déjeuner.

Après, lorsqu'il aurait réalisé son rêve éveillé, il était décidé à lui poser des questions.

Répondrait-elle ? Se rendait-elle compte du point où ils en étaient arrivés tous les deux ? Ils n'étaient pas des amants comme les autres, ils n'étaient pas des amants, ils étaient, ils avaient toujours été, deux complices.

Ce qu'il voulait savoir, et il faudrait bien qu'elle le lui dise, c'est si elle se sentait coupable. Il était sûr que non. Si elle s'était sentie coupable, elle n'aurait pas été ce qu'elle était. Mais c'était de sa bouche qu'il avait besoin de l'entendre. Il ferait n'importe quoi pour cela, il lui ferait mal jusqu'à ce qu'elle parle.

Parce qu'il s'était contenté, lui, de la suivre, de découvrir en elle ce qu'il avait cherché à tâtons toute sa vie.

Les autres ne comptaient pas. Il n'avait eu avec elles, même avec Léa, que des gestes obscènes qui ne laissaient aucune trace.

La révélation qu'il avait eue de leur faculté de fuite...

On lui faisait signe de s'arrêter, deux gendarmes debout près d'une petite auto noire, et un des deux, touchant son képi, s'approchait de la portière.

— Vous êtes du pays ?

Cela devait être ceux de Marpou, car il ne les connaissait pas et eux ne le connaissaient pas non plus.

— Joseph Lambert, disait-il, l'entrepreneur du quai Colbert.

Il leur tendait sa carte grise, son permis de conduire et le gendarme prenait des notes dans son calepin.

— Je ne roulais pourtant pas trop vite ?

— Non. Nous arrêtons toutes les tractions-avant, selon les instructions qu'on nous a données. Vous avez des affaires par là ?

— Un chantier à la ferme Renondeau.

— Vous y allez souvent ?

— Presque chaque jour en ce moment pour jeter un coup d'œil aux
travaux.

— Vous êtes venu mercredi après-midi ?

— Oui.

— Vers quelle heure ?

— J'ai dû arriver aux environs de quatre heures et demie et repartir
vers cinq heures. Je n'ai pas consulté ma montre.

— Vous êtes passé par la Grande Côte ?

Il hésita, la bouche sèche.

— Oui.

— Avant l'accident ?

— Je suppose que oui, puisque je n'ai rien vu.

— Vous êtes rentré directement en ville ?

— Je suis passé par la laiterie de Tréfoux, où j'ai un autre chantier.

C'était déjà fini. Le gendarme lui rendait ses papiers et touchait à
nouveau son képi.

— Vous êtes le dixième ce matin, dit-il comme pour le consoler.

Lambert lui rendit son salut. Le brave gendarme ne se rendait
compte de rien, mais ces renseignements-là aboutiraient bien quelque
part, à un moment ou à un autre, peut-être sur le bureau de Benezech,
où ils seraient confrontés avec d'autres.

— *Fais attention à toi*, lui avait conseillé Léa.

— *Fais attention*, lui avait recommandé Nicole au téléphone.

Edmonde, elle, s'était contentée de le regarder au fond des yeux
d'un regard qui n'avait de sens que pour eux.

L'homme aux chèvres commençait, de son même pas allongé, à
gravir la Grande Côte et le reconnut, leurs regards se croisèrent, celui
de l'homme exprimait toujours une joie diabolique.

8

Sa seule peur, au début, fut qu'ils viennent le chercher avant le
retour d'Edmonde car, pour le reste, il n'espérait plus ; au fond, dès
le premier jour, il avait su que sa vie ne redeviendrait jamais comme
avant, que l'accident du Château-Roisin l'avait coupée en deux et, s'il
s'était débattu, c'est parce que sa nature le poussait à lutter contre le
sort et les hommes.

Ce n'était plus désormais qu'une question d'heures ou de minutes et seul comptait pour lui le rendez-vous qu'il s'était donné à lui-même autant et presque plus qu'à Edmonde.

Le reste avait perdu son importance et, en déjeunant en tête à tête avec Nicole, il regardait l'appartement autour de lui comme un décor étranger, sa femme comme n'importe quel être qui n'aurait rien eu de commun avec lui. Les années qu'ils avaient passées ensemble n'avaient laissé aucune trace. Il ne subsistait rien entre eux, pas même cette familiarité qui se crée, à la caserne, par exemple, entre hommes qui ont partagé la même chambrée.

On aurait dit qu'elle le savait, qu'un instinct l'avertissait, elle qui croyait si peu à l'instinct, et elle parlait d'une voix plus neutre, feutrée, avec un certain moelleux dans le regard, comme on parle à un malade ou à quelqu'un qui s'en va pour toujours.

Il n'était pas ému, seulement inquiet, et ce n'était pas à Nicole qu'il pensait mais à Edmonde, aux minutes qui le séparaient de son retour.

L'autre peur lui vint plus tard, quand il descendit et déambula dans les bureaux d'abord, puis dans les chantiers et les magasins où le travail avait repris, et cette peur-là était encore moins raisonnée que la première.

Si Edmonde allait ne pas venir ? Si elle allait avoir un empêchement ? Si quelqu'un, pour une raison imprévisible, la retenait ailleurs ? Cela n'était jamais arrivé. Elle était ponctuelle et, en plus d'un an, ne s'était jamais absentée pour raison de maladie. Il semblait chercher des motifs de se torturer et, chaque fois qu'il regardait l'heure à sa montre-bracelet, son impatience croissait, à deux heures moins dix, déjà, il se tenait sur le trottoir près de la voiture.

Marcel fut le premier à descendre d'auto et, sans rien dire, à regarder son frère en fronçant les sourcils.

C'était égal à Lambert, maintenant, ce qu'on pouvait penser de lui, surtout Marcel. Il n'avait plus le temps de se préoccuper des autres. Il avait quelque chose à faire et c'était devenu une idée fixe, dépouillée de tout ce qu'il y avait mis le matin dans son demi-sommeil.

Même si cela ne devait être qu'une sorte de symbole, il était indispensable que cela soit. Le reste passait au second plan, s'effaçait, et il regardait défiler ses employés comme des inconnus.

Quand elle tourna le coin de la rue de la Ferme, avec sa robe noire et son chapeau blanc, il ouvrit la portière, beaucoup trop tôt, resta là immobile, sans doute grotesque, à l'attendre en lui faisant signe de ne pas entrer au bureau mais de le rejoindre.

Déroutée, elle obéissait, s'installait à l'avant de l'auto, son sac à main, blanc comme le chapeau, sur ses genoux.

Il se retint de soupirer :

— Enfin !

Et, sans la regarder, comme on emporte une proie, il mit brutalement le moteur en marche, embraya, fit un départ si bruyant que deux ou trois visages se montrèrent aux fenêtres.

— J'ai eu peur, ne put-il s'empêcher d'avouer.

— De quoi ?

L'heure du respect humain était passée.

— Que vous ne veniez pas.

Il ne la regardait toujours pas et ne vit pas sa réaction. Elle ne dit rien. Était-elle surprise ? Le comprenait-elle ? Ou bien avait-il créé dans son esprit une Edmonde qui n'existait pas dans la réalité ?

Est-ce que, comme le jeune maçon l'avait dit crûment, elle était seulement un *bestiau ?*

Il roulait vite, prenait les virages à la corde et, une fois hors de la ville, s'assura, dans son rétroviseur, qu'aucune voiture n'était sur sa trace.

Il avait gagné ! Il en était fier, heureux, comme s'il venait de remporter une victoire capitale. Sur la grand-route, il poussa le moteur à fond, pour se détendre, et de temps en temps il donnait un coup de klaxon qui ressemblait à un cri de triomphe. Il traversait des villages, de vastes étendues de prés plats et Edmonde gardait toujours l'immobilité, les yeux fixés droit devant elle. Il ne pouvait pas encore savoir si elle était à l'unisson, ni si elle se rendait compte qu'aujourd'hui cela devait être dix fois, cent fois plus extraordinaire que par le passé.

A un carrefour, il fonça vers la gauche, et les bois d'Orville, où il possédait une action de chasse et où il venait de temps en temps, n'étaient plus loin, tout de suite après une ancienne maison de garde transformée en auberge que fréquentaient les chasseurs. A moins d'un kilomètre, un chemin s'enfonçait dans la futaie et c'est là que, laissant sa voiture sur le bas-côté, il se proposait d'entraîner Edmonde...

— Qu'est-ce qu'il y a ?

Il venait, rageur, de pousser un juron à la vue de deux hommes porteurs de fusils, suivis de leurs chiens, qui sortaient du restaurant. Il les connaissait tous les deux. L'un était Weisberg, l'autre Jean Rupert, le confiseur de la rue Saint-Martin. Il n'avait pas pensé qu'on était lundi, que la plupart des magasins de la ville étaient fermés et que c'était le jour de liberté des commerçants. Weisberg, qui l'avait reconnu, levait la main pour le saluer.

Cela devenait impossible de s'engager dans le chemin auquel il avait pensé et que les deux chasseurs allaient atteindre à leur tour. C'était le bois d'Orville entier qui leur était interdit, car il devait y en avoir d'autres en quête de gibier.

Ses sourcils s'étaient froncés, ses yeux étaient devenus durs et, au croisement suivant, il prit le chemin creux qui dévalait la colline. On l'obligeait à changer ses plans, à improviser. Au bas du chemin quelques arbres entouraient un étang, l'étang Notre-Dame, trop peu envasé pour la pêche et dont la rive était d'habitude déserte.

Edmonde se laissait conduire, lui lançant parfois un coup d'œil intrigué. Elle devait sentir sa tension, décuplée par les obstacles. Elle n'était pas inquiète mais surprise.

L'air menaçant, il arrêta la voiture au bord du chemin, dans la boue, fit claquer la portière après avoir prononcé durement :

— Descends.

Ils n'avaient qu'une centaine de mètres à parcourir le long d'un sentier pour arriver au bord de l'eau mais ils n'allèrent pas jusqu'au bout car les cris d'enfants parvinrent jusqu'à eux et ils aperçurent une demi-douzaine de gamins des environs qui se baignaient tout nus dans l'étang.

Il lui fut reconnaissant de ne pas sourire, d'attendre sa décision sans le regarder en face, et l'excès même de sa déception lui rendit son calme.

— Viens ! Je te demande pardon.

Les autres endroits qu'il connaissait n'étaient pas dans cette direction-ci mais de l'autre côté de la ville, le long du canal ou vers la ferme Renondeau. Il ne voulait pas courir le risque de se montrer dans les rues et tout ce qu'il restait à faire était de chercher, au petit bonheur, un coin désert.

Il se raccrochait à son désir et, en montant dans la voiture, il alluma fébrilement une cigarette en murmurant :

— C'est idiot !

Il mesurait le ridicule de la situation mais était incapable d'en rire, c'était au contraire, pour lui, la menace d'un effondrement, d'une fin grotesque. Cela lui remit en mémoire le rire silencieux de l'homme aux chèvres et il regretta de n'être pas allé, la veille au soir, en finir avec lui comme l'envie l'en avait effleuré.

Il évitait de regarder Edmonde, craignant de découvrir que c'était une dactylo quelconque qui était assise à côté de lui et qui souhaitait se retrouver le plus vite possible dans le cadre paisible et rassurant du bureau.

Ce n'était pas vrai ! Il se rappelait des détails inexprimables, qui feraient sans doute hausser les épaules à n'importe qui mais qu'il prenait au sérieux, comme la fois que, couchée sur le dos, elle fixait le tronc robuste d'un chêne d'un œil fasciné. A cause des réactions qu'elle venait d'avoir, il avait compris cette fascination-là. Pour elle, l'arbre puissant était un autre principe de vie, comme l'organe mâle qu'elle caressait et, devant la blessure d'un pin d'où coulait la sève, elle pensait naturellement à la sève de l'homme ; dans son esprit, tout se confondait, tout ce qui se gonfle de vie, tout ce qui se reproduit, tout ce qui, obscurément, tend vers une naturelle plénitude.

Il s'était arrêté une fois de plus au bord de la route, restait assis devant son volant, les yeux vides, et elle le regarda avec surprise.

Il se contenta de jeter sa cigarette à demi consumée par la portière.

— Allons ! soupira-t-il.

Il venait de vaciller. Sa foi n'était plus aussi ferme. Il doutait. Il avait failli, tout à coup, faire demi-tour et rentrer en ville sans tenter l'expérience. Il roulait lentement, presque détendu, comme si à présent cela avait moins d'importance, épiant les chemins qui s'amorçaient, à la recherche d'un coin solitaire comme les amoureux bébêtes du dimanche.

Deux ou trois fois, il crut avoir trouvé, mais il y avait un sort contre lui, chaque fois il apercevait au dernier moment un paysan dans son champ, une vieille qui gardait ses vaches, ou encore, à proximité, une maison qu'il n'avait pas vue tout d'abord.

Il ne savait plus où il était, car il s'était éloigné des grand-routes et avait tourné en rond. Il finit, sans espoir, par suivre un chemin défoncé qui aboutissait à un cul-de-sac. Deux barrières ouvraient sur des prés où paissaient des vaches blanches et noires. Le long des haies de ronces, l'herbe était grasse, d'un vert sombre, le terrain humide, ombragé par trois grands ormes.

Comprenant que c'était là, elle descendit en même temps que lui et, pour la première fois, ils étaient aussi gênés l'un que l'autre.

Il aurait voulu parler, avant. Tout à l'heure, quand il l'attendait sur le trottoir du quai Colbert, il s'était promis de s'expliquer et avait même préparé des phrases. Comme ses rêves du matin, elles ne correspondaient déjà plus à la réalité, elles étaient devenues imprononçables, elles auraient sonné faux.

S'approchant de la seconde barrière, il s'assura qu'il y avait des vaches dans les deux prés et, tout au bout de celui de droite, au-dessus de la ligne de l'horizon, distingua le toit rouge d'une ferme.

La voix rauque, il prononça :

— Couche-toi.

Elle marqua une hésitation, s'assit dans l'herbe, à trois mètres de l'auto boueuse.

— Couche-toi ! répéta-t-il en s'agenouillant près d'elle.

Il le fallait. Il se l'était promis. C'était une épreuve qu'il se devait à lui-même de tenter.

— Relève ta robe.

Il fixait le visage d'Edmonde tourné vers le ciel. Il voulait que ce soit comme les autres fois, mieux que les autres fois, et soudain, d'un geste brutal, il lui découvrit le ventre sur lequel il se jeta furieusement.

Elle n'avait pas tressailli. Elle n'avait pas peur. Seulement ses prunelles, toujours braquées sur le ciel, étaient devenues plus fixes et sa bouche avait eu un frémissement de douleur.

— Tu comprends ? grondait-il, sans se soucier de ce qu'il disait puisque ses pensées n'avaient aucun rapport avec des mots possibles.

Il s'acharnait, presque féroce, épiant son visage avec cruauté.

— Tu as compris, dis ? Il faut que tu comprennes, vois-tu. Il faut que je sache...

Trois fois, il espéra. Trois fois, il crut qu'il allait triompher, car les narines se pinçaient et la lèvre supérieure commençait à se retrousser dans une expression qui le hantait, qu'il voulait retrouver coûte que coûte parce que c'était le signe.

Il était indispensable que ce soit encore possible, car cela prouverait qu'il avait raison, que c'était dans la Grande Côte, quand l'autobus avait hurlé, qu'il s'était trompé.

— Tu comprends, dis ? Tu comprends ?

Alors, à l'instant où il touchait au but, voilà que les traits se brouillaient et qu'une goutte salée suintait de la paupière, une seule, cependant qu'Edmonde laissait retomber ses bras mous et gémissait à voix basse :

— Je ne peux pas. Pardon...

Debout d'une détente, il évita de la regarder pendant qu'elle se relevait à son tour et arrangeait sa robe. Il l'entendit marcher vers la voiture où elle resta debout devant la portière, tête basse, à l'attendre.

Quand il s'approcha enfin de l'auto, il était redevenu lui-même en apparence, mais il avait les traits tirés, le regard vide.

— Vous m'en voulez ? murmura-t-elle.

Il fit non de la tête, s'assit sur le siège et tourna la clef de contact.

Elle dut le croire, penser que cela n'avait pas d'importance, car elle avait repris son expression sereine du bureau.

Ils n'avaient rien à se dire. Faute de pouvoir tourner la voiture, il sortit du chemin en marche arrière et, après deux tournants, il retrouvait la grand-route dont il ne se savait pas si proche.

Ce qu'elle ne soupçonnerait probablement jamais, c'est qu'un peu plus tôt, alors qu'elle regardait les nuages blancs dans le ciel, il avait résisté au désir de la détruire.

C'était passé. Il était si calme, à présent, qu'elle en était surprise et lui jetait parfois un coup d'œil à la dérobée. Il semblait sourire. Peut-être souriait-il réellement. La grimace de l'homme aux chèvres, aussi, était un sourire. Cela n'avait plus d'importance. Rien n'avait plus d'importance. S'il s'était trompé, cela ne regardait que lui et cela ne signifiait pas qu'il avait tout à fait tort.

Est-ce que, lorsqu'elle avait eu une larme d'impuissance, elle pensait au car qui hurlait d'effroi derrière eux, aux visages encore joyeux des enfants qui allaient brûler ?

Il y avait pensé aussi.

Et après ? Cela prouvait-il qu'ils étaient coupables ? Est-ce qu'elle s'était sentie coupable, elle, et est-ce qu'elle avait eu honte ?

Encore une fois, cela n'avait pas d'importance. C'était Mlle Pampin qui était assise à côté de lui et il n'avait rien de commun avec Mlle Pampin, en dehors de la dictée du courrier et des affaires du bureau. Pas de lettres aujourd'hui. Il n'avait pas besoin non plus de l'emmener sur l'un ou l'autre chantier.

Il était presque gêné par sa présence qu'il avait tant attendue et elle lui était devenue encore plus étrangère que Nicole, l'image d'elle et de sa mère marchant bras dessus bras dessous place de l'Hôtel-de-Ville lui revint à l'esprit et lui parut grotesque.

Il souriait vraiment et ce n'était pas elle qui aurait été capable d'interpréter ce sourire-là. Peut-être l'homme aux chèvres ?

A mesure qu'ils approchaient de la ville le décor devenait plus familier, il regardait sans les voir des villages, un château, un pont sur une rivière qu'il avait contemplés des milliers de fois.

Il n'avait plus aucune raison de se presser et il n'avait pas besoin non plus, comme en descendant la Grande Côte, de rouler au ralenti.

Quel signe les deux femmes, Nicole et Léa, avaient-elles vu sur son visage ? Cela l'intriguait. Il était persuadé que quelque chose lui échappait.

— *Fais attention à toi*, avait dit Léa qui, si gentiment, l'instant d'avant, lui avait ouvert ses cuisses et qu'il avait dédaignée.

— *Fais attention*, avait recommandé sa femme au téléphone.

Il franchissait le pont du canal où, enfant, il avait pris son premier poisson, avec une baguette, un bout de ficelle et une épingle recourbée. En face, on lisait sur le mur blanc :

« *Les Fils de J. Lambert.* »

Les Nord-Africains continuaient à monter sur la péniche le long des planches élastiques et à en descendre en file indienne, chargés de briques.

Il arrêta l'auto au bord du trottoir, alla ouvrir la portière à Edmonde qui, sans l'attendre, se dirigea vers l'entrée des bureaux.

La dernière chose qu'il regarda sur le quai fut le nœud rose dans les cheveux de la petite fille de la péniche.

Il gravit les cinq marches à son tour, poussa la porte et une des employées qui servait de téléphoniste, Mlle Berthe, courte et boulotte, avec une fossette au menton, lui annonça :

— M. Benezech a téléphoné. Il demande que vous le rappeliez dès votre retour.

Il répondit distraitement :

— Je sais.

— Je vous demande la communication ?

— Tout à l'heure.

Edmonde était déjà assise devant sa table vernie et retirait crayons et gommes du tiroir. Marcel, à travers la cloison vitrée du bureau des dessinateurs, le suivait des yeux.

Il se retourna pour voir M. Bicard dans sa cage, avec la boîte jaune de cachou à côté du grand livre.

Il poussa la porte de son bureau, hésita, la referma derrière lui. Les fenêtres étaient ouvertes et l'odeur de résine arrivait jusqu'à lui de la péniche, il y avait, à cause des briques qu'on maniait depuis trois jours, de la poussière rose dans le soleil.

Il s'assit à sa place, calmement, et c'est à son frère Fernand, qu'il connaissait si peu, qu'il pensa en ouvrant le sous-main pour y prendre une feuille de papier.

Il ne devait pas s'attarder, car n'importe qui pouvait surgir et il n'avait pas voulu mettre le verrou.

Avec le gros crayon bleu qui lui servait à annoter les dossiers, il écrivit en caractères d'imprimerie :

« *Je ne suis pas coupable.* »

Laissant la feuille sur le buvard, il ouvrit le tiroir de droite et saisit le revolver d'ordonnance qu'il avait rapporté de la guerre. Ne sachant plus s'il était chargé, il dut s'en assurer.

Il s'accorda encore un instant pour regarder par la fenêtre et ce qu'il cherchait des yeux c'était le ruban rose dans les cheveux de la gamine. Il ne la vit pas. Sans doute était-elle rentrée dans la cabine pour goûter, car il était quatre heures.

Il jeta un coup d'œil au plafond, se demandant si sa femme était là-haut. Puis, très vite, il eut la vision de ce qui se passerait dans quelques instants, les allées et venues, l'affolement, les coups de téléphone, l'arrêt brusque du travail dans les bureaux et sur les chantiers.

Il pensa aussi à l'enterrement, au groupe de la famille, y compris le petit M. Motard et son gendre, à celui du personnel, puis des amis, de ceux du *Café Riche*, de la société de chasse, aux fournisseurs, aux clients, à la foule anonyme.

Il pensa à Léa enfin, mais se refusa à penser à Edmonde.

Une première fois, il leva le canon du revolver vers sa bouche, sachant que c'est dans la bouche qu'il faut tirer, de bas en haut, mais il interrompit son geste et posa l'arme sur le bureau, le regard fixé sur la feuille de papier.

Il saisit encore une fois le crayon bleu, hésita, pensif, à biffer d'une croix ce qu'il avait écrit ou à corriger son texte. Enfin, se ravisant encore, il froissa le papier dans sa main et le jeta dans la corbeille.

A quoi bon ? Était-ce à lui de décider ?

Il eut l'impression que des pas approchaient, qu'on allait frapper à la porte et, fermant les yeux, il se dépêcha de tirer.

La Gatounière, Mougins (Alpes-Maritimes), 13 septembre 1955.

EN CAS DE MALHEUR

1

Dimanche 6 novembre

Il y a deux heures à peine, après le déjeuner, dans le salon où nous venions de passer pour prendre le café, je me tenais debout devant la fenêtre, assez près de la vitre pour en sentir l'humidité froide, quand j'ai entendu derrière moi ma femme prononcer :

— Tu comptes sortir cet après-midi ?

Et ces mots si simples, si ordinaires, m'ont paru lourds de sens, comme s'ils cachaient entre leurs syllabes des pensées que ni Viviane ni moi n'osions exprimer. Je n'ai pas répondu tout de suite, non parce que j'hésitais sur mes intentions, mais parce que je suis resté un moment en suspens dans cet univers un peu angoissant, plus réel, au fond, que le monde de tous les jours, qui donne l'impression de découvrir l'envers de la vie.

J'ai dû finir par balbutier :

— Non. Pas aujourd'hui.

Elle sait que je n'ai pas de raison de sortir. Elle l'a deviné comme le reste ; peut-être, en outre, se tient-elle informée de mes faits et gestes. Je ne lui en veux pas plus de ça qu'elle ne m'en veut de ce qui m'arrive.

A l'instant où elle a posé sa question, je regardais, à travers la pluie froide et sombre qui tombe depuis trois jours, depuis la Toussaint exactement, un clochard aller et venir sous le Pont-Marie en se frappant les flancs pour se réchauffer. Je fixais surtout un tas de hardes sombres, contre le mur de pierre, en me demandant s'il bougeait réellement ou si c'était une illusion causée par le frémissement de l'air et le mouvement de la pluie.

Il bougeait, j'en ai été sûr un peu plus tard, quand un bras s'est dégagé des loques, puis une tête de femme, bouffie, encadrée de cheveux en désordre. L'homme a cessé de déambuler, s'est tourné vers sa compagne pour Dieu sait quel dialogue, puis est allé prendre entre deux pierres, pendant qu'elle se mettait sur son séant, une bouteille à moitié pleine qu'il lui a tendue et à laquelle elle a bu au goulot.

Depuis dix ans que nous habitons quai d'Anjou, dans l'île Saint-Louis, j'ai souvent observé les clochards. J'en ai vu de toutes les sortes, des femmes aussi, mais c'est la première fois que j'en ai vu se comporter comme un vrai couple. Pourquoi cela m'a-t-il remué en me faisant penser à un mâle et à sa femelle tapis dans leur abri de la forêt ?

Certains, lorsqu'ils parlent de Viviane et de moi, font allusion à un couple de fauves, on me l'a répété, et sans doute ne manque-t-on pas de souligner que, chez les bêtes sauvages, la femelle est la plus féroce.

Avant de me retourner et de me diriger vers le plateau sur lequel le café était servi, j'ai eu le temps d'enregistrer une autre image, un homme très grand, au visage coloré, émergeant de l'écoutille d'une péniche amarrée en face de chez nous. Il portait son ciré noir par-dessus sa tête pour s'aventurer dans l'univers mouillé et, un litre vide au bout de chaque bras, il s'est engagé sur la planche glissante reliant le bateau au quai. Lui et les deux clochards étaient, à ce moment-là, avec un chien jaunâtre collé contre un arbre noir, les seuls êtres vivants dans le paysage.

— Tu descends au bureau ? a encore questionné ma femme alors que, debout, je vidais ma tasse de café.

J'ai dit oui. J'ai toujours eu horreur des dimanches, surtout des dimanches de Paris qui me donnent une angoisse assez proche de la panique. La perspective d'aller faire la queue, sous les parapluies, devant quelque cinéma, me soulève le cœur, comme celle de déambuler aux Champs-Élysées, par exemple, ou aux Tuileries, ou encore de rouler en voiture, en cortège, sur la route de Fontainebleau.

Nous sommes rentrés tard, la nuit dernière. Après une répétition générale au Théâtre de la Michodière, nous avons soupé au *Maxim's* pour finir, vers trois heures du matin, dans un bar en sous-sol, aux environs du Rond-Point, où se retrouvent les acteurs et les gens de cinéma.

Je ne supporte plus aussi bien le manque de sommeil qu'il y a quelques années. Viviane, elle, ne semble jamais ressentir de fatigue.

Combien de temps sommes-nous encore restés dans le salon sans rien nous dire ? Cinq minutes au moins, j'en jurerais, et cinq minutes de ce silence-là paraissent longues. Je regardais ma femme le moins possible. Voilà plusieurs semaines que j'évite de la regarder en face et que j'écourte nos tête-à-tête. Peut-être a-t-elle eu envie de parler ? J'ai cru qu'elle allait le faire quand, comme je lui tournais le dos à moitié, elle a ouvert la bouche, hésitante, pour articuler enfin, au lieu des mots qu'elle avait envie de prononcer :

— Je passerai tout à l'heure chez Corine. Si, en fin d'après-midi, le cœur t'en dit, tu n'auras qu'à venir m'y retrouver.

Corine de Langelle est une amie qui fait beaucoup parler d'elle et qui possède un des plus beaux hôtels particuliers de Paris, rue Saint-Dominique. Parmi un certain nombre d'idées originales, elle a eu celle de tenir maison ouverte le dimanche après-midi.

— C'est une erreur de prétendre que tout le monde va aux courses, explique-t-elle, et peu de femmes accompagnent leur mari à la chasse. Pourquoi serait-on obligé de s'ennuyer parce que c'est dimanche ?

J'ai tourné en rond dans le salon et j'ai fini par grommeler :

— A tout à l'heure.

J'ai traversé le corridor et franchi la porte du bureau. Après des années, cela me fait encore un curieux effet d'y accéder par la galerie. L'initiative en revient à Viviane. Quand l'appartement en dessous du nôtre s'est trouvé à vendre, elle m'a conseillé de l'acheter pour y installer mon cabinet, car nous commencions à être à l'étroit, surtout pour recevoir. Le plancher d'une des pièces, la plus grande, a été enlevé et remplacé par une galerie à hauteur de l'étage supérieur.

Cela donne une pièce très haute, à deux rangs de fenêtres, tapissée de livres en bas comme en haut, qui n'est pas sans ressembler à une bibliothèque publique, et il m'a fallu un certain temps pour m'habituer à y travailler et à y recevoir mes clients.

Je me suis quand même aménagé, dans une des anciennes chambres, un coin plus intime où je prépare mes plaidoiries et où un divan de cuir me permet de faire la sieste tout habillé.

J'ai fait la sieste aujourd'hui. Ai-je vraiment dormi ? Je n'en suis pas certain. Dans la pénombre, j'ai fermé les yeux et je ne crois pas avoir cessé d'entendre l'eau couler dans la gouttière. Je suppose que Viviane s'est reposée, elle aussi, dans le boudoir tendu de soie rouge qu'elle s'est aménagé à côté de notre chambre.

Il est un peu plus de quatre heures. Elle doit être occupée à sa toilette et passera vraisemblablement m'embrasser avant de se rendre chez Corine.

Je me sens les yeux bouffis. J'ai mauvaise mine depuis longtemps et les médicaments que le Dr Pémal m'a prescrits n'y font rien. Je continue néanmoins à avaler consciencieusement gouttes et comprimés qui forment un petit arsenal devant mon couvert.

J'ai toujours eu de gros yeux, une grosse tête, si grosse qu'il n'existe à Paris que deux ou trois maisons où je trouve des chapeaux à ma taille. A l'école, on me comparait à un crapaud.

Un craquement se fait parfois entendre, parce que le bois de la galerie travaille par temps humide et, chaque fois, je lève la tête, comme pris en faute, m'attendant à voir descendre Viviane.

Je ne lui ai jamais rien caché et pourtant je lui cacherai ceci, que je mettrai sous clef dans l'armoire Renaissance de mon cagibi. Avant de commencer à écrire, je me suis assuré que la clef, dont on ne s'est jamais servi, n'a pas été perdue et que la serrure fonctionne. Il faudra aussi que je trouve une place pour cette clef, derrière certains livres de la bibliothèque, par exemple ; elle est énorme et ne tiendrait pas dans mes poches.

J'ai pris, dans le tiroir de mon bureau, une chemise en carte de Lyon beige qui porte mon nom et mon adresse imprimés.

Lucien Gobillot
Avocat à la Cour d'appel de Paris
17 bis, *quai d'Anjou — Paris*

Des centaines de ces dossiers-là, plus ou moins gonflés de drames, ceux de mes clients, emplissent un classeur métallique que Mlle Bordenave tient à jour, et j'ai hésité à écrire mon nom à l'endroit où, sur les autres, figure celui du client. J'ai fini, avec un sourire ironique, par tracer un seul mot, au crayon rouge : *Moi.*

C'est mon propre dossier, en somme, que je commence, et il n'est pas impossible qu'il serve un jour. Je suis resté plus de dix minutes, intimidé, avant d'écrire la première phrase, tenté que j'étais de commencer, comme un testament, par :

Je soussigné, sain de corps et d'esprit...

Car cela ressemble à un testament aussi. Plus exactement, j'ignore à quoi cela ressemblera et je me demande s'il y aura, en marge, les signes cabalistiques dont je me sers pour mes clients.

J'ai l'habitude, en effet, de noter, devant eux, à mesure qu'ils parlent, l'essentiel de ce qu'ils disent, le vrai et le faux, le demi-vrai et le demi-faux, les exagérations et les mensonges, et, par des signes qui n'ont de sens que pour moi, j'enregistre en même temps mon impression du moment. Certains de ces signes sont inattendus, baroques, ressemblant à ces bonshommes ou à ces croquis informes que certains magistrats griffonnent sur leur buvard pendant les longues plaidoiries.

J'essaie de me moquer de moi, de ne pas me prendre au tragique. Pourtant, n'est-ce pas déjà un symptôme d'avoir besoin de m'expliquer par écrit ? Pour qui ? Pourquoi ? Je n'en ai aucune idée. En cas de malheur, en somme, comme disent les braves gens qui mettent de l'argent de côté. Pour l'éventualité où les choses tourneraient mal.

Peuvent-elles tourner autrement ? Même chez Viviane, je devine un sentiment qui lui a toujours été étranger et qui ressemble comme deux gouttes d'eau à de la pitié. Elle ne sait pas, elle non plus, ce qui nous attend. Elle n'en comprend pas moins que cela ne peut pas durer longtemps ainsi, qu'il faut que quelque chose se produise, n'importe quoi.

Pémal aussi, qui me soigne depuis quinze ans, le soupçonne, et, s'il me donne des médicaments, je suis sûr que c'est sans conviction. Quand il vient me voir, il affiche d'ailleurs cette désinvolture, cette gaieté dont il doit se masquer en pénétrant chez un grand malade.

— Qu'est-ce qui ne va pas, aujourd'hui ?

Rien. Rien et tout. Alors, il me parle de mes quarante-cinq ans et du travail énorme que j'ai toujours fourni, que je continue à fournir. Il plaisante :

— Un moment vient où la machine la plus puissante et la plus parfaite a besoin de petites réparations...

A-t-il entendu parler d'Yvette ? Pémal ne vit pas dans le même milieu que nous, où on ne doit rien ignorer de ma vie privée. Il a sans doute lu, dans les hebdomadaires, certains échos qui n'ont de sens véritable que pour les initiés.

D'ailleurs, il ne s'agit pas seulement d'Yvette. C'est la machine tout entière, pour employer son expression, qui ne tourne pas rond, et cela ne date pas d'aujourd'hui, ni de quelques semaines ou de quelques mois.

Vais-je prétendre que je sais depuis vingt ans que cela finira mal ? Ce serait exagéré, mais pas plus que d'affirmer que cela a commencé voilà un an avec Yvette.

J'ai envie de...

Ma femme vient de descendre, vêtue d'un tailleur noir sous son vison, avec une demi-voilette qui donne du mystère au haut de son visage un peu fané. Quand elle s'est approchée, j'ai senti son parfum.

— Crois-tu que tu me rejoindras ?

— Je ne sais pas.

— Nous pourrions ensuite dîner en ville, n'importe où.

— Je te téléphonerai chez Corine.

Pour le moment, je désire rester seul dans mon coin, dans ma sueur. Elle a posé ses lèvres sur mon front et s'est dirigée vers la porte, le pas alerte.

— A tout à l'heure.

Elle ne m'a pas demandé à quoi je travaille. Je l'ai regardée sortir et me suis levé pour aller coller mon front à la vitre.

Le couple de clochards est toujours sous le Pont-Marie. L'homme et la femme, à présent, sont assis côte à côte, adossés à la pierre du quai, et regardent couler l'eau sous les arches. De loin, on ne peut pas voir leurs lèvres remuer et il est impossible de savoir s'ils parlent, le bas du corps au chaud sous les couvertures trouées. S'ils parlent, que trouvent-ils à se dire ?

Le marinier a dû revenir avec sa ration de vin et on devine, dans la cabine, la lumière rougeâtre d'une lampe à pétrole.

Il pleut toujours et il fait presque nuit.

Avant de me remettre à écrire, j'ai formé, sur le cadran du téléphone, le numéro de l'appartement de la rue de Ponthieu, et cela m'a fait mal d'entendre la sonnerie, là-bas, sans m'y trouver moi-même. Il s'agit d'une sensation que je commence à connaître, une sorte de serrement, de spasme dans la poitrine, qui m'y fait porter la main à la façon d'un cardiaque.

La sonnerie a résonné longtemps, comme dans un logement vide, et je m'attendais à ce qu'elle s'arrête quand un déclic s'est produit. Une voix endormie, maussade, a murmuré :

— Qu'est-ce que c'est ?

J'ai failli me taire. Sans prononcer mon nom, j'ai demandé :

— Tu dormais ?

— C'est toi ! Oui, je dormais.

Il y a eu un silence. A quoi bon m'informer de ce qu'elle a fait hier soir et de l'heure à laquelle elle est rentrée ?

— Tu n'as pas trop bu ?

Elle a été forcée de quitter son lit pour répondre au téléphone, car l'appareil n'est pas dans la chambre, mais dans le salon. Elle dort nue. Sa peau, au réveil, a une odeur particulière, son odeur de femme mêlée à celle de la nicotine et de l'alcool. Elle boit beaucoup plus ces derniers temps, comme si elle avait l'intuition, elle aussi, que quelque chose se prépare.

Je n'ai pas osé lui demander s'il était là. A quoi bon ? Pourquoi n'y serait-il pas, puisque je lui ai en quelque sorte cédé la place ? Il doit écouter, soulevé sur un coude, cherchant de la main les cigarettes dans la pénombre de la chambre aux rideaux fermés.

Il y a des vêtements épars sur le tapis, sur les sièges, des verres et des bouteilles à la traîne, et, dès que j'aurai raccroché, elle se dirigera vers le frigidaire pour y prendre de la bière.

Elle fait un effort pour questionner, comme si cela l'intéressait :

— Tu travailles ?

Elle ajoute, m'indiquant ainsi que les rideaux ne sont pas ouverts :

— Il pleut toujours ?

— Oui.

C'est tout. Je cherche des mots à dire et peut-être en cherche-t-elle de son côté. Tout ce que je trouve, c'est un ridicule :

— Sois sage.

Je crois voir sa pose, sur le bras du fauteuil vert, ses seins en poire, son dos maigre de gamine mal portante, le triangle sombre de son pubis qui, je ne sais pourquoi, me paraît toujours émouvant.

— A demain.

— C'est cela : à demain.

Je suis retourné à la fenêtre et on ne voit déjà plus que les guirlandes de réverbères le long de la Seine, leurs reflets sur l'eau et, dans le noir des façades mouillées, par-ci par-là, le rectangle d'une fenêtre éclairée.

Je relis le passage que j'écrivais quand ma femme m'a interrompu.

« *J'ai envie de…* »

Je ne retrouve pas ce que j'avais en tête. Je crois, d'ailleurs, que si je veux continuer ce que j'appelle déjà mon dossier, il sera prudent de ne rien relire, pas même une phrase.

« *J'ai envie de…* »

Ah ! oui. C'est probablement ça. De me traiter comme je traite mes clients. On prétend, au Palais, que j'aurais fait le plus redoutable des juges d'instruction, parce que je parviens à tirer les vers du nez des plus coriaces. Mon attitude ne varie guère, et j'avoue que je me sers de mon physique, de ma fameuse tête de crapaud, de mes yeux globuleux qui, fixant les gens comme sans les voir, les impressionnent. Ma laideur m'est utile, en me donnant l'aspect mystérieux d'un magot chinois.

Je les laisse parler un certain temps, dévider, prenant moi-même des notes d'une main molle, le chapelet de phrases qu'ils ont préparées avant de frapper à ma porte, puis, au moment où ils s'y attendent le moins, j'interromps, sans bouger, le menton toujours sur la main gauche :

— *Non !*

Ce petit mot-là, prononcé sans élever la voix, comme dans l'absolu, manque rarement de les démonter.

— *Je vous assure...* essayent-ils de protester.

— *Non.*

— *Vous prétendez que je mens ?*

— *Les choses ne se sont pas passées comme vous le dites.*

Il y en a, surtout des femmes, à qui cela suffit et qui sourient aussitôt d'un air complice. D'autres se débattent encore.

— *Je vous jure, cependant...*

Avec ceux-là, je me lève, comme si l'entretien était terminé, et me dirige vers la porte.

— *Je vais vous expliquer*, balbutient-ils, inquiets.

— *Ce n'est pas une explication qu'il me faut, c'est la vérité. Les explications, c'est à moi, pas à vous, de les trouver. Du moment que vous préférez mentir...*

Il est rare que j'aie à poser la main sur le bouton.

Je ne peux évidemment pas me jouer cette comédie-là. Mais, si j'écris par exemple :

« *Cela a commencé voilà un an quand...* »

Il m'est loisible de m'interrompre, comme je le fais pour les autres, par un simple et catégorique :

— *Non !*

Ce non-là les déroute encore plus que les précédents et ils ne comprennent plus.

— *Pourtant*, se débattent-ils, *c'est quand je l'ai rencontrée que...*

— *Non.*

— *Pourquoi prétendez-vous que ce n'est pas vrai ?*

— *Parce qu'il faut remonter plus loin.*

— *Remonter jusqu'où ?*

— *Je ne sais pas. Cherchez.*

Ils cherchent et découvrent presque toujours un événement antérieur pour expliquer leur drame. J'en ai sauvé beaucoup de la sorte, non pas, comme on le prétend au Palais, par des artifices de procédure ou des effets de manches devant les jurés, mais parce que je leur ai fait trouver la cause de leur comportement.

Moi aussi, comme eux, j'allais écrire :

« *Cela a commencé...* »

Quand ? Avec Yvette, le soir où, en rentrant du Palais, je l'ai trouvée assise toute seule dans mon salon d'attente ? C'est la solution facile, ce que j'ai envie d'appeler la solution romantique. S'il n'y avait pas eu Yvette, il y en aurait probablement eu une autre. Qui sait même si l'intrusion d'un nouvel élément dans ma vie était indispensable ?

Je n'ai malheureusement pas, comme mes clients quand ils s'assoient dans ce que nous appelons le fauteuil des confessions, quelqu'un devant moi pour m'aider à discerner ma propre vérité, fût-ce par un banal :

— *Non !*

A eux, je ne permets pas de commencer par la fin, ni par le milieu, et c'est pourtant ce que je vais faire, parce que la question d'Yvette m'obsède et que j'ai besoin de m'en débarrasser. Après, s'il m'en reste le goût et le courage, je m'efforcerai de creuser plus avant.

C'était un vendredi, il y a un peu plus d'un an, à peine plus, puisqu'on était à la mi-octobre. Je venais de plaider une affaire de chantage dont le jugement avait été remis à huitaine et je me souviens que ma femme et moi devions dîner dans un restaurant de l'avenue du Président-Roosevelt, avec le préfet de police et quelques autres personnalités. J'étais revenu à pied du Palais, qui n'est qu'à deux pas, et il tombait une pluie fine, presque tiède, fort différente de celle d'aujourd'hui.

Mlle Bordenave, ma secrétaire, que je n'ai jamais eu l'idée d'appeler par son prénom et que, comme tout le monde, j'appelle Bordenave, ainsi que je le ferais d'un homme, attendait mon retour, mais le petit Duret, qui est mon collaborateur depuis plus de quatre ans, était déjà parti.

— Quelqu'un vous attend au salon, m'annonça Bordenave en levant la tête sous son abat-jour vert.

Elle est plutôt blonde que rousse, mais sa sueur a nettement l'odeur des rousses.

— Qui ?

— Une gamine. Elle n'a pas voulu dire son nom, ni le but de sa visite. Elle prétend vous voir personnellement.

— Quel salon ?

Il y a deux salons d'attente, le grand et le petit, comme nous disons, et je savais que ma secrétaire allait répondre :

— Le petit.

Elle n'aime pas les femmes qui insistent pour me parler en personne.

J'avais encore ma serviette sous le bras, mon chapeau sur la tête, mon pardessus mouillé sur le dos quand j'ai poussé la porte et que je l'ai aperçue, au fond d'un fauteuil, les jambes croisées, lisant un magazine de cinéma en fumant une cigarette.

Elle a tout de suite sauté sur ses pieds et m'a regardé de la façon dont elle aurait regardé, en chair et en os, l'acteur qu'on voyait sur la couverture du magazine.

— Suivez-moi par ici.

J'avais noté son manteau bon marché, ses souliers aux talons tournés et surtout ses cheveux coiffés en queue de cheval à la mode des danseuses et de certaines gamines de la rive gauche.

Dans mon bureau, je me débarrassai, allai prendre ma place en lui désignant le fauteuil en face de moi.

— Quelqu'un vous a envoyée ici ? lui demandai-je alors.

— Non. Je suis venue de moi-même.

— Qu'est-ce qui vous a donné l'idée de vous adresser à moi plutôt qu'à un autre avocat ?

Je pose souvent cette question, encore que la réponse ne soit pas toujours flatteuse pour mon amour-propre.

— Vous ne vous en doutez pas ?

— Je ne joue plus aux devinettes.

— Mettons que ce soit parce que vous avez l'habitude de faire acquitter vos clients.

Un journaliste, récemment, a tourné la phrase autrement et, depuis, elle a fait le tour de la presse :

« — *Si vous êtes innocent, prenez n'importe quel bon avocat. Si vous êtes coupable, adressez-vous à Me Gobillot.* »

Le visage de ma visiteuse était cruellement éclairé par la lampe braquée sur le fauteuil aux confessions, et je me souviens de mon malaise en le détaillant, car c'était à la fois un visage d'enfant et un visage très vieux, un mélange de naïveté et de rouerie, j'ai envie d'ajouter d'innocence et de vice, mais je n'aime pas ces mots-là, que je réserve pour les jurés.

Elle était maigre, en mauvaise condition physique, comme les filles de son âge qui vivent à Paris sans hygiène. Pourquoi ai-je pensé qu'elle devait avoir les pieds sales ?

— Vous êtes appelée en justice ?

— Je vais sûrement l'être.

Elle était contente de m'étonner et je suis sûr qu'elle le faisait exprès de croiser les jambes en les découvrant jusqu'au-dessus des genoux. Son maquillage, qu'elle avait rafraîchi en m'attendant, était outrancier et maladroit comme celui des prostituées de bas étage ou de certaines bonniches récemment débarquées à Paris.

— Dès que je rentrerai à mon hôtel, si j'y rentre, je serai arrêtée, et il est probable que tous les agents, dans les rues, ont déjà mon signalement.

— Vous avez voulu me voir *avant* ?

— Parbleu ! Après, il serait trop tard.

Je ne comprenais pas et commençais à être intrigué. C'est sans doute ce qu'elle voulait et je surpris un sourire furtif sur ses lèvres minces.

J'attaquai à tout hasard :

— Je suppose que vous êtes innocente ?

Elle avait lu les échos à mon sujet car elle répondit du tac au tac :

— Si j'étais innocente, je ne serais pas ici.

— Pour quel délit vous recherche-t-on ?

— *Hold-up.*

Elle disait cela simplement, sèchement.

— Vous avez commis une agression à main armée ?

— C'est ce qu'on appelle un *hold-up*, non ?

Alors, je me suis tassé dans mon fauteuil, où j'ai pris ma pose familière, le menton sur la main gauche, ma main droite traçant des mots et des arabesques sur un bloc, la tête un peu de côté, mes gros yeux vagues braqués sur elle.

— Racontez.

— Quoi ?

— Tout.

— J'ai dix-neuf ans.

— Je vous en aurais donné dix-sept.

Je le faisais exprès de la vexer, je ne sais d'ailleurs pas pourquoi. Je pourrais dire que, dès notre premier contact, une sorte d'antagonisme était né entre nous. Elle me défiait et je la défiais. A ce moment-là, nos chances pouvaient encore paraître égales.

— Je suis née à Lyon.

— Ensuite ?

— Ma mère n'est ni femme de ménage, ni ouvrière d'usine, ni prostituée.

— Pourquoi dites-vous ça ?

— Parce que, d'habitude, c'est le cas, non ?

— Vous lisez des romans populaires ?

— Seulement les journaux. Mon père est instituteur et, avant de se marier, ma mère appartenait aux P.T.T.

Elle semblait attendre une riposte qui ne vint pas, ce qui la dérouta un instant.

— Je suis allée à l'école jusqu'à l'âge de seize ans, j'ai passé mon brevet et j'ai travaillé comme dactylo pendant un an, à Lyon, dans une compagnie de transports routiers.

J'avais pris le parti du silence.

— Un jour, j'ai décidé de tenter ma chance à Paris et j'ai convaincu mes parents que j'avais trouvé une place par correspondance.

Je me taisais toujours.

— Cela ne vous intéresse pas ?

— Continuez.

— J'y suis venue, sans emploi, et je me suis débrouillée, puisque je suis encore en vie. Vous ne me demandez pas comment je me suis débrouillée ?

— Non.

— Je vous le dis quand même. De toutes les façons. Par tous les moyens.

Je ne bronchai pas et elle insista :

— Tous ! Vous comprenez ?

— Ensuite ?

— J'ai rencontré Noémie, qui s'est fait pincer je ne sais où et qu'ils doivent encore être en train d'interroger en ce moment. Comme ils savent que nous étions deux dans le coup, qu'ils découvriront, si on ne le leur a pas déjà dit, que nous partagions la même chambre d'hôtel, ils vont m'y attendre. Vous connaissez l'*Hôtel Alberti*, rue Vavin ?

— Non.

— C'est là.

Mon attitude commençait à l'impatienter, et même à lui faire perdre contenance. De mon côté, je me donnais, exprès, l'air plus massif, plus indifférent.

— Vous êtes toujours comme ça ? remarqua-t-elle avec dépit. Je me figurais que votre rôle était d'aider vos clients.

— Encore faut-il que je sache en quoi je peux les aider.

— A nous faire acquitter toutes les deux, tiens !

— J'écoute.

Elle hésita, haussa les épaules, reprit :

— Tant pis ! Je vais essayer. On a fini par en avoir marre, toutes les deux.

— De quoi ?

— Vous voulez un dessin ? Moi, cela ne me gêne pas et, si vous aimez les histoires dégoûtantes...

Il y avait du mépris, de la déception dans sa voix, et je l'encourageai pour la première fois, m'en voulant un peu de m'être montré encore plus dur qu'à mon habitude.

— Qui a eu l'idée du *hold-up* ?

— Moi. Noémie est trop bête pour avoir une idée. C'est une bonne fille, mais elle a le cerveau épais. En lisant les journaux, je me suis dit qu'avec un peu de chance nous pouvions, en une fois, nous en sortir pour des semaines et peut-être pour des mois. Il m'arrive souvent de battre le pavé, le soir, aux environs de la gare Montparnasse, et je commence à connaître le quartier. J'ai remarqué, rue de l'Abbé-Grégoire, la boutique d'un horloger qui reste ouverte tous les soirs jusqu'à neuf ou dix heures.

» C'est une boutique étroite, mal éclairée. Au fond, on aperçoit une cuisine où une vieille femme tricote ou épluche ses légumes en écoutant la radio.

» L'horloger, aussi vieux qu'elle et chauve, travaille près de la vitrine, une loupe cerclée de noir à l'œil, et je me suis mise à passer devant chez eux des quantités de fois, exprès pour les observer.

» Cette partie de la rue est mal éclairée, sans magasins à proximité...

— Vous étiez armée ?

— J'ai acheté un de ces revolvers d'enfants qui ressemblent tout à fait à un revolver véritable.

— Cela s'est passé hier soir ?

— Avant-hier. Mercredi.

— Allez toujours.

— Un peu après neuf heures, nous sommes entrées toutes les deux dans la boutique et Noémie a prétendu que sa montre avait besoin de réparation. Je me tenais près d'elle et cela m'a un peu inquiétée de ne pas apercevoir la vieille dans sa cuisine. J'ai même failli, à cause de cela, renoncer à notre projet, puis, au moment où l'homme se penchait pour regarder la montre de ma copine, je lui ai montré le bout de mon arme en disant :

» — C'est un *hold-up*. Ne criez pas. Donnez l'argent et je ne vous ferai pas de mal.

» Il a senti que c'était sérieux, a ouvert le tiroir-caisse, tandis que

Noémie, comme prévu, raflait les montres pendues autour de l'établi et les fourrait dans les poches de son manteau.

» J'allais tendre la main pour saisir l'argent quand j'ai senti une présence derrière mon dos. C'était la vieille, en chapeau et en manteau, qui revenait de je ne sais où et qui, debout sur le seuil, se mettait à appeler au secours.

» Mon revolver ne paraissait pas lui faire peur et elle barrait le passage de ses bras écartés et hurlant :

» — Au voleur ! A moi ! A l'assassin !

» C'est alors que j'ai aperçu la manivelle qui sert à monter et à baisser le volet de fer et je l'ai saisie, je me suis précipitée sur la vieille en lançant à Noémie :

» — Filons vite !

» J'ai frappé, tout en bousculant la vieille, qui est tombée à la renverse sur le trottoir et que nous avons dû enjamber. Nous avons couru chacune de notre côté.

» Il était convenu, si nous devions nous séparer, de nous retrouver dans un bar de la rue de la Gaîté, mais j'ai fait des tours et des détours pendant plus d'une heure, j'ai même pris le métro jusqu'au Châtelet avant de m'y rendre. J'ai demandé à Gaston :

» — Ma copine n'est pas venue ?

» — Je ne l'ai pas vue ce soir, m'a-t-il répondu.

» J'ai passé une partie de la nuit dehors et, au petit jour, je suis rentrée à l'*Hôtel Alberti* sans y trouver Noémie. Je ne l'ai pas revue. Dans le journal d'hier matin, on a raconté l'histoire en quelques lignes, en ajoutant que la femme du bijoutier, blessée au front, un œil atteint, a été transportée à l'hôpital.

» On ne dit rien d'autre. On ne parle pas de nous, ni hier soir, ni ce matin. On ne précise pas non plus que le coup a été fait par deux femmes.

» Je n'aime pas ça. Je ne suis pas rentrée à l'*Hôtel Alberti* la nuit dernière et, vers midi, alors que je me dirigeais vers le bar de la rue de la Gaîté, j'ai aperçu à temps deux flics en civil.

» J'ai passé mon chemin en détournant la tête. D'un bistrot de la rue de Rennes, où on ne me connaît pas, j'ai téléphoné à Gaston.

J'écoutais, toujours immobile, sans lui accorder les signes d'intérêt qu'elle avait escomptés.

— Il paraît qu'ils lui ont montré une photo de Noémie, comme celles qu'ils prennent des personnes arrêtées, en lui demandant s'il la connaissait. Il leur a répondu que oui. Alors, ils ont voulu savoir s'il connaissait son amie et il a dit que oui aussi, mais qu'il ignorait où nous habitions toutes les deux. Ils ont dû faire la même chose dans tous les bars des environs et sans doute aussi dans les hôtels. J'ai supplié Gaston, qui est un copain, de me rendre un service, et il a accepté.

Elle me regarda comme s'il ne me restait qu'à comprendre.

— J'attends, dis-je, toujours froid.

Je ne sais pas au juste de quoi je lui en voulais, mais je lui en voulais.

— Quand on le questionnera à nouveau, ce qui arrivera sûrement, il prétendra que nous étions toutes les deux à son bar jeudi soir à l'heure du *hold-up*, et il trouvera des clients pour nous reconnaître. Cela, Noémie l'ignore, et il est indispensable qu'elle le sache. Comme je la connais, elle a dû se taire et les regarder de son air buté. Maintenant que vous êtes notre avocat, vous avez le droit d'aller la voir et de lui faire la leçon. Vous pourrez aussi mettre les détails au point avec Gaston, que vous trouverez à son bar jusqu'à deux heures du matin. Je l'ai prévenu par téléphone. Je ne peux pas vous offrir d'argent pour le moment, puisque je n'en ai pas, mais je sais qu'il vous est arrivé de vous charger de certaines causes gratuitement.

Je croyais tout connaître, avoir tout vu, tout entendu.

Je sentais qu'elle hésitait à finir, qu'elle n'était pas au bout de son rouleau, que quelque chose lui restait à dire ou à faire qui lui semblait soudain difficile. Craignait-elle de rater son coup, qu'elle avait dû préparer aussi minutieusement que le *hold-up* ?

Je la revois se levant, plus pâle, s'efforçant de sourire avec assurance et de jouer avec brio une partie capitale. Son regard faisait le tour de la pièce, s'arrêtait sur le seul angle de mon bureau qui ne fût pas encombré de papiers et alors, se troussant jusqu'à la ceinture, elle se renversait en murmurant :

— Autant que vous en profitiez avant qu'ils me mettent en prison.

Elle ne portait pas de culotte. C'est la première fois que j'ai vu ses cuisses maigres, son ventre bombé de gamine, le triangle sombre de son pubis et, sans raison précise, le sang m'est monté à la tête.

J'apercevais son visage à l'envers, près de ma lampe, du vase de fleurs que Bordenave renouvelle chaque matin, et elle s'efforçait de me voir aussi, elle attendait, perdait peu à peu, en me sentant toujours immobile, confiance en son destin.

Il a fallu un certain temps pour que ces yeux-là se remplissent d'eau, pour qu'elle renifle, puis, enfin, pour que sa main cherche le bord de sa jupe qu'elle ne rabattit pas encore, questionnant d'une voix déçue et humiliée :

— Ça ne vous dit rien ?

Elle se releva lentement, me tournant le dos, et c'est toujours sans montrer son visage qu'elle questionna, résignée :

— C'est non pour tout ?

J'ai allumé une cigarette. J'ai prononcé à mon tour, le regard ailleurs :

— Asseyez-vous.

Elle ne le fit pas tout de suite et, avant de se tourner vers moi, elle se moucha bruyamment, comme les enfants.

C'est à elle que j'ai téléphoné tout à l'heure rue de Ponthieu, où il y avait un homme dans son lit, un homme que je connais et à qui j'ai presque demandé de devenir son amant.

La sonnerie du téléphone a retenti alors que je ne savais pas si j'allais continuer à écrire aujourd'hui. J'ai reconnu la voix de ma femme.

— Tu travailles toujours ?

J'ai hésité.

— Non.

— Tu ne viens pas me rejoindre ? Moriat est ici. Corine a l'intention, si tu viens, de nous garder à dîner avec quatre ou cinq amis.

J'ai dit oui.

Je vais donc enfermer « mon » dossier dans l'armoire et chercher derrière quels livres de la bibliothèque je cacherai la clef, puis je monterai m'habiller.

Le couple de clochards est-il toujours étendu sous le Pont-Marie ?

2

Mardi 8 novembre, soir

Je suis monté dans ma chambre pour me changer et j'ai appelé Albert.

— Vous sortirez la voiture pour me conduire rue Saint-Dominique. Je suppose que Madame a pris la 4 CV ?

— Oui, monsieur.

Nous avons deux voitures et un chauffeur-maître d'hôtel, mais c'est surtout le chauffeur qui fait jaser. On le met sur le compte d'une vanité assez naïve de parvenu alors que je l'ai engagé pour une raison plutôt ridicule.

Si j'avais un client devant moi et qu'il me dise la même chose, je l'interromprais sans doute par :

— *Contentez-vous de me fournir les faits.*

Je tiens cependant à détruire une légende en passant. Me Andrieu, mon premier patron, le seul que j'ai eu, d'ailleurs, et qui a été aussi le premier mari de Viviane, était un des rares avocats de Paris à se faire conduire au Palais par un chauffeur en livrée. De là à penser que je veux l'imiter, que je ne sais quel complexe me pousse à prouver à ma femme...

Au temps de nos débuts, lorsque nous habitions la place Denfert-Rochereau, avec le Lion de Belfort sous nos fenêtres, je prenais le métro. Cela n'a pas duré longtemps, un an environ, après quoi j'ai pu m'offrir des taxis. Nous n'avons pas tardé à acheter une auto d'occasion et, si Viviane possédait son permis de conduire, je n'ai pas été capable de passer l'examen. Le sens de la mécanique me manque, peut-être aussi les réflexes. Je suis si tendu, au volant, si sûr de la catastrophe inévitable, que l'examinateur m'a conseillé :

— Vous feriez mieux d'y renoncer, monsieur Gobillot. Vous n'êtes pas le seul dans votre cas et, presque toujours, il s'agit de gens d'une intelligence supérieure. En vous représentant deux ou trois fois, vous arriveriez à décrocher votre permis mais, un jour ou l'autre, vous auriez un accident. Ce n'est pas pour vous.

Je me souviens du respect avec lequel il prononçait ces derniers mots, car ma réputation commençait à s'établir.

Plusieurs années durant, jusqu'à notre installation dans l'île Saint-Louis, Viviane m'a tenu lieu de chauffeur, me conduisant au Palais et m'y attendant le soir, et ce n'est que quand Albert, le fils de notre jardinier de Sully, s'est cherché du travail, après son service militaire, que l'idée nous est venue de l'engager.

Notre existence s'était compliquée et nous devions faire face, chacun de notre côté, à plus d'obligations.

Cela a paru étrange aux gens de ne plus nous voir toujours ensemble, ma femme et moi, car c'était devenu une sorte de légende, et je suis persuadé que, maintenant encore, certains se figurent que Viviane m'aide à la préparation de mes dossiers, sinon de mes plaidoiries.

Je ne suis pas orgueilleux dans le sens où mes confrères l'entendent et si...

— *Des faits !*

Pourquoi en reviens-je à cette soirée de dimanche dernier, qui n'a été marquée par aucun événement important ? Nous sommes aujourd'hui mardi. Je ne pensais pas que l'envie me viendrait si vite de me replonger dans mon dossier.

Albert m'a donc conduit rue Saint-Dominique, où j'ai aperçu la voiture bleue de ma femme dans la cour d'honneur, et j'ai dit à Albert de ne pas m'attendre. Chez Corine de Langelle, j'ai trouvé une dizaine de personnes dans un des salons et trois ou quatre dans la petite pièce circulaire aménagée en bar où la maîtresse de maison officiait en personne.

— Un *scotch*, Lucien ? m'a-t-elle demandé avant que nous nous embrassions.

Elle embrasse tout le monde. Dans la maison, c'est un rite.

Puis, presque tout de suite :

— Quel monstre de cruauté notre grand avocat est-il en train d'arracher aux griffes de la justice ?

Jean Moriat était là, dans un énorme fauteuil, en conversation avec Viviane, et je serrai la main des habitués, Lannier, propriétaire de trois ou quatre journaux, le député Druelle, un jeune homme dont je ne retiens jamais le nom et dont j'ignore l'activité, sinon qu'on le rencontre toujours là où Corine se trouve — *un de mes protégés*, dit-elle —, deux ou trois jolies femmes ayant passé la quarantaine, comme c'est la règle rue Saint-Dominique.

Il ne s'est rien passé, je l'ai dit, sinon ce qui se passe d'habitude dans ce genre de réunions. On a continué à boire et à bavarder jusque vers huit heures et demie et il n'est resté alors, comme Viviane me l'avait annoncé, qu'un groupe de cinq ou six personnes, dont Lannier et, bien entendu, Jean Moriat.

C'est à cause de lui que j'y reviens, car, à deux ou trois reprises, nos regards se sont croisés et j'ai eu l'impression, peut-être à tort, mais cela m'étonnerait, qu'il s'est produit une sorte d'échange entre nous.

Tout le monde connaît Moriat, qui a été une dizaine de fois ministre, deux fois président du Conseil, et qui le redeviendra. Ses photographies, ses caricatures paraissent aussi régulièrement que celles des vedettes de cinéma à la première page des journaux.

C'est un homme trapu, épais, presque aussi laid que moi, mais qui a sur moi l'avantage de sa grande taille et de je ne sais quelle dureté paysanne qui lui donne un air de noblesse.

On connaît plus ou moins sa vie aussi, en tout cas ceux des Parisiens qui s'appellent eux-mêmes les initiés.

A quarante-deux ans, marié, père de trois enfants, il était encore vétérinaire à Niort et ne paraissait pas avoir d'autre ambition quand, à la suite d'un scandale électoral, il s'est présenté à la députation et a été élu.

Il aurait probablement été le restant de sa vie un député laborieux, faisant la navette entre un pauvre appartement de la Rive Gauche et sa circonscription, si Corine ne l'avait rencontré. Quel âge avait-elle à l'époque ? Il est difficile de parler de l'âge de Corine. D'après celui qu'elle paraît aujourd'hui, elle devait avoir aux alentours de la trentaine. Son mari, le vieux comte de Langelle, était mort deux ans plus tôt et elle commençait à délaisser le milieu du faubourg Saint-Germain, où elle avait vécu avec lui, pour fréquenter les directeurs de journaux et les hommes politiques.

On prétend qu'elle n'a pas choisi Moriat au hasard et que le sentiment n'y a été pour rien, qu'elle en a d'abord essayé deux ou trois pour les rejeter ensuite et qu'elle a observé longtemps le député de Niort avant de jeter son dévolu sur lui.

Toujours est-il qu'on l'a vu de plus en plus souvent chez elle, qu'il a fait avec moins d'assiduité le voyage des Deux-Sèvres et que, deux ans plus tard, il décrochait déjà un demi-portefeuille, pour devenir ministre peu après.

Il y a plus de quinze ans de cela, presque vingt, je ne prends pas la peine de vérifier les dates, qui n'ont pas d'importance, et leur liaison est aujourd'hui chose admise, quasi officielle puisque c'est rue Saint-Dominique qu'un président du Conseil, par exemple, ou même l'Élysée téléphonent lorsqu'on a besoin de Moriat.

Il n'a pas rompu avec sa femme, qui vit à Paris, quelque part du côté du Champ-de-Mars. Je l'ai rencontrée plusieurs fois : elle est restée gauche, effacée, avec toujours l'air de s'excuser d'être si peu digne du grand homme. Leurs enfants sont mariés et je crois que l'aîné est dans l'administration préfectorale.

Chez Corine, Moriat ne pose pas pour les électeurs, ni pour la postérité. Il se montre tel qu'il est et il m'a souvent donné l'impression d'un homme qui s'ennuie, plus exactement d'un homme qui s'efforce de ne pas décevoir.

Dimanche, quand nos regards se sont croisés une première fois, il m'observait en fronçant les sourcils, comme s'il découvrait en moi un élément nouveau, ce que j'ai envie d'appeler un signe.

Je n'aimerais pas répéter de vive voix ce que je vais écrire, par pudeur et par crainte du ridicule, mais, ce dimanche-là, je me suis mis à croire au signe, une marque invisible qui ne peut être décelée que par les initiés, que par ceux qui la portent eux-mêmes.

Vais-je aller jusqu'au bout de ma pensée ? Ce signe-là, certains êtres seulement peuvent l'avoir, des êtres qui ont beaucoup vécu, beaucoup vu, tout essayé par eux-mêmes, qui ont surtout fourni un effort anormal, atteint ou presque atteint leur but, et je ne pense pas qu'on en soit marqué avant un certain âge, le milieu de la quarantaine, par exemple.

J'ai observé Moriat, de mon côté, pendant le dîner d'abord, alors que les femmes racontaient des histoires, ensuite au salon, où la maîtresse du propriétaire de journaux s'était assise sur des coussins et chantait en s'accompagnant de sa guitare.

Il ne s'amusait pas plus que moi, c'était visible. En regardant autour de lui, il devait lui arriver de se demander par quel caprice du sort il se trouvait dans un décor qui constituait comme une insulte à sa personnalité.

On le prétend ambitieux. Il a sa légende comme j'ai la mienne et passe, en politique, pour aussi féroce que moi au Palais.

Or, je ne le crois pas ambitieux, ou bien, s'il l'a été à certain moment, d'une façon assez enfantine, il ne l'est plus. Il subit son destin, son personnage, comme certains acteurs sont condamnés à jouer le même rôle toute leur vie.

Je l'ai vu boire verre après verre, sans plaisir, sans entrain, pas non plus à la façon d'un ivrogne, et je suis persuadé que, chaque fois qu'il réclamait de l'alcool, c'était pour se donner le courage de rester.

Corine, qui a presque quinze ans de moins que lui, le couve comme un enfant, veille à ce que tout ce qu'il désire soit à sa portée.

Dimanche, elle a dû suivre, elle aussi, qui le connaît mieux que quiconque, la progression de son engourdissement, de son hébétude, à mesure que la soirée s'avançait.

Je n'en suis pas encore à boire. Il est rare que cela m'arrive, et jamais de cette façon systématique.

Moriat n'en a pas moins reconnu chez moi le signe, qui doit résider dans les yeux, qui n'est peut-être qu'un certain poids du regard, une certaine absence, plutôt que telle expression du visage.

On a parlé politique et il a lâché quelques phrases ironiques, comme on jette du pain aux oiseaux. A ce moment-là, je suis sorti du salon pour gagner un boudoir où je savais trouver un téléphone. J'ai d'abord appelé la rue de Ponthieu où, comme je m'y attendais, mon appel n'a rencontré que le vide. J'ai alors composé le numéro de Louis, le restaurateur italien chez qui Yvette prend le plus souvent ses repas.

— Ici, Gobillot. Yvette est chez vous, Louis ?

— Elle vient d'arriver, monsieur Gobillot. Vous désirez que je l'appelle ?

J'ai ajouté, parce qu'il fallait bien et que Louis est au courant :

— Elle est seule ?

— Oui. Elle commence à dîner à la petite table du fond.

— Dites-lui que je passerai la voir d'ici une demi-heure, peut-être un peu plus.

Moriat a-t-il deviné ce drame-là aussi ? Nous ne sommes des vicieux ni lui, ni moi, pas plus que nous ne sommes des ambitieux, mais qui l'admettrait en dehors des quelques-uns qui portent eux-mêmes le signe ? Il m'a encore observé à mon retour au salon, mais son regard était flou, humide, comme toujours après un certain nombre de verres.

Je suppose que Corine lui a adressé un signal, car il existe entre eux la même entente qu'entre Viviane et moi. L'ex-président du Conseil, qui, un de ces jours, dirigera à nouveau les destinées de l'État, s'est levé avec peine, a fait un geste bénisseur en murmurant :

— Vous m'excusez...

Il a traversé le salon d'un pas incertain et lourd, et j'ai aperçu, à travers la porte vitrée, un valet de chambre qui l'attendait, sans doute pour aller le mettre au lit.

— Il travaille tant ! soupira Corine. Il porte sur ses épaules un tel poids de responsabilités !

Viviane, elle aussi, m'a lancé un regard de connivence, et le sien contenait une question. Elle avait compris que j'étais allé téléphoner. Elle savait à qui, pourquoi, n'ignorait pas que je finirais par me rendre là-bas, je crois même qu'elle me le conseillait silencieusement.

La soirée allait se traîner pendant une heure ou deux avant les embrassades finales.

— Je dois vous demander de m'excuser. Le travail m'attend également...

Étaient-ils dupes ? Probablement pas plus que pour Moriat. Cela n'a aucune importance.

— Tu as gardé la voiture ? m'a demandé Viviane.

— Non. Je prendrai un taxi.

— Tu ne préfères pas que je te conduise ?

— Pas du tout. Il y a une station juste en face.

Va-t-elle, dès que j'aurai disparu, parler de mon labeur et de mes responsabilités ? J'ai dû attendre un taxi sous la pluie pendant dix minutes, parce que c'est dimanche, et, quand je suis arrivé chez Louis, Yvette fumait une cigarette en buvant son café, à peu près seule dans le restaurant, le regard vide.

Elle m'a fait de la place à côté d'elle sur la banquette, m'a tendu la joue d'un geste devenu aussi familier que les baisers de Corine.

— Tu as dîné en ville ? m'a-t-elle demandé simplement, comme si nos relations étaient celles de tout le monde.

— J'ai mangé un morceau rue Saint-Dominique.

— Ta femme y était ?

— Oui.

Elle n'est pas jalouse de Viviane, ne cherche pas à la supplanter, ne cherche rien, en somme, se contentant de vivre dans le présent.

— Qu'est-ce que vous prendrez, maître ?

J'ai regardé la tasse d'Yvette et j'ai dit :

— Un café.

Elle a remarqué :

— Cela va t'empêcher de dormir.

C'est exact ; j'en serai quitte, comme presque chaque soir, pour prendre un barbiturique. Je n'ai rien à lui dire et nous restons là, assis côte à côte sur la banquette, à regarder devant nous comme un vieux couple.

Je finis pourtant par questionner :

— Fatiguée ?

Elle répond que non, sans y voir malice, s'informe à son tour :

— Qu'as-tu fait de ta journée ?

— J'ai travaillé.

Je ne précise pas à quoi j'ai travaillé l'après-midi et elle est loin de soupçonner qu'il a surtout été question d'elle.

— Ta femme t'attend ?

C'est une façon indirecte de se renseigner sur mes intentions.

— Non.

— On rentre ?

Je fais signe que oui. Je voudrais être capable de répondre non, de m'en aller, mais il y a longtemps que j'ai renoncé à une lutte vouée à l'échec.

— Tu permets que je prenne une chartreuse ?

— Si tu veux. Louis ! Une chartreuse.

— Rien pour vous, monsieur Gobillot ?

— Rien, merci.

La femme qui fait le ménage rue de Ponthieu ne vient pas le dimanche et je suis sûr qu'Yvette ne s'est pas donné la peine de mettre de l'ordre dans le logement. A-t-elle seulement refait le lit ? C'est improbable. Elle boit sa chartreuse lentement, avec de longues pauses entre les gorgées, comme pour reculer le moment de notre départ. Enfin, elle soupire :

— Tu demandes l'addition ?

Louis est habitué à nous voir à cette table-là et sait où nous allons en sortant de chez lui.

— Bonne nuit, mademoiselle. Bonne nuit, maître.

Elle s'accroche à mon bras, dans la pluie, et ses talons trop hauts la font parfois trébucher. C'est à deux pas.

Il est indispensable que j'en revienne à notre première rencontre, celle du vendredi soir, il y a un peu plus d'un an, dans mon cabinet. Pendant qu'elle se rasseyait, intimidée, se demandant ce que j'avais décidé, j'ai décroché le téléphone intérieur pour parler à ma femme.

— Je suis dans mon bureau, où j'ai du travail pour une heure ou deux. Va dîner sans moi et excuse-moi auprès du préfet et de nos amis. Dis-leur, ce qui est vrai, que j'espère arriver à temps pour le café.

Sans regarder ma visiteuse, je me suis dirigé vers la porte en lui ordonnant, bourru :

— Restez là !

J'ai même ajouté, peut-être pour la vexer, comme à une enfant mal élevée :

— Ne touchez à rien.

J'ai rejoint Bordenave dans son bureau.

— Vous allez descendre vous assurer que la personne qui se trouve dans mon bureau n'a pas été suivie.

— La police ?

— Oui. Vous me donnerez le renseignement par le téléphone.

Dans mon bureau, j'ai marché de long en large, les mains derrière le dos, cependant qu'Yvette suivait des yeux mes allées et venues.

— Le Gaston, ai-je questionné enfin, a-t-il déjà été condamné ?

— Je ne crois pas. Il ne m'en a jamais parlé.

— Vous le connaissez bien ?

— Assez.

— Vous avez couché ensemble ?

— Quelquefois.

— Votre amie Noémie est majeure ?

— Elle vient d'avoir vingt ans.

— Qu'est-ce qu'elle fait ?

— Comme moi.

— Elle n'a jamais exercé de profession ?

— Elle aidait sa mère dans la boutique. Sa mère vend des légumes rue du Chemin-Vert.

— Elle s'est enfuie de chez elle ?

— Elle est partie en déclarant qu'elle en avait assez.

— Il y a longtemps ?

— Deux ans.

— Sa mère ne l'a pas fait rechercher ?

— Non. Cela lui est égal. De temps en temps, quand elle est sans un, Noémie va la trouver, elles se disputent, se lancent des reproches à la tête, mais la mère finit toujours par lui donner un peu d'argent.

— Elle n'a jamais été arrêtée ?

— Noémie ? Deux fois. Peut-être plus, mais elle m'a dit deux.

— Pour quel motif ?

— Racolage. Les deux fois, on l'a relâchée le lendemain, après lui avoir fait passer la visite.

— Vous pas ?

— Pas encore.

Le téléphone a sonné. C'était Bordenave.

— Je n'ai vu personne, patron.

— Je vous remercie. Je n'aurai plus besoin de vous ce soir.

— Je n'attends pas ?

— Non.

— Bonsoir.

Il faut bien que j'en arrive au pourquoi et je suis d'autant plus embarrassé que je voudrais atteindre à la vérité absolue. Pas deux ou trois morceaux de vérité qui forment un ensemble satisfaisant en apparence, mais nécessairement faux.

Je n'ai pas eu envie d'Yvette ce soir-là, ni pitié d'elle. J'ai connu, dans ma carrière, trop de spécimens de son espèce et, s'il y avait, chez elle, un côté excessif qui la rendait quelque peu différente, elle ne m'apportait néanmoins rien de nouveau.

Ai-je cédé à la gloriole, flatté par la confiance qu'elle avait mise en moi avant même de me rencontrer ?

En toute sincérité, je ne le pense pas. Je crois que c'est plus compliqué et qu'un Moriat, par exemple, aurait été capable d'une décision comme celle-là.

Pourquoi ne pas voir dans mon geste une protestation et un défi ? On m'avait obligé à aller loin déjà, beaucoup trop loin, dans une voie qui n'était pas en harmonie avec mon tempérament et mes goûts. Ma réputation était établie et je m'efforçais d'y faire face avec crânerie, cette réputation qui me valait la visite de la gamine et sa proposition cynique.

Sur le plan professionnel, je ne m'étais jamais risqué jusque-là, jamais non plus ne m'avait été exposé un cas aussi difficile, pour ne pas dire impossible.

J'ai relevé le gant. Je suis persuadé que c'est la vérité et, depuis un an, j'ai eu le loisir de m'interroger sur ce point.

Je ne me préoccupais pas d'Yvette Maudet, fille dévoyée d'un instituteur de Lyon et d'une ancienne fonctionnaire des P.T.T., mais du problème que je me promettais soudain de résoudre.

Je m'étais assis à nouveau, prenais des notes en posant des questions précises.

— Vous êtes rentrée à votre hôtel la nuit de mercredi à jeudi, mais vous n'y avez pas mis les pieds la nuit dernière. Le gérant le sait et le signalera à la police.

— Cela m'arrive au moins deux fois par semaine de ne pas coucher rue Vavin, car ils n'acceptent pas que nous montions avec un homme.

— On vous demandera où vous avez dormi.

— Je le dirai.

— Où ?

— Dans un meublé de la rue de Berri, une maison où ils ne font que ça.

— On vous y connaît ?

— Oui. Noémie et moi changions souvent de quartier. Nous descendions parfois à Saint-Germain-des-Prés, d'autres fois nous allions aux Champs-Élysées, de temps en temps même à Montmartre.

— Le bijoutier vous a vues toutes les deux ?

— Il ne faisait pas très clair dans la boutique et il nous a regardées comme on regarde des clientes, s'est tout de suite penché sur la montre.

— Votre coiffure en queue de cheval est caractéristique.

— Il ne l'a pas vue, sa femme non plus, pour la bonne raison que je l'avais ramassée sous un béret.

— En prévision de ce qui est arrivé ?

— A tout hasard.

Je l'ai interrogée ainsi pendant près d'une heure et j'ai téléphoné, à son domicile personnel, à un substitut de mes amis.

— Est-ce que l'affaire du bijoutier de la rue de l'Abbé-Grégoire est entre les mains d'un juge d'instruction ?

— Vous vous intéressez à la fille ? Elle est toujours, pour des raisons que j'ignore, aux soins de la Police Judiciaire.

— Je vous remercie.

J'ai dit à Yvette :

— Vous allez rentrer rue Vavin comme si de rien n'était et vous suivrez la police sans protester, en évitant de parler de moi.

J'ai rejoint ma femme et nos amis, vers dix heures, avenue du Président-Roosevelt, et ils n'en étaient qu'au gibier. J'ai parlé de l'affaire au préfet, en lui laissant entendre que je m'en occuperais probablement, et le lendemain matin je me suis rendu Quai des Orfèvres.

L'affaire a fait du bruit, beaucoup trop, et le petit Duret m'a été plus utile que jamais. J'ignore comment il finira. C'est un garçon que je ne parviens pas à comprendre tout à fait. Son père, important administrateur de sociétés, a eu des revers de fortune. Tout en faisant son droit, Duret a fréquenté les rédactions, plaçant un papier par-ci par-là, s'initiant à certains dessous de la vie parisienne.

J'avais, avant lui, un collaborateur nommé Auber, qui commençait à se sentir capable de voler de ses propres ailes. Duret l'a su, s'est proposé pour prendre sa place avant même d'être inscrit au Barreau.

Voilà quatre ans qu'il est avec moi, toujours respectueux, avec cependant, quand je le charge de certaines besognes, et même à d'autres moments, un regard plus amusé qu'ironique.

C'est lui qui est allé voir le fameux Gaston à son bar de la rue de la Gaîté et qui, au retour, m'a affirmé qu'on pouvait lui faire confiance. C'est lui aussi qui, avec l'aide d'un reporter de ses amis, a découvert, sur la vie du bijoutier, les détails qui ont donné au procès une couleur inattendue.

L'affaire aurait pu être correctionnalisée. J'ai insisté pour qu'elle passe devant les jurés. La femme du bijoutier, qui n'était pas morte, portait encore un bandeau noir sur l'œil qu'on n'espérait pas sauver.

Les débats ont été houleux, avec de nombreuses menaces, de la part du président, de faire évacuer la salle. Aucun de mes confrères, aucun magistrat ne s'y est mépris. Pour tous, Yvette Maudet et Noémie Brand étaient coupables du *hold-up* manqué de la rue de l'Abbé-Grégoire. La question qui se posait, et que les journaux publiaient en lettres capitales, était :

Me Gobillot obtiendra-t-il l'acquittement ?

A la fin de la seconde audience, cela paraissait impossible, et ma femme elle-même n'avait pas la foi. Elle ne me l'a jamais avoué, mais je sais qu'elle pensait que j'étais allé trop loin et qu'elle en était gênée.

On a beaucoup parlé de boue au cours des débats et il est arrivé qu'on entende crier dans le prétoire :

— Assez !

Certains confrères hésitaient — quelques-uns hésitent encore — à me serrer la main, et je n'ai jamais été si près de me faire rayer du Barreau.

Plus que n'importe quel procès, celui-là m'a fait comprendre l'excitation d'une campagne électorale, ou d'une grande manœuvre politique, avec tous les projecteurs braqués sur soi, la nécessité de gagner coûte que coûte, par n'importe quel moyen.

Mes témoins étaient équivoques, mais pas un n'avait une condamnation à son actif, pas un non plus ne s'est contredit ou n'a hésité un instant.

J'ai fait défiler à la barre vingt prostituées du quartier Montparnasse, ressemblant plus ou moins à Yvette et à Noémie, qui ont affirmé sous serment que le vieux bijoutier, présenté par le ministère public comme le prototype de l'honnête artisan, se livrait couramment à l'exhibitionnisme et attirait des filles chez lui en l'absence de sa femme.

C'était vrai. J'en devais la découverte à Duret, qui la devait lui-même à un informateur qui m'a téléphoné à plusieurs reprises, sans vouloir dire son nom. Non seulement cela changeait la physionomie d'un de mes adversaires, mais je pouvais établir que celui-ci avait racheté à plusieurs reprises des bijoux volés.

Savait-il qu'ils étaient volés ? Je l'ignore, et cela ne me regarde pas.

Pourquoi, ce soir-là, alors que sa femme était justement absente — elle était allée voir, rue du Cherche-Midi, sa belle-fille enceinte —, pourquoi, dis-je, le bijoutier n'en aurait-il pas profité pour attirer chez lui, comme cela lui était arrivé, deux filles de la rue qui avaient abusé de la situation ?

Je n'ai pas tenté de tracer un portrait flatté de mes clientes. Je les ai noircies, au contraire, et cela a été ma meilleure astuce.

Je leur ai fait admettre qu'elles auraient peut-être fait le coup si elles en avaient eu l'occasion, mais que celle-ci ne s'était pas présentée, puisqu'elles se trouvaient à ce moment-là au bar de Gaston.

Je revois, pendant les trois jours qu'ont duré les débats, le bijoutier chauve et sa femme avec son bandeau noir sur l'œil, assis côte à côte au premier rang, je revois leur stupeur grandissante, leur indignation, qui atteignit un tel paroxysme qu'à la fin ils ne savaient plus, hébétés, où accrocher leur regard.

Ces deux-là ne comprendront jamais ce qui leur est arrivé, ni pourquoi je me suis acharné avec tant de cruauté à détruire l'image qu'ils avaient d'eux-mêmes. A l'heure qu'il est, je suis persuadé qu'ils n'en sont pas remis, qu'ils ne se sentiront jamais plus comme avant, et je me demande si la vieille, désormais borgne, dont les cheveux repoussent sur la moitié du crâne que le coup a dégarnie, ose encore aller voir sa belle-fille rue du Cherche-Midi.

Nous n'en avons jamais parlé, Viviane et moi. Elle se tenait dans le couloir au moment du verdict, qui a été accueilli par des huées, et, quand je suis sorti du prétoire, la robe flottante, sans rien vouloir dire à la presse qui m'assaillait, elle s'est contentée de me suivre en silence.

Elle sait que c'est sa faute. Elle a compris. Je ne suis pas sûr qu'elle n'ait pas été effrayée de me voir aller aussi loin, mais elle m'en admire.

Prévoyait-elle aussi comment cela finirait ? C'est probable. Nous avons l'habitude, après les procès qui exigent une forte tension nerveuse, d'aller dîner tous les deux dans quelque cabaret et de passer une partie de la nuit dehors afin de provoquer une détente.

Il en a été ainsi ce soir-là et, partout où nous entrions, on nous observait avec curiosité, nous étions plus que jamais le couple de fauves de la légende.

Viviane s'est montrée très crâne. Pas un instant, elle n'a bronché. Elle a trois ans de plus que moi, ce qui signifie qu'elle approche de la cinquantaine, mais, habillée, sur le pied de guerre, elle reste plus belle et attire plus de regards que bien des femmes de trente ans. Ses yeux, surtout, ont un éclat, une vivacité que je ne connais qu'à elle, et il y a dans son sourire une gaieté moqueuse qui le rend redoutable.

On la dit méchante et elle ne l'est pas. Elle est elle-même, va droit son chemin, comme Corine va le sien, indifférente aux rumeurs, se moquant qu'on l'aime ou qu'on la déteste, rendant sourire pour sourire et coup pour coup. La différence, entre elle et Corine, c'est que Corine est molle et douce en apparence, tandis que Viviane, tout en nerfs, possède une vitalité agressive qui ne se dément pas.

— Où est-elle, maintenant ? m'a-t-elle demandé, vers deux heures du matin.

J'ai noté que le « elle » était singulier, que Viviane n'avait donc jamais considéré Noémie que comme une comparse. Au Palais, personne ne s'y est trompé non plus, car la pauvre Noémie, au grand corps informe, aux yeux bovins, au front têtu, ne peut faire illusion.

— Dans un petit hôtel du boulevard Saint-Michel. Je voulais

qu'elle retourne rue Vavin, par défi, mais le gérant prétend que son établissement est complet.

A-t-elle pensé que le boulevard Saint-Michel se trouve à deux pas de chez nous et à proximité du Palais ? Je n'en doute pas. Pourtant, je ne l'ai pas fait exprès.

Pendant le temps qui s'est écoulé entre l'arrestation d'Yvette et son acquittement, j'ai su que je ne me débarrasserais pas d'elle, ni de l'image de son ventre nu tel que je l'avais vu dans mon bureau.

Pourquoi ? A l'heure qu'il est, je n'ai pas encore trouvé la réponse. Je ne suis pas un vicieux, ni un obsédé sexuel. Viviane ne s'est jamais montrée jalouse et j'ai eu les aventures que j'ai voulues, presque toutes sans lendemain, beaucoup sans plaisir.

J'ai trop vu aussi de filles de toutes sortes pour m'attendrir, comme certains hommes de mon âge, sur une gamine qui a mal tourné, et le cynisme d'Yvette ne m'impressionne pas davantage que ce qui reste en elle d'innocence.

Pendant l'instruction, je suis allé la voir à la Petite Roquette sans me départir une seule fois d'une attitude strictement professionnelle.

Or, ma femme savait déjà.

Yvette aussi.

Ce qui me surprend le plus, c'est qu'Yvette ait eu l'habileté de ne pas le laisser voir. Nous étions face à face comme un avocat et sa cliente. Nous préparions ses réponses au magistrat. Même en ce qui touchait son affaire, je ne la mettais au courant de mes découvertes que dans la mesure où c'était indispensable.

La nuit de l'acquittement, vers quatre heures du matin, en quittant le dernier cabaret et en s'installant au volant, ma femme a proposé naturellement :

— Tu ne passes pas la voir ?

J'y songeais depuis le début de la soirée, mais je me refusais, par orgueil, par respect humain, à céder à la tentation. N'était-il pas ridicule, ou odieux, de me précipiter, dès la première nuit, pour réclamer ma récompense ?

L'envie que j'en avais était-elle si violente qu'elle se lisait sur mon visage ?

Je n'ai pas répondu. Ma femme a descendu la rue de Clichy, traversé les Grands Boulevards, et je savais qu'elle ne se dirigeait pas vers l'île Saint-Louis mais vers le boulevard Saint-Michel.

— Qu'as-tu fait de l'autre ? m'a-t-elle encore demandé, sûre que je m'en étais débarrassé.

J'avais vivement conseillé à Noémie, pour un temps tout au moins, de retourner vivre chez sa mère.

Je voudrais éviter un malentendu. Lorsque je parle de ma femme comme je le fais en ce moment, on pourrait penser qu'il y avait, dans son attitude, une certaine provocation, qu'elle m'a, en quelque sorte, poussé dans les bras d'Yvette.

Rien n'est plus éloigné de la vérité. Je suis certain, encore qu'elle ne l'avouera jamais, que Viviane est jalouse, qu'elle a souffert de mes passades, qu'elle s'est tout au moins inquiétée. Seulement, elle est belle joueuse et regarde la vérité en face, acceptant d'avance ce qu'elle est impuissante à empêcher.

Nous sommes passés devant la masse sombre du Palais de Justice et, boulevard Saint-Michel, elle a murmuré :

— Plus loin ?

— Au coin de la rue Monsieur-le-Prince. L'entrée est rue Monsieur-le-Prince.

J'hésitais encore, humilié, quand elle a arrêté la voiture.

— Bonne nuit ! a-t-elle prononcé à mi-voix.

Et elle m'a embrassé comme tous les soirs.

Seul sur le trottoir, j'avais les yeux humides et j'ai commencé un geste pour la rappeler, mais la voiture tournait déjà le coin de la rue Soufflot.

L'hôtel était obscur, avec seulement une vague lueur derrière le verre dépoli de la porte. Le gardien de nuit m'a ouvert, a grommelé qu'il n'avait rien de libre et, en lui glissant un pourboire dans la main, j'ai affirmé qu'on m'attendait au 37.

C'était vrai. Rien n'avait été convenu. Yvette dormait. Mais elle n'a pas été surprise quand j'ai frappé à la porte.

— Un instant.

J'ai entendu le déclic du commutateur, puis des allées et venues, pieds nus sur le parquet, et elle a ouvert en achevant d'endosser un peignoir.

— Quelle heure est-il ?

— Quatre heures et demie.

Cela parut la surprendre, comme si elle se demandait ce qui m'avait retenu si longtemps.

— Donnez-moi votre chapeau et votre pardessus.

La chambre était étroite, le lit de cuivre défait, et du linge s'échappait d'une valise ouverte à même le plancher.

— Ne faites pas attention au désordre. Je me suis couchée tout de suite en rentrant.

Son haleine sentait l'alcool, mais elle n'était pas ivre. Quel air avais-je, moi, tout habillé, au milieu de la pièce ?

— Vous ne vous couchez pas ?

Le plus difficile, c'était de me déshabiller. Je n'en avais pas envie. Je n'avais plus envie de rien, et je n'avais pas non plus le courage de partir.

— Viens ici, commandai-je.

Elle s'approcha, le visage levé, se figurant que j'allais l'embrasser, mais je me contentai de la serrer contre moi, sans toucher ses lèvres, puis, soudain, je fis tomber le peignoir sous lequel elle était nue.

D'un mouvement brutal, je la renversai au bord du lit et me laissai tomber sur elle tandis qu'elle fixait le plafond. J'avais commencé à la prendre, méchamment, comme par vengeance, quand je la vis m'observer avec étonnement.

— Qu'est-ce qui t'arrive ? souffla-t-elle, me tutoyant pour la première fois.

— Rien !

Il m'arrivait que je ne pouvais pas, que je me relevais, honteux, en bafouillant :

— Je te demande pardon.

Alors, elle a dit :

— Tu y as trop pensé.

Cela aurait pu être l'explication, mais ce ne l'était pas. Je m'étais refusé d'y penser, au contraire. Je savais, mais je n'y pensais pas. D'ailleurs, cela m'est arrivé avec d'autres avant elle.

— Déshabille-toi et viens te coucher près de moi. J'ai froid.

Fallait-il ? L'avenir aurait-il été différent si j'avais répondu non, si j'étais sorti ? Je l'ignore.

De son côté, savait-elle ce qu'elle faisait en étendant le bras, un peu plus tard, pour éteindre la lumière, et en se blottissant contre moi ? Je la sentais, maigre, qui vivait contre mon corps et qui, petit à petit, avec des hésitations, des haltes, comme pour ne pas m'effrayer, prenait possession de moi.

Nous ne dormions pas encore quand un réveille-matin a sonné dans une des chambres ni, plus tard, quand des locataires se sont agités derrière les cloisons.

— C'est dommage que je n'aie pas ce qu'il faut pour te préparer du café. Il faudra que j'achète un réchaud à alcool.

Le jour traversait le store quand je suis parti, à sept heures du matin. Je me suis arrêté dans un bistrot du boulevard Saint-Michel pour boire une tasse de café et me suis regardé dans la glace derrière le percolateur.

Quai d'Anjou, je ne suis pas monté dans la chambre mais me suis installé au bureau où, dès huit heures, le téléphone, comme d'habitude, a commencé à sonner. Bordenave ne devait pas tarder à arriver, m'apportant les journaux du matin dont les manchettes pouvaient se résumer par :

> *Me Gobillot a gagné.*

Comme s'il s'agissait d'une épreuve sportive.

— Vous êtes content ?

Ma secrétaire a-t-elle soupçonné que je n'étais pas fier de cette victoire-là ? Elle m'est plus dévouée que qui que ce soit au monde, y compris Viviane, et, si je commettais un acte assez ignoble pour que chacun se détourne de moi, elle serait probablement la seule à ne pas m'abandonner.

Elle a trente-cinq ans. Elle en avait dix-neuf quand elle est entrée à mon service et on ne lui a jamais connu d'aventure, mes collaborateurs successifs sont d'accord pour prétendre, comme ma femme, qu'elle est encore vierge.

Non seulement je ne lui ai pas fait la cour, mais je me montre avec elle, sans raison, plus impatient, plus dur qu'avec qui que ce soit, souvent injuste, et on ne compte pas les fois que je l'ai fait pleurer parce qu'elle ne mettait pas la main assez vite sur un dossier égaré par ma faute.

Se rend-elle compte que je sors du lit d'Yvette et que ma peau est encore imprégnée de son odeur acide ? Elle le saura un jour ou l'autre car, en tant que ma collaboratrice la plus directe, elle n'ignore rien de mes faits et gestes.

Pleurera-t-elle, seule dans son bureau ? Est-elle jalouse ? Est-elle amoureuse de moi et, dans ce cas, quelle idée se fait-elle de l'homme que je suis ?

Mon premier rendez-vous était pour dix heures et j'ai eu le temps de prendre un bain et de me changer. Je n'ai pas éveillé Viviane, qui dormait, et je ne l'ai revue que le soir, car je devais déjeuner ce jour-là au *Café de Paris* avec un client pour qui je plaidais l'après-midi.

Il y a un an de ça.

Je connaissais déjà Moriat à cette époque. Nous nous rencontrions chez Corine, où il nous arrivait souvent de bavarder dans un coin.

Pourquoi, avant Yvette, Moriat ne me regardait-il pas comme il m'a regardé dimanche dernier ? N'avais-je pas encore le signe, ou bien n'était-il pas encore suffisamment visible ?

3

Samedi 12 novembre

Il est dix heures du soir et j'ai attendu le départ de ma femme pour descendre dans mon bureau. Elle est allée, avec Corine et des amies, inaugurer, dans une galerie de la rue Jacob, la première exposition de peintures de Marie-Lou, la maîtresse de Lannier. On servira du champagne et il y a des chances que cela se termine aux petites heures du matin. J'ai prétexté, pour ne pas m'y rendre, qu'il y aura cent personnes dans un local guère plus grand qu'une salle à manger ordinaire et que la chaleur y sera insupportable.

Il paraît que Marie-Lou a un réel talent. Elle s'est mise à peindre voilà deux ans, au cours d'un séjour à Saint-Paul-de-Vence. Elle et Lannier vivent ensemble rue de la Faisanderie, mais chacun est marié de son côté, Lannier avec une cousine qu'on dit très laide et dont il est séparé depuis vingt ans, Marie-Lou avec un industriel de Lyon, Morilleux, un ami de Lannier avec qui il est encore en affaires. Pour autant qu'on en sache, tout s'est passé à l'amiable, à la satisfaction générale.

Elle et Lannier dînaient chez nous hier, en même temps qu'un homme politique belge de passage à Paris, un académicien que nous invitons souvent et un ambassadeur sud-américain accompagné de sa femme.

Chaque semaine, nous avons ainsi un ou deux dîners de huit à dix couverts et Viviane, excellente maîtresse de maison, ne perd pas le goût de recevoir. L'ambassadeur n'était pas chez nous par hasard. C'est Lannier qui me l'amenait et, au moment du café et des liqueurs, il m'a touché deux mots de ce dont il compte venir me parler dans mon cabinet, un trafic d'armes plus ou moins légal, si j'ai bien compris certaines allusions, auquel il voudrait se livrer à des fins politiques sans s'attirer d'ennuis de la part du gouvernement français.

C'est un homme jeune, de trente-cinq ans au plus, beau garçon et séduisant, encore qu'avec une tendance à l'embonpoint, et sa femme est une des plus belles créatures qu'il m'ait été donné d'admirer. On la sent amoureuse de son mari, qu'elle ne quitte pas des yeux, et elle est si jeune, si fraîche, qu'on la croirait sortie la veille de son couvent.

Dans quelle aventure va-t-il s'engager ? Je n'en suis qu'aux conjectures, mais j'ai lieu de croire qu'il s'agit de renverser le gouvernement de son pays, dont son père est un des hommes les plus riches. Ils ont deux enfants — ils nous en ont montré les photographies — et l'hôtel de l'ambassade est un des plus ravissants du Bois de Boulogne.

J'ai attendu leur départ avec impatience, car j'étais anxieux de me rendre rue de Ponthieu. J'y ai passé trois nuits cette semaine et j'irais encore aujourd'hui si le samedi n'était « son » jour.

Il est préférable de ne pas y penser. Lorsque je suis rentré en taxi, ce matin à six heures et demie, alors que le jour n'était pas tout à fait levé, une violente tempête soufflait sur la région parisienne, où il y a eu des toitures arrachées, des arbres brisés, dont un avenue des Champs-Élysées. Viviane m'a appris plus tard qu'un de nos volets avait battu toute la nuit. Il ne s'est cependant pas détaché et, vers midi, des ouvriers sont venus le réparer.

Mon premier soin, en pénétrant dans mon bureau, où je passe toujours avant de monter prendre mon bain, a été de chercher des yeux mon couple de clochards sous le Pont-Marie. Jusque vers neuf heures, rien n'a bougé sous les hardes que le vent agitait. Quand un homme en est sorti enfin, celui que j'ai l'habitude de voir et qui, avec son veston trop large et trop long, sa barbe hirsute, son chapeau cabossé, a l'air d'un auguste de cirque, j'ai eu la surprise de constater qu'il restait deux autres formes étendues. A-t-il ramassé une seconde compagne ? Un camarade s'est-il joint à eux ?

Le vent souffle toujours, mais plus en rafales, et on annonce du froid pour demain, peut-être déjà de la gelée.

J'ai beaucoup pensé, au cours de la semaine, à ce que j'ai écrit jusqu'ici, et je me suis rendu compte que je n'ai encore parlé que de l'homme que je suis à présent. Je me suis inscrit en faux contre deux ou trois légendes, les plus criardes. Il en reste d'autres que je tiens à détruire, et pour cela je suis obligé de remonter beaucoup plus loin.

Par exemple, à cause de mon physique, on croit communément, même des gens qui passent pour bien me connaître, que je suis un de ces hommes venus tout droit de leur campagne et qui, comme on disait au siècle dernier, ont encore de la terre collée à leurs sabots. C'est le cas, ou presque, de Jean Moriat. C'est d'ailleurs bien porté dans certaines professions, dont la mienne, parce que cela donne confiance, mais force m'est de déclarer qu'il n'en est rien en ce qui me concerne.

Je suis né à Paris, dans une maternité du faubourg Saint-Jacques, et mon père, qui a passé presque toute sa vie rue Visconti, derrière l'Académie française, appartenait à une des plus anciennes familles de Rennes. Il y a eu des sieurs de Gobillot aux croisades, on retrouve plus tard un Gobillot capitaine des mousquetaires et d'autres, plus nombreux, ont été gens de robe, quelques-uns membres plus ou moins illustres du Parlement de Bretagne.

Je n'en tire aucun orgueil. Ma mère, elle, qui s'appelait Louise Finot, était la fille d'une blanchisseuse de la rue des Tournelles et, quand mon père lui a fait un enfant, elle fréquentait les brasseries du boulevard Saint-Michel.

Il est peu probable que ces antécédents expliquent mon caractère, encore moins le choix que j'ai fait d'un certain mode d'existence, pour autant qu'on puisse parler de choix.

Mon grand-père Gobillot, à Rennes, vivait encore en grand bourgeois et aurait fini dans la peau d'un président du tribunal si une embolie ne l'avait emporté vers la cinquantaine.

Quant à mon père, venu à Paris pour y faire son droit, il y est resté toute sa vie, dans le même appartement de la rue Visconti où, jusqu'à sa mort assez récente, il a été soigné par la vieille Pauline, qui l'a vu naître mais qui n'avait en réalité que douze ans de plus que lui.

C'était encore une coutume, à cette époque-là, de faire garder les enfants par des gamines, et celle-là, qui n'était qu'une fillette quand mes grands-parents l'ont engagée, a suivi mon père jusqu'à sa mort, formant avec lui un curieux ménage.

Mon père s'est-il désintéressé de moi à ma naissance ? Je l'ignore. Je ne le lui ai jamais demandé, pas plus qu'à Pauline, qui vit encore, qui a aujourd'hui quatre-vingt-deux ans et à qui je rends parfois visite. Si elle s'occupe encore elle-même de son ménage, toujours rue Visconti, elle a perdu presque entièrement la mémoire, sauf en ce qui touche aux événements les plus lointains, à l'époque où mon père était un gamin, en culottes courtes.

Peut-être n'a-t-il pas été convaincu que l'enfant de Louise Finot était de lui, ou encore peut-être avait-il alors une autre maîtresse ?

Toujours est-il que j'ai passé mes deux premières années en nourrice, du côté de Versailles, où, un beau jour, ma mère est venue me chercher pour me conduire rue Visconti.

— Voici ton fils, Blaise, aurait-elle annoncé.

Elle était à nouveau enceinte. Elle a continué, ainsi que Pauline me l'a souvent raconté :

— Je me marie la semaine prochaine. Prosper ne sait rien. S'il apprenait que j'ai déjà eu un enfant, il ne m'épouserait peut-être pas et je ne veux pas rater l'occasion, car c'est un brave homme, travailleur, qui ne boit pas. Je suis venue te rendre Lucien.

De ce jour-là, j'ai vécu rue Visconti, sous l'aile de Pauline, pour qui, au début, un enfant était un être si mystérieux qu'elle hésitait à me toucher.

Ma mère s'est en effet mariée avec un vendeur de chez Allez Frères, que j'ai aperçu beaucoup plus tard dans les magasins du Châtelet, en tablier gris de quincaillier, alors que j'allais acheter des fauteuils de jardin pour notre maison de Sully. Ils ont eu cinq enfants, mes demi-sœurs et demi-frères, que je ne connais pas et qui doivent mener une vie laborieuse et sans histoire.

Prosper est mort l'an dernier. Ma mère m'a envoyé un faire-part. Si je ne suis pas allé à l'enterrement, j'ai envoyé des fleurs et, depuis, j'ai rendu deux courtes visites au pavillon de Saint-Maur où ma mère habite actuellement.

Nous n'avons rien à nous dire. Il n'existe aucun point commun entre nous. Elle me regarde comme un étranger et se contente de murmurer :

— Tu as l'air d'avoir réussi. Tant mieux si tu es heureux !

Mon père était inscrit au Barreau et avait son cabinet dans l'appartement de la rue Visconti. A-t-il mené trop longtemps l'existence d'un vieil étudiant ? Il m'est difficile d'en juger. Au physique, il ne me ressemblait pas, car il était bel homme, racé, d'une élégance que j'ai admirée chez certains hommes de sa génération. Cultivé, il fréquentait des poètes, des artistes, des rêveurs et des filles, et il était rare de le voir rentrer, la démarche incertaine, avant deux heures du matin.

Il lui arrivait de ramener une femme avec lui, qui restait chez nous une nuit ou un mois, parfois, comme une certaine Léontine, davantage. Léontine s'est incrustée si longtemps dans la maison que je m'attendais à ce qu'elle finisse par se faire épouser.

Cela ne m'affectait pas, au contraire. J'étais assez fier de vivre dans une atmosphère différente de celle de mes camarades d'école, puis de lycée, plus fier encore quand mon père m'adressait un coup d'œil complice, dans le cas, par exemple, où Pauline découvrait une nouvelle pensionnaire dans la maison et faisait la tête.

Je me rappelle qu'elle en a mis une à la porte, de force, avec une énergie surprenante chez une petite créature comme elle, en l'absence de mon père, bien entendu, qui devait être au Palais, et en criant à la fille qu'elle était sale comme un torchon, trop mal embouchée pour rester une heure de plus sous un toit honnête.

Mon père a-t-il été malheureux ? Je le revois presque toujours souriant, encore que d'un sourire sans gaieté. Il avait trop de pudeur pour se plaindre et c'était sa délicatesse de répandre autour de lui une légèreté que je n'ai plus connue ensuite.

Alors que je commençais mon droit, il était, à cinquante ans, encore un bel homme, mais il supportait moins bien l'alcool et il lui arrivait de rester couché des journées entières.

Il a connu mes débuts chez Me Andrieu. Il a assisté, deux ans plus tard, à mon mariage avec Viviane. Je suis persuadé que, bien que nous vivions rue Visconti avec la même liberté, la même indépendance que les hôtes d'une pension de famille, au point qu'il nous arrivait de rester trois jours sans nous rencontrer, il a été affecté par le vide créé par mon départ.

Pauline, en vieillissant, perdait sa bonne humeur et son indulgence, le traitait, non plus en patron, mais comme quelqu'un à sa charge, lui imposant un régime alimentaire dont il avait horreur, faisant la chasse aux bouteilles qu'il était obligé de cacher, allant même à sa recherche, le soir, dans les caboulots du quartier.

Mon père et moi ne nous sommes jamais posé de questions l'un à l'autre. Nous n'avons jamais fait non plus allusion à notre vie privée, encore moins à nos idées et à nos sentiments.

A l'heure qu'il est, j'ignore encore si Pauline a été pour lui, à une certaine époque, autre chose qu'une gouvernante.

Il est mort à soixante et onze ans, quelques minutes seulement après une visite que je lui ai faite, comme s'il s'était retenu afin de m'éviter le spectacle de son départ.

Il fallait que j'en parle, non par piété filiale, mais parce que l'appartement de la rue Visconti a peut-être eu une certaine influence sur mes goûts profonds. Pour moi, en effet, le cabinet de mon père, avec ses livres qui tapissaient les murs jusqu'au plafond, ses revues entassées à même le plancher, ses fenêtres à petits carreaux donnant, à travers une cour médiévale, sur l'ancien atelier de Delacroix, est resté le type de l'endroit où il fait bon vivre.

Mon ambition, en entrant à l'École de Droit, était, non de réussir une carrière rapide et brillante, mais de mener une existence de cabinet, et j'aspirais à devenir un juriste besogneux bien plus qu'un avocat d'assises.

Est-ce encore mon rêve aujourd'hui ? Je préfère ne pas poser la question. J'ai été, avec ma tête démesurée, le brillant élève type et, quand mon père rentrait la nuit, il y avait presque toujours de la lumière dans ma chambre, où j'ai souvent travaillé jusqu'à l'aube.

Mon idée de ma future carrière était si bien partagée par mes professeurs que, sans m'en rien dire, ils ont parlé de moi à Me Andrieu, alors bâtonnier, dont on cite encore aujourd'hui le nom comme celui d'un des avocats les plus remarquables du demi-siècle.

Je revois la carte de visite que je trouvai un matin dans le courrier et qui portait, sous les mots gravés, une phrase écrite d'une écriture très fine, très « artiste », comme on disait encore.

Me Robert Andrieu

*vous serait obligé de passer un matin entre dix heures
et midi à son cabinet, 66, boulevard Malesherbes.*

Je dois avoir conservé cette carte, qui se trouve probablement, avec d'autres souvenirs, dans un carton. J'avais vingt-cinq ans. Non seulement Me Andrieu était une gloire du Barreau, mais il était un des hommes les plus élégants du Palais et passait pour mener une existence fastueuse. Son appartement m'impressionna, et plus encore le vaste cabinet à la fois sévère et raffiné dont les fenêtres s'ouvraient sur le parc Monceau.

Plus tard, je devais me donner le ridicule de me commander une veste de velours noir, bordée d'une ganse de soie, pareille à celle qu'il portait ce matin-là. Je m'empresse d'ajouter que je ne l'ai jamais mise et que je l'ai donnée avant que Viviane l'aperçoive.

Ce que Me Andrieu m'offrit, c'était de faire mon stage chez lui, ce qui était d'autant plus inespéré qu'il était assisté par trois avocats déjà connus par eux-mêmes.

Je ne dirai pas qu'il ressemblait physiquement à mon père, et pourtant il y avait chez les deux hommes, qui avaient connu des fortunes diverses, comme des traits de famille qui n'étaient peut-être que des traits d'époque. La politesse méticuleuse, par exemple, qu'ils affectaient dans leurs moindres rapports avec autrui, comme aussi un certain respect de la personne humaine qui les faisait parler à une servante sur le même ton qu'à une femme du monde. C'est surtout la similitude de leur sourire qui m'a frappé, une tristesse — ou une nostalgie — assez bien enfouie pour qu'on ne fasse que la soupçonner.

Non seulement Me Andrieu jouissait d'une réputation exceptionnelle de juriste, mais il était un homme à la mode et comptait parmi ses clients les artistes, les écrivains et les étoiles de l'Opéra.

Nous étions deux à travailler dans le même bureau, un grand garçon roux, devenu depuis politicien, et moi, et il ne nous parvenait guère que les échos de la vie mondaine du patron. Au début, je suis resté un mois sans le voir, recevant mes dossiers et mes instructions d'un certain Mouchonnet, qui était son bras droit.

Souvent, le soir, il y avait un grand dîner ou une réception. Deux ou trois fois, dans l'ascenseur, j'avais aperçu Mme Andrieu, beaucoup plus jeune que son mari, dont on parlait comme d'une des beautés de Paris et qui était à mes yeux un être inaccessible.

Avouerai-je que mon premier souvenir de Viviane est celui de son parfum, un après-midi que j'avais pris l'ascenseur qu'elle venait de quitter ? Une autre fois, je l'aperçus elle-même, vêtue de noir, une voilette sur les yeux, qui pénétrait dans la longue limousine dont le chauffeur tenait la portière ouverte.

Rien ne laissait prévoir qu'elle deviendrait ma femme, et c'est pourtant ce qui est arrivé.

Elle ne provenait pas, comme beaucoup de jolies femmes, du demi-monde ou du théâtre, mais d'une famille de bonne bourgeoisie provinciale. Son père, fils d'un médecin de Perpignan, était alors capitaine de gendarmerie et, avec sa famille, il a vécu un peu partout en France, au hasard des promotions, pour prendre enfin sa retraite dans ses Pyrénées natales où il élève aujourd'hui des abeilles.

Nous sommes allés le voir au printemps dernier. Il lui arrive aussi, plus rarement depuis qu'il est veuf, de passer quelques jours à Paris.

J'ignorais, au début, que, tous les deux mois environ, Me Andrieu offrait un dîner à ses collaborateurs, et c'est à un de ces dîners-là que j'ai été présenté pour la première fois à Viviane. Elle avait vingt-huit ans et elle était mariée depuis six ans. Le bâtonnier, lui, avait passé la cinquantaine et était resté longtemps seul après un premier mariage qui lui avait donné un fils.

Ce fils, âgé de vingt-cinq ans, vivait dans un sanatorium suisse et je pense qu'il est mort depuis.

Je suis laid, je l'ai dit, et je ne diminue pas ma laideur, ce qui me donne le droit d'ajouter qu'elle est compensée par l'impression de puissance, ou plutôt de vie intense, que je dégage. C'est d'ailleurs un de mes atouts aux assises et les journaux ont assez parlé de mon magnétisme pour qu'il me soit permis d'y faire allusion.

Cette vitalité concentrée est la seule explication que je trouve à l'intérêt que Viviane m'a porté dès le premier jour, intérêt qui, par moments, frisait la fascination.

Pendant le repas, en tant que le plus jeune des convives, je me trouvais assez loin d'elle, mais je sentais sur moi son regard curieux et, à l'heure du café, c'est près de moi qu'elle est venue s'asseoir, au salon.

Il nous est arrivé, plus tard, d'évoquer ensemble cette soirée-là, que nous appelons « la soirée des questions » car, pendant près d'une heure, elle m'a posé des questions, souvent indiscrètes, auxquelles, mal à l'aise, je m'efforçais de répondre.

Le cas de Corine et de Jean Moriat pourrait fournir une explication à ce qui s'est passé, qui n'est probablement pas tout à fait fausse, mais je continue à penser que ce ne sont pas des considérations de ce genre qui ont joué le premier soir et qu'elles n'auraient pas joué du tout si, dès le premier contact, une sorte d'accrochage ne s'était produit.

De par son caractère, et à cause de leur différence d'âge, Andrieu avait tendance à traiter sa femme en enfant gâtée plutôt qu'en compagne ou en maîtresse. Certains mots révélateurs ont échappé par la suite à Viviane, qui indiquent qu'elle ne trouvait pas auprès de lui les satisfactions sexuelles dont elle avait grand besoin.

Les a-t-elle cherchées avec d'autres ? Andrieu l'en soupçonnait-il ?

J'ai entendu parler, avec des sourires, d'un certain Philippe Savard, jeune oisif qui, pendant un certain temps, a fréquenté assidûment le boulevard Malesherbes et qui a cessé soudain de s'y montrer. A cette époque, Viviane, qui, enfant, a fait beaucoup d'équitation avec son père, montait chaque matin au Bois en compagnie de ce Savard et celui-ci, en outre, l'accompagnait au théâtre les soirs que Me Andrieu en était empêché.

Toujours est-il qu'après ce premier dîner nos contacts sont devenus plus fréquents, encore qu'anodins. Avec l'assentiment de son mari, Viviane usait de moi, dernier venu dans la maison, pour des courses personnelles, de menues démarches mondaines, ce qui m'ouvrait de temps en temps les portes de son appartement.

Le théâtre nous a rapprochés davantage, plus exactement un concert qui eut lieu un soir que mon patron était pris par un banquet officiel. A l'instigation de Viviane, je suppose, il m'a prié de lui servir de cavalier.

M'a-t-elle étudié, jaugé, comme Corine l'a fait pour le député des Deux-Sèvres ? Éprouvait-elle déjà le besoin de jouer un rôle plus actif que celui qui lui était permis chez son mari ?

L'idée ne m'en est pas venue alors. J'étais ébloui, exalté, incapable de croire que mes rêves pourraient se réaliser. J'ai même très sincèrement, pendant une semaine, envisagé de quitter le cabinet de Me Andrieu afin de m'éviter une désillusion trop cruelle.

Un voyage qu'il fit à Montréal, où il venait d'être nommé docteur *honoris causa* de l'Université Laval, devait précipiter les événements. Son absence, de trois semaines en principe, dura deux mois, à cause d'une bronchite qu'il attrapa là-bas. J'ignorais que, jeune homme, il avait passé trois ans en haute montagne, comme c'était maintenant le cas de son fils.

Viviane, à plusieurs reprises, m'a prié de l'escorter le soir. Non seulement nous sommes allés au théâtre, dont elle était friande, mais, une nuit, nous avons soupé au cabaret. Elle avait renvoyé la voiture et c'est en rentrant en taxi que, jouant le tout pour le tout, je me penchai sur elle.

Deux jours plus tard, le jour de congé de la femme de chambre, je fus admis pendant une heure dans son appartement. Puis, au retour d'Andrieu, force nous fut de nous rencontrer à l'hôtel, ce qui, la première fois, me couvrit de honte.

A-t-il appris la vérité ? Ne l'a-t-il connue que le jour où elle a décidé de le mettre au courant de la situation ?

Moi qui exige si implacablement des faits précis de la part de mes clients, je me trouve fort embarrassé pour les établir en ce qui me concerne. Pendant des années, j'ai été persuadé qu'Andrieu ignorait tout. Plus tard, j'ai douté. Depuis quelques mois, je suis enclin à pencher pour le contraire.

J'ai parlé de signe, précédemment. Je n'en soupçonnais rien à l'époque et je me serais sans doute moqué de qui m'en aurait parlé. Or, si quelqu'un au monde portait ce signe-là, c'était bien Me Andrieu.

Le jour que Viviane avait fixé pour les aveux, j'avais remis ma démission, surpris de la façon à la fois triste et résignée dont il l'avait acceptée.

— Je vous souhaite le succès que vous méritez, m'a-t-il dit en me tendant sa main longue et soignée.

C'était quelques heures seulement avant la confession.

J'ai attendu des nouvelles de Viviane pendant deux longues semaines. Elle avait promis de me téléphoner rue Visconti tout de suite après leur entretien. Ses valises étaient prêtes. Les miennes aussi. Nous devions nous installer dans un hôtel du quai des Grands-Augustins en attendant de trouver un appartement, et j'avais déjà obtenu un poste chez un avocat d'affaires qui, depuis, a mal tourné.

Le lendemain, je n'osai pas appeler le boulevard Malesherbes et, donnant la consigne à Pauline pour le cas où on me téléphonerait, j'allai faire le guet devant sa maison.

Ce n'est que trois jours plus tard que j'appris par mon père, qui l'avait entendu dire au Palais, qu'Andrieu avait fait une rechute et gardait le lit. Sur ce sujet-là encore, mon opinion n'est plus celle que j'avais il y a vingt ans. Aujourd'hui, je pense qu'un homme pour qui une femme est devenue la principale raison de vivre, est capable de tout, lâchetés, bassesses, cruautés, pour la garder coûte que coûte.

Un mot griffonné a fini par m'annoncer :

Je serai jeudi vers dix heures du matin quai des Grands-Augustins.

Elle arriva à dix heures et demie avec ses malles, en taxi, bien qu'Andrieu eût insisté pour la faire conduire par la limousine.

Nos premières journées ont été sans gaieté et c'est Viviane qui s'est remise la première, trouvant mille plaisirs imprévus dans sa nouvelle vie.

C'est elle aussi qui a découvert l'appartement de la place Denfert-Rochereau et qui, parmi ses anciennes relations, a déniché mon premier client important.

— Tu verras, plus tard, quand tu seras l'avocat le plus en vue de Paris, comme cela nous attendrira de nous souvenir de ce logement !

Andrieu avait insisté pour demander le divorce en prenant les torts sur lui. Les semaines passaient sans que nous en entendions parler quand le journal, un matin de mars, nous apporta la nouvelle :

Le bâtonnier Andrieu victime d'un accident de montagne.

On racontait qu'il était allé rendre visite à son fils dans un sanatorium de Davos et que, voulant en profiter pour faire, seul, une excursion en montagne, il avait glissé dans une crevasse. Son corps n'avait été découvert par un guide que deux jours plus tard.

Cette fin-là aussi, comme ses longues moustaches soyeuses, sa politesse, son sourire en demi-teinte, a pour moi un parfum d'époque.

Comprend-on à présent pourquoi, lorsque les gens parlent de nous comme d'un couple de fauves, ils touchent sans le savoir à un point ultra-sensible ?

Il nous fallait nous raccrocher l'un à l'autre avec énergie pour ne pas sombrer dans le remords et le dégoût. Une passion dévorante seule pouvait nous servir d'excuse et nous faisions l'amour comme deux êtres pris de folie, nous nous serrions l'un contre l'autre en regardant durement un avenir qui devait être une revanche.

Pendant un an je n'ai presque pas vu mon père, sinon de loin, au Palais, car je travaillais quatorze et quinze heures par jour, acceptant toutes les causes, les quémandant, dans l'attente de celle qui établirait ma réputation. Ce n'est qu'à la veille de nous marier que je me rendis rue Visconti.

— Je voudrais que tu fasses la connaissance de ma future femme, dis-je à mon père.

Il avait certainement entendu parler de notre aventure, dont il était beaucoup question au Palais, mais il ne m'en dit rien, se contenta de m'observer et de me demander :

— Tu es heureux ?

J'ai répondu oui, et je croyais l'être. Peut-être l'étais-je réellement ? Nous nous sommes mariés sans aucun bruit à la mairie du XIVe arrondissement et nous sommes allés nous reposer quelques jours dans une auberge de la forêt d'Orléans, à Sully, où six ans plus tard nous devions acheter une maison de campagne.

C'est là que je reçus la visite d'un homme qui avait obtenu notre adresse de notre concierge et qui, regardant l'auberge où quelques consommateurs discutaient au comptoir, grommela en me faisant signe de le suivre :

— Allons bavarder le long du canal.

Je n'arrivais pas à le situer socialement. Il ne ressemblait pas à ce qu'on appelait alors un homme du milieu, ni à ce qu'on appelle aujourd'hui un gangster. Plutôt mal vêtu de sombre, peu soigné, l'œil méfiant, la bouche amère, il faisait penser à un de ces employés fatigués qui vont de porte en porte pour effectuer les recouvrements.

— Mon nom ne vous dira rien, commença-t-il dès que nous eûmes dépassé les quelques chalands amarrés dans le port. De mon côté, je sais tout ce que j'ai besoin de savoir de vous et je pense que vous êtes mon homme.

Il s'interrompit pour questionner :

— C'est votre femme légitime qui est avec vous à l'auberge ?

Et, comme je répondais oui :

— Je me méfie des gens en situation irrégulière. Je vais droit au but. Je n'ai aucun démêlé avec la justice et je ne veux pas en avoir. Cela établi, je n'en ai pas moins besoin du meilleur avocat que je puisse me payer et il est possible que vous soyez cet homme-là. Je ne possède pas de magasins, pas de bureaux, je n'ai pas d'usines ni de patente, mais je traite de très grosses affaires, plus grosses que la plupart des messieurs qui ont pignon sur rue.

Il y mettait une certaine agressivité, comme pour protester contre la modestie de son aspect et de sa mise.

— En tant qu'avocat, vous n'avez pas le droit de répéter ce que je vais vous confier et je peux jouer franc-jeu. Vous avez entendu parler du trafic de l'or. Depuis que les changes varient presque quotidiennement et que les monnaies, dans la plupart des pays, ont un cours forcé, il y a gros profit à transporter de l'or d'un endroit à un autre et les frontières qu'il s'agit de lui faire franchir changent selon les cours. De temps à autre, les journaux annoncent qu'un passeur a été pris à Modane, à Aulnoye, à l'arrivée du bateau de Douvres ou ailleurs. Il est rare qu'on remonte la filière beaucoup plus loin, mais cela pourrait arriver. Or, au bout de la filière, c'est moi.

Il alluma une gauloise et s'arrêta pour regarder les ronds que des insectes traçaient sur la surface du canal.

— J'ai étudié la question, pas comme pourrait le faire un homme de loi habile, mais assez pour me rendre compte qu'il existe des moyens légaux de m'éviter des ennuis. J'ai à ma disposition deux sociétés d'exportation et d'importation et autant d'agences qu'il m'en faut à l'étranger. J'achète vos services à l'année. Je ne vous prends qu'une petite partie de votre temps et vous restez libre de défendre qui vous plaît à la barre. Avant chaque opération, je vous consulte et c'est vous que cela regarde de la rendre sans danger.

Il se tourna vers moi pour la première fois depuis que nous avions quitté l'auberge et, me regardant en face, laissa tomber :

— C'est tout.

J'étais devenu rouge et mes poings s'étaient serrés de colère. J'allais ouvrir la bouche — et sans doute ma protestation aurait-elle été violente — quand, devant ma réaction, il murmura :

— Je vous verrai ce soir après dîner. Parlez à votre femme.

Je ne suis pas rentré tout de suite, car j'ai voulu me donner du mouvement pour calmer mes nerfs. A l'auberge, c'était l'heure de l'apéritif et il y avait trop de clients au comptoir pour qu'il soit possible de nous y entretenir.

— Seul ? s'étonna Viviane.

Il commençait à faire frais dehors, d'une fraîcheur humide. Je l'entraînai dans notre chambre, tapissée de papier à fleurs, qui sentait la campagne. Je parlai bas, car nous entendions les voix des buveurs et ils auraient pu nous entendre.

— Il m'a quitté sur le chemin de halage en m'annonçant qu'il viendrait chercher ma réponse ce soir après que je t'aurai mise au courant.

— Quelle réponse ?

Je lui répétai ce qu'il m'avait dit et je la voyais écouter sans réagir.

— C'est inespéré, non ?

— Tu ne comprends pas ce qu'il attend de moi ?

— Des conseils. N'est-ce pas ton rôle d'avocat d'en donner ?

— Des conseils pour tourner la loi.

— C'est le cas de la plupart des conseils qu'on attend d'un avocat, ou alors je n'y ai rien compris.

J'ai cru qu'elle ne se rendait pas compte, je me suis appliqué à mettre les points sur les *i*, mais elle restait calme.

— Combien t'a-t-il proposé ?

— Il n'a pas cité de chiffre.

— C'est pourtant du chiffre que cela dépend. Te rends-tu compte, Lucien, que cela représente la fin de nos difficultés et que l'avocat-conseil d'une grande société fait exactement le même travail ?

Elle oubliait de parler à voix basse.

— Chut !

— Tu ne lui as rien dit qui l'empêche de revenir ?

— Je n'ai pas ouvert la bouche.

— Comment s'appelle-t-il ?

— Je l'ignore.

Je ne l'ignore plus aujourd'hui. Il s'appelle Joseph Bocca, encore qu'après tant d'années je ne sois pas certain que ce soit son nom véritable, pas plus que je ne jurerais de sa nationalité. Outre son hôtel particulier à Paris et des fermes un peu partout en France, il s'est acheté une magnifique propriété sur la Côte d'Azur, à Menton, où il vit une partie de l'année et où il nous a invités, ma femme et moi, à passer autant de temps que nous voudrions.

C'est maintenant un homme connu car, avec la fortune que lui a rapportée le trafic de l'or, il a monté des affaires de textiles qui ont des filiales en Italie et en Grèce et il a des intérêts dans des entreprises variées. Je ne serais pas surpris, lundi, quand l'ambassadeur sud-américain viendra me voir, de découvrir que Bocca est dans le coup de l'affaire d'armes.

Je rêvais encore de devenir un juriste distingué.

— Tout ce que je te demande, ce soir, c'est de ne pas le décourager par un non brutal.

Quand il est revenu, vers huit heures et demie, alors que nous finissions de dîner, nous sommes allés nous promener dans l'obscurité et j'ai dit oui, tout de suite, pour en finir, et aussi parce qu'il ne me laissait pas le choix.

— C'est tout ou rien.

Il a cité son chiffre.

— Je vous enverrai la semaine prochaine un de mes employés, qui s'appelle Coutelle et qui vous expliquera le mécanisme actuel des opérations. Vous étudierez la question à tête reposée et, quand vous aurez trouvé une solution, vous me téléphonerez.

Il ne me remit pas une carte de visite mais un bout de papier sur lequel était écrit le nom de Joseph Bocca, un numéro de téléphone du quartier du Louvre et une adresse rue Coquillière.

Je suis allé, par curiosité, jeter un coup d'œil à l'immeuble aux escaliers et aux couloirs crasseux où on trouvait, comme l'annonçaient à la porte des plaques d'émail, un curieux échantillonnage des professions les plus inattendues, une masseuse, une école de sténographie, un commerce de fleurs artificielles, un détective privé, une agence de placement et un journal corporatif de la boucherie.

En plus, l'« I.P.F. », commission-exportation.

Je préférai ne pas me montrer et attendre la visite du nommé Coutelle à mon cabinet. Il y est revenu souvent, au cours des années et, la dernière fois, c'était pour m'annoncer qu'il prenait sa retraite dans une villa qu'il venait de se faire construire sur la falaise de Fécamp.

Viviane ne m'a pas forcé la main. J'ai agi de mon plein gré. Je regrette, à présent, d'être remonté si loin dans ma vie, car ce n'est pas du passé, mais du présent, que je m'étais promis de m'occuper dans ce dossier.

On prétend que l'un explique l'autre et j'hésite à le croire.

Il est deux heures du matin. Malgré les prévisions de l'O.N.M. le vent s'est remis à souffler en tempête et j'entends le volet, à l'étage au-dessus, qui recommence à se déglinguer. Rue Jacob, il doit faire une chaleur étouffante et la moitié des gens qui s'y pressent se rencontrent dix fois la semaine à des générales, à des cocktails, à des ventes de charité ou à des cérémonies plus ou moins officielles.

Il est possible que Marie-Lou ait du talent, encore que je ne croie pas aux vocations tardives. Elle m'a dit hier, à dîner, qu'elle avait envie de faire mon portrait parce que j'ai un « masque puissant » et Lannier, qui a entendu, a souri en exhalant lentement la fumée de sa cigarette.

C'est un homme important et, chaque fois que ses journaux sont poursuivis en diffamation, il fait appel à moi. Par contre, jamais il ne m'a demandé de le représenter au civil, où il a toujours quelque affaire pendante. Sans doute me considère-t-il, et il n'est pas le seul, comme une « grande gueule », capable d'enlever un verdict par le brio et la fougue d'une plaidoirie, par la violence et l'astuce des attaques et des contre-attaques, mais il ne m'enverrait pas devant les froids magistrats des Chambres civiles.

Est-il, lui aussi, en affaires avec Bocca ? C'est probable. On ne fait pas longtemps mon métier sans constater qu'à une certaine hauteur de la pyramide il n'y a plus que quelques hommes à se partager le pouvoir, les fortunes et les femmes.

J'essaie de ne pas penser à Yvette et, toutes les cinq minutes, je me demande ce qu'« ils » font. Sont-ils allés dans un musette comme elle les aime et où, malgré tout, je serais déplacé ? Ou bien ont-ils choisi un des bals populaires de Montmartre pleins de dactylos et de vendeurs de grands magasins ?

Elle me le dira demain si je le lui demande. Mangent-ils une choucroute dans une brasserie ?

Peut-être sont-ils déjà rentrés ?

Je m'impatiente, souhaite le retour de ma femme afin d'aller me coucher. Je pense à Mᵉ Andrieu qui attendait peut-être aussi dans son cabinet où, dès l'automne, il avait l'habitude de se camper le dos aux bûches.

Je n'ai pas l'intention de me rendre en Suisse, ni d'excursionner en montagne. Le cas est différent. Tout est différent. Deux vies, deux situations ne sont jamais semblables et j'ai tort de me laisser impressionner par cette histoire de signe qui commence à me hanter.

Il y a longtemps que je n'ai pas pris de vacances. Je suis fatigué. Viviane a beau être mon aînée, elle mène un train que je n'arrive plus à suivre qu'en soufflant.

Je demanderai à Pémal de passer me voir. Il me prescrira de nouveaux médicaments, me conseillera une fois de plus de ne pas forcer la machine et me répétera que les hommes, comme les femmes, ont leur retour d'âge.

Selon lui, je suis en plein retour d'âge !

— Attendez la cinquantaine et vous serez surpris de vous sentir plus jeune et plus vigoureux qu'aujourd'hui.

A soixante ans, il commence ses visites à huit heures du matin, quand ce n'est pas plus tôt, pour les finir à dix heures du soir et il n'hésite pas à répondre aux appels de nuit.

Je l'ai toujours vu d'humeur égale, un sourire malicieux aux lèvres, comme s'il trouvait amusant de voir les gens s'inquiéter de leur santé.

L'ascenseur monte, s'arrête à l'étage au-dessus.

C'est ma femme qui rentre.

4

Dimanche 13 novembre, 10 heures du matin

En rentrant ce matin, vers huit heures et demie, j'ai pris deux comprimés de phéno-barbital et me suis mis au lit, mais la drogue n'a produit aucun effet et, en fin de compte, j'ai préféré me lever. Après une douche froide, je suis descendu dans mon bureau et, avant de m'y asseoir, je me suis assuré qu'« il » n'est pas à faire les cent pas sur le trottoir.

L'O.N.M. avait raison, après tout. Le vent est tombé, le ciel est comme neuf et il fait un froid piquant, les gens qu'on voit se rendre à la messe enfoncent les mains dans les poches et martèlent le pavé de leurs talons. Mes clochards ne sont pas sous le Pont-Marie ; je me demande s'ils ont déménagé ou si c'est leur tour de dormir à bord de la péniche de l'Armée du Salut.

La nuit dernière, quand j'ai entendu Viviane rentrer, j'ai enfermé mon dossier et, alors que j'étais presque en haut de l'escalier, la sonnerie du téléphone m'a fait sursauter, car j'ai tout de suite pensé à une nouvelle désagréable.

— C'est toi ? a fait, à l'autre bout du fil, la voix d'Yvette.

Ce n'était pas sa voix normale, mais sa voix quand elle a bu ou qu'elle est surexcitée.

— Tu n'étais pas couché ?

— Je montais.

— Tu m'as dit que tu te couches rarement avant deux heures, surtout le sa...

Elle se mordit la langue sans achever le mot samedi. C'est moi qui questionnai :

— Où es-tu ?

— Rue Caulaincourt, chez *Manière*.

Il y a eu un silence. Du moment qu'elle m'appelait un samedi soir, c'est qu'un accrochage s'était produit.

— Seule ?

— Oui.

— Depuis longtemps ?

— Une demi-heure. Dis-moi, Lucien, cela t'ennuierait de venir me chercher ?

— Tu es inquiète ? Que se passe-t-il ?

— Rien. Je t'expliquerai. Tu viens tout de suite ?

Je trouvai ma femme occupée à se déshabiller.

— Tu ne t'es pas couché ? dit-elle.

— Je montais quand j'ai reçu un coup de téléphone. Je dois sortir.

Elle m'a lancé un coup d'œil intrigué.

— Quelque chose ne va pas ?

— Je ne sais pas. Elle n'a rien voulu me dire.

— Tu ferais mieux d'éveiller Albert pour qu'il te conduise. Il sera prêt en quelques minutes.

— Je préfère prendre un taxi. C'était réussi, rue Jacob ?

— Nous étions deux fois plus nombreux que prévu et des amis ont dû se dévouer pour aller avec leur voiture chercher de nouvelles caisses de champagne. Tu parais contrarié.

Je l'étais. Dehors, surpris par le froid, j'ai été obligé de marcher jusqu'au Châtelet pour trouver un taxi. Je connais le restaurant *Manière*, à Montmartre, mais j'ignorais qu'Yvette le fréquentait à son tour. Pour ma femme et moi, il représente une époque, une étape. La seconde année de notre mariage, nous avons eu, un temps, la passion du canoë, et nous allions le dimanche en faire sur la Marne, entre Chelles et Lagny. Un même groupe s'y retrouvait, des jeunes couples pour la plupart, surtout des médecins et des avocats, et, pendant la semaine, on avait pris l'habitude de se rencontrer chez *Manière*.

Du jour au lendemain, sans raison dont je me souvienne, cette période-là a été révolue et une autre a commencé, nous avons fait partie, successivement, de plusieurs coteries avant d'aboutir à notre milieu actuel. Il m'est arrivé d'envier ceux qui restent dans un même milieu toute leur vie. Il n'y a pas si longtemps, nous sommes passés par Chelles, un dimanche matin, en allant chez des amis qui ont une propriété dans la région, et j'ai été surpris de reconnaître, sur l'eau, dans les mêmes canoës, un certain nombre de couples d'autrefois, vieillis, qui ont maintenant de grands enfants.

Je ne sais pas depuis combien d'années je n'ai pas mis les pieds chez *Manière* mais, en poussant la porte, j'ai reçu une bouffée familière et je ne pense pas que l'atmosphère ait beaucoup changé. J'ai aperçu Yvette devant un verre de whisky et le choix de cette boisson m'a renseigné sur son état d'esprit.

— Retire ton pardessus et assieds-toi, m'a-t-elle dit avec l'air important de quelqu'un qui a de graves nouvelles à annoncer.

Le garçon s'est avancé et j'ai commandé un whisky aussi. J'en ai bu plusieurs par la suite et c'est ce qui m'a empêché de m'endormir ce matin, car une certaine quantité d'alcool me rend nerveux plutôt que de m'assommer.

— Tu n'as aperçu personne sur le trottoir ?

— Non. Pourquoi ?

— Je me demandais s'il n'était pas revenu pour me guetter. C'est le genre d'homme à cela. Dans l'état où il est, il est capable de tout.

— Vous vous êtes disputés ?

Quand elle a pris deux ou trois verres, les choses ne sont jamais si simples. Elle m'a regardé dans les yeux, tragique, pour prononcer :

— Je te demande pardon, Lucien. Je devrais te rendre heureux. J'essaie de toutes mes forces et ne parviens qu'à t'attirer des tracas et à te faire de la peine. Tu aurais dû me mettre à la porte le jour où je suis allée te trouver la première fois et, à l'heure qu'il est, je serais à ma vraie place, en prison.

— Parle moins fort.

— Excuse-moi. C'est vrai que j'ai bu, mais je ne suis pas saoule. Je te jure que je ne suis pas saoule. Il est important que tu me croies. Si tu me vois ainsi, c'est que j'ai peur, surtout pour toi.

— Raconte-moi ce qui s'est passé.

— Nous sommes allés dans un cinéma de Barbès, où on donnait un film qu'il avait envie de voir depuis longtemps, et, en sortant, j'ai eu envie de manger un morceau place du Tertre.

Elle a le goût des endroits bruyants et colorés, du pittoresque vulgaire, agressif.

— Il ne m'a pas parlé tout de suite. Je ne le sentais pas comme d'habitude, mais je ne me figurais pas que c'était aussi grave. A un moment donné, alors que nous venions de danser et que nous reprenions notre place, il m'a arrêtée au moment où je m'asseyais et m'a dit, les sourcils joints :

» — Tu sais ce que nous allons faire ?

» Et moi — je t'en demande pardon — de lui répondre :

» — Parbleu !

» — Il ne s'agit pas de cela. Nous allons rue de Ponthieu, mais c'est pour y prendre tes affaires et tu viendras chez moi. J'ai enfin la nouvelle chambre qu'ils me promettent depuis longtemps. Elle est assez grande pour deux et donne sur la rue.

» J'ai répliqué, croyant qu'il parlait en l'air :

» — Tu sais bien, Léonard, que c'est impossible.

» — Non. J'ai réfléchi. C'est trop bête de vivre comme nous le faisons. Tu m'as répété souvent que tu ne te souciais pas d'un grand appartement, ni d'une vie confortable. Tu as connu pire que le quai de Javel, non ?

Pendant qu'elle parlait avec animation, je restais immobile sur la banquette, les yeux fixés sur un couple qui buvait du champagne et s'embrassait entre les gorgées. A certain moment, ils se sont amusés, par leurs baisers, à faire passer le champagne d'une bouche dans l'autre.

— J'écoute, soupirai-je après qu'Yvette se fut tue quelques instants.

— Je ne peux pas tout te raconter. Ce serait trop long. Il n'en a jamais tant dit qu'aujourd'hui. Il prétend qu'il est enfin sûr qu'il m'aime et que rien ne le fera renoncer à moi.

— Il a parlé de moi ?

Elle ne répondit pas.

— Qu'a-t-il dit ?

— Que je ne te dois aucune reconnaissance, que tu n'es qu'un égoïste, un...

— Un quoi ?

— Un vicieux, tant pis, c'est toi qui insistes. Il n'a rien compris, prétend que tu te conduis comme tous les bourgeois, etc. Je lui ai répondu que c'était faux, qu'il ne te connaissait pas et que je refusais de t'abandonner. Il y avait du monde autour de nous. Un chanteur nous a forcés à nous taire pendant un certain temps et cela m'a permis de l'observer et de constater qu'il lui était venu un air méchant. Quand le chanteur s'est tu, il m'a dit :

» — Si tu y tiens, appelle-le tout de suite au téléphone et annonce-lui notre décision.

» J'ai refusé, lui répétant que je n'irais pas avec lui.

» — Dans ce cas, c'est moi qui lui téléphone et qui lui parle. Je t'assure qu'il comprendra !

» Je me suis raccrochée à lui et, pour gagner du temps, j'ai proposé :

» — Allons ailleurs. Tout le monde nous regarde et se figure que nous nous disputons.

» Nous avons marché dans l'obscurité des petites rues, là-haut, avec de longs silences. Tu m'as demandé de te dire tout, Lucien. Je te jure que je n'ai pas hésité à prendre ma décision, que je cherchais seulement un moyen de me débarrasser de lui. Quand j'ai aperçu les lumières de chez *Manière*, j'ai prétendu que j'avais soif, nous sommes entrés et j'ai commandé un whisky dont j'avais rudement besoin, car la scène recommençait.

» — Qu'est-ce que tu aurais de plus, lui ai-je demandé, si j'allais vivre avec toi à Javel ?

» — Tu serais ma femme.

» — Que veux-tu dire ?

» — Ce que cela signifie. Je t'épouserais.

Elle finit son verre, ricana :

— Tu te rends compte ? J'ai éclaté de rire, mais cela me faisait quand même un drôle d'effet, car c'est la première fois qu'un homme me proposait cela.

» — Avant un mois, ai-je répliqué, tu le regretterais, ou c'est moi qui en aurais assez de toi.

» — Non.

» — Je ne suis pas faite pour vivre avec un homme.

» — Toutes les femmes sont faites pour ça.

» — Pas moi.

» — Cela me regarde.

» — Cela me regarde aussi.

» — Avoue que c'est à cause de lui que tu refuses.

» Je n'ai rien avoué, j'ai gardé le silence et il a continué :

» — Tu en as peur ?

» — Non.

» — Alors, tu l'aimes ?

Elle se tut encore, fit un geste à l'adresse du garçon.

— La même chose.

— Pour les deux ?

Je dis que oui sans penser.

— Il répétait :

» — Tu l'aimes ? Avoue ! Dis-moi la vérité.

» Je ne sais plus ce que j'ai répondu à la fin, et, très en colère, il s'est levé en me jetant :

» — C'est avec lui que je réglerai la question.

» Il est parti, furieux et pâle, après avoir jeté de l'argent sur la table pour les consommations.

— Il avait bu ?

— Quelques verres. Pas assez pour lui faire autant d'effet. Je m'attendais à ce qu'une fois dehors il se calme et revienne me demander pardon. Avant de te téléphoner, je suis restée une demi-heure seule dans mon coin à me morfondre et à sursauter chaque fois que la porte s'ouvrait. Soudain, l'idée m'est venue qu'il était peut-être allé te trouver chez toi.

— Je n'ai vu personne.

— Il le fera, j'en suis persuadée, car il ne parlait pas en l'air. Ce n'est pas le genre de garçon qui prend une décision à la légère et, quand il a une idée en tête, il la réalise coûte que coûte. Comme pour ses études ! J'ai peur, Lucien. J'ai si peur qu'il t'arrive quelque chose !

— Partons.

— Laisse-moi prendre encore un verre.

C'était le verre de trop, je l'ai compris quand sa langue s'est épaissie et que son regard est devenu fixe, et aussi au ton de son discours.

— Tu es sûr que je ne te quitterai pour rien au monde, n'est-ce pas ? Il faut que tu le saches, que tu saches que tu es tout pour moi, qu'avant toi je n'existais pas et que, si tu n'y étais plus...

J'ai appelé le garçon pour payer et elle a trouvé le moyen de boire le reste de ma consommation. Au moment de sortir, elle m'a supplié de m'assurer qu'on ne nous guettait pas dehors. Nous avons eu la chance de trouver un taxi sans attendre et nous sommes fait conduire rue de Ponthieu. Dans la voiture, elle est restée blottie contre moi, pleurnichant, secouée parfois d'un frisson.

Son récit n'est pas nécessairement exact et je ne saurai jamais ce qu'elle a dit à Mazetti. Même sans aucune raison de mentir, elle éprouve le besoin de raconter des histoires et finit par les croire.

Au début, n'a-t-elle pas juré à Mazetti que je n'étais que son avocat, qu'elle était innocente de l'affaire de la rue de l'Abbé-Grégoire et qu'elle me devait une reconnaissance éternelle pour l'avoir arrachée à une condamnation injuste ?

Cela remonte à juillet, à un jour de semaine, je ne sais plus lequel, où je l'ai conduite à Saint-Cloud pour déjeuner dans une guinguette comme elle les aime. Il y avait foule à la terrasse où nous mangions et je n'ai prêté qu'une attention distraite à deux jeunes gens sans veston, dont un aux cheveux très bruns et frisés, qui occupaient la table voisine et regardaient sans cesse de notre côté. J'avais un rendez-vous important à deux heures et demie et, à deux heures et quart, nous n'en étions pas encore au dessert. J'annonçai à Yvette que je devais partir.

— Je peux rester ? demanda-t-elle.

Elle ne me parla de rien le lendemain, ni le surlendemain, seulement trois jours plus tard, alors que les lumières étaient éteintes et que nous allions nous endormir.

— Tu dors, Lucien ?

— Non.

— Je peux te parler ?

— Bien sûr, tu peux me parler. Tu veux que j'allume ?

— Non. Je crois que j'ai encore fait une chose pas bien.

Je me suis souvent demandé si sa sincérité, sa manie de confession viennent de ses scrupules ou d'une cruauté naturelle, peut-être du besoin de donner un intérêt à sa vie en la colorant de drame ?

— Tu n'as pas remarqué les deux jeunes gens, l'autre jour, à Saint-Cloud ?

— Lesquels ?

— Ils étaient à la table voisine. Il y en avait un brun, très musclé.

— Oui.

— Quand tu es parti, j'ai compris qu'il allait me parler, en le voyant se débarrasser de son ami, et, en effet, un peu plus tard, il m'a demandé la permission de prendre son café à ma table.

Elle a eu d'autres aventures depuis que nous nous connaissons et je la crois sincère quand elle m'affirme que je les connais toutes. La première, deux semaines après son acquittement, alors qu'elle habitait encore le boulevard Saint-Michel, était avec un musicien d'une boîte de Saint-Germain-des-Prés. Elle m'a avoué qu'elle s'asseyait toute la soirée près du jazz et que, le second soir, il l'avait emmenée chez lui.

— Tu es jaloux, Lucien ?

— Oui.

— Cela te fait très mal ?

— Oui. Peu importe.

— Tu penses que je serais capable de me retenir ?

— Non.

C'est vrai. Les sens ne sont pas seuls en cause. C'est plus profond, un besoin de vivre une vie différente, d'être le centre de quelque chose, de sentir l'attention sur elle. Je m'en étais convaincu en cour d'assises, où elle a probablement passé les heures les plus grisantes de sa vie.

— Tu tiens toujours à ce que je te dise tout ?

— Oui.

— Même si cela te fait mal ?

— Cela me regarde.

— Tu m'en veux ?

— Ce n'est pas ta faute.

— Tu crois que je suis faite autrement qu'une autre ?

— Non.

— Alors, comment les autres s'arrangent-elles ?

A ces moments-là, quand nous atteignons un certain point d'absurdité, je lui tourne le dos, car je sais ce qu'elle veut : qu'on discute son cas à n'en plus finir, qu'on analyse sa personnalité, ses instincts, son comportement.

Elle s'en rend compte aussi.

— Je ne t'intéresse plus ?

Alors elle boude, ou elle pleure, puis elle m'observe un moment comme une petite fille qui a désobéi et se décide à venir me demander pardon.

— Je ne comprends pas comment tu me supportes. Mais as-tu déjà pensé, Lucien, qu'il peut être exaspérant pour une femme de se trouver en face d'un homme qui sait tout, qui devine tout ?

Avec le musicien, cela n'a duré que cinq jours. Un soir, je l'ai trouvée étrange, fébrile, les yeux écarquillés, et, en lui posant les questions qu'il fallait, j'ai obtenu l'aveu qu'il lui avait fait prendre de l'héroïne. Je me suis fâché et quand, le lendemain, j'ai compris qu'elle l'avait revu malgré ma défense, je l'ai giflée pour la première fois, si fort qu'elle en a porté une marque sous l'œil gauche pendant plusieurs jours.

Je ne peux pas la surveiller jour et nuit, ni exiger qu'elle passe tout son temps à m'attendre. Je sais que je ne lui suffis pas et force m'est de lui laisser chercher ailleurs ce que je ne lui donne pas. Tant pis si j'en souffre.

Les premiers mois, l'inquiétude dominait, car je me demandais si elle me reviendrait ou si elle foncerait tête baissée dans quelque sale aventure.

Depuis Saint-Cloud, mes soucis ont changé de forme.

— C'est un garçon d'origine italienne, mais il est né en France et il est français. Sais-tu ce qu'il fait ? Il est à la fois étudiant en médecine et manœuvre, la nuit, chez Citroën. Tu ne trouves pas ça courageux, toi ?

— Où t'a-t-il conduite ?

— Nulle part. Ce n'est pas son genre. Nous sommes revenus à pied par le Bois de Boulogne et je ne crois pas avoir autant marché de ma vie. Tu es fâché ?

— Pourquoi serais-je fâché ?

— Parce que je ne t'en ai pas parlé plus tôt.

— Tu l'as revu ?

— Oui.

— Quand ?

— Hier.

— Où ?

— A la terrasse du *Normandie*, aux Champs-Élysées, où il m'avait donné rendez-vous.

— Par téléphone ?

Donc, il connaissait déjà son numéro.

— Toi qui as toujours peur que je tombe sur un voyou, je me suis dit que cela te ferait plaisir. Son père est maçon à Villefranche-sur-Saône, pas loin de Lyon, où je suis née, et sa mère fait la vaisselle dans un restaurant. Il a sept frères et sœurs. Depuis l'âge de quinze ans, il travaille pour payer ses études. A présent, il vit dans une petite chambre, à Javel, près de l'usine, et ne dort pas plus de cinq heures par jour.

— Quand le revois-tu ?

Je savais qu'elle avait une idée de derrière la tête.

— Cela dépend de toi.

— Que veux-tu dire ?

— Si tu le désires, je ne le reverrai pas du tout.

— Quand t'a-t-il demandé de le revoir ?

— Le samedi soir, il ne travaille pas à l'usine.

— Tu as envie de le retrouver samedi prochain ?

Elle n'a pas répondu. Le dimanche matin, téléphonant rue de Ponthieu, j'ai compris à son embarras qu'elle n'était pas seule. C'était la première fois, à ma connaissance, qu'elle emmenait quelqu'un dans un appartement qui est en somme le nôtre.

— Il est là ?

— Oui.

— Je te retrouverai chez Louis ?

— Si tu veux.

La nuit du samedi au dimanche est devenue « leur » nuit et, pendant un certain temps, Mazetti a cru à l'histoire de l'avocat au grand cœur.

Yvette m'a confessé que, parfois, dans la journée, elle allait l'embrasser quai de Javel alors qu'il étudiait.

— Juste pour lui donner du courage. La chambre est toute petite et, dans l'hôtel, il n'y a que des ouvriers d'usine, surtout des Arabes et des Polonais. Dans l'escalier, j'ai peur de ces hommes qui ne se dérangent pas pour me laisser passer et qui me regardent avec des yeux brillants.

Il est venu rue de Ponthieu d'autres jours que le samedi aussi, puisqu'un après-midi je l'ai croisé sous la voûte. Nous nous sommes reconnus. Il a hésité, m'a salué avec une certaine gêne et je lui ai rendu la politesse.

Ne fût-ce que pour ajouter du piquant à l'aventure, Yvette a fini, comme je m'y attendais, par lui avouer que je ne suis pas seulement son bienfaiteur, mais son amant.

Elle lui a raconté aussi le *hold-up* de la rue de l'Abbé-Grégoire, la version véritable, cette fois, en ajoutant que j'avais joué, pour elle, mon honneur et ma situation.

— *Cet homme-là, c'est sacré, tu comprends ?*

Qu'importe si elle l'a dit ou pas dit ? Toujours est-il qu'il n'a pas protesté et qu'une autre fois que nous nous rencontrions dans la rue il m'a encore salué en m'observant curieusement.

Je me demande si elle ne lui a pas fait croire que je suis impuissant, que je me satisfais de privautés qui ne doivent pas lui porter ombrage ? C'est faux, mais elle m'a raconté des fables moins plausibles.

Ils ne comprennent rien ni l'un ni l'autre, bien entendu. Et, maintenant, ce qui devait arriver se produit.

— Qu'a-t-il encore dit ? ai-je questionné, une fois dans l'appartement.

— Je ne sais plus. Je préfère ne pas le répéter. Tout ce que les jeunes gens disent des hommes de ton âge qui se conduisent en amoureux.

Elle a ouvert un placard et je l'ai vue boire à la bouteille.

— Arrête !

Elle a pris le temps, en me regardant, d'avaler une dernière lampée.

La bouche pâteuse, elle questionne alors :

— Tu ne peux pas le faire arrêter, avec les relations que tu as ?

— Sous quel prétexte ?

— Il a proféré des menaces.

— Quelles menaces ?

— Ce n'est peut-être pas si précis, mais il a laissé entendre qu'il trouverait le moyen de se débarrasser de toi.

— Dans quels termes ?

Ici, je sais qu'elle ment, qu'en tout cas elle brode.

— Même si c'était vrai, ce ne serait pas une raison suffisante pour l'arrêter. Tu aimerais le voir en prison ?

— Je ne veux pas qu'il t'arrive malheur. Je n'ai que toi, tu le sais.

Elle le pense, et c'est plus sérieux qu'elle ne le croit. Elle serait désemparée, malheureuse, si elle se trouvait à nouveau livrée à elle-même, il ne lui faudrait pas longtemps pour finir mal.

— Je suis malade, Lucien.

Je le vois. Elle a trop bu et ne va pas tarder à vomir.

— Je me doutais si peu que cela tournerait de cette façon-là ! Je le trouvais pratique. Je te savais content...

Elle se rend compte que le mot est un peu gros.

— Je te demande pardon. Tu vois ! C'est toujours la même chose avec moi. Je m'efforce de bien faire et tout ce que j'essaie tourne mal. Ce que je peux te jurer, sur ta tête, c'est que je ne le reverrai plus. Tu ne veux pas jeter un coup d'œil dans la rue ?

J'ai entrebâillé les rideaux et n'ai vu personne à la lumière des lampadaires.

— Ce que je crains, c'est qu'il soit allé boire, car il ne supporte pas l'alcool. Lui d'habitude si calme et si facile à vivre, cela le rend méchant. Une fois qu'il avait bu un verre de trop...

Elle ne finit pas sa phrase et se précipite dans la salle de bains où j'entends ses hoquets.

— J'ai honte, Lucien... balbutie-t-elle entre deux vomissements. Si tu savais comme je me déteste !... Je me demande comment tu peux...

Je l'ai déshabillée et couchée. Je me suis déshabillé à mon tour, me suis étendu à côté d'elle. Deux ou trois fois, elle a prononcé, dans son sommeil agité, des mots que je n'ai pu saisir.

Il est possible que Mazetti soit en train de s'enivrer dans un bar ouvert toute la nuit comme il y en a quelques-uns à Paris, ou peut-être marche-t-il à grands pas le long des avenues désertes en exhalant ses rancœurs. Il est possible aussi qu'il vienne rôder rue de Ponthieu, comme j'ai rôdé moi-même, certain jour, sous les fenêtres du boulevard Malesherbes.

Si le récit qu'Yvette m'a fait de leur soirée et de son attitude n'est pas trop romancé, il ne la lâchera pas facilement et ne tardera pas à revenir à la charge.

Lui a-t-elle vraiment tout dit de son passé et s'est-elle montrée aussi sincère avec lui qu'avec moi ? Il n'en a pas moins proposé de l'épouser.

J'ai dû sommeiller un certain temps, car la sonnerie du téléphone m'a fait sauter hors du lit et je me suis précipité dans le salon pour décrocher le récepteur, me faisant très mal au pied en heurtant un meuble au passage. Ma première idée a été que ma femme m'appelait, comme c'est déjà arrivé, pour une chose urgente. J'ignorais l'heure. La chambre était sombre mais, dans le salon, j'ai aperçu la blancheur du jour par l'entrebâillement des rideaux.

— Allô !

J'ai répété, n'entendant rien :

— Allô !

J'ai compris. C'est lui qui a appelé, ne s'attendant pas à ce que je sois ici. En reconnaissant ma voix, il n'a pas raccroché et j'entends sa respiration à l'autre bout du fil. C'est assez impressionnant, surtout qu'Yvette, qui s'est éveillée, vient de paraître, nue et blême dans le demi-jour, et me fixe de ses yeux écarquillés.

— Qui est-ce ? questionne-t-elle à voix basse.

Je raccroche et dis :

— Un faux numéro.

— C'est lui ?

— Je n'en sais rien.

— Je suis certaine que c'est lui. A présent qu'il te sait ici, il va venir. Allume, Lucien.

Cette raie du petit jour entre les rideaux lui donne froid dans le dos.

— Je me demande d'où il téléphone. Il est peut-être dans le quartier.

J'avoue que j'ai été mal à l'aise, moi aussi. Je n'ai aucune envie de l'entendre frapper à la porte de l'appartement car, s'il a continué à boire, il est capable de faire du scandale.

Je n'ai pas de comptes à lui rendre, aucune explication à lui fournir. Une discussion à trois serait ridicule, odieuse.

— Tu ferais mieux de t'en aller.

Je ne veux pas non plus avoir l'air de fuir.

— Tu préfères rester seule ?

— Oui. Moi, je m'arrangerai toujours.

— Tu comptes lui ouvrir ?

— Je ne sais pas. Je verrai. Rhabille-toi.

Une autre idée lui passe par la tête.

— Pourquoi ne pas téléphoner à la police ?

Je me suis habillé, humilié, furieux contre moi-même. Pendant ce temps, toujours nue, elle regardait par la fenêtre, le visage collé à la vitre.

— Tu es sûre que tu préfères rester seule ?

— Oui. Va vite !

— Je te téléphonerai en arrivant quai d'Anjou.

— C'est cela. Je resterai ici toute la journée.

— Je viendrai te voir plus tard.

— Oui. Va !

Elle m'a accompagné sur le palier et m'a embrassé, toujours sans rien sur le corps, s'est penchée sur la rampe pour me recommander :

— Fais attention !

Je n'ai pas eu peur, bien que je ne me targue pas de bravoure physique et que j'aie les bagarres en horreur. Je n'en étais pas moins désireux d'éviter une rencontre, qui aurait pu être déplaisante, avec un garçon exaspéré. D'autant plus que je ne lui en veux pas, que je n'ai rien à lui reprocher et que je comprends son état d'esprit.

La rue de Ponthieu était déserte et seuls mes pas y ont résonné tandis que je la remontais jusqu'à la rue de Berri pour prendre un taxi. Aux Champs-Élysées, un couple en tenue de soirée, des étrangers, rentrait au *Claridge,* bras dessus, bras dessous, et la femme avait encore des bouts de serpentins dans les cheveux.

— Quai d'Anjou ! Je vous arrêterai.

Je restais inquiet pour Yvette. Comme je la connais, elle n'a pas dû se recoucher et elle fait le guet à la fenêtre sans songer à s'habiller. Il lui arrive de rester nue une grande partie de la journée, même en été, quand les fenêtres sont ouvertes.

— Tu le fais exprès, ai-je déclaré une fois.

— Quoi ?

— De te montrer nue aux gens d'en face.

Elle m'a regardé de la façon dont elle me regarde quand je la devine, avec un sourire qu'elle s'efforce de cacher.

— C'est amusant, non ?

Peut-être aussi cela l'amuserait-il que Mazetti vienne la relancer ? Je ne suis pas certain que, si elle savait où le toucher, elle ne lui téléphonerait pas. Toujours ce besoin, chez elle, de sortir de sa propre vie, de se créer un personnage.

J'ai peur que, si elle l'aperçoit dans la rue, elle téléphone à la police, rien que pour l'excitation.

A peine dans mon bureau, c'est moi qui l'appelle.

— Ici, Lucien.

— Tu es bien rentré ?

— Il n'est pas venu ?

— Non.

— Tu étais encore à la fenêtre ?

— Oui.

— Recouche-toi.

— Tu ne penses pas qu'il va venir ?

— Je suis persuadé que non. Je te rappellerai tout à l'heure.

— J'espère que tu vas dormir aussi ?

— Oui.

— Je te demande pardon pour la mauvaise nuit que je t'ai fait passer. J'ai honte de m'être saoulée, mais je ne me suis pas rendu compte que je buvais.

— Couche-toi.

— Tu vas en parler à ta femme ?

— Je ne sais pas.

— Ne lui dis pas que j'ai vomi.

Elle sait que Viviane est au courant de tout et cela la préoccupe car, vis-à-vis d'elle, elle aimerait jouer un rôle pas trop humiliant. Soudain elle me questionne à son sujet :

— Qu'est-ce que tu lui racontes au juste ? Tout ce que nous faisons ?

Il lui est arrivé, en posant cette question-là, d'ajouter avec un rire excité :

— Même ce que je te fais maintenant ?

J'ai regardé par la fenêtre de mon bureau, je l'ai déjà écrit, et n'ai vu personne sur le quai. Il est probable que Mazetti est rentré chez lui et dort profondément.

Je suis monté sans bruit. Ma femme n'en a pas moins entrouvert les paupières au moment où j'avalais mes deux comprimés.

— Rien de mauvais ?

— Non. Dors.

Elle ne devait pas être tout à fait réveillée, car elle a sombré aussitôt dans le sommeil. J'ai essayé de dormir aussi. Je n'ai pas pu. Mes nerfs étaient à fleur de peau, le sont encore, il me suffit de voir mon écriture pour m'en convaincre. Un graphologue conclurait peut-être que c'est une écriture de fou ou d'intoxiqué.

Depuis un certain temps, je m'attends à quelque chose de désagréable, mais je n'ai rien imaginé de plus désagréable et de plus humiliant que la nuit que je viens de passer.

Les yeux fermés, dans la chaleur de mon lit, je me suis demandé si Mazetti n'était pas capable de me faire un mauvais parti. J'ai connu, dans ma carrière, des gestes plus insensés. Je ne lui ai jamais parlé. Je n'ai fait que l'apercevoir et il m'a donné l'impression d'un garçon sérieux, renfermé, qui suit farouchement la ligne de conduite qu'il s'est tracée.

Se rend-il compte que son histoire avec Yvette menace tout l'avenir qu'il a si durement préparé ? Si elle lui a tout dit, s'il la connaît comme je la connais, est-il assez naïf pour espérer qu'il va la changer tout à coup et en faire l'épouse d'un jeune médecin ambitieux ?

Il est en pleine crise, incapable de raisonner. Demain ou dans quelques jours, il verra la réalité en face et se félicitera de mon existence.

L'ennui, c'est que je n'en sois pas si sûr. Pourquoi réagirait-il autrement que je l'ai fait ? Parce qu'il est trop jeune pour comprendre, pour sentir ce que j'ai senti ?

Je voudrais le croire. J'ai cherché tant d'explications à mon attachement à Yvette ! Je les ai rejetées l'une après l'autre, les ai reprises, combinées, mélangées les unes aux autres sans obtenir de résultat satisfaisant et, ce matin, je me sens vieux et bête ; quand je suis descendu dans mon bureau, tout à l'heure, la tête vide, les yeux picotants faute de sommeil, j'ai regardé les livres qui recouvrent les murs et j'ai haussé les épaules.

Est-il arrivé autrefois à Andrieu de se contempler avec une pitié méprisante ?

J'envie, aujourd'hui, ceux qui continuent à aller faire du canoë entre Chelles et Lagny et tous les autres que j'ai semés en route parce qu'ils piétinaient.

J'en suis à guetter par la fenêtre un jeune écervelé qui, paraît-il, a menacé de me réclamer des explications ! Je dis paraît-il, car je ne suis même pas sûr que tout cela soit vrai, que, ce soir ou demain, Yvette ne m'avouera pas qu'elle a exagéré, sinon inventé, une bonne partie de ce qu'elle m'a raconté.

Je ne peux pas lui en tenir rigueur, puisque c'est sa nature et qu'en fin de compte nous en faisons tous plus ou moins. La différence, c'est

qu'elle a, elle, tous les défauts, tous les vices, toutes les faiblesses.
Même pas ! Elle voudrait les avoir. C'est un jeu qu'elle joue, sa façon
de combler le vide.

Je ne suis pas en état, ce matin, de m'analyser. A quoi bon,
d'ailleurs, et à quoi bon savoir pourquoi, à cause d'elle, j'en suis
arrivé où j'en suis ?

Il n'est même pas sûr que ce soit à cause d'elle. Les auteurs de
vaudevilles, les auteurs gais qui parviennent à faire rire de la vie,
appellent ça l'été de la Saint-Martin et cela devient un sujet de
plaisanteries.

Je n'ai jamais pris la vie au tragique. Je m'en défends encore. Je
cherche à rester objectif, à me juger et à juger les autres froidement.
Je cherche surtout à comprendre. En commençant ce dossier, il m'est
arrivé de m'adresser une sorte de clin d'œil, comme si je me livrais à
un jeu solitaire.

Or, je n'ai pas encore ri. Ce matin, j'ai moins envie de rire que
jamais et je me demande si je né préférerais pas être dans la peau
d'un de ces petits-bourgeois endimanchés qui se hâtent vers la grand-
messe.

Je viens de téléphoner pour la seconde fois à Yvette, et elle a mis
un certain temps à venir à l'appareil. A la façon dont elle dit « allô »,
je sens qu'il y a du nouveau.

— Tu es seule ?

— Non.

— Il est là ?

— Oui.

Pour ne pas l'obliger à parler devant lui, je pose des questions
précises.

— Furieux ?

— Non.

— Il t'a demandé pardon ?

— Oui.

— Il est toujours dans les mêmes intentions ?

— C'est-à-dire...

Mazetti a dû lui arracher le récepteur des mains, car on a raccroché
brusquement.

Vieil idiot !

5

Samedi 26 novembre

Voilà deux semaines que je n'ai pas eu un instant pour ouvrir ce dossier et que je vis sur mon élan, convaincu qu'à un moment donné je vais m'écrouler d'épuisement, incapable d'un pas ou d'un mot de plus. C'est la première fois que j'envisage la possibilité que parler devienne au-dessus de mes forces et c'est un fait que je commence déjà à parler moins, par lassitude.

Je ne suis pas le seul à penser à cet éventuel lâchage de mes nerfs. Je lis la même inquiétude dans le regard de ceux qui m'entourent et on commence à m'observer à la dérobée comme un grand malade. Que savent-ils, au Palais, de ma vie intime ? Je l'ignore, mais certaines poignées de main sont résistantes, comme aussi la façon de me dire sans appuyer :

— Ne vous surmenez pas !

Pémal, optimiste d'habitude, a sourcillé en prenant ma tension, l'autre jour, dans le cagibi où j'ai dû le recevoir en coup de vent parce que j'avais un client dans mon cabinet et deux autres qui attendaient au salon.

— Je suppose qu'il est inutile de vous demander de vous reposer ?

— Impossible pour le moment. A vous de faire en sorte que je tienne le coup.

Il m'a administré, sous forme de piqûre, je ne sais quelles vitamines et, depuis, une infirmière vient chaque matin m'en faire une, entre deux portes, le temps d'entrer dans le cagibi et de baisser mon pantalon. Pémal n'y croit guère.

— Un moment vient où on ne peut pas tendre le ressort davantage.

C'est l'impression que j'ai, celle d'un ressort qui en arrive à vibrer et qui va claquer. Je ressens, partout dans le corps, comme une trépidation que je suis impuissant à arrêter et qui est parfois angoissante. Je dors à peine. Je n'en ai pas le temps. Je n'ose même plus m'asseoir dans un fauteuil après les repas, car je suis comme les chevaux malades qui évitent de se coucher par crainte de ne pouvoir se relever.

Je m'efforce de faire face à mes obligations sur tous les fronts et mets ma coquetterie à accompagner Viviane aux réunions mondaines, aux cocktails, aux générales, aux dîners chez Corine et ailleurs où je sais qu'il lui serait pénible de se montrer seule.

Elle m'en est reconnaissante, bien qu'elle ne m'en dise rien, mais elle s'inquiète. Comme par un fait exprès, je n'ai jamais eu autant de causes, au Palais, ni d'aussi importantes, dont je ne peux confier le soin à personne.

L'ambassadeur sud-américain, par exemple, est venu me voir le lundi comme convenu et, si je ne m'étais pas entièrement trompé sur la nature de ses problèmes, je n'avais pas deviné la vérité. Les armes, ils les ont. C'est son père qui a l'intention de prendre le pouvoir à la faveur d'un coup d'État qui devrait être bref et peu sanglant. A entendre mon interlocuteur, dont l'accent était devenu passionné, son père risque sa vie et sa fortune, qui est immense, pour le seul bien de son pays actuellement aux mains d'une bande d'affairistes qui le pillent.

Les armes, donc, y compris trois avions quadrimoteurs sur lesquels repose le plan des conjurés, se trouvent à bord d'un navire battant pavillon panaméen qui a eu la mauvaise fortune, à cause d'une avarie, de chercher un abri momentané à la Martinique.

L'avarie était sans gravité. C'était une question de deux ou trois jours. Le hasard a voulu qu'un douanier, pris de zèle, inspecte la cargaison et découvre qu'elle ne correspond pas aux connaissements. Le commandant, de son côté, a eu la maladresse de lui offrir de l'argent et le gabelou a mis en train la lourde machine administrative, bloquant le bateau dans le port.

Sans lui, tout aurait été facile, car le gouvernement français ne demande qu'à fermer les yeux. Or, les rapports une fois en route, cela devient une affaire extrêmement délicate et j'ai eu une entrevue avec le président du Conseil lui-même, plein de bonne volonté mais presque désarmé devant le douanier. Il existe des cas, je le sais par expérience, où le fonctionnaire le plus obscur peut ainsi tenir les ministres en échec.

Dans quelques jours, je plaide l'affaire Neveu, qui exige un travail énorme et fait du bruit depuis des mois. La maîtresse d'un personnage consulaire a tiré six balles sur son amant, au moment où celui-ci, pour s'en débarrasser après lui avoir fait deux enfants, partait pour l'Extrême-Orient où il s'est fait confier un poste. Elle a eu le tort d'agir avec un sang-froid total, en présence des autorités et des journalistes, déclarant à ceux-ci, l'arme fumante encore à la main, qu'elle défiait les tribunaux de la condamner. Un échec, dans ma situation actuelle, me ferait beaucoup de tort et serait considéré comme le commencement du déclin.

J'ai eu de la chance, cette semaine, avec le jeune Delrieu, qui a tué son père pour des raisons restées assez mystérieuses, et dont j'ai obtenu l'internement dans un hôpital psychiatrique.

De nouveaux clients se présentent chaque jour. Si j'écoutais Borde-nave, je ne les recevrais pas. Elle se morfond dans son bureau comme un chien de garde qu'on empêcherait d'aboyer à l'approche des rôdeurs et je lui vois souvent les yeux rouges.

Il m'est arrivé, dans des moments de découragement, de penser que si tout le monde se mettait contre moi il me resterait ma secrétaire avec qui finir mes jours. N'est-ce pas ironique que j'éprouve à son égard une antipathie physique, presque de la répulsion, qui m'empêcherait de la serrer dans mes bras ou de regarder son corps nu ? Je soupçonne qu'elle l'a deviné et qu'elle en souffre, qu'à cause de moi elle ne sera à aucun homme.

Le plus dur n'a pas tellement été de prendre ma décision que d'en parler à Viviane, car j'avais conscience, cette fois, d'aller un peu loin et de m'aventurer sur un terrain glissant. Quoi qu'il advienne, je serai lucide jusqu'au bout et je revendique l'entière responsabilité de mes actes, de *tous* mes actes.

La semaine qui a suivi la nuit de chez *Manière* a été une des plus pénibles et peut-être la plus ridicule de ma vie. Je me demande comment j'ai trouvé le temps de plaider, d'étudier les affaires de mes clients et, par-dessus le marché, de me montrer avec Viviane à un certain nombre de réunions parisiennes.

C'est venu, comme je m'y attendais, de Mazetti et de sa nouvelle tactique. On ne m'enlèvera pas de l'idée, en effet, qu'il l'a fait exprès, et il faut croire que ce n'est pas si bête puisqu'il a bien failli réussir.

Le dimanche soir, j'ai eu un entretien sérieux avec Yvette et j'étais sincère, ou presque, quand je lui ai donné à choisir.

— Si tu décides de l'épouser, appelle-le.

— Non, Lucien, je ne veux pas.

— Tu serais malheureuse avec lui ?

— Je ne peux pas être heureuse sans toi.

— En es-tu sûre ?

Elle était si fatiguée qu'elle en devenait comme fantomatique et qu'elle m'a demandé la permission de boire un verre pour se remonter.

— Qu'est-ce qu'il t'a dit ?

— Qu'il attendrait aussi longtemps qu'il faudrait, sûr que je l'épouserai un jour.

— Il reviendra ?

Elle n'avait pas besoin de répondre.

— Dans ce cas, si tu es vraiment décidée, tu vas lui écrire une lettre qui ne lui laisse aucun espoir.

— Qu'est-ce que je dois lui dire ?

— Que tu ne le reverras pas.

Elle avait fait l'amour avec lui une partie de la journée et en portait encore des marques, ses lèvres meurtries, comme diluées, lui mangeaient le visage.

Je lui ai dicté en partie la lettre, que j'ai mise moi-même à la poste.

— Promets, s'il te téléphone ou vient frapper à la porte, de ne pas répondre.

— Je promets.

Il n'a pas téléphoné, ni essayé de s'introduire dans l'appartement. Dès le lendemain, pourtant, elle me téléphonait.

— Il est là.

— Où ?

— Sur le trottoir.

— Il n'a pas sonné chez toi ?

— Non.

— Que fait-il ?

— Rien. Il est adossé à la maison d'en face et regarde fixement mes fenêtres. Qu'est-ce que tu me conseilles ?

— J'irai te chercher pour déjeuner.

J'y suis allé. J'ai vu Mazetti debout dans la rue, non rasé, sale comme s'il était accouru sans se changer en quittant l'usine.

Il ne s'est pas approché de nous, s'est contenté de regarder Yvette avec des yeux de chien battu.

Quand je l'ai ramenée une heure plus tard, il n'était plus là, mais il est revenu le lendemain, puis le jour suivant, la barbe toujours plus longue, les yeux fiévreux, et il commençait à ressembler à un mendiant.

J'ignore la part de sincérité qu'il y a dans son attitude. Il est en pleine crise, lui aussi. Il semble avoir renoncé, du jour au lendemain, à la carrière pour laquelle il s'est tant privé, comme si Yvette seule comptait encore à ses yeux.

Au cours de la semaine, nos regards se sont croisés plusieurs fois et j'ai lu dans ses yeux un reproche méprisant.

J'ai envisagé toutes les solutions imaginables, y compris des solutions impossibles, comme celle de loger Yvette dans l'appartement du bas, celui où se trouvent mon cabinet et les bureaux. Nous y avons conservé une chambre à coucher et une salle de bains que Bordenave utilise quand elle travaille une partie de la nuit.

Pendant des heures, ce projet-là m'a excité. J'étais séduit à la perspective d'avoir Yvette à portée de la main jour et nuit, jusqu'à ce qu'enfin ma raison reprenne le dessus. C'est impraticable, évidemment, ne fût-ce qu'à cause de Viviane. Elle a beaucoup accepté jusqu'ici. Elle est prête à accepter encore bien des choses, mais elle n'irait pas jusque-là.

Je l'ai senti quand je lui ai fait part de la décision que j'ai prise en fin de compte. C'était après le déjeuner. J'avais choisi le moment exprès, car j'étais attendu au Palais et n'avais qu'un quart d'heure de libre, ce qui empêchait l'entretien de se prolonger dangereusement.

En entrant dans le salon pour prendre le café, j'ai murmuré :

— J'ai à te parler.

La façon dont ses traits se sont tirés m'a montré que je n'avais pas grand-chose à lui apprendre. Peut-être s'est-elle attendue à une décision plus grave encore que celle à laquelle je m'étais arrêté ? Toujours est-il que j'ai senti le choc et que, d'une seconde à l'autre, elle a paru son âge.

J'en ai eu le cœur serré, un peu comme lorsqu'on est obligé de piquer un animal qui vous a été longtemps fidèle.

— Assieds-toi. Ne parle pas. Il n'y a rien de mauvais.

Elle s'est efforcée de sourire et son sourire était dur, défensif ; lorsque je lui ai dit de quel appartement il s'agissait, j'ai su que ce n'était pas pour des raisons sentimentales qu'elle se raidissait. J'ai même cru, un instant, que la bagarre était déclenchée, et je ne suis pas certain de ne pas l'avoir souhaitée. Nous en aurions fini tous les deux d'un seul coup, au lieu d'avancer par étapes. J'étais décidé à ne pas céder.

— Pour des raisons trop longues à t'expliquer et que, d'ailleurs, je suppose que tu connais, il est impossible qu'elle continue à vivre en meublé.

Nous disons toujours « elle », moi par délicatesse, ma femme par mépris.

— Je sais.

— Dans ce cas, ce sera facile. Il faut que, le plus vite possible, je la place dans un endroit inconnu de certaine personne qui la harasse.

— Je comprends. Va.

— Il se fait qu'un appartement se trouve libre.

Savait-elle déjà, par l'agence, par exemple ?

Lorsque nous habitions la place Denfert-Rochereau, la seconde année, si mes souvenirs sont exacts, nous commencions déjà à trouver notre logement incommode et nous rêvions de nous rapprocher du Palais. Plusieurs fois, nous nous étions promenés dans l'île Saint-Louis, qui nous séduisait tous les deux.

Un appartement y était libre, à cette époque, à l'extrême pointe de l'île, de l'éperon qui fait face à la Cité et à Notre-Dame, et nous l'avons visité ensemble en échangeant des regards de convoitise. Le loyer, à cause des lois, n'était pas exagérément élevé, mais on exigeait une reprise que l'état de nos finances ne nous permettait pas d'envisager et nous sommes sortis le cœur gros.

Plus tard, nous devions rencontrer chez des amis une Américaine, miss Wilson, qui, non seulement avait loué l'appartement de nos rêves, mais l'avait acheté, et je crois que plus tard Viviane est allée prendre le thé chez elle. Elle écrivait, fréquentait le Louvre et des artistes et, comme certains intellectuels américains qui s'expatrient, jugeait son pays barbare et jurait de finir ses jours à Paris. Tout l'y enchantait, les bistrots, les Halles, les petites rues plus ou moins louches, les clochards, les croissants du matin, le gros rouge et les musettes.

Or, il y a deux mois, à quarante-cinq ans, elle s'est mariée à un Américain de passage, un homme plus jeune qu'elle, professeur à Harvard, et elle l'a suivi aux États-Unis.

Du coup, elle a rompu avec son passé, avec Paris, et elle a chargé une agence immobilière de vendre appartement, meubles et bibelots au plus vite.

C'est à cent cinquante mètres de chez nous et je n'aurai plus, pour aller voir Yvette, à prendre de taxis ou à déranger Albert.

— J'ai beaucoup réfléchi. A première vue, cela paraît une folie, mais...

— Tu as acheté ?

— Pas encore. Je vois ce soir le représentant de l'agence.

J'avais désormais devant moi une femme qui défend, non plus son bonheur, mais ses intérêts.

— Je suppose que tu ne comptes pas mettre l'appartement à son nom ?

Je m'y attendais. C'était ma première intention, en effet, de faire à Yvette ce cadeau-là, de façon que, quoi qu'il m'arrive, elle ne retombe pas à la rue. Viviane, elle, à ma mort, sera à l'abri du besoin, pourra presque continuer notre genre d'existence grâce à de grosses assurances que j'ai prises à son profit.

J'ai eu une hésitation. Puis, manquant de courage, j'ai battu en retraite. Je m'en veux de cette lâcheté-là, d'avoir balbutié en rougissant :

— Bien entendu.

J'en suis d'autant plus vexé qu'elle a deviné que mon intention première était différente et qu'elle a ainsi remporté une victoire.

— Quand signes-tu ?

— Ce soir, si l'acte de vente est correct.

— Elle emménage demain ?

— Après-demain.

Elle a eu un sourire amer, se souvenant probablement de notre visite de jadis, de notre dépit à l'énoncé de la somme exigée pour la reprise de quelques tapis sans valeur.

— Tu n'as rien d'autre à me dire ?

— Non.

— Tu es heureux ?

J'ai fait signe que oui et elle s'est approchée pour me tapoter l'épaule d'un geste à la fois affectueux et protecteur. A cause de ce geste-là, que je ne lui avais jamais vu, j'ai mieux compris son attitude à mon égard. Depuis longtemps, peut-être depuis toujours, elle me considère comme sa création. Avant de la connaître, pour elle, je n'existais pas. Elle m'a choisi comme Corine a choisi Jean Moriat, à la différence que je n'étais même pas député, et elle a sacrifié pour moi une existence luxueuse et facile.

Elle m'a aidé dans mon ascension, certes, j'aurais mauvaise grâce à le nier, par son activité mondaine qui m'a ouvert bien des portes et amené de nombreux clients. C'est à elle encore, en partie, que je dois d'avoir sans cesse mon nom dans les journaux ailleurs qu'à la rubrique judiciaire, car elle a fait de moi une personnalité parisienne.

Elle ne me l'a pas dit ce jour-là, ne m'a rien reproché, mais j'ai senti qu'il ne faudrait pas risquer un pas de plus, que l'appartement du quai d'Orléans, *à condition qu'il reste à mon nom,* était la limite extrême qu'elle ne me permettrait pas de franchir.

Je me demande si elles parlent de moi, Corine et elle, si elles forment une sorte de clan, car elles sont un certain nombre dans le même cas, ou si au contraire elles se jalousent en échangeant de fausses confidences et des sourires.

Pendant toute cette semaine-là, je luttais contre la montre, car ma grande peur était qu'Yvette se laisse apitoyer, qu'elle fasse, à sa fenêtre, le geste que Mazetti attendait pour se précipiter dans ses bras. Je lui téléphonais d'heure en heure, même pendant les suspensions d'audience, et, dès que j'avais un moment, je courais rue de Ponthieu où, par prudence, je passais toutes mes nuits.

— Si je t'emmène d'ici, me promets-tu de ne pas lui écrire, de ne jamais lui laisser connaître ta nouvelle adresse, de ne pas fréquenter, pendant un certain temps, les endroits où il pourrait te retrouver ?

Je n'ai pas compris sur-le-champ le trac que je lisais dans ses yeux. Elle répondait pourtant, docile :

— Je promets.

Je la devinais effrayée.

— Où est-ce ?

— Tout près de chez moi.

Alors, seulement, elle a été soulagée et m'a avoué :

— Je croyais que tu voulais m'envoyer à la campagne.

Car la campagne lui fait peur, un coucher de soleil derrière des arbres, fussent-ils les arbres d'un square parisien, suffit à la plonger dans une noire mélancolie.

— Quand ?

— Demain.

— J'emballe mes affaires ?

Elle a maintenant de quoi remplir une malle et deux valises.

— Nous déménagerons la nuit, quand nous aurons la certitude que la voie est libre.

Je suis allé, à onze heures et demie du soir, après un dîner d'apparat chez le bâtonnier, la chercher en voiture avec Albert. C'est Albert qui a descendu les bagages, pendant que je faisais le guet, et il tombait de la neige fondue, deux filles qui arpentaient le trottoir, rue de Ponthieu, ont d'abord essayé de me séduire, puis ont assisté, curieusement, à l'enlèvement.

Depuis des mois, je me soutiens par la promesse, pour le lendemain ou la semaine suivante, d'une existence plus calme, plus facile. Lorsque j'ai acheté l'appartement du quai d'Orléans, j'étais persuadé que cela allait tout arranger et que j'irais désormais voir Yvette en me promenant comme d'autres promènent leur chien, soir et matin, autour de l'île.

Ce n'est pas la peine de continuer ce dossier si ce n'est pas pour tout y dire. J'ai été pris d'une fièvre presque juvénile. L'appartement est coquet, féminin, raffiné.

Boulevard Saint-Michel, cela sentait la passe bon marché, rue de Ponthieu la petite grue des Champs-Élysées.

Ici, c'était un nouvel univers, presque un bond dans l'idéal et, pour qu'Yvette ne s'y sente pas trop dépaysée, je m'étais précipité rue Saint-Honoré et lui avais acheté de la lingerie, des déshabillés, des peignoirs en harmonie avec le décor.

Afin aussi qu'elle ne pense pas à sortir, les premiers temps tout au moins, je lui ai apporté un phonographe, des disques, enfin un poste de télévision, et j'ai garni deux rayons de la bibliothèque de livres assez épicés, elle les aime, sans aller jusqu'à lui apporter des romans populaires.

A son insu, j'ai engagé une bonne, Jeanine, assez belle fille, appétissante et bavarde, qui lui tiendra compagnie.

Je n'ai fait aucune allusion à ces arrangements-là devant Viviane, mais j'ai des raisons de croire qu'elle est au courant. Pendant les trois jours que j'ai passés à courir de la sorte, elle a affecté de me regarder avec un attendrissement maternel et un peu apitoyé, comme on regarde un garçon qui fait sa crise d'âge ingrat.

La troisième nuit que nous dormions dans le nouvel appartement, je me suis réveillé avec l'impression qu'Yvette était brûlante à mon côté. Je ne me trompais pas. Quand j'ai pris sa température, vers quatre heures du matin, elle avait trente-neuf et, à sept heures, le thermomètre approchait de quarante. J'ai téléphoné à Pémal. Il est accouru.

— Vous dites quai d'Orléans ? s'est-il étonné.

Je ne lui ai fourni aucune explication. Il n'en avait pas besoin en me trouvant dans la chambre, près d'Yvette nue dans son lit.

Elle n'a pas de maladie grave, une mauvaise angine qui a duré une semaine, avec des hauts et des bas. Je faisais la navette entre les deux maisons et entre celles-ci et le Palais.

Cette indisposition m'a permis de découvrir qu'Yvette a une peur folle de la mort. Chaque fois que la température recommençait à monter, elle se raccrochait à moi comme un animal en détresse, me suppliant d'appeler le médecin qu'il m'est arrivé de déranger trois fois le même jour.

— Ne me laisse pas mourir, Lucien !

Souvent elle m'a lancé cet appel, les yeux agrandis, comme si elle découvrait Dieu sait quel terrifiant au-delà.

— Je ne veux pas. Jamais ! Reste près de moi !

Une de ses mains dans la mienne, je téléphonais pour reculer des rendez-vous, pour m'excuser d'en manquer d'autres, et j'ai dû appeler Bordenave afin de dicter, près du lit d'Yvette, des lettres qui ne pouvaient attendre.

Je me suis montré quand même, en grande tenue, à la Nuit des Étoiles, et Viviane m'épiait, se demandant si je tiendrais jusqu'au bout, si je n'allais pas tout lâcher pour me précipiter quai d'Orléans.

Pour compliquer encore la situation, il a fallu que, le lendemain, je trouve Mazetti, qui laisse toujours pousser sa barbe, en faction devant la maison du quai d'Anjou. Il a dû comprendre que je le mènerais tôt ou tard à Yvette, et peut-être se figure-t-il qu'elle est chez moi ?

J'ai dû me servir d'Albert, prendre la voiture et faire le tour de l'île à chacune de mes visites quai d'Orléans, ne quitter l'appartement d'Yvette qu'une fois sûr que la voie était libre.

Si je note ces détails sordides, c'est qu'ils ont leur importance et qu'ils aident à expliquer cette hébétude dans laquelle je vis encore en ce moment.

Par bonheur, Mazetti n'a pas persévéré. Il est venu trois fois. Je m'attendais à ce qu'il monte, demande à me voir, et j'avais donné des instructions. J'ai pensé aussi à l'éventualité où il serait armé et j'ai gardé mon automatique dans mon tiroir.

Or, il a disparu du jour au lendemain, à peu près en même temps qu'Yvette a commencé à se sentir mieux.

Elle est levée, presque rétablie, mais elle reste faible et Pémal lui fait les mêmes piqûres qu'à moi ; il nous les fait l'un après l'autre, avec la même seringue, ce qui paraît l'amuser.

J'ignore s'il a reconnu Yvette, dont la photographie a paru dans les journaux au moment du procès. Il doit nourrir pour moi une certaine pitié et peut-être pense-t-il, lui aussi, à l'été de la Saint-Martin.

Cette expression-là me hérisse. J'ai toujours détesté les simplifications. Un de mes confrères, dont on parle presque autant que de moi, à cause de ses bons mots, et qui passe pour un des hommes les plus spirituels de Paris, a ainsi, pour tous les cas, une explication à la fois tranchante et simpliste.

Pour lui, le monde se réduit à quelques types humains, la vie à un certain nombre de crises plus ou moins aiguës par lesquelles les hommes passent tôt ou tard, parfois sans s'en apercevoir, comme ils sont passés, jeunes, par les maladies infantiles.

C'est séduisant, et il lui est arrivé de désarmer les juges en les faisant rire par une saillie. Il doit plaisanter à mon sujet et ses mots font le tour du Palais et des salons. N'est-ce pas drôle, un homme de mon âge, de ma situation — peut-être ajoute-t-il de mon intelligence ? — qui bouleverse son existence et celle de sa femme parce qu'une jeune roulure est venue lui demander un soir de la défendre et lui a montré son bas-ventre ?

Ce qui me surprend, moi, je le confesse, ce qui me trouble, c'est que Mazetti soit amoureux d'Yvette, et j'ai tendance à croire que, sans moi, il ne s'en serait guère préoccupé.

Si un jour on lit les pages de ce dossier, on remarquera que je n'ai jamais encore écrit le mot amour, et ce n'est pas par hasard. Je n'y crois pas. Plus exactement, je ne crois pas à ce qu'on appelle généralement ainsi. Je n'ai pas aimé Viviane, par exemple, si bouleversé que j'aie été par elle à l'époque du boulevard Malesherbes.

Elle était la femme de mon patron, d'un homme que j'admirais et qui était célèbre. Elle vivait dans un monde bien fait pour éblouir l'étudiant pauvre et fruste que j'étais encore la veille. Elle était belle et j'étais laid. De la voir me céder, c'était un miracle qui me gonflait tout à coup de confiance en moi-même et en mon destin.

Car je comprenais déjà ce qui l'attirait en moi : une certaine force, une volonté inflexible à laquelle elle faisait confiance.

Elle a été ma maîtresse. Elle est devenue ma femme. Son corps m'a donné du plaisir, mais n'a jamais hanté mes rêves, n'a jamais été autre chose qu'un corps de femme, et Viviane n'a pris aucune part à ce que je crois le plus important de ma vie sexuelle.

Je lui étais reconnaissant de m'avoir distingué, d'avoir accepté, pour moi, ce que je considérais encore comme un sacrifice, et ce n'est que beaucoup plus tard que j'ai soupçonné la vérité sur ce que, de son côté, elle appelait son amour.

N'était-ce pas, avant tout, un besoin de s'affirmer, de prouver à elle-même et aux autres qu'elle était plus qu'une jolie femme qu'on habille, qu'on protège et qu'on sort ?

Et n'y avait-il pas surtout chez elle une soif de domination ?

Eh ! bien, elle m'a dominé pendant vingt ans et s'efforce de me dominer encore. Jusqu'à l'histoire de l'appartement du quai d'Orléans, elle vivait sans trop d'inquiétude, me lâchant du fil, sûre d'elle, sûre que je lui reviendrais après une crise plus ou moins tumultueuse qui ne la menaçait pas.

Ce que son visage m'a révélé, lors de l'entretien d'après le déjeuner, c'est la découverte qu'elle faisait soudain d'une menace véritable. Pour la première fois, elle a eu l'impression que je lui échappais et que cela pourrait devenir définitif.

Elle a réagi de son mieux. Elle continue de jouer le jeu, en m'observant de plus près. Elle souffre, je le sais, je la vois continuer à vieillir jour après jour, et elle accentue son maquillage. Mais ce n'est pas pour moi qu'elle souffre. C'est pour elle, non seulement à cause de la situation qu'elle s'est créée avec moi, mais à cause de l'idée qu'elle s'est formée d'elle et de sa puissance.

J'en ai pitié et, malgré les regards alarmés qu'elle me lance, elle n'a pas pitié de moi. Sa sollicitude est intéressée, ce qu'elle attend, ce n'est pas que je recouvre la sérénité, mais que je lui revienne. Même si je dois lui revenir blessé à mort. Même si je ne dois être désormais qu'un corps vide à côté d'elle.

Comment explique-t-elle ma passion pour Yvette ? Pour les autres, celles que j'ai eues avant elle, elle les mettait sur le compte de la curiosité, et aussi de la fatuité masculine, du besoin que ressent chaque homme, surtout s'il est laid, de se prouver qu'il peut réduire une femme à sa merci.

Or, dans la plupart des cas, il n'en a pas été ainsi, et je me crois assez lucide en ce qui me concerne pour ne pas me tromper. Si elle avait raison, j'aurais eu des aventures flatteuses, entre autres avec certaines de nos amies qu'il ne m'aurait pas été difficile de posséder. Cela m'est arrivé à l'occasion, rarement, toujours dans des moments de doute ou de découragement.

J'ai couché plus souvent avec des filles, professionnelles ou non, et, quand j'y réfléchis, je découvre qu'elles avaient toutes certains points communs avec Yvette, ce qui m'avait échappé jusqu'ici.

Ce qui me poussait avant tout, c'était probablement une faim de sexualité pure, si je puis m'exprimer ainsi sans faire sourire, je veux dire sans aucun mélange de considérations sentimentales ou passionnelles. Mettons de sexualité à l'état brut. Ou cynique.

J'ai reçu, parfois forcé, les confidences de centaines de clients, hommes et femmes, et j'ai pu me convaincre que je ne constitue pas une exception, qu'il existe, chez l'être humain, un besoin de se comporter parfois en animal.

Peut-être ai-je eu tort de ne pas avoir osé me montrer à Viviane sous ce jour-là, mais l'idée ne m'en serait pas venue. Qui sait si, de son côté, elle ne me le reproche pas, s'il ne lui est pas arrivé de chercher ces satisfactions-là ailleurs ?

C'est le cas de plusieurs de nos amies, de presque tous nos amis, et, si cet instinct-là n'était quasi universel, la prostitution n'aurait pas existé de tous temps, sous toutes les latitudes.

Il y a longtemps qu'avec Viviane je ne prends plus de plaisir et elle met ma froideur sur le compte de mes préoccupations, de mon travail, sans doute aussi de mon âge.

Or, je ne peux pas rester une heure avec Yvette sans éprouver le besoin de voir sa nudité, de la toucher, de lui demander des caresses.

Ce n'est pas seulement parce qu'elle ne m'impressionne pas, parce qu'elle est une gamine sans importance, ni parce que je suis sans pudeur avec elle.

Demain, il est possible que je pense et écrive le contraire, mais j'en doute.

Yvette, comme la plupart des filles qui m'ont ému, personnifie pour moi la femelle, avec ses faiblesses, ses lâchetés, avec aussi son instinct de se raccrocher au mâle et de s'en faire l'esclave.

Je me souviens de sa surprise et de son orgueil le jour où je l'ai giflée, et, depuis, il lui est arrivé de me pousser à bout dans le seul but de me voir recommencer.

Je ne prétends pas qu'elle m'aime. Je ne veux pas de ce mot-là.

Mais elle a renoncé à être elle-même. Elle a remis son sort entre mes mains. Peu m'importe si c'est par paresse, par veulerie. C'est son rôle et je vois, peut-être naïvement, un symbole dans la façon dont, après m'avoir demandé de la défendre, elle a ouvert ses cuisses sur le coin de mon bureau.

Que, demain, je l'abandonne, elle redeviendra, dans les rues, une chienne errante à la recherche d'un maître.

Cela, Mazetti ne peut pas l'avoir compris. Il s'est trompé de femme. Il n'a pas vu qu'il avait affaire à une femelle.

Elle ment. Elle triche. Elle joue la comédie. Elle invente des histoires pour me troubler et, maintenant que son pain est assuré, elle se vautre dans la paresse, il y a des jours où elle sort à peine de son lit, en face duquel elle fait traîner la télévision.

La vue d'un mâle qui passe la met en chaleur et, dans la rue, elle regarde le pantalon des hommes, à un point précis, avec la même insistance que les hommes apportent à regarder la croupe des passantes. Il a déjà suffi, pour l'exciter, d'une photo-réclame pour des caleçons ou pour des maillots de bain dans un magazine.

Elle a fait avec Mazetti tout ce qu'elle fait avec moi. Elle l'a fait avec d'autres aussi, depuis qu'elle est pubère. Aucune partie du mâle, aucune de ses exigences ne provoque son dégoût.

Je souffre quand je la sais dans les bras d'un autre, je ne peux m'empêcher d'imaginer chacun de leurs gestes, et pourtant elle ne serait pas elle-même si elle n'agissait ainsi.

L'aurais-je choisie ?

Je viens d'écrire le mot à dessein car, lorsqu'elle est venue me voir, on aurait dit que je l'attendais, c'est ce soir-là que j'ai pris ma décision.

A cause de mon âge ?

Peut-être. Mais il ne s'agit pas de leur été de la Saint-Martin. Il ne s'agit pas non plus de retour d'âge, ni d'impotence, encore moins du besoin d'une partenaire plus jeune.

Je sais que je touche à un problème complexe, qu'on traite plus souvent sur le ton de la plaisanterie, parce que c'est plus facile et plus rassurant. On ne plaisante, en général, que de ce dont on a peur.

Pourquoi, à un certain degré de maturité, l'homme ne découvrirait-il pas que...

Non ! Je n'arrive pas à exprimer mon sentiment avec exactitude, et toutes les approximations m'irritent.

Les faits !

Le fait essentiel est que je ne peux me passer d'elle, que je souffre physiquement quand j'en suis éloigné. Le fait est que j'ai besoin de la sentir près de moi, de la regarder vivre, de respirer son odeur, de jouer avec son ventre et de la savoir satisfaite.

Il reste une explication, mais personne n'y croira : la volonté de rendre quelqu'un heureux, de prendre quelqu'un en charge, complètement, quelqu'un qui vous doive tout, qu'on sorte du néant en sachant qu'il y retournera si on vient à lui faire défaut.

N'est-ce pas pour la même raison que tant de gens ont un chien ou un chat, des canaris ou des poissons rouges, et que les parents ne se résignent pas à voir leurs enfants vivre par eux-mêmes ?

Est-ce ce qui s'est passé pour Viviane, et est-ce pour cela qu'elle souffre en me voyant lui échapper ? N'ai-je pas souffert, moi aussi, chaque samedi, en imaginant Mazetti rue de Ponthieu ?

Et, jadis, le bâtonnier Andrieu ?

Nous sommes samedi et, ce soir, je pourrai aller la voir. Il n'y a plus de samedis maudits, de samedis cruels. Je suis las, à bout d'énergie, je vais de l'avant comme une mécanique au frein brisé, mais elle vit à cent cinquante mètres de chez moi et je n'ai pas mal.

Cela ne signifie pas que je suis heureux, mais je n'ai pas mal.

D'autres tracas m'attendent, je les devine prêts à foncer sur moi dès que je me croirai le droit de me détendre. Ma première inquiétude, c'est que ma carcasse ne tienne pas le coup. Ces gens qui me regardent d'un œil inquiet, ou apitoyé, commencent à m'effrayer. Qu'adviendrait-il si, malade, j'étais forcé de m'aliter ?

Que cela me prenne dans mon bureau et je pourrais difficilement exiger qu'on me transporte quai d'Orléans. Serais-je seulement en état d'exprimer une volonté ?

Et si je tombe là-bas, Viviane ne viendra-t-elle pas me chercher ?

Or, je ne veux à aucun prix être séparé d'Yvette. Il faut donc que je tienne le coup et, demain, je demanderai à Pémal s'il ne serait pas bon que je consulte un grand patron.

Nous sortons dans une heure, Viviane et moi, pour dîner chez l'ambassadeur sud-américain. Ma femme, déjà occupée à sa toilette, portera une robe neuve qu'elle s'est commandée pour l'occasion, car ce sera un grand tralala ; je suis obligé de me mettre en habit, ce qui me forcera, après la soirée, à venir me changer avant de me rendre quai d'Orléans.

La convalescence d'Yvette, sa faiblesse actuelle ne dureront pas éternellement. Pour le moment, son existence de recluse, nouvelle pour elle, l'amuse encore. Hier, elle m'a dit, alors que Jeanine, la bonne, nous apportait du thé :

— Tu devrais faire l'amour avec elle aussi. Ce serait un peu comme dans un harem.

Jeanine, qui tournait le dos, n'a pas protesté, et je suis persuadé que cela l'amuserait aussi.

— Tu verras ! Elle a un joli troufignon, avec des poils tout blonds.

Se contentera-t-elle longtemps de jouer au harem ? Quand elle sortira à nouveau, je vais vivre dans l'angoisse, non seulement par crainte de Mazetti, qu'elle pourrait rencontrer par hasard, mais par crainte qu'elle recommence avec un autre.

Malgré sa promesse, n'est-elle pas capable, à peine dehors, de courir quai de Javel ?

Je ne peux pas lui apporter des amants à domicile et elle en aura faim un jour ou l'autre, ne fût-ce qu'après avoir vu un homme d'un certain type passer dans la rue.

Il n'y a que Jeanine, justement, à prendre notre situation comme si elle était naturelle. J'ignore où elle a servi jusqu'à présent, je crois que la directrice du bureau de placement m'a parlé d'un hôtel à Vichy ou dans une autre ville d'eaux.

On frappe à la porte. Albert paraît, là-haut, au-dessus de l'escalier, et, quand il ouvre la bouche, j'ai déjà compris.

— Dites à Madame que je monte.

Il est temps de m'habiller et il faut avant cela que j'aille donner des instructions à Bordenave qui n'a pas terminé le courrier. Le petit Duret est avec elle, à califourchon sur une chaise, à la regarder travailler, sachant qu'elle a horreur de ça, et qu'elle ne l'aime pas. Il le fait exprès, pour la mettre en colère.

Celui-là ne me regarde ni avec pitié ni avec ironie. Tout l'amuse encore de la vie, comme de pousser Bordenave à bout jusqu'à ce qu'elle pleure, et sans doute aussi ce qu'il connaît de mon aventure.

— Vous avez terminé la lettre Palut-Rinfret ?

— La voici. Dans dix minutes, le courrier sera prêt à signer. Je vous le monte ?

— S'il vous plaît.

Il faudrait si peu pour la rendre heureuse ! Que je lui donne seulement le centième, le millième de ce que j'accorde à Yvette. Bordenave se contenterait des miettes, en fondrait de reconnaissance. Pourquoi donc est-ce au-dessus de mes forces ?

Pendant la maladie d'Yvette, j'ai cru, une fois, que ma secrétaire allait se trouver mal, tant elle souffrait de notre intimité. Yvette, d'ailleurs, le faisait exprès de m'appeler Lucien, d'exiger de moi de menus services, comme elle l'a fait exprès de sortir du lit, nue à son habitude, pour se rendre à la salle de bains.

Je vais trouver ma femme en combinaison devant sa coiffeuse, car elle attend toujours que je sois prêt pour passer sa robe.

— Il nous reste un quart d'heure, m'annoncera-t-elle.

— C'est suffisant.

— Tu travaillais ?

— Oui.

Encore qu'elle ne s'occupe pas à proprement parler de ce qui se passe au bureau, elle soupçonne la vérité au sujet de ce dossier qu'elle m'a vu refermer un jour qu'elle passait me dire au revoir. Elle a des antennes pour tout ce qui me concerne, ce qui n'est pas sans me hérisser. Je n'aime pas être deviné, surtout quand il s'agit, comme c'est souvent le cas, de menues faiblesses qu'on préfère se cacher à soi-même.

Je dois monter et ne m'y décide pas. J'ai l'impression qu'après avoir tant cherché la vérité j'en suis aussi loin qu'avant, sinon davantage. Il y aura beaucoup de monde chez l'ambassadeur et je me trouverai assis à la droite de sa jeune femme qui n'aura d'yeux que pour son mari.

Est-ce que ce couple-là infirme mes théories — si théories il y a — ou convient-il d'attendre dix ou vingt ans pour savoir ?

Viviane doit s'impatienter et je sais pourquoi je traîne, pourquoi j'hésite. Je prévoyais que cela arriverait quand j'ai installé Yvette quai d'Orléans.

C'était l'étape la plus dangereuse, parce que, pour aller toujours de l'avant, il n'y a plus maintenant qu'un pas possible.

Cette paresse à monter, à affronter Viviane constitue un peu comme une sonnette d'alarme.

Allons ! Je lui donne assez de mal pour ne pas l'agacer par mon retard.

Il me reste à enfermer mon dossier et à en glisser la clef derrière les œuvres complètes de Saint-Simon.

6

Mercredi 30 novembre

Il est venu, choisissant aussi mal que possible son jour et son heure.

Dimanche soir, Yvette avait fait sa première sortie depuis qu'elle vit quai d'Orléans. Je m'étais d'abord assuré que personne ne rôdait aux alentours. Elle m'a pris le bras et, tout le temps que nous marchions, elle y est restée comme suspendue, d'un geste que j'ai souvent envié aux couples d'amoureux. Il y en avait sur les bancs, dans le square Notre-Dame, malgré le froid, et cela m'a fait penser à mes clochards du Pont-Marie. J'en ai parlé à Yvette.

— Ils avaient disparu depuis un certain temps, lui ai-je raconté, et, ce matin, ils étaient à nouveau deux sous les couvertures.

Cela l'a surprise qu'un homme de ma sorte s'intéresse à ces gens-là, je l'ai compris au regard qu'elle m'a lancé, comme si cela me rapprochait un peu d'elle.

— Tu les observes avec des jumelles ?

— Je n'y ai pas pensé.

— Moi, je le ferais.

— Attends. Ce matin, donc, la femme s'est levée la première et a allumé du feu entre deux pierres. Quand l'homme s'est dégagé à son tour du tas de haillons, je me suis aperçu qu'il était roux, que ce n'était plus le même. Celui-ci est plus grand, plus jeune.

— Peut-être ont-ils mis l'autre en prison ?

— Peut-être.

Nous avons dîné à la *Rôtisserie Périgourdine*, où elle a choisi les plats les plus compliqués, puis nous sommes entrés dans un cinéma du boulevard Saint-Michel. Il m'a semblé qu'en apercevant de loin l'hôtel où je l'avais installée après le procès elle s'est assombrie. Il lui serait déjà pénible de retrouver la misère, voire une certaine sorte de médiocrité. L'appartement de miss Wilson produit son effet. Même la rue, où passait un vent froid et où les gens marchaient vite, lui faisait un peu peur.

On donnait un film triste et plusieurs fois, dans l'obscurité, sa main a cherché la mienne. En sortant, je lui ai demandé ce qu'elle désirait et elle a répondu sans hésiter :

— Rentrer.

C'est d'autant plus inattendu que, rue de Ponthieu encore, elle en retardait toujours le moment. Pour la première fois, elle se sent à l'abri, a l'impression d'un chez elle. Je l'ai quittée de bonne heure car, le lundi matin, j'avais une matinée chargée, comme presque toutes mes matinées. Depuis un mois, il vente ou il pleut, et on n'a pas eu plus d'une demi-journée de soleil. Les gens sont enrhumés, irascibles. Au Palais, plusieurs affaires ont dû être remises parce que l'une ou l'autre des parties avait la grippe.

Le soir, ma femme et moi devions dîner chez Corine, où on se met rarement à table avant neuf heures et demie et où, depuis quelques jours, règne une certaine effervescence. Le pays est sans gouvernement. Les différents chefs possibles ont été appelés à l'Élysée tour à tour, toutes les combinaisons ont été envisagées et on prétend que Moriat sera l'homme de la dernière minute, qu'il a déjà son cabinet en poche. D'après Viviane, il veut constituer, comme c'est, paraît-il, conseillé quand le public perd confiance, un gouvernement de spécialistes choisis en dehors du personnel politique.

— Sans les deux ou trois affaires un peu trop voyantes que tu as plaidées, il ne tiendrait qu'à toi d'être garde des Sceaux, a ajouté ma femme.

Cela ne me serait pas venu à l'esprit. Elle y a pensé. Ce qui est curieux, c'est que le reproche implicite d'avoir accepté certaines causes soit formulé par elle, qui a dû oublier l'incident de Sully.

J'ai quitté le Palais d'assez bonne heure, quelques minutes avant six heures, et me suis rendu quai d'Orléans où j'ai trouvé Yvette, dans un nouveau déshabillé, devant le feu de bûches.

— Tu es tout froid, a-t-elle remarqué quand je l'ai embrassée. Dépêche-toi de te réchauffer.

J'ai d'abord pensé que c'étaient les flammes du foyer qui donnaient un pétillement inhabituel à ses yeux, une sorte d'espièglerie. Puis j'ai supposé qu'elle me réservait une surprise, car elle apportait une hâte fébrile à préparer les Martini pendant que je me chauffais, assis sur un pouf.

— Tu sais, ce que je t'ai dit l'autre jour ?

J'ignorais encore à quoi elle faisait allusion.

— Nous en avons parlé toutes les deux, cet après-midi. Ce n'est pas une blague. Jeanine serait contente. Elle m'a avoué qu'elle est sans ami depuis deux mois et que, chaque fois que nous faisons l'amour, elle est obligée de se caresser dans la cuisine.

Elle avait bu son verre et m'épiait.

— Je l'appelle ?

Je n'ai pas osé dire non. Elle est allée à la porte.

— Jeanine ! Viens.

Puis, à moi :

— Je peux lui donner un verre aussi ? J'en ai préparé trois.

Elle était surexcitée.

— Je vais arranger les lumières, pendant que tu la déshabilles. Si ! C'est toi qui dois le faire car, la première fois, une femme est toujours gênée de retirer ses vêtements. Pas vrai, Jeanine ?

Beaucoup de mes amis, de mes clients, ont une manie, ou une aberration sexuelle quelconque ; je ne m'en suis jamais découvert.

C'est presque à contrecœur que je me suis appliqué à dévêtir la grosse fille blonde, qui riait sous prétexte que je la chatouillais.

— Je t'ai dit qu'elle était bien faite. Est-ce que ce n'est pas vrai ? Ses seins sont trois fois plus gros que les miens, et pourtant ils tiennent aussi bien. Touche-les et les pointes vont se raidir.

— Tu as essayé ?

— Après-midi.

Cela m'a expliqué l'atmosphère que j'avais trouvée en entrant dans l'appartement.

— Déshabille-toi aussi et on passera un bon moment tous les trois.

Elles en ont parlé d'avance, ont ébauché un programme assez détaillé et, ce qui me surprend, c'est que cela se soit déroulé sans vulgarité.

— Caresse-la d'abord, parce que, moi, je n'ai pas besoin d'être mise en train.

Plus tard, elle a insisté pour prendre ma place.

— Laisse-moi faire. Je vais te montrer.

Elle est fière de me prouver qu'elle peut donner à une femme les mêmes plaisirs que moi, fière aussi de son corps, pas tant de sa beauté, qui n'a rien d'extraordinaire, que de l'usage qu'elle en fait, de son habileté à créer du plaisir.

— Regarde, Jeanine. Après, tu essayeras la même chose.

C'est, chez elle, un exhibitionnisme infantile. Pendant deux heures, elle s'est comportée comme ces musiciens de jazz qui improvisent à l'infini des variations sur un thème et dont les yeux rient à chaque nouvelle découverte.

— Tu ne m'avais jamais avoué que tu avais l'expérience des femmes.

— C'est avec Noémie qu'on s'est amusées, quand on dormait dans le même lit. Au début, elle ne voulait pas. Puis elle a pris l'habitude de me réveiller presque chaque nuit en prenant ma main et en la posant sur son ventre.

» — Tu veux bien ? soufflait-elle, sans s'éveiller tout à fait.

» Noémie était une grosse paresseuse, qui se laissait faire sans bouger et qui, après, se rendormait aussitôt.

A un autre moment, Yvette a eu un mot qui m'a frappé. Elle nous avait déjà servi deux fois à boire et avait bu aussi.

— C'est drôle, a-t-elle remarqué, que j'aime encore tellement ça après avoir dû le faire si souvent pour manger et ne pas coucher dans la rue. Tu ne trouves pas ?

Nous étions nus tous les trois quand la sonnerie du téléphone a rempli la chambre et, encore que les sonneries de téléphone soient impersonnelles, j'ai su que c'était ma femme qui appelait. Elle n'a prononcé qu'une phrase :

— Il est neuf heures, Lucien.

J'ai répondu, comme pris en faute :

— Je viens tout de suite.

J'ai su après, en revenant de la rue Saint-Dominique, où nous n'avons pas vu Moriat, qu'Yvette et Jeanine ne se sont pas rhabillées après mon départ, qu'elles ont continué à boire des Martini en se racontant des histoires et en s'amusant parfois avec leur corps. Elles n'ont pas dîné, se sont contentées de picorer dans le frigidaire.

— C'est dommage que tu aies été obligé de partir. Tu ne peux pas t'imaginer comme Jeanine est drôle quand elle se déchaîne. On dirait qu'elle est en gomme. Elle peut prendre des poses aussi difficiles que les acrobates de cirque.

Ce matin, j'étais vide. Je n'irai pas jusqu'à prétendre que je me sentais mauvaise conscience, ni que j'avais honte, mais cette expérience me laissait un goût bizarre et une certaine inquiétude.

Cela tient peut-être à ce que, depuis quelque temps, j'entrevois la future étape. J'essaie de ne pas y penser, de me persuader que nous sommes bien ainsi, qu'il n'y a plus de raison de changer.

J'ai tenu le même raisonnement quand j'ai loué, pour Yvette, la chambre du boulevard Saint-Michel, puis quand je l'ai installée rue de Ponthieu. Une force obscure, depuis que je la connais, me pousse en avant, indépendante de ma volonté.

Il m'est de plus en plus pénible de demeurer en tête à tête avec Viviane, de l'accompagner en ville, d'être, pour tout le monde, son mari, son compagnon, alors qu'Yvette se morfond à m'attendre.

Se morfond-elle réellement ? Je ne suis pas loin de le croire. De mon côté, je ressens toujours le même « manque », le même déséquilibre angoissant dès que je suis loin d'elle.

Un moment viendra où j'envisagerai la seule solution acceptable : qu'elle partage entièrement ma vie. Je n'ignore pas ce que cela signifie, ni les conséquences inévitables. Cela m'apparaît encore comme une impossibilité, mais j'ai vu tant d'autres impossibilités se réaliser avec le temps !

Il y a un an, le quai d'Orléans aurait eu l'air d'une impossibilité aussi, et encore il y a trois mois.

Viviane, qui le sent, se prépare à la lutte. Car elle ne renoncera pas sans se défendre férocement. Je n'aurai pas qu'elle, j'aurai le monde contre moi, le Palais, les journaux, nos amis qui sont davantage ses amis que les miens.

Ce n'est pas pour demain. Cela reste dans le domaine du rêve. Je me raccroche au présent, m'efforce de m'y complaire et de le trouver acceptable. Je n'en reste pas moins assez lucide pour comprendre que ce n'est pas fini.

A cause de cet état d'esprit-là, justement, notre partie à trois d'avant-hier me cause du souci. Du moment que cela s'est produit une fois, cela se produira encore. Peut-être est-ce le moyen qu'Yvette n'aille pas chercher ses plaisirs ailleurs, mais il est possible que cela ne s'arrête pas là et que ce qui a eu lieu quai d'Orléans ait fatalement lieu plus tard quai d'Anjou.

Après une douche froide, j'étais déjà, le mercredi matin, dans mon cabinet de travail à huit heures et quart, donnant quelques coups de téléphone et expédiant les affaires courantes avant la conférence que nous devions tenir à neuf heures.

Les trois hommes ont été exacts au rendez-vous et nous nous sommes mis au travail, Bordenave veillant à ce qu'on ne nous dérange pas.

Il s'agit d'une très grosse affaire, du rachat, par Joseph Bocca, et sans doute par des personnages qui sont derrière lui, d'une chaîne de grands hôtels. Un de mes interlocuteurs était le successeur de Coutelle, qui a pris sa retraite à Fécamp, un garçon plus jeune, qui porte un titre de comte et fréquente assidûment le *Fouquet's* et le *Maxim's*, où je l'ai souvent aperçu.

Nous avions vis-à-vis de nous un de mes confrères, avec qui je suis en excellents termes, représentant les vendeurs, accompagné d'un monsieur gras et timide, porteur d'une lourde serviette, qui s'est révélé l'expert le plus habile en matière de lois sur les sociétés.

L'opération n'a rien d'équivoque. Il s'agit seulement d'en régler les modalités de façon à éviter les taxes dans la plus large mesure possible.

Le gros monsieur a offert des cigares et, à dix heures du matin, l'air de mon bureau était bleuâtre, l'odeur celle d'un fumoir après dîner. J'entendais de temps à autre la sonnerie du téléphone dans le bureau voisin et savais que Bordenave était là pour répondre. Je ne m'inquiétais pas. Elle a pour instructions, depuis longtemps, de me déranger au milieu de n'importe quel travail, de n'importe quel entretien, aussitôt qu'Yvette appelle, et c'est arrivé plusieurs fois. J'imagine ce qu'il en a coûté à ma secrétaire d'obéir à mes ordres.

Il était un peu plus de dix heures et demie, et notre conférence durait toujours, quand un petit coup a été frappé à la porte. Bordenave est entrée sans attendre de réponse, comme je lui ai recommandé de le faire, s'est approchée du bureau sur lequel elle a posé une fiche de visiteur, restant là pour attendre la réponse.

Il n'y avait qu'un mot, tracé au crayon à bille, un nom : Mazetti.

— Il est là ?

— Depuis une demi-heure.

Bordenave avait le visage grave, inquiet, ce qui me laisse supposer qu'elle sait de quoi il s'agit.

— Vous lui avez dit que je suis en conférence ?

— Oui.

— Vous ne l'avez pas prié de revenir ?

— Il a répondu qu'il préférait attendre. Voilà un instant, il m'a demandé de vous porter sa fiche et je n'ai pas osé le contrarier.

Mon confrère et les deux autres parlaient à mi-voix, par discrétion, pour avoir l'air de ne pas entendre.

— Comment est-il ?

— Plus impatient que quand il est arrivé.

— Répétez-lui que je suis occupé et que je regrette de ne pouvoir le recevoir immédiatement. Qu'il attende ou qu'il revienne, à son choix.

J'ai compris alors pourquoi elle m'avait dérangé.

— Je n'ai aucune disposition à prendre ?

Je suppose qu'elle pensait à la police. J'ai hoché négativement la tête, moins rassuré que je voulais le paraître. Cette visite m'aurait moins inquiété il y a quinze jours, quand Mazetti venait faire les cent pas sous mes fenêtres, car cela aurait été alors une réaction naturelle. Je n'aime pas qu'il réapparaisse de la sorte après être resté deux semaines sans donner signe de vie. Cela ne s'accorde pas avec mes prévisions. Je sens quelque chose qui cloche.

— Je m'excuse, messieurs, de cette interruption. Où en étions-nous ?

— S'il s'agit d'une affaire importante, nous pouvons peut-être nous revoir demain ?

— Pas du tout.

J'ai été assez maître de moi pour continuer la discussion pendant trois quarts d'heure, et je ne crois pas avoir eu une seule inattention. On prétend, au Palais, que je suis capable d'écrire le texte d'une plaidoirie difficile tout en dictant mon courrier et en donnant par surcroît des coups de téléphone. C'est exagéré, mais il est vrai que je peux suivre deux idées à la fois sans perdre le fil de l'une ou de l'autre.

A onze heures et quart mes visiteurs se sont levés, le petit gros a rangé ses documents dans sa serviette, a offert une nouvelle tournée de cigares, comme pour nous récompenser, et nous nous sommes serré la main devant la porte.

Le temps, une fois seul, de revenir à mon fauteuil de bureau et Bordenave entrait.

— Vous le recevez maintenant ?

— Il est toujours nerveux ?

— Je ne sais pas si on peut appeler ça de la nervosité. Ce qui ne me plaît pas, c'est son regard fixe, et le fait qu'il parle tout seul dans le salon d'attente. Vous croyez que vous faites bien de...

— Vous l'introduirez dès que je sonnerai.

J'ai fait quelques pas de long en large, sans raison définie, comme les athlètes s'assouplissent les muscles avant une performance. J'ai jeté un coup d'œil sur la Seine puis, assis, ouvert le tiroir où l'automatique se trouve à portée de ma main. J'ai posé une feuille de papier dessus, afin que, le tiroir ouvert, l'arme ne soit pas en vue et que cela ne prenne pas les allures d'une provocation. Je sais qu'elle est chargée. Je ne pousse pas la prudence jusqu'à retirer la sûreté.

Je presse le bouton et j'attends. Bordenave doit aller chercher mon visiteur dans le salon d'attente, le petit, je suppose, celui où Yvette, il y a un peu plus d'un an, m'a attendu longtemps, elle aussi. J'entends les pas de deux personnes qui se rapprochent, un coup léger, et le battant de la porte bouge.

Mazetti s'avance d'un mètre environ et me paraît plus petit que dans mes souvenirs, plus gauche aussi, faisant davantage ouvrier d'usine qu'étudiant.

— Vous désirez me parler ?

Je lui désigne le fauteuil, de l'autre côté de mon bureau, mais il

attend, debout, que ma secrétaire ait refermé la porte, écoute pour
s'assurer qu'elle s'éloigne.

Il a vu sortir mes trois visiteurs. L'air est encore opaque de fumée
et il y a des bouts de cigares dans le cendrier. Il a enregistré tout cela.
Il sait donc que Bordenave ne lui a pas menti.

Il est rasé de frais, proprement vêtu. Il ne porte pas de pardessus,
mais un blouson de cuir, car il a l'habitude de se déplacer en
motocyclette. Je le trouve maigri et ses yeux sont enfoncés dans les
orbites. Je le croyais beau. Il ne l'est pas. Ses yeux sont trop rapprochés,
son nez, qui a dû être cassé, reste de travers. Il ne m'impressionne
pas. J'en ai plutôt pitié et, un instant, je me figure qu'il est venu ici
pour me faire des confidences.

— Asseyez-vous.

Il refuse. Il n'a pas envie de s'asseoir. Debout, les bras ballants, il
hésite, ouvre deux ou trois fois la bouche avant d'articuler :

— J'ai besoin de savoir où elle est.

Sa voix est rauque. Il n'a pas eu le temps de l'accorder, ni de se
familiariser avec l'atmosphère un peu solennelle de mon bureau à
galerie. D'autres que lui en ont été intimidés.

Je ne m'attendais pas, tout de go, à une question aussi simple, aussi
nette, et je reste un moment à chercher une réponse.

— Permettez-moi de vous dire, d'abord, que rien ne vous prouve
que je sache où elle se trouve.

Chacun de nous a dit « elle », comme s'il n'était pas besoin de citer
de nom.

Sa lèvre s'est légèrement tordue en un sourire amer. Sans lui laisser
le temps de riposter, j'ai poursuivi :

— En supposant que je le sache et qu'elle ne désire pas que son
adresse soit connue, je n'ai aucun droit de vous la communiquer.

Il fixe le tiroir entrouvert, répète :

— J'ai besoin de la voir.

Cela me gêne qu'il reste debout, alors que je suis assis, et je n'ose
pas me lever, car je veux rester à portée de l'automatique. La situation
est ridicule et je ne voudrais pour rien au monde que notre entrevue
soit enregistrée par un appareil de cinéma ou par un magnétophone.

Quel âge a-t-il ? Vingt-deux ans ? Vingt-trois ? Jusqu'ici, j'ai pensé
à lui comme à un homme : il était le mâle qui poursuivait Yvette, or
voilà qu'il m'apparaît comme un gamin.

— Écoutez-moi, Mazetti...

Ce n'est pas ma voix non plus. Je cherche le ton, sans le trouver, et
ne suis pas fier du résultat.

— La personne dont vous parlez a pris une décision et vous l'a
communiquée honnêtement...

— C'est vous qui avez dicté la lettre.

Je rougis. Je n'arrive pas à m'en empêcher.

— Si même je la lui ai dictée, elle l'a écrite, sachant ce qu'elle faisait. Elle a donc décidé de son avenir en toute connaissance de cause.

Il lève les yeux pour me lancer un regard triste et dur tout ensemble. Je commence à comprendre ce que Bordenave a voulu dire.

Peut-être à cause de ses épais sourcils qui se rejoignent, son visage prend une expression sournoise, on sent chez lui une violence contenue qui pourrait éclater à tout instant.

Pourquoi n'éclate-t-elle pas ? Qu'est-ce qui le retient d'élever la voix pour m'accabler d'injures et de reproches ? N'est-ce pas surtout le fait que je suis un homme important, célèbre, et que je le reçois dans un cadre dont la richesse l'impressionne ?

Il est fils d'un maçon et d'une laveuse de vaisselle, a été élevé avec ses frères et sœurs dans un quartier pauvre et a entendu parler des patrons comme d'êtres inaccessibles. Pour lui, à partir d'un certain niveau social, les hommes sont faits d'une autre pâte que la sienne. J'ai presque connu ça, moi aussi, à mes débuts boulevard Malesherbes, et pourtant je n'avais pas un si lourd héritage d'humilité.

— Je veux la voir, répète-t-il. J'ai des choses à lui dire.

— Je regrette de ne pas être en position de vous satisfaire.

— Vous refusez de me donner son adresse ?

— J'en suis désolé.

— Elle est encore à Paris ?

Il a essayé de ruser, de m'avoir par la bande, comme Yvette l'aurait fait. Je le regarde sans rien dire et il reprend d'une voix plus sourde, la tête penchée, sans me regarder :

— Vous n'avez pas le droit d'agir ainsi. Vous savez que je l'aime.

N'ai-je pas tort de riposter :

— Elle ne vous aime pas.

Vais-je commencer à discuter de l'amour avec un jeune homme, m'efforcer de lui prouver que c'est à moi qu'Yvette appartient, disputer nos titres respectifs à sa possession ?

— Donnez-moi son adresse, répète-t-il, le front têtu.

Et, comme il porte la main à sa poche, j'ai un léger mouvement vers le tiroir ouvert. Cela, il le comprend aussitôt. C'est son mouchoir qu'il allait prendre, car il est enrhumé, et il murmure :

— N'ayez pas peur. Je ne suis pas armé.

— Je n'ai pas peur.

— Alors, dites-moi où elle se trouve.

Quel chemin sa pensée a-t-elle parcouru depuis quinze jours qu'il n'a pas donné signe de vie ? Je l'ignore. Un mur se dresse entre lui et moi. Je m'attendais à la violence et me trouve devant quelque chose de feutré, de malsain, d'inquiétant. L'idée m'est même venue qu'il s'était introduit dans mon bureau avec l'intention de s'y suicider.

— Dites-le-moi. Je vous promets que c'est elle qui décidera.

Il ajoute, pour me tenter :

— Qu'avez-vous à craindre ?

— Elle ne veut pas vous revoir.

— Pourquoi ?

Que répondre à cette question-là ?

— Je regrette, Mazetti. Je vous prie de ne pas insister, car ma position ne changera pas. Vous l'aurez bientôt oubliée, croyez-moi, et alors...

Je me suis arrêté à temps. Je ne pouvais quand même pas aller jusque-là, lui dire :

— ... et alors, vous me serez reconnaissant.

A cet instant, j'ai eu une bouffée de chaleur aux joues, car une image de la veille m'est revenue, nos trois corps nus dans l'eau trouble d'un miroir.

— Je vous le demande encore...

— C'est non.

— Vous rendez-vous compte de ce que vous faites ?

— J'ai depuis longtemps l'habitude de prendre la responsabilité de mes actes.

Il me semblait que je récitais un mauvais texte dans une pièce plus mauvaise encore.

— Vous vous en repentirez un jour.

— Cela ne regarde que moi.

— Vous êtes cruel. Vous êtes en train de commettre une mauvaise action.

Pourquoi aussi me disait-il des mots auxquels je ne m'attendais pas, dans une attitude qui ne s'accordait pas avec son corps de jeune brute ? Le comble aurait été qu'il se mette à pleurer, et peut-être cela a-t-il failli arriver, car j'ai vu sa lèvre trembler. N'était-ce pas de la rage rentrée ?

— Une mauvaise action et une lâcheté, monsieur Gobillot.

De l'entendre prononcer mon nom m'a fait tressaillir et le « monsieur » apportait soudain à notre entretien une curieuse note de formalisme.

— Encore une fois, je regrette de vous décevoir.

— Comment est-elle ?

— Bien.

— Elle n'a pas parlé de moi ?

— Non.

— Elle...

Il a vu qu'excédé je pressais le bouton.

— Vous le regretterez.

Bordenave, aux aguets, a ouvert la porte.

— Reconduisez M. Mazetti.

Alors, debout au milieu du bureau, il nous a regardés tour à tour de ses yeux lourds et cela a duré une éternité. Il a ouvert la bouche, n'a rien dit, s'est contenté de baisser la tête et de marcher vers la sortie. Je suis resté immobile un certain temps et, quand j'ai entendu partir le moteur de la motocyclette, je me suis précipité à la fenêtre, je

l'ai vu, en blouson de cuir, nu-tête, ses cheveux frisés au vent de
novembre, s'engouffrer dans la rue des Deux-Ponts.

Si j'avais eu de l'alcool dans mon bureau, je m'en serais versé un
verre, pour faire passer le mauvais goût que j'avais à la bouche et qui
me semblait être le mauvais goût de la vie.

Il m'a troublé plus qu'inquiété. Je sens que je vais me poser de
nouvelles questions, auxquelles il ne sera pas facile de répondre.

J'ai dû m'interrompre pour répondre au coup de téléphone d'un
adversaire qui me demandait si j'étais d'accord sur une remise. J'ai
dit oui sans discuter et cela l'a surpris. Puis j'ai appelé Bordenave et,
sans aucune allusion à la visite que je venais de recevoir, j'ai dicté
pendant une heure et demie, après quoi je suis monté déjeuner.

Une vieille question me chiffonne, qui m'a souvent chiffonné et que
je finis toujours par rejeter, à moins que je me contente d'une
explication à demi satisfaisante. Depuis mon adolescence, je peux dire
depuis mon enfance rue Visconti, j'ai cessé de croire à la morale
conventionnelle, celle qu'on apprend dans les livres de classe et qu'on
retrouve plus tard dans les discours officiels et dans les articles de
journaux bien-pensants.

Vingt ans dans mon métier, la fréquentation de ce qu'on appelle la
société parisienne, y compris les Corine et les Moriat, n'ont pas été
pour changer mon opinion.

Lorsque j'ai pris Viviane à Me Andrieu, je ne me suis pas considéré
comme un malhonnête homme, ni senti coupable, pas plus que je n'ai
eu un sens de culpabilité en installant Yvette boulevard Saint-Michel.

Je n'étais coupable de rien, hier non plus, lorsque Jeanine s'est
mêlée à nos jeux devant le grand miroir où cela amusait Yvette de
nous regarder. J'ai été plus mécontent de moi, à Sully, au bord du
canal, le soir où j'ai accepté les propositions de Joseph Bocca, parce
que c'était une question de principe, parce que cela ne correspondait
pas à l'idée que j'avais de ma carrière.

C'est encore arrivé par la suite, c'est arrivé souvent, sur le terrain
professionnel surtout, comme il m'arrive d'envier la réputation d'intégrité de certains de mes confrères, ou la sérénité des bonnes femmes
qui sortent de la messe.

Je ne me repens de rien. Je ne crois à rien. Je n'ai jamais ressenti
de remords mais, ce qui me trouble de temps en temps, c'est d'être
saisi de la nostalgie d'une vie différente, d'une vie qui ressemblerait,
justement, à celle des discours de distribution de prix et des livres
d'images.

Me suis-je trompé sur mon compte dès le début de mon existence ?
Mon père a-t-il connu ces angoisses-là et a-t-il regretté de ne pas être
un mari et un père de famille comme les autres ?

Comme quels autres ? J'ai pu me convaincre, par l'expérience, que
les « familles comme les autres » n'existent pas, qu'il suffit de gratter

la surface et d'aller au fond des choses pour retrouver les mêmes hommes, les mêmes femmes, les mêmes tentations et les mêmes défaillances. Seule la façade change, le plus ou moins de franchise ou de discrétion — ou d'illusions ?

Comment se fait-il, dans ce cas, que je sois périodiquement mal à l'aise, comme s'il était possible de se comporter d'une façon différente ?

Un être comme Viviane connaît-il les mêmes troubles ?

Je la trouve, là-haut, droite et nette dans une robe de lainage sombre que ne rehausse qu'un clip de diamants.

— Tu oublies que c'est aujourd'hui la vente Sauget à l'Hôtel Drouot ?

Depuis que j'ai acheté l'appartement du quai d'Orléans, elle est prise d'une frénésie de dépenses, surtout d'objets personnels, de bijoux en particulier, comme pour se venger, ou pour établir une compensation. La vente Sauget est une vente de bijoux.

— Fatigué ?

— Pas trop.

— Tu plaides ?

— Deux affaires sans éclat. Pour la troisième, plus difficile, mon adversaire demande la remise.

Si elle pouvait seulement perdre l'habitude de me scruter comme pour surprendre mes secrets sur mon visage, ou un moment de faiblesse ! C'est devenu une manie. Peut-être l'a-t-elle toujours eue, mais auparavant je ne m'en apercevais pas.

C'est Albert qui sert à table, affairé, silencieux.

— Tu as lu les nouvelles au sujet de Moriat ?

— Je n'ai pas lu les journaux.

— Il est en train de constituer son cabinet.

— La liste que Corine nous a lue hier ?

— Avec quelques changements peu importants. Un de tes confrères sera garde des Sceaux dans le nouveau ministère.

— Qui ?

— Devine.

Je n'en ai pas la moindre idée et cela ne m'intéresse pas.

— Riboulet.

Ce que j'appellerai un honnête homme ambitieux, je veux dire un homme qui se sert de sa réputation d'honnêteté pour arriver ou, si on préfère, qui a choisi l'honnêteté parce que c'est parfois le chemin le plus facile. Il a cinq enfants, qu'il élève dans des principes rigides, et on prétend qu'il appartient au Tiers-Ordre des Oblats. Ce ne serait pas surprenant, car il est chargé de presque toutes les causes ecclésiastiques et c'est à lui que s'adressent les gens riches qui veulent faire annuler leur mariage à Rome.

— Tu as vu Pémal ?

— Pas ce matin. J'avais une conférence.

— Il continue tes piqûres ?

C'est pour me faire avouer qu'il me les donne maintenant quai d'Orléans. Cela devient pénible. Nous ne sommes pas encore ennemis, mais nous ne trouvons rien à nous dire et les repas sont de plus en plus déplaisants.

Elle ne pense qu'à me ressaisir, autrement dit à ma rupture avec Yvette, par lassitude ou pour toute autre raison, tandis que, de mon côté, mon obsession est de voir Yvette prendre sa place.

Comment nous regarder en face dans ces conditions-là ? Je suis sûr, par exemple — l'idée m'en est soudain venue à table —, que si elle était au courant de la visite de ce matin et si elle connaissait l'adresse de Mazetti, Viviane n'hésiterait pas à lui faire savoir par un moyen quelconque où Yvette se trouve.

Plus j'y pense et plus cela m'effraie. A la place de Mazetti, je me demande si je ne téléphonerais pas à Viviane pour lui poser la question qu'il m'a tant de fois répétée ce matin. Avec elle, il serait servi !

Il est temps que je reprenne mon équilibre. La plupart de mes troubles proviennent de ma fatigue et cela me donne une nouvelle idée qui suffit à chasser les autres. Puisqu'on me répète sans cesse que je devrais prendre des vacances, pourquoi ne pas profiter de celles de Noël et aller quelque part, à la montagne ou sur la Côte d'Azur, avec Yvette ? Ce serait la première fois que nous voyagerions ensemble, la première fois aussi qu'elle verrait d'autres décors que Lyon et Paris.

Comment Viviane réagira-t-elle ? Je prévois du tirage. Elle se défendra, parlera du tort que cela me ferait du point de vue professionnel.

Me voilà tout excité à cette perspective. Je parlais d'une nouvelle étape. J'essayais de deviner ce qu'elle serait. Or, la voici : un voyage, tous les deux, comme un vrai couple !

Rien que ce mot couple me paraît merveilleux. Nous n'avons jamais formé un couple, Yvette et moi. Pour quelques jours, tout au moins, nous en serons un et, à l'hôtel, le personnel l'appellera madame.

Comment, en quelques minutes, mon humeur a-t-elle pu changer à ce point-là ?

— Qu'est-ce que tu as ?

— Moi ?

— Oui. Tu viens de penser à quelque chose.

— C'est toi qui m'as parlé de ma santé.

— Et alors ?

— Rien. L'idée m'est venue que Noël n'est pas loin et que je m'offrirai peut-être du repos.

— Enfin !

Elle ne soupçonne pas la vérité, sinon elle n'aurait pas soupiré avec soulagement :

— *Enfin !*

Il faut que je monte un instant chez Yvette, en me rendant au Palais, afin de lui annoncer la grande nouvelle. Comment mon projet se réalisera-t-il, je l'ignore encore, mais je sais qu'il se réalisera.

— Où comptes-tu aller ?

— Je n'en ai pas la moindre idée.

— A Sully ?

— Sûrement pas.

Je ne sais par quelle aberration nous avons acheté une maison de campagne à proximité de Sully. Dès la première année, j'ai trouvé la forêt d'Orléans triste, oppressante, et j'ai horreur des gens qui ne parlent que de sangliers, de fusils et de chiens.

— Il y a longtemps que Bocca t'offre l'hospitalité dans sa propriété de Menton, même en son absence. On dit que c'est unique.

— Je verrai.

Elle commence à s'inquiéter, car j'ai dit « je » et je ne lui demande pas son avis. Est-ce que je deviens féroce ? Je m'en veux, et pourtant je ne peux me retenir. Je suis gai. Je n'ai plus de problèmes. Nous allons, Yvette et moi, partir en vacances et jouer à monsieur-madame. Ce mot-là va l'émouvoir. Il ne m'était pas encore venu à l'esprit. Quand nous sortons, à Paris, on l'appelle toujours mademoiselle. Dans un hôtel de la montagne ou de la Riviera, il en sera autrement.

— Tu es pressé ?

— Oui.

Dommage qu'il y ait trois semaines à attendre. Cela me paraît une éternité et, comme je me connais, je vais me mettre à appréhender toutes sortes d'empêchements. Pour bien faire, c'est aujourd'hui qu'il faudrait partir et, du coup, je ne penserais plus à la visite de Mazetti, ni à notre écœurant tête-à-tête. Pour un peu, je laisserais mes affaires en plan et m'en irais sans avertir Viviane.

J'imagine sa tête, recevant un télégramme, ou un coup de téléphone, de Chamonix ou de Cannes !

— Il ne s'est rien passé, ce matin ? me demande-t-elle comme sans y toucher.

Ça y est ! Elle devine, une fois de plus, et cela m'exaspère.

— Que se serait-il passé ?

— Je ne sais pas. Tu n'es pas comme d'habitude.

— Comment suis-je ?

— Comme si tu voulais à tout prix éviter de penser à une chose ennuyeuse.

J'hésite à me fâcher, car je suis touché. Peut-être cela me soulagerait-il de me mettre en colère, ne fût-ce, comme elle dit, que pour oublier Mazetti, mais j'ai encore assez de sang-froid pour prévoir que, si je commence, il me sera difficile de m'arrêter.

Jusqu'où irais-je ? J'en ai trop sur le cœur, et je ne suis pas préparé à la rupture aujourd'hui. Je tiens à éviter un éclat. D'ailleurs, on m'attend au Palais, dans deux Chambres différentes.

— Tu es très subtile, n'est-ce pas ?

— Je commence à te connaître.

— Tu en es si sûre ?

Elle a le sourire rentré de quelqu'un qui n'a jamais douté de soi.

— Bien plus que tu ne penses ! laisse-t-elle tomber.

Je me lève de table sans attendre qu'elle ait terminé son dessert.

— Excuse-moi.

— Je t'en prie.

A la porte, j'ai une hésitation. Cela m'en coûte de la quitter ainsi.

— A tout à l'heure.

— Je suppose que nous nous retrouvons chez Gaby pour le cocktail, non ?

— J'espère pouvoir y aller.

— Tu l'as promis à son mari.

— Je ferai mon possible.

Au moment de sortir de l'immeuble, l'idée me vient de m'assurer que Mazetti n'est pas dans les parages. Non ! Je ne vois rien. La vie est belle. Je longe le quai. Il y a une poussière blanche en suspens dans l'air, mais cela ne s'appelle pas encore de la neige. Le couple de clochards, sous le pont, est occupé à trier des vieux papiers.

L'escalier m'est familier. C'est le même, ou presque, que quai d'Anjou, avec une rampe en fer forgé toujours froide sous la main et des marches de pierre jusqu'au premier étage.

L'appartement est au troisième. J'en ai la clef. C'est un plaisir pour moi de m'en servir et pourtant, chaque fois, je suis pris d'inquiétude, car je me demande ce qui m'attend.

Dans l'entrée, j'ouvre la bouche pour annoncer la nouvelle, pour lancer d'une voix triomphante :

— Devine où nous allons passer Noël tous les deux ?

Mais Jeanine paraît, en robe noire et en tablier blanc, un bonnet brodé sur la tête, très soubrette de théâtre, et met un doigt sur ses lèvres.

— Chut !

Mon regard, déjà anxieux, l'interroge, bien que Jeanine soit souriante.

— Quoi ?

— Rien, chuchote-t-elle en se penchant. Elle dort à poings fermés.

Avec une complicité affectueuse, elle me prend la main, m'entraîne vers la porte de la chambre qu'elle entrebâille et j'aperçois dans la pénombre les cheveux d'Yvette sur l'oreiller, la forme de son corps sous la couverture, un pied nu qui dépasse.

Jeanine va le recouvrir sans bruit, revient vers moi et referme la porte.

— Vous voulez que je lui fasse un message ?

— Non. Je reviendrai ce soir.

Ses yeux pétillent. Elle doit penser à ce qui s'est passé hier et cela l'amuse, elle se tient plus près de moi que d'habitude, me frôlant de ses seins.

Au moment de sortir, je questionne :

— Il n'est venu personne ?

— Non. Qui est-ce qui serait venu ?

Elle doit être au courant. Yvette lui a sûrement raconté sa vie et j'ai eu tort de poser cette question-là.

— Vous avez pu vous reposer ? demande-t-elle à son tour.
— Un peu, oui. Merci.

J'ai eu juste le temps de me précipiter au vestiaire et de passer ma robe. Le président Vigneron, un pète-sec qui ne m'aime pas et qui a la manie de se caresser la barbe, me cherchait du regard au moment où je suis entré en coup de vent dans le prétoire.

— Affaire Guillaume Dandé contre Alexandrine Bretonneau, récitait l'huissier. Guillaume Dandé ? Levez-vous à l'appel de votre nom et dites : présent.

— Présent.

— Alexandrine Bretonneau ?

Il répète, impatient :

— Alexandrine Bretonneau ?

Le président scrute les rangs de visages comme s'il allait la découvrir dans la foule anonyme et la femme paraît enfin, grasse, essoufflée, après avoir attendu une heure dans une autre Chambre vers laquelle on l'a aiguillée par erreur.

Elle lance, du fond de la salle :

— Voilà, monsieur le juge ! Je vous demande pardon...

Il règne une odeur de bâtiment officiel et d'humanité mal lavée, qui est un peu mon odeur d'écurie.

Ne suis-je pas ici chez moi ?

7

J'allais écrire que, ces derniers temps, ma vie a été trop remplie pour me laisser le loisir d'ouvrir l'armoire au dossier. Elle ne l'était pas moins les semaines précédentes. Lassitude ? Ou bien n'ai-je pas ressenti le même besoin de me rassurer ?

J'ai pourtant griffonné, de temps en temps, des mots sur mon bloc-notes, sortes de pense-bête que je passe en revue en les expliquant.

Jeudi 1er décembre

« Pantalons ski. Pémal. »

C'est le mardi soir, deux jours avant cette note, que j'ai parlé de vacances à Yvette et sa réaction a été inattendue. Elle m'a regardé avec méfiance, m'a dit :

— Tu veux m'envoyer quelque part pour te débarrasser de moi ?

Je ne me souviens pas de la phrase que j'avais employée, une phrase dans le genre de :

— Prépare-toi à passer Noël à la montagne ou sur la Côte d'Azur.

rassurée, mais elle n'en est pas moins restée inquiète un bout de temps, trouvant que c'était trop beau.

— Ta femme te laissera partir ?

J'ai menti pour éviter qu'elle se tracasse.

— Elle est prévenue.

— Qu'est-ce qu'elle a dit ?

— Rien.

Alors, seulement, elle a appelé Jeanine, par besoin d'un public.

— Tu sais ce qu'il m'annonce ? Nous allons passer Noël dans la neige.

Cela a été mon tour de froncer les sourcils, car je ne compte pas emmener Jeanine. Ce n'est heureusement pas ça qu'Yvette a entendu par le « nous ».

— Ou sur la Côte d'Azur, ai-je ajouté.

— Si j'ai le choix, j'aime mieux la montagne. Il paraît que sur la Côte, l'hiver, il n'y a que de vieilles gens. Qu'y faire, d'ailleurs, puisqu'on ne peut pas se baigner ni se brunir au soleil ? J'ai toujours rêvé de ski. Tu sais, toi ?

— Un peu.

J'ai pris quelques leçons, voilà longtemps.

Le lendemain, quand je suis allé la voir, elle portait, autant pour me les montrer que pour son propre plaisir, des pantalons de ski en gabardine noire, très tendus, qui moulaient son petit derrière rond.

— Tu aimes ?

Pémal, qui venait nous faire nos piqûres, l'a trouvée ainsi et elle a baissé culotte comme un homme. Dans l'antichambre, il n'a pu s'empêcher de marquer un temps d'arrêt devant les skis qu'elle a achetés aussi et de me lancer un regard interrogateur. J'ai dit :

— Mais oui ! Je me suis enfin décidé à prendre des vacances.

Je l'ai raccompagné sur le palier pour lui souffler :

— N'en parlez pas quai d'Anjou.

Yvette a acheté également un gros chandail en laine norvégienne, avec des dessins représentant des rennes. Il faudra que je m'occupe de retenir des chambres d'hôtel car, à l'époque de Noël, tout est complet à la montagne, j'en ai fait jadis l'expérience.

Samedi 3 décembre

« Dîner Présidence. Viviane — Mme Moriat. »

Jean Moriat, qui est président du Conseil, comme on s'y attendait, s'est installé à l'hôtel Matignon avec sa femme, la légitime, mais continue à aller coucher presque chaque nuit rue Saint-Dominique. Ce samedi-là, il donnait un dîner semi-officiel auquel, outre les collaborateurs immédiats, il avait convié quelques amis. Nous étions invités, Corine aussi, bien entendu. Mme Moriat, qu'on connaît à peine, faisait les honneurs et s'y prenait si gauchement, avec une peur si visible de gaffer, qu'on avait envie d'aller à son aide.

Je ne crois pas qu'elle souffre de la liaison de son mari. Elle ne lui en veut pas et, si elle pense que l'un des deux a des torts, elle les prend à son compte. Tout le temps de la réception, puis du dîner, elle semblait s'excuser d'être là, mal à l'aise dans une robe de grand couturier qui ne lui allait pas, et je l'ai vue, à des moments embarrassants, se tourner vers Corine pour lui demander conseil.

Elle est si foncièrement humble qu'on en arrive à ne pas oser la regarder, ni lui adresser la parole, tant on sent que cela l'embarrasse. Elle ne respire à l'aise que quand on l'oublie dans son coin, ce qui s'est produit plusieurs fois, surtout après le dîner.

Comme nous rentrions en voiture, Viviane a murmuré :

— Pauvre homme !

— Qui ?

— Moriat.

— Pourquoi ?

— C'est terrible pour lui, dans sa situation, d'être affublé d'une pareille femme. Si elle avait un peu de dignité, il y a longtemps qu'elle lui aurait rendu sa liberté.

— Il lui a proposé le divorce ?

— Je ne pense pas qu'il ait osé.

— S'il était libre, Corine l'épouserait-elle ?

C'est presque impossible qu'ils se marient. Cela constituerait un suicide politique, car Corine est trop riche et on l'accuserait, lui, d'avoir fait un mariage d'argent. Tous les deux tiennent, à mon avis, à garder la pauvre femme comme paravent.

Si cette réflexion m'a frappé, c'est parce qu'elle souligne la cruauté de Viviane pour les faibles et qu'elle indique comment, dans son for intérieur, elle doit juger Yvette, sur quel ton elle parle d'elle à ses amies.

— C'est sérieux, ton projet de vacances ?

— Oui.

— Où ?

— Je l'ignore encore.

Non seulement elle pense toujours m'accompagner, mais elle est sûre que je choisirai la Côte car, les rares fois que nous sommes allés à la montagne, je me suis plaint de m'y sentir dans un climat hostile. Je parierais qu'elle va, sans tarder, se commander des toilettes pour la Riviera et me promets de ne souffler mot avant la dernière minute.

Dimanche 4 décembre

« Culotte Jeanine. »

Je me demande ce que Bordenave a pensé si elle a vu cette note-là sur mon bloc. Ce dimanche-là, comme la plupart des autres dimanches, j'ai passé l'après-midi quai d'Orléans. Il gelait. Les passants marchaient vite et, dans l'appartement, le feu de bûches répandait une bonne odeur. Yvette m'a demandé :

— Tu ne tiens pas à sortir ?

Il lui vient le goût de se calfeutrer, de se blottir, ronronnante, dans l'atmosphère surchauffée du salon ou de la chambre à coucher et Jeanine, comme il fallait s'y attendre, prend une place de plus en plus grande dans son intimité, dans la nôtre aussi, ce qui n'est pas sans parfois me gêner. Je me rends compte que, pour Yvette, c'est un bien. Elle n'a jamais été aussi détendue, presque toujours gaie, d'une gaieté qu'on ne sent pas factice comme autrefois. Je n'ai pas l'impression qu'elle pense beaucoup à Mazetti.

Je suis arrivé à temps pour prendre le café et, comme Jeanine nous le servait, Yvette m'a conseillé :

— Tâte ses fesses.

Sans savoir pourquoi elle me demandait cela, j'ai passé la main sur la croupe tandis qu'Yvette poursuivait :

— Tu ne remarques rien ?

Si. Sous la robe, il n'y avait pas de sous-vêtements, pas de linge, rien que la peau sur laquelle le tissu noir glissait librement.

— Nous avons décidé qu'elle ne porterait plus de culotte dans l'appartement. C'est plus amusant.

Une fois sur deux, maintenant, lorsque nous faisons l'amour, elle me demande la permission d'appeler Jeanine et, dimanche, elle ne me l'a même pas demandé, on aurait dit que cela allait de soi.

Il y a une légèreté charmante dans leur humeur à toutes les deux dès qu'elles sont ensemble et, souvent, en arrivant, je les entends chuchoter, pouffer de rire, il leur arrive aussi, par-dessus mon épaule, d'échanger des regards complices. Jeanine, qui paraît avoir trouvé son climat, s'épanouit et devient aux petits soins pour Yvette et pour moi. Parfois, en me reconduisant, elle me demande à voix basse :

— Comment la trouvez-vous ? Elle semble heureuse, n'est-ce pas ?

C'est vrai, mais je l'ai vue jouer trop de rôles pour ne pas me tenir sur la défensive. Lorsque nous sommes restés étendus, à regarder les flammes qui dansaient, Yvette s'est mise à raconter ses expériences d'un ton badin, ironique, qui ne s'harmonise pas toujours avec les images évoquées, car j'ai appris par elle des perversions que je ne soupçonnais pas, dont certaines m'ont accablé. Elle en fait un jeu, à présent, s'adressant surtout à Jeanine, qui boit ses paroles en frémissant.

Ce dimanche-là, j'ai découvert qu'Yvette n'est pas si inconsciente qu'elle s'efforce de le paraître. Quand nous avons été seuls tous les deux et que la lumière a été éteinte, elle s'est blottie dans mes bras, je la sentais de temps en temps trembler et je lui ai demandé à un moment donné :

— A quoi penses-tu ?

Elle a secoué la tête, me frottant la joue de ses cheveux, et c'est seulement quand une larme a roulé sur ma poitrine que j'ai su qu'elle pleurait. Elle était incapable de parler tout de suite. Ému, je l'étreignais tendrement.

— Dis-moi, maintenant, petite fille.

— Je pensais à ce qui arriverait.

Elle s'est remise à pleurer, poursuivant en phrases hachées :

— Je ne pourrais plus le supporter. Je fais la brave. J'ai toujours fait la brave, mais...

Elle reniflait ; j'ai compris qu'elle se mouchait dans le drap.

— Si tu me laissais, je crois que j'irais me jeter dans la Seine.

Je sais qu'elle ne le ferait pas, parce que la mort la terrifie, mais elle essayerait peut-être, pour se raviser à la dernière minute, peut-être pour provoquer la pitié des passants. Il n'en est pas moins sûr qu'elle serait malheureuse.

— Tu es le premier à m'avoir donné une chance de vivre proprement et je me demande encore pourquoi. Je ne vaux rien. Je t'ai fait souffrir et je te ferai souffrir encore.

— Chut !

— Cela te contrarie, avec Jeanine ?

— Non.

— Il faut bien qu'elle ait du plaisir aussi. Elle est gentille avec moi. Elle ne sait qu'inventer pour me rendre la vie agréable et il m'arrive, quand tu n'es pas là, de n'être pas toujours drôle.

Je fais la part de la comédie. Il y en a toujours, mêlée à sa sincérité. La dernière phrase, par exemple, est de trop, et je me suis demandé si, au contraire, ce n'est qu'une fois seule avec Jeanine qu'elle se montre le plus gaie. Il en est pour elle comme pour Mazetti. Elle a beau me voir sous mon jour le plus cru, le moins prestigieux, je n'en reste pas moins le grand avocat qui l'a sauvée et, pour elle, je suis en outre un homme riche. Je jurerais qu'elle nourrit pour Viviane du respect, de l'admiration, qu'elle serait effrayée à l'idée de prendre sa place.

— Quand tu en auras assez de moi, tu me le diras ?

— Je n'en aurai jamais assez de toi.

Les bûches crépitent, l'obscurité est teintée de rose sombre, nous entendons Jeanine, derrière la cloison, qui va et vient dans sa chambre, puis se laisse tomber lourdement sur son lit.

— Tu sais qu'elle a eu un enfant ?

— Quand ?

— A dix-neuf ans. Elle en a vingt-cinq. Elle l'a mis en nourrice, à la campagne, et ils l'ont tellement mal soigné qu'il est mort d'une maladie des intestins. Il paraît qu'il avait le ventre tout gonflé.

Ma mère aussi m'a confié à des gens de la campagne.

— Tu es heureux, Lucien ?

— Oui.

— Malgré tout le mauvais que je t'apporte ?

Elle finit heureusement par s'endormir et moi, pendant un certain temps, je pense à Mazetti. Il n'est pas revenu rôder quai d'Anjou et cela m'inquiète, m'irrite, comme toujours dès que je ne comprends pas. Je me promets de m'occuper de lui le lendemain et je finis par m'endormir à mon tour, à l'extrême bord du lit, car Yvette s'est mise en chien de fusil et je ne veux pas la réveiller.

Mardi 6 décembre

« Grégoire-Javel. »

Je n'ai donc pas pu le faire le lundi, qui est pour moi une grosse journée, remplie surtout de coups de téléphone, car les gens qui rentrent du *week-end,* comme pris de remords, se jettent avec frénésie sur les affaires sérieuses.

Je pourrais établir une sorte de baromètre de l'humeur des gens pendant la semaine. Le mardi, ils reprennent leur équilibre, leur activité normale, mais c'est pour s'enfiévrer à nouveau le jeudi après-midi afin d'en finir au plus vite et de partir pour la campagne dès le vendredi midi, le vendredi matin si possible.

C'est donc le mardi, d'après mon bloc, que j'ai téléphoné à Grégoire, que j'ai connu au Quartier latin et qui est devenu professeur à la Faculté de Médecine. Nous ne nous voyons pas une fois tous les cinq ans, mais nous continuons, par habitude, à nous tutoyer.

— Comment vas-tu ?

— Et toi ? Ta femme ?

— Bien, merci. Je voudrais te demander un service car je ne sais pas à qui m'adresser.

— A ta disposition, si c'est de mon ressort.

— Il s'agit d'un étudiant, un certain Léonard Mazetti.

— Ce n'est pas une question d'examens, au moins ?

La voix, du coup, est devenue plus froide.

— Non. J'aimerais savoir s'il est réellement inscrit à l'École de Médecine et si, les derniers temps, il a suivi assidûment les cours.

— En quelle année est-il ?

— Je l'ignore. Il doit avoir vingt-deux ou vingt-trois ans.

— Je dois m'adresser au secrétariat. Je te rappellerai tout à l'heure.

— Ce sera fait discrètement ?

— Bien entendu.

Il se demande pourquoi je m'occupe de ce jeune homme. Moi-même, je me demande pourquoi je me donne tout ce mal. Car ce n'est pas fini. J'appelle encore la direction de Citroën, quai de Javel. J'ai eu l'occasion, il y a quelques années, de plaider pour la société et d'entrer ainsi en contact avec un des sous-directeurs.

— M. Jeambin est-il toujours chez vous ?

— Oui, monsieur. De la part de qui ?

— Mᵉ Gobillot.

— Un instant. Je vais voir s'il est à son bureau.

Une voix différente, un peu plus tard, celle d'un homme occupé.

— Oui.

— Je voudrais vous demander un petit service, monsieur Jeambin...

— Pardon, qui est à l'appareil ? La standardiste n'a pas bien compris le nom.

— Gobillot, l'avocat.

— Comment allez-vous ?

— Bien, merci. Je voudrais savoir si un certain Mazetti travaille chez vous comme manœuvre et, dans l'affirmative, s'il ne s'est pas absenté d'une façon anormale les derniers temps.

— C'est facile, mais cela prendra un moment. Voulez-vous me rappeler dans une heure ?

— Je préférerais qu'il n'en sache rien.

— Il s'est mis dans un mauvais pas ?

— Pas du tout. Rassurez-vous.

— Je m'en occupe.

J'ai eu les deux réponses. Mazetti n'a pas menti. Il travaille depuis trois ans quai de Javel où ses absences sont rares, coïncident presque toujours avec les périodes d'examens, sauf les dernières qui se situent à l'époque où il guettait Yvette sur le trottoir de la rue de Ponthieu. Encore, cette semaine-là, n'a-t-il chômé que deux fois.

Il en est de même à l'École de Médecine, où il fait sa quatrième année et où il a séché les cours pendant une semaine à la même époque.

Grégoire a ajouté :

— Je me suis renseigné sur le garçon, ne sachant pas au juste ce que tu veux. Ce n'est pas un sujet brillant, son intelligence est très moyenne, pour ne pas dire en dessous de la moyenne, mais il met une telle volonté à étudier qu'il passe ses examens avec de bonnes notes et qu'il viendra à bout de ses études. Il fera, paraît-il, un excellent médecin de campagne.

Mazetti a donc repris le rythme régulier de son existence, travaillant la nuit quai de Javel, et, le jour, se rendant à ses cours ou à l'amphithéâtre.

Cela indique-t-il qu'il s'est calmé et commence à guérir ? Je voudrais le croire. Je pense à lui le moins possible.

Sans lui, la période actuelle serait la meilleure que j'aie connue depuis longtemps.

Jeudi 8 décembre

« Saint-Moritz. »

Cette fois, il neige à gros flocons mous qui ne tiennent pas encore sur le sol mais laissent déjà des traînées blanches sur les toits. Cela m'a rappelé que je dois retenir notre chambre d'hôtel si nous voulons partir en vacances à Noël. J'ai hésité, pensant d'abord à Megève ou à Chamonix, où nous sommes allés jadis avec Viviane. J'ai lu dans un journal que tout y est loué pour les fêtes. Cela ne signifie pas qu'il n'y a plus de place, je sais comment sont faits les journaux, mais cela m'a rappelé que beaucoup de mes jeunes confrères, férus de ski, se retrouvent dans ces deux stations.

Je n'ai pas l'intention de cacher Yvette. Je n'ai pas honte d'elle. En outre, j'ai de bonnes raisons de croire que tout le monde est au courant.

Il n'en serait pas moins déplaisant de nous trouver dans le même hôtel que des avocats que je rencontre chaque jour au Palais, surtout qu'ils seront accompagnés de leur femme. Je me moque de jouer un rôle ridicule. Je serai forcément ridicule à skis. Mais je veux éviter à Yvette tout incident qui pourrait gâcher nos vacances et, avec certaines femmes, cela pourrait arriver.

C'est pourquoi je me suis décidé, en fin de compte, pour Saint-Moritz. Le public y est différent, plus international, moins familier. Le décor luxueux du *Palace* la dépaysera au début, mais nous garderons plus facilement un certain anonymat.

J'ai donc téléphoné. J'ai eu le chef de la réception au bout du fil et il a paru connaître mon nom, encore que je ne sois jamais descendu chez lui. Presque complet, m'a-t-il affirmé, tout en me réservant néanmoins une chambre, une salle de bains et un petit salon. Il a précisé :

— Avec vue sur la patinoire.

Le même jour, Viviane, après dîner, a ouvert le dernier numéro de *Vogue* et m'a montré une robe blanche à plis lourds qui ne manque pas d'allure.

— Tu aimes ?

— Beaucoup.

— Je l'ai commandée cet après-midi.

Pour Cannes, je n'en doute pas. La robe s'appelle « Riviera », mais je n'ai pas souri, je n'en ai pas eu envie car, à mesure que l'heure des explications approche, je me rends mieux compte que ce sera dur.

D'autant plus dur que mon attitude de ces derniers temps la rassure. C'est la première fois, à ma connaissance, qu'elle se trompe grossièrement. Elle s'est d'abord inquiétée de me voir l'humeur plus légère, presque détendu. Peut-être même en a-t-elle parlé à Pémal, qui la voit assez souvent, et j'ignore ce qu'il lui aura répondu.

— J'ai l'impression que tes vitamines te réussissent.

— Pourquoi pas ?

— Tu ne te sens pas mieux qu'il y a deux semaines ?

— Je crois, oui.

Peut-être pense-t-elle aussi que, d'avoir Yvette sous la main, à deux pas de la maison, commence à créer une certaine satiété. Elle ne se doute pas que c'est le contraire qui se produit et que, maintenant, de quitter le quai d'Orléans pour quelques heures me semble une monstruosité.

Qu'elle se commande donc des robes pour la Côte d'Azur. Rien ne l'empêchera d'y aller seule pendant qu'Yvette et moi serons à Saint-Moritz.

Longtemps, j'ai eu tendance à ressentir de la pitié pour Viviane. C'est passé. Je l'observe froidement, comme une étrangère. Ses réflexions sur la pauvre Mme Moriat, au sortir de l'hôtel Matignon, y sont pour une part. J'ai découvert, en remâchant le passé, que Viviane, elle, n'a jamais eu pitié de personne.

Au départ, a-t-elle eu pitié d'Andrieu ? J'aurais mauvaise grâce à le lui reprocher, certes. C'est quand même un fait et, si elle avait trente ans aujourd'hui, ou même quarante, elle n'hésiterait pas à me sacrifier comme elle a sacrifié son premier mari.

Cela m'a remis en mémoire la façon dont il est mort et cela me gêne, au moment de me rendre à Saint-Moritz, qui n'est pas loin de Davos.

Dimanche 11 décembre

« Jeanine. »

Je me demande pourquoi j'ai écrit ce nom sur mon bloc en rentrant. J'ai dû avoir une raison. Ai-je eu une pensée précise, ou bien ai-je seulement songé à elle d'une façon assez vague ?

Puisque c'était dimanche, j'ai passé l'après-midi quai d'Orléans et, je m'en souviens à présent, une partie de la soirée, mais pas la nuit, car nous devions retrouver Moriat, qui avait un dîner politique, vers dix heures et demie rue Saint-Dominique. C'est ce soir-là que Viviane a annoncé que nous passerions les vacances de Noël dans le Midi, à Cannes, a-t-elle précisé sans me consulter, et Corine m'a lancé un coup d'œil qui me donne à penser qu'elle a eu vent de mes projets.

Que s'est-il passé avec Jeanine qui ne se soit pas passé les autres dimanches et certains soirs de semaine ? Elle est de plus en plus à son aise avec nous, sans inhibition aucune, et Yvette a remarqué à certain moment :

— Quand j'étais petite fille, je rêvais déjà de vivre dans un endroit où tout le monde serait nu et où on passerait le temps à se caresser, à se faire les uns aux autres tout ce dont on aurait envie.

Elle a souri à ses souvenirs.

— J'appelais ça jouer au Paradis Terrestre et j'avais onze ans quand ma mère m'a surprise jouant au Paradis Terrestre avec un petit garçon qui s'appelait Jacques.

Ce n'est pas à cause de cette phrase que j'ai noté le nom de Jeanine. Pas non plus, je suppose, à cause d'une autre réflexion d'Yvette, qui nous regardait gravement, Jeanine et moi, alors que nous étions accouplés.

— C'est rigolo ! a-t-elle soudain lancé avec un rire qui nous a immobilisés.

— Qu'est-ce qui est rigolo ?

— Tu n'as pas entendu ce qu'elle vient de te dire ?

— Que je lui faisais un peu mal.

— Pas exactement. Elle a dit :

» — Monsieur, vous me faites un peu mal.

» Je trouve ça drôle. C'est comme si elle te parlait à la troisième personne pour te demander la permission de te...

La fin de la phrase était crue, l'image comique. Elle aime, en ces circonstances-là, employer des mots précis et vulgaires.

Ah ! oui, je me souviens. C'est une réflexion que j'ai faite et que j'ai voulu me rappeler, encore qu'elle ne soit pas tellement importante. Jeanine semble avoir pris Yvette sous sa protection, non pas contre moi, mais contre le reste du monde. Elle semble avoir compris ce qui nous lie, ce qui me paraît extraordinaire, et s'évertue à établir autour de nous comme une zone de sécurité.

Je ne peux pas m'expliquer avec précision. Après la séance à laquelle je viens de faire allusion, il serait ridicule de parler d'un sentiment maternel, et pourtant c'est à cela que je pense. C'est devenu un jeu pour elle, une raison de vivre aussi, de rendre Yvette heureuse. Elle m'est reconnaissante de m'y être appliqué avant elle, approuve tout ce que je fais dans ce sens.

C'est un peu comme si elle me prenait, moi aussi, sous sa protection, encore que, si je ne me comportais plus de la même façon, si une dispute, par exemple, ou un dissentiment éclatait entre Yvette et moi, je trouverais devant moi une ennemie.

Elle n'est pas lesbienne, moralement ni physiquement. Contrairement à Yvette, elle n'avait jamais eu, avant de venir quai d'Orléans, d'expériences avec des femmes.

Peu importe. Je ne me rappelle pas pourquoi j'ai pensé à cela en rentrant. Plus exactement, je ne me doutais pas que cela se relierait à un événement ultérieur.

Maintenant seulement, je sais pour quelle raison il lui est arrivé de me conseiller, ce dimanche-là :

« — Ne la fatiguez pas trop aujourd'hui. »

Mardi 13 décembre

« Caillard. »

Une exténuante plaidoirie, trois heures à tenir les jurés à bout de bras pour obtenir une condamnation à dix ans de réclusion alors que, sans les circonstances atténuantes, que j'ai arrachées je me demande par quel miracle, mon client se serait vu infliger les travaux forcés à perpétuité.

Au lieu de m'en être reconnaissant, il m'a regardé d'un œil dur en grommelant :

— C'était bien la peine de faire tout ce foin-là !

Sur la foi de ma réputation, il comptait sur l'acquittement. Il s'appelle Caillard et j'en viens à regretter — car il le mérite — qu'on ne l'ait pas retiré pour toujours de la circulation.

J'ai trouvé Yvette déjà couchée à neuf heures du soir.

— Vous feriez mieux de la laisser dormir, m'a conseillé Jeanine.

J'ignore ce qui m'a pris. Ou plutôt je ne l'ignore pas. Après la dépense nerveuse d'une plaidoirie importante, après le mauvais moment passé dans l'attente du verdict, j'éprouve presque toujours le besoin d'une détente brutale et, pendant des années, je me précipitais dans une maison de rendez-vous de la rue Duphot. Je ne suis pas le seul dans mon cas.

Par l'entrebâillement de la porte, je venais de voir Yvette endormie. J'ai eu une hésitation, regardant d'un œil interrogateur Jeanine qui a légèrement rougi.

— Ici ? a-t-elle soufflé, en réponse à ma question muette.

J'ai fait signe que oui. Je ne voulais qu'une brève secousse. Un peu plus tard, j'ai entendu la voix d'Yvette qui nous disait :

— Vous vous amusez bien, tous les deux ? Ouvrez donc la porte, que je vous voie.

Elle n'était pas jalouse. Quand je suis allé l'embrasser, elle m'a demandé :

— Elle a bien fait ça ?

Et elle s'est tournée sur le côté pour se rendormir.

Mercredi 14 décembre

« ? ? ? ? »

Jeanine m'a enfin parlé, dans l'escalier où elle est venue me reconduire. A onze heures du matin, Yvette était encore au lit, pâlotte, et j'avais remarqué sur le plateau son déjeuner auquel elle n'avait pas touché.

— Ne t'inquiète pas. Ce n'est rien. Tu as les billets de chemin de fer ?

— Depuis hier. Ils sont dans ma poche.

— Ne les perds pas. Sais-tu que c'est la première fois que je vais voyager en wagon-lit ?

Parce qu'elle m'avait paru soucieuse, un peu éteinte, comme si je l'avais vue à travers un voile, j'ai demandé à Jeanine, dans l'antichambre :

— Ce n'est pas à cause d'hier ?

— Non... Chut !...

C'est alors qu'elle m'a suivi dans l'escalier.

— Il vaut mieux que je vous le dise dès maintenant. Ce qui l'inquiète, c'est qu'elle croit qu'elle est enceinte et qu'elle se demande comment vous prendrez ça.

Je suis resté immobile, une main sur la rampe, les yeux écarquillés. Je n'ai pas analysé mon émotion et j'en suis encore incapable, je sais seulement que cela a été une des plus inattendues et des plus violentes de ma vie.

Il a fallu un bon moment pour que je reprenne mon sang-froid et j'ai bousculé Jeanine en remontant les quelques marches. Je me suis précipité vers la chambre, j'ai crié :

— Yvette !

J'ignore comment était ma voix, quelle expression avait mon visage, tandis qu'elle se mettait sur son séant.

— C'est vrai ?

— Quoi ?

— Ce que Jeanine vient de m'apprendre ?

— Elle t'a dit ?

Je me demande comment elle n'a pas compris d'un coup d'œil que mon émotion était une émotion heureuse.

— Tu es fâché ?

— Mais non, mon petit ! Tout au contraire ! Et moi qui, hier soir...

— Justement !

Et c'était pour la même raison que, le dimanche, Jeanine m'avait recommandé de ne pas fatiguer Yvette !

Entre ma femme et moi, il n'a jamais été question d'enfants. C'est un sujet qu'il ne lui est pas arrivé d'aborder et j'en ai conclu, aux précautions qu'elle a toujours prises aussi, qu'elle n'en désirait pas. D'ailleurs, je ne l'ai jamais vue regarder un enfant dans la rue, sur une plage ou chez des amis. C'est pour elle un monde étranger, vulgaire, presque indécent.

Je me souviens du ton sur lequel elle a dit, alors qu'on nous annonçait que la femme d'un de mes confrères était enceinte pour la quatrième fois :

— Certaines femmes sont nées pour jouer les lapines. Il y en a même qui aiment ça !

On croirait que la maternité la dégoûte ; peut-être la considère-t-elle comme une humiliation ?

Yvette, elle, restait intimidée dans son lit, honteuse, pas pour la même raison.

— Tu sais, si tu préfères que je ne le garde pas...

— Cela t'est arrivé avant moi ?

— Cinq fois. Je n'osais rien te dire. Je me demandais ce que je devais faire. Avec toutes les complications que je t'apporte déjà...

Mes yeux étaient embués et je ne l'ai pas prise dans mes bras. J'avais peur d'être théâtral. Je me suis contenté de lui saisir la main et de l'embrasser pour la première fois. Jeanine a eu le tact de nous laisser seuls.

— Tu es sûre ?

— On ne peut jamais être sûr si vite, mais cela fait déjà dix jours.

Elle m'a vu pâlir et, comprenant pourquoi, elle s'est dépêchée de continuer :

— J'ai compté. Si c'est cela, ce ne peut être que de toi.

Ma gorge était serrée.

— Ce serait drôle, non ? Tu sais, cela n'empêche pas notre voyage en Suisse. Je reste au lit parce que Jeanine m'empêche de me lever. Elle prétend que, si je veux le garder, je dois me reposer quelques jours.

Drôle de fille ! Drôles de filles toutes les deux !

— Tu serais vraiment content ?

Évidemment ! Je n'y ai pas encore réfléchi. Elle a raison de dire que cela entraînera des complications. Je n'en suis pas moins content, ému, attendri, comme je ne me souviens pas de l'avoir été.

— Dans deux ou trois jours, s'il n'y a rien de nouveau, je verrai le médecin et on fera un test.

— Pourquoi pas tout de suite ?

— Tu veux ? Tu es pressé ?

— Oui.

— Dans ce cas, j'enverrai un spécimen au laboratoire demain matin. Jeanine ira le porter. Appelle-la.

Et, à Jeanine :

— Tu sais qu'il veut que je le garde ?

— Je sais.

— Qu'est-ce qu'il a dit, quand tu lui en as parlé ?

— Rien. Il est resté sans bouger et j'ai eu peur qu'il dégringole l'escalier, puis il m'a presque renversée pour se précipiter ici.

Elle se moque de moi.

— Il insiste pour que tu portes un spécimen au laboratoire demain matin.

— Dans ce cas, il faut que j'aille acheter une bouteille stérilisée.

Tout cela leur est familier à l'une et à l'autre.

On m'attend dans mon cabinet. Bordenave téléphone pour me demander des instructions. C'est Jeanine qui répond.

— Qu'est-ce que je lui dis ?

— Que je serai là-bas dans quelques minutes.

Il vaut d'ailleurs mieux que je m'en aille, car je n'ai plus rien à faire ici en ce moment.

Jeudi 15 décembre

« Spécimen envoyé. Dîner ambassade. »

Il s'agit de mon ambassadeur sud-américain qui a donné un dîner intime, mais extrêmement raffiné, pour fêter notre succès. Grâce à Moriat, les armes voguent librement vers je ne sais quel port où elles sont attendues avec fièvre et le coup d'État est prévu pour janvier.

Outre mes honoraires, j'ai reçu un étui à cigarettes en or.

Vendredi 16 décembre

« Attente. Viviane. »

Attendre le résultat du test, qu'on ne connaîtra que demain. Impatience de Viviane.

— Tu as retenu notre appartement à l'hôtel ?

— Pas encore.

— Les Bernard vont à Monte-Carlo.

— Ah !

— Tu m'écoutes ?

— Tu as dit que les Bernard vont à Monte-Carlo et, comme cela ne m'intéresse pas, j'ai fait « Ah ! ».

— Monte-Carlo ne t'intéresse pas ?

Je hausse les épaules.

— Moi, je préfère Cannes. Et toi ?

— Cela m'est égal.

Cela changera dans quelques jours, mais, pour le moment, en face d'elle, je suis presque aérien. Mon sourire la déroute, car elle ne sait plus que penser et elle se fâche soudain.

— Quand comptes-tu faire le nécessaire ?

— Le nécessaire pour quoi ?

— Pour Cannes.

— Nous avons le temps.

— Pas si nous voulons avoir un appartement au *Carlton*.

— Pourquoi au *Carlton* ?

— C'est toujours là que nous sommes descendus.

Pour en être quitte, je lui ai lancé :

— Téléphone donc, toi ?

— Je peux en charger ta secrétaire ?

— Pourquoi pas ?

Bordenave m'a entendu téléphoner à Saint-Moritz. Elle comprendra, ne dira rien et aura encore les yeux rouges.

Samedi 17 décembre

« C'est oui. »

8

Lundi 19 décembre

Je ne sais pas ce qui s'est passé avec les fleurs et cela restera un de ces petits mystères irritants. Samedi, avant de me rendre au Palais, je suis passé chez Lachaume afin d'envoyer six bottes de roses quai d'Orléans. J'avais pris un taxi et l'avais gardé pendant que je faisais un saut dans le magasin. Je m'y vois encore, désignant à la vendeuse des roses d'un rouge sombre. Elle me connaît, m'a demandé :

— Pas de carte, maître ?

— Ce n'est pas nécessaire.

Je suis sûr d'avoir donné le nom d'Yvette et l'adresse, ou alors il faut croire qu'il me vient des absences. Le chauffeur, dehors, discutait avec un sergent de ville qui lui ordonnait de circuler et qui s'est exclamé, en me reconnaissant lui aussi :

— Excusez-moi, maître. J'ignorais qu'il était avec vous.

Quand je suis passé, avant le dîner, quai d'Orléans, je ne pensais plus aux fleurs et n'ai rien remarqué. Je ne suis pas resté longtemps, annonçant à Yvette que j'étais obligé de dîner en ville et que je la rejoindrais vers onze heures.

Quai d'Anjou, je suis monté tout de suite dans la chambre pour me changer et le sourire narquois de Viviane, occupée à sa toilette, m'a fait froncer les sourcils.

— C'est gentil à toi ! a-t-elle lancé alors que je venais de retirer ma cravate et mon veston et que je la regardais dans la glace.

— Quoi ?

— De m'avoir envoyé des fleurs. Comme il n'y avait pas de carte, j'ai supposé que c'était toi. Je me suis trompée ?

Au même moment, j'ai aperçu mes roses dans un gros vase sur un guéridon. Cela m'a rappelé qu'Yvette ne m'en avait pas parlé, que je n'avais pas remarqué de fleurs dans l'appartement.

— J'espère qu'elles ne se sont pas trompées d'adresse ? poursuivait Viviane.

Elle est persuadée que si. Je n'avais aucune raison de lui envoyer des fleurs aujourd'hui. Je ne comprends pas comment l'erreur s'est produite. J'y ai pensé plus que je n'aurais voulu, parce que ces mystères-là me tarabustent jusqu'à ce que je leur trouve une explication plausible. Chez Lachaume, j'ai donné le nom d'Yvette, j'en suis certain : *Yvette Maudet*, et je vois encore la jeune fille l'écrire sur une enveloppe. Ai-je machinalement dicté ensuite l'adresse du quai d'Anjou au lieu de celle du quai d'Orléans ?

Dans ce cas, à l'office, Albert a déballé les fleurs sans lire ce qui était écrit sur l'enveloppe, de confiance, et, sentant celle-ci vide, l'a jetée au panier. Viviane, qui a dû aboutir aux mêmes conclusions que moi, est sans doute allée fouiller celui-ci.

Il était trop tard pour envoyer d'autres fleurs et, le lendemain étant un dimanche, les magasins étaient fermés, l'idée ne m'est pas venue que j'aurais pu aller au marché aux fleurs, à deux pas. Je ne me suis rendu chez Yvette qu'après le déjeuner, car j'ai travaillé toute la matinée, et elle m'a annoncé qu'elle avait donné à Jeanine la permission de rendre visite à sa sœur, qui tient avec son mari un petit restaurant à Fontenay-sous-Bois.

Il faisait un temps idéal, froid, mais ensoleillé.

— Que dirais-tu d'aller prendre l'air ? a-t-elle proposé.

Elle a mis son manteau de castor, que je lui ai acheté au début de la saison, alors qu'elle habitait encore rue de Ponthieu, et auquel elle tient plus qu'à n'importe laquelle de ses possessions, parce que c'est son premier manteau de fourrure. Peut-être n'a-t-elle eu envie de sortir que pour le porter ?

— Où veux-tu aller ?

— N'importe où. Marcher dans les rues.

Beaucoup de couples et de familles avaient eu la même idée et, dès la rue de Rivoli, on était pris, sur les trottoirs, dans une sorte de procession qui faisait un bruit caractéristique de pieds traînant sur le pavé, un bruit de dimanche, car les gens cheminent plus lentement, n'allant nulle part, s'arrêtant à toutes les vitrines. Noël est proche et il y a partout des étalages de circonstance.

Devant les magasins du Louvre, la foule était canalisée par des barrières et nous nous sommes contentés d'admirer, du terre-plein, la féerie lumineuse qui embrase la façade entière.

— Si on allait voir ce qu'ils ont fait cette année aux Galeries et au Printemps ?

La nuit était tombée. Des familles fatiguées étaient assises autour des braseros des terrasses. J'ignore si c'est un nouveau rôle qu'elle se joue. On aurait dit qu'elle s'amusait à imiter les couples de petits-bourgeois que nous suivions et il ne nous manquait que de tirer des enfants par la main.

Elle ne parle guère de sa future maternité et, quand elle y fait allusion, c'est sans émotion, comme si c'était déjà devenu pour elle une chose naturelle. A ses yeux, cela n'a rien de mystérieux ni d'effrayant comme aux yeux d'un homme. Elle est enceinte et, pour la première fois, elle va garder son petit. C'est tout. Ce qui l'a troublée un moment, c'est que je le lui fasse garder. Elle ne s'y attendait pas.

Je me demande si ce n'est pas pour me remercier et, en même temps, pour se montrer dans le rôle rassurant qu'elle aura à jouer, qu'elle a proposé cette promenade si étrangère à ses habitudes et aux miennes.

Nous nous sommes arrêtés devant les mêmes étalages que la foule, repartant pour nous arrêter à nouveau quelques mètres plus loin, et des traînées de parfums divers, sur les trottoirs, se mêlaient à l'odeur de poussière.

— Où veux-tu dîner ?

— Si nous allions manger une choucroute ?

Il était trop tôt et nous sommes entrés dans un café des environs de l'Opéra.

— Tu n'es pas fatiguée ?

— Non. Et toi ?

J'éprouvais une certaine lassitude mais je ne suis pas certain qu'elle était purement physique. Cela n'avait d'ailleurs aucun rapport direct avec Yvette. C'était ce que j'appellerais une mélancolie cosmique, que provoquait sans doute le piétinement morne de la foule.

Nous avons dîné à la brasserie alsacienne de la rue d'Enghien où il nous est arrivé plusieurs fois de manger la choucroute, et, bien que je lui aie proposé ensuite d'aller au cinéma, elle a préféré rentrer.

Vers dix heures, alors que nous regardions la télévision, nous avons entendu la clef tourner dans la serrure et, pour la première fois, j'ai vu Jeanine endimanchée, très comme-il-faut dans une jupe bleu marine, un corsage blanc et un manteau bleu, avec un petit chapeau rouge sur la tête. Son maquillage était différent, son parfum aussi.

Nous avons continué à regarder la télévision. Yvette, qui avait éternué deux ou trois fois, a suggéré que nous prenions des grogs et, à onze heures et demie, tout le monde dormait dans l'appartement.

C'est une des journées les plus calmes, les plus lentes que j'aie vécues depuis longtemps. Avouerai-je qu'elle m'a laissé un arrière-goût que je préfère ne pas analyser ?

9

Cannes, dimanche 25 décembre

Il y a du soleil, des gens sans pardessus se promènent sur la Croisette dont les palmiers se découpent sur le bleu de la mer, sur le bleu violacé de l'Esterel, cependant que de petites barques blanches restent comme en suspens dans l'univers.

J'ai insisté pour que ma femme sorte avec Géraldine Philipeau, l'amie qu'elle a rencontrée dans le hall du *Carlton* à notre arrivée et qu'elle n'avait pas vue depuis des années. Cela date d'avant mon temps et elles sont tombées dans les bras l'une de l'autre.

Je vais m'appliquer à tout dire dans l'ordre, encore que cela me paraisse vain. Il y a un calendrier devant moi, dont je n'ai pas besoin pour me souvenir. Ces pages ne sont pas du même format que les autres, car je me sers du papier de l'hôtel.

Je viens de relire ce que j'ai écrit dans mon bureau le matin du 19 décembre, le lundi, comme si cela s'était passé dans un autre univers, en tout cas il y a fort longtemps, et j'ai besoin d'un effort pour me convaincre que le Noël que je suis en train de vivre est le même Noël que celui à la préparation duquel nous assistions, Yvette et moi, le dimanche, dans les rues de Paris.

Le lundi matin, je lui ai fait porter des fleurs, en prenant soin, cette fois, que ce soit à elle qu'elles parviennent, et, quand je suis allé l'embrasser, à midi, elle s'en est montrée touchée. Faute d'y penser, je ne lui avais jamais offert de fleurs, sinon dans un café ou à une terrasse, presque toujours des violettes.

— Sais-tu que tu me traites comme une dame ? a-t-elle remarqué. Viens voir comme elles sont belles.

J'ai passé l'après-midi au Palais. J'avais promis à Viviane de rentrer de bonne heure car, ce soir-là, nous avions à la maison ce que nous appelons le dîner du bâtonnier, un dîner que nous donnons chaque année à toutes les vieilles barbes du Barreau.

Mon intention, en revenant par le quai d'Orléans, était de n'y monter que pour quelques instants. Il se fait qu'en traversant la passerelle qui réunit la Cité à l'île Saint-Louis, j'ai jeté un coup d'œil sur les fenêtres de l'appartement. Cela ne m'est pas habituel. Les fenêtres se découpaient en rose et je me souviens avoir fait la remarque qu'on en recevait l'impression d'un nid confortable et douillet, d'un endroit où il fait bon vivre à deux. Les jeunes couples qui se promènent sur les quais, en marchant de travers parce qu'ils se tiennent serrés par la taille, doivent parfois jeter un coup d'œil à nos fenêtres en soupirant :

— Plus tard, quand nous...

Je n'ai pas eu à me servir de ma clef car, reconnaissant mon pas dans l'escalier, Jeanine a ouvert la porte et j'ai compris que quelque chose allait mal.

— Elle est malade ?

Jeanine questionnait, me suivant à travers l'antichambre :

— Vous ne l'avez pas vue ?

— Non. Elle est sortie ?

Elle ne savait quelle contenance prendre.

— Vers trois heures.

— Sans dire où elle allait ?

— Seulement qu'elle avait envie de faire un tour.

Il était sept heures et demie. Depuis qu'elle habitait quai d'Orléans, Yvette n'était jamais rentrée aussi tard.

— Peut-être est-elle allée faire des achats ? poursuivait Jeanine.

— Elle en a parlé ?

— Pas nettement, mais elle m'a raconté tout ce qu'elle avait vu hier aux étalages. Elle va sans doute rentrer d'un moment à l'autre.

J'ai compris qu'elle n'y croyait pas. Je n'y ai pas cru non plus.

— L'idée de sortir lui est venue tout à coup ?

— Oui.

— Elle n'avait pas reçu de coup de téléphone ?

— Non. Le téléphone n'a pas sonné de la journée.

— Comment était-elle ?

C'est cela que Jeanine ne veut pas m'avouer, par crainte de trahir Yvette.

— Vous ne désirez pas que je vous serve quelque chose à boire ?

— Non.

Je me suis laissé tomber dans un fauteuil du salon, mais je n'y suis pas resté longtemps, incapable de tenir en place.

— Vous préférez que je reste, ou que je vous laisse ?

— Elle n'a pas parlé de Mazetti ?

— Non.

— Jamais ?

— Pas depuis plusieurs jours.

— Elle en parlait avec nostalgie ?

Elle dit non, et je sens que ce n'est pas tout à fait vrai.

— N'y pensez pas, monsieur. Elle va rentrer et...

A huit heures, elle n'était pas rentrée ; à huit heures et demie non plus et, quand le téléphone a sonné, je me suis précipité. C'était Viviane.

— Tu as oublié que nous avons quatorze personnes à dîner ?

— Je n'y serai pas.

— Tu dis ?

— Que je ne serai pas là.

— Qu'est-ce qui arrive ?

— Rien.

Je ne peux pas aller m'habiller pour dîner avec le bâtonnier, avec mes confrères et leurs femmes.

— Cela ne va pas ?

— Non.

— Tu ne veux pas me dire ?

— Non. Excuse-moi auprès d'eux. Invente n'importe quoi et dis-leur que je viendrai peut-être plus tard dans la soirée.

J'ai pensé à toutes les éventualités et, avec Yvette, tout est possible, même qu'elle soit pour le moment dans un hôtel de passe avec un homme qu'elle ne connaissait pas à midi. Cela lui est arrivé à l'époque de la rue de Ponthieu. Ces derniers temps, elle s'est montrée différente, avec l'air d'une autre fille, mais ses métamorphoses sont brèves.

Est-ce à cela que Jeanine pense ? Elle s'efforce de me distraire, sans trop en mettre. Elle a fini par me convaincre de boire un whisky et elle a eu raison.

— Il ne faut pas lui en vouloir.

— Je ne lui en veux pas.

— Ce n'est pas sa faute.

C'est à Mazetti qu'elle pense, elle aussi. Yvette l'a-t-elle jamais oublié ? Et même si, pendant un certain temps, il a perdu tout intérêt à ses yeux, n'est-il pas possible que l'approche des fêtes, par exemple, lui ait apporté une bouffée de souvenirs ?

Il est improbable que nous l'ayons rencontré hier dans la foule dominicale et qu'elle ne m'en ait rien dit. Mais nous avons croisé des centaines d'autres couples, d'autres hommes, parmi lesquels quelqu'un lui ressemblait peut-être, et cela a pu suffire.

Je n'en sais rien. Je nage.

Il n'est pas jusqu'à sa maternité... N'a-t-elle pas couru à Javel pour lui dire ?

Nous tressaillons tous les deux chaque fois que nous entendons des pas dans l'escalier. Ce n'est jamais pour notre étage et jamais, comme aujourd'hui, nous n'avons si bien entendu les bruits de la maison.

— Pourquoi n'allez-vous pas à votre dîner ?

— C'est impossible.

— Cela vous empêcherait de penser. Ici, vous vous rongez. Je vous promets de vous téléphoner dès qu'elle rentrera.

C'est ma femme qui téléphone, vers dix heures.

— Ils sont au salon. Je me suis échappée un instant. Tu ferais mieux de me dire la vérité.

— Je ne la connais pas.

— Elle n'est pas malade ?

— Non.

— Un accident ?

— Je l'ignore.

— Tu veux dire qu'elle a disparu ?

Il y a un silence, puis elle prononce du bout des lèvres :

— J'espère que ce n'est rien de grave.

Onze heures. C'est en vain que Jeanine a tenté de me faire manger. Je n'ai pas pu. J'ai bu deux ou trois verres d'alcool, je ne les ai pas comptés. Je n'ose pas téléphoner à la police, par crainte de mettre toute la machine en branle alors que la vérité est peut-être trop simple.

— Elle ne vous a jamais dit son adresse ?

— De Mazetti ? Non. Je sais seulement que c'est du côté du quai de Javel.

— Le nom de l'hôtel non plus ?

— Non.

L'idée me vient de me mettre à la recherche de l'hôtel de Mazetti, mais je me rends compte que c'est infaisable. Je connais le quartier et, si j'allais de meublé en meublé poser la question, on ne me répondrait même pas.

A minuit dix, Viviane me rappelle et je lui en veux de me donner chaque fois un faux espoir.

— Rien ?

— Non.

— Ils viennent de partir.

Je raccroche, et soudain je saisis mon manteau, mon chapeau.

— Où allez-vous ?

— M'assurer qu'il ne lui est rien arrivé.

Ce n'est pas la même chose que de téléphoner à la police. Je traverse le parvis Notre-Dame, pénètre, par-derrière, dans la cour de la Préfecture de Police, où on ne voit que quelques fenêtres éclairées. Les couloirs déserts, où mes pas résonnent, me sont familiers. Deux hommes se retournent à mon passage et je pousse la porte des bureaux de Police-Secours où une voix me lance avec bonne humeur :

— Tiens ! Me Gobillot qui nous rend visite. Quelque crime doit être en train de se commettre.

C'est Griset, un inspecteur que je connais depuis longtemps. Il vient me serrer la main. Ils sont trois dans la vaste pièce, où le standard téléphonique comporte des centaines de trous et où, de temps en temps, une lampe s'allume sur un plan mural de Paris.

Un des hommes, alors, plante une fiche dans un des trous.

— Quartier Saint-Victor ? C'est toi, Colombani ? Votre car vient de sortir. Grave ? Non ? Bagarre ? Bon.

Tous les faits-divers de Paris aboutissent ici, où les trois hommes fument leur pipe ou leur cigarette et où l'un d'eux prépare du café sur un réchaud à alcool.

Cela me rappelle qu'Yvette a parlé d'acheter un réchaud à alcool, un matin, il y a très longtemps, alors que je m'habillais, fatigué jusqu'au vertige.

— Vous en prendrez une tasse, maître ?

Ils se demandent ce que je suis venu faire, bien que ce ne soit pas la première fois que je leur rende visite.

— Vous permettez que j'utilise votre téléphone ?

— Servez-vous de cet appareil-ci. Il est direct.

Je compose le numéro du quai d'Orléans.

— C'est moi. Rien ?

Bien entendu. Je m'approche de Griset, qui a des moustaches rases dans lesquelles la cigarette a fini par tracer un cercle sombre.

— Vous n'avez pas eu connaissance d'un accident, n'importe quoi, concernant une jeune fille ?

— Pas depuis que j'ai pris mon service. Attendez.

Il consulte un cahier à couverture noire.

— Quel nom ?

— Yvette Maudet.

— Non. Je vois une Bertha Costermans, tombée malade sur la voie publique, qui a été hospitalisée, mais c'est une Belge et elle est âgée de trente-neuf ans.

Il ne me pose pas de questions. Je guette les petites lampes qui s'allument sur le plan de Paris, en particulier celles du XV⁵ arrondissement, du quartier de Javel. L'idée m'est venue de téléphoner chez Citroën, mais les bureaux sont fermés et les ateliers ne me donneraient aucun renseignement. Même si on me répondait que Mazetti est à son travail, serais-je tout à fait rassuré ? Qu'est-ce que cela signifierait ?

— Allô ! Grandes-Carrières ! Que s'est-il passé chez vous ?... Comment ?... Oui... Je vous envoie l'ambulance...

Il se tourne vers moi.

— Ce n'est pas une femme, mais un Nord-Africain qui a reçu des coups de couteau.

Assis au bord d'une table, les jambes pendantes, mon chapeau repoussé en arrière, je bois le café qu'on m'a servi, puis, ne tenant plus en place, je me mets à marcher.

— Quel genre de fille ? demande Griset, non par curiosité, mais dans l'espoir de m'aider.

Que lui répondre ? Comment décrire Yvette ?

— Elle a vingt ans et ne les paraît pas. Elle est petite, mince, porte un manteau de castor et ses cheveux sont coiffés en queue de cheval.

Je téléphone de nouveau à Jeanine.

— C'est encore moi.

— Toujours rien.

— Je viens.

Je ne veux pas donner mon impatience en spectacle et c'est pire ici, à voir une lumière s'allumer toutes les cinq minutes, qu'au quai d'Orléans. Ils m'ont entendu. Griset promet :

— S'il y a du nouveau, je vous passerai un coup de fil. Vous êtes chez vous ?

— Non.

Je lui écris l'adresse et le numéro du quai d'Orléans.

A quoi bon raconter ma nuit par le menu ? Jeanine m'a ouvert la porte. Nous ne nous sommes couchés ni l'un ni l'autre, nous ne nous sommes pas déshabillés, nous sommes restés dans le salon, chacun dans un fauteuil, à regarder le téléphone et à sursauter chaque fois qu'un taxi passait sous les fenêtres.

Comment ai-je quitté Yvette à midi ? J'essaie de m'en souvenir et n'y parviens déjà plus. Je voudrais retrouver son dernier regard, comme s'il était susceptible de me fournir une indication.

Nous avons vu le jour se lever et, auparavant, Jeanine s'était assoupie à deux reprises, moi aussi peut-être, je ne m'en suis pas rendu compte. A huit heures, tandis qu'elle préparait le café, j'ai aperçu par la fenêtre un cycliste avec un tas de journaux sous le bras et cela m'a donné l'idée d'acheter le journal. N'y trouverai-je pas des nouvelles d'Yvette ?

Jeanine regardait les pages par-dessus mon épaule.

— Rien.

Bordenave m'a téléphoné.

— Vous n'oubliez pas que vous avez rendez-vous à dix heures avec le ministre des Travaux Publics ?

— Je n'irai pas.

— Et pour les autres rendez-vous ?

— Arrangez-vous.

Par une certaine ironie, pour le vrai coup de téléphone, ce n'est pas moi qui ai décroché, mais Jeanine.

— Un instant. Il est ici, oui. Je vous le passe.

Je l'ai questionnée des yeux et j'ai compris qu'elle préférait ne rien me dire. J'avais à peine saisi le récepteur que je l'entendais éclater en sanglots derrière moi.

— Ici, Gobillot.

— L'inspecteur Tichauer, maître. Mon collègue de nuit m'a laissé la consigne de vous avertir si...

— Oui. Qu'est-il arrivé ?

— Vous avez bien dit Yvette Maudet, n'est-ce pas ? Vingt ans, née à Lyon. Celle qui, l'an dernier...

— Oui.

Je restais immobile, sans respirer.

— Elle a été tuée, cette nuit, à coups de couteau, à l'*Hôtel de Vilna*, quai de Javel. Le meurtrier, après avoir erré plusieurs heures dans le quartier, vient de se présenter au poste de police de la rue Lacordaire. Le car s'est rendu sur les lieux et on a trouvé la victime dans la chambre indiquée. L'homme est un manœuvre, nommé Mazetti, qui a fait des aveux complets.

Lundi 26 décembre

Le reste, je l'ai appris par la suite et on continue à en parler dans les journaux où mon nom s'étale en grosses lettres. J'aurais pu l'éviter. Mon confrère Luciani m'a téléphoné dès qu'il a été chargé de la défense de Mazetti. Celui-ci, indifférent à ce qu'on fait de lui, s'est contenté d'indiquer, sur la liste que lui présentait le juge d'instruction, le premier nom à consonance italienne. Luciani voulait savoir s'il devait s'efforcer que mon nom ne soit pas prononcé. J'ai répondu non.

Yvette était nue quand on a retrouvé son corps, une blessure sous le sein gauche, sur l'étroit lit de fer. Je suis allé là-bas. Je l'ai vue avant qu'on l'emporte. J'ai vu la chambre. J'ai vu l'hôtel aux escaliers pleins des hommes qui lui faisaient peur.

J'ai vu Mazetti et nous nous sommes regardés, c'est moi qui ai détourné les yeux, il n'y avait pas trace de remords sur son visage.

Aux policiers, au juge d'instruction, à son avocat, il s'est contenté de répéter :

— Elle est venue. Je l'ai suppliée de rester et, quand elle a voulu repartir, je l'en ai empêchée.

Elle a donc tenté de revenir quai d'Orléans.

Auparavant, elle avait tenu à aller là-bas et on a trouvé dans la chambre un chandail norvégien en grosse laine tricotée, un chandail d'homme, pareil au sien, qui devait être son cadeau de Noël. La boîte en carton, avec le nom du magasin, était sous le lit.

Nous l'avons enterrée, Jeanine et moi, car la famille, avertie par télégramme, n'a pas donné signe de vie.

— Qu'est-ce que je fais de ses affaires ?

Je lui ai dit que je n'en savais rien, qu'elle les garde si elle en avait envie.

J'ai eu un entretien avec le juge d'instruction et lui ai annoncé que, faute de pouvoir me charger de la défense de Mazetti, comme je le voudrais, j'irai témoigner à la barre. Cela l'a surpris. Tout le monde me regarde comme si on n'arrivait pas à me comprendre, Viviane aussi.

A mon retour de l'enterrement, elle m'a demandé sans espoir :

— Tu ne crois pas que cela te ferait du bien de quitter Paris pour quelques jours ?

J'ai répondu oui.

— Où veux-tu aller ? a-t-elle poursuivi, étonnée d'une victoire si facile.

— N'as-tu pas retenu un appartement à Cannes ?

— Quand comptes-tu partir ?

— Dès qu'il y aura un train.

— Ce soir ?

— Soit.

Je ne la hais même pas. Peu importe qu'elle soit là ou qu'elle n'y soit pas, qu'elle parle ou qu'elle se taise, qu'elle se figure qu'elle continue à diriger notre destin. Pour moi, elle a cessé d'exister.

« En cas de malheur... » ai-je écrit quelque part.

Mon confrère Luciani, à qui je vais envoyer ce dossier, y trouvera peut-être de quoi faire acquitter Mazetti, lui éviter en tout cas une peine trop lourde.

Moi, je continuerai à défendre des crapules.

Golden Gate, Cannes, le 8 novembre 1955.

UN ÉCHEC DE MAIGRET

1

La vieille dame de Kilburn Lane
et le boucher du parc Monceau

C'est à peine si Joseph, le garçon de bureau, fit, en grattant la porte, le bruit léger d'une souris qui trottine. Il entrouvrit l'huis sans un craquement, surgit si silencieusement dans le bureau de Maigret qu'avec son crâne chauve auréolé de cheveux blancs presque immatériels, il aurait pu jouer les fantômes.

Le commissaire, penché sur des dossiers, la mâchoire serrée sur le tuyau de sa pipe, ne leva pas la tête et Joseph resta immobile.

Il y avait huit jours que Maigret était à cran et que ses collaborateurs n'entraient dans son bureau que sur la pointe des pieds. Il n'était d'ailleurs pas le seul dans son cas à Paris, ni ailleurs en France, car on n'avait jamais vu un mois de mars si mouillé, si froid et si lugubre.

A onze heures du matin, dans les bureaux, régnait encore une aube d'exécution capitale ; on gardait les lampes allumées en plein midi et le crépuscule commençait à trois heures. On ne pouvait plus dire qu'il pleuvait : on vivait dans le nuage même, avec de l'eau partout, des traînées sur les planchers et des gens incapables de vous dire trois mots sans se moucher.

Les journaux publiaient des photographies de banlieusards qui rentraient chez eux en barque dans des rues devenues autant de rivières.

Le matin, en arrivant, le commissaire demandait :

— Janvier est arrivé ?

— Malade.

— Lucas ?

— Sa femme a téléphoné que...

Les inspecteurs y passaient les uns après les autres, parfois par fournées entières, de sorte qu'on n'avait jamais qu'un tiers des effectifs sous la main.

Mme Maigret, elle, n'avait pas la grippe. Elle avait mal aux dents. Toutes les nuits, en dépit du dentiste, cela la prenait vers les deux ou trois heures et elle ne fermait plus l'œil jusqu'au petit jour.

Elle était brave, ne se plaignait pas, ne laissait sourdre aucun gémissement.

C'était pis. Tout à coup, au milieu de son sommeil, Maigret se rendait compte qu'elle était éveillée. Il sentait qu'elle se retenait de geindre au point d'oser à peine respirer. Pendant un temps il ne disait rien, épiant en quelque sorte sa souffrance, puis il ne pouvait s'empêcher de grommeler :

— Pourquoi ne prends-tu pas un cachet ?

— Tu ne dormais pas ?

— Non. Prends un cachet.

— Tu sais bien qu'ils ne me font plus d'effet.

— Prends-en un quand même.

Il se levait, pieds nus, allait lui chercher la boîte, lui tendait un verre d'eau sans parvenir à lui cacher une lassitude qui tournait à la mauvaise humeur.

— Je te demande pardon, soupirait-elle.

— Ce n'est pas ta faute.

— Je pourrais aller coucher dans la chambre de bonne.

Ils en avaient une, au sixième, qui ne servait presque jamais.

— Laisse-moi aller dormir là-haut.

— Non.

— Demain, tu seras fatigué et tu as tant à faire !

Il avait plus de soucis que de vrai travail. C'était en effet le moment que la vieille Anglaise dont les journaux étaient pleins, Mrs. Muriel Britt, avait choisi pour disparaître.

Il disparaît des femmes tous les jours et, le plus souvent, cela se passe discrètement, on les retrouve ou on ne les retrouve pas, cela donne tout au plus trois lignes dans les journaux.

Muriel Britt, elle, avait disparu en fanfare, car elle était arrivée à Paris avec cinquante-deux personnes, un plein wagon, un de ces troupeaux que les entrepreneurs de voyages rassemblent en Angleterre, aux États-Unis, au Canada ou ailleurs et promènent, pour un prix dérisoire, à travers Paris.

C'était le soir, justement, où la troupe avait fait « Paris la nuit ». Un car avait emmené hommes et femmes, presque tous d'un certain âge, aux Halles, à Pigalle, rue de Lappe et aux Champs-Élysées, et les tickets donnaient droit à une consommation dans chacun des endroits visités.

Vers la fin, tout le monde était fort gai, il y avait beaucoup de pommettes roses et d'yeux brillants. Un petit monsieur à moustaches cirées, comptable dans la Cité, avait été perdu avant la dernière halte, mais, celui-là, on devait le retrouver le lendemain après-midi dans son lit qu'il avait discrètement regagné.

Pour Mrs. Britt, le cas était différent. Les journaux anglais soulignaient qu'elle n'avait aucune raison de disparaître. Elle était âgée de cinquante-huit ans. Maigre, sèche, avec le visage et le corps fatigué d'une femme qui a travaillé toute sa vie, elle tenait une pension de famille à Kilburn Lane, quelque part à l'ouest de Londres.

A quoi ressemblait Kilburn Lane, Maigret l'ignorait. D'après les photographies de presse, il imaginait une maison triste, habitée par des dactylos et des petits employés qui se retrouvaient, à l'heure des repas, autour d'une table ronde.

Mrs. Britt était veuve. Elle avait un fils en Afrique du Sud et une fille mariée quelque part le long du canal de Suez. On soulignait que c'étaient les premières vraies vacances que la pauvre femme se fût offertes de sa vie.

Un voyage à Paris, bien entendu ! En groupe. A prix fixe. Elle était descendue avec les autres dans un hôtel de la gare Saint-Lazare spécialisé dans ces genres de « tours ».

Elle avait quitté le car en même temps que ses compagnons et avait regagné sa chambre. Trois témoins l'avaient entendue refermer sa porte.

Le lendemain, elle n'était plus là et, depuis, il était impossible de retrouver sa trace.

Un sergent du Yard était arrivé, l'air embarrassé, avait pris contact avec Maigret et, depuis, menait de son côté une enquête discrète.

Moins discrets, les journaux anglais proclamaient l'inefficacité de la police française.

Or, il y avait un certain nombre de détails que Maigret répugnait à livrer à la presse. D'abord que, dans la chambre de Mrs. Britt, on avait retrouvé des flacons d'alcool cachés un peu partout, sous le matelas, sous le linge d'un tiroir et même au-dessus de l'armoire à glace.

Ensuite que, la photographie à peine publiée par un journal du soir, l'épicier qui lui avait vendu ces bouteilles s'était présenté Quai des Orfèvres.

— Vous lui avez trouvé quelque chose de spécial ?

— Hum !... Elle était entre deux vins... Si l'on peut parler de vin... D'après ce qu'elle m'a acheté, elle buvait surtout du gin...

Est-ce que Mrs. Britt se livrait déjà à de copieuses et furtives libations dans la pension de famille de Kilburn Lane ? Les journaux anglais avaient soin de n'en rien dire.

Le gardien de nuit de l'hôtel avait déposé, lui aussi.

— Je l'ai vue redescendre sans bruit. Elle avait du vent dans les voiles et elle m'a fait des agaceries.

— Elle est sortie ?

— Oui.

— Dans quelle direction est-elle partie ?

— Je ne sais pas.

Un agent l'avait vue qui hésitait à entrer dans un bar de la rue d'Amsterdam.

C'était tout. On n'avait repêché aucun corps de la Seine. On n'avait retrouvé aucune femme coupée en morceaux dans un terrain vague.

Le superintendant Pike, du Yard, que Maigret connaissait bien, téléphonait de Londres chaque matin.

— Sorry, Maigret. Toujours aucune piste ?

Ça, la pluie, les vêtements humides, les parapluies qui s'égouttaient dans tous les coins et, par-dessus le marché, les dents de Mme Maigret formaient un tout assez déplaisant et on sentait que le commissaire n'attendait qu'une occasion pour éclater.

— Qu'est-ce que c'est, Joseph ?

— Le patron voudrait vous dire un mot, monsieur le commissaire.

— J'y vais tout de suite.

Ce n'était pas l'heure du rapport. Quand le directeur de la P.J. appelait ainsi Maigret dans son bureau en cours de journée, il se passait généralement quelque chose d'important.

Il n'en finit pas moins avec un dossier, bourra une nouvelle pipe, se dirigea vers la porte du chef.

— Toujours rien, Maigret ?

Il se contenta de hausser les épaules.

— Je viens de recevoir, par messager, une lettre du ministre.

Lorsqu'on disait le ministre tout court, cela signifiait le ministre de l'Intérieur, dont dépend la P.J.

— J'écoute.

— Un type va arriver, à onze heures et demie...

Il était onze heures et quart.

— Un certain Fumal qui est, paraît-il, un personnage important dans sa sphère. Aux dernières élections, il a versé je ne sais combien de millions dans les caisses du parti...

— Qu'est-ce que sa fille a fait ?

— Il n'a pas de fille.

— Son fils ?

— Il n'en a pas non plus. Le ministre ne me dit pas de quoi il s'agit. Il paraît simplement que ce monsieur veut vous voir en personne et qu'il faut mettre tout en œuvre afin de lui donner satisfaction.

Maigret se contenta de remuer les lèvres et il était facile de deviner que le mot qu'il ne prononçait pas commençait par la lettre *m*.

— Je vous demande pardon, mon vieux. Je comprends aussi que c'est sûrement une corvée. Faites cependant l'impossible. Nous avons eu assez d'ennuis les derniers temps.

Maigret s'arrêta, dans l'antichambre, près de Joseph.

— Quand le Fumal viendra, tu l'introduiras directement chez moi.

— Le quoi ?

— Fumal ! C'est son nom.

Un nom qui, d'ailleurs, lui rappelait quelque chose. Curieusement, il aurait juré que c'était un souvenir désagréable, mais il avait assez de désagréments pour ne pas en chercher d'autres dans sa mémoire.

— Aillevard est là ? demanda-t-il, au seuil du bureau des inspecteurs.

— Il n'est pas venu ce matin.

— Malade ?

— Il n'a pas téléphoné.

Janvier, lui, avait repris son poste, le nez encore rouge, le teint couleur de gomme à crayon.

— Les gosses ?

— Tous grippés, évidemment !

Cinq minutes plus tard, on grattait à nouveau à la porte du bureau et Joseph annonçait, avec l'air de prononcer un mot pas très correct :

— M. Fumal.

Maigret, sans regarder son visiteur, grommela :

— Asseyez-vous.

Puis, levant la tête, il découvrit un personnage énorme et mou qui tenait à peine dans le fauteuil. Fumal l'observait d'un œil malicieux, comme s'il attendait, du commissaire, une réaction déterminée.

— De quoi s'agit-il ? On me dit que vous désirez me parler personnellement.

Il n'y avait que quelques gouttes de pluie sur le pardessus du visiteur, qui avait dû arriver en voiture.

— Vous ne me reconnaissez pas ?

— Non.

— Cherchez.

— Je n'ai pas le temps.

— Ferdinand.

— Ferdinand quoi ?

— Le gros Ferdinand… Boum-Boum !…

Du coup, Maigret se souvint, et il avait eu raison de croire, un peu plus tôt, qu'il s'agissait d'un souvenir désagréable. Cela remontait loin, à l'école de son village, Saint-Fiacre, dans l'Allier, où Mlle Chaigné était institutrice.

En ce temps-là, le père de Maigret était régisseur au château de Saint-Fiacre. Ferdinand, lui, était le fils du boucher des Quatre-Vents, un hameau à deux kilomètres.

Il y a toujours, dans une classe, un garçon comme lui, plus grand, plus gras que les autres, d'une graisse qu'on dirait malsaine.

— Vous y êtes, maintenant ?

— J'y suis.

— Quel effet cela vous fait-il de me retrouver ? Moi, je savais que vous étiez devenu flic, car j'ai vu votre photo dans les journaux. Dis-donc, on se tutoyait, autrefois.

— Plus maintenant, laissa tomber le commissaire en vidant sa pipe.

— Comme vous voudrez. Vous avez lu la lettre du ministre ?

— Non.

— On ne vous a rien dit ?

— Si.

— En somme, on a fait son bonhomme de chemin tous les deux. Pas le même. Moi, mon père n'était pas un régisseur, mais un simple boucher de village. Au lycée de Moulins, on m'a mis à la porte après la cinquième…

On sentait chez lui une intention agressive et qui ne concernait pas seulement Maigret. C'était le genre d'homme à se montrer dur et hargneux avec tout le monde, avec la vie, avec le ciel.

— N'empêche qu'aujourd'hui Oscar m'a dit…

Oscar, c'était le ministre de l'Intérieur.

— ... *Va voir Maigret, puisque c'est lui que tu veux voir, et il se mettra à ton entière disposition... D'ailleurs, j'y veillerai...*

Le commissaire ne broncha pas, continuant à regarder lourdement le visage de son visiteur.

— Je me souviens très bien de votre père... continuait Fumal. Il avait des moustaches d'un blond roussâtre, n'est-ce pas vrai ?... Il était maigre... Il n'était pas fort de la poitrine... Ils ont dû faire de bonnes combines, mon père et lui...

Cette fois, Maigret eut du mal à rester impassible, car on touchait à un point sensible, un des souvenirs les plus pénibles de son enfance.

Comme beaucoup de bouchers de campagne, le père de Fumal, qui s'appelait Louis, était plus ou moins marchand de bestiaux. Il avait même loué quelques prés bas où il faisait de l'embouche et, petit à petit, il étendait son rayon d'action dans la région.

C'était sa femme, la mère de Ferdinand, qu'on appelait « la belle Fernande » et on prétendait qu'elle ne portait jamais de pantalon, qu'elle avait même déclaré cyniquement :

— Le temps de l'enlever et on risque de perdre une occasion.

Y a-t-il toujours ainsi, dans les souvenirs d'enfance de chacun, comme une tache d'ombre ?

En tant que régisseur, Évariste Maigret était chargé de vendre les bêtes du château. Longtemps il avait refusé d'entrer en affaires avec Louis Fumal. Un jour, pourtant, il s'y était décidé. Fumal était venu au bureau, avec son portefeuille usé bourré, comme toujours, de billets.

Maigret devait avoir sept ou huit ans à l'époque et il n'était pas allé à l'école. Il n'avait pas la grippe, comme les enfants de Janvier, mais les oreillons. Sa mère vivait encore. Il faisait très chaud dans la cuisine, tout gris, avec de l'eau claire qui coulait sur les vitres.

Son père était entré en coup de vent, nu-tête, contre son habitude, de la buée sur les moustaches, très agité.

— Cette crapule de Fumal... avait-il grommelé.

— Qu'est-ce qu'il a fait ?

— Je ne m'en suis pas aperçu tout de suite... Quand il est sorti, j'ai mis l'argent dans le coffre, puis j'ai donné un coup de téléphone, et c'est seulement après que je me suis aperçu qu'il avait glissé deux billets de banque sous mon pot à tabac...

De quelle somme s'agissait-il ? Maigret, après tant d'années, n'en avait plus la moindre idée, mais il se rappelait la colère de son père, son humiliation...

— Je vais courir après lui...

— Il est reparti en carriole ?

— Oui. A bicyclette, je le rattraperai et...

Le reste était flou. Depuis lors, cependant, on n'avait plus prononcé le nom de Fumal, dans la maison, que sur un ton spécial. Les deux hommes ne se saluaient plus. Il y avait eu un autre événement sur lequel Maigret possédait moins de renseignements encore. Fumal avait dû essayer d'éveiller chez le comte de Saint-Fiacre (c'était encore le vieux comte) de la méfiance à l'égard de son régisseur et celui-ci avait été obligé de se défendre.

— Je vous écoute.

— Vous avez entendu parler de moi, depuis l'école ?

La voix de Ferdinand Fumal contenait à présent une sourde menace.

— Non.

— Vous connaissez les « Boucheries Réunies » ?

— De nom.

C'étaient des comptoirs de boucherie installés un peu partout — il y en avait un boulevard Voltaire, pas loin de chez Maigret — contre lesquels les petits bouchers avaient d'ailleurs protesté sans résultat.

— C'est moi. Vous avez entendu parler des « Boucheries Économiques » ?

Vaguement. Une autre « chaîne », dans les quartiers plus populaires et en banlieue.

— C'est toujours moi, affirmait Fumal avec un coup d'œil de défi. Vous savez combien de millions ces deux affaires-là représentent ?

— Cela ne m'intéresse pas.

— Je suis aussi derrière les « Boucheries du Nord », dont le siège social est à Lille, et derrière les « Bouchers Associés » qui ont leurs bureaux rue Rambuteau.

Maigret faillit murmurer, en appréciant le volume de l'homme installé dans le fauteuil :

— Cela fait beaucoup de viande !

Il ne le fit pas. Il flairait une affaire beaucoup plus ennuyeuse encore que la disparition de Mrs. Britt. Il détestait déjà Fumal, et pas seulement à cause de la mémoire de son père. L'homme était trop sûr de lui, d'une assurance insolente, injurieuse pour le commun des mortels.

Et pourtant on devinait, sous cette surface, une certaine inquiétude, peut-être même de la panique.

— Vous ne vous demandez pas ce que je suis venu faire ici ?

— Non.

C'est le moyen de mettre ces gens-là hors de leurs gonds : leur opposer un calme total, la force d'inertie. Il n'y avait ni curiosité, ni intérêt dans le regard du commissaire et l'autre commençait à enrager.

— Savez-vous que j'ai le bras assez long pour faire déplacer un haut fonctionnaire ?

— Ah !

— Même un fonctionnaire qui se croit important.

— Je continue à vous écouter, monsieur Fumal.

— Vous remarquerez que je me suis présenté ici en ami.

— Ensuite ?

— Vous avez choisi tout de suite une attitude...

— Polie, monsieur Fumal.

— Soit ! Comme vous voudrez. Si c'est vous que j'ai demandé à voir, c'est que je pensais qu'à la suite de notre ancienne amitié...

Ils n'avaient jamais été amis, n'avaient jamais joué ensemble. D'ailleurs, Ferdinand Fumal ne jouait avec personne et passait ses récréations seul dans son coin.

— Permettez-moi de vous faire remarquer à mon tour que j'ai beaucoup de travail qui m'attend.

— Je suis plus occupé que vous et je me suis quand même dérangé. J'aurais pu vous recevoir dans un de mes bureaux...

A quoi bon discuter ? C'était vrai qu'il connaissait le ministre, qu'il lui avait rendu des services, comme, sans doute, à d'autres politiciens, et que cela pourrait tourner mal.

— Vous avez besoin de la police ?

— Officieusement.

— Je vous écoute.

— Il est entendu que tout ce que je vais vous dire restera entre nous.

— A moins que vous ayez commis un crime...

— Je n'aime pas les plaisanteries.

Maigret, à bout, se leva et alla s'accouder à la cheminée, se contenant pour ne pas flanquer son visiteur à la porte.

— On en veut à ma vie.

Il faillit laisser tomber :

— Je comprends ça.

Mais il se força à rester impassible.

— Depuis une huitaine de jours, je reçois des lettres anonymes auxquelles, tout d'abord, je n'ai guère prêté attention. Les gens de mon importance doivent s'attendre à provoquer la jalousie et parfois la haine.

— Vous avez les lettres avec vous ?

Fumal tira de sa poche un portefeuille aussi gonflé que celui de son père l'était jadis.

— Voici la première. J'en ai jeté l'enveloppe, car j'ignorais ce qu'elle contenait.

Maigret la prit, lut, tracés au crayon, les mots suivants :

Tu vas crever.

Il ne sourit pas, posa le papier sur son bureau.

— Que disent les autres ?

— Ceci est la seconde, reçue le lendemain. J'ai conservé l'enveloppe qui, comme vous le verrez, porte le cachet d'un bureau de poste des environs de l'Opéra.

Le billet, cette fois, disait, toujours au crayon, en caractères bâtonnets :

J'aurai ta peau.

Il y en avait d'autres, que Fumal tenait à la main, tendait au fur et à mesure, les extrayant lui-même des enveloppes.

— Celle-ci, je ne parviens pas à en déchiffrer le cachet.

Compte tes jours, salaud.

— Je suppose que vous n'avez aucune idée de l'identité de l'expéditeur ?

— Attendez. Il y en a sept en tout, la dernière arrivée ce matin. L'une a été postée boulevard Beaumarchais, une autre au bureau principal de la rue du Louvre, une autre enfin avenue des Ternes.

Les textes variaient plus ou moins.

Tu n'en as plus pour longtemps.
Fais ton testament.
Crapule.

Et enfin, la dernière reprenait le texte du premier message :

Tu vas crever.

— Vous me confiez cette correspondance ?

Maigret avait choisi le mot correspondance exprès, non sans intention ironique.

— Si cela peut vous aider à découvrir l'expéditeur.

— Vous ne croyez pas à une farce ?

— Les gens que je fréquente ne sont en général pas des farceurs. Quoi que vous en pensiez, Maigret, je ne suis pas un homme qui s'effraie facilement. Voyez-vous, on n'arrive pas à la situation que j'occupe sans se créer un certain nombre d'ennemis et je les ai toujours méprisés.

— Pourquoi êtes-vous venu ?

— Parce que c'est mon droit de citoyen d'être protégé. Je n'ai pas envie d'être abattu sans même savoir d'où vient le coup. J'en ai parlé au ministre et il m'a dit...

— Je sais. En somme, vous voudriez qu'une surveillance discrète soit organisée autour de vous ?

— Cela me paraît indiqué.

— Et aussi, sans doute, que nous découvrions l'auteur des billets anonymes ?

— Si possible.

— Pensez-vous à quelqu'un en particulier ?

— En particulier, non. Sauf...

— Allez-y.

— Remarquez que je ne l'accuse pas. C'est un faible et, s'il est peut-être capable de menaces, il n'oserait pas les mettre à exécution.

— Qui est-ce ?

— Un certain Gaillardin, Roger Gaillardin, des « Comptoirs Économiques ».

— Il a des raisons de vous haïr ?

— Je l'ai ruiné.

— Exprès ?

— Oui. Après lui avoir annoncé que je le ferais.

— Pourquoi ?

— Parce qu'il s'est mis en travers de mon chemin. Aujourd'hui, il est en liquidation judiciaire et j'espère l'envoyer en prison, car une histoire de chèques vient se greffer sur la banqueroute.

— Vous avez son adresse ?

— 26, rue François-Ier.

— C'est un boucher ?

— Pas un professionnel. Un manieur d'argent. Il manie l'argent des autres. Moi, je manie mon propre argent. C'est toute la différence.

— Il est marié ?

— Oui. Mais ce n'est pas sa femme qui compte. C'est sa maîtresse, avec qui il vit.

— Vous la connaissez ?

— Nous sommes souvent sortis ensemble tous les trois.

— Vous êtes marié, monsieur Fumal ?

— Depuis vingt-cinq ans.

— Votre femme vous accompagnait au cours de ces sorties ?

— Il y a longtemps que ma femme ne sort plus.

— Elle est malade ?

— Si vous voulez. En tout cas, elle le croit.

— Je vais prendre quelques notes.

Maigret s'assit, saisit une chemise, du papier.

— Votre adresse ?

— J'habite un hôtel particulier, dont je suis propriétaire, au 58 *bis* du boulevard de Courcelles, en face du parc Monceau.

— Beau quartier.

— Oui. J'ai des bureaux rue Rambuteau, près des Halles, et d'autres à La Villette.

— Je comprends.

— Je ne parle pas des bureaux à Lille et dans d'autres villes.

— Je suppose que vous employez un gros personnel ?

— Boulevard de Courcelles, cinq domestiques.

— Chauffeur ?

— Je n'ai jamais pu apprendre à conduire moi-même.

— Secrétaire ?

— J'ai une secrétaire particulière.

— Boulevard de Courcelles ?

— Elle y a sa chambre et son bureau, mais elle me suit lorsque je me rends dans les diverses succursales.

— Jeune ?

— Je ne sais pas. La trentaine, je suppose.

— Vous couchez avec elle ?

— Non.

— Avec qui ?

Fumal eut un sourire méprisant.

— Je m'attendais à cette question-là. Eh bien ! oui, j'ai une maîtresse. J'en ai eu plusieurs. Actuellement, c'est une certaine Martine Gilloux, que j'ai installée dans un appartement de la rue de l'Étoile.

— A deux pas de chez vous.

— Bien entendu.

— Où l'avez-vous rencontrée ?

— Dans un cabaret de nuit, il y a un an. Ell est calme et ne sort presque jamais.

— Je suppose qu'elle n'a aucune raison de vous détester ?

— Je le suppose aussi.

— Elle a un amant?

Il grogna, furieux :

— Si elle en a un, je l'ignore. C'est tout ce que vous désirez savoir ?

— Non. Votre femme est jalouse ?

— Je suppose, avec le tact que je vous découvre, que vous allez le lui demander ?

— De quel genre de famille est-elle ?

— Fille de boucher.

— Parfait.

— Qu'est-ce qui est parfait ?

— Rien. J'aimerais connaître davantage votre entourage immédiat. Vous dépouillez le courrier vous-même ?

— Celui qui arrive boulevard de Courcelles.

— C'est le courrier personnel ?

— Plus ou moins. Le reste est adressé rue Rambuteau et à La Villette, où des employés s'en occupent.

— Ce n'est pas votre secrétaire qui...

— Elle ouvre les enveloppes et me les tend.

— Vous lui avez montré ces billets ?

— Non.

— Pourquoi ?

— Je ne sais pas.

— A votre femme non plus ?

— Non.

— A votre maîtresse ?

— Pas davantage. C'est tout ce que vous désirez savoir ?

— Je suppose que vous m'autorisez à me rendre boulevard de Courcelles ? Sous quel prétexte ?

— Que j'ai porté plainte à la suite de la disparition de documents.

— Je peux m'adresser aussi à vos différents bureaux ?

— De la même façon.

— Et rue de l'Étoile ?

— Si vous y tenez.

— Je vous remercie.

— C'est tout ?

— Je vais, dès cet après-midi, faire garder votre domicile, mais il me paraît plus difficile de vous suivre au cours de vos déplacements dans Paris. Je suppose que vous circulez en limousine ?

— Oui.

— Vous êtes armé ?

— Je ne porte pas d'arme sur moi, mais j'ai un revolver dans ma table de nuit.

— Vous faites chambre à part, votre femme et vous ?

— Depuis dix ans.

Maigret s'était levé et regardait la porte, puis il eut un coup d'œil à sa montre. Fumal se levait à son tour, non sans peine, cherchait quelque chose à dire, ne trouvait que :

— Je ne m'attendais pas à ce que vous adoptiez cette attitude.

— Je me suis montré incorrect ?

— Je n'ai pas dit ça, mais...

— Je m'occupe de votre affaire, monsieur Fumal. J'espère qu'il ne vous arrivera rien de fâcheux.

Dans le couloir, l'homme des boucheries, furieux, répliqua :

— Je l'espère aussi. Pour vous !

Sur quoi Maigret referma la porte sans douceur.

2

La secrétaire qui se méfie
et l'épouse qui ne cherche pas à comprendre

Lucas entrait, des papiers à la main, répandant autour de lui une odeur de médicament et Maigret, qui n'avait pas encore repris place à son bureau, lui demandait, bourru :

— Tu l'as vu ?

— Qui, patron ?

— Le type qui sort d'ici.

— J'ai failli lui entrer dedans mais je ne l'ai pas regardé.

— Tu as eu tort. Ou je me trompe fort, ou il va nous attirer plus d'ennuis que l'Anglaise.

Maigret avait usé d'un terme plus fort qu'ennuis. Il n'était pas seulement maussade, mais soucieux, avec un poids sur les épaules. Cela l'inquiétait de voir surgir ainsi d'un lointain passé un garçon pour lequel il avait toujours eu de la répugnance et dont le père avait fait du mal au sien.

— Qui est-ce ? demandait Lucas en étalant ses documents sur le bureau.

— Fumal.

— Des viandes ?

— Tu connais ça ?

— Mon beau-frère a travaillé comme aide-comptable dans un de ses bureaux pendant deux ans.

— Qu'est-ce que ton beau-frère en pense ?

— Il a préféré s'en aller.

— Tu veux t'en occuper ?

Maigret poussa vers Lucas les lettres de menaces.

— Monte-les d'abord à Moers, à tout hasard.

Il est rare que les gens du laboratoire ne trouvent pas quelque chose à tirer d'un document. Moers connaissait toutes les qualités de papier, toutes les encres, probablement aussi toutes les sortes de crayons. Peut-être, en outre, relèverait-on sur les lettres des empreintes digitales classées ?

— Comment va-t-on faire pour le protéger ? questionnait Lucas après avoir lu.

— Je n'en sais rien. Commence par envoyer quelqu'un boulevard de Courcelles, Vacher, par exemple.

— Dans la maison ou dehors ?

Maigret ne répondit pas tout de suite.

La pluie venait de cesser, mais cela ne valait pas mieux. Un vent froid, humide, s'était levé qui obligeait les passants à tenir leur chapeau et leur collait les vêtements au corps. Certains, sur le pont Saint-Michel, marchaient penchés en arrière comme si on les eût poussés.

— Dehors. Qu'il prenne quelqu'un avec lui pour se renseigner dans les environs. Toi, tu pourrais aller jeter un coup d'œil dans les bureaux de la rue Rambuteau et de La Villette.

— Vous croyez à une vraie menace ?

— De la part de Fumal, en tout cas. Si on n'agit pas comme il le désire, il mettra tous ses amis politiciens en branle.

— Qu'est-ce qu'il désire ?

— Je n'en sais rien.

C'était vrai. Qu'est-ce que le boucher en gros voulait au juste ? A quoi rimait sa visite ?

— Tu rentres déjeuner chez toi ?

Il était passé midi. Depuis une semaine, tous les deux jours, Maigret déjeunait place Dauphine, non pas à cause de son travail, mais parce que sa femme avait rendez-vous chez le dentiste à onze heures et demie. Or, il n'aimait pas manger seul.

Lucas l'accompagna. Il y avait, comme toujours, quelques inspecteurs autour du zinc et les deux hommes pénétrèrent dans la petite pièce de derrière où trônait encore un vrai poêle à charbon comme le commissaire les aimait.

— Que diriez-vous d'une blanquette de veau ? proposa le patron.

— C'est parfait pour moi.

Une femme, sur les marches du Palais de Justice, tentait désespérément de rabaisser sa robe que la bourrasque venait de retourner comme un parapluie.

Un peu plus tard, alors qu'on leur servait les hors-d'œuvre, Maigret répéta comme pour lui-même :

— Je ne comprends pas...

Il arrive que des maniaques, ou des demi-fous, écrivent des lettres dans le genre de celles que Fumal avait reçues. Parfois même ils mettent leurs menaces à exécution. Ce sont des humbles, presque toujours des êtres qui ont remâché longtemps leurs griefs sans oser en rien laisser voir.

Un homme comme Fumal avait dû faire tort à des centaines d'individus. Son arrogance en avait blessé d'autres.

Ce que Maigret ne comprenait pas, c'était le caractère de sa visite, la façon agressive dont il s'était comporté.

Était-ce le commissaire qui avait commencé ? Avait-il eu tort de laisser percer une vieille rancune qui datait du village de Saint-Fiacre ?

— Le Yard ne vous a pas téléphoné aujourd'hui, patron ?

— Pas encore. Cela viendra.

On apportait une blanquette de veau que Mme Maigret n'aurait pas faite plus crémeuse et l'instant d'après le patron venait annoncer qu'on appelait Maigret au téléphone. Seuls les gens du Quai savaient où le trouver.

— Oui. J'écoute... Janin ?... Qu'est-ce qu'elle veut ?... Demande-lui d'attendre un moment... Un petit quart d'heure, quoi... Oui... Dans la salle d'attente, c'est préférable...

Quand il se rassit, ce fut pour annoncer à Lucas :

— Sa secrétaire demande à me parler. Elle est au Quai.

— Elle savait que son patron devait vous rendre visite ?

Maigret haussa les épaules et se mit à manger. Il ne prit pas de fromage, pas de fruits, se contenta d'un café qu'il but brûlant tout en bourrant sa pipe.

— Ne te presse pas. Fais ce que je t'ai dit et tiens-moi au courant.

Il allait sûrement commencer un rhume aussi. Sous la voûte de la P.J. le vent lui enleva son chapeau que le factionnaire de service rattrapa de justesse.

— Merci, vieux.

Il regarda curieusement, au premier, à travers les vitres de la salle d'attente, une jeune femme d'une trentaine d'années, blonde, aux traits réguliers, qui attendait, les deux mains sur son sac, sans manifester d'impatience.

— C'est vous qui désirez me parler ?

— Le commissaire Maigret ?

— Suivez-moi... Asseyez-vous...

Il retira son pardessus, son chapeau, s'assit à sa place et l'observa à nouveau. Sans attendre qu'il la questionne, elle commença d'une voix qui s'affermit bientôt, trouvant presque tout de suite son diapason :

— On m'appelle Louise Bourges et je suis la secrétaire particulière de M. Fumal.

— Depuis longtemps ?

— Trois ans.

— Je crois savoir que vous habitez boulevard de Courcelles, dans l'hôtel particulier de votre patron ?

— D'une façon générale, oui. J'ai cependant conservé un petit appartement quai Voltaire.

— Je vous écoute.

— M. Fumal a dû venir vous voir ce matin.

— Il vous en a parlé ?

— Non. Je l'ai entendu téléphoner au ministre de l'Intérieur.

— En votre présence ?

— Je ne l'aurais pas su autrement, car je n'écoute pas aux portes.

— C'est de cette visite que vous désirez m'entretenir ?

Elle approuva de la tête, prit son temps, chercha ses mots.

— M. Fumal ignore que je suis ici.

— Où se trouve-t-il en ce moment ?

— Dans un grand restaurant de la rive gauche, où il a invité plusieurs personnes à déjeuner. Il a presque tous les jours des déjeuners d'affaires.

Maigret ne l'aidait pas, ne la décourageait pas non plus. A vrai dire il se demandait, en la détaillant, pourquoi, avec un corps harmonieux, bien fait, des traits réguliers, plutôt jolie, elle manquait de séduction.

— Je ne veux pas vous faire perdre votre temps, monsieur le commissaire. Je ne sais pas au juste ce que M. Fumal vous a raconté. Je suppose qu'il vous a apporté des lettres.

— Vous les avez lues ?

— La première, et au moins une autre. La première parce que c'est moi qui l'ai ouverte, l'autre parce qu'il l'a laissée traîner sur le bureau.

— Comment savez-vous qu'il y en a eu plus de deux ?

— Parce que tout le courrier me passe par les mains et que j'ai reconnu les caractères bâtonnets ainsi que le papier jaunâtre des enveloppes.

— M. Fumal vous en a parlé ?

— Non.

Elle hésitait encore, sans se troubler toutefois, malgré le regard insistant du commissaire.

— Je crois qu'il vaut mieux que vous sachiez que c'est lui qui les a écrites.

Ses joues étaient devenues plus roses et elle paraissait soulagée d'avoir passé le cap difficile.

— Qu'est-ce qui vous le fait croire ?

— D'abord, une fois, je l'ai surpris en train d'écrire. Je ne frappe jamais avant d'entrer dans son bureau. C'est lui qui en a décidé ainsi. Il me croyait sortie. J'avais oublié quelque chose. Je suis rentrée dans le bureau et l'ai vu tracer des caractères bâtonnets sur une feuille de papier.

— Quel jour était-ce ?

— Avant-hier.

— Il a paru contrarié ?

— Il a aussitôt placé un buvard sur la feuille. Hier, je me suis demandé où il s'était procuré le papier et les enveloppes. Nous n'en avons pas de pareil boulevard de Courcelles, ni dans les bureaux de la rue Rambuteau ou d'ailleurs. Comme vous avez pu le constater, c'est du papier vulgaire qu'on vend en pochettes dans les épiceries et les bureaux de tabac. En son absence, je me suis mise à chercher.

— Vous avez trouvé ?

Elle ouvrit son sac et en tira une feuille de papier ligné, une enveloppe jaunâtre qu'elle lui tendit.

— Où avez-vous pris cela ?

— Dans un meuble où il n'y a que de vieux dossiers dont on ne se sert plus.

— Puis-je vous demander, mademoiselle, pourquoi vous vous êtes décidée à venir me trouver ?

Elle marqua le coup, à peine, cependant, reprit tout de suite son assurance. Ce fut d'une voix nette qu'elle répondit avec une pointe de défi :

— Pour me protéger.

— Contre quoi ?

— Contre lui.

— Je ne comprends pas.

— Parce que vous ne le connaissez pas comme je le connais.

Elle ne soupçonnait pas que Maigret l'avait connu bien avant elle !

— Expliquez-vous.

— Il n'y a rien à expliquer. Il ne fait rien sans raison, vous comprenez ? S'il se donne la peine de s'envoyer à lui-même des lettres de menaces, c'est dans un but. A plus forte raison s'il dérange ensuite le ministre de l'Intérieur et s'il vient vous trouver.

Il n'y avait rien à redire à son raisonnement.

— Croyez-vous, monsieur le commissaire, qu'il existe des gens foncièrement méchants, je veux dire méchants pour le plaisir de l'être ?

Maigret préféra ne pas répondre.

— Eh ! bien, c'est son cas. Il occupe, directement ou indirectement, des centaines de gens et s'acharne à leur rendre la vie aussi pénible que possible. Il est malin aussi. C'est presque impossible de lui cacher quelque chose. Ses gérants, qui sont mal payés, essayent tous plus ou moins de tricher et il prend plaisir à les surprendre au moment où ils s'y attendent le moins.

» Il y avait, rue Rambuteau, un vieux caissier qu'il détestait, sans raison, mais qu'il n'en a pas moins gardé pendant près de trente ans parce qu'il lui rendait des services. C'était une sorte d'esclave, qui tremblait à l'approche du patron. Il avait une mauvaise santé, six ou sept enfants.

» Quand son état s'est aggravé, M. Fumal a décidé de s'en débarrasser sans lui payer de dédit, sans lui devoir aucune reconnaissance. Savez-vous comment il s'y est pris ?

» Il est allé, une nuit, rue Rambuteau, a sorti du coffre, dont le caissier et lui étaient seuls à posséder la clef, un certain nombre de billets.

» Le lendemain, au bureau, il en a glissé quelques-uns dans le veston de ville que le caissier, en arrivant, pendait à un clou avant d'endosser un vieux vêtement.

» Il a fait ouvrir le coffre, sous un prétexte. Vous devinez le reste. Le vieil employé a pleuré comme un enfant, s'est jeté à genoux. Il paraît que la scène a été atroce et, jusqu'à la dernière minute, M. Fumal a menacé d'appeler la police, de sorte que c'est le pauvre homme qui, en partant, disait merci.

» Comprenez-vous, maintenant, pourquoi j'ai tenu à me protéger ?

Il murmura, rêveur :

— Je comprends.

— Je ne vous ai donné qu'un exemple. Il en existe d'autres. Il ne fait rien sans motif et ses motifs sont toujours imprévisibles.

— Pensez-vous qu'il craigne pour sa vie ?

— Sûrement. Il a toujours eu peur. C'est même pour cela, si curieux que cela paraisse, qu'il m'interdit de frapper à la porte. D'entendre soudain des coups frappés à une porte le fait sursauter.

— Selon vous, il existe donc un certain nombre de personnes qui ont des raisons valables de lui en vouloir.

— Beaucoup, oui.

— Tous ceux qui travaillent pour lui, en somme ?

— Et aussi les gens avec qui il est en affaires. Il a ruiné des douzaines de petits bouchers qui refusaient de céder leurs fonds. Plus récemment, il a ruiné M. Gaillardin.

— Vous le connaissez ?

— Oui.

— Quel homme est-ce ?

— Un homme très bien. Il habite un bel appartement rue François-Ier avec une maîtresse de vingt ans plus jeune que lui. Il avait une bonne affaire et menait une vie large jusqu'au jour où M. Fumal a décidé de fonder les « Bouchers Associés ». C'est une longue histoire. Ils ont lutté pendant deux ans et, à la fin, M. Gaillardin a été forcé de demander grâce.

— Vous n'aimez pas votre patron ?

— Non, monsieur le commissaire.

— Pourquoi restez-vous à son service ?

Elle rougit pour la seconde fois, mais ne fut pas démontée.

— A cause de Félix.

— Qui est Félix ?

— Le chauffeur.

— Vous êtes la maîtresse du chauffeur ?

— Si vous voulez parler crûment, oui. Nous sommes aussi fiancés et nous nous marierons dès que nous aurons mis assez d'argent de côté pour acheter une auberge dans les environs de Giens.

— Pourquoi Giens ?

— Parce que nous sommes tous les deux originaires de cette ville.

— Vous vous connaissiez avant de venir à Paris ?

— Non. Nous avons fait connaissance boulevard de Courcelles.

— M. Fumal est au courant de vos projets ?

— J'espère que non.

— Et de vos relations ?

— Comme je le connais, c'est probable. Ce n'est pas un homme à qui on cache quoi que ce soit et je suis persuadée qu'il lui est arrivé de nous épier. Il a soin de n'en rien dire. Il ne parle jamais qu'au moment où cela peut le servir.

— Je suppose que Félix partage vos sentiments à son égard ?

— Certainement.

On ne pouvait pas reprocher à la jeune fille son manque de franchise.

— Il existe une Mme Fumal, n'est-ce pas ?

— Oui. Ils se sont mariés, il y a très longtemps.

— Comment est-elle ?

— Comment voudriez-vous qu'elle soit avec un homme comme lui ? Il la terrorise.

— Que voulez-vous dire ?

— Qu'elle vit dans la maison comme une ombre. Lui va et vient, rentre et sort, amène des amis ou des relations d'affaires. Il ne s'inquiète pas plus d'elle que d'une servante, ne l'emmène jamais au restaurant, ni au théâtre et, l'été, il se contente de l'envoyer passer ses vacances dans un petit trou de montagne.

— Elle a été belle ?

— Non. Son père était un des plus importants bouchers de Paris, rue du Faubourg-Saint-Honoré, et à cette époque M. Fumal n'était pas encore riche.

— Vous croyez qu'elle souffre ?

— Même pas. Elle est devenue indifférente à tout. Elle dort, boit, lit des romans et parfois se rend toute seule au cinéma le plus proche.

— Elle est plus jeune que lui ?

— Probablement, mais cela ne paraît pas.

— C'est tout ce que vous avez à me dire ?

— Il vaudrait mieux que je m'en aille, afin d'être rentrée lorsqu'il arrivera boulevard de Courcelles.

— Vous y prenez vos repas ?

— Presque toujours.

— Avec les domestiques ?

Pour la troisième fois, elle eut des rougeurs aux joues et fit oui de la tête.

— Je vous remercie, mademoiselle. Je passerai sans doute là-bas cet après-midi.

— Vous ne lui direz pas que...

— Rassurez-vous.

— Il est tellement malin...

— Moi aussi !

Il la regarda s'éloigner dans le long couloir, s'engager dans l'escalier où elle disparut.

Pourquoi diable Ferdinand Fumal s'envoyait-il des lettres de menace et venait-il réclamer la protection de la police ? Une explication venait tout de suite à l'esprit, mais Maigret n'aimait pas les explications trop simples.

Fumal avait des ennemis en quantité. Certains lui en voulaient assez pour attenter à sa vie. Qui sait si, les derniers temps, il n'avait pas donné de plus fortes raisons de haine encore ?

Il n'osait pas se présenter à la police et déclarer :

— Je suis un salaud. Une de mes victimes pourrait avoir l'intention de me tuer. Protégez-moi.

Il s'y prenait par la bande, s'envoyait des lettres anonymes qu'il brandissait sous le nez du commissaire.

Était-ce cela ? Ou bien fallait-il croire que Mlle Bourges avait menti ?

Maigret, un peu flottant, s'engagea dans l'escalier conduisant au laboratoire. Moers était au travail et il lui tendit la feuille de papier et l'enveloppe que la secrétaire venait de lui remettre.

— Tu as trouvé quelque chose ?

— Des empreintes.

— De qui ?

— De trois personnes. D'abord d'un homme que je ne connais pas, aux doigts larges et carrés, puis les vôtres et celles de Lucas.

— C'est tout ?

— Oui.

— Cette feuille et cette enveloppe sont identiques aux autres ?

Moers n'eut pas besoin d'un long examen et fut affirmatif.

— Bien entendu, je n'ai pas relevé les empreintes sur les enveloppes. Il y en a toujours des quantités, y compris celles du facteur.

Quand Maigret regagna son bureau, il fut tenté d'envoyer promener Fumal et son histoire. Comment protéger un homme qui circule dans tout Paris à moins de mobiliser une bonne douzaine d'inspecteurs ?

— Saligaud ! lui arriva-t-il de grommeler entre ses dents.

On lui téléphonait au sujet de Mrs. Britt. Encore une piste, qu'on suivait depuis la veille, qui ne menait nulle part.

— Si on me demande, alla-t-il dire dans le bureau des inspecteurs, je serai de retour d'ici une heure ou deux.

En bas, il choisit une des voitures noires.

— Boulevard de Courcelles. Au 58 *bis*.

Il s'était remis à pleuvoir. On voyait au visage des passants qu'ils étaient excédés de patauger dans la pluie froide et dans la boue.

L'hôtel particulier, qui datait de la fin du siècle dernier, était spacieux, avec une porte cochère, des grilles aux fenêtres du rez-de-chaussée, de très hautes fenêtres au premier étage. Il pressa un bouton de cuivre et un valet en gilet rayé finit par lui ouvrir la porte.

— M. Fumal, s'il vous plaît.

— Il n'est pas ici.

— Dans ce cas, je verrai Mme Fumal.

— J'ignore si madame peut vous recevoir.

— Annoncez-lui le commissaire Maigret.

D'anciennes écuries, au fond de la cour, servaient de garages et on y voyait deux voitures, ce qui indiquait que l'ancien boucher en possédait au moins trois.

— Si vous voulez me suivre...

Un large escalier à rampe sculptée conduisait au premier étage où deux statues de marbre semblaient monter la garde. Maigret fut prié d'y attendre et s'assit sur une inconfortable chaise Renaissance.

Le valet, lui, montait plus haut, restait longtemps absent. On percevait des chuchotements à l'étage supérieur. On entendait aussi, quelque part, le cliquetis d'une machine à écrire : Mlle Bourges, sans doute, qui travaillait.

— Madame va vous voir tout de suite. Elle vous prie d'attendre...

Le valet regagna le rez-de-chaussée et presque un quart d'heure s'écoula avant qu'une femme de chambre descende du second.

— Le commissaire Maigret ?... Par ici, s'il vous plaît...

L'atmosphère était aussi morne que celle d'un palais de justice de sous-préfecture. Il y avait trop d'espace, pas assez de vie, les voix résonnaient entre les murs peints en imitation de marbre.

Maigret fut introduit dans un salon vieillot où un piano à queue était entouré d'au moins quinze fauteuils en tapisserie fanée. Il attendit encore un peu et enfin la porte livra passage à une femme en robe d'intérieur qui, avec ses yeux sans expression, son visage bouffi et blême sous des cheveux d'un noir d'encre, lui fit l'effet d'une apparition.

— Je vous demande pardon de vous avoir fait attendre...

Elle parlait d'une voix neutre, à la façon d'une somnambule.

— Asseyez-vous, je vous en prie. Vous êtes sûr que c'est moi que vous désirez voir ?

Louise Bourges avait laissé entrevoir la vérité en parlant de boisson, mais cette vérité dépassait les prévisions du commissaire. Le regard de la femme, en face de lui, était las mais résigné, sans tristesse, et elle paraissait à cent lieues des réalités de la vie.

— Votre mari m'a rendu visite, ce matin, et il a des raisons de croire que quelqu'un en veut à son existence.

Elle ne tressaillit pas, se contenta de le regarder avec un étonnement à peine marqué.

— Il vous a mise au courant ?

— Il ne me tient au courant de rien.

— Vous lui connaissez des ennemis ?

Les mots semblaient mettre un long temps à atteindre son cerveau et il fallait du temps encore pour que la réponse y prenne forme.

— Je suppose qu'il en a, n'est-ce pas ? finit-elle par murmurer.

— Vous avez fait un mariage d'amour ?

Cela dépassait son entendement et elle se contentait de répondre :

— Je ne sais pas.

— Vous n'avez pas d'enfants, madame Fumal ?

Elle secoua la tête.

— Votre mari aurait-il souhaité en avoir ?

Elle répéta :

— Je ne sais pas.

Puis elle ajouta, indifférente :

— Je suppose.

Que pouvait-il lui demander d'autre ? Il paraissait presque impossible de communiquer avec elle, comme si elle eût vécu dans un monde différent, ou encore comme s'ils eussent été séparés par les cloisons étanches d'une cage de verre.

— Je suppose que j'ai interrompu votre sieste ?

— Non. Je ne fais pas la sieste.

— Il ne me reste...

Il ne lui restait qu'à se retirer, en somme, et c'est ce qu'il allait faire quand la porte s'ouvrit d'une poussée.

— Qu'est-ce que vous fichez ici ? questionna Fumal au regard plus dur que jamais.

— Vous voyez. Je prends contact avec votre femme.

— On me dit qu'en bas un de vos agents est en train de questionner mes domestiques. Quant à vous, je vous trouve ici à tourmenter ma femme qui...

— Un instant, monsieur Fumal. C'est vous qui avez fait appel à moi, n'est-ce pas ?

— Je ne vous ai pas donné le droit de vous mêler de ma vie intime.

Maigret salua la femme qui les regardait sans comprendre.

— Je vous demande pardon, madame. J'espère que je ne vous ai pas trop dérangée.

Le maître de maison le suivit sur le palier.

— De quoi lui avez-vous parlé ?

— Je lui ai demandé si elle vous connaissait des ennemis.

— Qu'a-t-elle répondu ?

— Que vous deviez en avoir, mais qu'elle ne les connaissait pas.

— Cela vous avance ?

— Non.

— Alors ?

— Alors, rien.

Maigret faillit lui demander pourquoi il s'était envoyé à lui-même des lettres anonymes, mais il lui sembla que le moment n'était pas venu.

— Il y a encore ici quelqu'un que vous désirez interroger ?

— Un de mes inspecteurs s'en occupe. Vous venez de m'annoncer qu'il est en bas. Au fait, il serait peut-être préférable, si vous tenez réellement à être protégé, de vous laisser accompagner dans vos allées et venues par un de nos hommes. C'est fort bien de surveiller cette maison, mais lorsque vous vous trouvez rue Rambuteau ou ailleurs...

Ils étaient tous les deux dans l'escalier. Fumal paraissait réfléchir, observant Maigret en homme qui se demande si on ne lui tend pas un piège.

— Quand cela commencerait-il ?

— Quand vous voudrez.

— Demain matin ?

— D'accord. Je vous enverrai quelqu'un demain matin. A quelle heure avez-vous l'habitude de sortir ?

— Cela dépend des jours. Demain, je monte à La Villette dès huit heures.

— Un inspecteur sera ici à sept heures et demie.

On avait entendu s'ouvrir et se refermer la porte cochère. Comme ils arrivaient au premier étage, ils virent un homme qui venait vers eux, petit et chauve, tout vêtu de noir, son chapeau à la main. Il avait l'air d'un familier des lieux et il regarda Maigret, puis Fumal, d'un œil interrogateur.

— Le commissaire Maigret, Joseph. Une petite affaire que j'avais à régler avec lui.

Et, au commissaire :

— Joseph Goldman, mon homme d'affaires, comme qui dirait mon bras droit. Tout le monde l'appelle monsieur Joseph.

M. Joseph tenait une serviette de cuir noir sous le bras et montrait, dans un drôle de sourire, une rangée de dents gâtées.

— Je ne vous reconduis pas, commissaire. Victor vous ouvrira la porte.

Victor était le valet en gilet rayé qui attendait au bas des marches.

— Entendu pour demain matin.

— Entendu, répéta Maigret.

Il ne se souvenait pas avoir jamais eu une telle impression d'impuissance, plus exactement d'irréalité. Jusqu'à l'immeuble qui n'avait pas l'air vrai ! Et il lui semblait que le valet, en refermant la porte derrière lui, avait un sourire goguenard.

De retour au Quai, il se demanda qui envoyer le lendemain pour veiller sur Fumal et finit par choisir Lapointe, à qui il donna ses instructions.

— Sois là-bas dès sept heures et demie. Suis-le partout où il ira. Il t'emmènera dans sa voiture. Il est probable qu'il essayera de te faire enrager.

— Pourquoi ?

— Peu importe. Évite de broncher.

Il dut s'occuper de la vieille Anglaise, dont on signalait maintenant le passage à Maubeuge. Il y avait toutes les chances pour que ce ne soit pas elle. On ne comptait plus les fausses pistes, les vieilles Anglaises aperçues un peu partout en France.

Vacher téléphona pour demander des instructions.

— Qu'est-ce que je fais ? Je prends la planque dans la maison, ou dehors ?

— Comme tu voudras.

— Malgré la flotte, j'aime encore mieux dehors.

Encore un qui n'appréciait pas l'atmosphère de l'immeuble du boulevard de Courcelles.

— Je te ferai relayer vers minuit.

— Ça va, patron. Merci.

Maigret dîna chez lui. Cette nuit-là, sa femme ne souffrit pas et il dormit d'une traite jusqu'à sept heures et demie. On lui apporta, comme toujours, une tasse de café au lit et son premier regard fut pour la fenêtre derrière laquelle le ciel était aussi plombé que les jours précédents.

Il venait d'entrer dans la salle de bains quand la sonnerie du téléphone retentit. Il entendit sa femme qui répondait :

— Oui… oui… Un instant, monsieur Lapointe…

Cela signifiait la catastrophe. A sept heures et demie, en effet, Lapointe devait être allé prendre son service boulevard de Courcelles. S'il téléphonait…

— Allô… C'est moi…

— Écoutez, patron… Il se passe…

— Mort ?

— Oui.

— Comment ?

— On ne sais pas. Peut-être empoisonné. On ne voit pas de blessure. J'ai à peine pris le temps de le regarder. Le médecin n'est pas encore arrivé.

— J'arrive !

S'était-il trompé en pensant que Fumal ne pouvait lui apporter que des em… — que des ennuis ?

3

Le passé du valet de chambre
et le locataire du troisième

Tout en se rasant, Maigret se sentait mauvaise conscience. Cela ne tenait-il pas à ce qu'il nourrissait, à l'égard de Fumal, une animosité personnelle ? Du coup, il se demandait s'il avait accompli tout son devoir. Le boucher en gros était venu lui demander sa protection. Il s'y était pris d'une façon agressive, soit, s'était fait pistonner par le ministre et avait usé, à l'égard du commissaire, de menaces à peine voilées.

Celui-ci n'en avait pas moins à faire son métier. S'en était-il acquitté dans toute la mesure possible ? Il était allé en personne au boulevard de Courcelles, mais il ne s'était pas donné la peine de vérifier toutes les portes, toutes les issues, remettant cette tâche au lendemain, comme celle d'interviewer les domestiques l'un après l'autre.

Il avait envoyé un inspecteur monter la garde devant la maison. Dès sept heures et demie, si Fumal n'avait pas été tué, Lapointe se serait trouvé à son côté cependant que Lucas, rue Rambuteau et ailleurs, aurait poursuivi son enquête.

Aurait-il agi autrement si l'homme ne lui avait pas été antipathique, s'il n'avait pas eu un vieux compte à régler avec lui, si cela avait été n'importe quel gros homme d'affaires de Paris ?

Avant de prendre son petit déjeuner, il téléphona au Parquet, puis au Quai des Orfèvres.

— Tu ne te fais pas envoyer une voiture ? questionna Mme Maigret qui, dans ces moments-là, tenait aussi peu de place que possible.

— Je prendrai un taxi.

Les boulevards étaient presque vides, avec des silhouettes sombres qui s'échappaient des bouches de métro et se précipitaient vers les portes cochères. En face du 58 *bis*, boulevard de Courcelles, une auto stationnait, celle d'un médecin, et, quand le commissaire sonna, la porte s'ouvrit tout de suite.

Le valet de chambre de la veille n'avait pas eu le temps de se raser, mais il portait déjà son gilet rayé de jaune et de noir. Il avait les sourcils très épais et Maigret l'observa un instant avec l'air de chercher à se rappeler quelque chose.

— Où est-ce ? questionna-t-il.

— Au premier, dans le bureau.

Tout en gravissant l'escalier, il se promit de s'occuper plus tard de ce Victor qui l'intriguait. Lapointe vint au-devant de lui sur le palier servant de salle d'attente.

— Je me suis trompé, patron. Je vous demande pardon. Tel qu'il était quand je l'ai aperçu, il était impossible de voir la blessure.

— Il n'a pas été empoisonné ?

— Non. Le docteur, en le retournant, a découvert une plaie béante dans le dos, à hauteur du cœur. Le coup de feu a été tiré à bout portant.

— Où est sa femme ?

— Je ne sais pas. Elle n'est pas descendue.

— La secrétaire ?

— Elle doit être par là. Venez. Je commence seulement à m'y retrouver dans la maison.

Du côté de la façade devant les grilles du parc Monceau, un vaste salon donnait l'impression d'une pièce jamais habitée et, malgré le chauffage central, restait humide.

En empruntant un couloir, au plancher recouvert d'un tapis rouge, on trouvait, à droite, sur la cour, un premier bureau, pas très grand, où Louise Bourges se tenait debout devant la fenêtre. Une domestique était avec elle. Elles se taisaient toutes les deux et Louise Bourges regarda Maigret avec inquiétude, se demandant sans doute comment, après sa visite de la veille au Quai des Orfèvres, il allait réagir à son égard.

— Où est-il ? se contenta-t-il de demander.

Elle désigna une porte.

— Là.

C'était un second bureau, plus spacieux, au tapis rouge aussi, au mobilier Empire. Une forme humaine était étendue près d'un fauteuil et un médecin que Maigret ne connaissait pas était agenouillé.

— On m'apprend qu'il s'agit d'un coup de feu tiré à bout portant ?

Le docteur fit oui de la tête. Le commissaire avait déjà remarqué que le mort n'était pas en tenue de nuit mais portait les mêmes vêtements que la veille.

— A quelle heure cela s'est-il produit ?

— Autant que j'en puisse juger à première vue, vers la fin de la soirée, entre onze heures et minuit, par exemple.

Malgré lui, Maigret pensait au village de Saint-Fiacre, à la cour de l'école, au gros garçon que personne n'aimait et qu'on appelait Boum-Boum, ou encore Boule-de-Gomme.

En le retournant, le docteur lui avait donné une pose étrange et un bras tendu semblait désigner un coin de la pièce où, d'ailleurs, il n'y avait rien qu'une nymphe de marbre jauni sur un socle.

— Je suppose que la mort a été instantanée ?

La blessure, dans laquelle on aurait presque pu enfoncer le poing, rendait la question futile. Mais le commissaire n'était pas dans son assiette. Ce n'était pas une affaire comme une autre.

— Sa femme est prévenue ?

— Je crois.

Il passa dans la pièce voisine, répéta la question à la secrétaire :

— Sa femme est prévenue ?

— Oui. Noémi est montée le lui dire.

— Elle n'est pas descendue ?

Il commençait à se rendre compte que rien, ici, ne se passait comme dans une maison normale.

— Quand l'avez-vous vu pour la dernière fois ?

— Vers neuf heures, hier soir.

— Il vous a appelée ?

— Oui.

— Pourquoi ?

— Pour me dicter des lettres. La sténographie est sur mon bloc. Je ne les ai pas encore tapées.

— Des lettres importantes ?

— Ni plus ni moins que les autres. Cela lui arrivait souvent de dicter le soir.

Sans qu'elle ait besoin de rien ajouter, Maigret comprenait la pensée de la jeune fille : si son patron la faisait monter ainsi après sa journée, c'était pour la faire enrager. Ferdinand Fumal n'avait-il pas passé sa vie à faire enrager les gens ?

— Il a reçu des visites ?

— Pas pendant que j'étais ici.

— Il en attendait ?

— Je crois. Il a reçu un coup de téléphone et m'a dit d'aller me coucher.

— Quelle heure était-il ?

— Neuf heures et demie.

— Vous êtes allée vous coucher ?

— Oui.

— Toute seule ?

— Non.

— Où se trouve votre chambre ?

— Avec celles des autres domestiques, au-dessus des écuries qui servent maintenant de garages.

— M. Fumal et sa femme étaient les seuls à coucher dans la maison ?

— Non. Victor couche au rez-de-chaussée.

— C'est bien le valet de chambre ?

— Il est en même temps concierge, garde la maison, fait des courses.

— Il n'est pas marié ?

— Non. En tout cas, pas que je sache. Il occupe une petite pièce qui donne sous la voûte par un œil-de-bœuf.

— Je vous remercie.

— Qu'est-ce que je dois faire ?

— Attendre. Quand le courrier arrivera, vous me l'apporterez. Je me demande s'il y aura encore une lettre anonyme.

Il eut l'impression qu'elle rougissait mais n'en fut pas sûr. On entendait des pas dans l'escalier. Le substitut du procureur était accompagné d'un jeune juge d'instruction qui s'appelait Planche et avec qui Maigret n'avait pas encore eu l'occasion de travailler. Le greffier qui les suivait était enrhumé. Presque tout de suite après leur arrivée, la porte cochère s'ouvrait à nouveau pour livrer accès aux gens de l'Identité Judiciaire.

Louise Bourges se tenait toujours dans son bureau personnel, près de la fenêtre, attendant des instructions, et ce fut à elle que Maigret s'adressa à nouveau un peu plus tard.

— Qui a prévenu Mme Fumal ?

— Noémi.

— C'est sa femme de chambre personnelle ?

— C'est celle qui s'occupe du second étage. M. Fumal avait sa chambre à cet étage-ci, la pièce qui se trouve après son bureau.

— Allez voir là-haut ce qui se passe.

Et, comme elle hésitait :

— De quoi avez-vous peur ?

— De rien.

C'était à tout le moins curieux que la femme du mort ne soit pas encore descendue et qu'on n'entende aucun bruit là-haut.

Depuis l'arrivée de Maigret, Lapointe, sans rien dire, furetait un peu partout à la recherche d'une arme. Il avait ouvert la porte de la chambre à coucher qui était vaste, meublée en style Empire aussi, où un pyjama et une robe de chambre étaient préparés sur le lit ouvert.

Malgré les hautes fenêtres, l'atmosphère de la maison était grise et on n'avait allumé que quelques lampes ; les photographes, ici et là, installaient leurs appareils, les gens du Parquet chuchotaient dans un coin en attendant l'arrivée du médecin légiste.

— Vous avez une idée, Maigret ?

— Aucune.

— Vous le connaissiez ?

— Je l'ai connu à l'école de mon village et il est venu me voir hier. Il était allé trouver le ministre de l'Intérieur pour obtenir notre protection.

— Contre quoi ?

— Depuis quelque temps, il recevait des menaces anonymes.

— Vous n'avez rien fait ?

— Un inspecteur a passé la nuit devant la porte et un autre allait prendre la surveillance toute la journée.

— Il semble bien, en tout cas, que l'assassin ait emporté son arme.

Lapointe n'avait rien trouvé. Les autres non plus. Maigret, les mains dans les poches, s'engagea dans l'escalier et atteignit le rez-de-chaussée où il colla le visage à l'œil-de-bœuf dont on lui avait parlé.

Il y avait là une pièce qui ressemblait à une loge de concierge, avec un lit en désordre, une armoire à glace, un poêle à gaz, une table, des livres sur une étagère. Assis à califourchon, les coudes sur le dossier de sa chaise, le valet de chambre regardait fixement devant lui.

Le commissaire frappa de petits coups contre la vitre et l'homme tressaillit, le regarda en sourcillant avant de se lever et de se diriger vers la porte.

— Vous m'avez reconnu ? questionna-t-il alors, le visage à la fois peureux et méfiant.

Maigret avait déjà eu la veille l'impression de l'avoir vu quelque part, mais il ne pouvait toujours pas savoir où.

— Moi, je vous ai reconnu tout de suite.

— Qui es-tu ?

— Vous ne m'avez pas connu, autrefois, parce que je suis déjà plus jeune. Quand je suis né, vous étiez déjà parti.

— Parti d'où ?

— De Saint-Fiacre, pardi ! Vous ne vous souvenez pas de Nicolas ?

Maigret s'en souvenait fort bien. C'était un vieil ivrogne qui faisait des journées par-ci par-là dans les fermes, travaillait l'été à la batteuse et, le dimanche, sonnait les cloches de l'église. Il habitait une cabane à l'orée des bois et avait la spécialité de manger les corbeaux et les putois.

— C'était mon père.

— Il est mort ?

— Il y a longtemps.

— Et toi, depuis quand es-tu à Paris ?

— Vous n'avez rien lu dans les journaux ? Ils ont pourtant mis mon portrait. J'ai eu des ennuis, là-bas. On a fini par comprendre que je ne l'avais pas fait exprès.

Son poil était dru, son front bas.

— Raconte.

— Je braconnais, c'est sûr et certain, je ne l'ai jamais nié.

— Et tu as tué un garde ?

— Vous l'avez lu ?

— Quel garde ?

— Un jeune, que vous n'avez pas connu. Il était toujours après moi. Je vous jure que, cette fois-là, je ne l'ai pas fait exprès. Je guettais un chevreuil et, quand j'ai entendu du bruit dans le taillis...

— Comment, ensuite, as-tu eu l'idée de venir ici ?

— Je n'en ai pas eu l'idée.

— Fumal est allé te chercher ?

— Oui. Il avait besoin d'un homme de confiance. Vous, vous n'êtes jamais retourné au pays, où pourtant on ne vous a pas oublié et où, je puis bien le dire, on est fier de vous. Mais lui, quand il a eu de l'argent, il a racheté le château de Saint-Fiacre...

Maigret en eut le cœur un peu serré. Il y était né, dans les dépendances, certes, mais il y était né quand même, et la comtesse de Saint-Fiacre avait longtemps personnifié à ses yeux la femme idéale.

— J'ai compris, grommela-t-il.

Fumal ne s'entourait-il pas de gens sur qui il avait prise ? Il avait besoin, non pas tant d'un valet de chambre que d'une sorte de garde de corps, d'un bouledogue, et il ramenait à Paris un gaillard qui n'avait échappé au bagne que de justesse.

— C'est lui qui a payé ton avocat ?

— Comment le savez-vous ?

— Raconte-moi ce qui s'est passé hier soir.

— Il ne s'est rien passé. Monsieur n'est pas sorti.

— A quelle heure est-il rentré ?

— Un peu avant huit heures, pour dîner.

— Seul ?

— Avec Mlle Louise.

— La voiture a été remise au garage ?

— Oui. Elle y est toujours. Elles y sont toutes les trois.

— La secrétaire mange avec les domestiques ?

— Cela lui fait plaisir, à cause de Félix.

— Tout le monde est au courant de ses rapports avec Félix ?

— Ce n'est pas difficile à voir.

— Ton patron l'était aussi ?

Victor se tut et Maigret affirma :

— Tu le lui as dit, n'est-ce pas ?

— Il m'a demandé...

— Tu le lui as dit ?

— Oui.

— Si je comprends bien, tu lui rapportais tout ce qui se passait à l'office ?

— Il me payait pour.

— Revenons à hier soir. Tu as quitté ta loge ?

— Non. Germaine m'a apporté mon dîner ici.

— Comme tous les soirs ?

— Oui.

— Laquelle est Germaine ?

— La plus vieille.

— Quelqu'un est venu ?

— M. Joseph est rentré vers neuf heures et demie.

— Tu veux dire qu'il habite la maison ?

— Vous ne le saviez pas ?

Maigret ne s'en était pas douté.

— Donne-moi des détails. Où est sa chambre ?

— Ce n'est pas une chambre, mais tout un appartement au troisième étage. Les pièces sont mansardées, mais plus spacieuses que celles d'au-dessus du garage. Avant, c'étaient les chambres de domestiques.

— Depuis quand vit-il dans la maison ?

— Je ne sais pas. Cela a commencé avant moi.

— Et toi, depuis quand es-tu ici ?

— Cinq ans.

— Où M. Joseph prend-il ses repas ?

— Presque toujours dans une brasserie du boulevard des Batignolles.

— Il est célibataire ?

— Veuf, à ce qu'on m'a dit.

— Il ne découche jamais ?

— Sauf quand il est en voyage, naturellement.

— Il voyage beaucoup ?

— C'est lui qui va vérifier les comptes dans les succursales de province.

— A quelle heure dis-tu qu'il est rentré ?

— Environ neuf heures et demie.

— Il n'est pas ressorti ?

— Non.

— Il n'est venu personne d'autre ?

— M. Gaillardin.

— Comment le connais-tu ?

— Parce que je lui ai souvent ouvert la porte. Avant, c'était un bon ami du patron. Ensuite, ils ont eu des histoires et, hier, c'était la première fois depuis longtemps que...

— Tu l'as laissé monter ?

— Monsieur m'a téléphoné de le faire entrer. Il existe un téléphone intérieur entre le bureau et ma loge.

— Quelle heure était-il ?

— Dans les environs de dix heures. Vous savez, moi, j'ai été habitué à voir l'heure au soleil et je ne pense pas souvent à regarder l'horloge. Surtout que celle-là avance toujours d'au moins dix minutes.

— Combien de temps est-il resté là-haut ?

— Peut-être un quart d'heure.

— Comment lui as-tu ouvert la porte quand il est parti ?

— En pressant la poire, ici, comme dans toutes les loges de concierge.

— Tu l'as vu passer ?

— Bien sûr.

— Tu l'as regardé ?

— Ben...

Il hésitait, recommençait à être inquiet.

— Cela dépend de ce que vous appelez regarder. Il n'y a pas beaucoup de lumière sous la voûte. Je n'ai pas collé mon visage à la vitre. Je l'ai vu, quoi ! Je l'ai reconnu. Je suis sûr que c'était lui.

— Mais tu ne sais pas de quelle humeur il était.

— Sûrement pas.

— Ton patron t'a téléphoné ensuite ?

— Pourquoi ?

— Réponds à la question.

— Non... Je ne crois pas... Attendez... Non... Je me suis couché. J'ai lu une partie du journal dans mon lit et j'ai éteint la lumière.

— Ce qui signifie qu'après le départ de Gaillardin il n'est entré personne dans la maison ?

Victor ouvrit la bouche, se ravisa.

— Ce n'est pas exact ? insista Maigret.

— C'est exact, bien sûr... Mais peut-être bien que ce n'est pas exact... C'est difficile, comme ça, en quelques minutes, de raconter la vie des gens... Je ne sais même pas ce que vous savez...

— Que veux-tu dire ?

— Qu'est-ce qu'ils vous ont dit, là-haut ?

— Qui ?

— Eh ! bien, Mlle Louise, ou Noémi, ou Germaine...

— Quelqu'un a pu entrer la nuit dernière sans que tu le saches ?

— Sûr !

— Qui ?

— Le patron, d'abord, qui aurait pu sortir et rentrer. Vous n'avez pas remarqué la petite porte, dans la rue de Prony ? C'est l'ancienne entrée de service et il en a la clef.

— Il s'en sert parfois ?

— Je ne crois pas. Je ne sais pas.

— Qui en a aussi la clef ?

— M. Joseph, j'en suis certain, car il m'est arrivé de le voir sortir le matin alors que je ne l'avais pas vu rentrer le soir.

— Qui encore ?

— Probablement la poule.

— Qui appelles-tu ainsi ?

— La poule du patron, la dernière, une petite brune dont je ne connais pas le nom et qui habite du côté de l'Étoile.

— Elle est venue la nuit dernière ?

— Je vous répète que je n'en sais rien. Déjà une fois, vous comprenez, quand il y a eu l'histoire du garde, on m'a tellement questionné qu'on m'a fait dire des choses qui n'existaient pas. On me les a même fait signer et, plus tard, on me les a remises sous le nez.

— Tu aimais ton patron ?

— Quelle différence cela peut-il faire ?

— Tu refuses de répondre ?

— Je dis seulement que cela n'a rien à voir et que cela ne regarde que moi.

— Comme tu voudras.

— Si je vous parle ainsi...

— J'ai compris.

Il valait mieux ne pas insister et Maigret regagna lentement le premier étage.

— Mme Fumal n'est toujours pas descendue ? demanda-t-il à la secrétaire.

— Elle ne veut pas le voir avant qu'il soit arrangé.

— Comment est-elle ?

— Comme toujours.

— Elle n'a pas paru surprise ?

Louise Bourges haussa les épaules. Elle était plus nerveuse que la veille et Maigret la surprit plusieurs fois à se ronger les ongles.

— Je ne trouve aucune arme, patron. On demande si on peut transporter le corps à l'Institut Médico-Légal.

— Qu'en dit le juge d'instruction ?

— Il est d'accord.

— Dans ce cas, moi aussi.

Victor, à ce moment-là, montait le courrier, hésitait à se diriger vers Louise Bourges.

— Donne ! intervint Maigret.

Il y avait moins de lettres qu'il l'aurait cru. Sans doute Fumal recevait-il la plus grosse partie du courrier dans ses différents bureaux ? Ici, c'étaient surtout des factures, deux ou trois invitations à des fêtes de bienfaisance, une lettre d'un avoué de Nevers et enfin une enveloppe que le commissaire reconnut aussitôt. Louise Bourges l'épiait de loin.

L'adresse était tracée au crayon. Sur une feuille de papier bon marché, deux mots seulement étaient tracés :

Dernier avis.

Cela ne prenait-il pas un caractère presque ironique ?

A ce moment-là, Ferdinand Fumal, étendu sur une civière, quittait l'hôtel particulier du boulevard de Courcelles, juste en face de la grande entrée du parc Monceau, dont les arbres s'égouttaient.

— Cherche-moi, dans l'annuaire des téléphones, un certain Gaillardin, rue François-Iᵉʳ.

Ce fut la sécrétaire qui tendit l'annuaire à Lapointe.

— Roger ? questionna celui-ci.

— Oui. Demande-le-moi.

Ce ne fut pas un homme que l'inspecteur eut au bout du fil.

— Excusez-moi de vous déranger, madame. Je voudrais parler à M. Gaillardin... Oui... Vous dites ?... Il n'est pas chez lui ?...

Du regard, Lapointe interrogeait Maigret.

— C'est très urgent... Savez-vous s'il est à son bureau ?... Vous l'ignorez ? Vous croyez qu'il est en voyage ?... Un instant... Ne quittez pas l'appareil...

— Demande-lui s'il a couché rue François-Iᵉʳ la nuit dernière.

— Allô ! Pouvez-vous me dire si M. Gaillardin a couché chez lui la nuit dernière ?... Non... Quand l'avez-vous vu pour la dernière fois ?... Vous avez dîné ensemble ?... Au *Fouquet's* ?... Et il vous a quittée à... Je n'entends pas... Un peu avant neuf heures et demie... Sans vous dire où il allait... Je comprends... Oui... Merci... Non ! Il n'y a pas de message...

Il expliqua à Maigret :

— A ce que je peux comprendre, ce n'est pas sa femme, mais sa maîtresse, et il ne paraît pas avoir l'habitude de lui rendre des comptes.

Deux inspecteurs, arrivés depuis longtemps, donnaient un coup de main aux gens de l'Identité Judiciaire.

— Toi, Neveu, tu vas filer rue François-Iᵉʳ... L'adresse est à l'annuaire des téléphones... Gaillardin... Tu essayeras de savoir si le type a emporté des bagages, s'il paraissait prévoir son départ, que sais-je ?... Tu dénicheras bien une photographie... Donne à tout hasard son signalement aux gares et aux aéroports...

Cela paraissait trop simple et Maigret n'osait pas y croire.

— Vous saviez, demanda-t-il à Louise Bourges, que Gaillardin devait venir hier soir voir votre patron ?

— Comme je vous l'ai dit, je sais que quelqu'un a téléphoné et qu'il a répondu quelque chose comme :

» — D'accord.

— De quelle humeur était-il ?

— Son humeur habituelle.

— M. Joseph descendait souvent le voir dans la soirée ?

— Je crois.

— Où est M. Joseph en ce moment ?

— Là-haut, sans doute.

S'il s'y trouvait encore un moment plus tôt, il n'y était plus, car on le voyait traverser le palier en regardant autour de lui avec stupeur.

C'était assez inattendu, après toutes les allées et venues qui avaient bouleversé la maison, de voir le petit homme grisâtre émerger de l'escalier comme si de rien n'était et questionner d'une voix naturelle :

— Que se passe-t-il ?

— Vous n'avez rien entendu ? questionna Maigret, bourru.

— Entendu quoi ? Où est M. Fumal ?

— Il est mort.

— Vous dites ?

— Je dis qu'il est mort et qu'il ne se trouve déjà plus dans la maison. Vous avez le sommeil dur, monsieur Joseph ?

— Je dors comme tout le monde.

— Vous n'avez rien entendu depuis sept heures et demie du matin ?

— J'ai entendu quelqu'un qui entrait chez Mme Fumal, à l'étage en dessous du mien.

— A quelle heure vous êtes-vous couché, hier soir ?

— Aux alentours de dix heures et demie.

— Quand avez-vous quitté votre patron ?

Le petit homme ne paraissait toujours pas comprendre ce qui lui arrivait.

— Pourquoi me posez-vous ces questions-là ?

— Parce que Fumal a été assassiné. Vous êtes descendu le voir, hier après le dîner ?

— Je ne suis pas descendu mais je suis passé le voir en rentrant.

— A quelle heure ?

— Vers neuf heures et demie. Un peu après, peut-être.

— Et ensuite ?

— Ensuite, rien. Je suis monté chez moi, j'ai travaillé une heure et je me suis couché.

— Vous n'avez pas entendu de coup de feu ?

— De là-haut, on n'entend rien de ce qui se passe à cet étage-ci.

— Vous possédez un revolver ?

— Moi ? Je n'ai jamais touché une arme de ma vie. Je n'ai même pas fait mon service militaire, car j'ai été réformé.

— Vous saviez que Fumal en avait un ?

— Il me l'a montré.

On avait retrouvé enfin, sous des papiers, dans le tiroir de la table de nuit, un automatique de fabrication belge qui n'avait pas servi depuis des années et qui n'était donc pour rien dans le drame.

— Vous saviez aussi que Fumal attendait une visite ?

Dans cette maison-ci, personne ne répondait directement mais, après chaque question, il y avait un temps mort, comme si les interpellés avaient besoin de se répéter la question deux ou trois fois avant de la comprendre.

— La visite de qui ?

— Ne faites pas l'idiot, monsieur Joseph. Au fait, quel est votre nom véritable ?

— Joseph Goldman. On vous l'a dit hier quand on nous a présentés.

— Quelle était votre profession avant d'entrer au service de Fumal ?

— J'ai été huissier pendant vingt-deux ans. Quant à être à son service, ce n'est pas tout à fait exact. Vous parlez de moi comme d'un domestique ou d'un employé. Or, j'étais en réalité un ami, un conseiller.

— Vous voulez dire que vous vous appliquiez à rendre ses canailleries plus ou moins légales ?

— Attention, monsieur le commissaire. Il y a des témoins.

— Et alors ?

— Je pourrais vous demander compte des paroles imprudentes que vous prononcez.

— Que savez-vous de la visite de Gaillardin ?

Le petit vieux pinça les lèvres, qu'il avait déjà d'une minceur remarquable.

— Rien.

— Je suppose que vous ne savez rien non plus d'une certaine Martine qui habite la rue de l'Étoile et qui possède probablement, comme vous, une clef de la petite porte ?

— Je ne m'occupe jamais des femmes.

Il y avait une heure et demie à peine que Maigret était dans la maison et déjà il avait l'impression d'étouffer, il avait hâte de se retrouver dehors, à respirer le grand air, tout humide fût-il.

— Je vous prierai de rester ici.

— Je n'ai pas le droit de me rendre rue Rambuteau ? On m'y attend pour des décisions importantes. Vous semblez perdre de vue que nous assurons, pour un huitième au moins, le ravitaillement en viande de Paris et que...

— Un de mes inspecteurs vous accompagnera.

— Ce qui signifie ?

— Rien, monsieur Joseph. Absolument rien !

Maigret était à cran. Les gens du Parquet achevaient, dans le grand salon, de rédiger les procès-verbaux. Le juge Planche demanda au commissaire :

— Vous êtes monté la voir ?

Il parlait évidemment de Mme Fumal.

— Pas encore.

Il fallait qu'il y aille. Il fallait aussi interroger Félix et les autres domestiques. Il fallait retrouver Roger Gaillardin et questionner cette Martine Gilloux qui avait peut-être une clef de la petite porte.

Il fallait enfin rechercher, aussi bien dans les bureaux de la rue Rambuteau que dans ceux de La Villette, tous les témoignages susceptibles de...

Maigret était découragé d'avance. Il se sentait mal parti. Fumal était venu réclamer sa protection. Le commissaire ne l'avait pas cru et Fumal avait été tué d'une balle dans le dos. Tout à l'heure, sans doute, le ministre de l'Intérieur téléphonerait au directeur de la P.J.

Ce n'était pas assez de l'Anglaise qui s'était volatilisée.

Louise Bourges le regardait, de loin, avec l'air de chercher à deviner ce qu'il pensait et, justement, il pensait à elle, se demandant si elle avait vraiment vu son patron écrire un des billets anonymes.

Sinon, cela changeait tout.

4

La femme saoule et le photographe aux pas feutrés

Près de trente ans plus tôt, quand Maigret, jeune marié, était encore secrétaire du commissariat Rochechouart, il arrivait à sa femme de venir le chercher au bureau, à midi. Tous les deux se contentaient d'un repas rapide afin de marcher le long des rues et des boulevards et Maigret se souvenait être venu ainsi, au printemps, dans ce même parc Monceau qu'il voyait maintenant en noir et blanc sous les fenêtres.

Il y avait plus de nounous, alors, qu'à présent, presque toutes en uniforme pimpant. Les landaus des bébés donnaient une impression de luxe douillet et les chaises de fer, dans les allées, étaient fraîchement peintes en jaune, une vieille dame au chapeau garni de violettes donnait du pain aux oiseaux.

— Quand je serai commissaire... avait-il plaisanté.

Et tous les deux regardaient, autour des grilles dont les fers de lance dorés brillaient dans le soleil, les immeubles cossus d'alentour, les fenêtres derrière lesquelles ils imaginaient une existence élégante et harmonieuse.

Si quelqu'un, à Paris, avait acquis l'expérience des réalités brutales, si quelqu'un, jour après jour, était à même de découvrir la vérité cachée sous les apparences, c'était bien lui, et pourtant il ne s'était jamais résigné tout à fait à ne plus croire à certaines images de son enfance ou de son adolescence.

N'avait-il pas dit une fois qu'il aurait voulu être « raccommodeur de destinées », tant il éprouvait de désir de remettre les gens à leur vraie place, à celle qui aurait été la leur si le monde avait ressemblé au monde des images d'Épinal ?

Probablement, dans huit sur dix des maisons encore somptueuses qui entouraient le parc, y avait-il plus de drames que d'harmonie. Rarement, toutefois, il lui avait été donné de respirer une atmosphère aussi pénible qu'entre ces murs-ci. Tout semblait faux, grinçant, dès la loge du concierge-valet de chambre qui n'était ni concierge ni valet de chambre mais, en dépit de son gilet rayé, un ancien braconnier, un meurtrier dont on avait fait un chien de garde.

Que faisait cet huissier véreux, M. Joseph, dans les pièces mansardées de l'immeuble ?

Louise Bourges elle-même ne le rassurait pas, qui rêvait d'épouser le chauffeur pour ouvrir une auberge à Giens.

L'ex-boucher de Saint-Fiacre était encore moins à sa place que quiconque et les hauts lambris, les meubles vraisemblablement achetés en même temps que l'hôtel paraissaient dépaysés comme les deux statues qui flanquaient le palier.

Ce qui, peut-être, troublait le plus le commissaire, c'était la méchanceté qu'il devinait derrière tous les faits et gestes de Fumal, car il s'était toujours refusé à croire à la méchanceté pure.

Il était passé dix heures quand il quitta le premier étage, où ses collaborateurs travaillaient toujours, pour s'engager dans l'escalier, qu'il monta lentement. Au second, aucune servante ne l'empêcha de pousser la porte du salon aux quinze ou seize fauteuils vides et il toussa pour signaler sa présence.

Personne ne vint. Rien ne bougea. Il s'avança vers une porte entrouverte qui donnait sur un salon plus petit où, sur un guéridon, traînait un plateau de petit déjeuner.

Il frappa à une troisième porte, tendit l'oreille, eut l'impression d'entendre une toux étouffée et finit par tourner le bouton.

C'était la chambre de Mme Fumal qui, dans son lit, le regardait s'avancer avec des yeux où on lisait de l'hébétude.

— Je vous demande pardon. Je n'ai pas rencontré de domestique pour m'annoncer. Je suppose qu'elles sont toutes en bas, avec mes inspecteurs.

Elle n'était ni peignée, ni lavée. Sa chemise de nuit découvrait largement une épaule et une partie de poitrine d'un blanc blafard. La veille, il aurait pu douter. A présent, il était certain de se trouver en face d'une femme qui avait bu, non seulement avant de se coucher, mais le matin même, et de forts relents d'alcool flottaient encore dans la pièce.

L'épouse du boucher l'observait toujours d'une façon indéfinissable, comme si, encore que pas tout à fait rassurée, elle n'en éprouvait pas moins un certain soulagement, voire une sourde gaieté.

— Je suppose qu'on vous a mise au courant ?

Elle fit oui de la tête et ce n'était pas de chagrin que ses yeux brillaient.

— Votre mari est mort. Quelqu'un l'a tué.

Alors, d'une voix un peu cassée, elle prononça :

— J'ai toujours pensé que cela finirait comme ça.

Et elle eut un petit rire, plus ivre encore qu'il l'avait cru en entrant.

— Vous vous attendiez à un meurtre ?

— Avec lui, je m'attendais à tout.

Elle désigna le lit en désordre, la chambre non rangée autour d'elle, balbutia :

— Je vous demande pardon...

— Vous n'avez pas eu la curiosité de descendre ?

— Pour quoi faire ?

Soudain son regard se fit plus aigu.

— Il est vraiment mort, n'est-ce pas ?

Comme il faisait oui de la tête, elle glissa la main sous les couvertures, en tira une bouteille d'alcool et porta le goulot à ses lèvres.

— A sa santé ! plaisanta-t-elle.

Cependant, même mort, Fumal continuait à lui faire peur, car elle guettait la porte avec crainte, demandait à Maigret :

— Il est toujours dans la maison ?

— On vient de l'emporter à l'Institut Médico-Légal.

— Que va-t-on lui faire ?

— L'autopsie.

Est-ce d'apprendre qu'on allait tailler dans le corps de son mari qui la fit sourire d'un sourire malicieux ? Cela constituait-il à ses yeux une sorte de vengeance, de compensation pour tout ce qu'elle avait souffert avec lui ?

Elle avait dû être une jeune fille, une femme comme les autres. Quelle existence Fumal lui avait-il faite pour la mettre dans un état aussi lamentable ?

Maigret avait rencontré des épaves comme elle, mais c'était presque toujours dans des décors sordides, dans des quartiers miteux, et la misère était invariablement à la base de leur dégradation.

— Il est venu vous voir, hier soir ?

— Qui ?

— Votre mari.

Elle secoua négativement la tête.

— Il venait parfois ?

— Parfois, oui, mais j'aurais préféré ne pas le voir.

— Vous n'êtes pas descendue dans son bureau ?

— Je ne descendais jamais dans son bureau. C'est dans son bureau qu'il a vu mon père pour la dernière fois et, trois heures plus tard, on trouvait mon père pendu.

Il semblait que c'était là le vice de Fumal : ruiner les autres, non seulement ceux qui se trouvaient sur son chemin ou qui lui portaient ombrage, mais ruiner n'importe qui, pour affirmer sa puissance, pour s'en persuader lui-même.

— Vous ne savez pas quelles visites il a reçues la nuit dernière ?

Plus tard, il faudrait que Maigret charge un inspecteur de fouiller l'appartement. Cela lui répugnait de le faire lui-même. Or, c'était nécessaire. Rien ne prouvait que cette femme-là ne s'était pas enfin donné le courage d'aller tuer son mari et il n'était pas impossible qu'on retrouve l'arme chez elle.

— Je ne sais pas... Je ne veux plus rien savoir... Savez-vous ce que je veux ?... Rester toute seule et...

Maigret n'avait pas entendu. Toujours debout non loin du lit, il avait vu le regard de Mme Fumal se fixer sur un point derrière lui. Il y eut un éclair de « flash » et, au même moment, la femme, rejetant ses couvertures, s'élançait, avec une énergie insoupçonnée, vers le photographe qui, sans bruit, était venu s'encadrer dans la porte.

Il tenta de battre en retraite, mais elle avait déjà saisi son appareil et le jetait rageusement sur le plancher, le ramassait pour le lancer de nouveau avec une force accrue.

Maigret avait reconnu le reporter d'un des journaux du soir et froncé les sourcils. Quelqu'un, il ignorait qui, avait alerté la presse qu'il allait trouver en bas au grand complet.

— Un instant... prononça-t-il avec autorité.

Ce fut son tour de ramasser l'appareil dont il retira la pellicule.

— Sortez, mon petit... dit-il au jeune homme.

Et, à Mme Fumal :

— Recouchez-vous. Je m'excuse de ce qui s'est passé. Je veillerai à ce qu'on vous laisse désormais tranquille. Il faudra néanmoins qu'un de mes hommes visite l'appartement.

Il avait hâte d'être hors de la chambre et il aurait préféré être à jamais hors de la maison. Le photographe l'attendait sur le palier.

— J'ai cru que je pouvais...

— Vous avez été un peu fort. Vos confrères sont ici ?

— Quelques-uns.

— Qui les a avertis ?

— Je ne sais pas. Il y a environ une demi-heure, mon rédacteur en chef m'a fait appeler et...

L'employé de l'Institut Médico-Légal, sans doute. Il y a ainsi, un peu partout, des gens qui sont de mèche avec les journaux.

Ils n'étaient pas quatre, mais sept ou huit, à représenter la presse, et il allait en venir d'autres.

— Que s'est-il passé au juste, commissaire ?

— Si je le savais, mes enfants, je ne serais plus ici. Je vous demande de nous laisser travailler en paix et je vous promets, si nous découvrons quelque chose...

— On peut photographier les lieux ?

— Faites vite.

Il y avait trop de gens à questionner pour les emmener Quai des Orfèvres. On disposait ici d'un grand appartement vide. Lapointe était déjà au travail ainsi que Bonfils, et Torrence venait d'arriver en compagnie de Lesueur.

C'est Torrence qu'il chargea de fouiller l'appartement du second étage, tandis qu'il envoyait Bonfils dans le logement de M. Joseph. Celui-ci n'était pas encore revenu de la rue Rambuteau.

— Quand il rentrera, questionne-le à tout hasard, mais je doute qu'il parle beaucoup.

Ces messieurs du Parquet étaient partis, la plupart des spécialistes de l'Identité Judiciaire aussi.

— Qu'on laisse monter une domestique, une seule, Noémi, dont c'est le service, pour s'occuper de Mme Fumal, et que les autres attendent dans le salon.

Quand la sonnerie du téléphone retentit dans le bureau du mort, ce fut Louise Bourges qui décrocha tout naturellement.

— Ici, la secrétaire de M. Fumal... Oui... Mais oui, il est ici... Je vous le passe...

Elle se tourna vers Maigret.

— C'est pour vous... Du Quai des Orfèvres...

— Allô, oui...

Il avait le directeur de la P.J. au bout du fil.

— Le ministre de l'Intérieur vient de me téléphoner...

— Il sait déjà ?

— Oui. Tout le monde est au courant.

Un des journalistes avait-il alerté la radio ? C'était possible.

— Furieux ?

— Ce n'est pas le mot. Plutôt embêté. Il demande à être tenu au courant de l'enquête au fur et à mesure. Vous avez une idée ?

— Aucune.

— On s'attend à ce que ça fasse du bruit tout à l'heure. Cet homme-là était encore plus important qu'il le prétendait.

— On le regrette ?

— Pourquoi demandez-vous ça ?

— Pour rien. Jusqu'ici, les gens paraissent plutôt soulagés.

— Vous mettez tout en œuvre, n'est-ce pas ?

Mais oui ! Et, pourtant, il n'avait jamais eu aussi peu envie de découvrir l'assassin. Certes, il était curieux de savoir qui s'était enfin décidé à supprimer Fumal, quel homme ou quelle femme en avait eu assez et avait risqué le tout pour le tout. Mais en voudrait-il à ce criminel-là ? N'aurait-il pas un serrement de cœur en lui passant les menottes ?

Il s'était rarement trouvé en présence d'autant d'hypothèses, toutes aussi plausibles les unes que les autres.

Il y avait Mme Fumal, évidemment, qui n'aurait eu qu'un étage à descendre pour se venger de vingt ans d'humiliations, et sans doute celle-là, en plus de sa liberté reconquise, hériterait-elle de la fortune, en tout ou en partie.

Avait-elle un amant ? A la voir, cela paraissait improbable, mais c'était un sujet sur lequel il était devenu sceptique.

M. Joseph ?

Il paraissait tout dévoué au boucher en gros dans l'ombre de qui il vivait. Dieu sait quelles saloperies ils tripotaient tous les deux. Fumal n'avait-il pas prise sur le bonhomme, comme il semblait avoir prise sur tous ceux qui le servaient ?

Même les êtres comme M. Joseph se révoltent !

Louise Bourges, la secrétaire qui était venue le trouver au Quai des Orfèvres ?

Jusqu'ici, elle était seule à prétendre que son patron avait écrit lui-même les billets anonymes.

Félix, le chauffeur, était son amant. Tous les deux avaient hâte de se marier et d'aller s'établir à Giens.

A supposer qu'elle, ou Félix, ait volé Fumal, ou tenté de l'escroquer, voire de le faire chanter ?...

Des raisons de tuer, chacun semblait en avoir dans cette affaire-là, y compris Victor, l'ancien braconnier, à qui son patron tenait la laisse serrée.

On éplucherait la vie des autres domestiques. Il y avait encore Gaillardin, qui n'était pas rentré rue François-Ier après avoir rendu visite à Fumal.

— Vous partez, patron ?

— Je reviens dans quelques minutes.

Il avait soif et éprouvait le besoin de respirer un autre air que celui de la maison.

— Si on me demande, que Lapointe prenne les messages.

Sur le palier, il dut se débarrasser des journalistes et, en bas, trouva plusieurs voitures de presse et une voiture de radio au bord du trottoir. A cause de cela, quelques passants s'étaient arrêtés et un agent en uniforme se tenait devant la porte.

Les mains dans les poches, Maigret marcha à pas rapides vers le boulevard des Batignolles où il pénétra dans le premier bistrot.

— Un demi, commanda-t-il. Et un jeton.

C'était pour téléphoner à sa femme.

— Je ne rentrerai certainement pas déjeuner... Dîner ?... J'espère... Peut-être... Non ! Il n'y a rien d'embêtant...

Peut-être, en effet, le ministre, lui aussi, était-il assez content d'être débarrassé d'un ami compromettant. Il devait y en avoir d'autres à se réjouir. Les employés de la rue Rambuteau, par exemple, ceux de La Villette, et tous les gérants de boucherie à qui Fumal avait mené la vie dure.

Il ne savait pas encore, à ce moment-là, que les journaux de l'après-midi allaient écrire :

Le roi de la boucherie assassiné

Les journaux aiment bien le mot « roi », comme le mot « milliardaire ». Une des feuilles devait préciser qu'au dire des experts, Fumal contrôlait le dixième du commerce de boucherie à Paris et plus du quart dans certains départements du Nord.

Qui allait hériter de cet empire-là ? Mme Fumal ?

Au moment où il sortait du bistrot, Maigret vit un taxi en maraude et cela lui donna l'idée d'aller faire un tour rue François-Ier. Il y avait déjà envoyé Neveu, dont il n'avait pas de nouvelles, mais il avait envie de voir par lui-même et surtout il n'était pas fâché d'échapper pour un temps à l'écœurante atmosphère du boulevard de Courcelles.

L'immeuble était moderne, la loge presque luxueuse.

— M. Gaillardin ? Au troisième à gauche, mais je ne crois pas qu'il soit chez lui.

Maigret prit l'ascenseur, sonna. Une jeune femme en peignoir vint

lui ouvrir, ou plutôt, jusqu'à ce qu'il ait dit qui il était, ne fit
qu'entrouvrir la porte.

— Vous n'avez toujours pas de nouvelles de Roger ? questionna-
t-elle alors en l'introduisant dans un salon aussi clair qu'une pièce
pouvait l'être à Paris par ce temps-là.

— Et vous ?

— Non. Depuis que votre inspecteur est venu, je suis inquiète. Tout
à l'heure, j'ai entendu la radio...

— On a parlé de Fumal ?

— Oui.

— Vous saviez que votre mari était allé le voir hier soir ?

Elle était jolie, le corps savoureux, et ne devait guère avoir dépassé
la trentaine.

— Ce n'est pas mon mari, le reprit-elle, Roger et moi ne sommes
pas mariés.

— Je sais. J'ai employé le mot par mégarde.

— Il a une femme et deux enfants, mais ne vit pas avec eux. Voilà
des années déjà... attendez... cinq ans exactement...

— Vous êtes au courant de ses ennuis ?

— Je sais qu'il est à peu près ruiné et que c'est cet homme...

— Dites-moi, Gaillardin possède-t-il un revolver ?

Parce qu'elle avait visiblement pâli, elle ne put mentir.

— Il y en a toujours eu un dans son tiroir.

— Voulez-vous vous assurer qu'il y est encore ? Vous permettez que
je vous accompagne ?

Il la suivit dans la chambre, où elle avait évidemment dormi seule
dans un lit immense et très bas. Elle ouvrit deux ou trois tiroirs, parut
surprise, en ouvrit d'autres, de plus en plus fébrilement.

— Je ne le trouve pas.

— Je suppose qu'il ne le portait jamais sur lui ?

— Pas que je sache. Vous ne le connaissez pas ? C'est un homme
paisible, très gai, ce qu'on appelle un bon vivant.

— Vous ne vous êtes pas inquiétée en ne le voyant pas rentrer ?

Elle ne savait que répondre.

— Oui... Bien sûr... Je l'ai dit à votre inspecteur... Mais, voyez-
vous, il avait confiance... Il était sûr, au dernier moment, de trouver
l'argent... J'ai pensé qu'il était allé voir des amis, peut-être hors-ville.

— Où habite sa femme ?

— A Neuilly. Je vais vous donner son adresse.

Elle la lui écrivit sur un bout de papier. A ce moment-là, le téléphone
sonna et elle décrocha en s'excusant. La voix, à l'autre bout du fil,
était si sonore que Maigret pouvait entendre.

— Allô ! Madame Gaillardin ?

— Oui.. C'est-à-dire...

— Je suis bien au 26, rue François-Ier ?

— Oui.

— Au domicile d'un nommé Roger Gaillardin ?

Maigret aurait juré que l'interlocuteur invisible était brigadier dans quelque poste de police.

— Oui. Je vis avec lui, mais je ne suis pas sa femme.

— Voulez-vous venir au commissariat de Puteaux le plus rapidement possible ?

— Il est arrivé quelque chose ?

— Il est arrivé quelque chose, oui.

— Roger est mort ?

— Oui.

— Vous ne pouvez pas me dire ce qui s'est passé ?

— Il faudrait, avant tout, que vous reconnaissiez le corps. On a bien trouvé des papiers, mais...

Maigret fit signe à la jeune femme de lui passer le récepteur.

— Allô ! Ici, le commissaire Maigret, de la P.J. Dites-moi ce que vous savez.

— A neuf heures trente-deux, on a trouvé un homme mort sur la berge de la Seine, à trois cents mètres en aval du pont de Puteaux. A cause d'un tas de briques déchargées il y a quelques jours, les passants ne l'ont pas aperçu plus tôt. C'est un marinier qui...

— Assassiné ?

— Non. Du moins, je ne le crois pas, car il tenait encore à la main un revolver à barillet dans lequel il ne manque qu'une cartouche. Il semble qu'il s'est tiré une balle dans la tempe droite.

— Je vous remercie. Lorsque le corps aura été reconnu, envoyez-le à l'Institut Médico-Légal et faites porter au Quai des Orfèvres le contenu des poches. La personne qui vous a répondu tout à l'heure se rendra là-bas.

Maigret raccrocha.

— Il s'est tiré une balle dans la tête, dit-il.

— J'ai entendu.

— Sa femme a le téléphone ?

— Oui.

Elle lui donna le numéro, qu'il composa sur le cadran.

— Allô ! Madame Gaillardin ?

— Ici, c'est la bonne.

— Mme Gaillardin n'est pas chez elle ?

— Elle est partie avant-hier pour la Côte d'Azur avec les enfants. Qui est à l'appareil ? C'est monsieur ?

— Non. La police. Je désirerais un renseignement. Vous étiez dans l'appartement hier au soir ?

— Bien sûr.

— Est-ce que M. Gaillardin y est allé ?

— Pourquoi ?

— Je vous prie de répondre.

— C'est oui.

— A quelle heure ?

— J'étais couchée. Il était plus de dix heures et demie.

— Qu'est-ce qu'il voulait ?

— Parler à madame.

— Cela lui arrivait souvent de lui rendre visite le soir ?

— Pas le soir, non.

— Le jour ?

— Il venait voir les enfants.

— Mais, hier, il voulait parler à sa femme ?

— Oui. Il a paru surpris qu'elle soit partie.

— Il est resté longtemps ?

— Non.

— Il paraissait surexcité ?

— Sûrement fatigué. Même que je lui ai proposé un verre de cognac.

— Il l'a bu ?

— D'un trait.

Maigret raccrocha, se tourna vers la jeune femme.

— Vous pouvez aller à Puteaux.

— Vous ne m'accompagnez pas ?

— Pas maintenant. J'aurai sans doute l'occasion de vous revoir.

En résumé, Gaillardin avait quitté la rue François-Ier, la veille, en emportant son revolver. Il s'était rendu d'abord boulevard de Courcelles. Espérait-il que Fumal lui accorderait un répit ? Comptait-il sur quelque argument pour le fléchir ?

Il ne devait pas avoir réussi. Un peu plus tard, il sonnait à l'appartement de sa femme, à Neuilly, et n'y trouvait que la bonne. L'appartement était proche de la Seine. A trois cents mètres, c'était le pont de Puteaux, qu'il avait franchi.

Avait-il erré longtemps sur les quais avant de se tirer une balle dans la tête ?

Maigret entra dans un bar assez élégant et grommela :

— Un demi et un jeton.

C'était pour appeler l'Institut Médico-Légal.

— Ici, Maigret. Le docteur Paul est arrivé ?... Comment ?... Maigret, oui... Il est toujours occupé ?... Demandez-lui s'il a retrouvé la balle... Un instant... S'il l'a retrouvée, voyez si c'est une balle de revolver ou une balle d'automatique...

Il entendit des allées et venues, des voix à l'autre bout du fil.

— Allô... Le commissaire ?... Il paraît que c'est une balle d'automatique... Elle s'est logée dans...

Peu lui importait où la balle qui avait tué Fumal s'était logée.

A moins de supposer que Roger Gaillardin ait eu deux armes sur lui ce soir-là, ce n'était pas lui qui avait tué l'homme des boucheries.

Quand il traversa le palier du premier étage, boulevard de Courcelles, il fut à nouveau assailli par les journalistes et, pour s'en débarrasser, les mit au courant de la découverte faite sur le quai, à Puteaux.

Les inspecteurs, dans les différentes pièces, étaient toujours occupés à interroger la secrétaire et les domestiques. Il n'y avait que Torrence à ne rien faire. Il semblait attendre le commissaire avec impatience et il l'attira tout de suite dans un coin.

— J'ai découvert quelque chose, là-haut, patron, dit-il à voix basse.

— L'arme ?

— Non. Vous voulez venir avec moi ?

Ils atteignirent le second étage, pénétrèrent dans le salon aux nombreux fauteuils et au piano qui ne devait jamais servir.

— Dans la chambre de Mme Fumal ?

Torrence, mystérieux, secouait la tête.

— L'appartement est immense, murmura-t-il. Vous allez voir.

En homme qui connaît les lieux, il désignait à Maigret les différentes pièces, sans s'inquiéter de Mme Fumal toujours dans son lit.

— Je ne lui ai encore parlé de rien. Je crois préférable que ce soit vous. Par ici...

Ils traversèrent une chambre à coucher vide, puis une autre, et il était évident qu'elles n'avaient pas servi depuis longtemps. Une salle de bains était désaffectée aussi et on y avait rangé des seaux et des balais.

A gauche d'un couloir, une pièce assez spacieuse était encombrée de meubles empilés, de malles, de valises poussiéreuses.

Tout au fond du couloir, enfin, Torrence ouvrait la porte d'une pièce plus petite que les autres, étroite, avec une seule fenêtre donnant sur la cour. Elle était meublée, comme une chambre de bonne, d'un divan recouvert de reps rouge, d'une table, de deux chaises et d'une armoire bon marché.

L'inspecteur, une petite flamme de triomphe dans les yeux, désignait un cendrier-réclame dans lequel on voyait deux mégots.

— Sentez, patron. J'ignore ce que Moers en dira, mais je jurerais que ces cigarettes-là n'ont pas été fumées il y a longtemps. Hier, sans doute. Peut-être même ce matin. Quand je suis entré, la pièce sentait encore le tabac.

— Tu as regardé dans l'armoire ?

— Il n'y a rien que deux couvertures. Maintenant, montez sur la chaise. Attention, car elle n'est pas solide.

Maigret savait, par expérience, que la plupart des gens qui veulent cacher un objet le posent au-dessus d'une armoire ou d'une garde-robe.

Ce qui se trouvait là-haut, sur une couche épaisse de poussière, c'était un rasoir, un paquet de lames et un tube de crème à raser.

— Qu'est-ce que vous en dites ?

— Tu n'en as pas parlé aux domestiques ?

— J'ai préféré vous attendre.

— Retourne dans le salon.

Quant à lui, il frappa à la porte de la chambre à coucher. On ne lui répondit pas mais, quand il poussa l'huis, il trouva le regard de Mme Fumal braqué sur lui.

— Qu'est-ce que vous voulez encore ? On ne peut pas me laisser dormir ?

Elle n'était ni mieux, ni plus mal, que le matin et, si elle avait encore bu, cela ne se remarquait guère.

— Je suis désolé de vous importuner, mais il faut que je fasse mon métier et j'ai quelques questions à vous poser.

Elle l'observait toujours, sourcils froncés, comme si elle cherchait à deviner la suite.

— Je crois, n'est-ce pas ? que tous les domestiques couchent dans les chambres situées au-dessus du garage ?

— Oui. Pourquoi ?

— Vous fumez ?

Elle hésita, n'eut pas le temps de mentir.

— Non.

— C'est toujours dans cette chambre que vous dormez ?

— Que voulez-vous dire ?

— Je suppose aussi que votre mari ne venait jamais coucher dans votre appartement ?

Cette fois, il était clair qu'elle avait compris et, abandonnant son attitude défensive, elle s'affaissa davantage dans les draps.

— Il est encore là ? questionna-t-elle à mi-voix.

— Non. J'ai tout lieu de croire qu'il y a passé au moins une partie de la nuit.

— C'est possible. J'ignore quand il est parti. Il va et vient...

— Qui est-ce ?

Elle parut surprise. Elle avait dû croire qu'il en savait davantage et, maintenant, semblait regretter d'avoir trop parlé.

— On ne vous l'a pas dit ?

— Qui aurait pu me renseigner ?

— Noémi... Ou Germaine... Elles savent toutes les deux... Même que Noémi...

Un sourire étrange flotta sur ses lèvres.

— C'est votre amant ?

Alors, elle éclata de rire, d'un rire rauque qui devait lui faire mal.

— Vous me voyez avec un amant ? Vous vous figurez donc qu'un homme voudrait encore de moi ? M'avez-vous regardée, commissaire ? Est-ce que vous voulez voir ce que...

Sa main se crispait au drap du lit comme pour le rabattre et Maigret craignit un instant qu'elle lui montre sa nudité.

— Mon amant !... répétait-elle. Non, commissaire. Je n'ai pas d'amant. Il y a longtemps que je...

Elle se rendait compte qu'elle se trahissait.

— J'en ai eu, c'est vrai. Et Ferdinand l'a su. Et, toute ma vie, il me l'a fait payer. Avec lui, il faut tout payer, tout. Vous comprenez ? Mais mon frère, lui, ne lui a jamais rien fait, sinon d'être le fils de mon père et d'être mon frère.

— C'est votre frère qui a couché dans la pièce du fond ?

— Oui. Cela lui arrive souvent, plusieurs fois par semaine. Quand il est capable de venir jusqu'ici.

— Qu'est-ce qu'il fait ?

Elle le regarda durement dans les yeux, avec une sorte de colère rentrée.

— Il boit ! lança-t-elle. Comme moi ! Il ne lui reste rien d'autre à faire. Il avait de l'argent, une femme, des enfants...

— Votre mari l'a ruiné ?

— Il lui a pris jusqu'à son dernier centime. Cependant, si vous vous imaginez que c'est mon frère qui l'a tué, vous vous trompez. Il n'est même plus capable de ça. Pas plus que moi.

— Où est-il en ce moment ?

Elle haussa les épaules.

— Quelque part où il y a un bistrot. Il n'est plus jeune. Il a cinquante-deux ans et en paraît au moins soixante-cinq. Ses enfants, qui sont mariés, refusent de le voir. Sa femme travaille dans une usine, à Limoges.

Sa main cherchait la bouteille.

— C'est Victor qui l'introduisait dans la maison ?

— Si Victor l'avait su, il serait allé le dire à mon mari.

— Votre frère avait une clef ?

— Noémi lui en a fait faire une.

— Quel est le nom de votre frère ?

— Émile... Émile Lentin... Je ne peux pas vous dire où vous le trouverez. Quand il apprendra par les journaux que Fumal est mort, il n'osera sans doute pas venir. Dans ce cas, vous finirez par le ramasser sur les quais ou à l'Armée du Salut.

Elle lui lança un nouveau regard de défi et, la bouche amère, se mit à boire au goulot.

5

La dame qui aime le coin du feu et la demoiselle qui aime manger

Il n'eut pas besoin de dire qui il était, ni de montrer sa médaille. Au milieu de la porte, à hauteur de visage, une lentille de verre permettait, de l'intérieur, d'observer la personne qui sonnait. Or, la porte s'ouvrit tout de suite et une voix prononça avec ravissement :

— Monsieur Maigret !

Il reconnut, lui aussi, la femme qui lui ouvrait la porte et le faisait entrer dans une pièce surchauffée par un radiateur à gaz. Elle devait bien avoir soixante ans à présent, mais elle avait à peine changé depuis l'époque où Maigret l'avait tirée d'un mauvais pas alors qu'elle tenait, rue Notre-Dame-de-Lorette, une discrète maison de rendez-vous.

Il ne s'attendait pas à la retrouver à la tête de cet hôtel meublé de la rue de l'Étoile dont la plaque annonçait : « Luxueux studios au mois et à la semaine. »

Ce n'était pas un hôtel à proprement parler. Le bureau n'était pas un bureau non plus, mais une pièce intime, aux fauteuils douillets, aux coussins de soie sur lesquels deux ou trois chats persans ronronnaient.

Le cheveu plus rare, toujours d'un blond oxygéné, le visage et le corps grassouillets, la chair un peu cireuse, Rose questionnait :

— Pour qui êtes-vous ici ?

Elle débarrassait un des fauteuils, émue, car elle avait toujours gardé un béguin pour le commissaire qu'elle allait voir Quai des Orfèvres chaque fois que, jadis, elle avait un ennui.

— Vous avez ici une Martine Gilloux ?

Il était midi. Les journaux n'avaient pas encore annoncé la mort de Fumal. Un peu lâchement, lui semblait-il, Maigret avait laissé ses collaborateurs travailler dans l'atmosphère déprimante du boulevard de Courcelles, s'en échappant lui-même pour la seconde fois ce matin-là.

— Je suppose qu'elle n'a rien fait de mal ?

Elle se hâta d'ajouter :

— C'est une brave fille, tout à fait inoffensive.

— Elle est là-haut en ce moment ?

— Elle est sortie il y a peut-être un quart d'heure. Celle-là n'aime pas se coucher tard. A cette heure-ci, elle va faire son petit tour dans le quartier avant de déjeuner chez Gino ou dans un autre restaurant des Ternes.

Le petit salon ressemblait à celui de la rue Notre-Dame-de-Lorette, sauf qu'il n'y avait plus, aux murs, les gravures galantes qui, là-bas, faisaient partie de l'outillage professionnel. Il y faisait aussi chaud. Rose avait toujours été frileuse, ou plutôt avait toujours aimé la chaleur pour la chaleur, surchauffant son intérieur, s'enveloppant de déshabillés ouatinés, et il lui arrivait, l'hiver, de rester des semaines sans mettre le nez dehors.

— Il y a longtemps qu'elle habite ici ?

— Plus d'un an.

— Quel genre de fille est-ce ?

Ils parlaient le même langage, tous les deux, et se comprenaient.

— Une brave gosse qui, pendant des années, n'a pas eu de chance. Elle sort d'une famille très pauvre. Elle est née quelque part en banlieue, je ne sais plus où, mais elle m'a dit qu'elle avait longtemps eu faim et j'ai compris que ce n'était pas du chiqué.

Elle questionna à nouveau :

— Quelque chose de mauvais ?

— Je ne le pense pas.

— Moi, j'en suis sûre. Au fond, elle n'est pas très intelligente et elle essaie d'être gentille avec tout le monde. Les hommes en ont profité. Elle a connu des hauts et des bas, surtout des bas. Pendant longtemps, elle a été entre les mains d'un voyou qui la menait dur et qui, heureusement pour elle, a fini par se faire embarquer. Tout cela, c'est elle qui me l'a raconté car elle n'habitait pas ici à cette époque-là, mais quelque part du côté de Barbès. Par hasard, elle a trouvé quelqu'un qui lui a offert un studio chez moi et, depuis, elle est tranquille.

— Fumal ?

— C'est son nom, oui. Un type important dans la boucherie, qui a plusieurs autos et un chauffeur.

— Il vient souvent ?

— Il est parfois deux ou trois jours sans venir, puis on le voit tous les après-midi ou tous les soirs.

— Rien d'autre ?

— Je ne vois rien. Vous savez comment ça va. Il lui donne de quoi vivre gentiment, mais sans faire de folies. Elle a quelques jolies robes, un manteau de fourrure, deux ou trois bijoux.

— Il sort avec elle ?

— Cela lui arrive, surtout quand il dîne en ville avec des amis qui sont accompagnés.

— Martine a un autre ami ?

— Je me le suis demandé, au début. C'est rare que ces filles-là n'éprouvent pas le besoin d'avoir quelqu'un. Je l'ai questionnée adroitement. Je finis toujours par savoir ce qui se passe dans le quartier. Je peux vous affirmer qu'elle n'a personne. Cela la repose. Au fond, elle n'est pas très portée sur les hommes.

— Pas de drogue ?

— Ce n'est pas son genre.

— Qu'est-ce qu'elle fait de son temps ?

— Elle reste chez elle, à lire ou à écouter la radio. Elle dort. Elle sort pour manger, fait un petit tour et revient.

— Vous connaissez Fumal ?

— Je l'ai vu passer dans le couloir. Souvent la voiture et le chauffeur attendent devant la porte pendant qu'il est là-haut.

— Vous dites que je la trouverai chez Gino ?

— Vous connaissez ? Le petit restaurant italien…

Maigret connaissait. Le restaurant n'était pas grand, ni prétentieux en apparence, mais il était renommé pour ses pâtes, en particulier pour ses raviolis, et avait une clientèle choisie.

En arrivant, il s'arrêta d'abord au bar.

— Martine Gilloux est ici ?

Il y avait déjà une dizaine de clients et de clientes. Le barman lui désigna d'un coup d'œil une jeune femme qui déjeunait seule dans un coin.

Laissant son pardessus et son chapeau au vestiaire, Maigret se dirigea vers elle, s'arrêta, la main sur la chaise libre de l'autre côté de la table.

— Vous permettez ?

Et, comme elle le regardait sans comprendre :

— J'ai besoin de vous parler. Je suis de la police.

Il avait remarqué, devant elle, une dizaine de raviers de hors-d'œuvre.

— N'ayez pas peur. Il ne s'agit que de quelques renseignements.

— Sur qui ?

— Sur Fumal. Sur vous.

Il se tourna vers le maître d'hôtel qui s'était approché.

— Donnez-moi des hors-d'œuvre aussi, puis un spaghetti milanaise.

Enfin, à la jeune femme qui se montrait toujours inquiète, mais plus ahurie encore :

— Je viens de la rue de l'Étoile. Rose m'a dit que je vous trouverais ici. Fumal est mort.

Elle devait avoir entre vingt-cinq et vingt-huit ans, mais il y avait quelque chose de plus vieux dans son regard, de la fatigue, de l'indifférence, peut-être un manque de curiosité pour la vie. Elle était assez grande, assez forte, avec une expression douce et craintive qui faisait penser à une enfant qui a été battue.

— Vous ne le saviez pas ?

Elle secoua la tête, l'observant toujours sans savoir que penser.

— Vous l'avez vu hier ?

— Attendez... Hier... Oui... Il est venu me voir vers cinq heures...

— Comment était-il ?

— Comme d'habitude.

Un détail venait de frapper Maigret. Jusqu'ici, à la nouvelle de la mort de Fumal, ses interlocuteurs avaient plus ou moins contenu un étonnement joyeux. A tout le moins, on les sentait soulagés.

Martine Gilloux, au contraire, recevait la nouvelle gravement, avec peine peut-être, certainement avec inquiétude.

Se disait-elle que son sort allait être à nouveau remis en jeu, que c'en était fini, peut-être pour toujours, de sa tranquillité et de son confort ?

Avait-elle peur de la rue, où elle avait tant traîné ?

— Continuez à manger, lui dit-il comme on le servait à son tour.

Elle le faisait machinalement et on comprenait que manger, pour elle, était le plus grand acte de la vie, celui qui la rassurait. Sans doute mangeait-elle, depuis un an, pour effacer le souvenir ou pour venger toutes les années de jeûne.

— Qu'est-ce que vous savez de lui ? demanda-t-il doucement.

— Vous êtes sûr que vous êtes de la police ?

Pour un peu, elle aurait demandé conseil au barman ou au maître d'hôtel qui les observaient. Il tendit sa médaille.

— Commissaire Maigret, dit-il.

— J'ai déjà lu votre nom dans les journaux. C'est vous ? Je vous croyais plus gros.

— Parlez-moi de Fumal. Commençons par le commencement. Où l'avez-vous rencontré, quand, comment ?

— Il y a un peu plus d'un an.

— Où ?

— Dans une petite boîte de Montmartre, *Le Désir*. J'étais au bar. Il est entré avec des amis qui avaient bu plus que lui.

— Il ne buvait pas ?

— Je ne l'ai jamais vu ivre.

— Ensuite ?

— Il y avait d'autres filles. Un de ses amis en a appelé une. Puis un autre, un boucher, je crois, de Lille ou de quelque part dans le Nord, est venu chercher ma copine Nina. Il ne restait que lui, à leur table, à ne pas être accompagné. Alors, de loin, il m'a fait signe d'approcher. Vous savez comment ça se passe. Je voyais bien qu'il n'y tenait pas, qu'il voulait seulement faire comme les autres. Je me souviens qu'il m'a regardée et qu'il a remarqué :

» — *Tu es maigre. Toi, tu dois avoir faim.*

» C'est vrai que j'étais maigre à ce moment-là. Sans demander mon avis, il a appelé le maître d'hôtel et m'a commandé un souper complet.

» — *Mange ! Bois ! Ce n'est pas tous les soirs que tu auras la chance de rencontrer Fumal.*

» Voilà à peu près comment ça a commencé. Ses amis sont partis avant lui avec les deux autres filles. Lui m'a posé des questions sur mes parents, sur mon enfance, sur ce que je faisais. Il y en a beaucoup comme ça. Il ne me pelotait même pas.

» A la fin, il a décidé :

» — *Viens ! Je vais te conduire dans un hôtel convenable.*

— Il y a passé la nuit ? questionna Maigret.

— Non. C'était près de la place Clichy, je m'en souviens. Il a payé une semaine d'avance et, ce soir-là, n'est même pas monté. Il est revenu le lendemain.

— Il est monté, cette fois ?

— Oui. Il est resté un moment. Mais pas tant pour ce que vous croyez. Il n'était pas très fort de ce côté-là. Il m'a surtout parlé de lui, de ce qu'il faisait, de sa femme.

— Dans quels termes en parlait-il ?

— Je crois qu'il était malheureux.

Maigret en croyait à peine ses oreilles.

— Continue, murmura-t-il, la tutoyant machinalement.

— C'est difficile, vous comprenez ? Il m'a parlé de ces choses-là si souvent...

— En somme, il venait te voir pour parler de lui.

— Pas seulement...

— Mais surtout ?

— Peut-être. Il paraît qu'il a beaucoup travaillé, plus que n'importe qui au monde, et qu'il est devenu quelqu'un de très puissant. C'est vrai ?

— *C'était* vrai, oui.

— Il me disait des choses comme :

» — *A quoi cela me sert-il ? Les gens ne s'en rendent pas compte et me prennent pour une brute. Ma femme est folle. Mes domestiques, mes employés ne pensent qu'à me voler. Quand j'entre dans un restaurant chic, je devine les gens qui murmurent :*

» — *Tiens ! Voilà le boucher !*

On apportait des spaghettis pour Maigret, des raviolis pour Martine Gilloux, qui avait un *fiasco* de chianti devant elle.

— Vous permettez ?

Ses préoccupations ne l'empêchaient pas de manger avec appétit.

— Il a dit que sa femme était folle ?

— Et aussi qu'elle le détestait. Il a acheté le château du village où il est né. C'est vrai également ?

— C'est vrai.

— Moi, vous savez, je n'y attachais pas d'importance. Je me disais qu'il y avait sans doute dans tout ça une part de vantardise. Les paysans, là-bas, continuent à l'appeler le Boucher. Il a acheté un hôtel particulier boulevard de Courcelles et il prétendait que cela n'avait pas l'air d'une maison, mais d'un hall de gare.

— Tu y es allée ?

— Oui.

— Tu as la clef ?

— Non. Je n'y suis allée que deux fois. La première parce qu'il voulait me montrer où il vivait. C'était le soir. Nous sommes montés au premier étage. J'ai vu le grand salon, son bureau, sa chambre, la salle à manger, puis d'autres pièces plus ou moins vides, et c'est vrai que cela n'avait pas l'air d'une vraie maison.

» — *En haut,* m'a-t-il dit, *c'est la folle ! Elle doit être sur le palier à nous épier.*

» Je lui ai demandé si elle était jalouse et il m'a répondu que non, qu'elle l'espionnait pour l'espionner, que c'était sa manie. Est-ce exact qu'elle boit ?

— Oui.

— Dans ce cas, vous voyez, presque tout ce qu'il m'a dit est vrai. Aussi qu'il entrait chez les ministres sans se faire annoncer ?

— C'est à peine exagéré.

N'y avait-il pas une certaine ironie dans les relations de Fumal et de Martine ? Pendant plus d'un an, elle avait été sa maîtresse. Il ne l'avait prise, en somme, et il ne la gardait que pour avoir quelqu'un devant qui parader et se plaindre tout ensemble.

Certains hommes, quand ils en ont trop gros sur le cœur, ramassent une prostituée dans la rue rien que pour faire leurs confidences.

Fumal s'était payé une confidente personnelle, exclusive, qu'il avait confortablement installée rue de l'Étoile et qui n'avait rien d'autre à faire qu'attendre son bon plaisir.

Or, au fond, elle ne l'avait jamais cru. Non seulement elle ne l'avait pas cru, mais elle ne s'était même pas demandé si ce qu'il lui racontait était vrai ou faux.

Cela lui était égal !

Maintenant qu'il était mort, elle était intimidée en apprenant qu'il avait réellement été l'homme important qu'il voulait paraître.

— Il n'était pas inquiet, ces derniers temps ?

— Que voulez-vous dire ?

— Il ne craignait pas pour sa vie ? Il ne parlait pas de ses ennemis ?

— Il m'a souvent répété qu'on ne peut pas devenir puissant sans se faire des quantités d'ennemis. Il disait :

» — *Au fond, ils me lèchent les mains comme des chiens, mais ils me détestent tous et ne seront jamais aussi heureux que le jour où je crèverai.*

» Il ajoutait :

» — *Toi aussi, d'ailleurs. Ou, plutôt, tu serais contente, si je te laissais quelque chose. Mais je ne te laisserai rien. Que je disparaisse, ou que je te laisse tomber, et tu retourneras à ton ruisseau.*

Elle n'en était pas choquée. Elle en avait trop vu avant lui. Il lui avait apporté des mois de sécurité et cela lui avait suffi.

— Que lui est-il arrivé ? questionna-t-elle à son tour. Le cœur ?

— Il souffrait du cœur ?

— Je ne sais pas. Quand les gens meurent brusquement, on a l'habitude de dire...

— Il a été assassiné.

Elle cessa de manger, si impressionnée qu'elle en gardait la bouche ouverte. Il fallut un bout de temps pour qu'elle demande :

— Où ? Quand ?

— Hier soir. Chez lui.

— Qui est-ce qui a fait ça ?

— C'est ce que je cherche à savoir.

— Comment s'y est-on pris ?

— Une balle de revolver.

Pour la première fois de sa vie, sans doute, elle n'avait plus faim et elle repoussait son assiette, tendait la main vers son verre qu'elle vidait d'un trait.

— C'est bien ma chance... l'entendit-il murmurer.

— Il ne t'a jamais parlé d'un M. Joseph ?

— Un petit vieux ?

— Oui.

— Il l'appelait le Voleur. Il paraît qu'il a vraiment volé. Ferdinand aurait pu le faire mettre en prison. Il a préféré le garder à son service en disant qu'on est mieux servi par des crapules que par des honnêtes gens. Il l'a même installé dans la mansarde pour l'avoir toujours à portée de la main.

— Et sa secrétaire ?

— Mlle Louise ?

Ainsi, Fumal avait réellement fait à sa maîtresse des confidences détaillées.

— Qu'est-ce qu'il en pensait ?

— Qu'elle était froide, ambitieuse, avare, et qu'elle ne le servait que pour mettre de l'argent de côté.

— C'est tout ?

— Non. Il s'est passé quelque chose avec elle. Elle vous l'a dit ?

— Parle.

— Tant pis ! Maintenant qu'il est mort...

Elle regarda autour d'elle et parla plus bas, par crainte que le maître d'hôtel l'entende.

— Un jour, au bureau, il a fait comme s'il avait des idées sur elle, s'est mis à la peloter, puis il lui a commandé :

» — *Déshabille-toi.*

— Elle a obéi ? s'étonna Maigret.

— Il prétend que oui. Il ne l'a même pas emmenée dans sa chambre. Il restait debout près de la fenêtre pendant qu'elle se mettait nue, à la regarder d'un œil ironique. Quand elle n'a plus rien eu sur le corps, il lui a demandé :

» — *Tu es vierge ?*

— Qu'a-t-elle répondu ?

— Rien. Elle a rougi. Et lui, un peu plus tard, a grommelé :

» — *Tu n'es pas vierge. Ça suffit ! Rhabille-toi !*

» Sur le moment, je n'ai pas cru cette histoire-là. J'ai subi des affronts, moi aussi. Seulement, je n'ai reçu ni instruction, ni éducation. Les hommes savent qu'avec moi ils peuvent tout se permettre. Mais une fille comme elle...

» S'il n'a pas menti, il l'a regardée se rhabiller, lui a désigné sa chaise, son bloc de sténo et s'est mis à lui dicter du courrier...

— Tu n'as pas d'amant ? questionna Maigret à brûle-pourpoint.

Elle dit non, vivement, mais, en même temps, elle eut un regard vers le barman.

— C'est lui ?

— Non.

— Tu en es amoureuse ?

— Pas amoureuse.

— Tu le serais devenue facilement, non ?

— Je ne sais pas. Il ne s'occupe pas de moi.

Il commanda du café, demanda à Martine :

— Pas de dessert ?

— Pas aujourd'hui. Je suis si barbouillée que je vais me coucher. Vous n'avez plus besoin de moi ?

— Non. Laisse. Je m'occupe de l'addition. Jusqu'à nouvel ordre, tu ne quitteras pas la rue de l'Étoile.

— Même pour manger ?

— Seulement pour manger.

Les inspecteurs avaient dîné dans un petit restaurant normand qu'ils avaient déniché près du boulevard de Courcelles et s'étaient déjà remis au travail quand Maigret arriva.

Il y avait quelques nouvelles sans grande importance. Il était confirmé que Roger Gaillardin s'était suicidé et que le revolver ne lui avait pas été glissé dans la main après sa mort. C'était bien l'arme qu'il gardait dans l'appartement de la rue François-Iᵉʳ.

L'expert armurier affirmait aussi que l'automatique trouvé dans la chambre de Fumal n'avait pas servi depuis des mois, probablement depuis des années.

Lucas était revenu avec M. Joseph de la rue Rambuteau où régnait la pagaille.

— Il n'y a personne pour donner des instructions et personne ne sait ce que l'affaire va devenir. Fumal avait horreur de déléguer son autorité à qui que ce soit, dirigeant tout par lui-même, survenant aux moments les plus inattendus, et ses employés vivaient dans la crainte perpétuelle. Il n'y a, paraît-il, que M. Joseph à être au courant des affaires, mais il n'a aucun pouvoir légal et est aussi détesté que l'était son patron.

Les journaux, qui venaient de sortir, confirmaient cet état de chose. Presque tous avaient le même titre :

Le roi de la boucherie assassiné

Un homme peu connu du grand public, expliquait-on, *mais qui n'en jouait pas moins un rôle considérable...*

On publiait la liste des sociétés qu'il avait fondées, des filiales, des sous-filiales constituant un véritable empire.

On rappelait — ce que Maigret ignorait — que, cinq ans plus tôt, cet empire avait failli s'écrouler quand le fisc avait fourré son nez dans les affaires de Fumal. Le scandale avait été évité, bien que, dans les milieux renseignés, on eût parlé d'une fraude de plus d'un milliard.

Comment l'affaire avait-elle été étouffée ? Les journaux ne le disaient pas, laissaient entendre que l'ancien boucher de Saint-Fiacre jouissait de hautes protections.

Une des feuilles questionnait :

Sa mort va-t-elle rouvrir le dossier ?

Des gens, en tout cas, devaient, cet après-midi-là, se sentir mal à l'aise, y compris le ministre qui avait téléphoné à la P.J.

Ce que les journaux ignoraient encore, ce qu'ils apprendraient peut-être, c'est que, la veille, le même Fumal avait demandé à la police de le protéger.

Maigret avait-il fait tout ce qui était en son pouvoir ?

Il avait envoyé un inspecteur garder l'immeuble du boulevard de Courcelles, ce qui est la routine en pareil cas. Il s'était dérangé pour jeter un coup d'œil sur les lieux et il avait chargé Lapointe, dès le lendemain, de suivre Fumal dans ses déplacements. On allait poursuivre l'enquête quand...

Il n'avait pas commis de faute professionnelle. Il n'en était pas moins mécontent de lui-même. Et, d'abord, ne s'était-il pas laissé influencer dans son jugement par des souvenirs d'enfance, en particulier par le geste que le père de Fumal avait eu à l'égard de son propre père ?

Il n'avait accordé, à l'homme venu le voir avec une recommandation du ministre de l'Intérieur, aucune sympathie.

Quand Louise Bourges, la secrétaire, s'était présentée, au contraire, il n'avait pas douté de la parole de celle-ci.

Il était persuadé que l'histoire que Martine venait de lui raconter au restaurant était vraie. Ferdinand Fumal était l'homme à humilier une femme de façon écœurante. Or, c'était vrai aussi que la secrétaire n'avait que mépris pour lui, ou que haine, et que, si elle restait à son service, c'était dans l'idée d'épouser Félix et d'avoir assez d'argent à eux deux pour s'acheter une auberge à Giens.

Se contentait-elle de l'argent qu'elle gagnait ? N'avait-elle pas, au côté de Fumal, et se trouvant dans le secret de ses affaires, d'autres moyens de s'en procurer ?

L'homme disait à sa maîtresse :

— *Ils ne pensent tous qu'à me voler...*

Avait-il tellement tort ? Jusqu'ici, Maigret n'avait rencontré personne ayant manifesté pour lui quelque sympathie. Tous restaient à son service à contrecœur.

De son côté, Fumal ne faisait rien pour être aimé. Au contraire, on aurait dit qu'il avait un malin plaisir, une volupté secrète à provoquer la haine.

Cette haine-là, ce n'était pas depuis quelques jours, ni depuis quelques semaines, pas même depuis quelques années qu'il la sentait autour de lui.

Pourquoi, la veille seulement, s'était-il inquiété au point de demander la protection de la police ?

Pourquoi — si la secrétaire ne mentait pas — s'était-il donné la peine de s'envoyer des menaces anonymes ?

S'était-il découvert, soudain, un ennemi plus dangereux que les autres ? Ou bien avait-il donné à quelqu'un des raisons pressantes de le supprimer ?

C'était une possibilité. Moers étudiait, non seulement les billets, mais des spécimens de l'écriture de Fumal et de Louise Bourges. Il avait fait appel, pour l'aider, à un des meilleurs experts de Paris.

Du bureau du boulevard de Courcelles, Maigret, lourd et toujours maussade, appela le laboratoire.

— Moers ?... Tu obtiens des résultats ?...

Il les imaginait là-haut, sous le toit du Palais de Justice, travaillant sous la lampe, projetant sur à un des documents sur un écran.

Moers, d'une voix monotone, faisait son rapport, confirmait que, sur toutes les lettres de menaces sauf une, on ne trouvait que les empreintes de Fumal. Celles de Maigret et de Lucas. Sur la première, on avait relevé celles de Louise Bourges.

Cela semblait confirmer les dires de celle-ci, puisqu'elle prétendait avoir ouvert la première lettre, mais pas les suivantes.

D'autre part, cela ne prouvait rien, car elle était assez intelligente, si elle avait écrit les billets, pour le faire les mains gantées.

— L'écriture ?

— Nous sommes toujours en train d'y travailler. A cause des caractères bâtonnets, c'est délicat. Jusqu'ici, rien n'indique que Fumal n'ait pas écrit les lettres lui-même.

On interrogeait toujours le personnel, dans la pièce voisine, on les confrontait les uns avec les autres, puis on les reprenait à part. Il y avait déjà des pages et des pages de procès-verbaux que Maigret se fit apporter et qu'il feuilleta.

Félix, le chauffeur, renforçait la déposition de Louise Bourges. C'était un homme court et râblé, noir de poil, dont le regard n'était pas sans arrogance.

Question. — Vous êtes l'amant de Mlle Bourges ?

Réponse. — Nous sommes fiancés.

Question. — Vous couchez avec elle ?

Réponse. — Elle vous le dira si cela lui plaît.

Question. — Vous passiez la plupart des nuits dans sa chambre ?

Réponse. — Si elle vous l'a dit, c'est que c'est vrai.

Question. — Quand comptiez-vous vous marier ?

Réponse. — Dès que possible.

Question. — Qu'attendiez-vous ?

Réponse. — D'avoir assez d'argent pour nous installer.

Question. — Que faisiez-vous avant d'entrer au service de M. Fumal ?

Réponse. — J'étais garçon boucher.

Question. — Comment a-t-il été amené à vous engager ?

Réponse. — Il a acheté la boucherie où je travaillais, comme il en achetait sans cesse. Il m'a remarqué et m'a demandé si je savais conduire. Je lui ai dit que c'était moi qui faisais les livraisons en camionnette.

Question. — Louise Bourges était déjà à son service ?

Réponse. — Non.

Question. — Vous ne la connaissiez pas ?

Réponse. — Non.

Question. — Votre patron circulait rarement à pied dans Paris ?

Réponse. — Il avait trois voitures.

Question. — Il ne conduisait pas lui-même ?

Réponse. — Non. J'allais avec lui partout.

Question. — Y compris rue de l'Étoile ?

Réponse. — Oui.

Question. — Vous saviez qui il allait voir ?

Réponse. — Sa poule.

Question. — Vous la connaissiez ?

Réponse. — Je l'ai conduite avec lui dans l'auto. Ils allaient parfois ensemble au restaurant ou à Montmartre.

Question. — Ces derniers temps, Fumal n'a pas essayé de vous échapper ?

Réponse. — Je ne comprends pas.

Question. — De se faire conduire quelque part puis, par exemple, de prendre un taxi pour se rendre ailleurs ?

Réponse. — Je ne m'en suis pas aperçu.

Question. — Il ne s'est jamais fait arrêter devant une papeterie, ou un marchand de journaux ? Il ne vous a pas chargé d'acheter du papier à lettres ?

Réponse. — Non.

Il y en avait des pages et des pages. A certain endroit, on lisait :

Question. — Vous le considériez comme un bon patron ?

Réponse. — Il n'existe pas de bons patrons.

Question. — Vous le détestiez ?

Pas de réponse.

Question. — Louise Bourges a-t-elle eu des rapports intimes avec lui ?

Réponse. — Tout Fumal qu'il était, je lui aurais cassé la gueule et si vous insinuez...

Question. — Il n'a pas essayé ?

Réponse. — Heureusement pour lui.

Question. — Vous le voliez ?

Réponse. — Pardon ?

Question. — Je vous demande si vous faisiez de la gratte, sur l'essence, par exemple, sur les réparations, etc.

Réponse. — On voit que vous ne le connaissiez pas.

Question. — Il était regardant ?

Réponse. — Il ne voulait pas être pris pour une poire.

Question. — De sorte que vous n'aviez que votre salaire ?

Dans un autre dossier, celui de Louise Bourges, Maigret lisait :

Question. — Votre patron n'a jamais essayé de coucher avec vous ?

Réponse. — Il avait une fille exprès pour ça.

Question. — Il n'avait plus de rapports avec sa femme ?

Réponse. — Cela ne me regarde pas.

Question. — Personne ne vous a jamais offert d'argent pour que vous l'influenciez, par exemple, ou pour que vous révéliez certaines de ses intentions ?

Réponse. — On ne l'influençait pas et il ne confiait ses intentions à personne.

Question. — Combien d'années comptiez-vous rester encore à son service ?

Réponse. — Le moins possible.

Germaine, celle des servantes qui faisait le gros nettoyage, était née à Saint-Fiacre, où son frère était encore métayer. Fumal avait racheté la ferme. Il avait racheté presque toutes les fermes qui appartenaient autrefois aux comtes de Saint-Fiacre.

Question. — Comment êtes-vous entrée à son service ?

Réponse. — J'étais veuve. Je travaillais chez mon frère. M. Fumal m'a proposé de venir à Paris.

Question. — Vous étiez heureuse ici ?

Réponse. — Quand est-ce que j'ai été heureuse ?

Question. — Vous aimiez bien votre patron ?

Réponse. — Il n'aimait personne.

Question. — Et vous ?

Réponse. — Moi, je n'ai pas le temps de me poser des questions.

Question. — Vous saviez que le frère de Mme Fumal venait souvent coucher au second étage ?

Réponse. — Ce ne sont pas mes affaires.

Question. — Vous n'avez jamais eu l'idée d'en parler à votre patron ?

Réponse. — Les histoires des patrons ne nous regardent pas.

Question. — Vous comptez rester au service de Mme Fumal ?

Réponse. — Je ferai ce que j'ai fait toute ma vie. J'irai où on voudra de moi.

La sonnerie du téléphone résonnait sur le bureau. Maigret décrocha. C'était le commissariat de la rue de Maistre, à Montmartre.

— Le type que vous cherchez est ici.

— Quel type ?

— Émile Lentin. On l'a retrouvé dans un bistrot, près de la place Clichy.

— Ivre ?

— Plutôt.

— Qu'est-ce qu'il dit ?

— Rien.

— Conduisez-le au Quai des Orfèvres. Je le verrai tout à l'heure.

On n'avait toujours pas trouvé d'arme dans la maison, ni dans les communs.

M. Joseph, assis dans un des inconfortables fauteuils Renaissance de l'antichambre, se rongeait les ongles en attendant qu'un des inspecteurs l'interroge pour la troisième fois.

6

L'homme dans le cagibi et les emprunts à la petite caisse

Il était cinq heures quand Maigret arriva Quai des Orfèvres, où les lampes étaient allumées, et cela faisait une journée de plus pendant laquelle on n'avait pas vu le soleil un instant — on n'aurait même pas pu soupçonner qu'il existait encore derrière l'épaisse couche de nuages à l'air méchant.

Sur son bureau, quelques communications attendaient, comme toujours, surtout au sujet de Mrs. Britt. Le public ne se remue pas tout de suite. On dirait qu'il se méfie d'une affaire dont les journaux commencent seulement à parler. Après deux ou trois jours, Paris commence à donner, puis la province. Pour l'Anglaise disparue, on en était déjà aux villages les plus reculés, et même aux pays étrangers.

Un des messages la signalait à Monte-Carlo, où elle aurait été vue par deux personnes, dont un croupier, à une table de jeu, et, comme cela n'était nullement improbable, le commissaire entra dans le bureau des inspecteurs pour donner des instructions à ce sujet.

Le bureau était presque vide.

— On a amené quelqu'un pour vous, patron. Étant donné son état, j'ai cru bon de le boucler dans le cagibi.

On appelait ainsi une pièce étroite, au bout du couloir, qui avait l'avantage de n'être éclairée que par une lucarne hors d'atteinte. Depuis qu'un suspect qu'on avait enfermé dans un bureau en attendant de l'interroger, s'était jeté par la fenêtre, on avait installé dans l'ancien débarras un banc peint en gris et on avait posé une solide serrure à la porte.

— Comment est-il ?

— Fin saoul. Il s'est étendu de tout son long et il dort. J'espère qu'il n'aura pas vomi.

Tout le long du chemin, dans le taxi qui le ramenait du boulevard de Courcelles, Maigret avait continué à penser à Fumal et à l'étrange façon dont il avait trouvé la mort.

C'était un homme méfiant, tous les témoignages concordaient sur ce point. C'était loin d'être un naïf. Et on pouvait lui accorder une certaine habileté dans sa façon de juger les hommes.

Il n'avait pas été tué dans son lit, ni surpris alors que, pour une raison ou une autre, il était hors de ses gardes.

On l'avait retrouvé tout habillé, dans son bureau. Il se tenait debout devant un meuble qui renfermait des dossiers quand il avait été tué à bout portant, par-derrière.

L'assassin avait-il pu entrer sans bruit, s'approcher sans éveiller sa méfiance ? C'était d'autant plus improbable qu'une grande partie du parquet n'était pas recouverte par le tapis.

Fumal le connaissait donc, le savait derrière lui et ne s'attendait pas à cette attaque.

Maigret avait jeté un coup d'œil sur les papiers qui se trouvaient dans le meuble d'acajou, pour la plupart des papiers d'affaires, des contrats, des actes de vente ou de cession auxquels il ne comprenait rien, et il avait demandé à la brigade financière de lui envoyer un spécialiste. Celui-ci était sur place, à étudier les documents un à un.

Dans un autre meuble, on avait retrouvé deux pochettes de papier à lettres semblable à celui des billets anonymes et cela aussi allait donner du travail à la police. Moers allait d'abord essayer de retrouver le fabricant. Ensuite, des inspecteurs iraient questionner tous les débitants qui vendaient cette sorte de papier.

— Le directeur ne m'a pas demandé ?

— Non, patron.

A quoi bon aller le voir maintenant ? Pour lui dire qu'il n'avait rien trouvé ? On l'avait chargé de veiller sur la vie de Fumal et Fumal était mort quelques heures plus tard. Est-ce que le ministre était furieux ? Est-ce qu'au contraire il était secrètement soulagé ?

— Tu as la clef ?

Celle du cagibi. Il se dirigea vers le fond du couloir, écouta un instant à travers la porte, n'entendit rien et l'ouvrit, aperçut un homme qui semblait très long étendu sur le banc, la tête dans ses bras repliés.

Sans être tout à fait d'un clochard, son costume était vieux, fripé, taché comme celui de quelqu'un à qui il arrive de dormir tout habillé n'importe où. Ses cheveux bruns étaient trop longs, surtout dans le cou.

Maigret lui toucha l'épaule, le secoua, et l'ivrogne finit par remuer, par grogner et enfin par se retourner presque entièrement.

— Qu'est-ce que c'est ? grommela-t-il, la voix pâteuse.

— Vous voulez un verre d'eau ?

Émile Lentin s'assit, toujours sans savoir où il était, ouvrit les yeux et regarda longuement le commissaire en se demandant pourquoi cet homme se tenait devant lui.

— Vous ne vous souvenez pas ? Vous êtes à la Police Judiciaire. Je suis le commissaire Maigret.

Petit à petit, il reprenait ses sens et l'expression de son visage changeait, devenait craintive, sournoise.

— Pourquoi m'a-t-on amené ici ?

— Vous êtes en état de comprendre ce qu'on vous dit ?

Il passa la langue sur ses lèvres sèches.

— J'ai soif.

— Venez dans mon bureau.

Il le fit passer devant lui et les jambes de Lentin étaient trop molles pour qu'il risque de s'enfuir.

— Bois toujours ça.

Maigret lui tendait un grand verre d'eau et deux comprimés d'aspirine que le frère de Mme Fumal avala docilement.

Son visage était ravagé, ses paupières rougeâtres, ses prunelles comme noyées dans du liquide.

— Je n'ai rien fait, commença-t-il sans qu'on lui demande rien. Jeanne n'a rien fait non plus.

— Asseyez-vous.

Il s'assit, hésitant, au bord d'un fauteuil.

— Depuis quand savez-vous que votre beau-frère est mort ?

Et, comme son interlocuteur le regardait sans répondre :

— Quand on vous a retrouvé à Montmartre, les journaux n'étaient pas parus. Les agents vous ont parlé ?

Il fit un effort pour se souvenir, répéta :

— Les agents... ?

— Les agents qui vous ont mis la main dessus dans le bar.

Il essaya de sourire poliment.

— Peut-être... Oui... Il y a eu quelque chose comme ça... Je vous demande pardon...

— Depuis quelle heure êtes-vous ivre ?

— Je ne sais pas... Il y a longtemps...

— Mais vous saviez que Fumal était mort ?

— Je savais que cela tournerait ainsi.

— Que quoi tournerait ainsi ?

— Qu'on me mettrait tout sur le dos.

— Vous avez couché boulevard de Courcelles ?

On sentait qu'il devait faire un effort pour suivre la pensée de Maigret et pour suivre sa propre pensée. Il devait avoir une gueule de bois terrible et la sueur lui perlait au front.

— Je suppose que vous ne me donneriez pas à boire ?... Pas beaucoup... Vous savez, juste de quoi me remonter...

C'était vrai qu'au point où il en était un petit verre d'alcool lui rendrait, pour un temps tout au moins, un certain équilibre. Il avait atteint, dans l'ivrognerie, le même point que les drogués qui souffrent le martyre quand vient l'heure de la dose habituelle.

Maigret ouvrit son placard, versa un peu de cognac dans un verre, cependant que Lentin le regardait avec une reconnaissance mêlée de stupeur. Cela devait être la première fois de sa vie que la police lui donnait à boire.

— Maintenant, vous allez essayer de répondre à mes questions d'une façon précise.

— Promis ! dit-il, déjà plus d'aplomb sur sa chaise.

— Vous avez passé la nuit ou une partie de la nuit dans l'appartement de votre sœur, comme cela vous arrive souvent.

— Chaque fois que je suis dans le quartier.

— A quelle heure avez-vous quitté le boulevard de Courcelles ?

Il regarda de nouveau Maigret avec attention, en homme qui hésite, s'efforçant de peser le pour et le contre.

— Je suppose que je fais mieux de dire la vérité ?

— Sans aucun doute.

— Il était un peu plus d'une heure du matin, peut-être deux heures. J'y étais allé en fin d'après-midi. Je me suis couché sur le divan, car j'étais très fatigué.

— Vous étiez ivre ?

— Peut-être. J'avais sûrement bu.

— Que s'est-il passé ensuite ?

— A un moment donné, Jeanne, ma sœur, m'a apporté à manger, du poulet froid. Elle ne prend presque jamais ses repas avec son mari. On lui monte son déjeuner et son dîner sur un plateau. Quand je suis là, elle demande presque toujours des plats froids, du jambon, du poulet, et elle partage avec moi.

— Vous ne savez pas quelle heure il était ?

— Non. Il y a longtemps que je n'ai plus de montre.

— Vous avez bavardé, votre sœur et vous ?

— Qu'est-ce qu'on se dirait ?

Et c'était là un des mots les plus tragiques qu'il eût été donné à Maigret d'entendre. Qu'est-ce qu'ils se seraient dit, en effet ? Ils en étaient, tous les deux, presque au même point. Ils avaient dépassé le stade où l'on remue encore des souvenirs, où on exhale ses amertumes.

— Je lui ai demandé à boire.

— Comment votre sœur se procurait-elle de la boisson ? Son mari lui en fournissait ?

— Pas assez. C'était moi qui allais lui en acheter.

— Elle avait de l'argent ?

Il soupira en regardant le placard, mais le commissaire ne lui proposa pas une nouvelle rasade.

— C'est tellement compliqué…

— Qu'est-ce qui est compliqué ?

— Tout… Toute cette vie-là… Je sais qu'on ne comprendra pas et c'est pour cela que je suis parti…

— Un instant, Lentin. Continuons à procéder par ordre. Votre sœur vous a apporté à manger. Vous lui avez demandé à boire. Vous ne savez pas quelle heure il était, mais il faisait déjà noir, n'est-ce pas ?

— Sûrement.

— Vous avez bu ensemble ?

— Juste un verre ou deux. Elle ne se sentait pas bien. Il lui arrive maintenant d'avoir des étouffements. Elle est allée se coucher.

— Ensuite ?

— Je suis resté couché et j'ai fumé des cigarettes. J'aurais bien voulu savoir l'heure. J'écoutais les bruits du boulevard où il ne passait que de rares voitures. Sans mettre mes souliers, je suis allé sur le palier et j'ai vu que la maison était dans l'obscurité.

— Quelle était votre intention ?

— J'étais sans un sou. Pas même une pièce de dix francs. Jeanne n'avait pas d'argent non plus. Fumal ne lui en donnait pas et, souvent, elle devait en emprunter aux bonnes.

— Vous vouliez demander de l'argent à votre beau-frère ?

Il rit presque.

— Bien sûr que non ! Il faut que je dise tout, bon ! Voilà ! Est-ce qu'on vous a dit comme il était méfiant ? Il se méfiait de tout le monde. Tous les meubles, dans la maison, étaient fermés à clef. Seulement, moi, j'avais découvert un truc. La secrétaire, Mlle Louise, avait toujours de l'argent dans son tiroir. Pas beaucoup. Jamais plus de cinq ou six mille francs, surtout en monnaie et en petits billets, pour acheter les timbres, payer les recommandés à la poste, donner les pourboires. C'est ce qu'ils appelaient la petite caisse.

» Alors, de temps en temps, quand j'étais raide, je descendais au bureau et prenais quelques pièces de cent francs…

— Fumal ne vous a jamais surpris ?

— Non. Je choisissais de préférence un soir où il était sorti. C'est arrivé une fois ou deux qu'il soit couché et il n'a rien entendu. Je marche comme les chats.

— Il n'était pas couché, hier ?

— En tout cas pas dans son lit.

— Que vous a-t-il dit ?

— Il ne m'a rien dit, pour la bonne raison qu'il était mort, étendu de tout son long sur le tapis.

— Vous avez pris de l'argent quand même ?

— J'ai même failli lui prendre son portefeuille. Vous voyez que je suis franc. Je me suis dit que c'est moi qu'on accuserait tôt ou tard et qu'il se passerait un bout de temps avant que je puisse revenir dans la maison.

— Il y avait de la lumière dans le bureau ?

— S'il y en avait eu, je l'aurais vue sous la porte et je ne serais pas entré.

— Vous avez tourné le commutateur ?

— Non. J'avais une lampe de poche.

— A quoi avez-vous touché ?

— D'abord, j'ai touché sa main, qui était froide. Donc, il était mort. Ensuite, j'ai ouvert le tiroir de la secrétaire.

— Vous portiez des gants ?

— Non.

Ce serait facile à contrôler. Les spécialistes avaient relevé les empreintes digitales dans les deux bureaux. Ils étaient, là-haut, occupés à les classer. Si Lentin disait vrai, on retrouverait ses empreintes sur le meuble de Mlle Bourges.

— Vous n'avez pas vu le revolver ?

— Non. Ma première idée a été de partir sans en parler à ma sœur. Puis j'ai pensé qu'il était préférable de la mettre au courant. Je suis remonté. Je l'ai réveillée. Je lui ai annoncé :

» — *Ton mari est mort...*

» Elle ne voulait pas le croire. Elle est descendue avec moi, en chemise, et j'ai éclairé le corps, qu'elle a regardé de la porte.

— Elle n'a touché à rien ?

— Elle n'est même pas entrée dans la pièce. Elle a dit :

» — *C'est vrai qu'il a l'air mort. Enfin !...*

Cela expliquerait l'absence de réactions de la femme quand Maigret lui avait parlé, le matin, de la mort de Fumal.

— Ensuite ?

— Nous sommes remontés et nous avons bu.

— Pour fêter l'événement ?

— Plus ou moins. A un moment donné, nous étions très gais tous les deux et je crois bien que nous avons ri. Je ne sais plus si c'est elle ou moi qui a remarqué :

» — *Notre père s'est pendu trop tôt...*

— L'idée ne vous est pas venue de prévenir la police ?

Lentin le regarda avec stupéfaction. Pourquoi auraient-ils prévenu la police ? Fumal était mort. Pour eux, c'était tout ce qui comptait.

— A la fin, j'ai pensé qu'il valait mieux m'en aller. Si on me trouvait dans la maison...

— Quelle heure était-il ?

— Je ne sais pas. J'ai marché jusqu'à la place Clichy et presque tous les bars étaient fermés. Au fait, je crois qu'il n'y en avait qu'un d'ouvert. J'ai bu un verre ou deux. Puis j'ai longé les boulevards jusqu'à Pigalle, je suis entré dans un autre bar et enfin j'ai dû dormir quelque part sur une banquette, mais je ne sais pas où. On m'a mis à la porte au petit jour. J'ai marché à nouveau. Même que je suis venu regarder la maison, du boulevard des Batignolles.

— Pourquoi ?

— Pour savoir comment ça se passait. Il y avait des autos devant et un agent à la porte. Je ne me suis pas approché. J'ai marché...

Ce mot-là revenait comme un *leitmotiv* et marcher était, en effet, comme s'accouder à un bar, la principale occupation de Lentin.

— Vous ne travaillez jamais ?

— Parfois je donne un coup de main aux Halles ou dans un chantier.

Il devait lui arriver aussi d'ouvrir les portières devant les hôtels, peut-être de commettre de menus vols aux étalages. Maigret ferait vérifier aux Sommiers, là-haut, s'il avait subi des condamnations.

— Vous possédez un revolver ?

— Si j'en avais possédé un, il y a longtemps que je l'aurais vendu. Il y a longtemps aussi que la police me l'aurait pris, car je ne compte pas les fois qu'on m'a emmené passer la nuit au poste.

— Votre sœur ?

— Quoi, ma sœur ?

— Elle n'avait pas d'armes ?

— Vous ne la connaissez pas. Je suis fatigué, monsieur le commissaire. Avouez que j'ai été gentil, que je vous ai dit tout ce que je savais. Si seulement vous m'en donniez encore une toute petite goutte...

Son regard était humble, suppliant.

— Une toute petite goutte ! répéta-t-il.

Il n'y avait vraisemblablement plus rien à en tirer et Maigret se dirigea vers le placard tandis que le visage de Lentin s'éclairait.

Celui-ci aussi, comme il l'avait fait pour Martine Gilloux, Maigret se mit soudain à le tutoyer.

— Tu ne regrettes pas ta femme et tes gosses ?

Le verre à la main, l'homme hésita, avala l'alcool d'un trait, murmura d'un ton de reproche :

— Pourquoi me parlez-vous de ça ? D'abord, les gosses sont grands. Il y en a deux qui sont mariés et ils ne se retourneraient pas sur moi dans la rue.

— Tu ignores qui a tué Fumal ?

— Si je le savais, j'irais lui dire merci. Et, si j'en avais eu le courage, je l'aurais fait moi-même. Je me l'étais promis, à la mort du père. Je l'avais dit à ma sœur. C'est elle qui m'a expliqué que cela ne servirait qu'à me faire mettre en prison pour le reste de mes jours. N'empêche que si j'avais trouvé le moyen de ne pas me faire prendre...

Est-ce que celui, ou celle, qui avait réellement tué Fumal avait raisonné de la même manière, attendu l'occasion de pouvoir agir sans danger ?

— Vous voulez encore me demander quelque chose ?

Non. Maigret ne voyait aucune autre question à lui poser. Il dit seulement :

— Qu'est-ce que tu vas faire, si je te relâche ?

Lentin eut un geste vague, qui englobait la ville dans laquelle il s'enfoncerait à nouveau.

— Je vais te garder un jour ou deux.

— Sans rien boire ?

— Tu auras un verre de vin demain matin. Tu as besoin de te reposer.

La banquette du cagibi était dure. Maigret sonna un inspecteur.

— Conduis-le au Dépôt. Qu'on le fasse manger et qu'il dorme.

En se levant, l'homme eut un dernier regard au placard, ouvrit la bouche pour quémander encore, mais n'osa pas, sortit en balbutiant :

— Je vous remercie.

Maigret rappela l'inspecteur.

— Fais prendre ses empreintes digitales et porte-les à Moers.

Il lui expliqua en deux mots pourquoi. Pendant ce temps-là, le frère de Mme Fumal attendait au milieu du couloir désert sans chercher à s'échapper.

Maigret resta dix longues minutes, assis à son bureau, à regarder devant lui en fumant sa pipe avec l'air de rêver. Enfin, il s'arracha à son siège et se dirigea vers la pièce des inspecteurs. Celle-ci était toujours presque vide. On entendait un murmure dans le bureau voisin et il y entra, trouva réunis tous ceux qui avaient travaillé pendant la journée dans l'hôtel particulier du boulevard de Courcelles.

On n'avait laissé là-bas qu'un homme, l'inspecteur Neveu, que quelqu'un irait remplacer tout à l'heure.

Selon les ordres du commissaire, les policiers comparaient les réponses qui leur avaient été faites au cours des différents interrogatoires.

Presque tout le monde avait été questionné deux ou trois fois. M. Joseph, lui, avait été rappelé cinq fois, retournant chaque fois attendre ensuite sur le palier aux chaises Renaissance et aux deux statues de marbre.

— Je suppose que j'ai le droit de sortir pour aller m'occuper de mes affaires ? avait-il questionné enfin.

— Non.

— Pas même pour manger ?

— Il y a une cuisinière dans la maison.

La cuisine était au rez-de-chaussée, derrière la loge de Victor. La cuisinière était une grosse femme d'un certain âge, une veuve, qui semblait tout ignorer de ce qui se passait dans la maison. Certaines de ses réponses étaient typiques.

Question. — Que pensez-vous de M. Fumal ?

Réponse. — Qu'est-ce que vous voulez que j'en pense ? Est-ce que je le connais, moi, cet homme ?

Elle désignait le monte-plats, le plafond de sa cuisine.

Réponse. — ... Je travaille ici et il mange là-haut.

Question. — Il ne descendait jamais vous voir ?

Réponse. — Il me faisait monter de temps en temps pour me donner des instructions et aussi, une fois par mois, pour que je lui remette les comptes.

Question. — Il était regardant ?

Réponse. — Qu'est-ce que vous appelez regardant ?

Interrogée sur Louise Bourges, elle déclarait :

Réponse. — Si elle couche avec quelqu'un, c'est de son âge. Cela ne m'arrivera malheureusement plus !

Sur Mme Fumal :

Réponse. — Il en faut de toutes les sortes pour faire un monde.

Combien de temps il y avait qu'elle était dans la maison ?

Réponse. — Trois mois.

Question. — Vous n'avez pas trouvé que l'atmosphère en était étrange ?

Réponse. — Si vous aviez vu tout ce que j'ai vu chez les bourgeois ! Il est vrai qu'elle avait fait des douzaines de places dans sa vie.

Question. — Vous n'étiez bien nulle part ?

Réponse. — J'aime le changement, moi.

En effet, tous les quelques mois, on la retrouvait sur les bancs du bureau de placement où elle avait une sorte d'abonnement. Elle faisait surtout les remplacements, les étrangers de passage.

Question. — Vous n'avez rien vu, rien entendu ?

Réponse. — Quand je dors, je dors.

Si Maigret avait imposé à ses hommes le travail minutieux auquel ils se livraient, c'est qu'il espérait toujours qu'on relèverait, entre deux témoignages, ne fût-ce que sur une question de détail, une contradiction révélatrice.

Si Roger Gaillardin n'était pas l'assassin — et c'était à peu près sûr qu'il ne l'était pas — Fumal n'avait pas été tué par quelqu'un du dehors.

L'inspecteur Vacher, qui, durant la soirée, surveillait la maison, confirmait, à quelques minutes près, les dires de Victor.

Un peu avant huit heures, en effet, la voiture de Fumal était rentrée dans la cour. Félix, le chauffeur, était au volant. A l'arrière se tenaient Fumal et sa secrétaire.

Victor avait refermé la porte cochère, qui n'avait plus été ouverte de la nuit.

D'après le même Victor, Louise Bourges était montée avec son patron au premier étage, mais n'y était restée que quelques minutes et avait gagné, près de la cuisine, la salle à manger des domestiques.

Elle y avait dîné. Germaine, la femme de chambre, était montée pour servir Fumal, tandis que Noémi montait un plateau au second étage pour Mme Fumal.

Tout cela semblait établi. On ne trouvait aucun témoignage contradictoire.

Après le dîner, Louise Bourges était remontée au bureau où elle était restée environ une demi-heure. Vers neuf heures et demie, elle traversait la cour et pénétrait dans le quartier des domestiques.

Félix, questionné, affirmait :

Réponse. — Je suis allé la retrouver dans sa chambre comme presque chaque soir.

Question. — Pourquoi dormiez-vous tous les deux dans sa chambre et non dans la vôtre ?

Réponse. — Parce que la sienne est plus grande.

Louise Bourges, sans rougir, avait dit exactement la même chose.

Germaine, la femme de chambre :

Réponse. — Je les ai entendus faire leur petite affaire pendant au moins une heure. Elle paraît froide, quand on la voit comme ça. Mais si vous étiez obligé de dormir dans la chambre voisine, avec seulement une cloison qui vous sépare de son lit...

Question. — Quelle heure était-il quand vous vous êtes endormie ?

Réponse. — J'ai remonté le réveil à dix heures et demie.

Question. — Vous n'avez rien entendu pendant la nuit ?

Réponse. — Non.

Question. — Vous étiez au courant des visites d'Émile Lentin à sa sœur ?

Réponse. — Comme tout le monde.

Question. — Qui, tout le monde ?

Réponse. — Noémi, la cuisinière...

Question. — Comment la cuisinière, qui ne monte jamais au second étage, savait-elle ?

Réponse. — Parce que je le lui ai dit.

Question. — Pourquoi ?

Réponse. — Pour que, quand il était là, elle serve double portion, tiens !

Question. — Victor savait aussi ?

Réponse. — Je ne lui ai rien dit. Je me suis toujours méfiée de lui. Mais ce n'est pas un homme à qui on cache quelque chose.

Question. — Et la secrétaire ?

Réponse. — Félix a dû la mettre au courant.

Question. — Et comment Félix le savait-il ?

Réponse. — Par Noémi.

Ainsi, dans la maison, personne n'ignorait que Lentin venait souvent dormir dans la petite pièce du second étage, personne, sauf peut-être Ferdinand Fumal.

Et M. Joseph qui dormait juste au-dessus :

Question. — Vous connaissez Émile Lentin ?

Réponse. — Je l'ai connu avant qu'il se soit mis à boire.

Question. — C'est son beau-frère qui l'a ruiné ?

Réponse. — Les gens qui se ruinent en rejettent toujours la responsabilité sur les autres.

Question. — Vous voulez dire qu'il a commis des imprudences ?

Réponse. — Il s'était cru plus malin qu'il n'était.

Question. — Et s'il s'est trouvé devant quelqu'un de vraiment malin ?

Réponse. — Si vous voulez. Ce sont les affaires.

Question. — Il a essayé, ensuite, de taper son beau-frère ?

Réponse. — Probablement.

Question. — Sans résultat ?

Réponse. — On ne peut pas, même très riche, venir en aide à tous les ratés.

Question. — Vous l'avez vu boulevard de Courcelles ?

Réponse. — Il y a des années.

Question. — Où ?

Réponse. — Dans le bureau de M. Fumal.

Question. — Que s'est-il passé entre eux ?

Réponse. — M. Fumal l'a mis à la porte.

Question. — Vous ne l'avez pas revu depuis ?

Réponse. — Une fois, sur le trottoir, près du Châtelet. Il était ivre.

Question. — Il vous a parlé ?

Réponse. — Il m'a prié de dire à son beau-frère qu'il était un salaud.

Question. — Vous saviez qu'il lui arrivait de coucher dans la maison ?

Réponse. — Non.

Question. — Si vous l'aviez su, l'auriez-vous dit à votre patron ?

Réponse. — C'est probable.

Question. — Vous n'en êtes pas sûr ?

Réponse. — Je n'y ai pas réfléchi.

Question. — Personne ne vous en a parlé ?

Réponse. — On ne me parlait pas volontiers.

C'était vrai. Cela concordait avec les dires des domestiques. Noémi traduisait le sentiment général à l'égard de M. Joseph par ces mots :

Réponse. — Il était dans la maison comme une souris dans un mur. On ne savait pas quand il entrait ni quand il sortait. On ne savait même pas au juste ce qu'il faisait.

Pour le reste de la soirée, également, les notes concordaient. Il était un peu plus de neuf heures et demie quand M. Joseph avait sonné. La petite porte encastrée dans la porte cochère s'était ouverte et refermée sur lui.

Question. — Pourquoi n'êtes-vous pas entré par-derrière, alors que vous avez la clef ?

Réponse. — Je n'utilisais cette porte-là que lorsqu'il était tard ou lorsque je montais directement chez moi.

Question. — Vous vous êtes arrêté au premier ?

Réponse. — Oui. Je l'ai répété trois fois.

Question. — M. Fumal était en vie ?

Réponse. — Comme vous et moi.

Question. — De quoi avez-vous parlé ?

Réponse. — Des affaires.

Question. — Il n'y avait personne d'autre dans le bureau ?

Réponse. — Non.

Question. — Fumal ne vous a pas dit qu'il attendait une visite ?

Réponse. — Si.

Question. — Pourquoi n'en avez-vous pas parlé plus tôt ?

Réponse. — Parce que vous ne me l'avez pas demandé. Il attendait Gaillardin et savait pourquoi celui-ci venait. Il espérait encore obtenir un délai. Nous avons décidé de ne pas le lui accorder.

Question. — Vous n'êtes pas resté pour assister à l'entretien ?

Réponse. — Non.

Question. — Pourquoi ?

Réponse. — Parce que je n'aime pas les exécutions.

Le plus extraordinaire, c'est que cela paraissait vrai. A observer le bonhomme, on le sentait capable de toutes les canailleries, de toutes les bassesses aussi, mais incapable de regarder quelqu'un en face et de lui dire son fait.

Question. — De là-haut, vous avez entendu Gaillardin arriver ?

Réponse. — De là-haut, on n'entend rien de ce qui se passe dans la maison. Essayez !

Question. — Vous n'avez pas eu la curiosité de descendre ensuite pour savoir ce qui s'était passé ?

Réponse. — Je le savais d'avance.

Il s'aperçut tout de suite du double sens de sa réponse et se reprit :

Réponse. — Je veux dire que je savais que M. Fumal dirait non, que Gaillardin supplierait, parlerait de sa femme, de ses enfants, comme ils le font tous, même quand ils vivent avec une maîtresse, mais qu'il n'arriverait à rien.

Question. — Vous croyez qu'il a tué Fumal ?

Réponse. — J'ai déjà dit ce que je pensais.

Question. — Vous êtes-vous disputé récemment avec votre patron ?

Réponse. — Nous ne nous sommes jamais disputés.

Question. — Combien étiez-vous payé, monsieur Goldman ?

Réponse. — Vous n'aurez qu'à regarder ma déclaration de revenus.

Question. — Ce n'est pas une réponse.

Réponse. — C'est la meilleure.

Personne, en tout cas, ne l'avait vu redescendre. Il est vrai que personne non plus n'avait vu, ni entendu, Émile Lentin descendre, d'abord seul, ensuite en compagnie de sa sœur, et enfin s'en aller par la petite porte de la rue de Prony.

A dix heures moins quelques minutes, un taxi s'était arrêté sur le boulevard. Gaillardin en était descendu, avait payé et avait sonné.

Dix-sept minutes plus tard, exactement, l'inspecteur Vacher l'avait vu ressortir et se diriger vers l'Étoile en se retournant parfois dans l'espoir de trouver un taxi.

Vacher n'avait pu surveiller la petite porte de derrière, faute d'en connaître l'existence.

La responsabilité n'en incombait-elle pas à Maigret, qui n'avait pas cru aux lettres anonymes et n'avait organisé la surveillance qu'à contre-cœur ?

L'air du bureau était obscurci par la fumée des pipes et des cigarettes. Les inspecteurs, de temps en temps, échangeaient des pages annotées au crayon bleu ou rouge.

— Que diriez-vous d'un verre de bière, les enfants ?

Il y en avait encore pour des heures à éplucher chaque phrase des interrogatoires et, plus tard, on ferait monter des sandwiches.

Téléphone. Quelqu'un décrochait.

— Pour vous, patron.

C'était Moers, qui s'était occupé des empreintes digitales et confirmait qu'on n'avait trouvé celles de Lentin que sur le bouton de la porte et sur le tiroir de la secrétaire.

— Il faut pourtant bien que quelqu'un mente ! lança Maigret avec colère.

Ou qu'il n'y ait pas eu d'assassin, ce qui était impossible.

7

Un simple problème d'arithmétique
et un souvenir de guerre moins innocent

Maigret éprouvait un soulagement aussi pénétrant, aussi voluptueux que celui que procure, par exemple, un bain chaud après trois jours et trois nuits de train.

Il savait qu'il dormait, qu'il était dans son lit, qu'il n'avait qu'à tendre la main pour toucher la hanche de sa femme. Il savait même qu'on était au milieu de la nuit, vers deux heures, pas beaucoup plus.

Cependant, il rêvait. Mais n'arrive-t-il pas qu'en rêve on ait soudain une intuition qu'on n'aurait pas à l'état de veille ? Ne se peut-il pas que, certaines fois, l'esprit s'aiguise au lieu de s'assoupir ?

Cela lui était bien arrivé une fois, quand il était étudiant. Il avait pâli toute la soirée sur une question difficile et soudain, au milieu de la nuit, il avait trouvé la solution en rêve. Quand il s'était éveillé, il ne l'avait pas retrouvée tout de suite mais il avait fini par y réussir.

La même chose se passait. Si sa femme avait allumé la lampe, elle aurait sans doute vu sur son visage un sourire goguenard.

Il se moquait de lui. Il avait pris l'affaire Fumal trop au tragique. Il avait foncé dedans tête baissée et c'est pour cela qu'il n'y avait vu que du feu. En était-il encore, à son âge, à avoir peur d'un ministre qui ne serait peut-être plus rien dans une semaine ou dans un mois ?

Il était parti du mauvais pied. Il l'avait su dès le début, dès le moment où Boum-Boum était venu le voir dans son bureau. Ensuite, au lieu de se ressaisir, de fumer tranquillement une pipe en buvant un verre de bière pour se calmer les nerfs, il ne s'était pas donné une seconde de répit.

La solution, il la tenait à présent, comme pour son problème de jadis. Elle lui était venue à l'esprit un peu à la façon d'une bulle d'air qui monte à la surface de l'eau et il pouvait enfin se détendre.

Fini ! Demain matin, il ferait le nécessaire et il n'y aurait plus d'affaire Fumal. Il ne lui resterait qu'à s'occuper de cette empoisonnante Mrs. Britt et à la retrouver, morte ou vivante.

L'important, c'était de ne pas oublier sa découverte. D'abord, il fallait se la mettre dans la tête, nettement, pas seulement comme une vague lueur. Il se comprenait. En une ou deux phrases. Les seules vérités sont courtes. Qui avait dit ça ? Peu importe. Une phrase. Puis se réveiller et...

Il ouvrit les yeux, soudain, dans l'obscurité de la chambre, et tout de suite fronça les sourcils. Son rêve n'était pas tout à fait terminé. Il avait l'impression qu'il pouvait encore ressaisir la vérité.

Sa femme dormait, toute chaude, et il se mit sur le dos pour penser plus à l'aise.

Il s'agissait d'une chose toute simple à laquelle, pendant la journée, il n'avait pas accordé l'importance voulue. Il avait ri en la découvrant en rêve. Pourquoi ?

Il s'efforçait de rattraper le fil de ses idées. Il était question, il en était sûr, de quelqu'un avec qui il s'était trouvé plusieurs fois en contact.

Et d'un fait insignifiant. Était-ce bien d'un fait ? Était-ce un indice matériel ?

Une tension presque douloureuse succédait à la détente que lui avait procuré son rêve. Il s'obstinait, s'acharnant à revoir la maison du boulevard de Courcelles de bas en haut, ses habitants, tous ceux qui y étaient venus.

Ils avaient travaillé jusqu'à dix heures du soir, Quai des Orfèvres, ses inspecteurs et lui, sur les procès-verbaux dont ils finissaient par connaître par cœur les moindres répliques et, à la fin, elles prenaient à leurs oreilles des allures de rengaines.

Était-ce dans les papiers ? S'agissait-il de Louise Bourges et de Félix ?

Il était tenté de le croire, cherchait de ce côté. On n'avait aucune preuve que ce n'était pas la secrétaire qui avait écrit les billets anonymes. Maigret ne lui avait pas demandé combien elle gagnait chez Fumal. Elle ne devait pas être payée plus qu'une autre secrétaire, au contraire.

Elle était la maîtresse de Félix, elle l'avouait sans ambage, mais s'empressait d'ajouter :

— Nous sommes aussi fiancés.

Le chauffeur disait la même chose.

— Quand comptez-vous vous marier ?

— Quand nous aurons mis assez d'argent de côté pour acheter une auberge à Giens.

On ne parle pas de fiançailles lorsqu'on a l'intention de se marier dix ou quinze ans plus tard.

Maigret, dans son lit, se livrait à un petit calcul. En supposant que Louise et Félix dépensent le strict minimum pour leurs vêtements et leurs menus frais, qu'ils économisent même la totalité de leurs gages, il leur faudrait dix ans au moins avant de pouvoir s'acheter le moindre fonds de commerce.

Ce n'était pas cela qu'il avait découvert tout à l'heure dans son sommeil, mais c'était néanmoins un point qu'il était bon de garder à l'esprit.

L'un des deux devait avoir un moyen de se procurer de l'argent plus vite et, puisqu'ils restaient boulevard de Courcelles malgré leur répugnance, c'était à Fumal qu'ils comptaient le prendre.

Fumal avait humilié sa secrétaire, l'avait traitée de la façon la plus ignoble qui soit.

Elle n'en avait parlé ni à Maigret, ni aux inspecteurs.

L'avait-elle avoué à Félix ? Celui-ci était-il resté calme en apprenant qu'on avait fait déshabiller sa maîtresse puis que, celle-ci nue, on lui avait dit de se rhabiller, après un attouchement dédaigneux ?

Ce n'était pas cela non plus. C'était dans ce genre-là, mais en plus révélateur.

Maigret fut tenté de se rendormir en essayant de rattraper son rêve, mais il n'était plus capable de dormir, son esprit travaillait comme les roues d'un mouvement d'horlogerie.

Il y avait un autre détail, plus récent... Il serrerait presque les dents pour le retrouver, pour se concentrer davantage, et soudain il revoyait Émile Lentin dans son bureau, croyait entendre sa voix. Qu'est-ce que Lentin avait dit se rapportant à Louise Bourges ? Il n'avait pas parlé directement d'elle, mais de quelque chose qui la concernait.

Il avait avoué...

Voilà ! Maigret arrivait malgré tout quelque part. Émile Lentin avait raconté qu'il lui arrivait de descendre, déchaussé, au bureau, pour y prendre de l'argent de la petite caisse, quelques pièces de cent francs à la fois, avait-il précisé.

Or, cet argent se trouvait dans le tiroir de Louise. C'était elle qui en avait la charge. Sans doute, comme cela se fait presque partout, inscrivait-elle ses dépenses dans un carnet.

D'après Lentin, ces larcins s'étaient répétés souvent.

Or, elle n'en avait pas parlé. Était-il croyable qu'elle ne se soit aperçue de rien, qu'elle n'ait pas remarqué que ses comptes n'étaient pas justes ?

Deux points donc sur lesquels, si elle n'avait pas menti, elle s'était tue.

Pourquoi cela ne l'avait-il pas inquiétée de voir de l'argent disparaître de son tiroir ?

Était-ce parce qu'elle en prenait aussi et que ses comptes, de toute façon, étaient truqués ?

Ou parce qu'elle savait *qui* commettait ces vols et avait des raisons de ne rien dire ?

Il éprouva le besoin de fumer une pipe et se leva sans bruit, mettant près de deux minutes à se glisser hors des draps et à atteindre la commode. Mme Maigret remua, soupira, mais ne s'éveilla pas et il ne laissa l'allumette flamber qu'une seconde, en la cachant de sa main.

Assis dans la bergère, il continuait à chercher.

S'il n'avait toujours pas retrouvé la solution de son rêve, il avait quand même avancé. Où en était-il ? Les vols dans le tiroir. Si Louise Bourges savait qui s'introduisait la nuit dans le bureau...

Il retournait en pensée dans ce bureau, où il avait passé une partie de la journée. Deux grandes fenêtres donnaient sur la cour. De l'autre côté de celle-ci se dressaient les anciennes écuries et, au-dessus, non pas, comme cela arrive dans certains immeubles, deux ou trois chambres de domestiques, mais deux vrais étages qui formaient un petit hôtel particulier.

Il en avait visité les pièces. La chambre de la secrétaire, où Félix allait la rejoindre, était celle du second étage à droite, juste en face du bureau, qu'elle surplombait légèrement.

Il essayait de se rappeler les termes des premiers rapports, en particulier de celui de Lapointe, arrivé le premier sur les lieux. Est-ce qu'on y parlait des rideaux ?

Les vitres, que le commissaire revoyait nettement, étaient voilées d'une gaze légère qui enlevait au jour sa crudité, mais c'était insuffisant, le soir, pour cacher ce qui se passait dans la pièce éclairée.

Il existait d'autres rideaux, d'un rouge empire. Étaient-ils fermés ou ouverts lorsque Lapointe était arrivé ?

Maigret faillit téléphoner à son domicile pour lui poser la question, qui lui paraissait soudain de première importance. Si on ne fermait pas ces rideaux-là, Louise et Félix savaient tout ce qui se passait dans le bureau.

Cela menait-il quelque part ?

Fallait-il en conclure qu'ils avaient assisté, de leur chambre, au drame de la veille au soir et qu'ils connaissaient l'assassin ?

Dans un coin se dressait un coffre-fort, haut de plus d'un mètre, qu'on n'ouvrirait que le lendemain, car l'opération ne pouvait s'effectuer qu'en présence du juge et du notaire.

Qu'est-ce que Fumal gardait dans ce coffre ? On n'avait pas trouvé de testament parmi ses papiers. On avait téléphoné au notaire, maître Audoin, qui n'avait connaissance d'aucun testament.

Maigret creusait toujours, immobile dans l'obscurité, dans cette direction-là, avec l'impression que ce n'était pas encore la bonne. Sa révélation de tout à l'heure, celle du rêve, était plus complète, aveuglante.

Lentin était descendu souvent au bureau, certaines fois quand Fumal était endormi dans sa chambre...

Cela aussi pouvait ouvrir de nouveaux horizons. Il y avait, entre le bureau et la chambre, une pièce qui faisait tampon, soit. Mais Fumal était un homme qui se méfiait de tout le monde et avait de bonnes raisons pour cela.

Les vols de Lentin avaient duré des années. N'était-il pas plausible qu'à une ou plusieurs occasions l'ancien boucher ait entendu du bruit ?

Il était physiquement lâche, Maigret le savait. Il l'était déjà à l'école, jouait de vilains tours à ses camarades et, quand ceux-ci se retournaient contre lui, gémissait :

— Ne me battez pas !

Ou encore, le plus souvent, il allait se placer sous la protection de l'institutrice.

A supposer que Lentin soit allé, une dizaine de jours plus tôt, commettre un de ses menus larcins...

A supposer que Fumal ait entendu du bruit...

Maigret imaginait le roi de la boucherie serrant son revolver dans la main et n'osant pas aller voir ce qui se passait.

S'il ne connaissait pas la présence de son beau-frère dans la maison, ce qui était possible, il devait soupçonner tout le monde, y compris M. Joseph, sa secrétaire, peut-être sa femme.

Pensait-il à la petite caisse ? Cela aurait été presque de la divination.

Pourquoi un inconnu pénétrait-il dans son bureau ? Cet inconnu n'allait-il pas ouvrir la porte de sa chambre ?...

Cela se tenait. Ce n'était pas encore le rêve, mais un nouveau pas en avant. Cela pouvait expliquer, en effet, que Fumal se fût mis à écrire des lettres anonymes afin d'avoir une excuse pour s'adresser à la police.

Il aurait pu le faire sans cela. Mais alors, c'était avouer la peur dans laquelle il vivait.

Mme Maigret remuait, repoussait sa couverture, s'écriait soudain :

— Où es-tu ?

Et lui, du fond de son fauteuil :

— Ici.

— Qu'est-ce que tu fais ?

— Je fume une pipe. Je ne pouvais pas dormir.

— Tu n'as pas encore dormi ? Quelle heure est-il ?

Il alluma. Le réveil marquait trois heures dix. Il vida sa pipe, se recoucha, insatisfait, espéra sans trop y croire retrouver le fil de son rêve et ne s'éveilla qu'à l'odeur du café frais. Ce qui le surprit tout de suite, ce fut de voir le soleil, une vraie tranche de soleil, pénétrer dans la chambre, pour la première fois depuis deux semaines au moins.

— Tu n'as pas été somnambule, la nuit dernière ?

— Non.

— Tu te souviens que tu étais assis dans l'obscurité, à fumer ta pipe ?

— Oui.

Il se souvenait de tout, des raisonnements qu'il s'était tenus, mais pas du rêve, hélas ! Il s'habilla, déjeuna, se rendit à pied place de la République pour prendre son autobus, non sans avoir acheté les journaux du matin dans un kiosque.

Les visages étaient gais autour de lui, à cause du soleil. L'air n'avait déjà plus son arrière-goût d'humidité et de poussière. Le ciel était bleu pâle. Les trottoirs, les toits étaient secs et il n'y avait que le tronc des arbres à rester mouillé.

Fumal, le roi de la boucherie...

Les journaux du matin répétaient les informations de ceux du soir, avec des détails en plus, de nouvelles photographies, y compris celle de Maigret sortant de la maison du boulevard de Courcelles, le chapeau sur les yeux, l'air grognon.

Un des sous-titres le frappa :

Le jour de sa mort, Fumal aurait demandé la protection de la police.

Il y avait eu une fuite quelque part. Cela venait-il du ministère, où plusieurs personnes devaient être au courant du coup de téléphone du boucher ? Cela venait-il de Louise Bourges, qui avait été questionnée par les journalistes ?

L'indiscrétion pouvait aussi bien avoir été commise, même involontairement, par un de ses inspecteurs.

Quelques heures avant sa fin tragique, Ferdinand Fumal s'est rendu au Quai des Orfèvres où il aurait mis le commissaire Maigret au courant de graves menaces qu'il aurait reçues. Nous croyons savoir que, à l'heure même où il était abattu dans son bureau, un inspecteur de la Police Judiciaire montait la garde boulevard de Courcelles.

On ne parlait pas du ministre, mais on laissait entendre que Fumal avait acquis une énorme influence politique.

Il gravit lentement le grand escalier, fit un bonjour de la main à Joseph, s'attendant à entendre celui-ci lui annoncer que le grand patron désirait le voir, mais Joseph ne broncha pas.

Sur son bureau, des rapports l'attendaient, sur lesquels il ne fit que jeter les yeux.

Celui du médecin légiste confirmait ce qu'il savait déjà. Fumal avait bien été tué à bout portant. L'arme qui avait servi était à moins de vingt centimètres de son corps quand le coup était parti. La balle avait été retrouvée dans la cage thoracique.

L'expert armurier qui l'avait examinée n'était pas moins formel. La balle avait été tirée avec un Luger automatique comme les officiers allemands en portaient pendant la dernière guerre.

Un télégramme de Monte-Carlo concernait Mrs. Britt : ce n'était pas elle qui avait été aperçue aux tables de jeu, mais une Hollandaise qui lui ressemblait.

La sonnerie du rapport résonna dans le couloir et il se dirigea en soupirant vers le bureau du chef, où il serra distraitement la main de ses collègues réunis.

Comme il s'y attendait, il était le centre de l'attention. Ils savaient mieux que quiconque dans quelle situation délicate il se trouvait et avaient une façon discrète de lui témoigner leur sympathie.

Le directeur, lui, feignit de traiter la chose légèrement, avec optimisme.

— Rien de nouveau, Maigret ?

— L'enquête continue.

— Vous avez lu les journaux ?

— Je viens de les parcourir. Ils ne seront satisfaits que quand je procéderai à une arrestation.

La presse allait le harceler. Cette affaire-là, s'ajoutant au mystère de la disparition de l'Anglaise en plein Paris, n'était pas pour augmenter le prestige de la P.J.

— Je fais de mon mieux, soupira-t-il encore.

— Des pistes ?

Il haussa les épaules. Est-ce qu'on pouvait appeler ça des pistes ? Chacun parla des affaires dont il était chargé et, quand on se sépara, les regards qu'on lançait à Maigret ressemblaient à des condoléances.

L'expert de la section financière l'attendait dans son bureau. Maigret ne l'écouta que d'une oreille distraite, car il cherchait toujours à rattraper son rêve.

Les affaires de Fumal étaient d'un volume plus considérable encore que ce que les journaux imaginaient. Il avait presque réussi, en quelques années, à organiser un véritable trust de la boucherie.

— Il y a, derrière ces opérations, quelqu'un d'une intelligence diabolique, expliquait l'expert, quelqu'un aussi qui possède des connaissances juridiques étendues. Il faudra des mois pour démêler l'écheveau de sociétés et de filiales qui aboutissent à Fumal. L'administration des contributions va certainement s'en occuper de son côté...

L'intelligence, c'était vraisemblablement M. Joseph, car, avant de le connaître, si Fumal avait gagné une fortune imposante, ses affaires n'avaient jamais acquis une telle envergure.

Que la section financière du Parquet s'occupe de cela, et les contributions directes si elles en avaient envie.

Ce qui l'intéressait, lui, c'était de trouver qui avait tué Fumal, à bout portant, dans son bureau, tandis que Vacher faisait les cent pas sur le trottoir.

On le demandait au téléphone. On insistait pour lui parler personnellement. C'était Mme Gaillardin, la vraie, l'épouse, celle de Neuilly, qui appelait de Cannes, où elle se trouvait toujours avec ses enfants. Elle désirait des détails. Un journal de la Côte d'Azur, disait-elle, avait annoncé que Gaillardin, après avoir tué Fumal boulevard de Courcelles, était allé se suicider à Puteaux.

— J'ai téléphoné ce matin à mon avocat. Je prendrai tout à l'heure le *Mistral*. Je veux que vous sachiez, dès maintenant, que la femme de la rue François-Ier n'a aucun droit, qu'il n'a jamais été question de divorce entre mon mari et moi et que nous étions mariés sous le régime de la communauté des biens. Fumal l'a volé, cela ne fait aucun doute. Mon avocat le prouvera et réclamera à la succession les sommes que…

Maigret soupirait, l'écouteur à l'oreille, murmurant de temps en temps :

— Oui, madame… Bien, madame…

A la fin, il questionna :

— Dites-moi, est-ce que votre mari possédait un Luger ?

— Un quoi ?

— Rien. A-t-il fait la dernière guerre ?

— Il était réformé pour…

— Peu importe pourquoi. Il n'a pas été prisonnier, ni déporté en Allemagne ?

— Non. Pourquoi ?

— Pour rien. Vous n'avez jamais vu de revolver dans votre appartement de Neuilly ?

— Avant, il y en avait un, mais il l'a emporté chez cette… cette…

— Je vous remercie.

Celle-là ne se laisserait pas faire. Elle allait se battre comme une femelle qui défend ses petits.

Il entra chez les inspecteurs, chercha quelqu'un des yeux.

— Lapointe n'est pas ici ?

— Il doit être aux toilettes.

Il attendait.

— Aillevard est toujours absent ?

Lapointe revint enfin, rougit en trouvant Maigret qui l'attendait.

— Dis-moi, petit… Hier matin, quand tu es entré dans le bureau… Réfléchis bien… Est-ce que les rideaux étaient ouverts ou fermés ?…

— Ils étaient comme vous les avez trouvés. Je n'y ai pas touché et je n'ai vu personne y toucher.

— Donc, ils étaient ouverts ?

— Sans doute. Je le jurerais. Attendez ! C'est oui, car j'ai remarqué les anciennes écuries au fond de la cour et…

— Viens avec moi.

C'était son habitude, au cours d'une enquête, d'être presque toujours accompagné. Chemin faisant, dans la petite voiture noire, il ouvrit à peine la bouche. Boulevard de Courcelles, ce fut lui qui poussa le bouton de cuivre et Victor vint ouvrir la porte encastrée dans la porte cochère.

Maigret remarqua qu'il ne s'était pas rasé, ce qui lui donnait un air beaucoup plus braconnier que valet de chambre ou concierge.

— L'inspecteur est en haut ?

— Oui. On lui a monté du café et des croissants.

— Qui ?

— Noémi.

— M. Joseph est descendu ?

— Je ne l'ai pas vu.

— Et Mlle Louise ?

— Elle était dans la cuisine, à prendre son petit déjeuner, il y a une demi-heure. Je ne sais pas si elle est montée.

— Félix ?

— Au garage.

En avançant un peu, Maigret l'aperçut en effet qui astiquait une des voitures comme si rien n'était arrivé.

— Le notaire n'est pas ici ?

— Je ne savais même pas qu'il devait venir.

— J'attends aussi le juge d'instruction. Vous les conduirez au bureau.

— Bien, monsieur le commissaire.

Maigret avait une question au bout de la langue mais, au moment de la poser, elle lui échappa de la mémoire. De toute façon, cela ne devait pas être important.

Au premier, ils trouvèrent l'inspecteur Janin, qui avait monté la garde pendant la seconde partie de la nuit. Il n'était pas rasé non plus, et tombait de sommeil.

— Il ne s'est rien passé ?

— Personne n'a bougé. La demoiselle est venue tout à l'heure et m'a demandé si j'avais besoin d'elle. Je lui ai répondu que non et, après un moment, elle est partie en m'annonçant qu'elle serait dans sa chambre et qu'on n'aurait qu'à l'appeler.

— Elle est entrée dans le bureau ?

— Oui. Elle n'y est restée que quelques instants.

— Elle a ouvert des tiroirs ?

— Je ne crois pas. Elle est sortie en tenant à la main un vêtement de tricot rouge qu'elle n'avait pas en arrivant.

Maigret se souvenait que, la veille, elle portait un cardigan rouge. Il était vraisemblable qu'elle l'ait oublié dans une des pièces du premier étage.

— Mme Fumal ?

— On lui a monté son petit déjeuner sur un plateau.

— Elle n'est pas descendue ?

— Je ne l'ai pas vue.

— Va te coucher. Il sera temps, ce soir, de rédiger ton rapport.

Les rideaux rouges du bureau n'étaient toujours pas fermés. Maigret chargea Lapointe d'aller demander aux bonnes si on les fermait d'habitude. Quant à lui, il regarda par une des fenêtres. Juste en face, un peu plus haut, une fenêtre était ouverte et on voyait une jeune femme blonde aller et venir, remuant les lèvres comme si elle fredonnait tout en mettant de l'ordre dans la pièce. C'était Louise Bourges.

Frappé d'une idée, il se retourna vers le coffre-fort adossé au mur opposé aux fenêtres. Pouvait-on le voir d'en face ?

Si oui... Cette idée l'excita et il descendit l'escalier, gagna la cour, grimpa l'escalier plus étroit conduisant à la chambre de la secrétaire. Il frappa. Elle dit :

— Entrez !

Elle ne parut pas surprise de le voir, se contenta de murmurer :

— C'est vous !

Il connaissait déjà la pièce, spacieuse, coquettement arrangée, avec un combiné phono-radio sur une console et une lampe de chevet à abat-jour orange. C'était la fenêtre qui l'intéressait. Il s'y penchait, fouillant du regard la pénombre qui régnait, en face, dans le bureau. Il n'avait pas pensé, en partant, à allumer les lampes.

— Voulez-vous aller faire de la lumière en face ?

— Où ?

— Dans le bureau.

Elle ne parut pas effrayée, ni surprise.

— Un instant... Savez-vous ce qu'il y a dans le coffre de votre patron ?

Elle hésita, mais pas longtemps.

— Oui. Je préfère dire la vérité.

— Quoi ?

— Certains dossiers importants, d'abord, puis les bijoux de Mme Fumal, des lettres que je ne connais pas et enfin de l'argent.

— Beaucoup d'argent ?

— Beaucoup. Vous devez comprendre pourquoi il était obligé de conserver de grosses sommes en billets. Dans les transactions qu'il effectuait, il y avait presque toujours un dessous-de-table, un certain montant qu'il ne pouvait payer par chèque.

— Combien, à votre avis ?

— Je lui ai vu souvent verser deux ou trois millions de la main à la main. Il avait des billets dans son coffre en banque aussi.

— Il y aurait donc plusieurs millions en espèces dans le coffre ?

— A moins qu'il les ait retirés.

— Quand ?

— Je ne sais pas.

— Allez allumer les lampes.

— Je reviens ici ?

— Attendez-moi là-bas.

La chambre de Louise Bourges avait été fouillée sans résultat. Elle ne contenait ni Luger, ni papiers compromettants, ni somme d'argent, en dehors de trois billets de mille francs et de quelques pièces de cent.

La jeune femme traversait la cour. Il sembla à Maigret qu'elle était longue à atteindre le bureau du premier étage, mais elle pouvait avoir rencontré quelqu'un en chemin.

Les lampes s'allumèrent enfin et, du coup, à travers le tulle qui voilait les vitres, les moindres détails de la pièce devinrent visibles, y compris, non pas tout le coffre-fort, mais la moitié gauche de celui-ci.

Il s'efforça de situer la place où Fumal se tenait debout quand il avait été tué mais il était difficile de la préciser avec certitude, car le corps avait pu rouler sur lui-même.

Avait-on pu voir la scène de la fenêtre de Louise Bourges ? Ce n'était pas certain. Ce qui était sûr, c'est qu'on voyait nettement qui entrait dans le bureau ou en sortait.

Il traversa la cour à son tour, gagna l'escalier sans voir personne. Louise l'attendait sur le palier.

— Vous avez appris ce que vous vouliez apprendre ?

Il fit oui de la tête. Elle le suivit dans la pièce.

— Vous remarquerez que, d'ici aussi, on découvre presque toute ma chambre.

Il dressa l'oreille.

— Si M. Fumal ne fermait pas toujours les rideaux du bureau, nous avions de meilleures raisons, Félix et moi, de fermer nos volets. Car, en face, ce sont des volets. Nous ne sommes exhibitionnistes ni l'un ni l'autre.

— Il lui arrivait donc de fermer les rideaux et de ne pas les fermer ?

— C'est exact. Par exemple, lorsqu'il travaillait tard avec M. Joseph, il les fermait toujours. Je me suis demandé pourquoi. Je suppose que c'est parce que, ces soirs-là, il devait ouvrir le coffre.

— Vous croyez que M. Joseph en avait la combinaison ?

— J'en doute.

— Et vous ?

— Je suis certaine que non.

— Lapointe !... Tu vas monter chez M. Joseph... Tu lui demanderas s'il connaît la combinaison du coffre...

On avait trouvé la clef de celui-ci dans la poche du mort. Mme Fumal, questionnée la veille, ne savait rien. Le notaire prétendait ne pas connaître la combinaison non plus, de sorte qu'on attendait, ce matin-là, outre le juge d'instruction, un spécialiste envoyé par la fabrique des coffres-forts.

— Vous n'êtes pas enceinte ? questionna-t-il soudain.

— Pourquoi me demandez-vous ça ? Non. Je ne le suis pas.

On entendait des pas dans l'escalier. C'était l'homme des coffres-forts, un grand maigre à moustaches qui regarda tout de suite le coffre comme un chirurgien regarde le malade qu'il va opérer.

— Il faut attendre le juge et le notaire.

— Je sais. J'ai l'habitude.

Ceux-ci arrivés, le notaire demanda que Mme Fumal, héritière présomptive, soit présente, et Lapointe, qui était redescendu, alla la chercher.

Elle était moins ivre que la veille, seulement un peu hébétée, et elle avait dû boire une rasade d'alcool avant de descendre pour se donner du courage, car son haleine empestait.

Le greffier s'était installé au bureau.

— Je crois, mademoiselle Bourges, que vous n'avez rien à faire ici, dit Maigret en s'apercevant de la présence de la secrétaire.

Il devait regretter cette phrase-là !

Le juge Planche et lui se mirent à bavarder dans l'angle de la fenêtre pendant que le spécialiste travaillait. Cela prit une demi-heure, après quoi il y eut un déclic et on vit s'ouvrir la lourde porte.

Le notaire fut le premier à s'approcher et à regarder à l'intérieur. Le juge et Maigret se tenaient derrière lui.

Quelques enveloppes jaunes, assez gonflées, ne contenaient que des reçus et de la correspondance, en particulier des reconnaissances de dettes signées de noms différents.

Dans un autre casier s'empilaient des dossiers qui avaient trait aux différentes affaires de Fumal.

Il n'y avait pas d'argent, pas un seul billet de banque.

Sentant une présence derrière lui, Maigret se retourna. M. Joseph se tenait dans l'encadrement de la porte.

— Ils sont là ? questionna-t-il.

— Quoi ?

— Les quinze millions. Il devrait y avoir quinze millions en numéraire dans le coffre. Ils s'y trouvaient encore il y a trois jours et je suis sûr que M. Fumal ne les a pas retirés.

— Vous avez une clef ?

— Je viens de dire que non à votre inspecteur.

— Personne ne possède une seconde clef du coffre ?

— Pas à ma connaissance.

En marchant de long en large, Maigret se trouva face à la fenêtre et il aperçut, en face, Louise Bourges qui fredonnait à nouveau dans sa chambre, comme indifférente à ce qui se passait dans la maison.

8

La fenêtre, le coffre, la serrure et le voleur

On prétend que les rêves les plus longs ne durent en réalité que quelques secondes. Maigret fit, à ce moment-là, une expérience qui lui rappela, non le rêve de la nuit, qu'il n'avait toujours pas retrouvé, mais l'impression de découverte qu'il avait eue alors, cette sorte de bondissement soudain vers une vérité longtemps cherchée.

Plus tard, il devait être capable, tant il y eut de plénitude dans quelques instants de vie, de reconstituer ses moindres pensées, ses moindres sensations et, s'il avait été peintre, il aurait pu brosser la scène avec la minutie des petits maîtres flamands.

La lumière des lampes et celle du soleil, en se conjuguant, donnaient à la pièce une apparence artificielle qui n'était pas sans rappeler un décor de théâtre et, peut-être à cause de cela, les personnages avaient tous l'air de jouer un rôle.

Le commissaire était toujours debout près d'une des deux hautes fenêtres. En face, de l'autre côté de la cour, Louise Bourges allait et venait en fredonnant dans sa chambre où ses cheveux blonds se détachaient en clair. Plus bas, dans la cour, Félix, en salopette bleue, dirigeait le jet d'un tuyau de caoutchouc vers la limousine qu'il avait sortie du garage.

Le greffier, assis à la place de feu Ferdinand Fumal, attendait, la tête levée, qu'on lui dicte quelque chose. Le notaire Audoin et le juge Planche, non loin du coffre, regardaient tour à tour le meuble d'acier et Maigret, et le notaire tenait encore un dossier à la main.

Le spécialiste des coffres-forts, discrètement, s'était retiré dans un coin et M. Joseph n'avait fait que deux pas dans la pièce, la porte était ouverte, sur le palier, on apercevait le petit Lapointe qui allumait une cigarette.

On aurait dit que, pour quelques secondes, la vie restait en suspens, que chacun gardait la pose, comme chez le photographe.

Le regard de Maigret allait de la fenêtre d'en face au coffre, du coffre à la porte, et il comprenait enfin l'erreur qu'il avait faite. La porte ancienne, en chêne sculpté, avait une large serrure faite pour une grosse clef.

— Lapointe ! appela-t-il.

— Oui, patron.

— Descends chercher Victor.

Il ajoutait, à l'étonnement des autres :

— Fais attention !

Lapointe non plus ne comprenait pas l'avertissement et, maintenant, c'était vers l'homme des coffres que le commissaire se tournait pour une question.

— Si quelqu'un, par la serrure, avait vu un certain nombre de fois Fumal ouvrir son coffre et avait observé ses mouvements, serait-il possible qu'il ait découvert la combinaison ?

L'homme, lui aussi, regarda la porte, parut apprécier l'angle, mesurer la distance.

— Pour moi, ce serait un jeu d'enfant, dit-il.

— Et pour un homme qui n'est pas du métier ?

— Avec de la patience... En suivant les mouvements de la main, en comptant les tours donnés à chaque disque...

On entendait des allées et venues, en bas, puis dans la cour, la voix de Lapointe qui demandait à Félix :

— Vous n'avez pas vu Victor ?

Maigret était persuadé qu'il venait d'atteindre la vérité, mais, en même temps, il avait la conviction qu'il était trop tard. Louise Bourges, de l'autre côté, se penchait à sa fenêtre, et il croyait voir un mince sourire sur ses lèvres.

Lapointe remontait, éberlué.

— Je ne le trouve nulle part, patron. Il n'est pas dans la loge, ni ailleurs au rez-de-chaussée. Il n'est pas monté non plus. Félix prétend qu'il a entendu, il y a quelques instants, la porte de la rue s'ouvrir et se refermer.

— Téléphone au Quai. Donne son signalement. Qu'on alerte en hâte les gares et les gendarmeries. Appelle toi-même les commissariats voisins...

La chasse à l'homme commençait, pour laquelle il n'y avait rien à innover. Les voitures radio allaient décrire, dans les environs, des cercles de plus en plus étroits. Des agents en uniforme, des inspecteurs en civil battraient les rues, entreraient dans les bistrots, questionneraient les gens.

— Tu sais comment il est habillé ?

Maigret et ses inspecteurs ne l'avaient vu qu'en gilet rayé. Ce fut M. Joseph qui vint à la rescousse, laissant tomber du bout des lèvres :

— Je ne lui connais qu'un complet bleu marine.

— Quel genre de chapeau ?

— Il n'a jamais porté de chapeau.

Quand Maigret avait demandé à Lapointe de descendre chercher Victor, il n'avait encore aucune certitude. Fallait-il parler d'intuition ? Ou bien était-ce la conclusion de maints raisonnements qu'il s'était tenus à son insu, d'une infinité de remarques qui n'avaient séparément aucune importance ?

Dès le début, il avait eu la conviction que Fumal avait été tué par haine, par vengeance.

La fuite de Victor ne le contredisait pas, ni même le fait que quinze millions avaient disparu du coffre. Il avait envie de se répondre :

— Au contraire !

Peut-être parce qu'il s'agissait d'une haine de paysan et qu'un paysan oublie rarement son intérêt, même si la passion l'anime.

Le commissaire ne disait rien. On le regardait. Il se sentait humilié, car c'était pour lui un échec, il était resté trop longtemps à tourner autour de la vérité et, maintenant, il n'avait guère confiance dans la battue qui s'organisait.

— Messieurs, je ne vous retiens plus. Si vous voulez en finir avec les formalités...

Le juge d'instruction, trop nouveau dans le métier, n'osait pas le questionner. C'est à peine s'il murmura :

— Vous croyez que c'est lui ?

— J'en suis sûr.

— Et il a emporté les millions ?

C'était plus que probable. Ou bien Victor les avait emportés, ou bien il les avait cachés quelque part hors de la maison et il allait les retrouver.

La voix monotone de Lapointe répétait le signalement au téléphone et le commissaire, lourdement, descendait dans la cour, regardait un moment Félix qui continuait à laver la voiture.

Il passa devant lui sans lui adresser la parole, gravit l'escalier et poussa la porte de la chambre de Louise Bourges.

Il y avait toujours de la malice dans les yeux de celle-ci, et aussi une satisfaction profonde.

— Vous saviez ? dit-il simplement.

Elle n'essaya pas de nier. Elle répliqua, au contraire :

— Avouez que c'est moi que vous soupçonniez ?

Il ne nia pas non plus, s'assit au bord du lit et bourra lentement sa pipe.

— Comment avez-vous compris ? demanda-t-il encore. Vous l'avez vu ?

Il désignait la fenêtre.

— Non. Tout à l'heure, je vous ai dit la vérité. Je dis toujours la vérité. Je suis incapable de mentir, non par horreur du mensonge, mais parce que je deviens rouge.

— Vous fermiez vraiment les volets ?

— Toujours. Seulement, il m'est arrivé de rencontrer Victor à des endroits de la maison où il n'aurait pas dû se trouver. Il avait la faculté de marcher sans bruit, de se mouvoir sans remuer d'air. Plusieurs fois, j'ai sursauté en le voyant à côté de moi.

Il marchait comme un braconnier, parbleu ! Maigret y avait pensé aussi, tout à coup, mais trop tard, alors qu'il regardait tour à tour le coffre-fort et la porte.

La secrétaire lui désignait une sonnerie dans un coin de sa chambre.

— Vous voyez. Elle a été installée pour que M. Fumal puisse m'appeler à n'importe quel moment. Cela arrivait parfois le soir, même assez tard. J'étais obligée de me rhabiller et d'aller le rejoindre parce qu'il avait un travail urgent à me donner, surtout après les dîners d'affaires. C'est dans ces occasions-là que j'ai parfois surpris Victor dans l'escalier.

— Il ne vous donnait aucune explication de sa présence ?

— Non. Il se contentait de me regarder d'une certaine façon.

— Comment ?

— Vous savez bien.

C'était vrai. Maigret avait probablement tout compris mais préférait l'entendre dire.

— Il existait, dans la maison, une complicité tacite. Personne n'aimait le patron. Chacun de nous avait plus ou moins son secret.

— Vous en avez même un vis-à-vis de Félix.

Il avait la preuve qu'elle rougissait facilement et que le sang remontait jusqu'à ses oreilles.

— De quoi parlez-vous ?

— Le soir où Fumal vous a fait déshabiller...

Elle marcha vers la fenêtre, qu'elle referma.

— Vous en avez parlé à Félix ?

— Non.

— Vous lui en parlerez ?

— A quoi bon ? Je me demande seulement pourquoi vous avez supporté ça.

— Parce que je veux que nous nous mariions.

— Et que vous vous installiez à Giens !

— Quel mal y a-t-il à ça ?

Qui préférait-elle, que mettait-elle en première ligne : son mariage avec Félix, ou le fait d'être propriétaire d'une auberge dans la Loire ?

— Comment vous procuriez-vous l'argent ?

Émile Lentin, lui, le prenait dans la petite caisse. Elle devait avoir son système aussi.

— Je peux vous le dire, car cela n'a rien d'illégal.

— J'écoute.

— Le directeur des « Boucheries du Nord » avait intérêt à connaître certains chiffres qui me passaient par les mains, car cela lui permettait de réaliser personnellement de gros bénéfices. Ce serait long à vous expliquer. Dès que je possédais ces chiffres-là, je les lui télégraphiais et, chaque mois, il me remettait une somme assez importante.

— Et les autres gérants ?

— Je suis persuadée que chacun volait de son côté, mais ils n'avaient pas besoin de ma collaboration.

Ainsi Fumal, le plus méfiant des hommes, le plus dur en affaires, n'était-il entouré que d'êtres qui le trompaient. Il les épiait, passait sa vie à les surveiller, à les menacer, à leur faire sentir le poids de son autorité.

Or, dans sa propre maison, un homme venait dormir plusieurs nuits par semaine à son insu, allait et venait, se nourrissait à son compte et n'hésitait pas, certaines nuits, à s'approcher de la chambre où il dormait pour prendre de l'argent dans la petite caisse.

Sa secrétaire était de mèche avec un de ses directeurs.

M. Joseph n'avait-il pas fait sa pelote, lui aussi ? Il était probable qu'on ne le saurait jamais, que les experts de la section financière eux-mêmes n'y verraient que du feu.

Pour s'assurer un garde de corps, un chien fidèle, il avait sauvé du bagne un braconnier de son village. Ne le faisait-il pas monter dans son bureau, lui aussi, certains soirs, pour lui confier des besognes confidentielles ?

De tous, pourtant, c'était Victor qui le haïssait le plus. Une haine de paysan, patiente, tenace, la même haine que le braconnier avait

nourrie longtemps pour le garde-chasse qu'il avait fini par abattre
quand l'occasion s'était présentée.

Pour Fumal aussi, Victor avait attendu une occasion. Non pas
seulement une occasion de tuer, car elles étaient quotidiennes. Non
pas seulement une occasion de tuer sans être découvert, mais une
occasion de se mettre en même temps à l'abri du besoin.

N'est-ce pas en partie la vue du coffre vide, l'absence des quinze
millions qui avait mis soudain Maigret sur la piste ?

Il analyserait tout cela plus tard. Les éléments restaient pêle-mêle
dans son esprit.

Le Luger jouait son rôle aussi.

— Victor a fait la guerre ?

— Dans un dépôt, près de Moulins.

— Où était-il pendant l'occupation ?

— Dans son village.

Le village avait été occupé par les Allemands. C'était bien de Victor
aussi, lors de leur retraite, de s'emparer d'une de leurs armes. Peut-
être même en avait-il plusieurs cachées dans les bois.

— Pourquoi l'avez-vous prévenu ? questionna Maigret d'un ton de
reproche.

— Prévenu de quoi ?

Elle rougissait encore, s'en apercevait, et cela la désarmait.

— Je lui ai parlé, en descendant. Il se tenait au bas de l'escalier,
inquiet.

— Pourquoi ?

— Je l'ignore. Peut-être parce qu'on ouvrait le coffre ? Peut-être
parce qu'il vous a entendu, ou a entendu un de vos hommes, prononcer
une phrase qui lui a fait croire que vous étiez sur sa piste.

— Que lui avez-vous dit exactement ?

— J'ai dit : *Vous feriez mieux de filer*.

— Pourquoi ?

— Parce qu'il a rendu service à tout le monde en tuant Fumal.

Elle semblait le défier de la contredire.

— En outre, je sentais que vous arriveriez à la vérité. Après, il
aurait peut-être été trop tard.

— Avouez que vous commenciez à être nerveuse.

— Vous nous soupçonniez, Félix et moi. Or, Félix a possédé un
Luger, lui aussi. Il a été en occupation en Allemagne. Quand il m'a
montré cette arme, qu'il avait gardée comme souvenir, j'ai exigé qu'il
s'en débarrasse.

— Il y a combien de temps de cela ?

— Un an.

— Pour quelle raison ?

— Parce qu'il est jaloux, qu'il a des colères violentes et que je
craignais qu'au cours de l'une d'elles il tire sur moi.

Elle ne rougissait pas. Elle disait la vérité.

Tous les commissariats de Paris étaient en alerte. Les voitures de la police allaient et venaient dans le quartier et les passants étaient dévisagés sur les trottoirs, les propriétaires de bars, de restaurants voyaient des messieurs se pencher sur eux pour les interroger à voix basse.

— Victor sait conduire une auto ?

— Je ne le pense pas.

On gardait quand même les routes. Jusqu'à fort loin de Paris des gendarmes formaient barrage et examinaient les occupants de toutes les voitures.

Maigret se sentait inutile. Il avait fait ce qu'il était en son pouvoir de faire. Le reste ne dépendait plus de lui. Le reste, à vrai dire, dépendait plus du hasard que de l'habileté de la police.

Il s'agissait de retrouver un homme parmi quelques millions d'autres et cet homme-là était décidé à ne pas se laisser prendre.

Maigret avait raté. Il était arrivé trop tard. Comme il se dirigeait vers la porte, Louise Bourges lui demanda :

— Nous devons encore rester ici ?

— Jusqu'à nouvel ordre. Il y aura encore des formalités à accomplir, peut-être des questions à poser à chacun d'entre vous.

Dans la cour, Félix le suivit d'un regard méfiant et grimpa tout de suite retrouver la jeune fille. Allait-il lui faire une scène de jalousie parce qu'elle était restée enfermée avec le commissaire ?

Celui-ci sortit de l'immeuble et se dirigea vers le bistrot le plus proche, le premier du boulevard des Batignolles, où il était déjà venu se réfugier. Le patron, qui avait de la mémoire, questionna :

— Un demi ?

Il fit non de la tête. Aujourd'hui, il n'avait pas envie de bière. Le bar sentait le marc de bourgogne et il commanda, malgré l'heure :

— Un marc.

Il en réclama un second et, plus tard, pensant à autre chose, un troisième.

C'était curieux que ce drame ait commencé à Saint-Fiacre, un tout petit village de l'Allier, où Ferdinand Fumal et lui-même étaient nés.

Maigret avait vu le jour au château, plus exactement dans les dépendances de celui-ci, dont son père était régisseur.

Fumal était né dans une boucherie et sa mère ne portait pas de culotte pour ne pas faire attendre les mâles.

Quant à Victor, il était né dans une cabane des bois et son père mangeait des corbeaux et des bêtes puantes.

Était-ce pour cela que le commissaire avait l'impression de les comprendre ?

Avait-il réellement envie que la chasse à l'homme réussisse et que l'ancien braconnier monte à l'échafaud ?

Ses pensées étaient floues. C'étaient plutôt des images qui se succédaient tandis qu'il fixait le miroir trouble derrière les bouteilles du bar.

Fumal s'était montré agressif avec le commissaire parce que, jadis, pour lui, quand ils étaient à l'école, Maigret était le fils du régisseur, d'un monsieur instruit qui, vis-à-vis des paysans, représentait le comte.

Victor, lui, devait considérer comme ennemis tous ceux qui ne couraient pas les bois comme lui, qui habitaient de vraies maisons et n'étaient pas en lutte ouverte avec les gendarmes et les gardes.

Fumal avait commis la faute de l'amener à Paris et de l'enfermer dans ce grand cube de pierre du boulevard de Courcelles.

Victor ne s'y était-il pas senti un prisonnier ? Dans sa loge, où il vivait seul comme une bête dans son trou, ne rêvait-il pas de la rosée du matin et du gibier pris au piège ?

Ici, il n'avait plus de fusil, comme dans ses bois, mais il avait apporté son Luger, qu'il devait parfois caresser avec nostalgie.

— La même chose, patron.

Mais, tout de suite, il secoua la tête.

— Non !

Il n'avait plus envie de boire. Il n'en avait pas besoin. Il devait achever la tâche commencée, même s'il n'y croyait pas, se rendre à son bureau du Quai des Orfèvres et diriger les recherches.

Sans compter qu'il restait une Anglaise à retrouver !

9

La recherche des disparus

Le titre qui, dans les journaux, résuma le mieux la situation fut :

Double échec de la Police Judiciaire

Ce qui sous-entendait :

Double échec de Maigret

Une touriste avait disparu d'un hôtel du quartier Saint-Lazare, sans raison apparente, était entrée dans un bar, en était ressortie, était passée devant un sergent de ville et, depuis, s'était volatilisée.

Un homme au signalement caractéristique, le meurtrier, non seulement du roi de la boucherie, mais d'un garde-chasse, avait quitté un hôtel particulier du boulevard de Courcelles, en plein jour, à onze heures du matin, alors que l'immeuble recevait la visite de la police et du juge d'instruction. Peut-être était-il armé. Il devait être porteur d'une fortune de quinze millions.

On ne lui connaissait aucun ami à Paris, aucune relation masculine ou féminine.

Or, tout comme Mrs. Britt, il s'était évanoui dans la ville.

Des centaines, des milliers de policiers et de gendarmes dans tout le pays passèrent un nombre incalculable d'heures à les rechercher l'un et l'autre.

Puis, la passion publique apaisée, les hommes chargés de la sécurité de la population continuèrent à avoir deux noms, deux signalements, parmi d'autres, dans leur carnet.

Pendant deux ans, on n'eut de nouvelles ni de la femme, ni de l'homme.

C'est Mrs. Britt, la logeuse de Kilburn Lane, qu'on retrouva la première, en parfaite santé, mariée et tenant une pension de famille dans un camp de mineurs en Australie.

Ce ne fut ni la police française, ni la police britannique qui en eurent le mérite mais, par le plus grand des hasards, une des personnes qui avait fait le voyage de Paris dans le même troupeau qu'elle et à qui il advint de se rendre aux antipodes.

Mrs. Britt ne fournit aucune explication. On n'en avait pas à exiger d'elle. Elle n'avait commis aucun crime, aucun délit. Comment et où avait-elle rencontré enfin l'homme de sa vie ? Pourquoi avait-elle quitté l'hôtel, puis la France, sans en rien dire à personne ? C'était son affaire et elle mit à la porte les journalistes qui allèrent l'interroger.

Pour Victor cela se passa différemment. Sa disparition fut plus longue aussi, puisqu'elle dura cinq ans, sans que son nom fût effacé des calepins des policiers et des gendarmes.

Un matin de novembre, parmi les passagers qui débarquaient d'un cargo mixte en provenance de Panama, la police du port de Cherbourg remarqua un passager de troisième classe qui paraissait mal portant et dont le passeport était grossièrement falsifié.

— Voulez-vous venir par ici ? l'invita poliment un des inspecteurs après un coup d'œil à son collègue.

— Pourquoi ?

— Une simple formalité.

Au lieu de suivre la file, l'homme entra dans un bureau où on lui désigna une chaise.

— Ton nom ?

— Vous avez vu : Henri Sauer.

— Tu es né à Strasbourg ?

— C'est sur mon passeport.

— Où es-tu allé à l'école ?

— Mais... à Strasbourg...

— A l'école du quai Saint-Nicolas ?

On lui cita ainsi plusieurs noms de rues, de places publiques, d'hôtels, de restaurants.

— Il y a si longtemps... soupirait l'homme, dont le visage se couvrait de sueur.

Il avait dû attraper les fièvres sous les tropiques, car son corps était soudain agité par un tremblement convulsif.

— Ton nom ?

— Je vous l'ai dit.

— Ton vrai nom.

Malgré son état, il ne céda pas, se contentant de répéter sans cesse la même histoire.

— Je sais où, à Panama, tu as acheté ce passeport-là. Seulement, vois-tu, tu t'es fait rouler. On voit que tu n'es pas allé longtemps à l'école. Comme contrefaçon, on ne fait pas plus mal et tu es au moins le dixième à te faire prendre.

Le policier alla chercher dans un classeur d'autres passeports pareils à celui-là.

— Regarde. Ton vendeur, à Panama, s'appelle Schwarz et c'est un repris de justice. Lui est vraiment né à Strasbourg. Tu te tais ? Comme tu voudras !... Donne ton pouce...

Tranquillement, l'agent prenait les empreintes digitales du suspect.

— Qu'est-ce que vous allez en faire ?

— Les envoyer à Paris, où on saura tout de suite qui tu es.

— Et pendant ce temps-là ?

— On te garde ici, bien entendu.

L'homme regarda la porte vitrée, derrière laquelle bavardaient d'autres policiers.

— Dans ce cas... soupira-t-il, vaincu.

— Ton nom ?

— Victor Ricou.

Même après cinq ans, cela suffit pour provoquer un déclic. L'inspecteur se leva, se dirigea à nouveau vers les classeurs, finit par y pêcher une fiche.

— Le Victor du boulevard de Courcelles ?

Dix minutes plus tard, Maigret, qui venait d'arriver à son bureau et dépouillait son courrier, recevait la nouvelle par téléphone.

Le lendemain, dans le même bureau, il avait devant lui une sorte d'épave, un être découragé qui ne songeait plus à se défendre.

— Comment as-tu quitté Paris ?

— Je ne l'ai pas quitté. J'y suis resté trois mois.

— Où ?

— Dans un petit hôtel de la place d'Italie.

Ce qui intriguait le commissaire, c'était la façon dont Victor, avec seulement quelques minutes d'avance, était sorti du quartier, alors que la police avait été aussitôt alertée.

— J'ai pris un triporteur au bord du trottoir et personne n'a fait attention à moi.

Après trois mois, il avait gagné Le Havre, où il s'était embarqué clandestinement pour Panama avec la complicité d'un matelot de cargo.

— Il m'avait d'abord dit que cela me coûterait cinq cent mille francs. A bord, il m'en a réclamé cinq cent mille autres. Puis, avant de débarquer...

— Combien t'a-t-il pris en tout ?

— Deux millions. Là-bas...

Victor avait pensé s'installer à la campagne, mais il n'y avait pas de vraie campagne, hors de la ville, c'était presque tout de suite la forêt vierge.

Dépaysé, il avait fréquenté les bars louches, s'était fait voler à nouveau. Ses quinze millions ne lui avaient pas duré plus de deux ans et il avait dû se mettre à travailler.

— Je n'y tenais plus. Il fallait que je revienne...

Les journaux, qui avaient fait tant de tapage à son sujet, se contentèrent de trois lignes pour annoncer son arrestation, car personne ne se souvenait de l'affaire Fumal.

Victor n'eut même pas à passer aux Assises. Comme l'instruction traînait en longueur, à cause de la disparition des témoins, il eut le temps de mourir à l'infirmerie de Fresnes où Maigret fut le seul à lui rendre deux ou trois visites.

Golden Gate, Cannes, le 4 mars 1956.

LE PETIT HOMME D'ARKHANGELSK

1

Le départ de Gina

Il eut le tort de mentir. Il en eut l'intuition au moment où il ouvrait la bouche pour répondre à Fernand Le Bouc et c'est par timidité, en somme, par manque de sang-froid, qu'il ne changea pas les mots qui lui venaient aux lèvres.

Il dit donc :

— Elle est allée à Bourges.

Le Bouc demanda, tout en rinçant un verre derrière son comptoir :

— La Loute y est toujours ?

Il répondit sans le regarder :

— Je suppose.

Il était dix heures du matin et, comme c'était jeudi, le marché battait son plein. Dans l'étroit bistrot presque tout vitré de Fernand, au coin de l'impasse des Trois-Rois, cinq ou six hommes étaient debout au comptoir. A ce moment-là, il n'était pas important de savoir qui s'y trouvait mais cela allait le devenir et Jonas Milk, plus tard, s'efforcerait de situer chaque visage.

Près de lui était Gaston Ancel, le boucher aux pommettes rouges, au tablier ensanglanté, qui venait trois ou quatre fois par matinée avaler un coup de blanc sur le pouce et qui avait ensuite une façon caractéristique de s'essuyer les lèvres. La voix forte, il plaisantait toujours et, dans la boucherie, taquinait les clientes tandis que Mme Ancel, à la caisse, s'excusait du vocabulaire de son mari.

Avec Ancel, une tasse de café à la main, se tenait Benaiche, l'agent de police préposé au marché, que tout le monde appelait Julien.

Un petit vieux, au veston verdâtre, dont les mains tremblaient, avait dû passer la nuit dehors, comme il le faisait la plupart du temps. On ne savait pas qui il était, ni d'où il venait, mais on s'était habitué à lui et il avait fini par faire partie du décor.

Qui étaient les autres ? Un ouvrier électricien que Jonas ne connaissait pas, avec quelqu'un à la poche bourrée de crayons, un contremaître ou le patron d'une petite entreprise.

Il ne retrouva jamais le sixième, mais il aurait juré qu'il y avait une silhouette entre lui et la fenêtre.

Aux tables, derrière les hommes, trois ou quatre marchandes de légumes vêtues de noir cassaient la croûte.

C'était l'atmosphère de tous les matins de marché, c'est-à-dire des mardis, jeudis et samedis. Ce jeudi-là, un clair et chaud soleil de juin frappait en plein les façades, tandis que sous le vaste toit du marché couvert les gens s'agitaient dans une pénombre bleuâtre autour des paniers et des étals.

Jonas n'avait pas voulu faire d'accroc à sa routine. Vers dix heures, comme sa boutique était vide de clients, il avait franchi les cinq mètres de trottoir qui le séparaient du bistrot de Fernand d'où, à travers les vitres, il pouvait surveiller les boîtes de livres d'occasion installées contre sa devanture.

Il aurait pu ne pas ouvrir la bouche. Certains, chez Fernand, s'approchaient du comptoir sans un mot, car on savait ce qu'ils allaient prendre. Pour lui, c'était invariablement un café-expresso.

Il prononçait quand même, peut-être par humilité, ou par un besoin de précision :

— Un café-expresso.

Presque tout le monde se connaissait et il arrivait qu'on ne se dise pas bonjour, croyant s'être déjà vus le matin même.

Fernand Le Bouc, par exemple, était debout depuis trois heures du matin, pour l'arrivée des camions, et Ancel le boucher, réveillé à cinq heures, était déjà venu au moins deux fois au bar.

Les boutiques se touchaient, autour du toit d'ardoises du marché sans murs qu'encadraient, dans le ruisseau, des cageots et des caisses défoncés, des oranges pourries, de la paille de bois piétinée.

Les ménagères qui enjambaient ces détritus n'imaginaient pas que la place, avant leur arrivée, bien avant leur réveil, avait déjà vécu, dans le bruit des poids lourds et l'odeur du mazout, des heures d'une existence fiévreuse.

Jonas regardait le café tomber goutte à goutte du mince robinet chromé dans la tasse brune et il avait une autre habitude : avant qu'on le serve, il défaisait le papier transparent qui enveloppait ses deux morceaux de sucre.

— Gina va bien ? lui avait demandé Le Bouc.

Il avait d'abord répondu :

— Elle va bien.

Ce n'est qu'à cause de ce que Fernand dit ensuite qu'il se crut obligé de mentir.

— Je me demandais si elle était malade. Je ne l'ai pas aperçue ce matin.

Le boucher interrompit sa conversation avec l'agent de police pour remarquer :

— Tiens ! Je ne l'ai pas vue non plus.

Gina, d'habitude, en pantoufles, souvent non peignée, parfois enveloppée d'une sorte de robe de chambre à fleurs, faisait ses achats d'assez bonne heure, avant l'arrivée de la foule.

Jonas ouvrit la bouche et c'est alors qu'il ne put, malgré son instinct qui lui conseillait le contraire, changer les mots préparés :

— Elle est allée à Bourges.

Cela arrivait de temps en temps à sa femme d'aller à Bourges voir la Loute, comme on l'appelait, la fille des grainetiers d'en face, qui y vivait depuis deux ans. Mais presque toujours, et tout le monde devait le savoir, elle prenait le car de onze heures et demie.

Il s'en voulut de sa réponse, non seulement parce que c'était un mensonge et qu'il n'aimait pas mentir, mais parce que quelque chose lui disait qu'il avait tort. Il ne pouvait pourtant pas leur annoncer la vérité, il le pouvait d'autant moins que, d'un moment à l'autre, Palestri, le père de Gina, descendrait de son triporteur pour boire son petit verre.

Ce fut le boucher qui demanda, sans s'adresser à personne en particulier :

— Est-ce qu'en fin de compte on sait ce qu'elle fait à Bourges, la Loute ?

Et Fernand, indifférent :

— Sans doute la putain.

C'était curieux que le boucher, justement, se soit trouvé présent et ait participé à l'entretien, car sa propre fille, Clémence, l'aînée, celle qui était mariée, était plus ou moins mêlée à l'affaire.

Jonas buvait, à petites gorgées, son café très chaud dont la vapeur embuait ses lunettes, ce qui lui donnait un air différent de son air habituel.

— A tout à l'heure, dit-il en posant de la monnaie sur le linoléum du comptoir.

Personne n'avait touché aux livres des deux boîtes. C'était rare qu'il en vende pendant le marché et, le matin, il ne faisait guère que quelques échanges. Machinalement, il redressa l'alignement des ouvrages, jeta un coup d'œil à l'étalage et entra dans la boutique où régnait une douce odeur de poussière et de papier moisi.

Il n'avait pas osé se rendre, la nuit, chez Clémence, la fille du boucher, mais il l'avait vue tout à l'heure qui faisait son marché en poussant le bébé dans sa voiture.

Il s'était avancé vers elle, exprès.

— Bonjour, Clémence.

— Bonjour, monsieur Jonas.

Si elle lui disait monsieur, c'est qu'elle avait vingt-deux ans et qu'il en avait quarante. Elle était allée à l'école avec Gina. Toutes les deux étaient nées place du Vieux-Marché. Gina était la fille de Palestri, le marchand de légumes qui, pendant que sa femme tenait la boutique, effectuait les livraisons en triporteur.

— Beau temps ! avait-il encore lancé en observant Clémence à travers ses grosses lunettes.

— Oui. On dirait qu'il va faire chaud.

Il se pencha pour regarder le bébé, Poupou, qui était énorme.

— Il pousse ! remarqua-t-il gravement.

— Je crois qu'il commence sa première dent. Le bonjour à Gina.

Cela se passait vers neuf heures. En prononçant la dernière phrase,

Clémence avait jeté un coup d'œil vers le fond de la boutique comme si elle s'attendait à apercevoir son amie dans la cuisine.

Elle n'avait pas paru embarrassée. Elle s'était dirigée, poussant la voiture de Poupou, vers l'épicerie Chaigne où elle était entrée.

Cela signifiait que Gina avait menti et Jonas en était à peu près sûr depuis la veille. Il avait fermé la boutique à sept heures, comme d'habitude, ou plutôt il avait fermé la porte sans retirer le bec-de-cane car, tant qu'il restait debout, il n'y avait pas de raison de rater un client et certains venaient, assez tard, échanger leurs livres en location. De la cuisine, on entendait la sonnerie que la porte déclenchait en s'ouvrant. La maison était étroite, une des plus anciennes de la place du Vieux-Marché, avec encore gravés, sur une des pierres, un écusson et la date 1596.

— Le dîner est prêt ! lui avait crié Gina en même temps qu'il entendait un rissolement dans la poêle.

— Je viens.

Elle portait une robe en coton rouge qui la moulait. Il n'avait jamais rien osé lui dire sur ce sujet-là. Elle avait de gros seins, des hanches plantureuses, et elle exigeait de sa couturière des robes collantes sous lesquelles elle ne portait qu'un slip et un soutien-gorge, de sorte que, quand elle bougeait, on voyait même le nombril se dessiner.

C'était du poisson qu'elle cuisait et, avant, il y avait de la soupe à l'oseille. Ils ne mettaient pas de nappe, mangeaient sur la toile cirée et souvent Gina ne se donnait pas la peine d'employer les plats, se contentant de placer les casseroles sur la table.

Dehors, avec les étrangers, elle était gaie, l'œil vif et aguichant, la bouche rieuse, et elle riait d'autant plus qu'elle avait des dents éblouissantes.

C'était la plus belle fille du marché, tout le monde était d'accord là-dessus, même si certains émettaient quelques restrictions ou prenaient un air pincé quand il était question d'elle.

En tête à tête avec Jonas, son visage s'éteignait. Parfois la transformation se voyait au moment où elle franchissait le seuil de la boutique. Joyeuse, elle lançait une dernière plaisanterie à quelqu'un qui passait et, le temps de se retourner pour entrer dans la maison, ses traits perdaient toute expression, sa démarche n'était plus la même et, si elle roulait encore les hanches, c'était soudain avec lassitude.

Il leur arrivait de manger sans souffler mot, au plus vite, comme pour se débarrasser d'une corvée et il était encore à table qu'elle commençait, dans son dos, à laver la vaisselle dans l'évier.

Avaient-ils parlé ce soir-là ? Comme il ne savait pas encore, il n'y avait pas prêté attention mais il ne se souvenait pas d'une seule phrase prononcée.

La place du Vieux-Marché, si bruyante le matin, devenait très calme, le soir venu, et on n'entendait que les voitures passer dans la rue de Bourges, à plus de cent mètres, de temps en temps une mère qui, de son seuil, appelait ses enfants attardés sous le grand toit d'ardoises.

En lavant la vaisselle, elle avait annoncé :

— Je vais chez Clémence.

La fille aînée du boucher avait épousé un employé du service des eaux et cela avait été, deux ans plus tôt, un beau mariage auquel toute la place avait assisté. Elle s'appelait maintenant Reverdi et le jeune ménage occupait un appartement rue des Deux-Ponts.

Alors qu'il ne demandait pas d'explications à sa femme, elle avait ajouté, lui tournant le dos :

— On donne un film qu'ils ont envie de voir.

Cela arrivait, dans ces cas-là, que Gina aille garder le bébé qui n'avait que huit mois. Elle emportait un livre, prenait la clef et ne rentrait pas avant minuit, car les Reverdi assistaient à la seconde séance.

On n'avait pas encore allumé la lampe. Il venait assez de lumière par la fenêtre et la porte donnant sur la cour. L'air était bleuâtre, d'une immobilité impressionnante, comme souvent à la fin des très longues journées d'été. Des oiseaux piaillaient dans le tilleul de l'épicerie Chaigne, le seul arbre de tout le pâté de maisons au milieu d'une vaste cour encombrée de tonneaux et de caisses.

Gina était montée. L'escalier ne s'amorçait pas dans la cuisine, mais dans le cagibi séparant celle-ci de la boutique et que Jonas appelait son bureau.

Quand elle redescendit, elle n'avait ni manteau ni chapeau. D'ailleurs, elle ne portait de chapeau que pour se rendre à la messe du dimanche. Les autres jours, elle allait tête nue, ses cheveux bruns en désordre et, quand ils lui tombaient sur la joue, elle les renvoyait en arrière en secouant la tête.

— A tout à l'heure.

Il avait remarqué qu'elle tenait contre elle le grand sac à main rectangulaire, en cuir verni, qu'il lui avait offert pour son dernier anniversaire. Il avait failli la rappeler pour lui dire :

— Tu oublies d'emporter un livre.

Mais elle s'éloignait déjà sur le trottoir, d'une démarche vive, courant presque dans la direction de la rue des Prémontrés. Il était resté un certain temps sur le seuil, à la suivre des yeux, puis à respirer l'air encore tiède du soir et à regarder les lumières qui commençaient à s'allumer, à gauche, dans la rue de Bourges.

Qu'avait-il fait jusqu'à minuit ? Les boîtes de livres qu'il installait le matin sur le trottoir étaient rentrées. Il avait changé quelques ouvrages de place, sans raison importante, simplement pour assortir la couleur des couvertures. Il avait allumé l'électricité. Il y avait des livres partout, sur les rayons jusqu'au plafond, et, en piles, sur le comptoir, par terre dans les coins. C'étaient des livres d'occasion, presque tous usés, salis, réparés avec du papier gommé, et il en louait plus qu'il n'en vendait.

D'un côté de la pièce seulement, on voyait des reliures anciennes, des éditions du XVIIe et du XVIIIe siècle, un vieux La Fontaine publié en Belgique, une Bible en latin avec de curieuses gravures, les sermons de Bourdaloue, cinq exemplaires, de formats différents, du Télémaque, puis, en dessous, des collections plus récentes comme l'Histoire du Consulat et de l'Empire reliée en vert sombre.

Jonas ne fumait pas. A part du café, il ne buvait pas non plus. Il n'allait au cinéma, de temps en temps, que pour faire plaisir à Gina. Est-ce que cela faisait réellement plaisir à Gina ? Il n'en était pas sûr. Elle y tenait, cependant, comme elle tenait à prendre une loge, ce qui, dans son esprit, devait établir qu'elle était mariée.

Il ne lui en voulait pas. Il ne lui en voulait de rien, même à présent. De quel droit aurait-il exigé quoi que ce soit d'elle ?

Son cagibi-bureau, entre la boutique et la cuisine, n'avait pas de fenêtre, ne recevait d'air que par les deux portes et, ici aussi, il y avait des livres jusqu'au plafond. Mais ce qu'il y avait surtout, dans le meuble devant lequel il ne s'asseyait qu'avec un soupir de satisfaction, c'était des ouvrages de philatélie et ses timbres.

Car il n'était pas seulement bouquiniste. Il était marchand de timbres-poste. Et si sa boutique, coincée entre les magasins de victuailles du Vieux-Marché, ne payait pas de mine, les commerçants du quartier auraient été surpris d'apprendre que le nom de Jonas Milk était connu par des marchands et des collectionneurs du monde entier.

Dans un tiroir, à portée de main, étaient rangés des instruments de précision pour compter et mesurer les dents des timbres, étudier la pâte du papier, le filigrane, découvrir les défauts d'une impression ou d'une surcharge, dépister les maquillages.

Contrairement à la plupart de ses confrères, il achetait tout ce qui lui tombait sous la main, faisait venir des pays étrangers de ces enveloppes de cinq cents, de mille, de dix mille timbres qu'on vend aux débutants et qui sont théoriquement sans valeur.

Ces timbres-là, qui avaient pourtant passé entre les mains de commerçants avisés, il les étudiait un à un, sans rien rejeter a priori, et il lui arrivait de temps à autre de faire une trouvaille.

Telle émission, par exemple, banale dans sa forme courante, devenait une rareté lorsque la vignette provenait d'une planche défectueuse ; telle autre, au cours des essais, avait été imprimée d'une couleur différente de la couleur définitive et les exemplaires constituaient des pièces rarissimes.

Presque tous les marchands, comme presque tous les collectionneurs, se cantonnent dans une époque, dans un type de timbres.

Jonas Milk, lui, s'était spécialisé dans les monstres, dans les timbres qui, pour une raison ou une autre, échappent à la règle.

Ce soir-là, la loupe à la main, il avait travaillé jusqu'à onze heures et demie. Un moment, il avait eu l'intention de fermer la maison pour aller à la rencontre de sa femme. Clémence et son mari n'habitaient qu'à dix minutes de là, dans une rue tranquille qui donnait sur le canal.

Il aurait aimé revenir lentement avec Gina le long des trottoirs déserts, même s'ils n'avaient rien trouvé à se dire.

Par crainte de la mécontenter, il ne donna pas suite à son projet. Elle aurait pu croire qu'il était sorti pour la surveiller, pour s'assurer qu'elle était bien allée chez Clémence ou qu'elle en revenait seule.

Il gagna la cuisine et alluma le réchaud à gaz afin de se préparer une tasse de café. Le café ne l'empêchait pas de dormir. Il en profita pour remettre de l'ordre, car sa femme n'avait même pas rangé les casseroles.

Il ne lui en voulait pas de cela non plus. La maison, depuis qu'il était marié, était plus sale que quand il y vivait seul et qu'il y faisait presque tout le ménage. Il n'osait pas ranger, ni astiquer devant elle, par crainte qu'elle prenne cela pour un reproche, mais, quand elle était absente, il trouvait toujours quelque chose à nettoyer.

Aujourd'hui, par exemple, c'était la poêle, qu'elle n'avait pas pris le temps de laver et qui sentait le hareng.

Minuit sonna à l'église Sainte-Cécile, juste au fond du marché, au coin de la rue de Bourges. Il calcula, ce qu'il avait déjà fait d'autres fois, que le cinéma avait fini à onze heures et demie, et qu'il fallait à peine vingt minutes aux Reverdi pour regagner la rue des Deux-Ponts, qu'ils bavarderaient peut-être un moment avec Gina.

Celle-ci ne rentrerait donc pas avant minuit et demi et, laissant une seule lumière au rez-de-chaussée, il monta au premier, se demandant si sa femme avait emporté la clef. Il ne se souvenait pas de la lui avoir vue à la main. D'habitude, c'était un geste presque rituel de la glisser dans son sac au dernier moment.

Il en serait quitte pour descendre lui ouvrir, car il ne dormirait pas encore. Leur chambre était basse de plafond, avec une grosse poutre peinte en blanc dans le milieu et un lit en noyer, une armoire à glace à deux portes qu'il avait achetés à la salle de ventes.

Même ici, l'odeur des vieux livres montait, mêlée aux odeurs de cuisine, ce soir à l'odeur du hareng.

Il se déshabilla, se mit en pyjama et se lava les dents. De celle des deux fenêtres qui donnait sur la cour, il pouvait apercevoir, par-delà la cour des Chaigne, les fenêtres des Palestri, les parents de Gina. Ceux-ci étaient couchés. Eux aussi, comme tous au marché, se levaient avant le jour et il n'y avait de lumière qu'à la fenêtre de Frédo, le frère de Gina. Peut-être venait-il de rentrer du cinéma ? C'était un drôle de garçon, aux cheveux plantés bas sur le front, aux sourcils épais, qui regardait Jonas comme s'il ne lui pardonnait pas d'avoir épousé sa sœur.

A minuit et demi, celle-ci n'était pas rentrée et Milk, couché, mais n'ayant pas quitté ses lunettes, regardait le plafond avec une patience mélancolique.

Il n'était pas encore inquiet. Il aurait pu l'être, car c'était arrivé qu'elle ne rentre pas et, une fois, elle était restée trois jours absente.

Au retour, elle ne lui avait fourni aucune explication. Elle ne devait pas être fière, au fond. Ses traits étaient tirés, ses yeux las, on aurait dit qu'elle apportait avec elle des odeurs étrangères, mais en passant devant lui, elle ne s'en était pas moins redressée pour le regarder avec défi.

Il ne lui avait rien dit. A quoi bon ? Que lui aurait-il dit ? Il s'était montré, au contraire, plus doux, plus attentif que d'habitude, et, deux soirs plus tard, c'était elle qui avait proposé une promenade le long du canal et avait accroché la main à son bras.

Elle n'était pas méchante. Elle ne le détestait pas, comme son frère Frédo. Il était persuadé qu'elle faisait son possible pour être une bonne femme et qu'elle lui était reconnaissante de l'avoir épousée.

Deux ou trois fois, il tressaillit en entendant du bruit, mais c'étaient les souris, en bas, dont il n'essayait plus de se débarrasser. Tout autour du marché, où régnaient de si bonnes odeurs, où s'entassaient tant de victuailles savoureuses, les murs étaient minés de galeries qui constituaient pour les rongeurs une ville secrète.

Heureusement, rats et souris trouvaient assez de subsistance ailleurs pour ne pas être tentés de s'attaquer aux livres, de sorte que Jonas ne s'inquiétait plus. Parfois, les souris se promenaient dans la chambre alors que Gina et lui étaient couchés, elles venaient jusqu'au pied du lit, curieuses, eût-on dit, de voir des humains dormir, et la voix humaine ne les effrayait plus.

Une moto s'arrêta de l'autre côté de la place, celle du fils Chenu, de la poissonnerie, puis le silence se rétablit et l'horloge de l'église piqua le quart, puis une heure, et alors seulement Jonas se leva pour se diriger vers la chaise à fond de paille où il avait posé ses vêtements.

La première fois que c'était arrivé, il avait couru la ville, honteux, fouillant du regard les coins sombres, regardant par la vitre du seul bar encore ouvert dans le quartier de l'usine.

Aujourd'hui, il y avait une explication possible. Peut-être Poupou, le bébé de Clémence, était-il malade et Gina était-elle restée pour donner un coup de main ?

Il s'habilla, espérant toujours, descendit l'escalier, jeta à tout hasard un coup d'œil à la cuisine qui était vide et qui sentait le hareng refroidi. Il prit son chapeau en passant dans son bureau, sortit de la maison dont il referma la porte derrière lui.

Et si Gina n'avait pas la clef ? Si elle rentrait pendant son absence ? Si elle revenait de chez Clémence par un autre chemin ?

Il préféra tourner à nouveau la clef dans la serrure, de façon qu'elle puisse rentrer. Le ciel était clair au-dessus du vaste toit d'ardoises, avec quelques nuages que la lune faisait scintiller. Un couple, assez loin, marchait dans la rue de Bourges et l'air avait une telle résonance que, malgré la distance, on entendait les moindres propos échangés.

Jusqu'à la rue des Deux-Ponts, il ne rencontra personne, ne vit qu'une fenêtre éclairée, quelqu'un, peut-être, qui attendait comme lui, ou un malade, un agonisant ?

Il était gêné du bruit de ses semelles sur le pavé et cela lui donnait l'impression d'être un intrus.

Il connaissait la maison des Reverdi, la seconde à gauche après le coin, et tout de suite il vit qu'il n'y avait aucune lumière à l'étage que le jeune ménage occupait.

A quoi bon sonner, déclencher un vacarme, susciter des questions auxquelles personne ne pourrait répondre ?

Gina allait peut-être rentrer malgré tout. Il était plus que probable qu'elle avait menti, qu'elle n'était pas venue chez Clémence, que celle-ci et son mari n'étaient pas allés au cinéma.

Il se souvenait qu'elle n'avait pas emporté de livre comme elle le faisait quand elle allait garder Poupou et cela l'avait frappé aussi qu'elle prenne son sac en verni noir.

Sans raison, il resta bien cinq minutes au bord du trottoir, à regarder les fenêtres derrière lesquelles des gens dormaient, puis il s'éloigna comme sur la pointe des pieds.

Quand il atteignit la place du Vieux-Marché, un premier camion, énorme, qui venait de Moulins, bouchait presque la rue des Prémontrés et le chauffeur dormait, la bouche ouverte, dans la cabine.

Dès le seuil, il appela :

— Gina !

Comme pour conjurer le sort, il s'efforçait de parler d'une voix naturelle, sans angoisse.

— Tu es là, Gina ?

Il referma la porte et mit la barre, hésita à se faire une nouvelle tasse de café, décida que non et monta dans sa chambre où il se recoucha.

S'il dormit, il n'en eut pas conscience. Il avait laissé la lampe allumée, sans raison, et une heure s'écoula avant qu'il retirât ses lunettes sans lesquelles il ne voyait qu'un univers vague et flou. Il entendit d'autres camions arriver, des portières qui claquaient, des caisses, des cageots qu'on empilait sur le carreau.

Il entendit aussi Fernand Le Bouc qui ouvrait son bar, puis les premières camionnettes des revendeurs.

Gina n'était pas rentrée. Gina ne rentrait pas.

Il dut s'assoupir puisqu'il ne vit pas la transition entre la nuit et le jour. A un moment, c'était encore l'obscurité que perçaient les lumières du marché, puis soudain il y avait eu du soleil dans la chambre et sur son lit.

D'une main hésitante, il tâta la place à côté de lui et, naturellement, la place était vide. D'habitude, Gina était chaude, couchée en chien de fusil, et elle avait une forte odeur de femelle. Il lui arrivait, dans son sommeil, de se retourner brusquement, une cuisse par-dessus celle de Jonas, et de la serrer en respirant de plus en plus fort.

Il décida de ne pas descendre, de ne pas se lever avant l'heure, de suivre la routine de tous les jours. Il ne se rendormit pas et, pour s'occuper l'esprit, il resta attentif aux bruits du marché qu'il s'efforçait d'identifier avec la minutie qu'il mettait à dépister les caractéristiques d'un timbre-poste.

Il était presque né ici, lui aussi. Pas tout à fait. Pas comme les autres. Mais ils l'interpellaient, le matin, comme ils s'interpellaient entre eux, avec la même familiarité bonhomme, et il avait pour ainsi dire sa place au comptoir de Le Bouc.

Deux fois, il entendit la voix d'Ancel, le boucher, sur le trottoir, discutant avec un homme qui lui livrait des quartiers de bœuf, et il y avait une histoire de moutons qui le mettait en colère. L'épicerie Chaigne, à côté, ouvrait plus tard, et la maison suivante était celle des Palestri où Angèle, la mère de Gina, était déjà au travail.

C'était elle qui s'occupait du commerce. Louis, son mari, était un brave homme, mais il ne pouvait s'empêcher de boire. Alors, pour l'occuper, on lui avait acheté un triporteur et il faisait les livraisons, non seulement pour son magasin, mais pour les gens du marché qui n'avaient pas de moyen de transport.

Cela l'humiliait. Il ne l'avouait pas. D'un côté, il était content d'être toute la journée hors de chez lui, pour pouvoir boire à son aise. Mais, d'un autre côté, il n'était pas dupe, comprenait qu'il ne comptait pas, qu'il n'était plus le vrai chef de la famille et cela le poussait à boire davantage.

Qu'est-ce qu'Angèle aurait dû faire ? Jonas se l'était demandé et n'avait pas trouvé de réponse.

Gina ne respectait pas son père. Quand il venait la voir, entre deux courses, elle posait sur la table la bouteille de vin et un verre en disant :

— Tiens ! C'est ça que tu veux ?

Il feignait de rire, de croire à une plaisanterie. Il savait que c'était sérieux et pourtant ne résistait pas au besoin de remplir son verre, quitte à lancer en partant :

— Toi, tu es une vraie garce !

Jonas essayait de n'être pas là quand cela arrivait. Devant lui, Palestri se sentait plus humilié encore et c'était peut-être une des raisons pour lesquelles il lui en voulait presque autant que son fils.

Il se leva à six heures, descendit préparer son café. C'était toujours lui qui descendait le premier et, l'été, il commençait par ouvrir la porte de la cour. Souvent, on ne voyait Gina en bas que vers sept heures et demie ou même huit heures, alors que le magasin était déjà ouvert.

Elle aimait traîner en peignoir et en savates, le visage luisant de la sueur de la nuit, et cela ne la gênait pas d'être vue ainsi par des étrangers, elle allait se camper sur le seuil, passait devant chez Chaigne pour aller dire bonjour à sa mère, revenait avec des légumes ou des fruits.

— Salut, Gina !

— Salut, Pierrot !

Elle connaissait tout le monde, les grossistes, les revendeurs, les chauffeurs de poids lourds comme aussi les femmes de la campagne qui venaient vendre les produits de leur jardin et de leur basse-cour. Toute petite, le derrière nu, elle s'était faufilée entre les caisses et les paniers.

Maintenant, ce n'était plus une petite fille. C'était une femme de vingt-quatre ans et son amie Clémence avait un enfant, d'autres en avaient deux ou trois.

Elle n'était pas rentrée et Jonas, avec des gestes mesurés, installait ses boîtes devant la vitrine, redressait les étiquettes avec les prix et allait à la boulangerie d'en face acheter des croissants. Il en prenait toujours cinq, trois pour lui, deux pour sa femme, et, quand on les lui enveloppa d'office dans du papier de soie brun, il ne protesta pas.

Il en serait quitte pour jeter les deux croissants en trop, et c'est de là que lui vint l'idée de ne rien dire, ce qui signifiait, dans son esprit, de ne pas avouer que Gina était partie sans l'avertir.

D'ailleurs, était-elle vraiment partie ? Elle ne portait, en sortant le soir, que sa robe rouge en coton, n'avait avec elle que son sac de cuir verni.

Elle pouvait revenir dans le courant de la journée, à tout moment. Peut-être était-elle déjà là ?

Une fois encore, il essaya la conjuration.

— Gina ! appela-t-il en rentrant, d'une voix presque joyeuse.

Puis il mangea seul, sur un coin de la table de cuisine, lava sa tasse, son assiette et ramassa les miettes de croissant. Par acquit de conscience, il alla au premier étage s'assurer que la valise de sa femme était toujours dans le placard. Elle ne possédait que celle-là. Elle aurait pu, la veille, alors qu'il était chez Le Bouc, par exemple, à prendre son café, sortir la valise de la maison et la déposer n'importe où.

La facteur passa et cela l'occupa un certain temps de lire le courrier, de jeter un coup d'œil superficiel sur des timbres qu'il avait commandés au Caire.

Il fut tout de suite dix heures et il alla, comme les autres matins, chez Fernand Le Bouc.

— Gina va bien ?

— Elle va bien ?

— Je me demandais si elle était malade. Je ne l'ai pas aperçue ce matin.

Pourquoi n'avait-il pas répondu n'importe quoi, sauf :

— *Elle est allée à Bourges.*

Il s'en voulait de cette maladresse-là. Elle pouvait revenir dans une demi-heure, dans une heure, et de quoi, alors, sa réponse aurait-elle l'air ?

Une gamine qui vendait des fleurs non loin de la boutique vint en coup de vent échanger son livre, comme elle le faisait chaque matin, car elle lisait un roman par jour.

— C'est bien, celui-ci ?

Il dit oui. Elle choisissait toujours le même genre de livres dont les couvertures bariolées étaient garantes du contenu.

— Gina n'est pas ici ?
— Pas pour le moment.
— Elle va bien ?
— Oui.

Une idée lui vint soudain, qui le fit rougir, car il avait honte de se méfier des gens, de ce qu'il appelait des mauvaises pensées à leur égard. La petite fleuriste à peine sortie, il monta dans sa chambre, ouvrit l'armoire à glace au fond de laquelle, sous les vêtements qui pendaient, les siens et ceux de Gina, il gardait un coffre en acier acheté chez Viroulet.

Le coffre était à sa place et il fallut un effort à Jonas pour aller plus avant, prendre la clef dans sa poche et l'introduire dans la serrure.

Si Gina était rentrée à ce moment-là, il se serait peut-être évanoui de honte.

Mais Gina ne rentra pas et elle ne devait sans doute pas rentrer de sitôt.

Les enveloppes transparentes qui contenaient ses timbres les plus rares, entre autres le Trinité bleu de cinq *cents,* de 1847, à l'effigie du steamer *Lady McLeod,* avaient disparu.

2

Les noces de Jonas

Il était encore debout devant l'armoire à glace, des perles de sueur au-dessus de la lèvre, quand il entendit des pas dans la boutique, puis dans le cagibi. C'était rare, l'été, qu'il ferme la porte extérieure, car la maison, toute en profondeur, manquait d'aération. Immobile, il s'attendait à entendre la voix d'un client ou d'une cliente lancer :

— Quelqu'un !

Mais les pas continuaient jusqu'à la cuisine, où le visiteur s'attardait avant de revenir au pied de l'escalier. C'étaient des pas d'homme, lourds, un peu traînants, et Jonas, figé, se demandait si l'inconnu allait monter quand la voix rugueuse de son beau-père lança dans la cage d'escalier :

— Tu es là, Gina ?

Pourquoi fut-il saisi de panique, comme s'il était pris en faute ? Sans refermer le coffre d'acier, il rabattit les portes de l'armoire, hésitant à descendre ou à laisser croire qu'il n'y avait personne dans la maison. Un pied se posa sur la première marche. La voix reprit :

— Gina !

Alors seulement il balbutia :

— Je descends.

Avant de quitter la chambre, il eut le temps de voir dans la glace que son visage avait rougi.

A cette heure-ci, pourtant, Palestri n'était pas ivre. Même le soir, il ne l'était jamais au point de tituber. Tôt le matin, ses yeux étaient un peu rouges, brouillés, son air abattu mais, après un ou deux verres de marc, ou plutôt de *grappa*, qui est le marc d'Italie, on le voyait plus d'aplomb.

Il ne buvait pas que de la *grappa*, que Le Bouc achetait exprès pour lui, mais tout ce qu'on voulait bien lui offrir ou ce qu'il trouvait dans les autres bars où il s'arrêtait.

Ses prunelles, quand Jonas descendit, commençaient à peine à être brillantes, son teint animé.

— Où est Gina ? questionna-t-il en regardant vers la cuisine où il s'était attendu à la trouver.

Cela le surprenait aussi de voir son gendre descendre de l'étage alors qu'il n'y avait personne au rez-de-chaussée et il semblait attendre une explication. Jonas n'avait pas eu le temps de réfléchir. C'était comme tout à l'heure chez Fernand, il était pris de court. Et, puisqu'une fois déjà, il avait parlé de Bourges, ne valait-il pas mieux continuer ?

Il éprouvait le besoin de se défendre, alors qu'il n'avait rien fait. Palestri l'impressionnait par sa rudesse, par son grand corps resté sec et noueux.

Il balbutia :

— Elle est allée à Bourges.

Il sentait bien qu'il n'était pas convaincant, que son regard, derrière les verres épais, avait l'air de fuir le regard de son interlocuteur.

— Voir la Loute ?

— C'est ce qu'elle m'a dit.

— Elle est passée embrasser sa mère ?

— Je ne sais pas...

Lâchement, il se dirigeait vers la cuisine et, comme Gina en avait l'habitude, prenait la bouteille de vin rouge dans l'armoire, la posait sur la toile cirée de la table à côté d'un verre.

— Quand est-elle partie ?

Plus tard il devait se demander pourquoi, dès ce moment-là, il avait agi comme un coupable. Il se souvint par exemple de la valise de sa femme, dans le placard. Si elle était partie la veille pour voir son amie, elle aurait emporté cette valise. Il fallait donc qu'elle ait quitté la maison le jour même.

C'est pourquoi il répondit :

— Ce matin.

Louis avait tendu la main vers le verre qu'il s'était rempli, mais on aurait dit que, méfiant, il hésitait à boire.

— Par le car de sept heures dix ?

Il n'y avait que celui-là avant le car de onze heures et demie, qui n'était pas encore passé. Jonas était donc forcé de répondre oui.

C'était stupide ; il s'empêtrait dans un réseau de mensonges qui, eux-mêmes, en appelaient d'autres et dont il ne sortirait jamais. A sept heures du matin, le marché était presque désert. C'était le moment creux, entre les grossistes et la clientèle de détail. La mère de Gina aurait sûrement vu passer sa fille et, d'ailleurs, celle-ci serait entrée dans la boutique pour l'embrasser.

D'autres l'auraient aperçue aussi. Il existe des rues où les gens vivent dans leur maison comme dans un compartiment étanche et où chacun connaît à peine son voisin. La place du Vieux-Marché était différente, c'était un peu comme une caserne où les portes restaient ouvertes et où on connaissait heure par heure les activités de la famille d'à côté.

Pourquoi Palestri observait-il son gendre d'un air soupçonneux ? N'était-ce pas parce que celui-ci avait l'air de mentir ? Il vida quand même son verre, d'un trait, s'essuya la bouche de son geste familier qui ressemblait à celui du boucher, mais il ne partait pas encore, il regardait la cuisine autour de lui, et Jonas croyait comprendre la raison de son froncement de sourcils.

Il y avait quelque chose de pas naturel, ce matin-là, dans l'atmosphère de la maison. Elle était trop en ordre. Rien ne traînait, on ne sentait pas ce débraillé que Gina laissait toujours derrière elle.

— Salut ! se décida-t-il à grommeler en se dirigeant vers la boutique.

Il ajouta comme pour lui-même :

— Je vais dire à sa mère qu'elle est partie. Elle rentre quand ?

— Je ne sais pas.

Jonas aurait-il mieux fait de le rappeler pour lui avouer la vérité, lui annoncer que sa fille était partie en emportant ses timbres de valeur ?

Ceux d'en bas, dans les tiroirs du bureau, n'étaient que le tout-venant, les timbres qu'il achetait par pleines enveloppes et ceux, déjà triés, qu'il échangeait ou qu'il vendait à des collégiens.

La cassette, au contraire, contenait la veille encore une véritable fortune, les timbres rares qu'il avait découverts, à force de patience et de flair, en plus de vingt-cinq ans, car il avait commencé à s'intéresser aux timbres dès le lycée.

Une seule vignette, la perle de sa collection, un timbre français de 1849 représentant la tête de Cérès sur fond vermillon vif, valait, au prix de catalogue, six cent mille francs.

Le timbre de la Trinité, au steamer *Lady McLeod*, était coté trois cent mille et il en possédait d'autres de valeur, comme le Porto-Rico rose de deux pesetas surchargé d'un paraphe dont on lui offrait trente-cinq mille francs.

Il n'avait jamais calculé la valeur totale de sa collection, mais elle ne représentait pas moins d'une dizaine de millions.

Les gens du Vieux-Marché ne soupçonnaient pas cette richesse. Il n'en parlait à personne et cela ne le gênait pas de passer pour un maniaque.

Un soir, pourtant, qu'un des catalogues traînait sur le bureau, Gina s'était mise distraitement à le feuilleter.

— Qu'est-ce que cela signifie, *double-surcharge* ?

Il le lui avait expliqué.

— Et *bistr-ol* ?

— Couleur bistre et olive.

— Et *2 p* ?

— Deux pesetas.

Les abréviations l'intriguaient.

— C'est compliqué ! avait-elle soupiré.

Elle était sur le point de refermer le catalogue quand elle avait posé une dernière question.

— Et le chiffre 4 000, dans cette colonne-ci ?

— La valeur du timbre.

— Tu veux dire que ce timbre vaut quatre mille francs ?

Il avait souri.

— Mais oui.

— Tous les chiffres de la colonne représentent la valeur des timbres ?

— Oui.

Elle avait feuilleté le catalogue avec plus d'intérêt.

— Je lis ici 700 000. Cela existe, des timbres de sept cent mille francs ?

— Oui.

— Tu en as ?

— Je n'ai pas celui-là, non.

— Tu en as d'autres aussi chers ?

— Pas tout à fait.

— De très chers ?

— D'assez chers.

— C'est pour cela que tu as acheté un coffre de fer ?

Cela se passait l'hiver précédent et il se souvenait qu'il neigeait dehors, qu'on voyait un bourrelet blanc au-dessous des vitres. Le poêle ronflait dans le cagibi. Il devait être huit heures du soir.

— Ben alors !

— Quoi ?

— Rien. Je ne me doutais pas de ça.

Place du Vieux-Marché, il passait pour avoir de l'argent et il aurait été difficile de retrouver comment était née cette rumeur. Cela tenait peut-être à ce qu'il était resté longtemps célibataire ? Les gens du peuple imaginent naturellement qu'un célibataire met de l'argent de côté. En outre, avant d'épouser Gina, il prenait ses repas au restaurant, chez Pépito, un autre Italien, la première maison dans la rue Haute, après l'épicerie Grimoux-Marmion qui faisait le coin de la place.

Sans doute, pour ces détaillants dont la boutique ne désemplissait pas de la journée, faisait-il figure d'amateur. Peut-on vraiment gagner sa vie à acheter, à vendre et à louer de vieux livres ? Ne se passait-il pas parfois une heure, et même deux, sans qu'un client entrât dans sa boutique ?

Donc, puisqu'il vivait, puisque, en outre, il avait une femme de ménage deux heures par jour et, le samedi, toute une demi-journée, c'est qu'il avait de l'argent.

Gina avait-elle été déçue qu'il ne change rien à son train de vie après l'avoir épousée ? S'était-elle attendue à une autre existence ?

Il ne s'était pas posé la question, et maintenant seulement, il se rendait compte qu'il avait vécu sans se préoccuper de ce qui se passait autour de lui.

S'il regardait dans le tiroir-caisse, où il gardait l'argent dans un gros portefeuille gris d'usure, allait-il y trouver le compte ? Il était presque sûr du contraire. C'était arrivé à Gina de chiper de petites sommes, à la façon des enfants qui ont envie de s'acheter des bonbons. Au début, elle se contentait de quelques pièces de cent francs, qu'elle prenait dans la boîte compartimentée où il rangeait la monnaie.

Plus tard, elle s'était risquée à ouvrir le portefeuille et il avait constaté de temps en temps qu'un billet de mille francs manquait.

Or, il lui donnait suffisamment d'argent pour le ménage, ne lui refusait jamais une robe, du linge, des souliers.

Peut-être, au début, avait-elle agi par manie et il la soupçonnait d'avoir pris de l'argent de même dans le tiroir-caisse de ses parents quand elle vivait avec eux. A cette époque, seulement, cela devait être plus difficile, car Angèle, malgré ses airs de joyeuse matrone, avait l'œil à l'argent.

Il n'en avait jamais parlé à Gina. Il y avait beaucoup réfléchi et avait fini par conclure que c'était pour son frère qu'elle volait de la sorte. Elle était de cinq ans plus âgée que lui et, pourtant, on sentait entre eux l'affinité qu'on ne rencontre d'habitude que chez les jumeaux. On aurait même dit, parfois, que Frédo était amoureux de sa sœur et que celle-ci le lui rendait.

Il leur suffisait, n'importe où, d'échanger un regard pour se comprendre et, si Gina fronçait les sourcils, son frère devenait aussi inquiet qu'un amant.

Est-ce pour cela qu'il n'aimait pas Jonas ? Au mariage, il avait été le seul à ne pas le féliciter et il était parti au beau milieu du repas de noces. Gina avait couru après lui. Ils avaient chuchoté longtemps tous les deux dans le couloir de l'Hôtel du Commerce où avait lieu le banquet. Lorsqu'elle était revenue, encore vêtue de satin blanc, on voyait qu'elle avait pleuré et elle s'était tout de suite versé une coupe de champagne.

A cette époque-là, Frédo n'avait que dix-sept ans. Leur mariage avait eu lieu deux semaines avant celui de Clémence Ancel, qui était demoiselle d'honneur.

Résigné, il ouvrit le tiroir avec sa clef, prit le portefeuille et constata, contre son attente, qu'il ne manquait pas un seul billet.

C'était explicable. Il n'avait pas réfléchi. La veille, Gina n'était partie qu'après le dîner et, jusqu'au dernier moment, il aurait pu avoir à ouvrir le tiroir-caisse. Pour les timbres, il en était autrement, car il était parfois une semaine sans toucher à la cassette d'acier.

Il restait des détails qu'il ne comprenait pas, mais c'étaient des détails matériels sans grande importance. Par exemple, il portait toujours ses clefs dans la poche de son pantalon, attachées à une chaînette en argent. Quand sa femme était-elle parvenue à s'en emparer à son insu ? Pas la nuit, car il avait le sommeil plus léger qu'elle et, d'autre part, le matin, il descendait le premier. Parfois, il est vrai, afin de ne pas la réveiller, il descendait en pyjama et en robe de chambre pour préparer son café. Ce n'était pas arrivé la veille, mais l'avant-veille, et il n'avait pas touché à la cassette depuis.

— Vous n'auriez pas un livre sur l'élevage des abeilles, monsieur ?

C'était un garçon d'une douzaine d'années qui venait d'entrer et qui parlait d'une voix décidée, le visage piqueté de taches de rousseur, ses cheveux cuivrés étincelant au soleil.

— Tu as l'intention d'élever des abeilles ?

— J'ai trouvé un essaim dans un arbre du potager et mes parents me permettent de construire une ruche, à condition que ce soit avec mon argent.

Jonas aussi était d'un blond roux, avec des taches de son à la racine du nez. Mais, à l'âge du gamin, il devait déjà porter des verres aussi épais qu'à présent.

Il s'était parfois demandé si, à cause de sa myopie, il voyait les choses et les hommes de la même façon que les autres. Cette question l'intriguait. Il avait lu, en particulier, que les différentes espèces d'animaux ne nous voient pas tels que nous sommes mais tels que leurs yeux nous montrent à eux, que, pour certains, nous avons dix fois notre taille, ce qui les rend si peureux à notre approche.

Ne se produit-il pas le même phénomène avec un myope, même si sa vue est plus ou moins corrigée par des verres ? Sans lunettes, l'univers n'était pour lui qu'un nuage plus ou moins lumineux dans lequel flottaient des formes si inconsistantes qu'il n'était pas sûr de pouvoir les toucher.

Ses verres, au contraire, lui révélaient les détails des objets et des visages comme s'il les eût regardés à la loupe ou comme s'ils eussent été gravés au burin.

Est-ce que cela le faisait vivre dans un monde à part ? Est-ce que ces verres-là, sans lesquels il tâtonnait, étaient une barrière entre lui et le monde extérieur ?

Dans un rayon de livres sur les animaux, il finit par en trouver un qui traitait des abeilles et des ruches.

— Ceci te convient ?

— C'est cher ?

Il regarda, au dos, le prix écrit au crayon.

— Cent francs.

— Vous me le donneriez, si je vous payais la moitié la semaine prochaine ?

Jonas ne le connaissait pas. Il n'était pas du quartier. C'était un garçon de la campagne dont la mère avait sans doute apporté des légumes ou des poules au marché.

— Tu peux le prendre.

— Merci, monsieur. Je viendrai jeudi prochain sans faute.

La clientèle, dehors, dans le soleil de la rue et dans l'ombre du marché couvert, avait changé insensiblement. Tôt le matin, on voyait surtout des femmes du peuple qui faisaient leurs achats après avoir conduit leurs enfants à l'école. C'était l'heure aussi des camionnettes des hôtels et des restaurants.

Vers neuf heures, déjà, surtout vers dix heures, les acheteuses étaient mieux vêtues, et à onze heures du matin, certaines se faisaient accompagner de leur bonne pour porter les paquets.

La paille de bois, dans le ruisseau, à force d'être piétinée, perdait sa couleur dorée pour devenir brune et visqueuse et elle se mélangeait maintenant de fanes de poireaux, de carottes, de têtes de poissons.

Gina n'avait pas emporté de vêtements de rechange, pas de linge, pas même de manteau, alors que les nuits étaient encore fraîches.

Si elle avait eu l'intention de rester en ville, d'autre part, aurait-elle eu l'audace de lui prendre ses timbres les plus précieux ?

Après sept heures, le soir, il n'y avait plus de car pour Bourges, ni pour nulle part ailleurs, seulement, à 8 h 52, un train qui donnait la correspondance pour Paris et, à 9 h 40, l'omnibus de Moulins.

Les employés de la gare la connaissaient, mais il n'osait pas aller les questionner. C'était trop tard. Par deux fois, il avait parlé de Bourges et il était obligé de s'y tenir.

Pourquoi avait-il agi ainsi ? Il ne s'en rendait pas compte. Ce n'était pas par crainte du ridicule, car tout le monde savait, non seulement place du Vieux-Marché, mais en ville, que Gina avait eu de nombreux amants avant de l'épouser. On ne devait pas ignorer non plus que, depuis son mariage, elle avait fait plusieurs fugues.

N'était-ce pas une pudeur qui l'avait poussé à répondre, à Le Bouc d'abord, puis à Palestri :

— Elle est allée à Bourges.

Une pudeur qui tenait de la timidité ? Ce qui se passait entre Gina et lui ne regardait personne et il se croyait le dernier à avoir le droit d'en parler.

Sans la disparition des timbres, il aurait attendu toute la journée, puis la nuit, espérant la voir rentrer d'un moment à l'autre comme une chienne qui a couru.

La chambre, là-haut, n'était pas faite, la cassette pas refermée, et il monta, arrangea son lit aussi méticuleusement que quand il était célibataire et que la femme de ménage était absente.

C'est comme femme de ménage que Gina était entrée dans la maison. Avant elle, il en avait une autre, la vieille Léonie, qui, à soixante-dix ans, faisait encore ses huit ou neuf heures par jour chez différents clients. Ses jambes avaient fini par enfler. Les derniers temps, elle pouvait à peine monter les escaliers et, comme ses enfants, qui habitaient Paris, ne se souciaient pas de la prendre en charge, le Dr Joublin l'avait fait entrer à l'asile.

Pendant un mois, Jonas était resté sans personne et cela ne le gênait pas trop. Il connaissait Gina comme tout le monde, pour l'avoir vue passer, pour lui avoir vendu de temps en temps un livre. A cette époque-là, elle se montrait provocante avec lui comme avec tous les hommes et il rougissait chaque fois qu'elle entrait dans son magasin, surtout l'été, car il lui semblait alors qu'elle laissait derrière elle un peu de l'odeur de ses aisselles.

— Vous n'avez toujours personne ? lui avait demandé Le Bouc un matin qu'il prenait son café dans le petit bar.

Il n'avait jamais compris pourquoi Le Bouc, et les autres de la place, ne le tutoyaient pas, car ils se tutoyaient presque tous, s'appelaient par leur prénom.

On ne l'appelait pas Milk, néanmoins, à croire que ce n'était pas son nom, ni monsieur Milk, mais presque toujours monsieur Jonas.

Et pourtant, à l'âge de deux ans, il habitait sur la place, juste à côté de la boucherie Ancel, et c'était son père qui avait transformé la poissonnerie « A la Marée », maintenant tenue par les Chenu.

Cela ne tenait pas non plus à ce qu'il n'était pas allé à l'école communale, comme la plupart, mais dans une école privée, puis au lycée. La preuve, c'est qu'on appelait déjà son père monsieur Constantin.

Fernand lui avait demandé :

— Vous n'avez toujours personne ?

Il avait répondu non, et Le Bouc s'était penché par-dessus son comptoir.

— Vous devriez en toucher deux mots à Angèle.

Il avait été si surpris qu'il avait questionné, comme s'il avait pu y avoir deux Angèle :

— La marchande de légumes ?

— Oui. Elle a des ennuis avec Gina. Elle n'arrive à rien en faire. Je crois que cela ne lui déplairait pas de la voir travailler dehors, pour que quelqu'un la dresse.

Jusqu'alors, Gina avait plus ou moins aidé sa mère dans la boutique d'où elle s'échappait à chaque occasion.

— Vous ne voulez pas lui parler, vous ? avait proposé Jonas.

Cela lui paraissait incongru, presque indécent de sa part, à lui, célibataire, bien qu'il fût sans arrière-pensée, d'aller demander à une femme comme Angèle de lui confier sa fille deux ou trois heures par jour.

— J'en dirai deux mots à son père. Non ! Il vaut mieux que je voie Angèle. Je vous donnerai la réponse demain.

A son grand étonnement, le lendemain, la réponse était oui, ou presque oui, et il en avait été un peu effrayé. Angèle avait répondu à Le Bouc, exactement :

— *Dis à ce Jonas que j'irai le voir.*

Elle était venue, une fin d'après-midi, à l'heure creuse, avait tenu à visiter la maison et avait discuté des gages.

— Vous ne voulez pas qu'elle vous prépare votre déjeuner aussi ?

Cela changeait ses habitudes et il ne renonçait pas sans regret à aller, à midi et demi, s'asseoir dans le petit restaurant de Pépito, où il avait son casier de serviette et sa bouteille d'eau minérale.

— Vous comprenez, si elle travaille, autant que cela en vaille la peine. Il est temps qu'elle se mette à la cuisine et, chez nous, à midi, on n'a guère le temps de manger autre chose que du saucisson ou du fromage.

Est-ce que Gina, au début, ne lui en avait pas voulu de l'avoir engagée ? On aurait dit qu'elle faisait tout ce qu'elle pouvait pour se rendre insupportable afin qu'il la mette à la porte.

Après une semaine, elle travaillait chez lui de neuf heures du matin à une heure. Angèle avait décidé alors :

— C'est ridicule de cuisiner pour une seule personne. Pour deux, cela ne revient pas plus cher. Autant qu'elle déjeune chez vous et qu'elle fasse la vaisselle avant de partir.

Du coup, sa vie avait changé. Il ne savait pas tout, car il n'écoutait pas les commérages, peut-être aussi parce qu'on ne parlait pas librement devant lui. Il ne comprenait pas, au début, pourquoi Gina était toujours abattue et pourquoi elle se montrait soudain agressive pour, un peu plus tard, se mettre à pleurer en faisant le ménage.

Il y avait trois mois, alors, que Marcel Jenot avait été arrêté et Jonas lisait à peine les journaux. Il en avait entendu parler chez Le Bouc, car cela avait été un événement sensationnel. Marcel Jenot, fils d'une couturière qui travaillait pour la plupart des femmes du marché, y compris pour les Palestri, était aide-cuisinier à l'Hôtel des Négociants, le meilleur et le plus cher de la ville. Jonas devait l'avoir vu sans y prêter attention. Sa photographie, dans le journal, montrait un garçon au front haut, à l'air sérieux avec, pourtant, un retroussis des lèvres qui n'était pas sans inquiéter.

A vingt et un ans, il venait de terminer son service militaire en Indochine et habitait à nouveau avec sa mère, rue des Belles-Feuilles, la rue après le restaurant de Pépito.

Comme la plupart des jeunes gens de son âge, il possédait une moto. Un soir, sur la route de Saint-Amand, une grosse voiture de Parisiens avait été arrêtée par un motocycliste qui paraissait demander de l'aide et qui, brandissant un automatique, avait exigé l'argent des occupants, après quoi, avant de s'en aller, il avait crevé les quatre pneus de la voiture.

La plaque d'immatriculation de la moto, au moment de l'attentat, était recouverte d'un enduit noir. Comment la police était-elle néanmoins parvenue jusqu'à Marcel ? Les journaux avaient dû l'expliquer, mais Jonas l'ignorait.

L'instruction était en cours quand Gina était entrée à son service et, un mois plus tard, le procès avait lieu à Montluçon.

C'est Le Bouc qui avait renseigné le bouquiniste.

— Comment va Gina ?

— Elle fait ce qu'elle peut.

— Pas trop agitée ?

— Pourquoi ?

— On juge Marcel la semaine prochaine.

— Quel Marcel ?

— Celui du *hold-up*. C'était son amant.

Elle devait, en effet, s'absenter pendant quelques jours et, quand elle revint prendre son service, elle fut longtemps sans desserrer les dents.

Il y avait près de trois ans de cela, maintenant. Un an après qu'elle était entrée chez lui comme femme de ménage, Jonas l'épousait, surpris de ce qui lui arrivait. Il avait trente-huit ans, elle vingt-deux. Même quand, dans le soleil, le corps presque nu sous sa robe, elle allait et venait autour de lui et qu'il respirait son odeur, il n'avait jamais eu un geste équivoque.

Chez Le Bouc, on avait pris l'habitude de lui lancer avec un sourire en coin :

— Alors ? La Gina ?

Il répondait, naïf :

— Elle va bien.

Certains allaient jusqu'à lui adresser un clin d'œil qu'il affectait de ne pas voir et d'autres semblaient le soupçonner de cacher son jeu.

Il aurait pu sans peine, en écoutant à gauche et à droite, en posant quelques questions, connaître le nom de tous les amants que Gina avait eus depuis qu'à treize ans elle avait commencé à se frotter aux hommes. Il aurait pu aussi se renseigner sur ce qui s'était passé entre elle et Marcel. Il n'ignorait pas qu'elle avait été interrogée plusieurs fois par les policiers au cours de l'instruction et qu'Angèle avait été convoquée par le juge.

A quoi bon ? Ce n'était pas dans son caractère. Il avait toujours vécu seul, sans imaginer qu'il pourrait un jour vivre autrement. Gina entretenait sa maison moins bien que la vieille Léonie. Ses tabliers, quand elle se donnait la peine d'en mettre, étaient rarement propres et, s'il lui arrivait de chanter en travaillant, il y avait des jours où son regard restait buté, sa bouche hargneuse.

Souvent, au milieu de la matinée, elle disparaissait sous prétexte d'une course à faire à côté et revenait, sans s'excuser, deux heures plus tard.

Était-ce néanmoins sa présence dans la maison qui était devenue nécessaire à Jonas ? Y avait-il eu, comme certains le prétendaient, une conspiration pour le décider ?

Un après-midi, Angèle était entrée, vêtue comme elle l'était toute la journée dans sa boutique, car elle ne s'habillait vraiment que le dimanche.

— Dites donc, Jonas !

Elle était une des rares à ne pas l'appeler monsieur Jonas. Il est vrai qu'elle tutoyait la plupart de ses clients.

— Touche pas aux poires, ma belle ! lançait-elle à la femme du Dr Martroux, une des personnes les plus guindées de la ville. Quand je vais chez ton mari, je ne tripote pas ses outils.

Ce jour-là, elle s'était dirigée d'autorité vers la cuisine où elle s'était assise sur une chaise.

— Je suis venue vous dire que j'ai une occasion pour ma fille.

Son regard faisait l'inventaire de la pièce, où rien ne devait lui échapper.

— Des gens de Paris, qui viennent s'installer en ville. Le mari, qui est ingénieur, est nommé sous-directeur de l'usine et ils cherchent quelqu'un. C'est une bonne place, où Gina sera nourrie et logée. Je leur ai promis une réponse pour après-demain. A vous de réfléchir.

Il avait vécu vingt-quatre heures de panique et, en esprit, avait tourné et retourné la question sur toutes ses faces. Célibataire, il ne pouvait avoir une bonne à demeure. D'ailleurs, il n'y avait qu'une chambre à coucher dans la maison. Cela, Angèle le savait. Pourquoi donc était-elle venue lui offrir une sorte de priorité ?

Il lui était même difficile de garder Gina chez lui toute la journée, car, pendant des heures entières, elle n'aurait rien eu à faire.

Angèle avait-elle pensé à tout cela ?

Gina, pendant ce temps, paraissait n'être au courant de rien et se montrait la même que d'habitude.

Ils déjeunaient tous les jours ensemble, dans la cuisine, face à face, elle le dos au fourneau, où elle prenait les casseroles au fur et à mesure, sans avoir besoin de se lever.

— Gina !

— Oui.

— Je voudrais vous demander quelque chose.

— Quoi ?

— Vous promettez de répondre franchement ?

Il la voyait encore avec netteté en prononçant ces mots-là mais, l'instant d'après, elle n'était plus à ses yeux qu'un fantôme, car ses verres s'étaient soudain embués.

— Je ne suis pas toujours franche ?

— Si.

— D'ordinaire, on me reproche de l'être trop.

— Pas moi.

— Qu'est-ce que vous voulez me demander ?

— Vous aimez la maison ?

Elle regarda autour d'elle avec ce qui lui parut de l'indifférence.

— Je veux dire, insista-t-il, aimeriez-vous y vivre tout à fait ?

— Pourquoi me demandez-vous ça ?

— Parce que je serais heureux si vous acceptiez.

— Accepter quoi ?

— De devenir ma femme.

S'il y avait complot, Gina n'en était pas, car elle lança avec un rire nerveux :

— Sans blague !

— C'est sérieux.

— Vous m'épouseriez ?

— C'est ce que je vous propose.

— *Moi* ?

— Vous.

— Vous ne savez pas quelle fille je suis ?

— Je crois que je vous connais aussi bien que n'importe qui.

— Dans ce cas, vous avez du courage.

— Qu'est-ce que vous répondez ?

— Je réponds que vous êtes gentil, mais que c'est impossible.

Il y avait une tache de soleil sur la table et c'est cette tache que Jonas fixait bien plus que le visage de la jeune fille.

— Pourquoi ?

— Parce que.

— Vous ne voulez pas de moi ?

— Je n'ai pas dit ça, monsieur Jonas. Vous êtes sûrement un brave homme. Vous êtes même le seul homme à ne jamais avoir essayé de profiter de la situation. Même Ancel, tenez, qui est pourtant le père d'une de mes amies, m'a attirée dans la remise au fond de sa cour, alors que je n'avais pas quinze ans. Je pourrais vous les citer presque tous un à un et vous seriez étonné. Au début, je me demandais quand vous alliez oser.

— Vous pensez que vous ne seriez pas heureuse ici ?

Elle eut alors sa réponse la plus franche.

— En tout cas, je serais tranquille !

— C'est déjà quelque chose, non ?

— Bien sûr. Seulement, si ça ne colle pas, tous les deux ? Mieux vaut ne plus en parler. Je ne suis pas la fille à rendre heureux un homme comme vous.

— Ce n'est pas moi qui compte.

— Qui est-ce, alors ?

— Vous.

Il était sincère. La tendresse le submergeait tellement, tandis qu'il parlait de la sorte, qu'il n'osait pas bouger par crainte de laisser éclater son émotion.

— Moi et le bonheur... grondait-elle entre ses dents.

— Mettons la tranquillité, comme vous venez de le dire.

Elle lui avait lancé un regard aigu.

— C'est ma mère qui vous a parlé de ça ? Je savais qu'elle était venue vous voir, mais...

— Non. Elle m'a seulement annoncé qu'on vous offrait une meilleure place.

— Ma mère a toujours eu envie de se débarrasser de moi.

— Vous ne voulez pas réfléchir ?

— A quoi bon ?

— Attendez au moins demain pour me donner une réponse définitive, voulez-vous ?

— Si vous y tenez !

Ce jour-là, elle avait cassé une assiette en faisant la vaisselle et, ainsi que cela venait d'arriver deux ans plus tard, elle était partie en oubliant de laver la poêle.

Vers quatre heures de l'après-midi, comme d'habitude, Jonas était allé prendre sa tasse de café chez Le Bouc et Fernand l'avait observé avec attention.

— C'est vrai, ce qu'on raconte ?

— Qu'est-ce qu'on raconte ?

— Que vous allez vous marier avec Gina ?

— Qui vous l'a dit ?

— Louis, tout à l'heure. Il s'est disputé avec Angèle à cause de ça.

— Pourquoi ?

Le Bouc avait pris un air gêné.

— Ils n'ont pas les mêmes idées.

— Il est contre ?

— Plutôt.

— Pourquoi ?

Louis avait sûrement donné une raison, mais Le Bouc ne la répéta pas.

— On ne sait jamais ce qu'il a au juste dans la tête, dit-il évasivement.

— Il est fâché ?

— Il parlait d'aller vous casser la gueule. Cela ne l'empêchera pas de faire ce qu'Angèle décidera. Il a beau crier, il n'a rien à dire dans sa maison.

— Et Gina ?

— Vous devez mieux savoir que moi ce qu'elle vous a dit. Le plus dur, ce sera son frère.

— Pourquoi ?

— Je ne sais pas. Je parle en l'air. C'est un drôle de garçon, qui a ses idées à lui.

— Il ne m'aime pas ?

— Peut-être qu'en dehors de sa sœur il n'aime personne. Il n'y a qu'elle à l'empêcher de faire des bêtises. Voilà un mois, il voulait s'engager pour l'Indochine.

— Elle n'a pas voulu ?

— Ce n'est qu'un gamin. Il n'est bien nulle part. A peine là-bas, il se sentirait plus malheureux qu'ici.

Un client entrait dans la boutique, à côté, et Jonas se dirigea vers la porte.

— A tout à l'heure !

— Bonne chance !

Il avait mal dormi, cette nuit-là. A huit heures, Gina était venue prendre son service sans rien dire, sans le regarder, et il avait attendu un long quart d'heure avant de la questionner.

— Vous avez la réponse ?

— Vous y tenez vraiment ?

— Oui.

— Plus tard, vous ne me ferez pas de reproches ?

— Je le promets.

Elle avait haussé les épaules.

— Dans ce cas, ce sera comme vous voudrez.

C'était si inattendu qu'il en était vide d'émotion. Il la regardait, sidéré, sans oser s'avancer vers elle, sans lui prendre la main et, à plus forte raison, l'idée ne lui vint-elle pas de l'embrasser.

Par crainte d'un malentendu, il insista :

— Vous acceptez de m'épouser ?

Elle avait seize ans de moins que lui et pourtant c'est elle qui l'avait regardé comme un enfant, un sourire protecteur aux lèvres.

— Oui.

Pour ne pas s'extérioriser devant elle, il était monté dans sa chambre et, avant de s'accouder à la fenêtre, il était resté un bon moment, rêveur, devant un des miroirs de l'armoire. C'était en mai. Une averse venait de tomber mais le soleil brillait à nouveau et mettait des flaques brillantes sur les ardoises mouillées du grand toit. Il y avait marché, comme aujourd'hui, et il était allé acheter des fraises, les premières de la saison.

Une femme grande et forte, vêtue de noir, un tablier bleu autour des reins, entrait dans la boutique avec autorité et y dessinait une grande ombre. C'était Angèle, dont les mains sentaient toujours le poireau.

— C'est vrai, ce que Louis me raconte ? Qu'est-ce qu'elle est allée faire à Bourges ?

Il était plus petit qu'elle et beaucoup moins fort. Il balbutia :

— Je ne sais pas.

— Elle a pris le car du matin ?

— Oui.

— Sans passer me voir ?

Elle aussi le regardait d'un œil soupçonneux.

— Vous vous êtes disputés, tous les deux ?

— Non.

— Réponds comme un homme, bon sang ! Qu'est-ce qui ne va pas ?

— Rien...

Elle avait commencé, elle, à le tutoyer le jour des fiançailles, mais Louis n'avait jamais voulu suivre son exemple.

— *Rien ! Rien !...* l'imita-t-elle. Tu devrais pourtant être capable d'empêcher ta femme de courir. Quand est-ce qu'elle a promis de rentrer ?

— Elle ne me l'a pas dit.

— C'est le plus beau de tout !

Elle sembla l'écraser du regard, de toute sa masse vigoureuse et, lui tournant brusquement le dos pour sortir, elle grommela :

— Savate !

3

La table du Veuf

Sa première idée avait été d'aller s'acheter une tranche de jambon ou de viande froide quelconque à la charcuterie Pascal, de l'autre côté du marché au commencement de la rue du Canal, ou même de ne pas manger du tout, ou encore de se contenter des deux croissants qu'on lui avait donnés en trop ce matin. Il n'aurait pas dû les prendre. Cela ne se conciliait pas avec le soi-disant départ de Gina pour Bourges. Normalement, il n'aurait dû acheter que trois croissants.

Ce n'était pas pour lui qu'il se tracassait ainsi, par respect humain ou par crainte du qu'en-dira-t-on. C'était pour elle. Elle avait eu beau emporter les timbres, qui étaient tout ce à quoi il tenait au monde en dehors d'elle, il considérait comme son devoir de la défendre.

Il ne savait pas encore contre quoi. Il était en proie, depuis le matin surtout, à une inquiétude vague qui l'empêchait presque de penser à sa peine. Avec le temps, chacun de ses sentiments se détacherait sans doute plus nettement et il pourrait faire le point. Pour le moment, abasourdi, il allait au plus pressé avec la conviction qu'en agissant de la sorte c'était Gina qu'il protégeait.

Les rares fois qu'elle était allée voir la Loute et qu'elle avait passé la journée entière à Bourges, il avait repris ses habitudes de célibataire et avait mangé chez Pépito. C'était donc ce qu'il devait faire aujourd'hui et quand, à midi, la cloche annonçant la fin du marché sonna à toute volée dans le soleil, avec des vibrations de cloche de couvent, il commença à rentrer les boîtes de livres.

Déjà, autour de la place, le camion aux ordures avançait mètre après mètre tandis que cinq hommes y enfournaient tout ce qu'ils ramassaient à la pelle dans le ruisseau. Beaucoup de marchandes, surtout celles de la campagne, étaient parties et quelques-unes, avant de prendre leur autobus, mangeaient, chez Le Bouc ou au Trianon-Bar, le casse-croûte qu'elles avaient apporté.

Cela lui fit mal d'abandonner la maison, un peu comme s'il commettait une trahison, et, contre toute évidence, il se disait que Gina allait peut-être revenir pendant son absence.

La rue Haute était étroite, en pente légère, malgré son nom, et constituait le centre du quartier le plus populeux. Les boutiques y étaient plus variées qu'ailleurs. On y vendait des surplus américains, de l'horlogerie à bon marché et il y avait au moins trois marchands de bric-à-brac et de vieux vêtements.

Dans le bas, depuis qu'on avait installé l'usine de produits chimiques à un kilomètre de là, c'était devenu une sorte de quartier italien, que certains appelaient d'ailleurs la Petite Italie. A mesure que l'usine prenait de l'importance, il était venu des ouvriers d'ailleurs, des Polonais d'abord, qui s'étaient installés un peu plus haut, puis enfin, presque aux portes de l'usine, quelques familles de Nord-Africains.

Le restaurant de Pépito, aux murs de teinte olive, aux nappes de papier gaufré, n'en avait pas moins conservé son caractère paisible et, à midi, on retrouvait les mêmes habitués qui, comme Jonas l'avait fait si longtemps, y prenaient leurs repas à l'année longue.

Maria, la femme du patron, faisait la cuisine, tandis que son mari se tenait au bar et que leur nièce s'occupait du service.

— Tiens ! Monsieur Jonas ! s'écria l'Italien en l'apercevant. Quelle bonne surprise de vous voir !

Puis, tout de suite, craignant d'avoir commis une gaffe en se montrant si joyeux :

— Gina n'est pas malade, au moins ?

Et il lui fallait répéter son refrain :

— Elle est allée à Bourges.

— Il faut bien, de temps en temps, se changer les idées. Votre ancienne table est libre, dites ! Julia ! Mets le couvert pour M. Jonas.

Ce fut sans doute ici que Jonas se rendit le mieux compte du vide qui venait de se produire dans sa vie. Pendant des années, le restaurant de Pépito, où rien n'avait changé, avait été pour lui un second foyer. Or, voilà qu'il s'y sentait étranger, était pris de panique à l'idée qu'il devrait peut-être y revenir chaque jour.

Le Veuf était à sa place et on aurait dit qu'il hésitait à adresser à Jonas le battement de paupières qui leur servait jadis de bonjour.

Ils ne s'étaient jamais adressé la parole. Pendant des années, ils avaient occupé deux tables face à face, près de la vitre, et ils arrivaient à peu près à la même heure.

Jonas connaissait son nom, par Pépito. C'était M. Métras, chef de bureau à l'Hôtel de Ville, mais, dans son esprit, il ne le désignait jamais que comme le Veuf.

Il n'avait jamais vu Mme Métras, qui était morte depuis quinze ans. Comme le ménage n'avait pas d'enfants, le mari, livré à lui-même, avait commencé à prendre ses repas chez Pépito.

Il devait avoir cinquante-cinq ans, peut-être davantage. Il était grand, très large, épais et dur, avec des cheveux couleur de fer, des sourcils en broussaille et des poils plus noirs qui lui jaillissaient des narines et des oreilles. Son teint était grisâtre aussi et Jonas ne l'avait jamais vu sourire. Il ne lisait pas le journal en mangeant, comme la plupart des solitaires, ne liait la conversation avec personne et mastiquait soigneusement en regardant droit devant lui.

Il s'était passé des mois avant qu'ils s'adressent un battement de paupières et Jonas était le seul à qui le Veuf eût jamais fait cette concession.

Un tout petit chien asthmatique, gras et presque impotent, était assis sous la table et ne devait pas avoir loin de vingt ans, car il avait été jadis le chien de Mme Métras.

Le Veuf allait le chercher à l'appartement en sortant du bureau et l'amenait au restaurant où on lui préparait sa pâtée. Il le reconduisait ensuite, lentement, en attendant que l'animal fasse ses besoins, avant de retourner à l'Hôtel de Ville et, le soir, il en était de même.

Pourquoi aujourd'hui, pendant que Jonas mangeait, le Veuf le regardait-il avec plus d'attention qu'autrefois ? Il n'était pas possible qu'il sache déjà.

Pourtant, on aurait juré qu'il pensait, en se retenant de ricaner :

— Ainsi, vous voilà revenu !

Un peu comme s'ils avaient été tous les deux membres d'une même confrérie, comme si Jonas l'avait désertée pour un temps et revenait enfin, contrit, au bercail.

Cela n'existait que dans son imagination, mais ce qui n'était pas de l'imagination, c'était sa terreur à l'idée de s'asseoir à nouveau chaque jour en face du chef de bureau.

— Qu'est-ce que vous prendrez comme dessert, monsieur Jonas ? Il y a des religieuses et de la tarte aux pommes.

Il avait toujours aimé les desserts, en particulier la tarte aux pommes, qu'il choisit, et il s'en voulut de céder à la gourmandise à un pareil moment.

— Que racontez-vous de neuf, monsieur Jonas ?

Pépito était long comme Palestri, sec et dur, mais, contrairement à son compatriote, il se montrait toujours affable et souriant. On aurait pu croire que c'était un jeu pour lui, tant il y mettait de bonne humeur, de tenir un restaurant. Maria, sa femme, à force de vivre dans une cuisine de six mètres carrés, était devenue énorme, ce qui ne l'empêchait pas de rester jeune et appétissante. Elle aussi était gaie et éclatait de rire pour un rien.

Comme ils n'avaient pas d'enfants, ils avaient adopté un neveu qu'ils avaient fait venir de leur pays et qu'on voyait, le soir, faire ses devoirs à une table du restaurant.

— Comment va-t-elle, la Gina ?

— Elle va bien.

— L'autre jour, ma femme l'a rencontrée au marché et, je ne sais pas pourquoi, elle a eu l'impression qu'elle attendait un bébé. C'est vrai ?

Il dit non, presque honteux, car il était persuadé que c'était sa faute si Gina n'était pas enceinte. Ce qui avait trompé Maria c'est que, les derniers temps, Gina s'était mise à manger plus que d'habitude, avec une sorte de frénésie, et que, d'opulente qu'elle était déjà, elle était devenue grasse au point de devoir faire élargir ses robes.

D'abord, il s'était réjoui de son appétit, car, au début de leur mariage, elle mangeait à peine. Il l'encourageait, y voyant un signe de contentement, se figurant qu'elle s'habituait à leur vie et qu'elle allait peut-être se sentir enfin heureuse.

Il le lui avait dit et elle avait eu un sourire vague, un peu protecteur, comme elle lui en adressait de plus en plus souvent. Elle n'avait pas le caractère autoritaire de sa mère, tout au contraire. Elle ne s'occupait pas du commerce, ni de l'argent, ni des décisions à prendre en ce qui concernait le ménage.

Pourtant, malgré leur différence d'âge, c'était elle qui avait parfois vis-à-vis de Jonas un air indulgent.

Il était son mari et elle le traitait comme tel. Mais peut-être, à ses yeux, n'était-il pas tout à fait un homme, un vrai mâle, et elle semblait le considérer comme un enfant attardé.

Avait-il eu tort de ne pas se montrer plus sévère avec elle ? Aurait-elle eu besoin qu'il la prît en main ? Cela aurait-il changé quelque chose ?

Il n'avait pas envie d'y penser. Le Veuf, devant lui, l'hypnotisait et il finit sa tarte aux pommes plus vite qu'il n'aurait voulu pour échapper à son regard.

— Déjà ? s'étonna Pépito quand il demanda l'addition. Vous ne prenez pas votre café ?

Il le prendrait chez Le Bouc, avec l'arrière-pensée que, là, il aurait peut-être des nouvelles. Autrefois, il mangeait aussi lentement que M. Métras, que la plupart des hommes seuls qui déjeunaient au restaurant et qui, pour la plupart, faisaient ensuite la causette avec le patron.

— Julia ! l'addition de M. Jonas.

Et, à celui-ci :

— On vous verra ce soir ?

— Peut-être.

— Elle n'est pas partie pour longtemps ?

— Je ne sais pas encore.

Cela recommençait. Il s'empêtrait, ne sachant plus que répondre aux questions qu'on lui posait, se rendant compte que ce serait pis le lendemain, et pis encore les jours suivants.

Qu'arriverait-il, par exemple, si la Loute venait voir ses parents et révélait que Gina n'était pas allée à Bourges ? C'était improbable, mais il prévoyait tout. Celle que tout le monde appelait la Loute s'appelait en réalité Louise Hariel et ses parents tenaient la graineterie du marché, juste en face de chez Jonas, de l'autre côté du grand toit.

Il l'avait vue, comme il avait vu Gina, courir entre les étals alors qu'elle n'avait pas dix ans. A cette époque-là, avec son visage rond, ses yeux bleus aux longs cils et ses cheveux bouclés, elle avait l'air d'une poupée. C'était assez curieux, car son père était un petit homme maigre et terne, et sa mère, dans le morne décor du magasin de graines exposé au nord, où le soleil ne pénétrait jamais, donnait l'impression d'une vieille fille desséchée.

Les deux Hariel, l'homme et la femme, portaient la même blouse grise et, de vivre ensemble, chacun derrière son comptoir, à faire des gestes identiques, ils avaient fini par se ressembler.

La Loute avait été la seule des filles de la place à être élevée au couvent, d'où elle n'était sortie qu'à l'âge de dix-sept ans. Elle était la mieux vêtue aussi et ses robes faisaient très demoiselle. Le dimanche, quand, avec ses parents, elle se rendait à la grand-messe, tout le monde se retournait sur elle et les mères donnaient son maintien en exemple à leur fille.

Pendant deux ans environ elle avait travaillé comme secrétaire à l'Imprimerie Privas, une maison qui existait depuis trois générations, puis, soudain, on avait appris qu'elle avait trouvé une meilleure place à Bourges.

Les parents n'en parlaient pas. Ils étaient les commerçants les plus revêches du Vieux-Marché et bien des clients préféraient aller jusqu'à la rue de la Gare pour leurs achats.

La Loute et Gina étaient de bonnes amies. Avec Clémence, la fille du boucher, elles avaient formé longtemps un trio d'inséparables.

D'abord, on avait raconté que la Loute, à Bourges, travaillait chez un architecte, puis chez un médecin célibataire avec qui elle vivait maritalement.

Certains l'avaient rencontrée, là-bas, et on parlait de ses toilettes, de son manteau de fourrure. Aux dernières nouvelles, elle avait une 4 CV qu'on avait vue s'arrêter un soir à la porte de ses parents.

La Loute n'avait pas passé la nuit chez eux. Les voisins prétendaient avoir entendu des éclats de voix, ce qui était étrange, car les Hariel ouvraient à peine la bouche et quelqu'un les avait même appelés les deux poissons.

A Jonas, Gina s'était contentée de dire, à un de ses retours de Bourges :

— Elle mène sa vie comme elle peut et ce n'est facile pour personne.

Elle avait ajouté après un moment de réflexion :

— C'est une pauvre fille. Elle est trop bonne.

Pourquoi trop bonne ? Jonas ne le lui avait pas demandé. Il se rendait compte que cela ne le regardait pas, que c'étaient des histoires de femmes et même de filles, que des amies comme Clémence, la Loute et Gina, quand elles se retrouvaient, redevenaient des gamines et avaient droit à leurs secrets.

Une autre fois, Gina avait dit :

— Il y en a pour qui tout est simple !

Est-ce qu'elle faisait allusion à Clémence, qui avait un mari jeune, joli garçon, et qui avait eu les plus belles noces du Vieux-Marché ?

Lui n'était ni jeune, ni joli garçon, et tout ce qu'il avait pu lui offrir c'était la sécurité. Gina avait-elle réellement envie de sécurité, de *tranquillité*, comme il avait dit le premier jour ?

Où était-elle, en ce moment, avec les timbres qu'elle se figurait pouvoir vendre sans peine ? Elle ne devait guère avoir d'argent avec elle, même si, à l'insu de Jonas, elle en avait mis de côté pour l'occasion. Son frère n'avait pas pu lui en donner non plus, puisque c'était elle qui lui en passait de temps en temps.

Parce qu'elle avait vu les prix sur le catalogue, elle s'était dit qu'elle n'avait qu'à se présenter chez n'importe quel marchand de timbres, à Paris ou ailleurs, pour vendre ceux-là. C'était vrai pour certains d'entre eux, ceux qui n'avaient qu'une rareté relative, mais il en allait autrement des pièces de valeur, comme le Cérès 1849.

Les marchands de timbres forment à travers le monde, comme les diamantaires, une sorte de confrérie, et ils se connaissent plus ou moins les uns les autres. Ils savent, la plupart du temps, entre quelles mains se trouve tel ou tel timbre rare et guettent l'occasion de l'acquérir pour leurs clients.

Cinq timbres au moins, dans le lot qu'elle avait emporté, étaient connus de la sorte. Qu'elle les offre en vente dans n'importe quelle maison sérieuse et il y avait des chances pour que le commerçant la retienne sous un prétexte quelconque et téléphone à la police.

Elle ne risquait pas la prison, puisqu'elle était sa femme et que le vol n'est pas reconnu entre conjoints. On n'en ouvrirait pas moins une enquête et on prendrait contact avec lui.

Est-ce de cette façon que, par la faute de son ignorance, sa fugue allait se terminer ?

Il n'était pas sûr de le souhaiter. Il ne le souhaitait pas. Cela lui faisait mal de penser à la honte de Gina, à son désarroi, à sa fureur.

Ne serait-ce pas encore plus grave si elle chargeait quelqu'un de la vente ? A l'heure qu'il était, elle n'était pas seule, il ne se faisait pas d'illusions. Et, cette fois, il ne s'agissait pas de quelque jeune mâle de la ville qu'elle n'avait pu s'empêcher de suivre pour une nuit ou pour deux jours.

Elle était partie délibérément et son départ avait été prémédité, organisé au moins vingt-quatre heures à l'avance. Pendant vingt-quatre heures, autrement dit, il avait vécu avec elle sans se rendre compte que c'était sans doute le dernier jour qu'ils passaient ensemble.

Il marchait maintenant dans la rue, à pas lents, et l'espace nu, sous le toit d'ardoises, paraissait immense, livré à quelques hommes qui l'arrosaient au jet et frottaient le ciment avec des balais. La plupart des magasins étaient fermés jusqu'à deux heures.

Il reculait le moment d'entrer chez Le Bouc pour boire son café, car il n'avait envie de parler à personne, ni surtout de répondre à de nouvelles questions. Il était sans haine, sans rancune. Ce qui lui gonflait le cœur, c'était une tendresse triste, inquiète et presque sereine pourtant, et il s'arrêta pendant plus d'une minute pour regarder deux jeunes chiens, dont un couché sur le dos, les pattes battant l'air, qui, dans le soleil, jouaient à se mordiller.

Il se souvenait de l'odeur des harengs, dans la cuisine, de la poêle que, dans sa hâte, Gina n'avait pas lavée et à laquelle adhéraient des lambeaux de poisson. Il essayait de se rappeler ce qu'ils avaient pu se dire au cours de ce dernier repas mais n'y parvenait pas. Alors, il s'efforçait de retrouver de menus détails de la journée de la veille qu'il avait vécue comme une journée ordinaire sans savoir que c'était la plus importante de sa vie.

Une image lui revenait ; il était derrière son comptoir, à servir un vieux monsieur qui ne savait pas au juste ce qu'il voulait, quand Gina, qui était montée un peu plus tôt faire sa toilette, était descendue en robe rouge. C'était une robe de l'année précédente, qu'il lui revoyait pour la première fois de la saison, et, parce que Gina avait engraissé, elle lui collait plus que jamais au corps.

Elle s'était avancée jusqu'au seuil, pénétrant dans le rectangle de soleil, et il ne se souvenait pas de l'avoir vue aussi belle.

Il ne le lui avait pas dit car, quand il lui adressait un compliment, elle haussait les épaules avec agacement et parfois se rembrunissait.

Une fois, elle avait prononcé presque sèche :

— Laisse ça ! Je serai toujours assez vite une vieille femme, va !

Il croyait comprendre. Il n'avait pas envie de l'analyser plus avant. Ne voulait-elle pas dire qu'elle perdait sa jeunesse dans cette vieille maison qui sentait le papier moisi ? N'était-ce pas une façon ironique de le rassurer, de lui faire savoir qu'ils seraient bientôt à égalité et qu'il n'aurait plus à avoir peur ?

— Je vais embrasser maman, lui avait-elle annoncé.

D'habitude, à cette heure-là, les visites à la boutique de sa mère ne duraient pas, car Angèle, harcelée par les clientes, n'avait pas de temps à perdre. Or, Gina était restée près d'une heure absente. Quand elle était rentrée, elle ne venait pas de la droite, mais de la gauche, c'est-à-dire du côté opposé à la maison de ses parents, et pourtant elle ne portait pas de paquets.

Elle ne recevait jamais de lettres, cela le frappait soudain. Sans compter la Loute, elle avait plusieurs camarades mariées qui n'habitaient plus la ville. N'aurait-elle pas dû recevoir de temps en temps ne fût-ce qu'une carte postale ?

Le bureau de poste était dans la rue Haute, à cinq minutes de chez Pépito. Y recevait-elle son courrier poste restante ? Ou bien encore était-elle allée téléphoner de la cabine ?

Depuis deux ans qu'ils étaient mariés, elle n'avait jamais parlé de Marcel, qui avait été condamné à cinq ans de prison. Quand elle avait fait ses fugues, c'était nécessairement avec d'autres, ce qui avait laissé supposer à Jonas qu'elle avait oublié Jenot.

Il y avait six mois au moins qu'elle n'était pas sortie seule le soir, sinon pour garder le bébé de Clémence et, chaque fois, elle était rentrée à l'heure. D'ailleurs, si elle avait vu un homme, il s'en serait rendu compte, car ce n'était pas une femme sur qui l'amour ne laisse pas de traces. Il connaissait son visage, quand elle avait couru le mâle, son air las et sournois, et jusqu'à l'odeur de son corps qui n'était pas la même.

Mme Hariel, la grainetière, debout derrière la porte de sa boutique dont le bec-de-cane était retiré, le visage blême collé à la vitre, le regardait arpenter le trottoir en homme qui ne sait où aller et il se dirigea enfin vers le bar de Le Bouc. Celui-ci était encore à table avec sa femme, dans le fond de la pièce, et ils finissaient un plat de boudin à la purée.

— Ne vous dérangez pas, dit-il. J'ai le temps.

C'était l'heure creuse. Fernand, avant de déjeuner, avait balayé la sciure souillée et les carreaux rouges étaient brillants, la maison sentait le propre.

— Vous avez déjeuné chez Pépito ?

Il fit oui de la tête. Le Bouc avait un visage osseux et portait un tablier bleu. Sauf le dimanche et deux ou trois fois au cinéma, Jonas ne l'avait jamais vu avec un veston.

La bouche pleine, il disait en se dirigeant vers le percolateur :

— Louis m'a demandé tout à l'heure si j'avais vu passer Gina et je lui ai répondu que non. Il avait sa mauvaise tête. C'est malheureux qu'un brave homme comme lui ne puisse pas s'empêcher de boire.

Jonas déballait ses deux morceaux de sucre qu'il tenait à la main en attendant sa tasse de café. Il aimait l'odeur du bar de Le Bouc, pourtant chargée d'alcool, comme il aimait l'odeur de vieux livres qui régnait chez lui. Il aimait l'odeur du marché aussi, surtout à la saison des fruits, et il lui arrivait d'aller se promener entre les étals pour la respirer tout en surveillant de loin sa boutique.

Le Bouc venait de dire, en parlant de Louis :

— Un brave homme...

Et Jonas se rendait compte pour la première fois que c'était un mot qu'il employait souvent. Ancel était un brave homme aussi, et Benaiche, l'agent de police, à qui, chaque matin, les grossistes remplissaient un cageot de victuailles que sa femme venait chercher vers neuf heures.

Angèle aussi, malgré ses airs de virago, était une brave femme.

Tout le monde, autour du marché, sauf peut-être les Hariel, qui s'enfermaient chez eux comme pour éviter Dieu sait quelle contagion, se saluait le matin avec bonne humeur et cordialité. Tout le monde aussi travaillait dur et respectait le travail des autres.

De Marcel, quand l'affaire du *hold-up* avait éclaté, on avait dit avec pitié :

— C'est curieux, un si gentil garçon...

On avait ajouté :

— C'est l'Indochine qui a dû lui faire ça. Ce n'est pas une place pour des gamins.

Si on parlait de la Loute et de la vie mystérieuse qu'elle menait à Bourges, on ne lui en voulait pas non plus.

— Les filles d'aujourd'hui ne sont plus ce qu'elles étaient. L'éducation a changé aussi.

Quant à Gina, elle restait un des personnages les plus populaires du marché et, quand elle passait en roulant les hanches, le sourire aux lèvres, les dents éclatantes, les visages s'éclairaient. Tous étaient au courant de ses aventures. On l'avait vue, un soir, alors qu'elle avait dix-sept ans à peine, couchée avec un chauffeur sur les caisses d'un camion.

— Salut, Gina ! lui lançait-on.

Et sans doute enviait-on ceux qui avaient eu la bonne fortune de coucher avec elle. Beaucoup avaient essayé. Certains avaient réussi. Personne ne lui tenait rigueur d'être ce qu'elle était. On lui en aurait plutôt été reconnaissant car, sans elle, le Vieux-Marché n'aurait plus été tout à fait le même.

— C'est vrai qu'elle a pris le car du matin ? demandait Le Bouc en reprenant sa place à table.

Comme Jonas ne répondait pas, il supposa que son silence signifiait oui et poursuivit :

— Dans ce cas, elle aura fait le voyage avec ma nièce, la fille de Gaston, qui est allée voir un nouveau spécialiste.

Jonas la connaissait. C'était une jeune fille au joli visage anémique qui avait une malformation de la hanche et qui, pour marcher, devait lancer en avant la moitié droite de son corps. Elle avait dix-sept ans.

Depuis l'âge de douze ans, elle était entre les mains des médecins qui lui avaient fait suivre des traitements variés. Deux ou trois fois on l'avait opérée sans résultat appréciable et, vers quinze ans, elle avait passé une année entière dans le plâtre.

Elle restait douce et gaie et sa mère venait plusieurs fois la semaine échanger des livres pour elle, des romans sentimentaux qu'il lui choisissait avec soin par crainte qu'un des personnages soit infirme comme elle.

— Sa mère l'accompagne ?

— Non. Elle est allée seule. Gina lui aura tenu compagnie.

— Elle rentre ce soir ?

— Par le car de cinq heures.

On saurait donc alors que Gina n'était pas allée à Bourges. Que dirait-il à Louis quand celui-ci viendrait lui réclamer des comptes ?

Car c'étaient bien des comptes que les Palestri lui réclameraient. Ils lui avaient confié leur fille et le considéraient comme désormais responsable d'elle.

Incapable de la garder, vivant dans la crainte d'un scandale qui pouvait éclater d'un moment à l'autre, Angèle la lui avait mise sur les bras. C'était cela, en définitive, qu'elle était venue faire quand elle lui avait parlé d'une place pour sa fille chez le sous-directeur de l'usine. L'histoire était peut-être vraie, mais elle en avait profité.

Même maintenant, il lui en était reconnaissant, car sa vie avant Gina n'avait aucun goût, c'était un peu comme s'il n'avait pas vécu.

Ce qui l'intriguait, c'est ce qui s'était passé à cette époque chez les Palestri. Il y avait eu des discussions, cela ne faisait aucun doute.

L'attitude de Frédo ne faisait aucun doute non plus et il avait dû crier à ses parents qu'ils poussaient sa sœur dans les bras d'un vieillard.

Mais Louis ? Est-ce que, lui aussi, préférait voir sa fille courir que mariée à Jonas ?

— Il paraît que nous allons avoir un été chaud. C'est en tout cas ce que dit l'almanach. Des orages la semaine prochaine.

Il essuya ses verres dont la vapeur du café avait enlevé la transparence, et resta un moment comme un hibou au soleil, avec ses paupières roses qui battaient. C'était rare qu'il enlève ses lunettes en public, il ne savait pas au juste pourquoi, car lui-même ne s'était jamais vu ainsi. Cela lui donnait un sentiment d'infériorité, un peu comme quand on rêve qu'on est tout nu ou en chemise dans la foule.

Gina, elle, le voyait chaque jour ainsi et c'est peut-être pourquoi elle le traitait autrement que les autres. Ses verres, épais, non cerclés de métal ou d'écaille, jouaient dans les deux sens. S'ils lui faisaient voir les moindres détails du monde extérieur, ils agrandissaient, pour les autres, ses prunelles et leur donnaient une fixité, une dureté qu'elles n'avaient pas en réalité.

Une fois, sur son seuil, il avait entendu un gamin qui passait dire à sa mère :

— Comme il a de gros yeux le monsieur !

Or, ses yeux n'étaient pas gros. C'étaient les verres qui leur donnaient un aspect globuleux.

— A tout à l'heure, soupira-t-il après avoir compté sa monnaie et l'avoir posée sur le comptoir.

— A tout à l'heure. Bon après-midi.

Vers cinq heures, Le Bouc fermerait son bar, car, dans l'après-midi, il y venait peu de clients. S'il le gardait ouvert, c'était surtout pour la commodité des voisins. Les veilles de marché, il se couchait dès huit heures pour être debout à trois heures du matin.

Demain, vendredi, il n'y avait pas de marché. Un jour sur deux, quatre jours sur sept exactement, le carreau, sous le toit d'ardoises, restait désert et servait de parc aux voitures et de terrain de jeu aux enfants.

Pendant deux ou trois semaines, on voyait ceux-ci s'élancer sur des patins à roulettes qui faisaient, à la longue, un bruit lancinant, puis, comme s'ils s'étaient donné le mot, ils changeaient de jeu, adoptaient les billes, la toupie ou le yoyo. Cela suivait un rythme, comme les saisons, plus mystérieux que les saisons, car il était impossible de deviner d'où venait la décision, et le patron du bazar de la rue Haute était chaque fois pris au dépourvu.

— Donnez-moi un cerf-volant, monsieur.

Il en vendait dix, vingt, en l'espace de deux jours, en commandait d'autres et n'en vendait plus un seul du reste de l'année.

De prendre ses clefs dans sa poche rappelait à Jonas la cassette d'acier et le départ de Gina. Il retrouvait l'odeur de la maison, dont l'atmosphère était grise, maintenant que le soleil ne la frappait plus de front. Il sortit les deux boîtes montées sur des pieds à roulettes, puis resta debout au milieu du magasin sans savoir que faire de ses deux bras.

Pourtant, il avait vécu des années ainsi, seul, et n'en avait pas souffert, ne s'était même pas rendu compte qu'il lui manquait quelque chose.

Que faisait-il, jadis, à cette heure-ci ? Il lui arrivait de lire, derrière le comptoir. Il avait beaucoup lu, non seulement des romans, mais des ouvrages sur les sujets les plus variés, parfois les plus inattendus, depuis l'économie politique jusqu'au récit de fouilles archéologiques. Tout l'intéressait. Il piquait au hasard un livre sur la mécanique, par exemple, croyant n'en parcourir que deux pages, et il le lisait de bout en bout. Il avait lu ainsi, de la première à la dernière ligne, l'Histoire du Consulat et de l'Empire comme il avait lu, avant de les vendre à un avocat, vingt et un tomes dépareillés de la Gazette des Tribunaux du siècle dernier.

Il aimait en particulier les ouvrages de géographie, ceux qui étudient une région depuis sa formation géologique jusqu'à son expansion économique et culturelle.

Ses timbres étaient comme des repères. Les noms de pays, de souverains et de dictateurs n'évoquaient pas pour lui une carte bariolée ou des photographies, mais une vignette délicate enveloppée de papier transparent.

C'est de cette façon-là, plus encore que par la littérature, qu'il connaissait la Russie, où il était né quarante ans auparavant.

Ses parents habitaient alors Arkhangelsk, tout en haut de la carte, sur la mer Blanche, où cinq sœurs et un frère étaient nés avant lui.

Or, de toute sa famille, il était le seul à ne pas connaître la Russie, qu'il avait quittée à l'âge d'un an. N'est-ce pas à cause de cela qu'au lycée il avait commencé à collectionner les timbres ? Il devait avoir treize ans quand un de ses camarades lui avait montré son album.

— Tiens ! lui avait-il dit. Voilà une vue de ton pays.

C'était, il s'en souvenait d'autant mieux que maintenant il possédait ce timbre-là parmi beaucoup d'autres timbres russes, une vignette de 1905, bleu et rose, qui représentait le Kremlin.

— J'en ai d'autres, tu sais, mais ceux-là ce sont des figures.

Les timbres, émis en 1913 pour le troisième centenaire des Romanov, représentaient Pierre Ier, Alexandre II, Alexis Michaelovitch, Paul Ier.

Plus tard, il devait en constituer une collection complète, y compris le Palais d'Hiver et le palais en bois des boyards Romanov.

Sa sœur aînée, Aliocha, qui avait seize ans quand il était né, avait donc à présent — si elle vivait encore — cinquante-six ans. Nastassia en avait cinquante-quatre et Daniel, son seul frère, mort en bas âge, aurait eu tout juste cinquante ans.

Les trois autres sœurs, Stéphanie, Sonia et Doucia, avaient quarante-huit, quarante-cinq et quarante-deux ans et, à cause de son âge plus proche du sien, à cause de son nom aussi, c'est à Doucia qu'il pensait le plus souvent.

Il n'avait jamais vu leur visage. Il ne savait rien d'elles, si elles étaient mortes ou vivantes, si elles s'étaient ralliées au Parti ou si elles avaient été massacrées.

Son départ de Russie avait eu lieu dans la manière de sa mère, Nathalie, la manière des Oudonov, pour parler comme son père, car les Oudonov avaient toujours passé pour des originaux.

Quand il était né, dans leur maison d'Arkhangelsk, où il y avait huit serviteurs, son père, qui était un important armateur à la pêche, venait de partir comme intendant aux armées et se trouvait quelque part à l'arrière-front.

Pour se rapprocher de lui, sa mère — un vrai pigeon voyageur, répétait son père — avait pris, avec toute sa famille, le train pour Moscou, où on s'était installé chez tante Zina.

Son nom était Zinaïda Oudonov, mais il l'avait toujours entendu appeler tante Zina.

Elle habitait, à en croire ses parents, une maison si vaste qu'on se perdait dans les corridors et elle était très riche. C'est chez elle qu'à l'âge de six mois Jonas était tombé malade. Il avait une pneumonie infectieuse dont il ne se remettait pas et les médecins avaient conseillé le climat plus clément du Sud.

Ils avaient des amis en Crimée, à Yalta, les Chepilov, et, sans même les avertir, sa mère avait décidé un matin de se rendre chez eux avec le bébé.

— Je te confie les filles, Zina, avait-elle dit à la tante. Nous serons de retour dans quelques semaines, le temps de rendre des couleurs à ce garçon-là.

Il n'était pas aisé, en pleine guerre, de voyager à travers la Russie mais rien n'était impossible à une Oudonov. Par bonheur, sa mère avait trouvé les Chepilov à Yalta. Elle s'y était attardée, comme il fallait s'y attendre avec elle, et c'est là que la révolution l'avait surprise.

Du père, on n'avait plus de nouvelles. Les filles étaient toujours chez Zina, à Moscou, et Nathalie parlait de laisser le bébé à Yalta pour aller les chercher.

Les Chepilov l'en avaient dissuadée. Chepilov était un pessimiste. L'exode commençait. Lénine et Trotsky prenaient le pouvoir. L'armée Wrangel se constituait.

Pourquoi ne pas aller à Constantinople, le temps de laisser passer l'orage, et revenir dans quelques mois ?

Les Chepilov avaient entraîné sa mère et ils avaient fait partie de la colonie russe qui envahissait les hôtels de Turquie, certains munis d'argent, d'autres en quête de n'importe quel gagne-pain.

Les Chepilov avaient pu emporter de l'or et des bijoux. Nathalie avait quelques diamants avec elle.

Pourquoi, de Constantinople, s'étaient-ils dirigés sur Paris ? Et comment, de Paris, avaient-ils abouti dans une petite ville du Berry ?

Ce n'était pas tout à fait un mystère. Chepilov, avant la guerre, recevait largement dans ses terres d'Ukraine et il avait reçu ainsi un certain nombre de Français, en particulier, pendant plusieurs semaines, le comte de Coubert, dont le château et les fermes étaient à douze kilomètres de Louvant.

Ils s'étaient rencontrés après l'exode, qu'on croyait encore provisoire, et Coubert avait proposé à Chepilov de s'installer dans son château. Nathalie avait suivi, et Jonas, qui n'avait encore qu'une vue schématique du monde à travers lequel on le traînait de la sorte.

Pendant ce temps-là, Constantin Milk, qui avait été fait prisonnier par les Allemands, était relâché à Aix-la-Chapelle au moment de l'armistice. On ne leur fournissait ni vivres, ni argent, ni moyens de transport et il n'était pas question de regagner dans ces conditions la lointaine Russie.

Étape par étape, avec d'autres déguenillés comme lui, Milk avait atteint Paris, et un jour, le comte de Coubert avait lu son nom dans une liste de prisonniers russes fraîchement arrivés.

On ne savait rien de tante Zina, ni des filles, qui n'avaient vraisemblablement pas eu le temps de passer la frontière.

Constantin Milk portait de gros verres comme son fils devait bientôt le faire, et, court sur pattes, avait la carrure d'un ours sibérien. Il s'était vite lassé de la vie inactive du château et, un soir, il avait annoncé qu'avec les bijoux de Nathalie il avait acheté une poissonnerie en ville.

— Ce sera peut-être dur pour une Oudonov, avait-il dit avec son sourire énigmatique, mais il faudra bien qu'elle s'y fasse.

De son seuil, Jonas pouvait voir le magasin, « A la Marée », avec ses deux comptoirs de marbre blanc et sa grande balance de cuivre. Il avait vécu des années au second étage, dans la chambre mansardée qui était habitée maintenant par la fille Chenu.

Jusqu'au moment d'entrer à l'école, il n'avait guère parlé que le russe et, ensuite, l'avait presque complètement oublié.

La Russie, pour lui, était un pays mystérieux et sanglant, où ses cinq sœurs, y compris Doucia, avaient peut-être été massacrées avec la tante Zina, comme l'avait été la famille impériale.

Son père, comme les Oudonov qu'il raillait, était, lui aussi, l'homme des décisions brutales, ou alors, s'il les mûrissait, il n'en disait rien à personne.

En 1930, alors que Jonas avait quatorze ans et allait au lycée de la ville, Constantin Milk avait annoncé qu'il partait pour Moscou. Comme Nathalie insistait pour qu'on parte tous ensemble, il avait regardé son fils et avait prononcé :

— *Mieux vaut être sûr qu'il en reste au moins un !*

Nul ne savait quel sort l'attendait là-bas. Il avait promis de donner de ses nouvelles d'une façon ou d'une autre mais après un an on n'avait toujours rien reçu.

Les Chepilov s'étaient installés à Paris où ils avaient ouvert une librairie rue Jacob, et Nathalie leur avait écrit pour leur demander si, pendant quelque temps, ils accepteraient de s'occuper de Jonas, qu'elle mettrait dans un lycée de Paris tandis qu'elle tenterait à son tour le voyage de Russie.

C'est ainsi qu'il était entré à Condorcet.

Depuis, une autre guerre avait éclaté, à laquelle sa vue l'avait empêché de prendre part, les populations avaient été brassées à nouveau, il y avait eu d'autres exodes, d'autres vagues de réfugiés.

Jonas s'était adressé à toutes les autorités imaginables, aussi bien russes que françaises, sans obtenir de nouvelles des siens.

Pouvait-il espérer que son père, à quatre-vingt-deux ans, et sa mère, à soixante-seize, vivaient encore ?

Qu'était devenue tante Zina, dans la maison de qui on se perdait, et ses sœurs, dont il ne connaissait pas le visage ?

Doucia savait-elle seulement qu'elle avait un frère quelque part dans le monde ?

Autour de lui, les murs étaient couverts de vieux livres. Dans son cagibi se trouvait un gros poêle que, l'hiver, il chauffait à blanc, par volupté, et aujourd'hui, il aurait juré que des odeurs de hareng traînaient encore dans la cuisine.

Le vaste toit du marché baignait au soleil sa vitrine et, tout autour, il y avait des boutiques guère plus grandes que la sienne sauf du côté de la rue de Bourges où se dressait l'église Sainte-Cécile.

Il pouvait mettre un nom sur chaque visage, il reconnaissait les voix de chacun et, quand on le voyait sur son seuil ou quand il entrait chez Le Bouc, on lui lançait :

— Salut, monsieur Jonas !

C'était un univers dans lequel il se calfeutrait et Gina était entrée un beau jour, roulant des hanches, traînant derrière elle une chaude odeur d'aisselles, dans cet univers-là.

Elle venait de le quitter et il était pris de vertige.

4

La visite de Frédo

Ce n'était pas encore ce jour-là que les complications devaient commencer mais il ne se sentait pas moins comme quelqu'un qui couve une maladie.

Dans l'après-midi, heureusement, les clients furent assez nombreux dans la boutique et il reçut entre autres la visite de M. Legendre, un chef de train retraité qui lisait un livre par jour, parfois deux, venait les échanger par demi-douzaine et s'asseyait sur une chaise pour bavarder. Il fumait une pipe d'écume qui, à chaque aspiration, émettait une sorte de glouglou et, comme il avait l'habitude de tasser du doigt le tabac incandescent, la première phalange de son index était d'un brun doré.

Il n'était ni veuf, ni célibataire. Sa femme, petite et maigre, un chapeau noir sur la tête, faisait le marché trois fois par semaine et s'arrêtait devant tous les étals en discutant les prix avant d'acheter une botte de poireaux.

M. Legendre resta près d'une heure. La porte était ouverte. Dans l'ombre du marché couvert, le ciment, lavé à grande eau, séchait lentement, en laissant des plaques mouillées, et, comme c'était jeudi, une bande d'enfants en avait pris possession qui, cette fois, jouaient aux cow-boys.

Deux ou trois clients avaient interrompu le discours du retraité et celui-ci attendait, en habitué, que Jonas ait fini de les servir, pour reprendre l'entretien au point exact où il l'avait laissé.

— Je disais que...

A sept heures, Jonas hésita à fermer la porte à clef pour aller dîner chez Pépito, comme il lui semblait qu'il aurait dû le faire mais il n'en eut pas le courage. Il préféra traverser la place et acheter des œufs à la crémerie Coutelle où, comme il s'y attendait, Mme Coutelle lui demanda :

— Gina n'est pas là ?

C'était sans conviction, maintenant, qu'il répondait :

— Elle est allée à Bourges.

Il se prépara une omelette. Cela lui faisait du bien de s'occuper. Ses gestes étaient minutieux. Au moment de verser les œufs battus dans la poêle, il céda à la gourmandise comme à midi pour la tarte aux pommes, et alla cueillir dans la cour quelques brins de ciboulette qui poussaient dans une caisse.

N'aurait-il pas dû, puisque Gina était partie, être indifférent à ce qu'il mangeait ? Il rangea le beurre, le pain, le café sur la table, déplia sa serviette et prit son repas lentement avec l'impression qu'il ne pensait à rien.

Il avait lu, dans il ne savait plus quel livre, probablement des souvenirs de guerre, que les blessés les plus graves sont presque toujours un certain temps sans ressentir de douleur, qu'il arrive même qu'ils ne s'aperçoivent pas tout de suite qu'ils sont touchés.

Dans son cas, c'était un peu différent. Il ne ressentait ni douleur violente, ni désespoir. C'était plutôt un vide qui s'était fait en lui. Il n'était plus en équilibre. La cuisine, qui n'avait pourtant pas changé, lui semblait, non pas étrangère, mais sans vie, sans consistance, comme s'il l'avait regardée sans ses lunettes.

Il ne pleura pas, ne gémit pas plus ce soir-là que la veille. Après avoir mangé une banane qui avait encore été achetée par Gina, il fit la vaisselle, balaya la cuisine, puis alla sur le seuil regarder le soleil qui déclinait.

Il ne resta pas, parce que les Chaigne, les épiciers d'à côté, avaient apporté leurs chaises sur le trottoir et s'entretenaient à mi-voix avec le boucher qui était venu leur tenir compagnie.

Si Jonas n'avait plus ses timbres de valeur, tout au moins lui restait-il sa collection de timbres de Russie, car, celle-là, à laquelle il n'attachait qu'une importance sentimentale, il l'avait collée dans un album comme, dans d'autres maisons, on colle les portraits de famille.

Pourtant, il ne se sentait pas particulièrement russe et, la preuve, c'est qu'il ne se considérait chez lui qu'au Vieux-Marché.

Les commerçants, quand les Milk s'y étaient installés, s'étaient montrés accueillants et, bien que le père Milk, au début, ne parlât pas un mot de français, ils n'avaient pas tardé à faire de bonnes affaires. Cela provoquait parfois chez lui un gros rire sans amertume, de débiter du poisson à la livre alors que, quelques années plus tôt, il possédait la plus importante flottille de pêche d'Arkhangelsk, dont les bateaux allaient jusqu'au Spitzberg et à la Nouvelle-Zemble. Peu de temps avant la guerre, il avait même armé à la baleine et c'était peut-être par une sorte d'humour bien à lui qu'il avait appelé son fils Jonas.

Nathalie avait été plus lente à s'habituer à leur nouvelle vie et son mari la taquinait en russe, devant les clients qui ne pouvaient pas comprendre.

— Allons, Ignatievna Oudonov, trempe tes belles petites mains dans cette caisse et sers une demi-douzaine de merlans à la grosse dame.

Jonas ne savait presque rien de la famille des Oudonov, la famille de sa mère, sinon que c'étaient des marchands qui fournissaient les bateaux. Alors que Constantin Milk, dont le grand-père était déjà armateur, gardait des allures plébéiennes et un peu frustes, les Oudonov aimaient les manières et se frottaient à la haute société.

Quand il était de bonne humeur, Milk n'appelait pas sa femme Nathalie, mais Ignatievna Oudonov, ou simplement Oudonov, et elle prenait un air pincé comme si c'eût été un reproche.

Ce qui la désespérait le plus, c'est qu'il n'y eût pas de synagogue dans la ville car les Milk, comme les Oudonov, étaient juifs. Il y en avait d'autres dans le quartier, surtout parmi les brocanteurs et les boutiquiers de la rue Haute, mais, parce que les Milk étaient d'un blond roux, avaient le teint clair et les yeux bleus, les gens du pays ne paraissaient pas se rendre compte de leur race.

Pour tout le monde ils étaient des Russes. Et c'était vrai dans un sens.

A l'école, au début, quand il parlait à peine le français et employait des locutions souvent cocasses, Jonas avait été l'objet de quolibets, mais cela n'avait pas duré.

— Ils sont gentils, disait-il à ses parents quand ceux-ci lui demandaient comment ses camarades se comportaient à son égard.

C'était exact. Tout le monde était gentil avec eux. Après le départ de son père, personne n'entrait dans le magasin sans demander à Nathalie :

— Vous n'avez toujours pas de ses nouvelles ?

Jonas était assez fier, au fond, que sa mère l'eût abandonné pour aller rejoindre son mari. Cela l'avait désemparé davantage de quitter le Vieux-Marché pour entrer à Condorcet et, surtout, de retrouver les Chepilov.

Serge Sergeevitch Chepilov était un intellectuel et cela se sentait dans ses attitudes, dans sa façon de parler, de regarder ses interlocuteurs avec une certaine condescendance. Depuis onze ans qu'il vivait en France, il se considérait encore comme en exil et appartenait à tous les groupements de Russes blancs, collaborait à leur journal et à leurs revues.

Quand, les jours de congé, Jonas allait les voir à la librairie de la rue Jacob, au fond de laquelle ils vivaient dans un minuscule studio, Chepilov affectait de lui adresser la parole en russe puis, se reprenant, disait avec amertume :

— C'est vrai que tu as oublié la langue de ton pays !

Chepilov vivait toujours. Sa femme, Nina Ignatievna, aussi. Vieux tous les deux, ils s'étaient installés à Nice, où des articles, que Chepilov plaçait de temps en temps dans les journaux, leur permettaient de végéter. Autour du samovar, ils finissaient leurs jours dans le culte du passé et le mépris du présent.

— Si ton père n'a pas été fusillé ou envoyé en Sibérie, c'est qu'il s'est rallié au Parti et, dans ce cas, je préfère ne jamais le revoir.

Jonas n'avait de haine pour personne, pas même pour les bolchevistes dont l'avènement avait dispersé sa famille. S'il pensait souvent à Doucia, c'était moins comme à un être réel que comme à une sorte de fée. Dans son esprit, Doucia ne ressemblait à personne qu'il connût, elle était devenue le symbole d'une féminité fragile et tendre à l'évocation de laquelle les larmes lui montaient aux yeux.

Pour ne pas rester ce soir-là sans rien faire, il feuilleta ses timbres de Russie, et, dans le cagibi où il avait allumé la lampe, l'histoire de son pays défilait devant ses yeux.

Cette collection-là, presque complète, il avait été longtemps à la réaliser et elle lui avait demandé beaucoup de patience, des lettres et des échanges avec des centaines de philatélistes, encore que l'album entier eût moins de valeur commerciale que quatre ou cinq des vignettes emportées par Gina.

Le premier timbre, qui était le premier émis en Russie, en 1857, représentait l'aigle en relief et, si Jonas possédait le dix et le vingt kopecks, il n'avait jamais pu se procurer le trente kopecks.

Pendant des années, le même symbole avait servi, avec de légères variantes, jusqu'au tricentenaire de 1905, que le condisciple de Condorcet lui avait révélé.

Puis, dès 1914 venaient, avec la guerre, les timbres de bienfaisance à l'effigie de Murometz et du Cosaque du Don. Il aimait en particulier, pour sa gravure et son style, un saint Georges tuant le dragon qui n'était pourtant coté que quarante francs.

Il pensait en les maniant :

— Quand ce timbre a été émis, mon père avait vingt ans... Il en avait vingt-cinq... Il rencontrait ma mère... Celui-ci date de la naissance d'Aliocha...

En 1917, c'était le bonnet phrygien de la République démocratique, avec les deux sabres croisés, puis les timbres de Kerenski, sur lesquels une main vigoureuse brisait une chaîne.

1921, 1922 voyaient sortir des vignettes aux traits plus durs, plus épais, et, dès 1923, les commémorations recommençaient, mais plus celles des Romanov, celle du quatrième anniversaire de la révolution d'Octobre, puis du cinquième anniversaire de la République soviétique.

Des timbres de bienfaisance encore, au moment de la famine, puis, avec l'U.R.S.S., des figures d'ouvriers, de laboureurs, de soldats, l'effigie de Lénine, en rouge et noir, pour la première fois en 1924.

Il ne s'attendrissait pas, restait sans nostalgie. C'était plutôt la curiosité qui l'avait poussé à rassembler ces images d'un monde lointain et à les coller bout à bout.

Un village samoyède ou un groupe de Tadjiques près d'un champ de blé le plongeaient dans la même rêverie qu'un enfant devant un livre d'images.

L'idée ne lui était jamais venue à l'esprit de retourner là-bas et ce n'était pas par peur du sort qui l'y attendait peut-être, ni, comme Chepilov, par haine du Parti.

Dès qu'il avait eu l'âge, au contraire, deux ans avant la guerre, il avait renoncé à son passeport Nansen et obtenu la naturalisation française.

La France elle-même était trop grande pour lui. Après le lycée, il avait travaillé quelques mois dans une librairie du boulevard Saint-Michel et les Chepilov n'en avaient pas cru leurs oreilles lorsqu'il leur avait annoncé qu'il préférait retourner dans le Berry.

Il y était revenu, seul, avait loué une chambre meublée chez la vieille demoiselle Buttereau, qui était morte pendant la guerre, et était entré comme commis à la librairie Duret, rue de Bourges.

Elle existait toujours. Le père Duret était retiré, presque gâteux, mais les deux fils continuaient le commerce. C'était la librairie-papeterie la plus importante de la ville et une vitrine y était consacrée aux objets de piété.

Il ne mangeait pas encore chez Pépito, à cette époque-là, parce que c'était trop cher. Quand la boutique de bouquiniste, où il vivait maintenant, s'était trouvée libre, il s'y était installé comme si la rue de Bourges, pourtant à deux pas, eût été encore trop lointaine.

Il se retrouvait en plein cœur du Vieux-Marché de son enfance et chacun l'y avait reconnu.

Soudain, le départ de Gina détruisait cet équilibre, acquis à force d'obstination, avec la même brutalité que la révolution, autrefois, avait éparpillé les siens.

Il ne feuilleta pas l'album jusqu'au bout. Il se prépara une tasse de café, alla retirer le bec-de-cane de la porte, tourner la clef, mettre la barre, et, un peu plus tard, il montait dans sa chambre.

Ce fut, comme toujours quand il n'y avait pas marché, une nuit calme, sans un bruit, sinon parfois un klaxon lointain et le roulement plus lointain encore d'un train de marchandises.

Seul dans son lit, sans les lunettes qui lui donnaient l'air d'un homme, il se recroquevilla comme un enfant qui a peur et finit par s'endormir, une moue de chagrin aux lèvres, une main à la place que Gina aurait dû occuper.

Quand le soleil l'éveilla en pénétrant dans la chambre, l'air était toujours aussi tranquille et les cloches de Sainte-Cécile sonnaient la première messe. D'un coup, il retrouva le vide de sa solitude et faillit passer ses vêtements sans se laver, comme cela lui arrivait parfois avant Gina. Mais il voulait coûte que coûte faire les mêmes gestes que tous les jours, au point qu'il hésita lorsqu'on lui servit les croissants à la boulangerie d'en face.

— Trois seulement, finit-il pas murmurer à regret.

— Gina n'est pas là ?

Ceux-là ne savaient pas encore. Il est vrai qu'ils étaient presque nouveaux sur la place, où ils n'avaient racheté leur fonds de commerce que cinq ans auparavant.

— Non. Elle n'est pas là.

Cela le surprit qu'on n'insistât pas, qu'on prît la nouvelle avec indifférence.

Il était sept heures et demie. Il n'avait pas fermé la porte pour traverser la place. Il ne le faisait jamais. Quand il rentra, il eut un sursaut, car un homme se dressait devant lui et, comme il marchait tête baissée, plongé dans ses pensées, il ne l'avait pas reconnu tout de suite.

— Où est ma sœur ? questionnait la voix de Frédo.

C'était lui qui se tenait debout au milieu de la boutique, en blouson de cuir, ses cheveux noirs, encore humides, marqués par le peigne.

Depuis la veille, Jonas s'attendait à quelque chose mais il fut pris de court, balbutia, tenant toujours à la main ses croissants enveloppés de papier de soie brun :

— Elle n'est pas rentrée.

Frédo était aussi grand, plus large d'épaules que son père, et, quand il se mettait en colère, on voyait palpiter ses narines dont les parois se collaient.

— Où est-elle allée ? poursuivait-il sans détacher de Jonas son regard soupçonneux.

— Je... mais... à Bourges.

Il ajouta, et peut-être eut-il tort, surtout s'adressant à Frédo :

— En tout cas, elle m'a dit qu'elle allait à Bourges.

— Quand a-t-elle dit ça ?

— Hier matin.

— A quelle heure ?

— Je ne me souviens pas. Avant le départ du car.

— Elle a pris le car de sept heures dix, hier matin ?

— Elle a dû.

Pourquoi tremblait-il devant un gamin de dix-neuf ans qui se permettait de lui réclamer des comptes ? Il n'était pas le seul, dans le quartier, à avoir peur de Frédo. Le fils Palestri avait, depuis son plus jeune âge, un caractère renfermé, les gens disaient sournois.

C'était vrai qu'il ne paraissait aimer personne, sinon sa sœur. Avec son père, quand celui-ci avait trop bu, il se conduisait d'une façon insupportable et les voisins avaient entendu des scènes odieuses. On prétendait qu'une fois Frédo avait giflé Palestri et que sa mère s'était précipitée sur lui, l'avait enfermé dans sa chambre comme un gamin de dix ans.

Il en était sorti par la fenêtre et les toits, était resté absent huit jours, pendant lesquels il avait cherché en vain du travail à Montluçon.

Il n'avait pas son brevet supérieur et refusait d'apprendre un vrai métier. Il avait travaillé chez plusieurs commerçants, comme garçon de course, comme livreur, plus tard comme vendeur. Nulle part, il n'était resté plus de quelques mois ou de quelques semaines.

Il n'était pas paresseux. Comme disait un de ses anciens patrons :

— Ce garçon-là est rebelle à toute discipline. Il veut être général avant d'être simple soldat.

Autant Jonas aimait le Vieux-Marché, autant Frédo semblait le haïr, comme il méprisait et haïssait, en bloc, ses habitants, comme il aurait haï, sans doute, n'importe quel endroit où il se fût trouvé.

Angèle, seule, affectait de le traiter comme s'il était encore un enfant, mais il n'était pas sûr qu'elle n'en eût pas peur aussi. Il avait quinze ans quand elle avait trouvé dans sa poche un long couteau à cran d'arrêt qu'il passait des heures à effiler amoureusement. Elle le lui avait pris. Il avait dit, indifférent :

— J'en achèterai un autre.

— Je te le défends.

— De quel droit ?

— Je suis ta mère, tiens !

— Comme si tu l'avais fait exprès ! Je parie que mon père était saoul !

Il ne buvait pas, n'allait pas au bal, fréquentait un petit bar du quartier italien, dans la mauvaise partie de la rue Haute, où Polonais et Arabes se mélangeaient et où l'on voyait toujours, au fond de la salle, des groupes d'hommes qui tenaient d'inquiétants conciliabules. L'endroit s'appelait le Louxor-Bar. A la suite du *hold-up* de Marcel, la police s'y était intéressée, car Marcel, avant Frédo, en avait été un des habitués.

Tout ce qu'on avait trouvé, c'était un ancien boxeur, interdit de séjour, dont les papiers n'étaient pas en règle. Depuis, on n'en tenait pas moins le Louxor à l'œil.

Jonas n'avait pas peur dans le vrai sens du mot. Même si Frédo le frappait dans un mouvement de rage, cela lui était indifférent. Il n'était pas brave, mais savait que la douleur physique ne dure pas indéfiniment.

C'était Gina qu'il avait l'impression de défendre à ce moment et il sentait qu'il pataugeait, il aurait juré que son visage était devenu rouge jusqu'à la racine des cheveux.

— Elle a annoncé qu'elle ne rentrerait pas coucher ?

— Je...

Il réfléchit très vite. Déjà une fois, quand il avait été question de Bourges, il avait parlé en l'air. Maintenant, il devait faire attention.

— Je ne m'en souviens pas.

Le jeune homme eut un ricanement insultant.

— Vous ne vous rappelez pas si vous deviez l'attendre ou non ?

— Elle ne savait pas elle-même.

— Dans ce cas, elle a emporté sa valise ?

Penser vite, toujours, et ne pas s'empêtrer, ne pas se contredire. Malgré lui, il eut un bref coup d'œil à l'escalier.

— Je ne crois pas.

— Elle ne l'a pas emportée, affirma Frédo.

Sa voix se durcit, devint accusatrice.

— Sa valise est dans le placard, là-haut, et son manteau.

Il attendait une explication. Qu'est-ce que Jonas pouvait répondre ? Était-ce le moment d'avouer la vérité ? Était-ce au frère de Gina qu'il devait faire cette confession ?

Il se raidit, parvint à dire sèchement :

— C'est possible.

— Elle n'a pas pris le car pour Bourges.

Il feignit l'étonnement.

— J'avais un camarade dans le car et il ne l'a pas vue.

— Elle a peut-être pris le train.

— Pour aller voir la Loute ?

— Je suppose.

— Gina n'est pas allée voir la Loute non plus. Je lui ai téléphoné ce matin avant de venir.

Jonas ignorait que la Loute avait le téléphone, et que Frédo était en relations avec elle. S'il connaissait son numéro, sans doute était-il déjà allé la voir là-bas ?

— Où est ma sœur ?

— Je ne sais pas.

— Quand est-elle partie ?

— Hier matin.

Il faillit ajouter :

— Je le jure.

Il le croyait presque, à force de l'avoir répété. Quelle différence cela faisait-il que Gina soit partie le mercredi soir ou le jeudi matin ?

— Personne ne l'a vue.

— On est tellement habitué à la voir passer qu'on n'y fait plus attention.

On aurait dit que Frédo, qui le dépassait de la tête, hésitait à le saisir aux épaules pour le secouer et Jonas ne bougeait pas, résigné. Il ne détourna pas les yeux jusqu'au moment où son interlocuteur se dirigea vers la porte sans le toucher.

— On verra bien... gronda Frédo d'un ton lourd.

Jamais matin n'avait été si lumineux et si calme. La place avait à peine commencé à vivre et on entendait l'épicier qui baissait son store orange dont la manivelle grinçait seule dans le silence.

Debout dans l'encadrement de la porte, Frédo formait une ombre immense et menaçante.

Au moment de tourner le dos, il ouvrit la bouche sans doute pour une injure, se ravisa, traversa le trottoir et mit sa moto en marche.

Jonas restait toujours immobile au milieu de la boutique, oubliant ses croissants, oubliant que c'était l'heure du petit déjeuner. Il s'efforçait de comprendre. La veille, déjà, il avait eu l'intuition d'un danger qui le guettait et, maintenant, on venait le menacer chez lui.

De quoi ? Pourquoi ?

Il n'avait rien fait d'autre que prendre, dans sa maison, la femme qu'Angèle lui avait donnée, et, pendant deux ans, il s'était efforcé de lui procurer la paix.

— *Elle est allée à Bourges...*

Il avait dit cela en l'air, pour se débarrasser des questions, et voilà que cela en entraînait de nouvelles. Pendant qu'il était à la boulangerie, Frédo, non seulement était entré chez lui, mais il était monté là-haut, avait ouvert le placard, fouillé l'armoire à glace, puisqu'il savait que sa sœur n'avait emporté ni valise ni manteau.

Était-il possible qu'*ils* pensent ce qui lui venait soudain à l'esprit ?

De rouge qu'il était, il devenait pâle, tant c'était absurde et terrible. Est-ce qu'on croyait vraiment, est-ce que c'était venu à l'idée de qui que ce fût, ne fût-ce que de Frédo, qu'il s'était débarrassé de Gina ?

Ne savaient-ils pas tous, tous ceux du Vieux-Marché, et même de la ville, que ce n'était pas la première fugue de sa femme, qu'elle en avait fait avant lui, alors qu'elle vivait encore chez ses parents, et que c'était pour cela qu'on la lui avait donnée ?

Il ne gardait aucune illusion là-dessus. Personne d'autre ne l'aurait épousée. Et Gina n'avait pas le calme, le sang-froid de la Loute, qui s'en tirait plus ou moins à Bourges.

C'était une femelle qui ne se contrôlait pas, ils le savaient tous, y compris son père.

Pourquoi, bon Dieu, l'aurait-il...

Même en esprit, il hésitait à formuler le mot, à le penser. Ne valait-il cependant pas mieux regarder la réalité en face ?

Pourquoi l'aurait-il tuée ?

C'est cela, il en était sûr, que Frédo soupçonnait. Et peut-être, la veille, la même idée était-elle déjà venue, sous une forme plus vague, à l'esprit de Palestri.

Autrement, pour quelle raison l'aurait-on harcelé de la sorte ?

S'il était jaloux, s'il souffrait chaque fois que Gina courait le mâle, chaque fois qu'il sentait sur elle une odeur étrangère, il n'en avait jamais rien laissé voir à personne, même à elle. Il ne lui avait jamais adressé un reproche.

Au contraire ! Quand elle rentrait, il se montrait plus tendre que jamais, pour qu'elle oublie, pour éviter qu'elle ne se sente gênée devant lui.

Il avait besoin d'elle, lui aussi. Il voulait la garder. Il ne se croyait pas le droit de l'enfermer, comme Angèle avait une fois enfermé son fils.

Pensaient-ils vraiment ça ?

Il faillit courir tout de suite chez Palestri pour avouer la vérité à Angèle, mais il se rendit compte qu'il était trop tard. On ne le croirait plus. Il avait trop répété qu'elle était allée à Bourges, fourni trop de détails.

Peut-être allait-elle revenir, malgré tout ? Le fait qu'elle n'avait pas emporté son manteau le déroutait. Car, si elle était cachée quelque part dans la ville, pourquoi aurait-elle pris les timbres qu'elle n'aurait pas pu y vendre ?

Il avait gagné la cuisine, machinalement, et, une fois de plus, avec des gestes mécaniques, il préparait du café, s'asseyait pour le boire et manger ses croissants. Le tilleul des Chaigne était plein d'oiseaux et il ouvrit la porte de la cour pour leur jeter des miettes comme il en avait l'habitude.

Si seulement il lui avait été possible de questionner l'employé de la gare, il saurait, mais, pour cela aussi, il était trop tard.

Est-ce que quelqu'un attendait Gina en auto ? Cela aurait expliqué qu'elle soit partie sans manteau. Il pouvait encore se présenter à la police et tout dire, demander qu'on entreprenne des recherches. Qui sait ? Demain, on lui reprocherait peut-être de ne pas l'avoir fait et on y verrait une preuve contre lui !

Toujours sans y penser, il monta dans la chambre où la porte du placard et les deux portes de l'armoire étaient restées ouvertes. Il y avait même, par terre, un de ses pantalons. Il le remit en place, fit le lit, nettoya la toilette et changea la serviette sale. C'était le jour du blanchisseur et il pensa à préparer le linge, puisque Gina n'était pas là pour le faire. Dans la corbeille qu'il renversa, il y avait des slips, des soutiens-gorge ; il commença à inscrire les différentes pièces, fut interrompu par des pas au rez-de-chaussée.

C'était Mme Lallemand, la mère de la petite infirme qui s'était rendue la veille à Bourges. Elle venait échanger des livres pour sa fille.

— Qu'est-ce que le docteur a dit ? pensa-t-il à s'informer.

— Il paraît qu'il y a, à Vienne, un spécialiste qui pourrait peut-être la guérir. Ce n'est pas sûr et il faudrait entreprendre le voyage, rester là-bas plusieurs mois, dans un pays dont on ne connaît pas la langue. Cela coûte cher. Ma fille prétend qu'elle préfère rester comme elle est, mais je vais quand même écrire à son oncle, qui a un bon commerce à Paris et qui nous aidera peut-être.

Pendant qu'il choisissait les livres, la femme semblait attentive au silence de la maison où, à cette heure, on aurait dû entendre Gina aller et venir.

— Votre femme n'est pas ici ?

Il se contenta de faire non de la tête.

— Hier, quelqu'un a demandé à ma fille si elle avait fait le voyage avec elle.

— Vous ne savez pas qui ?

— Je ne l'ai pas demandé. Je m'occupe si peu des autres, vous savez...

Il ne réagit pas. Désormais, il s'attendait à tout. Son sentiment dominant n'était même pas la crainte, mais la déception, et pourtant il n'avait jamais rien attendu des gens, s'était contenté de vivre dans son coin aussi humblement que possible.

— Je crois que ces deux-ci lui plairont.

— Il n'y est pas question de maladies ?

— Non. Je les ai lus.

C'était vrai qu'il lui arrivait de lire des romans pour jeunes filles et d'y prendre plaisir. A ces moments-là, justement, il pensait à Doucia, à qui il donnait successivement le visage des héroïnes.

On vint ensuite lui présenter la facture du gaz et il ouvrit le tiroir-caisse, paya, voulut monter pour finir de préparer le linge quand un jeune homme lui offrit en vente des livres de classe. Jonas aurait juré qu'il viendrait les lui racheter dans une semaine ou deux, qu'il les vendait seulement parce qu'il avait besoin d'argent de poche. Comme il n'avait pas à se mêler des affaires des autres, il cita néanmoins un chiffre.

— Seulement ?

Il restait commerçant.

— S'ils n'étaient pas en si mauvais état...

Il y en avait trois rayons, rien que pour le lycée, et c'était ce qui rapportait le plus, parce que les éditions changeaient rarement et que les mêmes livres, en quelques années, lui passaient un grand nombre de fois par les mains. Il y en avait qu'il reconnaissait, à une tache sur la couverture, par exemple, avant de les prendre en main.

Il put monter enfin, terminer sa liste, nouer le linge sale dans une taie d'oreiller qu'il glissa sous le comptoir pour quand passerait le blanchisseur. Cela ne lui paraissait pas extraordinaire d'envoyer le linge de Gina à laver. Dans son esprit, elle faisait toujours, elle ferait toujours, partie de la maison.

A dix heures, il se dirigea vers le bar de Le Bouc, où il n'y avait qu'un chauffeur de poids lourd qu'il ne connaissait pas. Il entendit l'habituel :

— Salut, monsieur Jonas.

Et il répondit rituellement :

— Salut, Fernand. Un café-expresso, s'il vous plaît.

— Voilà.

Il saisissait ses deux morceaux de sucre qu'il commençait à déballer. Le chauffeur tenait son vin blanc à la main sans rien dire, tout en surveillant le camion par la fenêtre. Contrairement à son habitude, Le Bouc manœuvrait en silence le percolateur et Jonas lui trouva un air gêné.

Il s'était attendu à une question et, comme elle ne venait pas, prononça quand même :

— Gina n'est pas rentrée.

Fernand murmura en posant la tasse fumante sur le comptoir :

— C'est ce qu'on m'a dit.

On en avait donc parlé ici aussi. Pas Frédo, à coup sûr, qui ne fréquentait pas les bars du Vieux-Marché. Était-ce Louis ? Mais comment Louis l'aurait-il su, puisque son fils, en partant, s'était dirigé vers la ville ?

Il est vrai qu'on avait bien questionné la jeune infirme à sa descente du car !

Il ne comprenait plus. Il y avait, dans cette méfiance subite, quelque chose qui le dépassait. La fois que Gina était restée trois jours absente, cela n'avait provoqué aucun commentaire et, tout au plus, certains l'avaient-ils regardé d'un œil goguenard.

Seul le boucher lui avait lancé :

— Comment va ta femme ?

Il avait répondu :

— Très bien.

Et Ancel s'était exclamé, avec un coup d'œil complice à la ronde :

— Parbleu !

Pourquoi ce qui les amusait six mois plus tôt était-il pris maintenant au tragique ? S'il avait été seul avec Le Bouc, il aurait été tenté de lui demander. Il ne l'aurait sans doute pas fait en fin de compte, par pudeur, mais il en aurait eu envie.

Quel besoin, aussi, avait-il de s'expliquer, comme s'il se sentait coupable ? Il ne pouvait pas s'empêcher, à présent encore, de prononcer avec une indifférence mal jouée :

— Elle aura été retenue.

Le Bouc se contenta de soupirer en évitant de le regarder :

— Sans doute.

Qu'est-ce qu'il avait fait ? Hier matin, alors que Gina était déjà partie, il se sentait encore de plain-pied avec eux.

On le laissait tomber, tout à coup, sans un mot d'explication, sans qu'il pût présenter sa défense.

Il n'avait rien fait, rien !

Allait-il être obligé de le leur crier ?

Il était si troublé qu'il demanda, comme s'il ne savait pas depuis longtemps le prix du café :

— Combien ?

— Trente francs, comme toujours.

On devait parler de lui autour de la place. Il y avait des bruits qu'il ignorait. Il devait surtout y avoir, quelque part, un malentendu que deux ou trois phrases suffiraient à dissiper.

— Je commence à être inquiet, dit-il encore avec un sourire forcé.

Cela tomba dans le vide. Le Bouc restait devant lui comme un mur.

Jonas avait tort. Il parlait trop. Il avait l'air de se défendre avant qu'on l'accuse. Or, personne n'oserait jamais l'accuser de s'être débarrassé de Gina.

Frédo, peut-être. Mais, lui, tout le monde le connaissait pour un exalté.

Encore une fois, il n'était coupable de rien. Il n'avait rien à cacher. S'il avait parlé de Bourges, c'était par délicatesse vis-à-vis de Gina. Il n'avait pas ouvert la cassette à ce moment-là et il croyait à une fugue d'une nuit ou de deux jours. Aurait-il mieux agi en répondant aux gens qui lui demandaient des nouvelles de sa femme :

— Elle est dans le lit de je ne sais quel homme.

On devait le croire quand il affirmait que ce n'était ni par vanité, ni par respect humain, qu'il avait parlé de Bourges. S'il avait été vaniteux, il n'aurait pas épousé Gina, dont personne ne voulait, et cela avait fait assez rire le quartier de la voir se marier en blanc. Angèle elle-même avait essayé de s'y opposer.

— Toutes mes amies se sont mariées en blanc, avait-elle répliqué.

— Tes amies ne sont pas toi.

— Je n'en connais pas une qui se soit mariée vierge, si c'est ça que tu veux dire, et tu ne l'étais pas non plus quand tu as épousé papa.

Ce qu'elle disait de ses amies et de sa mère était peut-être vrai. Angèle, d'ailleurs, n'avait pas répliqué. Seulement les autres ne s'étaient pas affichées comme elle.

S'il avait été ridicule, en grande tenue, lui aussi, en sortant de l'église à son bras, il n'en avait pas moins regardé fièrement autour de lui.

Il n'était pas vaniteux. Il n'avait pas honte de ce qu'elle était.

Et cependant il venait d'essayer de se mentir à lui-même en se persuadant que c'était pour elle, et non pour lui, qu'il avait inventé le voyage à Bourges.

De quoi aurait-il voulu la protéger, puisqu'elle n'avait jamais essayé de cacher ses aventures ? Quant aux autres, ils devaient être contents de la voir le tromper et lui en être reconnaissants.

Il n'en avait pas moins répondu :

— *Elle est allée à Bourges.*

Ensuite, il s'y était tenu farouchement.

Tout en se dirigeant vers sa boutique, où un inconnu feuilletait les livres des boîtes, il cherchait la réponse, ou plutôt il cherchait à l'admettre, encore que cela ne lui fît pas plaisir.

S'il avait éprouvé le besoin de protéger Gina, n'était-ce pas, au fond, parce qu'il se sentait coupable envers elle ?

Il ne voulait plus y penser. C'était bien assez d'être allé jusque-là.

S'il continuait dans cette direction, Dieu sait où il aboutirait dans la découverte de choses qu'il est préférable de ne pas connaître.

D'ailleurs, cela, tout le monde l'ignorait. Ce n'était pas de cela qu'on l'accusait ou qu'on allait l'accuser. Il ne l'avait pas tuée. Il ne s'en était pas débarrassé. Il n'était pas coupable dans leur sens à eux.

Pourquoi, dès lors, le regardait-on, même Le Bouc, celui qu'il aimait le mieux, chez qui il allait davantage en ami que par envie de café, pourquoi le regardait-on avec suspicion ?

— Combien ? lui demandait le client en lui tendant un livre sur la pêche sous-marine.

— Le prix est marqué au dos. Cent vingt francs.

— Cent francs, proposa l'autre.

Il répéta :

— Cent vingt.

Il devait avoir parlé d'un ton qui ne lui était pas habituel, car l'homme, en cherchant de la monnaie dans sa poche, le regarda avec étonnement.

5

La Maison Bleue

On le laissa tranquille jusqu'au lundi, trop tranquille même, car il en arrivait à croire qu'on faisait le vide autour de lui. Peut-être devenait-il trop susceptible et avait-il tendance à attribuer aux gens des intentions inexistantes ?

Après lui avoir, pendant deux jours, demandé des nouvelles de Gina avec autant d'insistance que si on lui eût réclamé des comptes, on ne lui en parlait plus et il soupçonnait ses interlocuteurs, Le Bouc, Ancel et les autres, d'éviter, exprès, toute allusion à sa femme.

Pourquoi cessaient-ils brusquement de s'intéresser à elle ? Et, s'ils savaient où elle était, quelle raison avaient-ils de le lui taire ?

Il était attentif aux moindres nuances. Par exemple, quand il avait déjeuné chez Pépito, le vendredi, le Veuf, cette fois, avait nettement battu des paupières comme au temps jadis, alors que la veille, il avait à peine cillé. Le chef de bureau considérait-il que Jonas était revenu définitivement et allait de nouveau prendre ses repas chaque jour en face de lui ?

Pépito ne s'était pas étonné de le revoir, mais ne lui avait pas demandé des nouvelles de Gina.

— Il y a de la morue à la crème, avait-il annoncé, sachant que Jonas l'aimait.

On ne pouvait pas dire qu'il se montrait froid, mais il était certainement plus réservé que d'habitude.

— Vous dînerez ici ce soir ? avait-il questionné quand Jonas s'était levé pour partir.

— Je ne crois pas.

En toute logique, Pépito aurait dû remarquer :

— Gina revient cet après-midi ?

Car Pépito ignorait pourquoi, bien que seul, Jonas préférait dîner chez lui. C'était, en réalité, pour ne pas reprendre tout à fait, d'un seul coup, son existence de célibataire, pour ne pas couper tous les liens avec l'autre vie qu'il avait connue, et aussi parce que cela l'occupait de préparer son repas et de laver la vaisselle.

L'après-midi avait été morne. Un air chaud pénétrait par la porte ouverte. Jonas avait entrepris de trier et de marquer un de ces lots de livres qu'il appelait des fonds de grenier, où il y avait de tout, surtout des prix qui portaient encore, d'une encre effacée, le nom de lauréats morts depuis longtemps.

Les clients avaient été rares. Louis était passé devant la boutique avec son triporteur en ralentissant mais ne s'était arrêté que devant le bar de Fernand.

A quatre heures, alors qu'il n'y était plus, Jonas était allé boire son café et Le Bouc avait montré la même réserve que le matin. Il s'était rendu ensuite chez Ancel afin d'acheter une côtelette pour son dîner. Ancel n'était pas là. Le commis le servit et Mme Ancel vint de l'arrière-boutique pour encaisser sans lui poser de questions.

Il dîna, mit de l'ordre, continua jusqu'assez tard à inventorier le fond de grenier qui formait une haute pile dans un coin et à réparer avec du papier gommé les ouvrages endommagés.

Il se tenait dans le magasin, où il y avait de la lumière, mais dont il avait enlevé le bec-de-cane. Tout le reste de la maison était sombre. Quelqu'un passa et repassa vers neuf heures, qu'il ne fit qu'entrevoir dans l'obscurité, et il aurait juré que c'était Angèle.

On l'épiait. On venait voir, sans rien lui demander, si Gina était rentrée.

Il se coucha à dix heures, s'endormit et bientôt les bruits des nuits de marché commencèrent. Le marché du samedi était le plus important et, à certaines heures, les voitures étaient obligées de monter sur le trottoir pour stationner. Il faisait plus chaud que la veille. Le soleil d'un jaune épais n'avait plus la même fluidité, et, vers onze heures, on put croire qu'un orage allait éclater, on vit les marchandes interroger le ciel avec inquiétude. Il éclata quelque part dans la campagne, car on entendit un roulement lointain, après quoi les nuages redevinrent lumineux et finirent par disparaître pour ne laisser que du bleu uni.

Il mangea encore chez Pépito, et le Veuf était là avec son chien. Ce fut Jonas, cette fois, comme pour chercher une sympathie, un appui si vague qu'il fût, qui battit des paupières le premier et M. Métras répondit, le visage sans expression.

Pépito fermait le dimanche et Jonas fit le tour des boutiques pour acheter des victuailles, tenant à la main le sac à provisions en paille tressée de Gina. Il n'acheta pas ses légumes chez Angèle, mais dans une boutique de la rue Haute. Ancel, cette fois, à la boucherie, le servit lui-même, sans lui lancer la moindre plaisanterie. Il dut aussi acheter du pain, du café et du sel qui manquaient et, pour le dimanche soir, il prit des spaghetti. C'était une tradition, du temps de Gina, parce que c'était vite préparé.

Le carreau du Vieux-Marché fut lavé au jet, quelques voitures vinrent s'y parquer et, le soir, comme la veille, il passa son temps à rafistoler des livres et à écrire au dos leur prix au crayon. Il avait parcouru le journal. Il n'espérait pas y trouver des nouvelles de sa femme, ne le souhaitait pas, car elles auraient été de mauvaises nouvelles, mais il fut néanmoins déçu.

C'était la quatrième nuit qu'il dormait seul, et, comme il s'était couché de bonne heure, il entendit des voisins rentrer du cinéma ; le lendemain, avant de se lever, il en entendit d'autres, surtout des femmes, qui se dirigeaient déjà vers l'église Sainte-Cécile.

Depuis qu'il avait épousé Gina, il allait à la messe avec elle chaque dimanche, toujours à la grand-messe de dix heures, et, pour cette occasion-là, elle se mettait en grande toilette, portait, l'été, un tailleur bleu, un chapeau et des gants blancs.

Quand il avait été question de mariage, il avait compris que, pour les Palestri, cela devait se passer à l'église.

Jusqu'alors, il n'y était jamais entré, que pour quelques enterrements, n'avait observé les rites d'aucune religion, sinon, jusqu'au départ de sa mère, ceux de la religion israélite.

Il n'avait pas dit qu'il était juif, ne l'avait pas caché non plus. Tout de suite après que la décision avait été prise, il était allé trouver le curé de Sainte-Cécile, l'abbé Grimault, et avait demandé à être baptisé.

Pendant trois semaines, presque chaque soir, à la cure, il avait pris des leçons de catéchisme, dans un petit parloir dont la table ronde était recouverte de peluche cramoisie avec des glands tout autour. Il y régnait une odeur à la fois fade et forte que Jonas n'avait jamais connue avant et qu'il ne devait retrouver nulle part ailleurs.

Pendant qu'il récitait comme à l'école, l'abbé Grimault, qui était né dans une ferme du Charolais, tirait sur son cigare en regardant dans le vide, ce qui ne l'empêchait pas de reprendre son élève dès que celui-ci se trompait.

Jonas lui avait demandé la discrétion et le curé avait compris. Il n'en avait pas moins fallu trouver un parrain et une marraine. Justine, la servante du curé, et le vieux Joseph, le sacristain qui était graveur de son état, remplirent ces fonctions et Jonas leur fit à chacun un beau cadeau. Il en fit un autre à l'église. Il avait écrit à Chepilov qu'il se mariait, mais n'avait pas osé lui parler de son baptême, ni de la cérémonie religieuse.

Cela lui avait fait plaisir de devenir chrétien, non seulement à cause du mariage, mais parce que cela le rapprochait des habitants du Vieux-Marché qui, presque tous, fréquentaient l'église. Au début, il s'y tenait un peu raide et faisait ses génuflexions ou ses signes de croix à contre-temps, puis il avait pris l'habitude et Gina et lui occupaient chaque dimanche les mêmes places, au bord d'une rangée.

Il alla à la messe ce dimanche-là comme les autres dimanches et c'était la première fois qu'il s'y rendait seul. Il lui sembla qu'on le regardait gagner sa place et que certains se poussaient du coude à son passage.

Il ne pria pas, parce qu'il n'avait jamais vraiment prié, mais il en avait envie et, en regardant la flamme dansante des cierges, en respirant l'odeur de l'encens, il pensa à Gina, et aussi à sa sœur Doucia, dont il ne connaissait pas le visage.

Après l'office, des groupes se formaient sur le parvis et, pendant un quart d'heure, la place restait animée. Les vêtements du dimanche y mettaient une note gaie, puis, petit à petit, les trottoirs se vidaient et, pendant le reste de la journée, on ne voyait pour ainsi dire plus personne.

A midi, Ancel, qui travaillait le dimanche matin, fermait ses volets. Tous les autres volets de la place étaient déjà baissés, sauf ceux de la boulangerie-pâtisserie qui fermait à midi et demi.

Ce jour-là était, pour Jonas et sa femme, le jour de la cour. Cela signifiait que, par beau temps, c'était dans la cour qu'ils se tenaient s'ils ne sortaient pas. Il était presque impossible, en effet, l'été, de rester dans le magasin sans en ouvrir la porte, à cause du manque d'air, et si la porte restait ouverte, les passants se figuraient qu'ils n'observaient pas le repos dominical.

Non seulement ils passaient l'après-midi dans la cour, mais ils y déjeunaient, sous la branche de tilleul qui, passant par-dessus le mur des Chaigne, leur procurait de l'ombrage. Une vigne courait le long de ce mur, vieille et tordue, les feuilles piquées de rouille, qui n'en donnait pas moins chaque année quelques grappes d'un raisin acide.

Ils avaient essayé de garder un chat. Ils en avaient eu plusieurs. Tous, pour une raison mystérieuse, étaient allés chercher un gîte ailleurs.

Gina n'aimait pas les chiens. En réalité, elle n'aimait aucune bête et, quand ils allaient se promener dans la campagne, elle épiait de loin les vaches d'un œil peu rassuré.

Elle n'aimait pas la campagne non plus, ni la marche. Elle n'avait jamais voulu apprendre à nager. Elle n'était dans son élément que quand ses talons très hauts frappaient le sol uni et dur d'un trottoir, et encore avait-elle horreur des rues tranquilles comme celle que Clémence habitait ; il lui fallait de l'animation, du bruit, le spectacle bariolé des étalages.

Lorsqu'ils allaient prendre un verre, elle ne choisissait pas les cafés spacieux de la place de l'Hôtel-de-Ville ou de la place du Théâtre, mais des bars où on trouvait une machine à musique.

Il lui avait acheté un poste de radio et, le dimanche, elle l'apportait dans la cour, se servant d'une rallonge pour le brancher à la prise de courant de la cuisine.

Elle ne cousait guère, se contentait de tenir ses vêtements et son linge plus ou moins en état et il manquait souvent un bouton à ses chemisiers, une bonne moitié de ses slips étaient troués.

Elle lisait, en écoutant la musique et en fumant des cigarettes, et il lui arrivait, au beau milieu de l'après-midi, de monter dans la chambre, de retirer sa robe et de s'étendre sur la couverture.

Il lut aussi, ce dimanche-là, dans un des deux fauteuils de fer qu'il avait achetés d'occasion pour la cour. Deux fois, il retourna dans le magasin pour changer de livre et, en fin de compte, s'intéressa à un ouvrage sur la vie des araignées. Il y en avait une dans un coin, qu'il connaissait depuis longtemps, et il lui arriva de lever les yeux pour l'observer avec un intérêt nouveau, en homme qui vient de faire une découverte.

Le courrier de la veille et du vendredi ne lui avait apporté aucune nouvelle de Gina. Il avait espéré, sans y croire, qu'elle lui enverrait peut-être un mot et il se rendait compte, à présent, que c'était une idée ridicule.

De temps en temps, sans que sa lecture en fût interrompue, sa pensée se superposait au texte imprimé dont il ne perdait pas le fil pour autant. Il est vrai qu'il ne s'agissait pas de pensées nettes, continues. Des images lui venaient à l'esprit, comme celle d'Angèle, puis, tout de suite après, sans raison, il imaginait Gina, nue sur un lit de fer, dans une chambre d'hôtel.

Pourquoi un lit de fer ? Et pourquoi, autour, des murs blanchis à la chaux, comme à la campagne ?

Il était improbable qu'elle se soit réfugiée à la campagne qu'elle détestait. Elle n'était sûrement pas seule. Depuis mercredi soir qu'elle était partie, elle avait dû s'acheter du linge, à moins qu'elle se soit contentée, le soir, de laver son slip et son soutien-gorge et de les remettre le matin sans les repasser.

Clémence, son mari et Poupou devaient être chez les Ancel, où toute la famille se réunissait le dimanche et où la plus jeune des filles, Martine, jouait du piano. Ils avaient une très grande cour, avec, au fond, la remise dont Gina avait parlé. Elle ne lui avait pas dit si elle s'était laissé faire par le boucher. C'était probable, mais c'était probable aussi qu'Ancel n'avait pas osé aller jusqu'au bout.

Deux fois, dans l'après-midi, il crut entendre le piano dont les sons, par certains vents, arrivaient jusqu'à sa cour.

Les Chaigne possédaient une auto et n'étaient pas chez eux le dimanche. Angèle dormait tout l'après-midi tandis que Louis, vêtu d'un complet bleu marine, allait jouer aux quilles et ne revenait qu'après avoir fait le tour des cafés de la ville.

A quoi un jeune homme comme Frédo employait-il son temps ? Jonas n'en savait rien. C'était le seul de la famille à ne pas aller à la messe et on ne le voyait pas de la journée.

Quelques vieilles, à cinq heures, passèrent pour se rendre au salut et les cloches sonnèrent pendant un moment. Le bar de Le Bouc était fermé. Jonas s'était préparé du café et, comme il avait une petite faim, il grignota un morceau de fromage.

Il ne s'était rien passé d'autre. Il avait dîné, puis, n'ayant pas le courage de travailler, il avait fini son livre sur les araignées. Il n'était que neuf heures et il était allé se promener, fermant la porte derrière lui, s'était dirigé vers le canal étroit où un pont-levis se dessinait en noir sur un ciel de lune. Deux péniches étroites, des berrichonnes, étaient amarrées au quai, et, tout autour, on voyait des ronds se former à la surface de l'eau.

Il passa devant chez Clémence, rue des Deux-Ponts, et, cette fois, il y avait de la lumière au premier étage. Clémence savait-elle quelque chose au sujet de Gina ? Même si elle savait, elle ne lui dirait rien. Il ne s'arrêta pas comme il en était tenté, passa vite, au contraire, car la fenêtre était ouverte et Reverdi, en manches de chemise, allait et venait dans la chambre tout en parlant.

A mesure qu'il se rapprochait de chez lui, les volets baissés, dans les rues, les trottoirs déserts, le silence lui donnaient une sorte de malaise et il se surprit à hâter le pas comme pour fuir quelque menace imprécise.

Est-ce parce que d'autres, comme Gina, ressentaient la même peur, qu'ils se précipitaient dans les bars violemment éclairés où on trouve des éclats de voix et de la musique ?

Ces bars-là, il en vit de loin, dans la deuxième partie de la rue Haute, du côté du Louxor, et il distinguait vaguement des couples le long des murs.

Il dormit mal, avec toujours le sentiment d'une menace qui le poursuivait jusque dans sa chambre. Au moment où il venait de retirer ses lunettes et de tourner le commutateur, un souvenir avait jailli de sa mémoire, qui n'était même pas tout à fait un souvenir personnel, car le temps avait fini par mélanger les bribes de ce qu'il avait vu et entendu avec ce qu'on lui avait raconté par la suite.

Il n'avait pas six ans quand le drame s'était produit et, depuis, il n'y avait plus eu d'événement sensationnel dans la ville jusqu'au *hold-up* de Marcel.

Comme il était né en 1916, c'était donc en 1922, et il commençait juste à aller à l'école. On devait être en novembre. La Maison Bleue existait déjà, qu'on appelait ainsi parce que la façade était peinte en bleu ciel de haut en bas.

Elle n'avait pas changé depuis. Elle se dressait, couronnée d'un toit très aigu, au coin de la rue des Prémontrés et de la place, juste à côté de la boucherie Ancel, à deux maisons de la poissonnerie où Jonas vivait alors.

L'enseigne n'avait pas changé non plus. On lisait en lettres d'un bleu plus sombre que la façade : « La Maison Bleue. » Puis, en caractères plus petits : « Vêtements pour enfants. Spécialité de layette. »

Celle qui était maintenant la veuve Lentin avait encore son mari à l'époque, un homme blond qui portait de longues moustaches et qui, tandis que sa femme tenait le commerce, travaillait irrégulièrement dehors.

Par période, on le voyait toute la journée assis sur une chaise devant la maison et Jonas se souvenait d'une phrase qu'il avait entendu souvent répéter :

— *Lentin a sa crise.*

Gustave Lentin avait fait la campagne du Tonkin, un mot que Jonas avait entendu pour la première fois lorsqu'on parlait de lui et qui lui paraissait terrible. Il en avait rapporté les fièvres, selon l'expression des gens du Vieux-Marché. Pendant des semaines il était un homme comme les autres, le regard toujours un peu sombre, cependant, ombrageux, et il s'embauchait dans quelque entreprise. Puis on apprenait qu'il était couché, « couvert d'une sueur glacée et tremblant de tous ses membres, les dents serrées comme celles d'un mort ».

Jonas n'avait pas inventé cette phrase-là. Il ignorait de qui il l'avait entendue, mais elle était restée gravée en lui. Le Dr Lourel, mort depuis, qui était barbu, venait le voir deux fois par jour, marchant vite, sa trousse en cuir tout usé à la main, et Jonas, du trottoir d'en face, regardait fixement les fenêtres en se demandant si Lentin était en train de mourir.

Quelques jours plus tard, on le voyait reparaître, décharné, les yeux tristes et vides, et sa femme l'aidait à venir s'asseoir sur une chaise à côté du seuil, le déplaçait, au cours de la journée, à mesure que le soleil suivait sa course.

Le magasin n'appartenait pas à Lentin, mais à ses beaux-parents, les Arnaud, qui vivaient dans la maison avec le ménage. Mme Arnaud restait dans la mémoire de Jonas comme une femme presque ronde, aux cheveux blancs tirés en arrière et si clairsemés qu'ils laissaient voir le rose du crâne.

Il ne se rappelait pas le mari.

Mais il avait vu le rassemblement, un matin, au moment où il partait pour l'école. Il y avait du vent, ce jour-là. C'était un jour de marché. Une ambulance et deux autres voitures noires stationnaient devant la Maison Bleue et la foule se bousculait tellement qu'on aurait pu croire à une émeute, n'eût été le silence oppressant qui régnait.

Bien que sa mère l'eût entraîné et lui eût affirmé par la suite qu'il n'avait rien pu voir, il était convaincu, maintenant encore, qu'il avait aperçu, sur un brancard porté par deux infirmiers en blouse blanche, un homme à la gorge tranchée. Une femme criait, dans la maison, il en était sûr, comme doivent crier les folles.

— Tu te figures que tu as vu ce que tu as entendu raconter par la suite.

C'était possible, mais il lui était difficile d'admettre que cette image-là n'avait pas surgi réellement devant ses yeux d'enfant.

Lentin, avait-on appris, souffrait de se sentir une bouche inutile

dans la maison de ses beaux-parents. Plusieurs fois, il aurait laissé
entendre que cela ne durerait pas, et c'est au suicide qu'on avait pensé.
On le surveillait. Il arrivait à sa femme de le suivre de loin dans la
rue.

Cette nuit-là, il ne l'avait pas éveillée, bien qu'il fût torturé par la
fièvre. Elle était descendue la première, comme d'habitude, le croyant
paisible, et alors sans bruit, un rasoir à la main, il était entré dans la
chambre de ses beaux-parents et les avait égorgés l'un après l'autre
comme il l'avait vu faire par des soldats tonkinois et comme, là-bas, il
l'avait peut-être fait lui-même.

Seule la vieille Mme Arnaud avait eu le temps de crier. Sa fille
s'était précipitée dans l'escalier, mais, quand elle était arrivée devant
la porte ouverte, son mari avait achevé son œuvre et, debout au milieu
de la pièce, la fixant d'un « regard fou », il s'était tranché la carotide
à son tour.

Mme Lentin était toute blanche, maintenant, menue, le cheveu aussi
rare que sa mère, et elle continuait à vendre de la layette et des
vêtements d'enfants.

Pourquoi, au moment de s'endormir, Jonas avait-il pensé à ce
drame ? Parce qu'il était passé devant la Maison Bleue tout à l'heure
et avait entrevu une ombre derrière le rideau ?

Cela le tracassa. Il s'efforça de penser à autre chose. Comme, après
une demi-heure, il ne trouvait pas le sommeil, il se leva pour aller
prendre une tablette de gardénal. En fait, il en prit deux et l'effet fut
presque immédiat. Seulement, vers quatre heures, il s'éveilla dans le
silence de l'aube et resta les yeux ouverts jusqu'au moment de se lever.

Il était courbaturé, inquiet. Il faillit ne pas aller chercher ses
croissants à la boulangerie, car il n'avait pas faim, mais c'était une
discipline qu'il s'imposait et il traversa la place déserte, aperçut Angèle
qui rangeait ses paniers sur le trottoir. Le vit-elle ? Fit-elle semblant
de ne pas le voir ?

— Trois ? lui demanda la boulangère, déjà habituée.

Cela l'irritait. Il avait l'impression qu'on l'épiait et surtout que les
autres savaient des choses qu'il ignorait. Ancel, sans retirer la cigarette
de ses lèvres, déchargeait des quartiers de bœuf qui ne le faisaient pas
ployer, et pourtant il devait avoir cinq ou six ans de plus que Jonas.

Il mangea, sortit ses boîtes de livres, décida d'en finir avec le fond
de grenier avant de monter faire la chambre et, à neuf heures et demie,
il était encore au travail, cherchant dans une bibliographie si un
Maupassant démantibulé qu'il venait de trouver dans le tas n'était pas
une édition originale.

Quelqu'un entra et il ne leva pas les yeux tout de suite. Il savait,
par la silhouette, que c'était un homme, et celui-ci, sans se presser,
examinait les livres d'un rayon.

Quand il le regarda enfin, Jonas reconnut l'inspecteur de police
Basquin, à qui il lui était arrivé assez fréquemment de vendre des
livres.

— Excusez-moi, balbutia-t-il. J'étais occupé à...

— Comment allez-vous, monsieur Jonas ?

— Bien. Je vais bien.

Il aurait juré que Basquin n'était pas venu ce matin pour lui acheter un livre, encore qu'il en eût un à la main.

— Et Gina ?

Il rougit. C'était inévitable. Il rougit d'autant plus violemment qu'il s'efforçait de ne pas le faire et il sentait ses oreilles devenir brûlantes.

— Je suppose qu'elle va bien aussi.

Basquin avait trois ou quatre ans de moins que lui et était né de l'autre côté du canal, dans un groupe de cinq ou six maisons qui entouraient la briqueterie. On le voyait assez souvent au marché et, lorsqu'un vol se produisait chez un commerçant, c'était presque toujours lui qui s'en occupait.

— Elle n'est pas ici ?

Il hésita, dit d'abord non, puis, comme on se jette à l'eau, récita d'une traite :

— Elle est partie mercredi soir en m'annonçant qu'elle allait garder le bébé de Clémence, la fille d'Ancel. Depuis, elle n'est pas rentrée et je n'ai pas reçu de ses nouvelles.

Cela le soulageait de lâcher enfin la vérité, de se débarrasser une fois pour toutes de cette fable du voyage à Bourges qui le hantait. Basquin avait une tête d'honnête homme. Jonas avait entendu dire qu'il avait cinq enfants, une femme très blonde à l'air souffrant qui était en réalité plus résistante que des femmes fortes en apparence.

C'est ainsi, souvent, au Vieux-Marché, qu'on connaît l'histoire de gens qu'on n'a jamais vus, par des bribes de conversations entendues à gauche et à droite. Jonas ne connaissait pas Mme Basquin, qui habitait une petite maison neuve en bordure de la ville, mais il était possible qu'il l'eût aperçue quand elle faisait son marché, sans savoir qui elle était.

L'inspecteur n'avait pas l'air de tricher, de vouloir prendre Jonas en défaut. Il était détendu, familier, debout près du comptoir, son livre à la main, comme un client qui parle de la pluie et du beau temps.

— Elle a emporté des bagages ?

— Non. Sa valise est là-haut.

— Et ses robes, ses vêtements ?

— Elle n'avait sur elle que sa robe rouge.

— Pas de manteau ?

Ce mot-là ne prouvait-il pas que Basquin en savait plus qu'il voulait le montrer ? Pourquoi, autrement, aurait-il pensé au manteau ? Frédo y avait pensé, certes, mais seulement après avoir fouillé la chambre.

Cela indiquait-il que Frédo avait alerté la police ?

— Ses deux manteaux sont dans l'armoire aussi.

— Elle avait de l'argent sur elle ?

— Si elle en avait, ce n'était pas beaucoup.

Son cœur battait dans sa poitrine serrée et il avait du mal à parler d'une voix naturelle.

— Vous n'avez aucune idée de l'endroit où elle a pu se rendre ?

— Aucune, monsieur Basquin. A minuit et demi, mercredi, j'ai été si inquiet que je suis allé jusque chez Clémence.

— Que vous a-t-elle dit ?

— Je ne suis pas entré. Il n'y avait pas de lumière. J'ai pensé qu'ils étaient couchés et je n'ai pas voulu les déranger. J'ai espéré que Gina était revenue par un autre chemin.

— Vous n'avez rencontré personne ?

Ce fut la question qui l'effraya le plus, car il comprit que, ce qu'on lui demandait, c'était un alibi. Il chercha désespérément dans sa mémoire, avoua, découragé :

— Non. Je ne crois pas.

Un souvenir lui revint :

— J'ai entendu les voix d'un couple, dans la rue de Bourges, mais je ne les ai pas vus.

— Vous n'avez croisé aucun passant, ni à l'aller, ni au retour ?

— Je ne sais plus. Je pensais à ma femme. Je n'ai pas fait attention.

— Essayez de vous rappeler.

— J'essaie.

— Quelqu'un, à une fenêtre, a pu vous voir passer.

Il triompha.

— Une fenêtre était éclairée au coin de la rue des Prémontrés et de la rue des Deux-Ponts.

— Chez qui ?

— Je ne sais pas, mais je pourrais vous montrer la maison.

— La fenêtre était ouverte ?

— Non. Je ne crois pas. Le store était baissé. J'ai même pensé à un malade...

— Pourquoi un malade ?

— Pour aucune raison. Tout était si calme...

Basquin l'observait gravement, sans sévérité, sans antipathie. De son côté, Jonas trouvait naturel qu'il fasse son métier et il préférait que ce soit lui qu'un autre. L'inspecteur allait sûrement comprendre.

— Il est déjà arrivé que Gina... commença-t-il, honteux.

— Je sais. Mais elle n'est jamais restée absente quatre jours, n'est-ce pas ? Et il y avait toujours quelqu'un pour savoir où elle était.

Que voulait-il dire par là ? Cela signifiait-il que, quand elle faisait une fugue, Gina mettait des gens au courant, son frère, par exemple, ou une de ses amies, comme Clémence ? Basquin n'avait pas lancé cette phrase-là en l'air. Il savait ce qu'il disait, paraissait même en savoir plus que Jonas.

— Vous vous êtes disputés, mercredi ?

— Nous ne nous sommes jamais disputés, je le jure.

Mme Lallemand, la mère de la jeune infirme, entra pour échanger ses deux livres et la conversation resta en suspens. Avait-elle entendu des rumeurs ? Elle avait l'air de connaître l'inspecteur, en tout cas de savoir qui il était, car elle parut gênée et dit :

— Donnez-moi n'importe quoi dans le même genre.

Avait-elle compris que c'était un véritable interrogatoire que le bouquiniste était en train de subir ? Elle s'en alla précipitamment comme quelqu'un qui se sent de trop et, pendant ce temps, Basquin, après avoir replacé son livre dans le rayon, avait allumé une cigarette.

— Même pas, enchaîna-t-il, quand elle avait passé la nuit dehors ?

Jonas dit avec force :

— Même pas. Je ne lui adressais pas un seul reproche.

Il voyait le policier froncer les sourcils et comprenait que c'était difficile à croire. Pourtant, il disait la vérité.

— Vous voulez me faire croire que cela vous était indifférent ?

— J'en avais du chagrin.

— Et vous évitiez de le lui montrer ?

C'était une réelle curiosité, qui n'avait peut-être rien de professionnel, qu'il lisait dans les yeux de Basquin, et il aurait voulu lui faire saisir le fond de sa pensée. Son visage s'était couvert de sueur et ses verres commençaient à s'embuer.

— Je n'avais pas besoin de le lui montrer. Elle le savait. En réalité, elle avait honte, mais elle ne l'aurait laissé voir pour rien au monde.

— Gina avait honte ?

Redressant la tête, il cria presque, tant il était sûr de tenir la vérité :

— Oui ! Et il aurait été cruel d'accroître cette honte. Cela n'aurait servi à rien. Comprenez-vous ? Elle ne pouvait pas faire autrement. C'était dans sa nature...

Stupéfait, l'inspecteur le regardait parler, et un instant Jonas eut l'espoir de l'avoir convaincu.

— Je n'avais aucun droit de lui adresser des reproches.

— Vous êtes son mari.

Il soupira avec lassitude :

— Évidemment...

Il se rendait compte qu'il avait espéré trop tôt.

— Combien de fois cela s'est-il produit en deux ans ? Car il y a deux ans que vous êtes mariés, n'est-ce pas ?

— Il y a eu deux ans le mois dernier. Je n'ai pas compté les fois.

Ce n'était pas tout à fait vrai. Il aurait pu se souvenir en quelques instants, mais cela n'avait pas d'importance et cette question-là lui rappelait celles que le prêtre pose au confessionnal.

— La dernière ?

— Il y a six mois.

— Vous avez su avec qui ?

Il éleva la voix à nouveau.

— Non ! Non ! Pourquoi aurais-je cherché à savoir ?

A quoi cela l'aurait-il avancé de connaître l'homme avec qui Gina avait couché ? A avoir des images encore plus précises dans la tête et à souffrir davantage ?

— Vous l'aimez ?

Il répondit à voix presque basse :

— Oui.

Cela lui répugnait d'en parler, parce que cela ne regardait que lui.

— En somme, vous l'aimez, mais vous n'êtes pas jaloux.

Ce n'était pas une question. C'était une conclusion, et il ne la releva pas. Il était découragé. Ce n'était plus à la froideur plus ou moins marquée des gens du marché qu'il se heurtait, mais au raisonnement d'un homme qui, de par sa profession, aurait dû être à même de comprendre.

— Vous êtes sûr que Gina a quitté la maison mercredi soir ?

— Oui.

— A quelle heure ?

— Tout de suite après le dîner. Elle a fait la vaisselle, a même oublié de laver la poêle et m'a annoncé qu'elle allait chez les Reverdi.

— Elle est montée dans sa chambre ?

— Je crois. Oui.

— Vous n'en êtes pas sûr ?

— Si. Maintenant, je m'en souviens.

— Elle y est restée longtemps ?

— Pas très longtemps.

— Vous l'avez accompagnée jusqu'à la porte ?

— Oui.

— Vous avez vu dans quelle direction elle allait ?

— Vers la rue des Prémontrés.

Il revoyait encore la tache rouge de la robe dans le gris de la rue.

— Vous êtes sûr que votre femme n'a pas passé ici la nuit de mercredi à jeudi ?

Il rougit encore en disant :

— Certain.

Et il allait ouvrir la bouche pour s'expliquer, car il était assez intelligent pour prévoir ce qui allait suivre. Basquin fut plus prompt que lui.

— Vous avez pourtant déclaré à son père qu'elle avait pris le car de Bourges, le jeudi à sept heures dix du matin.

— Je sais. J'ai eu tort.

— Vous avez menti ?

— Ce n'était pas exactement un mensonge.

— Vous l'avez répété à différentes personnes et vous avez fourni des détails.

— Je vais vous expliquer...

— Répondez d'abord à ma question. Aviez-vous une raison pour cacher à Palestri que sa fille était partie le mercredi soir ?

— Non.

Il n'avait pas de raison particulière pour le cacher à Louis, et, d'ailleurs, ce n'était pas ainsi que cela avait commencé. Si seulement on lui donnait le temps de raconter l'histoire comme elle s'était passée, il y aurait des chances de s'entendre.

— Vous admettez que Palestri était au courant de la conduite de sa fille ?

— Je crois... Oui...

— Angèle aussi... Elle n'en faisait d'ailleurs pas mystère...

C'était à pleurer d'impuissance.

— Vous avez beau prétendre que Gina avait honte, elle n'a jamais cherché à se cacher, tout au contraire.

— Ce n'est pas la même chose. Il ne s'agit pas de cette honte-là.

— De quelle honte ?

Il était tenté de renoncer, par lassitude. Ils étaient deux hommes intelligents face à face, mais ils ne parlaient pas le même langage et ils se tenaient sur des plans différents.

— Ce qu'on disait d'elle lui était égal. C'était...

Il voulait expliquer que c'était vis-à-vis d'elle-même qu'elle avait honte, mais on ne lui en laissait pas la possibilité.

— Et à vous, cela était égal aussi ?

— Mais oui !

Les mots avaient été plus vite que sa pensée. C'était vrai et c'était faux. Il se rendait surtout compte que cela allait contredire ce qui lui restait à expliquer.

— Donc, vous n'aviez aucune raison de cacher qu'elle était partie ?

— Je ne l'ai pas caché.

Sa gorge devenait sèche, ses yeux picotaient.

— Quelle différence, poursuivait Basquin sans lui laisser le temps de se reprendre, cela faisait-il qu'elle soit partie le mercredi soir ou le jeudi matin ?

— Justement.

— Justement quoi ?

— Cela ne fait pas de différence. C'est la preuve que je n'ai pas réellement menti.

— En affirmant que votre femme avait pris le car de sept heures dix pour aller voir la Loute à Bourges ? Et en le répétant à six personnes pour le moins, y compris à votre belle-mère ?

— Écoutez, monsieur Basquin...

— Je ne demande qu'à écouter.

C'était vrai. Il essayait de comprendre, mais il n'y en avait pas moins, dans l'attitude de Jonas, quelque chose qui commençait à l'irriter. Celui-ci s'en apercevait et cela lui faisait perdre encore de ses moyens. Comme chez Le Bouc, les derniers jours, il y avait un mur entre son interlocuteur et lui et il en arrivait à se demander s'il était un homme comme les autres.

— J'espérais que Gina rentrerait le jeudi dans la matinée.

— Pourquoi ?

— Parce que, la plupart du temps, elle ne s'absentait que pour la nuit.

Cela lui faisait du mal à dire, mais il était prêt à souffrir plus que ça pour qu'on le laisse en paix.

— Quand j'ai vu qu'elle ne venait pas, je me suis dit qu'elle reviendrait pendant la journée et j'ai fait comme si de rien n'était.

— Pourquoi ?

— Parce que ce n'était pas la peine de...

Quelqu'un d'autre aurait-il agi autrement ? Il fallait qu'il profitât de ce qu'on lui laissait la parole.

— Je suis allé chez Le Bouc, vers dix heures, comme je le fais tous les jours.

— Et vous avez annoncé que votre femme était partie pour Bourges par le car du matin pour aller voir son amie.

Jonas se fâcha, lança violemment :

— Non !

— Vous ne l'avez pas dit en présence de cinq ou six témoins ?

— Pas comme cela. Ce n'est pas la même chose. Le Bouc m'a demandé comment allait Gina et je lui ai répondu qu'elle allait bien. Ancel, qui était près de moi, pourra vous le confirmer. Je crois que c'est Fernand qui a remarqué qu'on ne l'avait pas vue le matin au marché.

— Quelle différence cela fait-il ?

— Attendez ! supplia-t-il. C'est alors que j'ai dit qu'elle était allée à Bourges.

— Pourquoi ?

— Pour expliquer son absence et lui donner le temps de rentrer sans que cela fasse des histoires.

— Vous avez dit tout à l'heure que cela lui était égal.

Il haussa les épaules. Il l'avait dit, bien sûr.

— Et que cela vous était égal aussi...

— Mettons que j'aie été pris de court. Je me trouvais dans un bar, avec des personnes de connaissance autour de moi, et on me demandait où était ma femme.

— On vous a demandé *où* elle était ?

— On a remarqué qu'on ne l'avait pas vue. J'ai répondu qu'elle était à Bourges.

— Pourquoi Bourges ?

— Parce qu'elle y allait de temps en temps.

— Et pourquoi avoir parlé du car de sept heures dix ?

— Parce que je me suis souvenu qu'il n'y a pas de car pour Bourges le soir.

— Vous pensiez à tout.

— J'ai pensé à cela par hasard.

— Et à la Loute ?

— Je ne crois même pas que ce soit moi qui en aie parlé le premier. Si mes souvenirs sont exacts, Le Bouc a dit :

» — Elle est allée voir la Loute ?

» Parce que tout le monde sait que la Loute est à Bourges et que Gina et elle sont des amies.

— Curieux ! murmura Basquin en le regardant avec plus d'attention que jamais.

— C'est tout simple, répondit Jonas en s'efforçant de sourire.

— Ce n'est peut-être pas si simple que ça !

Et, ces mots-là, l'inspecteur les prononça d'un ton grave, l'air contrarié.

6

L'agent cycliste

Basquin espérait-il que Jonas, se ravisant, allait lui faire des aveux ? Ou bien voulait-il souligner à nouveau le caractère non officiel de sa visite ? Toujours est-il qu'avant de partir il se comporta comme il l'avait fait en entrant, à la façon d'un client qui passe, feuilletant quelques livres, le dos tourné au bouquiniste.

Enfin il regarda sa montre, soupira, prit son chapeau sur la chaise.

— Il est temps que je m'en aille. Nous aurons sans doute l'occasion de reparler de tout cela.

Il ne le disait pas comme une menace, mais comme s'ils avaient tous les deux un problème à résoudre.

Jonas le suivit jusqu'à la porte, qui était restée tout le temps ouverte, et, par un réflexe instinctif à tous les commerçants, jeta un coup d'œil des deux côtés de la rue. Il était encore troublé. Le soleil le frappait en plein quand il se tourna vers la droite et il ne distingua pas les visages autour d'Angèle. Ce dont il fut certain, c'est qu'il y avait un groupe, sur le trottoir, autour de la marchande de légumes, surtout des femmes, et que tout le monde regardait dans sa direction.

Se tournant vers la gauche, il aperçut un autre groupe, sur le seuil de Le Bouc, avec, pour centre, le costume de travail à fines lignes bleues et blanches et le tablier taché de sang d'Ancel.

Ils avaient donc été au courant avant lui et avaient guetté la visite de l'inspecteur. Par la porte de la boutique grande ouverte il avait dû leur arriver, quand Jonas avait élevé la voix, de saisir des bribes de phrases. Peut-être certains s'étaient-ils approchés sans bruit et sans se montrer ?

Il en fut choqué plus encore qu'effrayé. On ne se conduisait pas bien à son égard et il ne le méritait pas. Il avait honte d'avoir l'air de fuir en rentrant vivement dans sa boutique, mais il n'était pas capable, tout de suite, sans préparation, d'affronter leur curiosité hostile.

Car leur silence était hostile, cela ne faisait aucun doute. Il aurait préféré des injures et des coups de sifflet.

Or, c'est ce silence-là qu'il allait avoir à supporter plusieurs jours, pendant lesquels il vécut comme dans un univers détaché du reste du monde.

Il s'efforça de continuer son travail, sans savoir au juste ce qu'il faisait, et, quelques minutes avant quatre heures, son instinct lui fit regarder sa montre. C'était l'heure de la tasse de café chez Le Bouc. Allait-il changer ses habitudes ? Il en était tenté. C'était la solution la plus facile. Mais, malgré tout ce que Basquin pouvait penser, c'était par fidélité à l'égard de Gina, c'était pour Gina qu'il tenait tant à ce que la vie continue comme par le passé.

Quand il franchit la porte, il n'y avait plus personne pour l'épier et le chien roux des Chaigne, qui dormait au soleil, se leva paresseusement pour venir lui renifler les talons et tendre la tête à sa caresse.

Dans le bar de Le Bouc, il ne trouva qu'un étranger, ainsi que la vieille clocharde qui mangeait un quignon de pain et un morceau de saucisson dans un coin.

— Salut, Fernand. Donnez-moi une tasse de café-expresso, prononça-t-il, attentif aux inflexions de sa propre voix.

Il tenait à rester naturel. Fernand, sans un mot, posa une tasse sous le robinet chromé et fit gicler de la vapeur, évitant son regard, mal à l'aise, comme s'il n'était pas convaincu qu'ils n'étaient pas tous en train de se montrer cruels.

Il ne pouvait pas faire autrement que les autres, Jonas le comprenait. Tout le Vieux-Marché, à présent, faisait bloc contre lui, y compris, probablement, ceux qui ne savaient rien de l'affaire.

Il ne le méritait pas, non seulement parce qu'il était innocent de tout ce dont on pouvait l'accuser, mais parce qu'il s'était toujours efforcé, discrètement, sans bruit, de vivre comme eux, avec eux, et de leur ressembler.

Il croyait, quelques jours plus tôt encore, qu'il y était parvenu, à force de patience et d'humilité. Car il s'était montré humble aussi. Il ne perdait pas de vue qu'il était un étranger, un enfant d'une autre race, né dans le lointain Arkhangelsk, que le hasard des guerres et des révolutions avait transplanté dans une petite ville du Berry.

Chepilov, par exemple, ne possédait pas cette humilité-là. Réfugié en France, il ne se faisait pas faute de critiquer le pays et ses mœurs, voire sa politique, et Constantin Milk lui-même, quand il tenait la poissonnerie, n'hésitait pas à s'entretenir en russe avec Nathalie devant les clients.

Personne ne lui en avait voulu, à lui. Est-ce parce qu'il n'avait rien demandé et qu'il ne se préoccupait pas de l'opinion de ses voisins ? Ceux qui l'avaient connu parlaient encore de lui avec sympathie, comme d'un personnage puissant et pittoresque.

Jonas, peut-être parce que ses premières images conscientes étaient celles du Vieux-Marché, s'était toujours efforcé de s'intégrer. Il n'exigeait pas des gens qu'ils le reconnaissent comme un des leurs.

Il sentait que c'était impossible. Il se comportait avec la discrétion d'un invité et c'est comme un invité qu'il se considérait.

On l'avait laissé vivre, ouvrir sa boutique. On lui lançait le matin le rituel :

— Salut, monsieur Jonas !

Ils avaient été une trentaine à assister à son repas de noces et, à la sortie de l'église, tout le marché était massé en deux haies sur le péristyle.

Pourquoi, soudain, changeaient-ils d'attitude ?

Il aurait juré que les choses ne se seraient pas passées de la même façon si ce qui lui arrivait était arrivé à un des leurs. Du jour au lendemain, il était redevenu un étranger, un homme d'un autre clan, d'un autre monde, venu manger leur pain et prendre une de leurs filles.

Cela ne le fâchait pas, ne l'aigrissait pas, mais il en avait de la peine, et lui aussi, comme Basquin l'avait fait avec insistance, répétait :

— Pourquoi ?

C'était dur d'être là, au bar de Fernand, qui était comme son second foyer, et de voir celui-ci silencieux, absent, d'être obligé de se taire.

Il ne demanda pas combien il devait, comme la dernière fois, posa la monnaie sur le linoléum du comptoir.

— Bonsoir, Fernand.

— Bonsoir.

Pas comme d'habitude :

— *Bonsoir, monsieur Jonas.*

Seulement un vague et froid :

— *Bonsoir.*

On était lundi et cela allait durer quatre jours, jusqu'au vendredi. Gina ne donna pas de ses nouvelles. Il n'y eut rien à son sujet dans les journaux. Un moment, il pensa que Marcel s'était peut-être évadé et qu'elle l'avait rejoint, mais une évasion aurait vraisemblablement suscité une certaine publicité.

Pendant ces quatre jours-là, il parvint, à force de volonté, à rester le même, se leva chaque matin à l'heure habituelle, alla chercher ses trois croissants de l'autre côté de la place, prépara son café puis, un peu plus tard dans la matinée, monta faire sa chambre.

A dix heures, il entrait chez Le Bouc et, une fois que Louis s'y trouvait, le mercredi, il eut la force de caractère de ne pas reculer. Il s'attendait à être apostrophé par Palestri, qui avait déjà bu quelques verres. Au contraire, il fut accueilli par un silence total, tout le monde se tut à sa vue, sauf un étranger qui parlait à Le Bouc et qui prononça encore une phrase ou deux, regardant, surpris, autour de lui, pour se taire enfin avec embarras.

Chaque midi, il se rendait chez Pépito, et ni celui-ci ni sa nièce n'engagèrent une seule fois la conversation avec lui. Le Veuf continuait à battre des paupières, mais n'y avait-il pas longtemps qu'il vivait, lui aussi, dans un autre monde ?

Il venait encore des clients au magasin, moins que d'habitude, et il ne vit pas Mme Lallemand dont la fille avait dû terminer ses deux derniers livres.

Souvent deux heures s'écoulaient sans que personne ne franchît le seuil et il entreprit, pour s'occuper, de nettoyer les rayons un à un, d'épousseter livre après livre, ce qui lui fit retrouver des ouvrages qui étaient là depuis des années et qu'il avait oubliés.

Il passait ainsi des heures sur son échelle en bambou, voyant, dehors, tantôt la place déserte, tantôt le grouillement coloré du marché.

Il n'avait pas parlé à Basquin des timbres disparus. Cela allait-il aussi se retourner contre lui ? L'inspecteur lui avait seulement demandé si Gina avait de l'argent et il avait répondu qu'elle ne devait pas en avoir beaucoup, ce qui était vrai.

Il commençait à craindre, lui aussi, qu'il soit arrivé malheur à Gina. Une fois au moins, il en était sûr, elle avait passé la nuit, dans un meublé minable de la rue Haute, avec un Nord-Africain. Ne pouvait-elle pas être tombée, cette fois-ci, sur un sadique ou sur un fou, ou sur un de ces désespérés qui tuent pour quelques centaines de francs ?

Cela le soulageait qu'elle eût emporté les timbres, car cela lui permettait presque à coup sûr d'écarter cette hypothèse.

Il se trouvait si seul, si désemparé, qu'il fut tenté d'aller demander conseil à l'abbé Grimault, dans son parloir si calme, dont la pénombre et l'odeur étaient apaisantes. Qu'est-ce que le curé aurait pu lui dire ? Pourquoi l'aurait-il compris mieux que Basquin qui, lui, au moins, avait une femme aussi ?

Chaque soir, il préparait son repas, faisait la vaisselle. Il ne toucha plus à l'album de timbres russes qui lui rappelait qu'il était d'une autre race. Il se sentait presque coupable, à présent, d'avoir réuni cette collection, comme si c'était une trahison à l'égard de ceux parmi lesquels il vivait.

Or, ce n'était pas par patriotisme, ni par nostalgie d'une contrée qu'il ne connaissait pas, qu'il avait rassemblé ces timbres-là. Il n'aurait pas pu dire au juste à quel mobile il avait obéi. Peut-être était-ce à cause de Doucia ? Il avait parlé d'elle à Gina, un dimanche après-midi, dans la cour, et Gina avait demandé :

— Elle est plus âgée que moi ?

— Elle avait deux ans quand je suis né. Elle aurait maintenant quarante-deux ans.

— Pourquoi dis-tu *aurait* ?

— Parce qu'elle est peut-être morte.

— Ils tuaient les enfants si jeunes ?

— Je ne sais pas. Il est possible qu'elle vive encore.

Elle l'avait regardé rêveusement.

— C'est drôle ! avait-elle fini par murmurer.

— Quoi ?

— Tout. Toi. Ta famille. Tes sœurs. Ces gens qui vivent peut-être tranquillement là-bas sans que tu le saches et qui se demandent sans doute ce que tu es devenu. Tu n'as jamais eu l'envie d'aller les voir ?

— Non.

— Pourquoi ?

— Je ne sais pas.

Elle n'avait pas compris et elle avait dû s'imaginer qu'il reniait sa famille. Ce n'était pas vrai.

— Tu crois qu'ils ont fusillé ton père ?

— Ils l'ont peut-être envoyé en Sibérie. Peut-être aussi l'ont-ils laissé retourner à Arkhangelsk.

N'aurait-ce pas été ironique que toute la famille fût à nouveau réunie là-bas, dans leur ville, qui sait, dans leur maison, sauf lui ?

Une fois, il se trouva à côté de l'agent Benaiche chez Le Bouc et Benaiche fit semblant de ne pas le voir. Or, s'il était trois fois par semaine en faction au marché, il ne faisait pas partie du marché et il devait savoir ce qu'on pensait de Jonas à la police.

Basquin avait laissé entendre qu'ils se retrouveraient et Jonas s'attendait à chaque instant à sa venue. Il s'était efforcé de préparer des réponses aux questions qu'il prévoyait. Il avait même, sur un bout de papier, résumé son emploi du temps du jeudi, le jour où il avait tant parlé du voyage à Bourges, avec la liste des personnes à qui il avait adressé la parole.

Quatre jours à vivre comme sous une cloche, à la façon de certains animaux sur lesquels, dans les laboratoires, on fait des expériences et qu'on vient observer d'heure en heure. Il y eut un violent orage, le jeudi matin, au plus fort du marché, qui provoqua la débandade, car il tombait des gouttes énormes mêlées de grêlons et deux femmes qu'il ne connaissait pas se réfugièrent dans sa boutique. L'averse dura près d'une heure et la circulation se trouva presque interrompue, lui-même ne put se rendre chez Le Bouc à dix heures et ce ne fut que vers onze heures et demie qu'il alla boire son café dans le bar qui sentait la laine mouillée.

Il se contraignit à lancer toujours, comme si de rien n'était :

— Salut, Fernand.

Et il commandait son café tout en déballant ses deux morceaux de sucre.

L'après-midi du même jour, vers cinq heures, un agent cycliste s'arrêta devant le magasin et entra, laissant son vélo au bord du trottoir.

— Vous êtes bien Jonas Milk ?

Il dit oui et on lui tendit une enveloppe jaunâtre, puis un carnet comme celui des facteurs qui apportent les recommandés.

— Signez ici.

Il signa, attendit d'être seul pour ouvrir l'enveloppe, qui contenait une formule administrative, imprimée sur du papier rêche, le convoquant au commissariat de police pour le lendemain vendredi à dix heures du matin.

On ne venait plus le questionner avec l'air d'entrer en passant. On le convoquait. Sur la ligne pointillée qui suivait le mot : « Motif », on avait écrit au crayon à l'aniline :

« *Affaire vous concernant.* »

Il eut envie, ce soir-là, de mettre par écrit tout ce qui s'était passé depuis le mercredi soir et, en particulier, dans la journée du jeudi, avec l'explication sincère de chacun de ses actes, de chacune de ses paroles, mais c'est en vain qu'il s'assit devant son bureau et chercha par où commencer.

On ne l'avait encore accusé de rien. On ne lui avait pas dit qu'on le soupçonnait de quoi que ce fût. On s'était contenté de lui poser des questions insidieuses et de faire le vide autour de lui.

Peut-être valait-il mieux, après tout, qu'il ait enfin une occasion de s'expliquer à fond. Il ignorait qui, là-bas, le recevrait. La convocation était signée par le commissaire, qu'il connaissait de vue. Il s'appelait Devaux et ressemblait, les poils du nez et des oreilles en moins, à M. Métras. Il était veuf aussi et vivait avec sa fille qui avait épousé un jeune médecin de Saint-Amand installé rue Gambetta.

Il dormit mal, s'éveilla presque toutes les heures, eut des cauchemars confus et rêva, entre autres choses, du canal et du pont-levis qu'on avait levé pour laisser passer une péniche et qu'on ne parvenait pas à rabattre. Pourquoi était-ce sa faute ? C'était un mystère, mais tout le monde l'accusait et on lui avait assigné un temps ridiculement court pour faire fonctionner le pont ; il était en nage, les mains crispées à la manivelle, cependant qu'Ancel, qui portait un quartier de bœuf sur l'épaule, le regardait en ricanant.

On le traitait comme un forçat. C'est ce qui ressortait du rêve. Il y était question aussi de Sibérie.

— Vous qui venez de Sibérie...

Il s'efforçait d'expliquer qu'Arkhangelsk n'est pas en Sibérie, mais ils savaient mieux que lui. La Sibérie, Dieu sait pourquoi, avait quelque chose à voir avec le fait que c'était lui qui devait tourner la manivelle et Mme Lentin jouait un rôle aussi, il ne se souvenait plus duquel, peut-être parce qu'il gardait le souvenir de son visage pâle derrière les brise-bise de sa fenêtre.

Il avait presque peur de se rendormir, tant ces cauchemars l'épuisaient, et, à cinq heures du matin, il préféra se lever et aller prendre l'air dans les rues.

Il atteignit ainsi la place de la Gare où un bar était ouvert, et il y but un café en mangeant des croissants qui venaient d'arriver et qui étaient encore chauds. La boulangère allait-elle s'étonner qu'il ne vienne pas acheter ses trois croissants comme les autres jours ? Il passa aussi devant le dépôt des autobus où deux gros cars verts, dont celui de Bourges, attendaient l'heure du départ, sans personne dedans.

A huit heures, il ouvrit sa boutique, sortit les deux boîtes qu'il rentra à neuf heures et demie et alors, le chapeau sur la tête, sa convocation dans la poche, il sortit et ferma sa porte à clef.

Ce n'était pas tout à fait l'heure d'aller chez Le Bouc, mais, comme, à dix heures, il serait au commissariat, il entra et but son café.

On dut remarquer son chapeau. On avait dû voir aussi qu'il donnait un tour de clef à sa porte. Cependant, on ne lui posa pas de question, on l'ignora comme on l'ignorait depuis quatre jours. Il n'en prononça pas moins :

— A tout à l'heure.

Il prit la rue Haute. A cinq cents mètres environ, il y avait une place, sur la gauche, au milieu de laquelle se dressait le bâtiment gris de l'Hôtel de Ville.

Ici aussi se tenait un marché, beaucoup moins important qu'en face de chez lui, des charrettes de légumes et de fruits, deux ou trois étals, une marchande de paniers et de lacets.

Pour se rendre au commissariat, on ne passait pas par l'entrée principale mais par une petite porte dans la rue adjacente et il entra dans la première pièce qui sentait la caserne et était coupée en deux par une sorte de comptoir en bois noir.

Cinq ou six personnes attendaient sur un banc et il allait, par humilité ou par timidité, s'asseoir à la file, quand un brigadier lui lança :

— Qu'est-ce que vous voulez ?

Il balbutia :

— J'ai reçu une convocation.

— Donnez.

Il y jeta un coup d'œil, disparut derrière une porte, dit en revenant un peu plus tard :

— Attendez un moment.

Jonas resta d'abord debout, et les aiguilles de l'horloge, sur le mur d'un blanc cru, marquèrent dix heures dix, dix heures et quart, dix heures vingt. Il s'assit alors, triturant son chapeau, se demandant si, comme chez le médecin, tous ceux qui le précédaient devraient passer avant lui.

Ce n'était pas le cas, car on appela un nom, une femme se leva et on la conduisit du côté contraire à celui vers lequel le brigadier s'était dirigé tout à l'heure. Puis on prononça un autre nom et, à l'homme d'un certain âge qui s'avançait vers le comptoir, on dit :

— Signez ici... Puis ici... Vous avez quatre cent vingt-deux francs ?

L'homme tenait l'argent dans sa main et, en échange, on lui remit un papier rose qu'il plia avec soin et glissa dans son portefeuille avant de sortir.

— Au suivant !

C'était une vieille femme, qui se pencha sur le brigadier pour lui parler à voix basse, et Jonas tendait inconsciemment l'oreille quand une sonnerie retentit.

— Un instant ! interrompit l'homme en uniforme. Monsieur Milk ! Par ici, s'il vous plaît.

Il suivit un couloir sur lequel donnaient des bureaux avant d'atteindre celui du commissaire, qui, assis devant un meuble en acajou, tournait le dos à la fenêtre.

— Asseyez-vous, dit-il sans lever les yeux.

Il portait des lunettes pour lire et écrire, ce que Jonas ignorait, ne l'ayant vu que dans la rue, et il allait les retirer chaque fois qu'il le regardait.

— Vous vous appelez bien Jonas Milk, né à Arkhangelsk le 21 septembre 1916, naturalisé français le 17 mai 1938 ?

— Oui, monsieur le commissaire.

Celui-ci avait devant lui des feuilles couvertes d'une écriture serrée qu'il eut l'air de parcourir pour se rafraîchir la mémoire.

— Vous avez épousé, il y a deux ans, Eugénie Louise Joséphine Palestri.

Il fit oui de la tête et le commissaire se renversa dans son fauteuil, joua un instant avec ses lunettes avant de questionner :

— Où est votre femme, monsieur Milk ?

Rien que de s'entendre appeler par ce nom, duquel il s'était déshabitué, le dérouta.

— Je ne sais pas, monsieur le commissaire.

— Je vois ici — et il tapotait les papiers devant lui avec ses lunettes dont il avait replié les branches d'écaille — que vous avez fourni au moins deux versions différentes de son départ.

— Je vais vous expliquer.

— Un instant. D'une part, à plusieurs de vos voisins, vous avez déclaré spontanément et devant témoins, le jeudi matin, ensuite le jeudi après-midi et le vendredi, que votre femme avait quitté la ville le jeudi par le car de sept heures dix.

— C'est exact.

— Elle est partie par le car ?

— Non. C'est exact que je l'ai dit.

Cela recommençait. Les grandes feuilles de format administratif contenaient le rapport de l'inspecteur Basquin qui avait dû, dans son bureau, reconstituer leur conversation de mémoire.

— Par contre, lorsque vous avez été questionné ensuite par un de mes collaborateurs, vous avez situé le départ de votre femme au mercredi soir.

Comme il ouvrait la bouche, un coup sec des lunettes sur le dossier l'arrêta.

— Un instant, monsieur Milk. Je tiens à vous déclarer avant tout que nous avons été saisis d'une plainte en disparition.

Était-ce Louis qui était venu la déposer ? Ou Angèle ? Ou Frédo ? Il n'osait pas le demander, bien qu'il brûlât de le savoir.

— Ces affaires-là sont toujours délicates, surtout quand il s'agit d'une femme et, à plus forte raison, d'une femme mariée. Je vous ai convoqué pour vous poser un certain nombre de questions et je serai obligé d'entrer dans des détails assez intimes. Il est entendu que je ne vous accuse pas et que vous avez le droit de ne pas répondre.

— Je ne demande qu'à…

— Laissez-moi parler, je vous en prie. Je résume d'abord la situation aussi brièvement que possible.

Il mit ses lunettes, chercha un autre papier sur lequel il paraissait avoir jeté quelques notes.

— Vous avez quarante ans et votre femme, plus connue sous le prénom de Gina, en a vingt-quatre. Si je comprends bien, elle ne passait pas pour un modèle de vertu avant de vous rencontrer et, en tant que voisin, vous étiez au courant de sa conduite. Est-ce exact ?

— C'est exact.

La vie, décrite ainsi, en quelques formules administratives, ne devenait-elle pas odieuse ?

— Vous l'avez néanmoins épousée, en toute connaissance de cause, et, pour vous marier à l'église, condition sans laquelle les Palestri n'auraient pas donné leur consentement, vous vous êtes converti au catholicisme et avez reçu le baptême.

Ce fut un choc, car cela révélait qu'une enquête approfondie avait été menée à son sujet pendant les journées vides qu'il venait de passer. Était-on allé questionner l'abbé Grimault, d'autres encore, dont les noms allaient peut-être défiler ?

— Je voudrais en passant, monsieur Milk, vous poser une question qui n'a rien à voir avec l'affaire. Vous êtes israélite, n'est-ce pas ?

Il répondit, comme si, pour la première fois, il en avait honte :

— Oui.

— Vous vous trouviez ici pendant l'occupation ?

— Oui.

— Vous vous souvenez donc qu'à certain moment les autorités allemandes ont obligé vos coreligionnaires à porter une étoile jaune sur leurs habits ?

— Oui.

— Comment se fait-il que vous n'ayez jamais porté cette étoile et que, cependant, on ne vous ait pas inquiété ?

Pour rester calme, il dut s'enfoncer les ongles dans la paume des mains. Que pouvait-il répondre ? Devait-il renier les siens ? Il ne s'était jamais senti juif. Jamais il ne s'était cru différent des gens qui l'entouraient au Vieux-Marché et ceux-ci, à cause de ses cheveux blonds et de ses yeux bleus, n'avaient pas pensé qu'il était d'une autre race.

Ce n'était pas pour les tromper qu'il n'avait pas porté l'étoile jaune, au risque dêtre envoyé dans un camp de concentration ou d'être condamné à mort. Il avait pris le risque naturellement, parce qu'il voulait rester comme les autres.

Le commissaire, qui ne le connaissait pas, n'avait pas trouvé seul cette histoire. Ce n'était pas Basquin non plus qui, à cette époque-là, était prisonnier en Allemagne.

Cela venait de quelqu'un d'autre, de quelqu'un du Marché, d'un de ceux qui le saluaient cordialement chaque jour.

— Votre femme savait que vous êtes juif ?

— Je ne lui en ai pas parlé.

— Pensez-vous que cela aurait changé sa décision ?

— Je ne crois pas.

En disant cela, il pensait amèrement à l'Arabe avec qui elle avait passé la nuit.

— Et ses parents ?

— Je ne me suis pas posé la question.

— Passons. Vous parlez l'allemand ?

— Non.

— Le russe, bien entendu ?

— Je l'ai parlé jadis avec mes parents, mais je l'ai oublié et je pourrais à peine le comprendre.

Qu'est-ce que cela avait à voir avec la disparition de Gina ? Allait-il enfin découvrir ce qu'ils avaient contre lui ?

— Votre père est venu en France, comme émigré, lors de la révolution ?

— Il était prisonnier en Allemagne et, quand l'armistice a été signé, en 1918...

— Nous appellerons ça un émigré, puisque à ce moment-là il n'est pas retourné en Russie. Je suppose qu'il faisait partie d'un groupement de Russes blancs ?

Il croyait se souvenir qu'au début Chepilov l'avait inscrit d'office dans une association politique, mais Milk n'en avait jamais été un membre actif et s'était consacré tout entier à son commerce de poisson.

Sans attendre la réponse, le commissaire Devaux poursuivait :

— Pourtant, en 1930, il n'a pas hésité à rentrer dans son pays. Pourquoi ?

— Pour savoir ce qu'étaient devenues mes cinq sœurs.

— Vous avez reçu de ses nouvelles ?

— Jamais.

— Ni par lettre, ni verbalement, par des amis ?

— D'aucune manière.

— Comment se fait-il, dans ce cas, que votre mère soit partie à son tour ?

— Parce qu'elle ne pouvait pas vivre sans son mari.

— Vous n'avez jamais fait de politique ?

— Jamais.

— Vous n'êtes inscrit à aucun groupement, à aucun parti ?

— Non.

Devaux remit ses lunettes pour consulter à nouveau ses notes. Il paraissait déçu. On aurait dit que ce n'était qu'à contrecœur qu'il posait certaines questions.

— Vous entretenez, monsieur Milk, une importante correspondance avec l'étranger.

Avait-on donc interrogé le facteur aussi ? Qui encore ?

— Je suis philatéliste.

— Cela vous oblige à une correspondance aussi importante ?

— Étant donné ma façon de travailler, oui.

Il avait envie d'expliquer le mécanisme de ses opérations, la recherche, parmi le tout-venant qu'il recevait des quatre coins du monde, de timbres présentant une caractéristique qui avait échappé à ses confrères.

— Passons ! répéta le commissaire qui semblait avoir hâte d'en finir.

Il ajouta néanmoins :

— Quelles sont vos relations avec vos voisins ?

— Bonnes. Très bonnes. Je veux dire jusqu'à ces derniers jours.

— Que s'est-il passé ces derniers jours ?

— Ils m'évitent.

— Vous avez reçu, je crois, la visite de votre beau-frère, Alfred Palestri, dit Frédo.

— Oui.

— Que pensez-vous de lui ?

Il se tut.

— Vous êtes en mauvais termes ?

— Je crois qu'il ne m'aime pas.

— Pour quelle raison ?

— Peut-être cela ne lui a-t-il pas plu que j'épouse sa sœur.

— Et votre beau-père ?

— Je ne sais pas.

Après un coup d'œil à ses notes, le commissaire reprit :

— Il semblerait que tous les deux aient été opposés à votre mariage. Gina, à cette époque-là, était à votre service, si je ne me trompe.

— Elle travaillait chez moi comme femme de ménage.

— Elle couchait dans la maison ?

— Non.

— Vous avez eu des relations intimes avec elle ?

— Pas avant que nous soyons mariés.

— L'idée ne vous était jamais venue, auparavant, de fonder un foyer ?

— Non.

C'était vrai. Il n'y avait pas pensé.

— Je vais encore, pour ma gouverne, vous poser une question indiscrète et il vous est loisible de ne pas y répondre. Comment faisiez-vous ?

Il ne comprit pas tout de suite. Le commissaire dut préciser :

— Un homme a des besoins...

Avant la guerre, il existait une maison close, pas loin de l'Hôtel de Ville, justement, rue du Pot-de-Fer, où Jonas se rendait régulièrement. Les nouvelles lois l'avaient dérouté pendant un temps, puis il avait découvert un coin de rue, à proximité de la gare, où quatre ou cinq filles faisaient, le soir, les cent pas devant un hôtel meublé.

Il l'avoua, puisque aussi bien on le forçait à se mettre plus que nu.

— D'après ce que vous avez déclaré, vous n'étiez pas jaloux de votre femme.

— Je n'ai pas dit cela. J'ai dit que je ne le lui montrais pas.

— Je comprends. Donc, vous étiez jaloux ?

— Oui.

— Qu'auriez-vous fait si vous l'aviez surprise dans les bras d'un homme ?

— Rien.

— Vous n'auriez pas été furieux ?

— J'aurais souffert.

— Mais vous n'auriez pas usé de violence, ni contre elle, ni contre son partenaire ?

— Certainement pas.

— Elle le savait ?

— Elle devait le savoir.

— Elle en profitait ?

Il avait envie de répondre :

— Tout cela est écrit devant vous !

Mais, s'il avait déjà été impressionné quand l'inspecteur Basquin l'avait interrogé dans sa boutique, où il était entré avec l'air désinvolte d'un client, il l'était encore plus dans ce bureau officiel où on venait, en outre, de toucher à des points sensibles qui le laissaient comme écorché.

Il y avait des mots, des phrases, qui continuaient à résonner dans sa tête et il devait faire un effort pour comprendre ce qu'on lui disait.

— Vous ne l'avez jamais menacée ?

Il sursauta.

— De quoi ?

— Je ne sais pas. Vous n'avez jamais proféré de menaces contre elle ?

— Mais jamais ! L'idée ne m'en serait pas venue.

— Pas même au cours d'une scène de ménage, par exemple, ou encore en état d'ivresse ?

— Nous n'avons jamais eu de scène de ménage et on a dû vous dire que je ne bois que du café.

Le commissaire alluma lentement une pipe qu'il venait de bourrer et se renversa dans son fauteuil, ses lunettes à la main.

— Dans ce cas, comment expliquez-vous que votre femme ait eu peur de vous ?

Il crut avoir mal entendu.

— Vous dites ?

— Je dis : qu'elle ait eu peur de vous.

— Gina ?

— Votre femme, oui.

Il se leva d'une détente, tout impressionné qu'il fût par le décor. C'est à peine s'il pouvait prononcer distinctement les mots qui lui montaient à la bouche, en désordre.

— Mais, monsieur le commissaire, elle n'a jamais eu peur de moi... Peur de quoi ?... Quand elle rentrait, au contraire, je...

— Asseyez-vous.

Il s'en tordait les mains. C'était insensé, à croire qu'il vivait un de ses cauchemars de la nuit précédente.

— Peur de moi ! répétait-il. De moi !...

Qui donc aurait peur de lui ? Pas même les chiens errants du marché, ni les chats. Il était l'être le plus inoffensif de la terre.

Le commissaire, cependant, qui avait remis ses lunettes, jetait les yeux sur un rapport dont son doigt soulignait un passage.

— A plusieurs reprises, votre femme a déclaré que vous finiriez par la tuer.

— Quand ? A qui ? Ce n'est pas possible !

— Je n'ai pas, pour le moment, à vous révéler¹ à qui elle a fait ces confidences, mais je puis vous affirmer qu'elle les a faites, et pas à une seule personne.

Jonas abandonnait. C'était trop. On venait de dépasser les bornes. Que les voisins se soient détournés de lui, il l'avait supporté, les dents serrées.

Mais que Gina...

— Écoutez, monsieur le commissaire...

Il tendait des mains suppliantes, dans un dernier sursaut d'énergie.

— Si elle avait eu peur de moi, pourquoi...

A quoi bon ? D'ailleurs, il ne trouvait plus les mots. Il avait oublié ce qu'il voulait dire. Cela n'avait plus d'importance.

Peur de lui !

— Calmez-vous. Encore une fois, je ne vous accuse pas. Une enquête est ouverte à la suite de la disparition de votre femme et il est de mon devoir de ne rien négliger, d'entendre tous les témoignages.

Sans s'en rendre compte, il approuva de la tête.

— Il se fait que, pour des raisons mystérieuses, dès le matin où on a constaté la disparition de votre femme, vous avez menti.

Il ne protesta pas, comme il l'avait fait avec l'inspecteur Basquin.

— Peur de moi ! se répétait-il avec une obstination douloureuse.

— Cela a fatalement donné lieu à certains commentaires.

Sa tête disait toujours oui.

— Je ne demande qu'à éclaircir avec vous la situation.

Le visage, la silhouette du commissaire se brouillaient soudain devant ses yeux et il se sentait pénétré d'une faiblesse qu'il n'avait jamais connue.

— Vous... vous n'auriez pas un verre d'eau ? eut-il le temps de balbutier.

C'était la première fois qu'il s'évanouissait. Il faisait très chaud dans la pièce. Le commissaire se précipitait vers une porte et Jonas entendait couler un robinet.

Il ne dut avoir que quelques secondes d'inconscience car, quand il ouvrit les yeux, le verre heurtait ses dents et de l'eau fraîche coulait encore le long de son menton.

Il regarda sans rancune, les paupières mi-closes, l'homme qui venait de lui faire si mal et qui restait penché sur lui.

— Vous vous sentez mieux ?

Il battit des cils, comme il le faisait pour saluer le Veuf, à qui le commissaire ressemblait. Peut-être le commissaire était-il un brave homme, qui avait pitié de lui ?

— Buvez encore une gorgée.

Il fit signe que non. Il était gêné. Par réaction, il lui venait tout à coup l'envie de pleurer. Il se contint, mais il se passa un bon moment avant qu'il fût capable de parler. Ce fut pour balbutier :

— Je vous demande pardon.

— Reposez-vous et ne dites rien.

Le commissaire ouvrait la fenêtre, qui laissait pénétrer d'un coup les bruits de la rue, allait se rasseoir à sa place, ne sachant plus que faire ni que dire.

7

Le marchand d'oiseaux

— Je crois, monsieur Milk, disait le commissaire, que vous m'avez mal compris. Encore une fois, pour une raison ou pour une autre, votre femme a disparu et on nous a demandé d'ouvrir une enquête. Nous n'avons pas pu éviter de recueillir des témoignages et de contrôler certains bruits qui couraient.

Jonas était calme, à présent, trop calme, et il y avait sur son visage comme un sourire qu'on aurait effacé à la gomme. Il regardait son interlocuteur poliment, l'esprit ailleurs, il écoutait, à vrai dire, le chant d'un coq qui venait d'éclater, vibrant, orgueilleux, au milieu des bruits de la ville. Au premier moment, cela l'avait tellement surpris qu'il en avait eu une sensation d'irréalité, de flottement, jusqu'à ce qu'il se souvienne que, juste en face du commissariat, il y avait un marchand d'oiseaux et d'animaux de basse-cour.

En se soulevant de sa chaise, il aurait pu voir les cages qui s'empilaient sur le trottoir, les poules, les coqs et les canards de race pure en bas, puis, au-dessus, les perruches, les canaris, d'autres oiseaux, certains rouge vif, certains bleus dont il ne connaissait pas le nom. A droite de la porte, un perroquet se tenait sur son perchoir et les passants s'étonnaient toujours qu'il ne soit pas attaché.

Sur la place, une femme à la voix aiguë, une marchande des quatre-saisons, interpellait les clientes en leur vantant sa « belle romaine » et, entre ses appels monotones, les intervalles étaient à peu près réguliers, de sorte qu'il finissait par les attendre.

— Je m'y suis peut-être pris un peu brutalement et je m'en excuse...

Jonas hochait la tête avec l'air de dire que tout était bien.

Gina avait peur de lui. Le reste ne comptait pas. Il pouvait tout entendre, à présent, et le commissaire n'avait pas besoin d'y aller par quatre chemins.

— Je ne vous cache pas qu'il existe un autre témoignage assez troublant. Mercredi, un peu avant minuit, une femme était accoudée à sa fenêtre, rue du Canal, à quatre cents mètres de chez vous. Elle attendait son mari qui, pour des raisons qui ne nous intéressent pas, n'était pas rentré à l'heure habituelle. Or, elle a vu passer un homme plutôt petit, de votre corpulence à peu près, qui portait un sac volumineux sur l'épaule et se dirigeait vers l'écluse en rasant les murs.

— Elle m'a reconnu ?

Il ne s'indignait pas, ne se révoltait pas.

— Je n'ai pas dit cela, mais il y a évidemment là une coïncidence.

— Vous croyez, monsieur le commissaire, que j'aurais eu la force de porter ma femme de la place du Vieux-Marché au canal ?

Si Gina n'était guère plus grande que lui, elle était plus lourde et il n'était pas fort.

M. Devaux se mordit les lèvres. Depuis l'évanouissement de Jonas, il était moins à son aise et prenait des précautions, sans se douter que ce n'était plus nécessaire. N'arrive-t-il pas un moment où l'acuité même de la douleur provoque l'insensibilité ? Jonas avait passé ce cap-là et, tout en écoutant ce qu'on lui disait, il se raccrochait aux bruits de la rue.

Ce n'était pas la même rumeur que dans son quartier. Les autos étaient plus nombreuses, les passants plus pressés. La lumière aussi était différente, et cependant il n'y avait pas dix minutes de marche d'ici au Vieux-Marché.

Les armoires, derrière le commissaire, étaient en acajou, comme le bureau, avec du tissu vert tendu derrière un grillage doré et, au-dessus, encadrée de bois noir, on voyait une photographie du président de la République.

— J'ai pensé à cette objection, monsieur Milk. Mais vous n'ignorez pas, si vous lisez les journaux, que ce problème a souvent, hélas, trouvé une solution.

Il ne comprit pas tout de suite.

— Vous n'avez pas été sans lire ou sans entendre des histoires de corps coupés en morceaux qu'on retrouve dans les rivières et les terrains vagues. Une fois de plus, je ne vous accuse pas.

On ne l'accusait pas d'avoir coupé Gina en morceaux et d'avoir transporté ceux-ci dans le canal !

— Ce qu'il nous reste à faire, à moins que votre femme réapparaisse ou que nous la retrouvions, c'est de vous mettre hors de cause et, par conséquent, d'étudier posément toutes les hypothèses.

Il remettait ses lunettes pour jeter un coup d'œil à ses notes.

— Pourquoi, après sa disparition, vous êtes-vous empressé de donner son linge et le vôtre au blanchissage ?

On connaissait ses moindres gestes, comme s'il eût vécu dans une cage de verre.

— Parce que c'était le jour.

— C'est vous qui aviez l'habitude de compter le linge et d'en faire un paquet ?

— Non.

Non et oui. Ceci prouvait combien il est difficile d'exprimer une vérité absolue. C'était dans les attributions de Gina, comme dans les autres ménages, et Gina s'en occupait généralement. Seulement, elle ne savait jamais quel jour de la semaine on était et il arrivait à Jonas de lui rappeler, pendant qu'elle faisait la chambre :

— N'oublie pas le linge.

C'était courant aussi de placer la taie d'oreiller qui le contenait sous le comptoir, afin de ne pas faire attendre le chauffeur de la camionnette, qui était toujours pressé.

Gina vivait dans le désordre. N'avait-elle pas oublié de laver, avant de partir, la poêle dans laquelle elle avait cuit les harengs ? Jonas, qui avait vécu longtemps seul et qui n'avait pas toujours eu une femme de ménage, avait gardé l'habitude de penser à tout et de faire souvent en l'absence de Gina les besognes qu'elle aurait dû assumer.

— Votre femme venait de disparaître, monsieur Milk. Vous m'avez dit tout à l'heure que vous l'aimiez. Or, vous vous êtes donné la peine de vous livrer à une tâche dont les hommes ne s'occupent pas d'habitude.

Il ne put que répéter :

— Parce que c'était le jour.

Il sentait bien que son interlocuteur l'examinait curieusement. Basquin aussi, à certains moments, l'avait regardé de cette façon-là, en homme qui cherche à comprendre et n'y parvient pas.

— Vous ne cherchiez pas à faire disparaître des traces compromettantes ?

— Des traces de quoi ?

— Vous avez fait aussi, le vendredi ou le samedi, le grand ménage de la cuisine.

Cela lui était arrivé si souvent, avant Gina, quand la femme de ménage était malade, et encore depuis qu'il était marié !

— Ce sont des détails qui ne signifient rien par eux-mêmes, j'en conviens, mais dont l'accumulation ne laisse pas d'être troublante.

Il approuva, en élève docile.

— Vous n'avez aucune idée des relations que votre femme aurait pu nouer ces derniers temps ?

— Aucune.

— S'est-elle absentée plus souvent que d'habitude ?

Comme toujours, le matin, elle rôdait dans le marché, de préférence en robe de chambre et en pantoufles. L'après-midi, il lui arrivait de s'habiller, de se poudrer, de se parfumer et d'aller faire des achats en ville, ou voir une de ses amies.

— Elle n'a pas non plus reçu de courrier ?

— Elle n'a jamais reçu de lettres à la maison.

— Vous pensez qu'elle en recevait ailleurs, à la poste restante, par exemple ?

— Je ne sais pas.

— Ce qui est curieux, vous devez l'admettre, car vous êtes un homme intelligent, c'est qu'elle soit partie sans emporter de vêtements, pas même un manteau et, selon votre témoignage, presque démunie d'argent. Elle n'a pris ni un car, ni le train, nous nous en sommes assurés.

Il préféra en finir en parlant des timbres. Il était fatigué. Il avait hâte d'être hors de ce bureau et de ne plus entendre des questions qui avaient si peu de rapport avec la réalité.

— Ma femme, dit-il, ulcéré d'avoir à en arriver là, et avec le sentiment de commettre une trahison, avait prémédité son départ.

— Comment le savez-vous et pourquoi n'en avez-vous pas parlé à l'inspecteur Basquin ?

— Dans l'armoire à glace de notre chambre se trouve une cassette qui contenait mes timbres les plus rares.

— Elle le savait ?

— Oui.

— Ces timbres ont une grande valeur ?

— Plusieurs millions.

Il se demanda s'il avait bien fait de parler, car la réaction du commissaire n'était pas celle qu'il avait prévue. On le regardait, non seulement avec incrédulité, mais avec un surcroît de méfiance.

— Vous voulez dire que vous possédiez pour plusieurs millions de timbres-poste ?

— Oui. J'ai commencé à les collectionner au lycée, alors que j'avais à peu près treize ans, et je n'ai jamais cessé depuis.

— Qui, en dehors de votre femme, a vu ces timbres en votre possession ?

— Personne.

— De sorte que vous ne pouvez pas prouver qu'ils se trouvaient dans l'armoire ?

Il était devenu calme, patient, presque détaché, comme s'il ne s'agissait plus de Gina et de lui, et cela tenait peut-être à ce qu'il se retrouvait sur un terrain professionnel.

— Je peux prouver, pour la plupart, que je les ai acquis à un moment donné, soit par achat, soit par échange, certains il y a quinze ans, certains il y a deux ou trois ans. Les philatélistes forment un monde assez fermé. On sait presque toujours où sont les vignettes rares.

— Excusez-moi de vous interrompre, monsieur Milk. Je n'y connais rien en philatélie. J'essaie, pour l'instant, de me mettre dans l'état d'esprit d'un juré. Vous dites, encore que vous viviez sur un pied que je me permettrai de qualifier de très modeste, et j'espère que cela ne vous choque pas, vous dites donc que vous possédiez pour plusieurs millions de timbres-poste et que votre femme les a emportés. Vous ajoutez que, pour la plupart d'entre eux, vous êtes à même de prouver qu'ils sont entrés en votre possession il y a un certain nombre d'années. C'est bien cela ?

Il fit oui de la tête, écoutant le coq qui lançait un nouveau cocorico, et le commissaire, excédé, alla refermer la fenêtre.

— Vous permettez ?

— Comme vous voudrez.

— On se demandera tout d'abord si, mercredi dernier, ces timbres étaient encore chez vous, car rien ne vous a empêché de les revendre depuis longtemps. Vous est-il possible d'en apporter la preuve ?

— Non.

— Et pouvez-vous apporter la preuve que vous ne les avez plus ?

— Ils ne sont plus dans la cassette.

— Nous restons dans la théorie, n'est-ce pas ? Qu'est-ce qui vous aurait empêché de les mettre ailleurs ?

— Pourquoi ?

Pour accabler Gina, c'était ce que le commissaire pensait. Pour faire croire qu'elle était partie en emportant sa fortune.

— Voyez-vous maintenant combien ma tâche est difficile et délicate ? Les habitants de votre quartier, pour une raison que j'ignore, paraissent vous en vouloir.

— Jusqu'à ces derniers jours, ils se sont montrés gentils avec moi.

Le commissaire le regarda avec attention et Jonas trouva l'explication dans ses yeux. Lui non plus ne comprenait pas. Des êtres de toutes sortes avaient défilé dans son cabinet et il était habitué aux plus étranges confidences. Or, Jonas le déroutait et on le voyait passer de la sympathie à l'agacement, parfois à l'aversion, pour se reprendre à nouveau et s'efforcer de trouver un contact.

N'en avait-il pas été ainsi avec Basquin ? N'était-ce pas la preuve qu'il n'était pas un homme comme les autres ? En aurait-il été différemment dans le pays où il était né, à Arkhangelsk, parmi les gens de sa race ?

Toute sa vie, il en avait eu l'intuition. A l'école, déjà, il se faisait tout petit, comme pour qu'on l'oublie, et il était gêné quand, contre son gré, il arrivait premier de sa classe.

Ne l'avait-on pas encouragé à se considérer comme appartenant au Vieux-Marché ? Ne lui avait-on pas proposé, à certain moment, de faire partie d'un comité de défense des petits commerçants et même d'en devenir le trésorier ? Il avait refusé, sentant que ce n'était pas sa place.

Ce n'était pas sans raison qu'il avait montré tant d'humilité. Il fallait croire qu'il n'en avait pas encore montré assez, puisqu'on se retournait contre lui.

— Quand ces timbres, selon vous, ont-ils disparu ?

— J'ai d'habitude la clef de la cassette dans ma poche, avec la clef de la porte d'entrée et celle du tiroir-caisse.

Il montra la chaîne en argent.

— Mercredi matin, je me suis habillé en me levant, mais, la veille, j'étais descendu en pyjama.

— Votre femme aurait donc pris ces timbres le mardi matin ?

— Je le présume.

— Ils sont d'une vente facile ?

— Non.

— Alors ?

— Elle ne le sait pas. Les marchands, je vous l'ai dit, se connaissent entre eux. Quand on leur présente une pièce rare, ils ont l'habitude de s'enquérir de son origine.

— Vous avez alerté vos confrères ?

— Non.

— Pour quelle raison ?

Il haussa les épaules. Il recommençait à transpirer et regrettait les bruits de la rue.

— Votre femme serait donc partie sans manteau, sans bagages, mais avec une fortune qu'elle ne pourra pas réaliser. C'est bien cela ?

Il fit oui.

— Elle a quitté le Vieux-Marché mercredi soir, voilà donc plus d'une semaine, et personne ne l'a vue passer, personne ne l'a aperçue en ville, elle n'a pris ni le car, ni le train, bref, elle s'est volatilisée sans laisser la moindre trace. Où, selon vous, aurait-elle le plus de chance de vendre les timbres ?

— A Paris, évidemment, ou dans une grande ville comme Lyon, Bordeaux, Marseille. A l'étranger aussi.

— Pouvez-vous m'établir une liste des commerçants en timbres de France ?

— Des principaux, oui.

— Je leur enverrai une lettre circulaire pour les alerter. Maintenant, monsieur Milk...

Le commissaire se leva, hésita, comme s'il n'en avait pas fini avec le plus désagréable de sa tâche.

— Il me reste à vous demander d'autoriser deux de mes hommes à vous accompagner et à visiter votre maison. Je pourrais me procurer un mandat de perquisition mais, dans l'état de l'affaire, je préfère rester sur un plan moins officiel.

Jonas s'était levé à son tour. Il n'y avait aucune raison pour refuser puisqu'il n'avait rien à cacher et puisque, de toutes façons, il n'était pas le plus fort.

— Maintenant ?

— Je préférerais, oui.

Pour éviter qu'il se livre à quelque camouflage ?

C'était à la fois risible et tragique. Cela avait commencé par une petite phrase innocente :

— *Elle est allée à Bourges.*

C'était Le Bouc qui avait demandé, innocemment, lui aussi :

— Par le car ?

De là étaient parties petit à petit comme des vagues, des ondes, qui avaient envahi le Marché et avaient atteint enfin le commissariat, dans la haute ville.

Il n'était plus M. Jonas, le bouquiniste de la place qu'on saluait gaiement. Pour le commissaire, et sur les rapports, il était Jonas Milk, né à Arkhangelsk, Russie, le 21 septembre 1916, naturalisé français le 17 mai 1938, réformé du service militaire, de race israélite, converti au catholicisme en 1954.

Il lui restait à découvrir un dernier à-côté de l'affaire, auquel il était loin de s'attendre. Ils étaient debout. L'entretien, ou plutôt l'interrogatoire, paraissait terminé. M. Devaux jouait avec ses lunettes, qui accrochaient parfois un rayon de soleil.

— Au fait, monsieur Milk, vous avez une manière facile d'établir que ces timbres étaient en votre possession.

Il le regarda sans comprendre.

— Ils constituent, vous l'avez dit, un capital de plusieurs millions. Ils ont été achetés sur vos revenus et, par conséquent, il doit être possible de retrouver, dans vos déclarations d'impôts, la trace des sommes investies. Remarquez que cela ne me regarde pas personnellement et que c'est du domaine des Contributions Directes.

On le coincerait là-dessus aussi, il le savait d'avance. Il ne parviendrait pas à leur faire admettre une vérité toute simple. Il n'avait jamais acheté un timbre pour cinquante mille, cent mille, trois cent mille francs, même s'il en possédait de cette valeur. Il avait découvert les uns à force d'examiner à la loupe des timbres dont d'autres n'avaient pas décelé la rareté et, pour certains autres, il les avait obtenus par des échanges successifs.

Comme le commissaire l'avait dit, il vivait très modestement.

A quoi bon s'en soucier, au point où il en était ? Une seule chose comptait. *Gina avait peur de lui.* Et, au seuil du bureau, il posa timidement une question à son tour.

— Elle a vraiment dit que je la tuerais un jour ?

— C'est ce qui ressort des témoignages.

— A plusieurs personnes ?

— Je peux vous l'affirmer.

— Elle n'a pas ajouté pourquoi ?

M. Devaux hésita, referma la porte qu'il venait d'ouvrir.

— Vous tenez à ce que je vous réponde ?

— Oui.

— Vous remarquerez que je n'y ai fait aucune allusion au cours de notre conversation. Deux fois, au moins, parlant de vous, elle a déclaré :

» — C'est un vicieux.

Il s'empourpra. C'était le dernier mot auquel il s'attendait.

— Pensez-y, monsieur Milk, et nous reprendrons cet entretien un autre jour. Pour le moment, l'inspecteur Basquin va vous accompagner avec un de ses hommes.

La phrase du commissaire ne le révoltait pas, et il lui semblait enfin qu'il commençait à comprendre. Souvent, il arrivait à Gina de l'observer à la dérobée quand il était occupé et, dès qu'il levait la tête, elle paraissait gênée. Or, son regard ressemblait alors à certains regards de Basquin et du commissaire.

Elle vivait pourtant avec lui. Elle le voyait, elle, dans toutes ses attitudes, le jour et la nuit.

Malgré cela, elle ne s'était pas habituée et il restait pour elle un problème.

Elle avait dû se demander, quand elle travaillait encore chez lui comme femme de ménage, pourquoi il ne la traitait pas comme les autres hommes la traitaient, y compris Ancel. Elle n'était jamais fort vêtue et ses mouvements avaient une liberté impudique qu'on pouvait prendre pour de la provocation.

L'avait-elle cru impuissant, à cette époque, ou lui avait-elle attribué des mœurs spéciales ? N'y avait-il eu qu'elle, pendant des années, à y avoir pensé ?

Il la revoyait, grave, préoccupée, quand il avait parlé de l'épouser. Il la revoyait se dévêtir, le premier soir, et lui lancer, alors que, tout habillé, il rôdait autour de la chambre sans oser la regarder :

— Tu ne te déshabilles pas ?

On aurait dit qu'elle s'attendait à découvrir, chez lui, quelque chose d'anormal. La vérité, c'est qu'il avait honte de son corps trop rose et potelé.

Elle avait ouvert le lit, s'était étendue, les genoux écartés, en le regardant se dévêtir et, comme il s'approchait gauchement, elle s'était exclamée avec un rire qui n'était peut-être que de l'inquiétude :

— Tu gardes tes lunettes ?

Il les avait retirées. Tout le temps qu'il était resté sur elle, il avait senti qu'elle l'observait et elle n'avait ni pris part, ni feint de prendre part, à son plaisir.

— *Tu vois !* avait-elle dit.

Qu'est-ce que cela signifiait au juste ? Qu'il était malgré tout arrivé à ses fins ? Que, en dépit des apparences, il était un homme à peu près normal ?

— On dort ?

— Si tu veux.

— Bonne nuit.

Elle ne l'avait pas embrassé et il n'avait pas osé le faire non plus. Le commissaire le forçait à se rappeler qu'en deux ans ils ne s'étaient jamais embrassés. Il avait essayé deux ou trois fois et elle avait détourné la tête sans brusquerie, sans dégoût apparent.

Bien que dormant dans le même lit, il ne l'approchait que le moins souvent possible, parce qu'elle ne participait pas, et quand, vers le matin, il l'entendait haleter près de lui, s'abattre enfin au fond du lit avec un « han » presque déchirant, il gardait les yeux clos et feignait de dormir.

Comme le commissaire venait de le lui dire, on ne lui avait pas encore posé de questions là-dessus, mais cela viendrait.

Qu'est-ce qui faisait peur à Gina ?

Était-ce son calme, sa douceur, sa tendresse honteuse quand elle revenait d'une de ses fugues ? On aurait dit, parfois, qu'elle le défiait de la battre.

Aurait-elle eu moins peur de lui ? Aurait-elle cessé de le considérer comme un vicieux ?

— Basquin ! appelait le commissaire qui s'était dirigé vers le couloir.

Dans un bureau, Jonas aperçut l'inspecteur qui travaillait sans veston.

— Vous allez prendre quelqu'un avec vous et accompagner M. Milk.

— Bien, monsieur le commissaire.

Il devait savoir ce qu'il avait à faire, car il ne réclamait pas d'instructions.

— Dambois ! criait-il à son tour, s'adressant à quelqu'un qui se tenait, invisible, dans un autre bureau.

Ni l'un ni l'autre n'étaient en uniforme mais tout le monde, au Vieux-Marché comme en ville, les connaissait.

— Réfléchissez, monsieur Milk, disait encore M. Devaux en guise d'adieu.

Ce n'était certainement pas à ce que le commissaire pensait qu'il réfléchissait. Il ne cherchait plus à se défendre, à répondre aux accusations plus ou moins grotesques qu'on avait formulées contre lui.

C'était un débat avec lui-même qui l'occupait, un débat infiniment plus tragique que leur histoire de femme coupée en morceaux.

Curieusement, ils avaient raison, mais pas à la façon qu'ils croyaient, et Jonas se sentait tout à coup réellement coupable.

Il n'avait pas fait disparaître Gina et n'avait pas jeté son corps dans le canal.

Il n'était pas vicieux non plus, dans le sens où ils l'entendaient, il ne se connaissait aucune anomalie, aucune déviation sexuelle.

Il n'avait pas encore fait le point, car la révélation était trop récente, elle venait de se produire, à l'instant où il s'y attendait le moins, dans l'atmosphère neutre d'un bureau administratif.

— Vous m'attendez un moment, monsieur Jonas.

Basquin, lui, continuait à lui donner le nom auquel il était habitué, mais cela ne lui faisait même plus plaisir. Ce stade-là était dépassé. Il avait gagné le bureau séparé par un comptoir de bois noir où de nouveaux visiteurs attendaient sur le banc et il feignit, par contenance, de lire une affiche officielle réglementant la vente des chevaux et bovins sur la place publique.

N'est-ce pas à son frère, d'abord, que Gina avait confié qu'elle avait peur de lui ? C'était probable. Cela expliquait la farouche opposition de Frédo au mariage.

A qui d'autre en avait-elle parlé ? A Clémence ? A la Loute ?

Il essayait de se rappeler la phrase que le commissaire lui avait répétée.

— *Cet homme-là me tuera un jour...*

Pourquoi ? Parce qu'il ne réagissait pas comme elle avait pensé qu'il réagirait quand elle allait courir le mâle ? Parce qu'il était trop doux, trop patient ?

S'était-elle imaginé qu'il jouait un rôle et qu'un jour il donnerait libre cours à ses vrais instincts ? Il lui avait dit, quand il lui avait parlé mariage :

— Je peux tout au moins vous offrir la *tranquillité*.

Cette phrase-là ou des mots approchants. Il ne lui avait pas parlé d'amour, de bonheur, mais de tranquillité, parce qu'il était trop humble pour se figurer qu'il pourrait lui donner autre chose.

Elle était belle, gonflée de sève, et il avait seize ans de plus qu'elle, il était un petit bouquiniste poussiéreux et solitaire dont la seule passion était de collectionner les timbres.

Ce n'était pas exact. C'était l'apparence, c'était ce que les gens devaient penser. La vérité, c'est qu'il vivait intensément, en son for intérieur, une vie riche et multiple, celle de tout le Vieux-Marché, de tout le quartier dont il connaissait les moindres pulsations.

A l'abri de ses verres épais qui paraissaient l'isoler et qui lui donnaient l'air inoffensif, n'était-ce pas un peu comme s'il avait volé, à leur insu, la vie des autres ?

Est-ce cela que Gina avait découvert en entrant dans sa maison ? Est-ce pour cela qu'elle avait parlé de vice et qu'elle avait eu peur ?

Lui en voulait-elle de l'avoir achetée ?

Car il l'avait achetée, il le savait et elle le savait. Angèle le savait mieux que quiconque, elle qui l'avait vendue, et Louis aussi, qui n'avait rien osé dire par peur de sa femme, et Frédo qui s'était révolté.

On ne la lui avait pas vendue contre de l'argent, mais contre de la tranquillité. Il en avait si bien conscience qu'il avait été le premier à employer ce mot-là, comme un appât, une tentation.

Avec lui, Gina aurait un front de respectabilité et ses frasques seraient couvertes. Sa vie matérielle serait assurée et Angèle ne tremblerait plus à la perspective de la voir finir sur le trottoir.

Les voisins qui assistaient à leurs noces n'y avaient-ils pas pensé ? Leurs sourires, leurs congratulations, leur contentement, surtout à la fin du repas, étaient-ils sincères ?

N'avaient-ils pas eu un peu honte, eux aussi, du marché qu'ils venaient en quelque sorte de contre-signer ?

L'abbé Grimault n'avait pas essayé ouvertement de détourner Jonas de ses projets. Lui aussi, sans doute, préférait voir Gina mariée. Pourtant, même la conversion de Jonas l'avait laissé sans enthousiasme.

— Je n'ose pas vous demander si vous avez la foi, car je ne voudrais pas vous induire au mensonge.

Il savait donc que Jonas ne croyait pas. Devinait-il aussi que ce n'était pas seulement pour épouser Gina qu'il se faisait catholique et que, bien avant de la connaître, il lui était arrivé d'y penser ?

— Je vous souhaite d'être heureux avec elle et de la rendre heureuse.

Il le souhaitait, mais il était visible qu'il n'y croyait pas. Il faisait son devoir de prêtre en les unissant, comme il l'avait fait en accueillant le petit homme d'Arkhangelsk dans le sein de l'Église catholique romaine.

Comment, pendant deux ans, Jonas n'avait-il jamais eu l'idée que Gina pouvait avoir peur de lui ?

Maintenant, ses yeux s'étaient dessillés et des détails auxquels il n'avait pas pris garde lui revenaient à la mémoire.

Il se rendait compte, enfin, qu'il était un étranger, un juif, un solitaire, un homme venu de l'autre bout du monde pour s'incruster comme un parasite dans la chair du Vieux-Marché.

— Si vous voulez venir...

Les deux hommes étaient prêts, le chapeau sur la tête, et, Jonas marchant au milieu, d'une demi-tête plus petit que ses compagnons, ils se dirigeaient vers la rue Haute dans un air saturé de soleil et de chaleur.

— Cela s'est bien passé ? questionna Basquin, qui avait certainement été prendre langue avec son chef.

— Je suppose. Je ne sais pas.

— Le commissaire est un homme d'une intelligence peu commune, qui occuperait depuis longtemps un poste important à Paris s'il ne tenait à vivre avec sa fille. Il était docteur en droit à vingt-trois ans et a débuté dans la carrière préfectorale. C'est par hasard qu'il est entré dans la police.

De temps en temps, Basquin rendait son salut à un passant et des gens se retournaient pour regarder Jonas qui marchait entre les deux policiers.

— Depuis quatre jours, déjà, depuis le jour où je suis allé vous voir, nous avons lancé partout le signalement de votre femme.

L'inspecteur était surpris que Jonas ne réagisse pas et il lui lançait des coups d'œil en coin.

— Il est vrai qu'il existe beaucoup de belles filles brunes en robe rouge. Sans compter qu'elle s'est peut-être acheté une nouvelle robe.

En passant devant le restaurant, Jonas aperçut le haut du visage de Pépito au-dessus des rideaux et Pépito le regardait. Viendrait-il déjeuner chez lui ? Lui en laisserait-on la possibilité ? Il était déjà onze heures et demie. Ils allaient sans doute fouiller la maison de fond en comble et les recoins étaient pleins de vieilleries, car Jonas ne jetait rien.

Qui sait si, au point où il en était, ils n'allaient pas l'arrêter ?

Il restait à passer devant chez Le Bouc et il préféra détourner la tête, non par honte, mais pour leur éviter, à eux, de la gêne.

Car ils devaient malgré tout être gênés. Ils avaient dû s'encourager les uns les autres. Chacun, pris isolément, sauf Frédo, n'aurait pas osé se retourner si brutalement contre lui.

— *Si tu le dis, je le dis...*

Pourquoi pas, puisqu'il les avait trompés ? Il sortit les clefs de sa poche, ouvrit la porte sous laquelle il trouva un prospectus jaune du cinéma.

— Entrez, messieurs.

La boutique, qui avait reçu le soleil toute la matinée, et où l'air stagnait, était une fournaise. Deux grosses mouches noires volaient maladroitement.

— Je suppose que vous préférez que je laisse la porte ouverte ?

L'odeur des livres était plus forte que d'habitude et, pour établir un courant d'air, il alla ouvrir la porte de la cour, où un merle sautillait. Il le connaissait. Le merle venait chaque matin et n'avait pas peur de Jonas.

— Dites-moi si vous avez besoin de moi.

Ce fut Basquin qui prit la parole.

— J'aimerais d'abord visiter la chambre. Je suppose que c'est par ici ?

— Montez ! Je vous suis.

Il avait envie d'une tasse de café, mais n'osait pas demander la permission d'aller s'en préparer, à plus forte raison d'aller en boire chez Le Bouc.

La chambre était en ordre, la courtepointe bien tirée sur le lit et la toilette immaculée. En entrant, le regard de Jonas tomba tout de suite sur le peigne de Gina qui était sale et auquel des cheveux restaient accrochés. Il était tellement habitué à le voir à la même place qu'il ne l'avait pas remarqué les jours précédents et qu'il ne l'avait pas lavé.

— Il n'y a que cette chambre à coucher dans la maison ?

— Oui.

— C'est donc dans ce lit que vous dormiez tous les deux ?

— Oui.

Par la fenêtre ouverte, Jonas crut entendre des pas furtifs sur le trottoir, des chuchotements.

— Où donne cette porte ?

— Dans les cabinets.

— Et celle-ci ?

Il la poussa. Cela avait été jadis une chambre à coucher qui avait vue sur la cour, mais elle était si exiguë qu'il y avait tout juste la place pour un lit. Jonas l'utilisait comme grenier et comme arrière-boutique. On y trouvait des chaises cassées, un vieux coffre à la serrure arrachée qui datait de l'exode de Russie, un mannequin de couturière qu'il avait acheté pour Gina et dont elle ne s'était jamais servie, de la vaisselle fêlée, des livres en tas, ceux qu'il n'avait aucun espoir de vendre, et même un pot de chambre. On ne prenait jamais les poussières dans cette pièce. On n'ouvrait pas la lucarne deux fois par an et l'air sentait le renfermé, une poudre grise s'étendait sur tous les objets.

Les deux policiers échangèrent un coup d'œil. Cela devait signifier qu'on n'aurait pas pu venir ici, récemment, sans laisser de traces. Ils avaient gardé leur chapeau sur la tête et Basquin finissait une cigarette dont il alla jeter le bout dans le cabinet.

— Ce sont les vêtements ? demanda-t-il en désignant l'armoire à glace.

Jonas en ouvrit les deux portes et l'inspecteur laissa courir ses doigts sur les robes, les manteaux, puis sur les deux complets et le pardessus de Jonas.

— Elle n'avait pas d'autre manteau ?

— Non.

Dans le bas de l'armoire se trouvaient trois paires de souliers de Gina, une paire de pantoufles et une paire de souliers à lui. C'était toute leur garde-robe.

— C'est le fameux coffret ?

Il admettait ainsi que le commissaire lui avait parlé pendant que Jonas attendait dans le premier bureau.

— Voulez-vous l'ouvrir ?

Il sortit à nouveau ses clefs, posa le coffret sur le lit et en souleva le couvercle.

— Je croyais qu'il était vide, s'étonna Basquin.

— Je n'ai jamais dit ça.

Il restait en effet une cinquantaine de pochettes transparentes contenant chacune un timbre ou une carte timbrée.

— Qu'a-t-elle donc emporté ?

— Un quart environ des timbres qui se trouvaient ici. Le tout, avec les enveloppes, n'aurait pas tenu dans son sac.

— Les plus rares ?

— Oui.

— Comment a-t-elle pu les reconnaître ?

— Je les lui avais montrés. Et aussi parce qu'ils étaient au-dessus des autres, car je venais les regarder.

Les deux hommes échangèrent un coup d'œil derrière son dos et ils devaient le considérer comme un maniaque.

— Vous ne possédez pas d'arme dans la maison ?

— Non.

— Vous n'avez jamais eu de revolver ?

— Jamais.

Le policier qui accompagnait Basquin examinait le plancher, la tapisserie à fleurs bleues et roses, les rideaux bleus, comme pour y trouver des traces de sang. Il étudia avec plus de soin les alentours de la toilette et alla poursuivre son inspection dans les cabinets.

Basquin, lui, montait sur la chaise à fond de paille pour regarder au-dessus de l'armoire à glace, puis il ouvrit un à un les tiroirs de la commode.

Celui du dessus était le tiroir de Gina et tout y était en désordre, ses trois chemises de nuit, des slips, des soutiens-gorge, deux combinaisons qu'elle ne portait presque jamais, des bas, un sac à main usé, un poudrier, deux tubes d'aspirine et un appareil hygiénique en caoutchouc.

Dans le sac à main, l'inspecteur trouva un mouchoir marqué de rouge à lèvres, des pièces de monnaie, un crayon-réclame et une souche de deux cent vingt-sept francs pour un achat qu'elle avait fait à Prisunic.

Le tiroir de Jonas était mieux rangé, avec les chemises d'un côté, les pyjamas de l'autre, les chaussettes, les caleçons, les mouchoirs et les gilets de corps au milieu. Il y avait aussi un portefeuille que Gina lui avait offert pour sa fête et dont il ne se servait pas, parce qu'il le trouvait trop beau. Il sentait encore le cuir neuf et il était vide.

Enfin, le tiroir du bas contenait, pêle-mêle, tout ce qui ne trouvait pas place ailleurs, des médicaments, les deux couvertures d'hiver, une brosse à chapeau au dos en argent qu'on leur avait offerte à leur mariage, des épingles à cheveux et deux cendriers-réclame qui ne servaient pas.

Basquin n'oublia pas le tiroir de la table de nuit, où il trouva une paire de lunettes cassées, du gardénal, un rasoir, et enfin une photographie de Gina nue.

Ce n'était pas Jonas qui l'avait prise, ni qui l'avait mise là. Elle datait de bien avant leur mariage, car Gina ne devait pas avoir vingt ans et, si elle avait déjà la poitrine développée, sa taille était plus mince, ses hanches moins fortes.

— Regarde, lui avait-elle dit un jour que, par miracle, elle mettait de l'ordre dans ses affaires. Tu me reconnais ?

Les traits n'étaient pas encore très dessinés. Il est vrai que la photographie était floue. Gina se tenait au pied d'un lit, debout, dans une chambre d'hôtel, sans doute, et on sentait qu'elle ne savait que faire de ses mains.

— Tu ne trouves pas que j'étais mieux que maintenant ?

Il avait répondu non.

— Cela m'amuse de la garder, parce que cela me permet de comparer. Un jour viendra où on ne croira pas que c'est moi.

Elle se regardait dans la glace, bombant le torse, tâtant ses hanches.

— Je n'ai pas pris cette photo, s'empressa-t-il de déclarer à Basquin. Elle était beaucoup plus jeune.

L'inspecteur lui lançait une fois de plus un coup d'œil curieux.

— Je vois, dit-il.

Puis, après un regard à son collègue :

— Allons au rez-de-chaussée.

C'était un peu comme quand, dans une vente publique, on entasse les meubles et les objets les plus personnels d'une famille sur le trottoir, où les curieux viennent les tâter.

Quelle importance cela avait-il maintenant qu'on fouille sa tanière, après ce qu'on lui avait fait ?

Non seulement il n'était plus chez lui dans sa maison, mais il n'était plus chez lui dans sa peau.

8

Le merle du jardin

Au moment où, pour se rendre de la chambre à coucher à la cuisine, ils traversaient le cagibi, Jonas eut un coup d'œil machinal vers le magasin et aperçut des visages collés à la vitre, il eut même l'impression qu'un gamin, qui avait dû pénétrer dans la maison, sortait précipitamment, provoquant des éclats de rire.

Les policiers examinaient tout, le placard où on rangeait l'épicerie, la balance et le moulin à café, et à la porte duquel pendaient les balais, le contenu des armoires, le tiroir de la table, et ils étudièrent avec un soin particulier la hache à viande et les couteaux à découper comme pour y chercher des traces suspectes.

Ils allèrent dans la cour aussi, d'où Basquin désigna les fenêtres de la maison des Palestri.

— Ce n'est pas chez Gina ?

— Si.

Une des fenêtres était même celle de la chambre qu'elle occupait jeune fille et qui était devenue la chambre de Frédo.

Le cagibi prit plus de temps. Les tiroirs étaient pleins de papiers de toutes sortes, d'enveloppes bourrées de timbres, marquées de signes que l'inspecteur se faisait expliquer, et il feuilleta longuement l'album de Russie en lançant de petits coups d'œil à Jonas.

— Vous n'avez pas fait la même chose pour les autres pays, n'est-ce pas ?

Il ne pouvait que répondre non. Il savait ce qu'on en déduirait.

— Je vois que vous avez toute la série des timbres soviétiques. C'est la première fois que j'ai l'occasion d'en regarder. Comment vous les êtes-vous procurés ?

— On les trouve partout dans le commerce.

— Ah !

Les curieux ne s'éloignèrent que quand les deux hommes s'en prirent à la boutique, où ils passèrent la main derrière les rangs de livres.

— Vous avez nettoyé récemment ?

Est-ce que le fait que, pour s'occuper, il avait entrepris le grand nettoyage des rayons allait être aussi retenu contre lui ? Cela lui était indifférent. Il ne se défendait plus.

A un moment donné de la matinée, il n'aurait pas pu préciser lequel, et cela n'avait aucune importance, une cassure s'était produite. C'était comme si on avait coupé un fil, ou mieux, comme s'il avait échappé soudain aux lois de la pesanteur.

Il les voyait tous les deux, l'inspecteur et Dambois, qui faisaient leur métier en conscience, mais leurs allées et venues, leurs gestes, les paroles qu'ils prononçaient n'avaient plus rien à voir avec lui. Un petit groupe, dehors, continua à regarder la maison, et il ne jeta même pas un coup d'œil pour savoir qui le composait, ce n'était pour lui qu'une tache vivante dans le soleil.

Tout était dépassé. Il était passé de l'autre côté. Il attendait, patient, que ses compagnons eussent fini et, quand ils se décidèrent enfin à s'en aller, il retira le bec-de-cane et referma la porte à clef derrière eux.

Ce n'était plus sa maison. Les meubles, les objets restaient à leur place. Il aurait encore pu mettre la main sur chaque chose les yeux fermés, mais toute communication avait cessé d'exister.

Il avait faim. L'idée ne lui vint pas d'aller déjeuner chez Pépito. Dans la cuisine, il trouva un reste de fromage de la veille, un quignon de pain, et il se mit à manger, debout devant la porte de la cour.

A ce moment-là, il n'avait encore rien décidé, en tout cas consciemment, et c'est quand son regard s'arrêta sur une corde à linge tendue entre la maison et le mur des Chaigne que sa pensée prit une forme plus précise !

Il avait parcouru une longue route, d'Arkhangelsk jusqu'ici, en passant par Moscou, Yalta et Constantinople pour aboutir dans une vieille maison de la place du Marché. Son père était reparti. Puis sa mère.

— *Je tiens à ce qu'il reste au moins celui-ci !* avait dit Constantin Milk en désignant Jonas au moment de tenter l'aventure.

Maintenant, c'était son tour. Sa décision était prise, et pourtant il finissait son fromage et son pain en regardant la corde à linge qui était en fil d'acier tressé, puis la branche de tilleul qui dépassait du jardin des épiciers d'à côté. Un des deux fauteuils de fer, par hasard, était juste en dessous de la branche.

C'était vrai, comme il l'avait affirmé à l'inspecteur, qu'il n'avait jamais possédé d'arme et qu'il avait horreur de toute violence, au point que le bruit des pistolets d'enfants, sur la place, le faisait chaque fois sursauter.

Il réfléchissait, se demandant s'il n'avait plus rien à faire en haut, ni dans la boutique ou le cagibi.

Il n'avait plus rien à faire nulle part. On ne l'avait pas compris, ou il n'avait pas compris les autres, et ce malentendu-là, désormais, n'aurait plus aucune chance de se dissiper.

Il eut un instant l'envie de s'expliquer dans une lettre, mais c'était une dernière vanité dont il eut honte et il y renonça.

Ce ne fut pas sans peine qu'il défit les nœuds qui attachaient la corde métallique et il dut aller chercher les pinces dans le tiroir de la cuisine. Il n'était pas triste, ni amer. Il ressentait, au contraire, une sérénité qu'il n'avait pas encore connue.

Il pensait à Gina, et ce n'était déjà plus la Gina telle qu'on la voyait ou qu'elle se voyait elle-même, c'était une Gina désincarnée qui, dans son esprit, se confondait avec l'image qu'il s'était créée de sa sœur Doucia, une femme comme il n'en existe probablement pas : la femme.

Apprendrait-elle qu'il était mort à cause d'elle ? Il essayait encore de se mentir et cela le faisait rougir. Ce n'était pas à cause d'elle qu'il s'en allait, c'était à cause de lui, c'était peut-être, en réalité, parce qu'on l'avait obligé à descendre trop loin en lui-même.

Pouvait-il encore vivre après ce qu'il avait découvert de lui et des autres ?

Il monta sur le fauteuil de fer pour attacher la corde à la branche d'arbre et s'écorcha à un brin de fil métallique, le bout de son doigt saigna, qu'il suça comme quand il était petit.

Si, des fenêtres des Palestri, de la chambre qui avait été celle de Gina, on pouvait voir la porte de la cuisine, le mur mitoyen des Chaigne empêchait de plonger le regard jusqu'à l'endroit où il se tenait. Il lui restait à faire un nœud coulant et il se servit des pinces pour être sûr de sa solidité.

Une buée chaude, soudain, venait de lui monter au visage à la vue de la boucle qui pendait, et il s'essuya le front, la lèvre supérieure, eut du mal à avaler sa salive.

Il se sentait ridicule, debout sur le fauteuil de jardin, à hésiter, à trembler, pris de panique à l'idée de la douleur physique qu'il allait ressentir et surtout de l'étouffement progressif, de la lutte que son corps suspendu dans le vide engagerait sans doute contre l'asphyxie.

Qu'est-ce qui l'empêchait de vivre, en somme ? Le soleil continuerait à luire, la pluie à tomber, la place à se remplir de bruits et d'odeurs les matins de marché. Il pourrait encore se préparer du café, solitaire dans la cuisine, en écoutant les chants d'oiseaux.

Le merle, à ce moment-là, son merle, vint se poser sur la caisse où la ciboulette poussait à côté d'une touffe de thym et, en le regardant sautiller, Jonas eut les yeux pleins d'eau.

Il n'avait pas besoin de mourir. Personne ne l'y forçait. Il lui était possible, avec de la patience et un surcroît d'humilité, de s'arranger avec lui-même.

Il descendit du fauteuil de fer et se hâta soudain vers la maison pour fuir la tentation, être sûr de ne pas revenir en arrière. Ses genoux tremblaient et ses jambes étaient molles. Il frotta une allumette au-dessus du réchaud à gaz, versa de l'eau dans la bouilloire pour se préparer du café.

Il trouverait de bonnes raisons pour agir comme il le faisait. Qui sait ? Gina reviendrait peut-être un jour et aurait besoin de lui. Les gens de la place eux-mêmes finiraient par comprendre. Est-ce que Fernand Le Bouc, déjà, ne s'était pas montré gêné ?

Dans le placard à moitié obscur, il tournait le moulin à café appliqué au mur. C'était un moulin en faïence, avec un paysage de Hollande, en bleu sur fond blanc, qui représentait un moulin à vent. Il n'était jamais allé en Hollande. Lui qui, bébé, avait parcouru de si longues distances, n'avait jamais voyagé par la suite, comme s'il avait eu peur de perdre sa place au Vieux-Marché.

Il serait patient. Le commissaire, Basquin l'avait dit, était un homme intelligent.

Déjà l'odeur du café lui faisait du bien, tandis que la vapeur embuait ses verres. Il se demandait maintenant s'il aurait gardé ses lunettes pour se pendre, puis il pensait à nouveau à Doucia, se disant que c'était peut-être grâce à elle qu'il n'avait pas accompli le geste définitif.

Il n'osait pas encore retourner dans la cour pour défaire le nœud. Le réveille-matin, sur la cheminée, marquait deux heures moins dix et cela le réconfortait d'entendre le tic-tac familier.

Il s'arrangerait, éviterait de penser à certains sujets. L'envie lui venait de revoir ses timbres de Russie, comme pour se raccrocher à quelque chose, et, emportant sa tasse, il alla s'asseoir devant son bureau du cagibi.

Est-ce qu'il était lâche ? Est-ce qu'il se repentirait de n'avoir pas fait aujourd'hui ce qu'il avait décidé de faire ? Est-ce que, plus tard, si la vie lui devenait trop lourde, il en aurait encore le courage ?

Il n'y avait personne, dehors, à l'épier. La place était vide. L'horloge de Sainte-Cécile sonna deux heures et il aurait dû, pour suivre les rites, aller mettre le bec-de-cane à la porte.

Cela n'avait plus la même importance qu'avant et il avait le temps de reprendre petit à petit ses habitudes. Il ouvrit le tiroir, saisit l'album où, sur la première page, il avait collé une photographie de son père et de sa mère devant la poissonnerie. Il l'avait prise avec un appareil à bon marché qu'on lui avait donné pour Noël quand il avait onze ans. Il allait tourner la page lorsqu'une ombre se profila derrière la vitre. Une femme qu'il ne connaissait pas frappait à la porte, essayait de voir à l'intérieur, surprise de trouver la boutique fermée.

Il pensa que c'était une cliente et faillit ne pas ouvrir. C'était une femme du peuple d'une quarantaine d'années et elle avait dû avoir plusieurs enfants et travailler dur toute sa vie, car on lui voyait les déformations, la lassitude des femmes de sa sorte, vieillies avant l'âge.

La main en écran au-dessus de ses yeux, elle fouillait la pénombre de la boutique et il se leva enfin, presque par charité.

— J'avais peur qu'il n'y ait personne, dit-elle en le regardant avec curiosité.

Il murmura :

— Je travaillais.

— Vous êtes bien le mari de Gina ?

— Oui.

— C'est vrai qu'ils ont l'intention de vous arrêter ?

— Je ne sais pas.

— On me l'a dit ce matin, et je me demandais si j'arriverais trop tard.

— Asseyez-vous, dit-il en lui désignant une chaise.

— Je n'ai pas le temps. Il faut que je retourne à l'hôtel. Ils ne savent pas que je suis sortie, car j'ai pris par la porte de derrière. Les patrons, qui sont nouveaux dans le métier, se croient obligés de se montrer sévères.

Il écoutait sans comprendre.

— Je travaille comme femme de chambre à l'Hôtel des Négociants. Vous connaissez ?

C'est là qu'il avait assisté au repas de noces de la fille d'Ancel. Les murs étaient peints en faux marbre et le hall était garni de plantes vertes.

— Avant que mon mari entre à l'usine, j'ai habité ce quartier-ci, au coin de la rue Gambetta et de la rue des Saules. J'ai bien connu Gina alors qu'elle devait avoir une quinzaine d'années. C'est pourquoi, quand elle est venue à l'hôtel, je l'ai tout de suite reconnue.

— Quand est-elle allée à l'hôtel ?

— Plusieurs fois. Chaque fois que le représentant de Paris vient ici, c'est-à-dire à peu près toutes les deux semaines. Cela dure depuis des mois. Il s'appelle Thierry, Jacques Thierry, j'ai regardé son nom au registre, et il est dans les produits chimiques. Il paraît qu'il est ingénieur, bien qu'il soit encore jeune. Je parierais qu'il n'a pas trente ans. Il est marié et a deux beaux enfants, je le sais parce qu'au début il plaçait toujours une photo de sa famille sur la table de nuit. Sa femme est blonde. Son aîné, un garçon, a cinq ou six ans, comme mon plus jeune.

» J'ignore où il a rencontré Gina mais, un après-midi, je l'ai vu dans le couloir avec elle et elle est entrée dans sa chambre.

» Depuis, chaque fois qu'il vient, elle passe un moment avec lui à l'hôtel, une heure ou deux, cela dépend, et j'ignore d'autant moins ce qui se passe que c'est moi qui dois refaire le lit. Je vous demande pardon de vous dire ça, mais on prétend que vous êtes dans les ennuis et j'ai pensé qu'il était préférable que vous sachiez.

» Gina était déjà comme ça à quinze ans, si cela peut vous consoler, et j'ajoute une chose que vous ignorez peut-être, mais que je tiens de bonne source, c'est que sa mère, jadis, était pareille.

— Elle est allée à l'hôtel mercredi dernier ?

— Oui. Vers deux heures et demie. Quand on m'a raconté l'histoire, ce matin, je n'étais pas sûre du jour et je suis allée regarder au registre. Il est arrivé mardi de bonne heure et est reparti mercredi soir.

— Par le train ?

— Non. Il vient toujours en auto. J'ai compris qu'il a d'autres usines à visiter en cours de route.

— Ils sont restés longtemps ensemble, mercredi ?

— Comme d'habitude, répondit-elle en haussant les épaules.

— Quelle robe portait-elle ?

— Une robe rouge. On ne pouvait pas ne pas la voir.

Il avait voulu l'éprouver.

— Maintenant, j'aimerais mieux que mon nom ne soit pas mêlé à cette histoire car, comme je vous l'ai déjà dit, les nouveaux patrons ont leurs idées à eux. Mais, si on veut vraiment vous mettre en prison et que ce soit indispensable, je répéterai ce que je sais.

— Vous n'avez pas l'adresse de l'homme à Paris ?

— Je l'ai copiée sur un morceau de papier et je vous l'ai apportée.

Elle paraissait surprise de le voir si calme et si morne, alors qu'elle avait dû s'attendre à ce qu'il se sente soulagé.

— C'est au 27, rue Championnet. Je suppose qu'il ne l'a pas conduite chez lui. Quand je pense à sa femme, qui a l'air si fragile, et à ses enfants...

— Je vous remercie.

— Mon nom est Berthe Lenoir, pour le cas où vous auriez besoin de moi. Je préférerais qu'on ne vienne pas à l'hôtel. Nous habitons le lotissement en face de l'usine, le deuxième pavillon à gauche, celui qui a des volets bleus.

Il dit encore merci et, quand il se trouva seul, il fut plus dérouté que jamais, un peu à la façon d'un prisonnier qui, recouvrant la liberté après de longues années, ne sait qu'en faire.

Il pouvait leur fournir la preuve, à présent, qu'il ne s'était pas débarrassé de Gina et qu'il n'avait pas été jeter son corps dans le canal. Ce qui le surprenait le plus, c'est ce qu'on lui avait dit de l'homme avec qui elle était partie, car il ne correspondait pas au type qu'elle choisissait d'habitude.

Il y avait près de six mois que leur liaison durait et, pendant ce temps-là, elle n'avait pas fait une seule fugue.

Est-ce qu'elle l'aimait ? Et, lui, allait-il briser son ménage ? Pourquoi, étant donné sa situation, Gina avait-elle emporté les timbres ?

Machinalement, il avait mis son chapeau et s'était dirigé vers la porte, afin de se rendre au commissariat. Cela lui paraissait la seule chose logique à faire. Ce n'était pas agir contre Gina, à qui la police, du moment qu'il ne se plaignait pas, n'avait pas de comptes à demander. Il ne réclamerait pas ses timbres. On ne pouvait rien contre son amant non plus.

C'était une sensation curieuse de se retrouver sur le trottoir, dans le soleil qui était encore plus chaud que ce matin, et de passer devant chez Le Bouc en se disant qu'il y reviendrait.

Car rien ne l'empêchait d'y revenir. Les gens de la place apprendraient vite ce qui s'était passé et, au lieu de lui en vouloir, allaient le plaindre. Ils auraient un peu honte, au début, de l'avoir lâché si vite, mais il suffirait de quelques jours pour que tout soit à nouveau comme par le passé et pour qu'on lui lance joyeusement :

— Salut, monsieur Jonas !

Angèle lui en voudrait-elle de ne pas avoir mieux surveillé sa fille ? Avait-elle été capable de le faire, elle, avant que Gina se marie ?

Seul Frédo ne changerait pas d'attitude, mais il y avait peu de chances pour que Frédo se réconcilie avec le genre humain. Il s'en irait tôt ou tard, Dieu sait où, loin du Vieux-Marché qu'il haïssait et se sentirait aussi malheureux ailleurs.

Il faillit, tout de suite, entrer chez Fernand, comme si tout était déjà oublié, puis il se dit que c'était trop tôt et s'engagea dans la rue Haute.

Il était persuadé que Gina reviendrait, comme elle était chaque fois revenue, plus marquée, cette fois, que les autres, et qu'alors elle aurait besoin de lui.

Tout n'était-il pas à nouveau facile ? Il fallait entrer au commissariat, se diriger vers le comptoir en bois noir qui coupait la première pièce en deux.

— Je voudrais parler au commissaire Devaux, s'il vous plaît.

— De la part de qui ?

A moins que ce soit le même brigadier que ce matin qui, lui, le reconnaîtrait.

— Jonas Milk.

Car, ici, on l'appelait Milk. Peu importait, cette fois, qu'on le fasse attendre. Le commissaire serait surpris. Sa première idée serait qu'il s'était décidé à passer aux aveux.

— Je sais où est ma femme, annoncerait Jonas.

Il fournirait le nom et l'adresse de la femme de chambre et recommanderait de ne pas aller la voir à l'hôtel ; il remettrait aussi le bout de papier avec l'adresse du représentant en produits chimiques.

— Vous pouvez vérifier, mais je tiens à ce qu'ils n'aient pas d'ennuis. Peut-être Mme Thierry ne sait-elle rien et il est inutile qu'elle apprenne la vérité.

Le comprendrait-on, cette fois ? Allait-on encore le regarder comme un homme d'une autre planète ? Ou bien, enfin, accepterait-on de le considérer comme un humain pareil aux autres ?

La rue Haute, à cette heure-ci, était presque déserte. Place de l'Hôtel-de-Ville, les charrettes des marchandes des quatre-saisons avaient disparu et des pigeons picoraient entre les pavés.

Il aperçut de loin des cages d'oiseaux, en face du commissariat, mais n'entendit pas chanter le coq.

Ce matin, dans le bureau du commissaire, il s'était évanoui pour la première fois de sa vie et cela n'avait pas été une sensation désagréable : il lui avait même semblé, un instant, que son corps cessait de lui peser, comme s'il était en train de se désincarner. Au moment de perdre conscience, il avait pensé à Doucia.

Il ralentissait le pas sans s'en rendre compte. Il n'avait plus qu'une vingtaine de mètres à parcourir et il voyait distinctement les yeux ronds du perroquet sur son perchoir. Un agent sortit du commissariat et monta sur une bicyclette, peut-être pour aller porter une convocation sur du papier rugueux comme il en avait reçu une la veille.

Était-ce réellement la veille ? Cela paraissait si loin dans le passé !

N'avait-il pas vécu, depuis, presque autant que pendant le reste de son existence ?

Il s'était arrêté, à dix pas de la porte surmontée d'une lanterne bleue, et, les yeux grands ouverts, il ne regardait rien. Un gamin d'une quinzaine d'années, qui courait, le bouscula, faillit le renverser, et il rattrapa ses verres de justesse. Que serait-il arrivé s'ils s'étaient brisés sur le trottoir ?

Le marchand d'oiseaux, portant une blouse gris sombre comme les quincailliers, l'observait, se demandant peut-être s'il était malade, et Jonas fit demi-tour, traversa à nouveau la place aux petits pavés et descendit la rue Haute.

Pépito qui, la porte ouverte, balayait son restaurant, le vit passer. Le Bouc aussi. Il n'y eut qu'une petite fille très blonde, qui jouait toute seule à la poupée sous le toit d'ardoises du Vieux-Marché, à le voir retirer le bec-de-cane de sa porte.

9

Le mur du jardin

Le temps était gris et lourd. Une camionnette stationnait, deux de ses roues sur le trottoir, en face de la boutique du bouquiniste. La boulangère n'avait pas remarqué qu'il n'était pas venu, le matin, acheter ses trois croissants. Le garçon qui, la semaine précédente, avait emporté un livre sur la vie des abeilles et qui apportait ses cinquante francs, essaya d'ouvrir la porte et regarda à l'intérieur sans rien voir.

A dix heures et quart, chez Le Bouc, Ancel remarqua :

— Tiens ! On n'a pas vu Jonas ce matin.

Il avait ajouté, mais sans méchanceté :

— Crapule de Jonas !

Le Bouc n'avait rien dit.

C'est seulement à onze heures que, chez Angèle, une femme qui avait voulu entrer dans le magasin pour acheter un livre, avait questionné :

— Votre gendre est malade ?

Angèle avait riposté, penchée sur un panier d'épinards, son gros derrière en l'air :

— S'il est malade, qu'il en crève !

Ce qui ne l'avait pas empêchée de questionner :

— Pourquoi dis-tu ça ?

— C'est fermé, chez lui.

— Ils l'auraient déjà arrêté ?

Un peu plus tard, entre deux clientes, elle alla voir elle-même, colla le visage à la vitre, mais tout paraissait en ordre dans la maison, sauf que le chapeau de Jonas se trouvait sur une chaise de paille.

— Tu n'as pas vu Jonas, Mélanie ? questionna-t-elle en passant devant chez les Chaigne.

— Pas ce matin.

Quand Louis rentra, vers midi, après avoir rangé son triporteur, elle lui annonça :

— On dirait qu'ils ont arrêté Jonas.

— Tant mieux.

— Le bec-de-cane n'est pas sur la porte et on ne voit rien bouger à l'intérieur.

Louis alla boire un verre chez Le Bouc.

— Ils ont arrêté Jonas.

L'agent Benaiche était là, à boire un vin blanc.

— Qui ?

— La police, je suppose.

Benaiche fronça les sourcils, haussa les épaules, fit :

— Curieux.

Puis il vida son verre.

— Je n'ai entendu parler de rien au commissariat.

Il n'y avait que Le Bouc à paraître inquiet. Il ne dit rien mais, après quelques minutes de réflexion, il gagna l'arrière-salle où, près de la porte des lavabos, se trouvait un téléphone mural.

— Donnez-moi le commissariat de police, s'il vous plaît.

— Je le sonne.

— Le commissariat de police écoute.

Il reconnut la voix du brigadier.

— C'est vous, Jouve ?

— Qui est à l'appareil ?

— Le Bouc. Dites donc, c'est vrai que vous avez arrêté Jonas ?

— Le bouquiniste ?

— Oui.

— Je n'ai rien entendu à son sujet ce matin. Mais ce n'est pas moi qui m'en occupe. Attendez un instant.

Sa voix fit, un peu plus tard :

— Personne d'ici ne sait rien. Le commissaire est allé déjeuner, mais Basquin, qui est là, serait au courant.

— Sa porte est fermée.

— Et alors ?

— Je ne sais pas. Personne ne l'a vu ce matin.

— Il vaudrait mieux que je vous passe l'inspecteur. Ne quittez pas.

Et, bientôt, c'était la voix de Basquin.

— Jouve me dit qu'on n'a pas vu Jonas aujourd'hui ?

— Oui. Sa boutique est fermée. Rien ne bouge à l'intérieur.

— Vous pensez qu'il serait parti ?

Ce n'était pas ce que Fernand avait dans la tête, mais il préféra ne pas émettre d'opinion.

— Je ne sais pas. Cela me paraît curieux. C'est un drôle d'homme.

— Je viens.

Quand il arriva, dix minutes plus tard, plusieurs personnes sortirent du bar pour s'approcher de la boutique de Jonas.

L'inspecteur frappa à la porte, d'abord normalement, puis de plus en plus fort, cria enfin, la tête levée vers la fenêtre ouverte du premier étage :

— Monsieur Jonas !

Angèle, qui s'était approchée, n'avait pas son mordant habituel. Louis, chez Fernand, buvait deux verres de *grappa* coup sur coup en grommelant :

— Je parie qu'il s'est terré dans un coin.

Il n'y croyait pas. Il crânait, de l'inquiétude dans ses yeux bordés de rouge.

— Il y a un serrurier dans les environs ? questionna Basquin qui avait en vain secoué la porte.

— Le vieux Deltour. Il habite rue...

Mme Chaigne coupa la parole à celle qui parlait.

— Ce n'est pas la peine de forcer la porte. Il n'y a qu'à passer par le mur de la cour en montant sur une chaise. Suivez-moi, monsieur l'inspecteur.

Elle le conduisit à travers le magasin, puis la cuisine où mijotait un pot-au-feu, jusqu'à la cour encombrée de tonneaux et de caisses.

— C'est au sujet de Jonas ! cria-t-elle, en passant, à son mari qui était dur l'oreille.

Puis :

— Tenez ! Un tonneau fera encore mieux l'affaire qu'une chaise.

Elle restait debout, en tablier blanc, les mains aux hanches, à regarder l'inspecteur qui se hissait sur le mur.

— Vous pouvez redescendre de l'autre côté ?

Il ne répondit pas tout de suite, car il venait de découvrir le petit homme d'Arkhangelsk pendu à la branche qui surplombait sa cour. La cuisine était ouverte, avec, sur la toile cirée de la table, une tasse dans laquelle restait un fond de café et un merle franchit la porte, venant de l'intérieur de la maison, s'envola jusqu'au plus haut du tilleul où il avait son nid.

Golden Gate, Cannes, le 29 avril 1956.

MAIGRET S'AMUSE

1

Le commissaire à la fenêtre

Le petit vieux à barbichette sortait à nouveau de l'ombre de l'entrepôt, à reculons, regardait à gauche et à droite, avec un geste des deux mains comme pour attirer vers lui le lourd camion dont il dirigeait la manœuvre. Ses mains disaient :

— Un peu à droite... Là... Tout droit... Doucement... A gauche... maintenant... Braquez...

Et le camion, en marche arrière aussi, traversait maladroitement le trottoir, s'engageait dans la rue où le petit vieux, maintenant, faisait signe aux voitures de s'arrêter un instant.

C'était le troisième camion qui sortait ainsi, en une demi-heure, du vaste hall au fronton duquel on lisait : *Catoire et Potut, Métaux,* des mots familiers à Maigret, puisqu'il les avait chaque jour sous les yeux depuis plus de trente ans.

Il était à sa fenêtre, boulevard Richard-Lenoir, à fumer une pipe à bouffées lentes, sans veston, sans cravate, et, derrière lui, dans la chambre, sa femme commençait à faire le lit.

Il n'était pas malade, et c'était là l'extraordinaire, car il était dix heures du matin et on n'était même pas dimanche.

D'être à la fenêtre, au beau milieu de la matinée, à observer vaguement le va-et-vient de la rue, à suivre des yeux les camions qui entraient et sortaient de l'entrepôt d'en face lui donnait une sensation qui le reportait à certains jours de son enfance, quand sa mère vivait encore et qu'il n'allait pas à l'école, à cause d'une grippe, ou parce que la classe était fermée. La sensation, en quelque sorte, de découvrir « ce qui se passait quand il n'était pas là ».

C'était déjà le troisième jour, le second si on ne comptait pas le dimanche, et il continuait à éprouver un ravissement mêlé de malaise vague.

Il faisait des quantités de découvertes, s'intéressait non seulement aux mouvements du petit vieux à barbiche qui présidait à la sortie des camions mais, par exemple, au nombre de clients qui pénétraient dans le bistrot d'à côté.

Il lui était déjà arrivé de passer la journée dans son appartement. Presque toujours, c'était parce qu'il était malade et il était dans son lit ou dans un fauteuil.

Cette fois, il n'était pas malade. Il n'avait rien à faire. Il pouvait employer son temps à sa guise. Il apprenait le rythme des journées de sa femme, par quoi elle commençait son travail, à quel moment elle allait de la cuisine à la chambre et comment elle enchaînait ses gestes.

Du coup, elle lui rappelait sa mère vaquant à son ménage pendant que, là-bas aussi, il traînait à la fenêtre.

Comme elle, Mme Maigret lui disait :

— Maintenant, tu devrais passer à côté, que je puisse balayer.

Jusqu'à l'odeur de cuisine qui changeait, qui était ce matin l'odeur du fricandeau à l'oseille.

Il redevenait attentif, comme un enfant, à certains jeux de lumière, à la progression, sur le trottoir, de la ligne d'ombre et de soleil, à la déformation des objets dans l'atmosphère frémissante d'une journée chaude.

Cela durerait encore dix-sept jours.

Pour que cela arrive, il avait fallu bien des hasards et des coïncidences. Et d'abord qu'au mois de mars il ait souffert d'une assez méchante bronchite. Il s'était relevé trop tôt, comme toujours, parce que le travail pressait Quai des Orfèvres. Il avait dû s'aliter à nouveau et on avait craint un moment une pleurésie.

Les beaux jours avaient eu raison de son mal, mais il était resté anxieux, maussade, mal dans sa peau. Il lui semblait soudain qu'il était un vieil homme et que la maladie, la vraie, celle qui vous amoindrit pour le reste de vos jours, le guettait au tournant.

Il n'en avait rien dit à sa femme, et cela l'irritait de la voir l'observer à la dérobée. Un soir, il était allé voir son ami Pardon, le docteur de la rue Picpus chez qui ils avaient l'habitude de dîner une fois par mois.

Pardon l'avait longuement examiné, l'avait même, par acquit de conscience, envoyé chez un spécialiste du cœur.

Les toubibs n'avaient rien trouvé, sinon une tension artérielle un peu élevée, mais ils étaient tombés d'accord sur la même recommandation :

— Vous devez prendre des vacances.

Depuis trois ans, il n'avait pas connu de vraies vacances. Chaque fois qu'il était sur le point de partir, une affaire survenait, dont il était obligé de s'occuper et, une fois qu'il était déjà arrivé chez sa belle-sœur, en Alsace, il avait reçu, le premier jour, un coup de téléphone affolé pour le rappeler à Paris.

— Entendu, avait-il promis, bougon, à son ami Pardon. Cette année, je prendrai des vacances, quoi qu'il arrive.

En juin, il en avait fixé la date : le 1er août. Sa femme avait écrit à sa sœur. Celle-ci, qui habitait Colmar avec son mari et ses enfants, possédait un chalet au col de la Schlucht, où les Maigret étaient allés assez souvent et où la vie était agréable et reposante.

Hélas ! Charles, le beau-frère, venait de recevoir sa nouvelle voiture et avait décidé d'emmener sa famille visiter l'Italie.

Combien de soirs avaient-ils passés, Mme Maigret et lui, à discuter de l'endroit où ils iraient ? Ils avaient d'abord pensé aux bords de la Loire, où Maigret pourrait pêcher, puis à l'*Hôtel des Roches Noires,* aux Sables-d'Olonne, où ils avaient passé d'excellentes vacances. Ils avaient opté enfin pour les Sables. Mme Maigret avait écrit dans la dernière semaine de juin et on lui avait répondu que toutes les chambres étaient retenues jusqu'au 18 août.

Le hasard avait en fin de compte provoqué la décision du commissaire. Un samedi soir, au milieu de juillet, il avait été appelé, vers sept heures du soir, à la gare de Lyon, pour une affaire sans grande importance. Du Quai des Orfèvres à la gare, dans une des autos de la P.J., il avait mis une demi-heure, tant les voitures formaient une masse compacte.

On annonçait huit trains supplémentaires et la foule, dans le hall, sur les quais, partout, avec des valises, des malles, des baluchons, des enfants, des chiens et des cannes à pêche, évoquait un exode.

Tout cela s'en allait à la campagne ou à la mer, envahirait le moindre hôtel, la plus humble auberge, sans compter ceux qui planteraient leur tente dès qu'ils découvriraient un espace disponible.

L'été était chaud, Maigret était rentré chez lui harassé, comme si c'était lui qui s'était enfourné dans un train de nuit.

— Qu'est-ce que tu as ? avait demandé sa femme qui, depuis sa bronchite, restait attentive.

— Je commence à me demander si nous irons en vacances.

— Tu oublies ce que Pardon a dit ?

— Je n'oublie pas.

Il imaginait avec terreur les hôtels, les pensions de famille bourrés de pensionnaires.

— Ne ferions-nous pas mieux de passer nos vacances à Paris ?

Elle avait d'abord cru qu'il plaisantait.

— Nous ne nous promenons pour ainsi dire jamais à Paris ensemble. C'est à peine si, une fois la semaine, nous trouvons le temps d'aller jusqu'au premier cinéma venu des Boulevards. En août, la ville, vide, sera à nous.

— Et ton premier soin sera de te précipiter Quai des Orfèvres pour t'occuper de je ne sais quelle affaire !

— Je jure que non.

— Tu dis ça.

— On irait tous les deux à l'aventure, dans des quartiers où nous ne mettons jamais les pieds, déjeunant et dînant dans des petits restaurants amusants...

— Te sachant ici, la P.J. te téléphonera à la première occasion.

— La P.J. ne le saura pas, ni personne, et je nous inscrirai au service des abonnés absents.

L'idée le séduisait réellement et avait fini par séduire sa femme. Le téléphone, dans la salle à manger, était donc muet, autre détail auquel il était difficile de s'habituer. Deux fois, il avait tendu la main vers l'appareil avant de se rappeler qu'il n'en avait pas le droit.

Officiellement, il n'était pas à Paris. Il était aux Sables-d'Olonne.

C'était l'adresse qu'il avait fournie à la P.J. et, si un message urgent arrivait là-bas, on le lui ferait suivre.

Il avait quitté le Quai des Orfèvres le samedi soir et tout le monde le croyait parti pour le bord de la mer. Le dimanche, ils n'étaient sortis que vers la fin de l'après-midi pour dîner dans une brasserie de la place des Ternes, loin de chez eux, comme pour se dépayser.

Le lundi matin, vers dix heures et demie, Maigret était descendu jusqu'à la place de la République, pendant que sa femme finissait le ménage, et avait lu ses journaux à une terrasse à peu près déserte. Ils avaient déjeuné ensuite à La Villette, avaient dîné chez eux et étaient allés au cinéma.

Ils ne savaient encore, ni l'un ni l'autre, ce qu'ils feraient aujourd'hui mardi, sinon qu'ils mangeraient le fricandeau à la maison puis que, sans doute, ils s'en iraient à l'aventure.

C'était un rythme de vie auquel il fallait s'habituer, car cela paraissait étrange de n'être pas poussé par des nécessités, de n'avoir pas à compter les heures, les minutes.

Il ne s'ennuyait pas. A vrai dire, il avait tout juste un peu honte de ne rien faire. Sa femme s'en rendait-elle compte ?

— Tu ne vas pas chercher tes journaux ?

Une habitude se créait déjà. A dix heures et demie, il irait chercher ses journaux, probablement les lire à la même terrasse de la place de la République. Cela l'amusa. En somme, il venait à peine d'échapper à des contraintes qu'il s'en créait de nouvelles.

Il quitta la fenêtre, mit une cravate, des chaussures, chercha son chapeau.

— Tu n'as pas besoin de rentrer avant midi et demi.

Même pour elle, il n'était plus tout à fait Maigret, maintenant qu'il n'allait pas au Quai des Orfèvres et, une fois de plus, il pensa à sa mère lui lançant :

— Va jouer une heure, mais rentre pour déjeuner.

Jusqu'à la concierge qui le regardait avec un étonnement non dénué de reproche. Un homme grand et fort a-t-il le droit d'errer ainsi sans rien faire ?

Une arroseuse municipale passait lentement et il regarda, comme un spectacle inédit, l'eau gicler d'une multitude de petits trous et s'étaler ensuite sur la chaussée.

Les fenêtres, au Quai, devaient être grandes ouvertes sur le spectacle de la Seine. La moitié des bureaux était vide. Lucas était à Pau, où il avait de la famille, et ne rentrerait que le 15. Torrence, qui venait d'acheter une voiture d'occasion, visitait la Normandie et la Bretagne.

Il n'y avait presque pas de circulation, fort peu de taxis. La place de la République paraissait figée comme sur une carte postale et seul un car de touristes y apporta quelque animation.

Il s'arrêta au kiosque, acheta tous les journaux du matin qu'il avait l'habitude de trouver sur son bureau et de parcourir avant de se mettre au travail.

Maintenant, il avait le temps de les lire et, la veille, il avait même lu un certain nombre de petites annonces.

Il s'installa à la même terrasse, à la même place, commanda de la bière et, après avoir retiré son chapeau et s'être éponger le front, car il faisait déjà chaud, il déploya un premier journal.

Les deux plus gros titres concernaient les événements internationaux et un grave accident de la route qui avait fait huit morts, car un autocar était tombé dans un ravin du côté de Grenoble. Tout de suite, son regard s'arrêta sur un autre titre, dans le coin droit de la page.

Un cadavre dans un placard

Si ses narines ne frémirent pas, il n'en ressentit pas moins une certaine excitation.

La P.J. entoure d'un certain mystère une découverte macabre qui a été faite hier matin, lundi, dans l'appartement d'un médecin connu, boulevard Haussmann.

Ce médecin serait actuellement sur la Côte d'Azur avec sa femme et sa fille.

En prenant son service hier matin, après avoir passé le dimanche en famille, la bonne aurait été frappée par une odeur suspecte et, ouvrant un placard, d'où cette odeur semblait provenir, elle aurait découvert le cadavre d'une jeune femme.

Contrairement à la tradition, la Police Judiciaire se montre fort avare de renseignements, ce qui laisse supposer qu'elle attache à cette affaire une importance exceptionnelle.

Le docteur J..., dont il s'agit, a été rappelé d'urgence et un autre médecin, qui le remplace pendant ses vacances, se trouverait compromis.

Nous espérons, demain, être en mesure de fournir des détails sur cette étrange histoire.

Maigret déploya les deux autres journaux du matin qu'il avait achetés.

L'un d'eux avait raté l'information. L'autre, renseigné trop tard, la résumait en quelques lignes, mais sous un titre en caractères gras.

Un cadavre chez le docteur

La Police Judiciaire enquête depuis hier au sujet d'une affaire qui pourrait devenir une nouvelle affaire Petiot, à la différence que, cette fois, deux médecins au lieu d'un seul paraissent en cause. Le cadavre d'une jeune femme a été trouvé, en effet, dans le cabinet d'un praticien bien connu du boulevard Haussmann mais, jusqu'ici, nous n'avons pas été à même d'obtenir de plus amples renseignements.

Maigret se surprit à grommeler :
— Idiot !
Ce n'était pas aux journalistes qu'il en avait mais à Janvier, sur

qui, pour la première fois, pesaient les responsabilités du service. Il y avait longtemps que l'inspecteur attendait cette occasion-là car, lors des précédentes vacances de Maigret, il se trouvait toujours un inspecteur plus ancien pour remplacer le commissaire.

Cette année, pour près de trois semaines, il était le patron et Maigret avait à peine quitté le Quai qu'une affaire éclatait, importante, à en juger par le peu que les journaux en disaient.

Or, déjà, Janvier avait commis une première faute : il s'était mis les journalistes à dos. C'était arrivé à Maigret aussi de leur cacher des informations, mais il y mettait un certain moelleux et, en ne leur disant rien, il avait encore l'air de leur faire des confidences.

Son premier mouvement fut pour se rendre à la cabine et téléphoner à Janvier. Il se rappela à temps qu'il était officiellement aux Sables-d'Olonne.

La découverte du cadavre, selon les journaux, datait de la veille au matin. La police avait été saisie immédiatement de l'affaire, ainsi que le Parquet. Normalement, les feuilles du lundi après-midi auraient dû publier l'information.

Quelqu'un, en haut lieu, était-il intervenu ? Ou Janvier avait-il pris sur lui de faire le silence ?

« *Un médecin connu du boulevard Haussmann...* » Maigret connaissait le quartier et, quand il était arrivé à Paris, c'était peut-être celui qui l'avait le plus impressionné par ses immeubles calmes et élégants, ses portes cochères laissant voir d'anciennes écuries au fond des cours, l'ombre douce des marronniers et les limousines qui stationnaient le long des trottoirs.

— Voulez-vous me donner un jeton ?

Pas pour téléphoner au Quai, puisque cela lui était interdit, mais pour appeler Pardon, qui avait séjourné à la mer en juillet et qui, seul, était au courant des vacances parisiennes de Maigret.

Pardon était à son cabinet.

— Dites-moi, est-ce que vous connaissez un docteur J... qui habite le boulevard Haussmann ?

Le médecin avait eu le temps de lire le journal, lui aussi.

— Je me suis posé la question en prenant mon petit déjeuner. J'ai cherché dans l'annuaire médical. Je suis assez intrigué. Il s'agirait en effet d'un médecin de valeur, le docteur Jave, ancien interne des hôpitaux, qui a une grosse clientèle.

— Vous le connaissez ?

— Je l'ai rencontré deux ou trois fois mais, depuis plusieurs années, je l'ai perdu de vue.

— Quel genre d'homme ?

— Sur le plan professionnel ?

— D'abord, oui.

— Un praticien sérieux, qui connaît son affaire. Il doit avoir une quarantaine d'années, peut-être quarante-cinq. Il est bel homme. Tout ce qu'on pourrait lui reprocher, pour autant que cela soit un défaut, c'est de s'être spécialisé dans la clientèle mondaine. Ce n'est pas sans raison qu'il s'est installé boulevard Haussmann. Je suppose qu'il gagne beaucoup d'argent.

— Marié ?

— On le dit dans le journal. Je n'étais pas au courant. Dites donc, Maigret, j'espère que vous n'allez pas courir au Quai pour vous occuper de ça ?

— Je vous le promets. Et l'autre médecin auquel on fait allusion ?

— Je n'ai pas été le seul, ce matin, à téléphoner à des confrères. C'est assez rare qu'une affaire de ce genre se produise dans notre profession et nous sommes aussi curieux que des concierges. Comme la plupart des médecins qui partent en vacances, Jave a pris un jeune remplaçant pour le temps de son absence. Je ne le connais pas personnellement et je ne pense pas l'avoir rencontré. Il s'agit d'un certain Négrel, Gilbert Négrel, qui a une trentaine d'années et est un des assistants du professeur Lebier. Ceci est une référence, car Lebier passe pour choisir ses collaborateurs avec soin et pour être difficile à vivre.

— Vous êtes très occupé ?

— Tout de suite ?

— D'une façon générale.

— Moins que d'habitude, la plupart de mes patients étant en congé. Pourquoi demandez-vous ça ?

— J'aimerais que vous essayez d'obtenir le plus de renseignements possible sur ces deux toubibs-là.

— Vous n'oubliez pas que vous êtes en vacances, par ordre de la Faculté ?

— Je promets de ne pas mettre les pieds Quai des Orfèvres.

— Ce qui ne vous empêche pas de vous occuper de l'affaire en amateur. C'est ça ?

— A peu près.

— Bon. Je donnerai quelques coups de téléphone.

— On pourrait peut-être se voir ce soir ?

— Pourquoi ne venez-vous pas dîner à la maison avec votre femme ?

— Non. C'est moi qui vous invite, avec la vôtre, dans un bistrot quelconque. Nous irons vous prendre vers huit heures.

Du coup, Maigret n'était plus tout à fait le même homme que le matin. Il avait cessé de rêvasser et de se sentir comme un petit garçon qui ne va pas à l'école.

Il alla reprendre sa place à la terrasse, commanda un autre demi et pensa à Janvier qui devait être terriblement excité. Est-ce que Janvier avait tenté de lui téléphoner aux Sables-d'Olonne pour lui demander conseil ? Sans doute que non. Il avait à cœur de mener, tout seul, l'affaire à bien.

Le commissaire avait hâte d'en savoir davantage mais, à présent qu'il n'était plus dans la coulisse, il lui fallait, comme le public, attendre les journaux de l'après-midi.

Quand il rentra pour déjeuner, sa femme le regarda en fronçant les sourcils, flairant déjà quelque chose.

— Tu as rencontré quelqu'un ?

— Personne. J'ai seulement téléphoné à Pardon. Nous les emmenons dîner ce soir dans un bistrot, je ne sais pas encore lequel.

— Tu ne te sens pas bien ?

— Je suis en pleine forme.

C'était vrai. L'entrefilet du journal venait de donner un sens à ses vacances et il n'était pas tenté d'aller, à son bureau, prendre l'affaire en main. Pour une fois, il n'était qu'un spectateur et il trouvait la situation amusante.

— Qu'est-ce que nous faisons cet après-midi ?

— Nous irons nous promener boulevard Haussmann et dans le quartier.

Elle ne protesta pas, ne lui demanda pas pourquoi. Ils avaient tout le temps de manger sans regarder l'heure, devant la fenêtre ouverte, ce qui ne leur arrivait pas souvent. Même les bruits de Paris n'étaient pas les mêmes que d'habitude. Au lieu de former une symphonie confuse, les sons, plus rares, devenaient distincts, on entendait un taxi tourner le coin de telle rue, un camion s'arrêter devant telle maison.

— Tu ne fais pas la sieste ?

— Non.

Pendant qu'elle s'occupait de la vaisselle, puis s'habillait, il descendait à nouveau pour aller acheter les journaux du soir. L'affaire avait acquis le droit aux plus gros titres.

> *Une nouvelle affaire Petiot*
> *Une femme morte dans un placard*
> *Deux médecins sur la sellette*

Le meilleur des articles, signé du petit Lassagne, un des reporters les plus débrouillards, disait :

Une affaire criminelle, qui ne manquera pas d'avoir un certain retentissement et qui réserve des surprises, vient d'éclater dans un des quartiers les plus élégants de Paris, boulevard Haussmann, entre la rue de Miromesnil et la rue de Courcelles.

Malgré la mauvaise volonté qu'apporte la police à fournir des informations, nous avons pu, grâce à notre enquête personnelle, découvrir les détails suivants.

Boulevard Haussmann donc, au 137 bis, habitent, depuis cinq ans, au troisième étage, le docteur Philippe Jave, âgé de quarante-quatre ans, ainsi que sa femme et leur fillette de trois ans.

Les Jave occupent un des deux appartements de l'étage, l'autre étant réservé pour le salon d'attente et les luxueux cabinets de consultation, car la clientèle du médecin est des plus élégantes et la plupart de ses patients figurent au Bottin mondain.

Le 1er juillet, les Jave, accompagnés de la nurse de l'enfant, quittaient

Paris pour un séjour de six semaines à Cannes, où ils avaient loué la villa Marie-Thérèse.

A la même date, un jeune médecin, le docteur Négrel, prenait la place de son confrère aux heures de consultation.

D'habitude, outre la nurse, Mlle Jusserand, les Jave ont deux domestiques, mais l'une d'elles, dont les parents habitent la Normandie, a pris ses vacances en même temps que ses patrons et seule Josépha Chauvet, âgée de cinquante et un ans, est restée à Paris.

Les pièces d'habitation étant inoccupées, elle n'avait à assumer que l'entretien des locaux professionnels.

Le docteur Négrel, qui est célibataire et vit en meublé rue des Saints-Pères, venait chaque matin à neuf heures, prenait note des appels téléphoniques, faisait ses visites en ville, déjeunait dans un restaurant et, à deux heures, revenait boulevard Haussmann pour les consultations.

Vers six heures, il était libre à nouveau et Josépha Chauvet en profitait pour se rendre chez sa fille, qui habite le quartier, rue Washington, où elle passait presque toutes ses nuits.

Que s'est-il passé ? A cause du mutisme de la police, il nous est difficile de reconstituer la chaîne des événements, mais un certain nombre de faits sont acquis.

Samedi dernier, le docteur Négrel a quitté le cabinet du boulevard Haussmann à cinq heures et demie, alors que Josépha s'y trouvait toujours. Au cours de l'après-midi, il avait reçu une demi-douzaine de clients et de clientes et nul, dans l'immeuble, n'a remarqué d'allées et venues anormales.

Dimanche, le docteur Négrel s'est rendu chez des amis à la campagne tandis que Josépha passait la journée avec sa fille rue Washington pour ne rentrer que lundi matin à huit heures.

Elle a commencé, comme d'habitude, par passer le salon d'attente à l'aspirateur électrique, puis elle a pénétré dans le bureau qui précède le cabinet de consultation.

Ce n'est qu'en arrivant dans cette troisième pièce qu'elle a été frappée par une odeur anormale, fade et écœurante, a-t-elle déclaré, mais elle ne s'est pas inquiétée tout de suite.

Quelques minutes avant neuf heures enfin, intriguée, elle a ouvert la porte d'une quatrième pièce, de dimensions plus restreintes, transformée en laboratoire. C'est de là que provenait l'odeur, plus exactement d'un des placards.

Celui-ci était fermé à clef. La clef n'était pas dans la serrure. Comme Josépha examinait le placard, elle a entendu des pas derrière elle et, en se retournant, a aperçu le docteur Négrel qui arrivait.

A-t-il eu un sursaut ? A-t-il pâli ? Les témoignages indirects que nous avons recueillis sont contradictoires. Il lui aurait dit :

— Qu'est-ce que vous faites là ?

Elle aurait répondu :

— Vous ne sentez pas ?

Elle aurait alors parlé d'un rat mort.

— Le docteur Jave ne vous a pas laissé les clefs ?

Nous ne faisons, bien entendu, que reconstituer les faits de notre mieux. Quelques minutes plus tard, Josépha sortait de l'immeuble pour aller chercher un serrurier, rue de Miromesnil, et revenait ensuite avec lui.

Maigret se demandait, en lisant, où le petit Lassagne avait puisé ces détails. Ce n'était pas Josépha qui avait parlé, il en aurait juré. Encore moins le docteur Négrel. La concierge ? C'était possible. Peut-être aussi, par la suite, le serrurier ?

Il continua :

Lorsque la porte du placard fut ouverte, le spectacle qui s'offrit fut celui d'un corps de femme entièrement nu, qu'on avait dû plier en deux pour le faire tenir dans l'espace assez exigu.

En l'absence du commissaire Maigret, en vacances, ce fut l'inspecteur Janvier qui arriva sur les lieux, suivi par le médecin légiste et le Parquet, tandis que la presse, pour des raisons que nous ne comprenons pas encore, était tenue dans l'ignorance.

L'identification du corps n'a causé aucune difficulté, puisqu'il s'agit de Mme Jave elle-même, que tout le monde croyait à Cannes.

En dehors d'une ecchymose à la tempe droite, qui pourrait avoir été provoquée par une chute, le cadavre ne porte aucune trace de violence.

Le docteur Négrel prétend n'avoir vu Mme Jave ni samedi, ni aucun autre jour depuis le départ du docteur Jave et de sa femme, le 1er juillet, pour Cannes.

Josépha aurait fait la même déclaration.

Comment la jeune femme a-t-elle été tuée ? Quand ? Nous croyons savoir que le médecin légiste ferait remonter la mort à samedi.

Dès lundi midi, le docteur Jave, alerté par téléphone, prenait, à Nice, l'avion de Paris.

Il a passé la nuit, ainsi que le docteur Négrel, Quai des Orfèvres. Rien n'a transpiré des déclarations que les deux hommes auraient pu faire.

Ce matin encore, on a refusé, à la Police Judiciaire, de nous dire si l'un ou l'autre des deux hommes se trouve en état d'arrestation.

C'est le juge Coméliau qui est chargé de l'instruction et il est plus muet encore que l'inspecteur Janvier.

Notre correspondant de Cannes a tenté de prendre contact avec la nurse, Mlle Jusserand, restée là-bas avec l'enfant, mais il lui a été impossible de pénétrer dans la villa qui a reçu deux fois déjà la visite de la Brigade Mobile.

Cette affaire, comme on le voit, est une des plus mystérieuses de ces dernières années et il faut s'attendre à des coups de théâtre.

Qui a tué Mme Jave ? Pourquoi ? Et pourquoi a-t-on enfermé son corps entièrement nu dans un placard, derrière le cabinet de consultation de son mari ?

En attendant les rebondissements qui ne manqueront pas de se produire, nous sommes à même de fournir quelques informations sur les personnages mêlés à cette histoire.

Le docteur Philippe Jave, né à Poitiers, est âgé de quarante-quatre ans et, après de brillantes études à l'École de Médecine de Paris, a été interne des hôpitaux.

Jusqu'à son mariage, il était installé à Issy-les-Moulineaux, où son cabinet était des plus modestes et sa clientèle composée principalement d'ouvriers des usines voisines.

Voilà cinq ans, il a épousé Éveline Le Guérec, de seize ans plus jeune que lui, qui avait donc vingt-huit ans au moment de sa mort.

Les Le Guérec possèdent, à Concarneau, une usine de conserves et la marque de sardines « Le Guérec et Laurent » est bien connue des ménagères.

Aussitôt après le mariage, le jeune ménage s'est installé boulevard Haussmann, dans un luxueux appartement, et le docteur Jave n'a pas tardé à devenir un des médecins les plus demandés de la capitale.

Deux ans plus tard, le père Le Guérec mourait, laissant l'affaire de Concarneau à son fils Yves et à sa fille.

Les Jave ont une fillette de trois ans, Michèle.

Quant au docteur Négrel, c'est, lui aussi, un brillant sujet. Agé de trente ans, il est célibataire et il occupe toujours, rue des Saints-Pères, sa chambre d'étudiant, où il vit modestement.

Il n'a pas installé de cabinet et travaille avec le professeur Lebier. C'est la première fois qu'il acceptait, pendant les vacances, de remplacer un de ses confrères.

Nous avons essayé de savoir si les Jave et le docteur Négrel entretenaient, avant ce remplacement, des relations amicales, mais nous n'avons pas obtenu de réponse.

On se heurte, partout, que ce soit au Quai des Orfèvres, boulevard Haussmann ou auprès du corps médical, à un étrange mutisme.

La concierge n'est pas plus loquace et se contente d'affirmer qu'elle ignorait la présence de Mme Jave dans la maison.

Notre correspondant sur la Côte d'Azur a pourtant obtenu un résultat, encore qu'assez maigre. A l'aérodrome de Nice, on aurait vu une passagère répondant au signalement de Mme Jave prendre l'avion de 9 h 15, samedi matin, avion qui arrive à Orly à 11 h 15. La compagnie de navigation aérienne refuse de confirmer si oui ou non elle figure sur la liste des passagers.

A l'heure où nous mettons sous presse, le docteur Paul procède à l'autopsie.

Quand Maigret rentra chez lui, il découpa soigneusement l'article et le glissa dans une chemise de papier bulle, comme il le faisait au Quai quand il ouvrait un dossier.

Seulement, Quai des Orfèvres, ses dossiers contenaient des documents originaux, authentiques, alors qu'ici il devait se contenter des articles plus ou moins romancés des journaux.

— Tu es prête, madame Maigret ?

Elle surgit de la chambre, en robe de coton clair, un petit chapeau blanc sur la tête, gantée de blanc, et, tandis qu'ils suivaient le trottoir bras dessus bras dessous, ils avaient vraiment l'air d'un couple en vacances.

— On dirait que tu commences à t'amuser, remarqua-t-elle après un coup d'œil en coin.

Il ne répondit pas mais il souriait, non en pensant à la pauvre Mme Jave, mais en évoquant Janvier aux prises avec cette affaire qu'il devait avoir tant à cœur de mener à bien tout seul.

2

Le dîner du Père Jules

— Calvados pour tout le monde ? demanda-t-il en tirant sa pipe de sa poche, au moment où la serveuse en tablier blanc apportait le café.

Il comprit le coup d'œil que sa femme lui lançait, celui qu'elle lançait ensuite, plus furtivement, à Pardon. Il n'était pas ivre, ni même éméché. Il ne devait guère avoir bu plus que les autres, mais il n'en était pas moins conscient d'un certain pétillement de ses prunelles, d'une façon molle de parler qui ne lui étaient pas habituels.

Deux fois, pendant le dîner, Mme Maigret l'avait observé avec une pointe d'attendrissement, la première quand il avait commandé la friture de goujons, la seconde quand il avait réclamé ensuite une andouille grillée avec des pommes frites.

Elle avait bien reconnu le restaurant où ils n'avaient pas mis les pieds depuis vingt ans et où ils n'étaient venus, jadis, que deux fois. L'enseigne était toujours *Chez le Père Jules*. Les tables de bois avaient été remplacées par une matière plastique aux couleurs violentes et le bar, à l'intérieur, s'était modernisé. L'extraordinaire, c'est que le Père Jules était toujours là et ne semblait pas avoir vieilli, au point que, sous sa tignasse blanche, il avait l'air d'un figurant à perruque.

S'ils étaient venus à Joinville dans l'auto des Pardon, c'était Maigret qui avait choisi le restaurant, en face de l'Ile d'Amour autour de laquelle glissaient des barques et des canoës.

Il y avait, à côté, un bal dont les flonflons se mêlaient à la musique du *pick up* du restaurant. Les clients n'étaient pas nombreux et la plupart avaient tombé la veste, beaucoup étaient venus en voisins.

Maigret n'était-il pas fidèle au programme qu'il s'était tracé pour ses vacances ?

— Il y a des choses dont on parle toujours, qu'on fredonne même en musique et qu'on ne fait jamais, avait-il déclaré au début du repas. Par exemple manger une friture dans un bistrot des bords de la Marne.

Dites-moi, Pardon, combien de fois êtes-vous venu manger une friture
au bord de la Marne ?

Le docteur avait cherché dans sa mémoire. Cela avait amusé sa
femme, qui avait répondu :

— Une fois, quand mon mari n'avait pas encore de clientèle.

— Vous voyez ! Nous, deux fois. On projette aussi d'aller à
l'aventure, bras dessus bras dessous, dans les rues de Paris...

— Le temps, hélas ! avait soupiré Pardon.

— Eh ! bien, cette fois-ci, je le prends. Qu'est-ce que vous croyez
que nous avons fait après-midi ? Nous sommes allés par l'autobus
jusqu'à la place Saint-Augustin et, merveille des merveilles, l'autobus
était presque vide. Il n'y a pas eu un seul embouteillage. Nous avons
remonté à pied le boulevard Haussmann...

— Sans vous arrêter ?

— Sans nous arrêter.

Maigret avait regardé la maison du docteur Jave, bien sûr. Il y
avait, devant la porte cochère bien vernie, un groupe de curieux, un
agent en uniforme qui les regardait avec ennui. C'était la première fois
que, dans un pareil cas, Maigret se trouvait du côté des badauds et
cela l'avait amusé. La maison se trouvait entre un magasin de tapis
d'Orient et la vitrine d'une modiste qui devait être très chère car on ne
voyait qu'un seul chapeau à l'étalage.

C'était bien l'immeuble bourgeois, cossu, à peine vieillot, qu'il avait
imaginé.

Ensuite, ils étaient montés, à pied toujours, jusqu'à la place des
Ternes où ils avaient pris un verre à une terrasse avant de revenir par
l'avenue de Wagram et les Champs-Élysées comme des provinciaux de
passage à Paris.

— C'est magnifique ! avait conclu Maigret en composant son étrange
menu.

Il avait reçu le premier coup d'œil reconnaissant de sa femme parce
que c'était exactement le menu qu'il s'était commandé autrefois. Tout
semblait le ravir, la musique, les couples qu'on voyait entrer au bal,
les canotiers sur la Marne, la nuit qui les enveloppait peu à peu. On
sentait qu'il aurait aimé tomber la veste comme les autres mais n'osait
pas, peut-être à cause de Pardon.

Le regard de Mme Maigret à celui-ci signifiait :

— Vous voyez qu'il va mieux !

C'était vrai qu'il était détendu, comme rajeuni. Ce que les autres
ignoraient, c'est qu'il s'était fait, au printemps, plus de mauvais sang
qu'il n'avait voulu l'avouer et se l'avouer à lui-même. Il lui arrivait de
se sentir usé, fatigué pour un rien, et il s'était demandé s'il ne finirait
pas comme Bodard.

C'était un de ses collègues, des Renseignements Généraux, un honnête
homme, scrupuleux à l'excès, qui s'était trouvé soudain en butte à des
attaques injustes. Maigret l'avait défendu de son mieux mais on flairait,
derrière cette affaire, des considérations politiques assez malpropres,

des gens qui, en haut lieu, avaient besoin de la peau de Bodard pour se blanchir.

Ils avaient réussi. Bodard avait lutté pendant près de six mois, pour son honneur plutôt que pour sa situation, puis, un matin, en montant le grand escalier du Quai des Orfèvres, il s'était affaissé, mort.

C'était peut-être à cause de Bodard que Maigret s'était décidé à prendre des vacances et à s'offrir les petits plaisirs qu'il ne s'offrait jamais.

Comme ce dîner au bord de la Marne. Quand il était allé chercher les Pardon, rue Picpus, le docteur lui avait seulement annoncé :

— Jave est rentré chez lui.

— Et Négrel ? avait questionné Maigret.

— Je ne sais pas.

C'était drôle d'apprendre les nouvelles par un homme comme Pardon, qui n'était pas du métier. Ils n'en avaient plus parlé pendant le repas. Maintenant qu'on servait le calvados pour les hommes et une liqueur pour les deux femmes, celles-ci, naturellement, comme après les dîners de la rue Picpus, rapprochaient leurs chaises et se mettaient à bavarder à mi-voix.

L'air était doux, humide, avec une légère buée qui montait de la rivière.

Un couple, dans un canot, se laissait glisser au fil de l'eau en jouant des chansons tendres sur un phonographe.

— Tout à l'heure, disait Pardon, j'ai eu Deberlin au téléphone. Il se trouve qu'il a beaucoup connu Philippe Jave, avec qui il a fait l'internat, et qu'il l'a fréquenté jusqu'à ces derniers temps.

— Qu'est-ce qu'il en dit ?

— Jave, paraît-il, appartient à une famille très modeste de Poitiers. Son père était comptable dans une banque et sa mère institutrice. Le père est mort quand il était jeune et c'est la mère qui l'a élevé. Ce n'est que grâce à des bourses qu'il a pu achever ses études et sa vie d'étudiant n'a pas dû être facile.

» D'après Deberlin, Jave est un bûcheur, intelligent, renfermé, doué d'une volonté de fer. On s'attendait à le voir choisir la cardiologie, pour laquelle il était passionné, peut-être parce qu'il a vu son père mourir d'une angine de poitrine.

» Au lieu de cela, il s'est installé dans un cabinet miteux, à Issy-les-Moulineaux, et il a mené la vie éreintante de la plupart des médecins de banlieue, travaillant quatorze à quinze heures par jour.

» Il avait trente-huit ou trente-neuf ans quand il a pris des vacances à Beuzec, près de Concarneau, et où il a fait la connaissance d'Éveline.

— La demoiselle Le Guérec ?

— Oui. Ils sont apparemment tombés amoureux et il l'a épousée. Deberlin a fréquenté le ménage, boulevard Haussmann, où il a émigré presque tout de suite après le mariage. Deberlin a eu l'impression d'un couple uni.

» Éveline est plutôt jolie, mais personne ne se retournerait sur elle dans la rue. Elle a eu, dans la maison de son père, qui était veuf, une enfance sans joie. Elle était timide, effacée, avec ce que Deberlin appelle un pauvre sourire.

» Deberlin est persuadé que quelque chose clochait dans sa santé mais il ignore quoi, car Jave est un garçon discret.

» C'est à peu près tout ce que j'ai appris, sinon que les Jave ont paru enchantés d'avoir une petite fille.

» Ils sortaient assez souvent, recevaient environ une fois par semaine. Deberlin est à peu près le seul des anciens amis de Philippe à avoir continué à les voir.

— Comment avez-vous appris qu'il était rentré chez lui ?

— Par la radio, simplement.

Maigret, qui avait la radio aussi, ne pensait jamais à l'écouter.

— A l'émission de sept heures, on a annoncé que l'enquête suivait son cours et que le docteur Jave, fort abattu, était retourné boulevard Haussmann.

Ils étaient là, à la terrasse d'un bistrot de banlieue, à regarder les lumières qui se reflétaient sur la Marne et à siroter un vieux calvados. Que faisait Janvier à la même heure ? Était-il dans son bureau du Quai des Orfèvres, à recueillir des témoignages et à attendre des nouvelles de ses collègues en mission dans Paris ou ailleurs ? Faute d'avoir le temps de dîner, avait-il fait monter, selon la tradition, des sandwiches et des demis de la Brasserie Dauphine ?

Pardon dut voir une certaine nostalgie passer sur son visage car il questionna :

— Pas trop tenté ?

Maigret le regarda en face, franchement, réfléchit un instant et dit :

— Non.

C'était vrai. L'affaire du boulevard Haussmann s'annonçait comme une des plus épineuses et des plus passionnantes qu'il eût connues. Le milieu, déjà, la rendait plus délicate qu'une autre. Il est toujours difficile de s'en prendre à des gens d'une certaine société, car la moindre gaffe peut avoir des conséquences désagréables. Or, ici, il s'agissait de médecins. Certaines professions gardent, plus que d'autres, l'esprit de corps, les officiers, par exemple, ou les instituteurs, les coloniaux, ou encore, si curieux que cela paraisse, les fonctionnaires des P.T.T.

Janvier, qui poursuivait une enquête officielle, devait avoir plus de mal à se renseigner sur Jave et Négrel que Maigret lui-même, qui profitait de l'amitié de Pardon.

En outre, le pauvre Janvier était tombé sur le juge Coméliau, qui était bien le magistrat le plus désagréable à manier. Coméliau avait la terreur de la presse. Chaque article paraissant sur une affaire dont il était saisi le faisait frémir ou le mettait dans des colères bleues.

— Surtout, rien aux reporters ! recommandait-il invariablement.

Par contrecoup, pour éviter les critiques des journaux qui ont tendance à s'impatienter, il avait tendance, lui, à tenir le premier suspect venu pour coupable et à ne pas le relâcher.

Cinquante fois, cent fois dans sa carrière, Maigret lui avait tenu tête, risquant parfois sa situation.

— Qu'est-ce que vous attendez pour l'arrêter ? aboyait le petit juge à moustaches pointues.

— Qu'il se mette la corde au cou.

— Ou qu'il passe la frontière, n'est-ce pas ? C'est alors que les feuilles de choux s'en donneront à cœur joie...

Janvier n'avait pas la patience de Maigret, son air têtu ou absent quand Coméliau piquait une colère. C'est à cause de Coméliau, le commissaire en était persuadé, que l'inspecteur s'était mis les journaux à dos, dès le début de l'enquête, en refusant les renseignements les plus élémentaires.

— Rien sur Gilbert Négrel ?

— Rien de plus que ce que je vous ai déjà dit. C'est un isolé. En dehors du service du professeur Lebier, on le voit peu et je n'ai pas la moindre idée de sa vie personnelle. Il ne doit pas avoir de fortune, puisqu'il n'a pas encore songé à s'installer. A moins qu'il prépare son agrégation et se destine au professorat.

Il aurait été facile de téléphoner au docteur Paul, le médecin légiste, qui était un ami, afin de connaître les résultats de l'autopsie. De quoi Éveline Jave était-elle morte ? On ne parlait, dans les journaux, ni de revolver, ni de couteau, ni de strangulation.

Si elle avait succombé à une cause accidentelle, il n'y avait aucune raison pour plier littéralement son corps en deux et le pousser dans un placard.

— Dites-moi, Pardon, combien de temps après le décès peut-on ployer un corps ?

— Cela dépend de la rigidité cadavérique. Celle-ci dépend à son tour d'un certain nombre d'éléments, y compris la température ambiante. Une heure dans certains cas. Plusieurs heures dans d'autres.

Cela ne l'avançait pas. D'ailleurs, il ne voulait pas se passionner pour l'affaire. Il avait décidé qu'il la suivrait comme, dans toute la France, les lecteurs de journaux devaient le faire au même moment, mais sans plus.

Il n'était qu'un membre du public, pas un policier. La seule chose à le tracasser, c'était la responsabilité qui pesait sur Janvier qui, pour la première fois, avait tout le poids de la P.J. sur les épaules, au moment des vacances, alors que la moitié du personnel au moins n'était pas disponible.

— Ce qu'il faudrait savoir, avant tout, c'est si Jave était à Cannes au moment de la mort de sa femme.

C'était facile à vérifier et Janvier avait dû y penser. Seulement Maigret, lui, ne connaissait rien des résultats de l'enquête.

La réponse, il ne l'eut que le lendemain matin quand, dès huit heures, il descendit acheter les journaux. Les Pardon les avaient ramenés à leur porte vers minuit. Tout en se déshabillant, un peu plus tard, Mme Maigret avait murmuré :

— Tu me promets de ne pas aller au bureau ?

— Je le jure.

— Tu vas déjà tellement mieux, vois-tu ! Après trois jours de repos, tu es un autre homme. Si, à cause d'une femme morte, tu dois perdre le bénéfice de tes vacances...

— Je ne le perdrai pas.

Elle fut rassurée de le voir ouvrir le buffet et y prendre la bouteille de calvados.

— Une dernière goutte... murmura-t-il.

Il ne buvait pas parce qu'il était nerveux, ou découragé, ni pour se remonter, mais au contraire, ce soir, parce qu'il se sentait détendu. C'était la dernière petite joie de la journée.

Seulement, le matin, il n'attendit pas, à la fenêtre, que sa femme fasse le lit, pour descendre chercher les journaux. Ce n'était pas manquer à sa parole. Il ne s'occupait pas de l'affaire. Il la suivait, comme les autres lecteurs, ce qui n'est pas la même chose.

Les titres étaient encore plus gras que la veille et le plus frappant était :

Le dilemme des deux docteurs

Une feuille concurrente imprimait plus prudemment :

Le mystère des quatre clefs

Il est vrai que cela revenait à peu près au même. La police, semblait-il, s'était quelque peu relâchée de son mutisme, car on fournissait enfin des renseignements qui ne pouvaient provenir que du Quai des Orfèvres ou du cabinet du juge d'instruction.

D'abord un résumé, très incomplet, du rapport du médecin légiste.

L'autopsie pratiquée par le docteur Paul a révélé que l'ecchymose dont nous avons déjà parlé hier, à la tempe droite de la victime, est la suite d'un coup reçu assez peu de temps avant la mort mais ce coup n'a pas été assez violent pour provoquer le décès. Il n'a pas été porté à l'aide d'un instrument contondant. Il pourrait s'agir d'une simple chute sur le parquet ou d'un coup de poing.

Beaucoup plus énigmatique est la piqûre à la cuisse gauche d'Éveline Jave, car il ne fait aucun doute qu'elle provienne d'une seringue hypodermique.

Quel produit a été injecté ? On ne le saura qu'après examen des viscères et des tissus par les experts.

La victime n'était pas une toxicomane et ne se piquait pas elle-même car, dans ce cas, on aurait relevé des traces de piqûres plus anciennes. Son mari, en outre, est formel sur ce point...

Maigret s'était installé à la même terrasse que la veille, place de la

République, et le ciel était du même bleu uni, l'atmosphère molle et chaude.

A cause du vin et des calvados de la veille au soir, il avait commandé un café et il fumait lentement sa pipe en lisant les trois colonnes d'informations plus ou moins sensationnelles.

Le coup de théâtre, c'était l'absence de Jave à Cannes le samedi précédent et son retour dans la même ville, par le train Bleu, le dimanche matin.

On ne donnait pas le compte rendu de l'interrogatoire du médecin. Pour Maigret, qui était de la maison et savait comment les journaux interprètent les informations, il était clair qu'il y avait eu cafouillage.

Au début, Jave semblait avoir parlé d'une promenade faite en voiture, à Monte-Carlo, le samedi après-midi, et d'une nuit passée au casino de la même ville.

Par malheur pour lui, des employés de l'aéroport de Nice avaient remarqué sa voiture qui était restée en stationnement du samedi midi au dimanche à dix heures du matin.

En somme, Janvier avait bien travaillé. Maigret imaginait le nombre de coups de téléphone nécessaire pour reconstituer la chaîne.

Le samedi, à 9 h 15, Éveline Jave arrivait en taxi à l'aéroport et s'envolait pour Paris.

Une heure à peine plus tard, son mari gagnait le même aéroport, dans sa voiture, et s'informait d'un avion. Il n'y en avait pas avant midi.

Le hasard voulut qu'un *Viscount*, de la British Airways, qui avait été retardé par une panne de moteur, fût prêt à partir pour Londres. Il s'y était embarqué et, de Londres, avait trouvé immédiatement un avion pour Paris où il était arrivé à deux heures de l'après-midi.

La concierge du boulevard Haussmann, pourtant, restait formelle. Elle ne l'avait pas vu, pas plus qu'elle n'avait vu sa femme.

Cette concierge était une certaine Mme Dubois, que le reporter décrivait comme encore jeune et avenante, et qui avait un fils de dix ans. Son mari l'avait quittée quelques jours après la naissance de l'enfant et elle n'avait jamais eu de ses nouvelles.

Elle avait, ajoutait-on, passé deux heures Quai des Orfèvres et, en sortant, s'était refusée à toute déclaration.

On publiait sa photographie, mais il était difficile d'apprécier son visage qu'elle cachait de son avant-bras droit.

Maigret connaissait les immeubles du boulevard Haussmann, qui, bâtis à une même époque, sont d'un type assez semblable. Les loges de concierges y sont spacieuses, précédées d'une sorte de salon, et une double porte vitrée permet de surveiller les allées et venues.

Mme Dubois avait vu Josépha, la domestique, arriver à huit heures du matin. Elle avait vu passer le docteur Négrel à neuf heures. Elle l'avait vu redescendre à midi dix, remonter à deux heures et enfin partir à cinq heures et demie.

Étrangement, elle n'avait aperçu ni le docteur Jave, ni sa femme.

Or, celle-ci avait bien dû pénétrer dans la maison, puisqu'on l'y avait trouvée morte.

Toujours d'après le journal, Jave, mis au pied du mur, avait refusé de fournir son emploi du temps à Paris pendant l'après-midi du samedi et s'était retranché derrière le secret professionnel.

On l'avait relâché. On avait relâché le docteur Négrel aussi, aux dernières nouvelles, ce qui avait dû être un affreux cas de conscience pour le juge Coméliau.

En arrivant à l'aéroport d'Orly, à 11 h 15, Mme Jave avait pris le car d'Air-France qui l'avait déposée boulevard des Capucines. Le chauffeur se souvenait d'elle, car elle portait un tailleur blanc très Côte d'Azur qui l'avait frappé.

Le tailleur blanc avait disparu, ainsi que les chaussures assorties et le linge.

A partir du boulevard des Capucines, on ne retrouvait plus aucune trace de la jeune femme jusqu'au moment où le serrurier avait ouvert la porte du placard, le lundi à neuf heures du matin, en présence de Josépha et de Négrel.

La question des clefs ne simplifiait pas le problème. Toujours d'après les quotidiens, il existait quatre clefs, qui ouvraient à la fois la porte de l'appartement d'habitation et celle des locaux réservés au docteur. Une de ces clefs était entre les mains de Josépha, une autre entre les mains du docteur Négrel pour la durée de son remplacement. Jave avait la troisième et, enfin, la quatrième avait été confiée à la concierge.

Éveline Jave, elle, ne possédait aucune clef du boulevard Haussmann.

Cela signifiait que quelqu'un avait dû lui ouvrir la porte. A moins, bien entendu, que la concierge ait menti et lui ait confié la sienne.

Si encore le docteur Paul avait pu être plus précis sur l'heure de la mort ! Son rapport disait : « *Samedi entre quatre heures de l'après-midi et dix heures du soir.* »

A quatre heures, Négrel était encore boulevard Haussmann, ainsi que Josépha. Négrel était parti à cinq heures et demie, Josépha vers six heures, car elle n'avait rien à faire et devait dîner avec sa fille.

Jave, lui, était à Paris depuis deux heures de l'après-midi, mais avait pris le train Bleu à huit heures moins cinq à la gare de Lyon.

Le journal publiait une photographie de Josépha surprise au moment où elle sortait de chez sa fille, rue Washington. C'était une grande femme sèche, aux allures un peu masculines. Le reporter laissait entendre que la fille, Antoinette, âgée de vingt-neuf ans, n'était pas de conduite irréprochable.

La mère et la fille n'en passaient pas moins pour entretenir d'excellentes relations. Josépha avait sa chambre boulevard Haussmann, au sixième, avec les autres domestiques de l'immeuble mais aussi souvent que possible elle allait passer la nuit chez sa fille, où elle disposait d'un lit. C'était arrivé le samedi soir, et encore le dimanche.

Quand le photographe l'avait surprise, elle ne s'était pas caché le visage, comme la concierge, mais avait fixé l'appareil d'un air de défi.

La nurse, à Cannes, continuait à vivre enfermée dans la villa Marie-Thérèse avec l'enfant et c'est en vain que les reporters locaux avaient sonné à la porte.

Dernière nouvelle, au bas de la troisième colonne : Yves Le Guérec, le frère d'Éveline Jave, qui dirigeait l'usine de Concarneau, était arrivé à Paris et s'était installé à l'*Hôtel Scribe.*

Maigret finit son café, hésita à prendre autre chose, replia ses journaux et se mit à marcher autour de la place.

En général, une affaire criminelle en rappelle une ou plusieurs autres, car les raisons de tuer comme les moyens d'exécution ne sont pas si nombreux.

Or, il cherchait en vain dans sa mémoire un cas similaire. Il avait connu quatre ou cinq médecins criminels. L'un d'eux, à Toulouse, une quinzaine d'années auparavant, avait tué une de ses clientes en lui administrant une dose volontairement mortelle d'un médicament toxique. Ce n'est que trois ans plus tard, par hasard, qu'on avait appris qu'il devait de fortes sommes à cette cliente et n'avait trouvé que ce moyen de se débarrasser de sa dette.

Un autre, vers la même époque, dans le Massif central, s'était servi d'une seringue hypodermique, injectant une substance différente de celle qu'il avait prescrite. Il avait prétendu ensuite que c'était une erreur involontaire et il avait bénéficié du doute, car il n'était pas impossible qu'après une journée de visites harassantes il se soit trompé d'ampoule, d'autant plus qu'il régnait une demi-obscurité dans la chambre du malade.

Jusqu'ici, Éveline Jave semblait avoir été tuée de la même manière.

La différence avec les cas précédents, c'est que, dans le sien, il n'y avait pas un médecin, mais deux.

Son mari avait-il intérêt à la supprimer ? Elle était riche. C'est grâce à son mariage qu'il avait pu quitter la banlieue où il menait une vie dure et sans joie pour devenir un médecin mondain de la capitale.

Entretenait-il une liaison ? Envisageait-il de fonder un nouveau foyer ? Ou bien sa femme, ayant découvert quelque infidélité, le menaçait-elle de divorce ?

Tout était possible.

Même un drame de la jalousie. Nul ne savait dans quelles circonstances Éveline avait quitté Cannes le samedi matin. Qu'avait-elle dit à son mari ? Étaient-ils d'accord sur ce voyage ? Et, si oui, Jave ne la soupçonnait-il pas d'avoir un autre but que le but avoué ?

Un fait certain, c'est qu'il l'avait suivie par les moyens les plus rapides et qu'il était à Paris peu de temps après elle.

Éveline Jave était-elle la maîtresse du jeune Négrel ? L'était-elle depuis longtemps ? Était-ce elle qui avait suggéré à son mari de le prendre comme remplaçant pendant les vacances ?

Négrel aussi pouvait avoir des raisons de se débarrasser d'elle. Par exemple, s'il avait d'autres projets matrimoniaux et si elle, de son côté, insistait pour quitter son mari afin de l'épouser.

Ou encore...

Maigret n'avait pas repris le chemin du boulevard Richard-Lenoir mais suivait les Grands Boulevards, qu'il avait rarement vus si déserts. Près de la porte Saint-Denis, il entra dans une brasserie, s'assit à l'intérieur, commanda un demi et de quoi écrire.

Puisqu'il faisait maintenant partie du gros public, il allait jouer le jeu jusqu'au bout et il avait un sourire ironique aux lèvres en écrivant, en caractères d'imprimerie :

MAIS POURQUOI DIABLE ETAIT-ELLE NUE?

Sur l'enveloppe, il mit le nom de Janvier et l'adresse du quai des Orfèvres. Il ne signa pas, bien entendu. Il est rare que les gens qui donnent des avis à la police signent leurs messages. Il imaginait la tête de Moers, au laboratoire, si on lui demandait de rechercher les empreintes digitales, car il possédait celles du commissaire.

Mais il s'agissait d'une lettre trop anodine pour que Janvier l'ordonne. Plus probablement, il hausserait les épaules.

Ce n'en était pas moins, peut-être, le nœud de la question. Ou bien la jeune femme s'était déshabillée elle-même, ou bien on l'avait dévêtue après sa mort.

Puisque le corps ne portait pas de blessure, les vêtements n'étaient pas tachés de sang et, dès lors, Maigret ne voyait aucune raison valable pour la dévêtir.

D'autre part, quelle raison aurait-elle eu elle-même pour se mettre entièrement nue entre quatre heures de l'après-midi et dix heures du soir ? Changer de vêtements ? Elle l'aurait fait dans l'appartement qui se trouvait de l'autre côté du palier, où elle avait sa chambre et ses affaires.

Ce n'était pas pour prendre un bain non plus. Un des journaux publiait un plan détaillé des locaux.

L'appartement de droite comportait une entrée, un grand salon, un salon plus petit qu'on appelait boudoir, trois chambres, une salle à manger, une cuisine et une salle de bains.

Celui de gauche, réservé aux activités médicales de Jave, était à peu près conçu sur le même plan, mais les pièces y avaient reçu une destination différente.

Sans doute était-ce une des plus luxueuses installations médicales de Paris ? Le salon devenait la salle d'attente, meublé, disait le journal, en pur style Empire. Le boudoir, Empire aussi, était le bureau de Jave, celui où il questionnait ses clients avant de passer dans une autre pièce pour les examiner.

Après cette pièce de consultation, correspondant à une des chambres d'en face, en venait une autre réservée pour les examens radiologiques et pour certaines interventions.

Le laboratoire, enfin, entouré de placards depuis le plancher jusqu'au plafond. La salle de bains, désaffectée, servait de remise pour les malles et les valises du ménage et, dans la cuisine, on rangeait les instruments de nettoyage ainsi que les objets qu'on ne savait où mettre.

Il restait une chambre, avec un lit et les meubles habituels de chambre à coucher, qui servait, paraît-il, lorsque les Jave recevaient un ami de passage et où il arrivait au docteur, lorsqu'il était surmené, de faire une courte sieste.

On ne signalait pas que le lit ait été trouvé défait. A supposer qu'Éveline ait été tuée dans l'appartement d'en face, pourquoi aurait-on pris le risque de traverser le palier avec le corps alors qu'il y avait, là aussi, des placards où le cacher ?

Pourquoi emporter ses vêtements ?

Le meurtrier avait-il l'intention, par exemple, de venir rechercher le cadavre pour le jeter dans la Seine ou dans quelque bois des environs de Paris ?

Cela amenait une nouvelle question. Jave était venu de Cannes sans sa voiture, qu'il avait laissée à l'aéroport de Nice.

Négrel possédait-il une auto ?

Les journaux étaient muets sur ce point.

Si l'assassin avait eu l'intention de faire disparaître le corps, il y avait des chances pour qu'il dispose d'un véhicule...

Maigret s'était remis en marche et s'arrêtait machinalement devant les vitrines familières, car c'était au cinéma d'en face qu'il venait le plus souvent avec sa femme.

Devant une bijouterie, il se vit dans un miroir, les sourcils froncés, l'air presque farouche à force de réfléchir, et se moqua de lui-même.

Tout cela, en effet, ne signifiait rien. Il bâtissait sur le vide. Il se rendait compte, tout à coup, de la mentalité du public qui ne connaît les affaires criminelles qu'à travers les récits des journaux.

L'histoire du véhicule était fausse. Trois fois au moins dans sa carrière n'avait-il pas vu des assassins — dont une femme — emporter leur victime en taxi jusqu'à une consigne de gare ? Il suffit d'une malle assez grande, ou d'un panier d'osier comme il en existe partout dans le commerce.

Dans le cas présent, n'avait-on pas eu l'intention de défigurer la morte avant ce dernier voyage afin de la rendre méconnaissable et d'éviter son identification ?

S'il s'agissait de Négrel, pourquoi n'était-il pas revenu le dimanche terminer cette besogne, alors que le champ était libre, puisque Josépha était chez sa fille ?

A cela aussi il y avait une réponse : le dimanche, il n'avait aucune raison de se rendre boulevard Haussmann et la concierge ne manquerait pas de remarquer son passage sous la voûte, surtout s'il sortait ensuite avec une lourde malle.

— Tu as l'air de bonne humeur, lui lança sa femme quand elle lui ouvrit la porte de l'appartement.

C'est parce qu'il s'amusait de lui-même. Il était en train de jouer les détectives amateurs, lui qui s'était moqué d'eux. Là-bas, au Quai, ils travaillaient sur des données précises et, lorsqu'une hypothèse se présentait, ils avaient les moyens de la contrôler.

Mme Maigret était presque prête. Il ne lui manquait que son chapeau et ses gants, car il avait décidé de l'emmener déjeuner dans un restaurant italien du boulevard de Clichy.

Dans ce domaine-là, il n'improvisait pas, si étrange que cela paraisse. S'il n'avait pas un plan précis pour l'utilisation de ses journées, s'il se laissait aller à une certaine fantaisie, il n'en suivait pas moins une idée de base.

Comme il l'avait avoué la veille à son ami Pardon, il satisfaisait de menues envies que son travail quotidien ne lui permettait jamais de réaliser.

Ainsi, il était retourné chez le Père Jules, où il avait mangé de la friture de goujons et de l'andouillette grillée. Ce n'était peut-être pas aussi bon que vingt ans auparavant, mais il avait été content.

Il était satisfait aussi, le matin, de suivre, de sa fenêtre, les allées et venues du boulevard Richard-Lenoir et les camions qui entraient chez Catoire et Potut et ceux qui en sortaient.

Le restaurant italien du boulevard de Clichy, où il conduisait sa femme, lui était inconnu. Il n'y avait jamais mis les pieds mais, en passant devant, plusieurs fois, et en jetant un coup d'œil dans la pénombre, il s'était dit qu'il serait agréable d'y manger un spaghetti.

Il y avait une autre chose qu'il ferait, mais il n'en parlerait pas à sa femme, par crainte qu'elle se moque de lui. Peut-être serait-il forcé de choisir un endroit peu fréquenté, la place des Vosges, par exemple, ou bien le parc Montsouris ?

Il avait envie de s'asseoir sur un banc et d'y rester longtemps, paisible, sans penser à rien, à fumer sa pipe en regardant jouer les enfants.

— Tu es prêt ? demanda Mme Maigret en se gantant de fil blanc.

Elle était parfumée, comme le dimanche et comme les soirs de cinéma, et portait une robe à fleurs.

— Dans un instant.

Il ne lui restait qu'à découper les articles des journaux du matin et à les glisser dans le dossier jaune.

Après le déjeuner, ils monteraient lentement jusqu'au Sacré-Cœur, comme des touristes, et, le long de la rue Lepic, Mme Maigret s'arrêterait de temps en temps pour souffler.

3

L'opinion des amoureux

Ils avaient choisi un parasol rayé blanc et bleu. Car trois cafés se disputaient la place du Tertre et, chacun poussant sa terrasse le plus loin possible, les parasols devenaient comme des drapeaux : les orangés, les bleu sombre et les rayés blanc et bleu. Les chaises de fer étaient les mêmes, les tables aussi, et sans doute le vin gris qu'on servait dans des pichets. C'était comme une fête sans fin, avec des cars qui débouchaient d'une ruelle dont ils semblaient écarter les murs, des touristes armés d'appareils photographiques, des peintres — surtout des femmes — devant leur chevalet. Il y avait même un mangeur de feu qui, par surcroît, avalait des sabres.

Ici aussi, il arrivait à Maigret et à sa femme d'échanger un coup d'œil. Ils ne parlaient jamais beaucoup quand ils étaient tous les deux. Et dans les regards qu'ils échangeaient aujourd'hui, par exemple, il y avait de la nostalgie et de la reconnaissance.

Ce n'était plus la place du Tertre qu'ils avaient connue quand Maigret débutait comme secrétaire d'un commissariat de police, certes, mais c'était amusant quand même, c'était maintenant une foire colorée, bruyante, d'une vulgarité plus agressive. N'avaient-ils pas changé, eux aussi ? Pourquoi exiger que le reste du monde demeure immobile alors que nous vieillissons ?

C'était cela, ou à peu près, qu'ils se disaient d'un battement de paupières, et ils se disaient aussi merci.

Le vin gris était frais, un peu acide. La chaise pliante grinçait sous le poids du commissaire, qui avait l'habitude de se renverser en arrière. A côté d'eux, des amoureux, qui n'avaient pas quarante ans à eux deux, se tenaient la main et regardaient en silence le va-et-vient des touristes. Le garçon avait les cheveux trop longs ; la fille les avait trop courts. Les maisons avaient été repeintes comme un décor d'opéra-comique. Le guide d'un des cars, le mégaphone devant la bouche, expliquait quelque chose en anglais, puis en allemand.

C'est à ce moment-là qu'un crieur de journaux fit irruption, lançant lui aussi des mots confus où l'on distinguait seulement :

— ... *révélations sensationnelles...*

Maigret tendit le bras, fit claquer ses doigts comme à l'école. Il acheta les deux journaux concurrents de l'après-midi et les amoureux, à côté, se contentèrent d'en acheter un.

Il garda pour lui celui auquel collaborait le petit Lassagne, passa l'autre à sa femme.

On publiait, en première page, une grande photographie de jeune fille en maillot de bain appuyée à une barque. La jeune fille avait les jambes et les cuisses maigres, deux petits seins pointus, peu formés. Elle souriait à l'objectif d'un sourire maladroit et timide.

Pourquoi avait-on l'impression que c'était une victime désignée du sort ? Le cliché était flou. Le journal avait agrandi un instantané pris sur une plage dans une mauvaise lumière.

Éveline Jave, lisait-on comme légende, *photographiée par son frère l'année où elle a connu le docteur Jave.*

Une demoiselle de province, sage et mélancolique, qui avait dû vivre dans une maison sévère et qui aspirait à une autre existence.

C'était Yves Le Guérec, expliquait-on plus loin, qui avait confié le document au petit Lassagne.

Le docteur Négrel nous parle

Ainsi donc, un des deux hommes avait accepté de recevoir, sinon les journalistes, tout au moins l'un d'entre eux. Lassagne, maigre et roux, vif comme un singe, avait dû passer des heures trépidantes et Maigret l'imaginait, rentrant au journal et se précipitant vers sa table pour y rédiger son papier que les garçons de bureau emportaient morceau par morceau à la composition.

Si ce n'était pas sensationnel, comme le crieur de journaux l'affirmait, s'il ne s'agissait pas à proprement parler de révélations, le texte n'en était pas moins intéressant.

Lassagne, comme d'habitude, plantait d'abord son décor.

C'est dans son logement de la rue des Saints-Pères, dans un vieil immeuble à deux pas de Saint-Germain-des-Prés, que le docteur Négrel a bien voulu nous accorder une interview exclusive.

La maison, qui a été autrefois un hôtel particulier, a conservé à son fronton les armoiries d'une illustre famille française mais il y a longtemps que les locaux, délabrés, sont occupés par de nombreuses familles.

La cour est encombrée de vélomoteurs, de bicyclettes et de voitures d'enfants. Un menuisier a son atelier au rez-de-chaussée et les marches de l'escalier, à la glorieuse rampe de fer forgé, sont usées.

Nous sommes montés ainsi au quatrième étage, mansardé, qui servait autrefois au personnel et, au fond d'un couloir obscur, nous avons frappé à une porte sur laquelle une simple carte de visite est fixée par une punaise.

Nous avions rendez-vous. La porte ouverte, nous avons trouvé un jeune homme, aux cheveux bruns, au teint mat, qui pourrait jouer les jeunes premiers dans un film.

Le docteur Négrel, comme il devait nous l'apprendre un peu plus tard, est du midi de la France, de Nîmes, où sa famille est fixée depuis de nombreuses générations. Cette famille a eu des hauts et des bas. Un Négrel a été médecin de marine sous Napoléon. Un autre était procureur sous Louis-Philippe.

Le père du docteur Négrel, qui vit encore, est photographe, et le docteur a fait ses études à l'Université de Montpellier.

Le docteur...

Maigret interrompit sa lecture pour tendre l'oreille. Les deux amoureux, à la table voisine, lisaient le même journal, à peu près en même temps que lui, et la jeune fille murmurait :

— Qu'est-ce que je te disais ?

— Quoi ?

— C'est une histoire d'amour.

— Laisse-moi lire la suite.

Maigret sourit vaguement et poursuivit sa lecture, lui aussi.

Le docteur, malgré son physique avantageux, nous est apparu comme un homme simple et grave que les événements des derniers jours paraissent avoir profondément affecté.

Son logement est resté celui d'un étudiant plutôt que d'un médecin dont on peut dire que la carrière s'annonçait brillante. Il nous a reçus dans une pièce qui sert à la fois de cabinet de travail, de salon, de salle à manger. Par les portes ouvertes, nous avons entrevu une chambre sans luxe et une cuisine minuscule.

— Je ne comprends rien à ce qui est arrivé, nous a d'abord déclaré Négrel en s'asseyant sur le rebord de la fenêtre, après nous avoir désigné un antique fauteuil en peluche rouge. La police, puis le juge d'instruction, m'ont longuement interrogé, me posant des questions auxquelles il m'a été impossible de répondre. On semble me soupçonner d'avoir tué Mme Jave. Mais pourquoi, oui, pourquoi, aurais-je fait ça ?

D'épais sourcils qui se rejoignent donnent plus de profondeur à son regard. Sur la table traînaient les restes d'un repas froid que la concierge a dû aller lui acheter dans le quartier. Il n'était pas rasé, ne portait ni cravate, ni veston.

Nous lui avons demandé :

— Me permettez-vous de vous poser à mon tour, pour nos lecteurs, un certain nombre de questions ?

— J'y répondrai de mon mieux.

— Même si ces questions sont indiscrètes ?

Il fit un geste vague, en homme à qui on a déjà posé les questions les plus indiscrètes.

— Tout d'abord, depuis combien de temps connaissez-vous les Jave ?

— Je connais le docteur Jave depuis trois ans. « Là-bas » aussi, on m'a demandé ça.

— Où l'avez-vous rencontré ?

— Dans le service de mon patron, le professeur Lebier, dont je suis l'assistant. Jave nous amène parfois des patients en consultation et, un jour que j'étais pressé de me rendre dans le centre de la ville, il m'a conduit dans sa voiture.

— *Vous êtes devenus amis ?*

— *Il m'a dit qu'un jour ou l'autre il aimerait que j'aille dîner chez lui.*

— *Vous y êtes allé ?*

— *Six mois plus tard, par hasard. A la fin d'une consultation avec le professeur Lebier, il m'a demandé si j'étais libre le soir même, car il avait à dîner des gens intéressants et je me suis rendu boulevard Haussmann.*

— *C'est à cette occasion que vous avez fait la connaissance de Mme Jave ?*

— *Oui.*

— *Quelle impression vous a-t-elle produite ?*

— *J'étais le moins important des invités et me trouvais donc en bout de table. Je n'ai guère eu l'occasion de m'entretenir avec elle.*

— *Avait-elle l'air d'une femme heureuse ?*

— *Ni heureuse, ni malheureuse. Elle se comportait en maîtresse de maison.*

— *Vous êtes retourné souvent, comme invité, boulevard Haussmann ?*

— *Assez souvent.*

— *D'après vos confrères, vous sortez peu et dînez rarement en ville.*

A ce point de notre entretien, Négrel a paru quelque peu embarrassé. Puis il a fini par sourire.

— *Les Jave, a-t-il expliqué, recevaient beaucoup, une fois par semaine au moins, et ils avaient toujours une quinzaine de personnes.*

» *Parfois, il y avait une femme en trop, ou une jeune fille, et on me téléphonait à la dernière minute pour servir en quelque sorte de bouche-trou.*

— *Pourquoi acceptiez-vous ?*

— *Parce qu'ils étaient sympathiques.*

— *Tous les deux ?*

— *Tous les deux, oui.*

— *Que pensez-vous de Jave ?*

— *Que c'est un excellent praticien.*

— *Comme homme ?*

— *Je l'ai toujours considéré comme un honnête homme et même comme un homme scrupuleux.*

— *Vous ne devez pourtant pas aimer les médecins mondains.*

— *Ce n'était pas seulement un médecin mondain.*

— *Vous êtes devenu peu à peu l'ami du ménage ?*

— *Ami est un grand mot. Malgré la différence d'âge entre Philippe et moi, nous étions bons camarades.*

— *Vous vous tutoyez ?*

— *Je tutoie peu de gens. Cela tient peut-être à l'atmosphère protestante de Nîmes, où je suis né et où j'ai passé ma jeunesse.*

— *Vous ne tutoyiez pas Éveline Jave non plus ?*

— *Non.*

Un non assez sec.

— *Quels étaient vos rapports avec elle ?*

— *Corrects. Je pourrais dire amicaux.*

— *Elle vous faisait des confidences ?*

— *Elle m'a seulement dit, ce que je savais par son mari, qu'elle n'avait jamais eu une vie comme une autre femme.*

— *Pour quelle raison ?*

— *A cause de sa santé.*

— *Elle était mal portante ?*

— *Je ne crois trahir aucun secret, puisque je n'étais pas son médecin, en disant qu'elle était atteinte du mal de Stoker-Adams. C'est ce qu'on appelle plus couramment un pouls-lent permanent. Son cœur, depuis son enfance, battait non à soixante-dix pulsations, comme c'est à peu près la norme, mais à quarante ou quarante-cinq.*

— *Quels sont les effets de cette maladie ?*

— *Le malade vit apparemment la même existence que les autres. Seulement, il risque à tout moment une syncope, ou des convulsions, voire la mort subite.*

— *Elle le savait ?*

— *Depuis l'âge de douze ans. Après une consultation avec un grand spécialiste, elle avait écouté à la porte et tout entendu.*

— *Elle en était effrayée ?*

— *Non. Résignée.*

— *Elle était gaie quand même ?*

— *D'une gaieté un peu feutrée, si je puis ainsi m'exprimer. On aurait dit qu'elle craignait toujours, par trop d'exubérance, de provoquer la crise.*

— *Elle n'a pas craint d'avoir un enfant ?*

— *Non. Elle était contente, au contraire, de laisser quelque chose après elle, même si cela devait lui coûter la vie.*

— *Elle était amoureuse de son mari ?*

— *Je suppose, puisqu'elle l'a épousé.*

— *Il était amoureux d'elle ?*

— *Je l'ai toujours vu très attentif.*

— *Vous est-il arrivé de la rencontrer en particulier, je veux dire en l'absence de son mari ?*

Un silence. Un pli sur le front du jeune médecin.

— *Oui et non. Je ne suis jamais allé la voir personnellement. Parfois, alors que je me trouvais boulevard Haussmann, Jave a été appelé d'urgence chez un malade.*

— *Et, dans ces occasions-là, elle n'a jamais tenté de vous faire des confidences ?*

— *Non. Pas ce qu'on appelle des confidences.*

— *De vous parler de sa vie ?*

— *Comme chacun parle de son passé, de son enfance.*

— *Vous êtes donc devenus bons amis ?*

— *Si vous l'entendez comme ça.*

— Elle n'est jamais venue ici, dans ce logement ?
Nouveau silence.
— Pourquoi me demandez-vous ça ?
— Je vous réponds franchement. Votre concierge, à qui j'ai montré la photographie d'Éveline Jave, prétend l'avoir vue au moins deux fois monter chez vous, la seconde il y a six semaines.
— La concierge ment ou s'est trompée sur la personne.

A la table voisine, la jeune fille disait :
— Qui crois-tu, toi ? La concierge ou le docteur ?
Ils lisaient au même rythme. L'amoureux répondait :
— Les concierges sont toutes des chipies, mais le docteur n'a pas l'air d'être dans son assiette.
— Je t'ai dit que c'est une histoire d'amour...
Mme Maigret, qui avait déjà fini l'article, sans doute plus court, de l'autre journal, le tenait sur ses genoux et regardait rêveusement les allées et venues des touristes.
Maigret oubliait le rôle qu'il jouait à la P.J., le métier qui avait été le sien toute sa vie et se surprenait à lire le journal comme n'importe qui dans la rue. Du coup, il faisait une petite découverte qui le ravissait.
Les moralistes, d'habitude, ceux qui se mêlent de donner des leçons à leurs semblables, prétendent que c'est un goût malsain, voire un instinct pervers, qui pousse les lecteurs à se jeter sur les récits de crimes et de catastrophes.
Sans y avoir beaucoup réfléchi, le commissaire, la veille encore, aurait été tenté de partager leur avis.
Il se rendait compte, soudain, que ce n'était pas si clair que ça, et les réflexions de sa jeune voisine étaient pour quelque chose dans sa nouvelle opinion.
Les lecteurs ne se jettent-ils pas avec la même fièvre sur les récits d'actes héroïques ou exceptionnels ? Vit-on jamais foule aussi dense et passionnée, sur les Grands Boulevards, en pleine nuit pourtant, que lors de l'arrivée de Lindbergh ?
Ce que les gens cherchent, n'est-ce pas d'apprendre jusqu'où l'homme peut aller, dans le bien comme dans le mal ?
La curiosité de la jeune fille, à la table d'à côté, ne venait-elle pas de ce que, amoureuse novice, elle voulait connaître les limites de l'amour ?
Elle espérait que le journal, que la suite de l'enquête sur la morte du boulevard Haussmann allaient les lui enseigner.
Lassagne continuait, tirant le maximum de son exclusivité :

Nous lui demandons alors :
— Vous recevez beaucoup de femmes, monsieur Négrel ?
— Il m'est arrivé, jadis, d'en recevoir.
— Qu'entendez-vous par jadis ?

Pendant tout notre entretien, il ne cessait de fumer des cigarettes qu'il écrasait ensuite sur le rebord de la fenêtre ouverte.

— Depuis un an, je suis fiancé. La police le sait. Elle a déjà dû interroger la jeune fille et c'est pourquoi il est inutile d'en faire un mystère.

— On peut connaître son nom ?

— On vous le dira sans doute au Quai des Orfèvres. Ce n'est pas mon rôle.

— C'est une jeune fille qui vit avec ses parents ?

— Oui.

— Elle travaille ?

— Oui.

— Elle appartient à la bourgeoisie ?

— Son père est un avocat connu.

— Et elle venait vous voir chez vous ?

Silence.

— Je vais me montrer plus indiscret et je vous demande de m'en excuser. Avez-vous, docteur, à un moment donné, été l'amant de Mme Jave ?

— On m'a déjà posé la question.

— Qu'avez-vous répondu ?

— Non.

— Vous n'en avez jamais été amoureux non plus ?

— Jamais.

— Elle ne l'a pas été de vous ?

— Elle n'a rien fait, ni dit, qui puisse me le faire penser.

— Vous ne l'avez pas vue, samedi dernier ?

— Non.

— Vous n'avez pas vu Jave ?

— Ni elle, ni lui. J'ai reçu cinq patients dans l'après-midi et on a retrouvé leurs fiches dans le bureau. Je suis parti à cinq heures et demie, après avoir dit au revoir à Josépha et lui avoir recommandé de fermer les fenêtres.

— Qui a eu l'idée du remplacement que vous faisiez cet été ?

— Le docteur Jave.

— Comment s'y prenait-il les autres années ?

— Il employait un de mes confrères, le docteur Brisson, qui, l'hiver dernier, a ouvert un cabinet à Amiens et qui, de ce fait, n'est plus disponible.

— Une dernière question. Considérez-vous Josépha comme particulièrement dévouée à ses maîtres ?

— Je ne m'en suis pas préoccupé.

— Vous venez de vivre plusieurs semaines avec elle. Vous avez eu de fréquents contacts. Est-ce la femme à commettre un faux témoignage dans l'intérêt de l'un ou l'autre de ses patrons ?

— Je vous répète que je n'en sais rien.

Lassagne concluait :

Nous avons quitté ainsi un homme dont l'honneur, l'avenir et même la vie sont en jeu. Il en est conscient. Coupable ou innocent, il connaît le poids des mots et les menaces qui pèsent sur lui. Il nous apparaît comme décidé à se défendre, calmement, sans fièvre ni colère, et le dernier regard qu'il nous a lancé au-dessus de l'escalier était chargé d'amertume.

— Voilà comment je crois que ça s'est passé, disait la jeune fille de la table voisine. Ils étaient amants, le jeune docteur et elle. La concierge n'a aucune raison de mentir et je suis persuadée qu'elle l'a vraiment reconnue. Son mari est plus âgé qu'elle. Il la traitait en petite fille, et les femmes n'aiment pas ça. Négrel, au contraire, est beau garçon, avec des yeux tendres...

Maigret sourit autour de sa pipe. Où avait-elle pris les yeux tendres ? Était-ce parce que le journal parlait de sourcils épais ?

— J'en suis sûre, que c'est un passionné. Dans toutes ses réponses, on sent qu'il se contient. Remarque aussi sa façon d'écraser ses cigarettes sur le rebord de la fenêtre.

— Cela ne signifie rien.

— Cela signifie qu'il bouillait en dedans tout en s'efforçant de se montrer calme. Elle a été obligée d'aller à Cannes avec son mari et sa fille. Je parie que c'est elle qui a suggéré l'idée du remplacement. Comme ça, Négrel passant une partie de son temps boulevard Haussmann, il restait un lien entre eux.

— Tu as de l'imagination.

Maigret était en train de penser, lui, que ce couple-là ne ferait pas long feu. Le garçon était blond et paraissait sérieux. Le corps souple de la jeune fille se collait à lui comme pour l'entortiller et il en montrait une certaine gêne, avait l'air de s'excuser auprès des gens qui les entouraient.

— Ne parle pas si fort.

— Je ne dis rien de mal. Après un mois de séparation, elle n'a pu y tenir et elle a pris l'avion avec l'idée de retourner à Cannes par l'avion du soir. Elle a dû raconter à son mari qu'elle allait voir une amie sur la Côte. Lui, qui se doutait de quelque chose, l'a suivie.

» L'après-midi, il les a surpris ensemble dans la chambre derrière le cabinet de consultation. Il a laissé partir Négrel. C'est à sa femme qu'il s'en est pris. Il l'a frappée. Elle s'est évanouie. Et alors, décidant tout à coup d'en finir, il lui a fait une piqûre.

— Pourquoi l'a-t-il mise dans le placard, si c'est un drame passionnel ?

Mme Maigret, qui écoutait aussi, échangea un coup d'œil avec son mari. C'était curieux, dans cette atmosphère de kermesse, ce bavardage léger, presque enjoué, à propos d'une tragédie. Les personnages, transposés par la jeune fille, perdaient leur humanité, leur vérité tragique, devenaient des pantins de roman populaire.

Et, pourtant, ce qu'elle disait était peut-être la vérité. Son hypothèse, pour autant que Maigret connût de l'affaire, était aussi plausible que n'importe quelle autre.

— Tu ne comprends pas ? En l'enfermant dans le placard et en retournant à Cannes, en prétendant ensuite qu'il n'était pas venu à Paris, c'était Négrel qu'il désignait comme l'assassin. La preuve c'est que, maintenant, c'est encore lui qu'on soupçonne.

— On les soupçonne tous les deux.

— Qui te l'a dit ?

— Je parierais que la police les a relâchés pour les observer et attend qu'un des deux fasse un faux pas.

Ce n'était pas si bête non plus. En somme, le public est toujours moins bête qu'on le pense.

Le pauvre Janvier s'était trouvé devant un dilemme qui ne se pose pas si souvent à un policier. D'habitude, on tient un présumé coupable et la question est de savoir s'il vaut mieux l'inculper ou le relâcher en attendant des preuves suffisantes.

Avec un seul coupable possible, le juge Coméliau n'aurait pas hésité : il aurait inculpé.

Mais avec deux ? Ils ne pouvaient pas, tous les deux, avoir tué Éveline Jave. L'un des médecins était donc innocent. Les garder à la fois à la disposition de la Justice, c'était admettre qu'on privait un innocent de sa liberté.

Même Coméliau l'avait compris et s'était résigné à les relâcher l'un et l'autre.

Qui se trouvait en surveillance dans la rue, à proximité de l'immeuble où Négrel habitait, pendant que Lassagne procédait à son interview ? Lapointe ? Gianini ?

Il y avait quelqu'un, en tout cas, comme il y avait un homme de la P.J. boulevard Haussmann.

Un des deux médecins avait consenti à recevoir la presse, choisissant le représentant du journal au plus fort tirage.

L'autre se taisait, enfermé dans son appartement. Lassagne ajoutait en effet :

Nous avons tenté en vain d'obtenir un entretien avec le docteur Jave. Depuis qu'il a quitté la Préfecture de Police et qu'il a regagné le boulevard Haussmann, celui-ci n'a vu personne, sinon Josépha. Il a dû décrocher son téléphone car, lorsqu'on appelle son numéro, on obtient invariablement la tonalité « occupé ».

— Tu en reprends ? questionna Mme Maigret en voyant son mari adresser un signe au garçon.

Il reprenait du vin gris, oui. Il avait soif. Surtout, il n'avait pas encore envie de s'en aller.

— Qu'est-ce que tu en penses, toi ? poursuivait-elle à mi-voix.

Il se contenta de hausser les épaules. A cette question-là, il avait l'habitude de répondre qu'il ne pensait jamais, et c'était presque vrai.

Deux personnages commençaient à se dessiner à ses yeux : Éveline Jave et le docteur Négrel. Ils n'étaient plus tout à fait des entités. Éveline surtout prenait vie, depuis qu'il avait vu sa photographie, et, à la place de Janvier, il se serait rendu tout de suite à Concarneau.

La clef du drame n'était pas nécessairement là. Ce n'en était pas moins dans cette ville que la jeune femme avait passé la plus grande partie de son existence et il aurait aimé la connaître davantage.

Avait-elle été élevée chez les bonnes sœurs ? Il l'aurait juré, à sa façon de se tenir et de regarder l'appareil. Il imaginait la maison sans femme, une maison grise, sans doute, qui devait sentir le poisson, avec un père et un frère pour qui les affaires seules existaient.

Comment s'était-elle habituée à la vie de Paris ? Et, quand elle donnait un dîner ou une réception, ne continuait-elle pas à se sentir gauche ?

Négrel aussi était un provincial, en dépit de son physique de jeune premier. C'était un Nîmois, un protestant. Ses études finies, il n'avait pas cherché la clientèle, mais il était devenu l'assistant de son professeur.

Lassagne était parvenu à lui faire avouer qu'il avait reçu jadis quelques femmes dans son logement de la rue des Saints-Pères et Maigret aurait parié que c'étaient des filles faciles de Saint-Germain-des-Prés. Il aurait même parié qu'elles n'avaient fait que de courtes visites et qu'aucune n'avait passé la nuit entière dans le lit du jeune médecin.

Maintenant, depuis un an, il était fiancé. Cela démangeait Maigret de téléphoner à Janvier pour lui demander le nom de la demoiselle. La fille d'un avocat connu. Et elle venait chez lui. Cela signifiait un scandale en perspective.

Les amoureux s'en allaient bras dessus bras dessous et, laissant leur journal sur le guéridon, se dirigeaient vers le Sacré-Cœur. En passant, la jeune fille accorda un regard amusé au chapeau de Mme Maigret, qui n'avait pourtant rien de ridicule. Il est vrai qu'elle-même ne portait pas de chapeau sur ses cheveux coupés aussi court que ceux d'un empereur romain.

— Que dit-on dans ton journal ?

— Sans doute la même chose que dans le tien.

Il l'ouvrit machinalement. Il y avait une photographie en première page aussi, non pas celle d'Éveline Jave, mais celle de son frère, Yves Le Guérec, accoudé au bar de l'*Hôtel Scribe*.

Il ne ressemblait pas à sa sœur. C'était un garçon carré, trapu, au visage osseux sous des cheveux en brosse qui devaient être roux.

Faute d'atteindre Négrel ou Jave, c'était lui que le concurrent du petit Lassagne était allé interviewer.

Yves Le Guérec, apprenait-on, était marié, père de deux enfants, et s'était fait construire une villa à trois kilomètres de Concarneau. Il avait pris la place de son père, à la mort de celui-ci, dans l'usine de conserves.

— *Ma sœur, depuis son mariage, n'était jamais revenue au pays, je me demande pourquoi, sans doute parce que son mari préférait l'éloigner de la famille.*

— *Vous ne l'avez jamais revue ?*

— *De temps en temps, lorsque j'étais à Paris, j'allais l'embrasser. Une fois, j'ai conduit ma femme et mes enfants boulevard Haussmann, mais nous avons eu l'impression que nous étions de trop.*

— *Pour quelle raison ?*

— *Nous sommes des gens simples, qui ne fréquentons pas les mêmes milieux que le docteur Jave...*

— *C'est avec la dot de votre sœur que celui-ci s'est installé ?*

— *A l'époque de son mariage, il n'avait pas un sou. Plutôt des dettes. Mon père les a payées et c'est mon père aussi qui a payé tout ce qui se trouve boulevard Haussmann.*

— *Vous n'aimez pas votre beau-frère ?*

— *Je n'ai pas dit ça. Mettons que nous ne soyons pas du même bord. Ou, plutôt, il voudrait le faire croire, car sa mère n'est jamais qu'une institutrice...*

Ici, on sentait de vieilles rancœurs remonter à la surface. C'étaient deux mondes, en effet. Les Le Guérec, malgré leur fortune, continuaient, dans leur province, à mener une vie simple et rude tandis que Jave, qui s'était frotté à la vie parisienne, avait évolué.

Or, c'étaient les sardiniers qui payaient :

— *Ma sœur a hérité de la moitié des parts de l'usine et elle recevait une jolie somme chaque année, je vous prie de le croire.*

— *Elle était mariée sous le régime de la communauté des biens ?*

— *Malheureusement.*

— *Et vous ?*

— *Moi aussi. Ce n'est pas la même chose, car ma femme est fille d'armateur et les armateurs sont de la même race que nous.*

— *Vous croyez au crime ?*

— *Vous imaginez qu'Éveline aurait pu se faire une piqûre hypodermique et aller se tasser, pliée en deux, dans un placard, pour y mourir, après avoir refermé la porte à clef ? Où est cette clef ? Où sont ses vêtements ?*

— *Qui croyez-vous qui l'ait tuée ?*

Le Guérec a ouvert la bouche pour répondre, s'est ravisé.

— *Je ne tiens pas à m'attirer un procès pour diffamation. Les faits parlent d'eux-mêmes, non ? Quant à prétendre, comme certains le font, que ma sœur avait un amant, c'est un affreux mensonge. Elle en était incapable. Elle n'avait aucun tempérament. Les hommes lui faisaient peur. Jeune fille, au bal, elle restait assise dans un coin toute la soirée et n'acceptait de danser qu'avec moi. Regardez cette photo. Je me souviens qu'elle a eu toutes les peines du monde à trouver un maillot de bain qui ne laisse à peu près rien voir. Elle en était ridicule.*

— *Elle vous écrivait souvent ?*

— A mon anniversaire, à celui de ma femme et des enfants, ainsi qu'au Nouvel An.

— Elle se savait malade ?

— Elle a toujours su qu'elle ne ferait pas de vieux os, mais elle était résignée.

— Elle était croyante ?

— Chez nous, elle était très croyante et allait à la messe chaque matin. Par la suite, j'ai appris que son mari avait déteint sur elle et qu'elle ne pratiquait plus.

— Vous pensez qu'elle n'était pas heureuse ?

— J'en suis certain.

— Sur quoi vous basez-vous ?

— Ce sont des choses qu'on sent. Sa façon de me répéter, par exemple, avec un vague sourire :

» — N'oublie pas de venir me voir chaque fois que tu es à Paris. Et dis bien aux enfants que leur tante pense à eux...

Cependant, elle était nue quand on avait trouvé son corps dans le placard. Son meurtrier l'avait-il dévêtue après coup ?

Encore une fois, l'hypothèse était assez peu probable, d'autant moins probable que c'est une opération difficile de déshabiller un mort.

Et pourquoi la déshabiller ?

Que faisait Jave, seul avec Josépha dans l'appartement du boulevard Haussmann ? Qu'avait-il répondu aux questions de Janvier et du juge d'instruction au sujet de son voyage précipité ?

Si Coméliau ne l'avait pas mis sous mandat de dépôt, c'est qu'il subsistait un sérieux doute et que, presque sûrement, les chances étaient à peu près égales entre les deux suspects.

Maigret avait envie, maintenant, d'en connaître davantage sur Philippe Jave et sur sa vie personnelle. Avait-il une maîtresse, un second ménage ? Ou bien était-il réellement le médecin à la fois mondain et austère que la plupart voyaient en lui ?

— Qu'est-ce que nous faisons ? demanda Mme Maigret, comme son mari appelait le garçon pour payer les consommations.

Il n'en savait rien. Cela n'avait pas d'importance et c'était bien là le plus merveilleux.

— Nous allons commencer par descendre les escaliers Saint-Pierre...

Puis ils flâneraient le long du boulevard Rochechouart. Ils pouvaient descendre ensuite la rue des Martyrs, par exemple, dont il aimait le grouillement. Il aimait aussi le Faubourg-Montmartre.

De n'avoir rien à faire lui montrait Paris sous un jour nouveau et il était décidé à n'en pas perdre une miette.

— Ce soir, il faudra que je téléphone à Pardon.

— Tu n'es pas malade ?

— Non. Il aura peut-être de nouveaux renseignements sur ce docteur Jave.

— Cela te tracasse ?

Cela ne le tracassait même pas. Il y pensait beaucoup, certes, mais l'affaire s'inscrivait comme en filigrane sur ses balades dans Paris.

— Demain matin, j'irai peut-être faire un tour rue des Saints-Pères.

C'était plus dangereux, car il n'y aurait guère de passants et il risquait de tomber nez à nez avec un de ses inspecteurs.

— Je me demande si nous n'irons pas voir la mer à Concarneau.

Il énonçait ces projets sans y croire, pour s'amuser. Tout cela, c'était maintenant la tâche de Janvier et Maigret avait comme un avant-goût de son existence le jour où il serait à la retraite.

Cette pensée l'assombrit. Il acceptait, pour quelques jours, pour trois semaines au plus, de jouer les flâneurs, de faire partie du bon public.

Mais quand il s'agirait de tenir ce rôle-là pour le reste de ses jours ?

Tout en marchant vers le parvis du Sacré-Cœur, il serra soudain le bras de sa femme et elle comprit qu'il était ému, il lui sembla même qu'elle devinait pourquoi, mais elle n'en dit rien.

4

Où était Josépha ?

Il n'avait pas téléphoné à Pardon ce soir-là comme il se l'était promis place du Tertre. A vrai dire, il n'y avait plus pensé.

Il devait être aux alentours de cinq heures quand sa femme et lui avaient tourné l'angle du Faubourg-Montmartre et des Grands Boulevards. Le soleil frappait en plein le trottoir qui, parce qu'il y avait moins de passants que d'habitude, paraissait plus large. Entre l'étalage d'un magasin de confection et une coutellerie, il avait repéré l'entrée presque obscure d'une sorte de tunnel et le tintement d'une sonnerie grêle comme celle des cinémas d'autrefois.

C'était bien l'entrée d'un petit cinéma, qu'il ne se souvenait pas avoir jamais vu. On y donnait les premiers Charlot et Maigret s'arrêta, hésitant.

— On y va ? proposa-t-il à sa femme.

Elle avait eu un regard méfiant au rideau de peluche sombre derrière la caisse, aux murs grisâtres du couloir.

— Tu crois que c'est propre ?

Ils avaient fini par entrer et, quand ils étaient sortis, le triomphant soleil d'août avait disparu, remplacé, le long des Boulevards, par une double guirlande de lumières et par les enseignes au néon. Ils ne s'étaient pas rendu compte que c'était le jour du changement de programme et qu'ils avaient, en fait, assisté à deux séances.

Il était trop tard pour rentrer dîner.

— On va manger un morceau dans les environs.

Mme Maigret avait remarqué :

— Si nous continuons ainsi, je vais oublier comment on fait la cuisine.

Ils étaient allés place des Victoires, dans un restaurant dont il aimait la terrasse paisible. Ils étaient ensuite rentrés à pied et, à la fin, Mme Maigret oscillait sur ses talons. Il y avait des années qu'ils n'avaient pas tant marché tous les deux.

Ils dormirent la fenêtre ouverte et ce fut presque tout de suite une journée neuve qui commença, avec un soleil plus clair que celui qu'ils avaient quitté boulevard Montmartre, un air plus frais, les bruits familiers du matin.

Ils n'avaient aucun plan pour l'emploi de leur temps et, tout en prenant le petit déjeuner, Mme Maigret questionna :

— Je fais le marché ?

A quoi bon ? Faire le marché, c'était préparer un repas. Cela signifiait qu'il faudrait être à la maison à une heure déterminée.

— Nous avons toute l'année pour manger chez nous.

— Sauf quant tu ne rentres pas.

C'était vrai que, si on comptait les jours où une enquête l'obligeait à prendre ses repas en ville, il n'en restait pas beaucoup où ils mangeaient dans l'appartement en tête à tête.

A plus forte raison était-ce amusant de déjeuner ou de dîner dehors avec elle.

Pas de marché ! Pas de fil à la patte ! Une première pipe à la fenêtre, à observer les gestes de pantin du petit homme de chez Catoire et Potut. Dans le bistrot d'en face, le patron, en bras de chemise, lisait un journal étalé sur son zinc.

Maigret aurait pu se faire monter les journaux chaque matin par la concierge, mais cela lui aurait enlevé le plaisir d'aller les chercher lui-même.

Il finit par s'habiller, pendant que sa femme vaquait au ménage.

— Je viendrai te chercher tout à l'heure. Je ne sais pas encore où nous irons.

— Aujourd'hui, en tout cas, je mets des souliers à talons plats.

De nouvelles habitudes se créaient. Il achetait ses journaux au même kiosque, attendait d'être assis à la terrasse de la place de la République avant de les ouvrir et le garçon de café savait déjà quoi lui servir.

Crime ou accident ?

Le professeur de toxicologie, qui avait procédé à l'examen des viscères, avait remis son rapport. Pour une raison ou pour une autre, le Quai des Orfèvres se montrait moins avare de renseignements qu'au début de l'affaire et les journaux fournissaient un résumé du rapport.

On avait découvert, dans l'organisme d'Éveline Jave, une quantité appréciable de digitaline.

Nous avons questionné à ce sujet le professeur Loireau, qui nous a fourni des renseignements intéressants.

La digitaline est un médicament assez fréquemment employé pour ralentir les mouvements du cœur. La dose administrée à Mme Jave n'est pas exagérée et, normalement, n'aurait pas dû être mortelle.

Ce qui est troublant, c'est que ce médicament lui ait été administré, car étant donné son état de santé, il était rigoureusement contre-indiqué.

Éveline Jave, depuis son enfance, avait un pouls-lent. En cas de crise, le professeur Loireau nous l'a confirmé, elle avait besoin d'un excitant du muscle cardiaque, comme le camphre, le plus courant, ou le Pressyl, à la mode aujourd'hui.

La digitaline, au contraire, devenait pour elle un produit presque sûrement mortel, puisque au lieu de remédier aux effets du pouls-lent elle les accroissait.

Mme Jave a-t-elle eu une crise, au cours de son passage boulevard Haussmann ? L'ecchymose à la tempe provient-elle d'une chute qu'elle aurait faite au cours de cette crise ?

Le médecin présent — et nous ne savons pas lequel — s'est-il, dans son affolement, trompé d'ampoule et lui a-t-il injecté de la digitaline au lieu de camphre ou de Pressyl ?

Ou encore, voulant tuer, a-t-il employé volontairement une substance dont il prévoyait les effets sur la malade ?

Maigret resta quelques minutes à regarder les passants défiler devant la terrasse, puis demanda un jeton et alla s'enfermer dans la cabine téléphonique.

— Allô ! Pardon ?

Celui-ci avait déjà reconnu sa voix.

— Je vous dérange ?

— J'allais partir pour ma tournée, mais j'ai quelques minutes devant moi.

— Vous avez lu ?

— Nous devons être quelques centaines de médecins, à Paris, à nous être jetés sur le journal.

— Qu'est-ce que vous en pensez ?

— L'article n'est pas rigoureusement scientifique, mais les grandes lignes sont exactes.

— Cela pourrait être un accident ?

— A la rigueur. Je viens moi-même de le vérifier. Certaines substances à injecter nous sont livrées dans des ampoules caractéristiques et, avec celles-là, il est à peu près impossible à un médecin de se tromper.

— Caractéristiques en quoi ?

— Il y a des ampoules à un seul bout effilé, d'autres dont les deux bouts le sont. Il y en a aussi qui portent le nom du produit. Il en existe même de colorées.

— Dans le cas présent ?

— Le camphre, qui est vendu par plusieurs laboratoires, existe en ampoules de formes différentes, à une ou deux pointes. Le Pressyl est plus reconnaissable. Je viens de chercher dans ma trousse une ampoule de digitaline et l'ai comparée avec une ampoule de camphre.

— Elles se ressemblent ?

— Assez pour qu'un homme pressé, ému, puisse s'y tromper.

— Votre avis, à vous ?

— Je n'en ai pas. J'ai seulement appris que Jave, hier dans la soirée, a appelé le docteur Mérou. C'est un cardiologue. J'ignore si Jave souffre du cœur, lui aussi, ou s'il voulait consulter Mérou au sujet de ce qui est arrivé à sa femme.

— Vous connaissez Mérou ?

— C'est un ami mais, dans le cas présent, il ne dira rien et il serait indélicat de ma part de lui poser la question.

— Vous n'avez rien appris d'autre sur le docteur Jave ?

Il y eut un silence à l'autre bout du fil. Les médecins se tiennent entre eux, malgré tout.

— Vous n'êtes toujours pas au Quai des Orfèvres ?

— Grâce à Dieu, non.

— Ce n'est qu'un bruit qui court dans le monde médical. Inutile de vous dire que celui-ci est en effervescence et que nous cherchons tous à comprendre. On m'a affirmé hier que, malgré sa brillante façade, Jave avait des dettes et que, depuis plusieurs mois, il était aux abois.

— Mais l'argent de sa femme ?

— Je n'en sais pas plus. Ne donnez pas ce renseignement à la police, qui le découvrira bien toute seule. Je ne veux pas que cela vienne de moi.

— Une dernière question, au sujet des ampoules. Vous qui avez eu les deux sortes d'ampoules en main et qui avez les réflexes de votre profession : auriez-vous pu vous tromper ?

Il sentit une hésitation chez son interlocuteur invisible. Pardon prononça enfin, en pesant ses mots :

— S'il s'était agi de ma femme, peut-être. Nous nous affolons facilement quand il s'agit des nôtres ou de nous-mêmes.

— Ou de votre maîtresse ?

Pardon eut un petit rire.

— Je n'ai pas eu de maîtresse depuis l'internat.

Maigret retourna à la terrasse et suça rêveusement le tuyau de sa pipe. C'était presque l'heure de son premier demi et il suivait du regard le mouvement lent des aiguilles de l'horloge électrique.

— Un autre jeton ! demanda-t-il enfin au garçon.

Dans la cabine, il appela le journal où Lassagne travaillait. Il y avait des chances qu'à cette heure-ci le reporter rouquin soit occupé à écrire son article.

— M. Lassagne, s'il vous plaît, mademoiselle.

— De la part de qui ?

— Dites-lui que c'est pour lui fournir une information au sujet de l'affaire Jave.

Le journal devait recevoir des douzaines de coups de téléphone du même genre, la plupart émanant de fous ou de maniaques, mais à la P.J. aussi on écoutait tout avec patience, car il arrivait parfois d'obtenir ainsi un tuyau sérieux.

— Allô... Qui est à l'appareil ?

Lassagne avait une voix crachotante.

— Peu importe, monsieur Lassagne. Je ne possède aucune information à proprement parler, mais je voudrais vous signaler une lacune dans vos articles.

Il déguisait sa voix, tant bien que mal.

— Faites vite. Je suis pressé. Quelle lacune ?

— Où se trouvait Josépha samedi après-midi ?

Le reporter laissa tomber sèchement :

— Dans l'appartement.

Il allait raccrocher, mais le commissaire le gagna de vitesse.

— Dans quel appartement ? C'est cela que je veux dire. Écoutez-moi un instant. Les Jave n'avaient, en dehors de la nurse, que deux domestiques. Ce n'est pas beaucoup pour un appartement aussi important que le leur, je parle de leur appartement d'habitation. D'autre part, dans l'appartement d'en face, celui du médecin, il n'y avait personne, le ménage fait, sinon pour ouvrir la porte aux clients.

Lassagne ne raccrochait pas et Maigret pouvait entendre sa respiration.

— Je crois que je comprends.

— Où Josépha se serait-elle tenue, pendant les heures de consultation ? Dans l'appartement du médecin ? Dans l'antichambre ? Dans la chambre à coucher ? Dans la salle de bains ? Serait-elle restée des heures à ne rien faire alors qu'il y avait du travail dans l'appartement d'en face ? Je suis persuadé que le bouton de sonnerie, à la porte du docteur, est branché sur l'autre appartement.

— Vous ne voulez pas me dire qui est à l'appareil ?

— Mon nom n'a aucune importance.

— Je vous remercie. Je vérifierai.

Maigret se sentait un peu ridicule de jouer ainsi le rôle des maniaques qui assaillent les journaux, mais c'était le seul moyen, pour lui, d'obtenir un renseignement qui l'intéressait.

Il était probable que Janvier avait déjà la réponse. Seulement, il ne pouvait pas appeler Janvier. Un instant, il avait pensé s'adresser à Lapointe, en lui demandant le secret sur sa présence à Paris. Peut-être est-ce parce que c'était trop facile qu'il ne l'avait pas fait ?

La question était importante. C'était possible, évidemment, que Josépha ait menti sur toute la ligne, qu'elle ait vu Mme Jave et son mari entrer ou sortir. Mais il était possible aussi qu'elle se soit trouvée dans l'appartement d'en face et qu'elle n'ait rien su de ce qui se passait de l'autre côté du palier.

Éveline Jave, certes, n'avait pas de clef de l'appartement. Mais Négrel ne l'attendait-il pas ? N'avait-elle pas pu lui téléphoner d'Orly, voire avant son envol de Nice ?

Restait la concierge. La concierge avait-elle menti ? Le salon de sa loge était séparé de la cuisine et de la chambre à coucher par un épais rideau, comme cela arrive dans de nombreux immeubles. N'était-elle pas occupée derrière le rideau lors de l'arrivée d'Éveline Jave ?

Il commanda son demi, le but sans hâte et, s'il continuait à penser à l'affaire, c'était sans passion, avec une sorte de détachement. Il imaginait la fièvre qui devait régner Quai des Orfèvres, les coups de téléphone impatients de Coméliau qui trouvait toujours que la police ne travaillait pas assez vite.

Janvier savait, par l'inspecteur en faction boulevard Haussmann, que Jave avait fait appel au docteur Mérou. Il savait aussi, par les gens de la Brigade Mobile qui avaient questionné la nurse, à Cannes, dans quelles conditions Éveline Jave, puis son mari, avaient quitté la villa Marie-Thérèse.

On n'annonçait pas l'arrivée de la nurse à Paris, ni celle de l'enfant, et c'était compréhensible qu'on les tienne toutes les deux éloignées.

Il avait envie de marcher et il se dirigea vers les quais, passant aussi loin de la Préfecture que possible. A Saint-Germain-des-Prés, il n'avança qu'avec prudence et, au coin de la rue des Saints-Pères, dut s'arrêter, car le jeune Lapointe fumait une cigarette au bord du trottoir à une centaine de mètres de lui.

Cela le fit sourire, encore qu'il en ressentît un petit pincement au cœur. Il jeta de loin un coup d'œil à l'immeuble qui répondait à la description du journal.

— Taxi !

Il rentrait chez lui. Tout cela ne le regardait pas. Il était en vacances et Pardon avait insisté pour que ce soient de vraies vacances.

— Tu as décidé de ce que nous faisons ?

Pas encore.

— Tu n'as pas une idée, toi ?

Elle n'en avait pas et ils se regardaient, gravement d'abord, puis en souriant, et ils éclataient enfin de rire en même temps.

Après cinq jours de vacances, après s'être promis tant de joies inédites, ils en étaient déjà à ne plus savoir que faire de leurs journées.

— Où pourrions-nous aller déjeuner ? Tu n'as pas voulu que je fasse le marché. Je peux toujours acheter des viandes froides.

Il hésita, hocha la tête. L'appartement ne lui avait jamais paru aussi calme. Avec ses meubles rustiques, il faisait penser à une maison d'une petite ville de province et, derrière les volets qu'on gardait à moitié clos, à cause du soleil, régnait une douce pénombre.

— Va !

Il la rappela alors qu'elle était déjà sur le palier.

— Prends-moi une coquille de langouste.

Son plat préféré quand ils étaient pauvres et qu'il s'attardait à la vitrine des charcuteries.

Il se servit un verre d'apéritif, s'installa dans un fauteuil, la cravate dénouée, fuma sa pipe en rêvassant. La chaleur l'alourdissait, faisait picoter ses paupières. Il croyait entendre la voix de la jeune fille de la place du Tertre qui voulait à toute force voir dans l'affaire du boulevard Haussmann une histoire d'amour.

Il n'en était plus si sûr. Jave avait des dettes. Comment les avait-il contractées ? Était-il joueur ? Spéculait-il en bourse ? Car le train de vie du ménage n'était pas disproportionné d'avec la clientèle du médecin et les revenus de sa femme.

Un second ménage ?

Gilbert Négrel, lui, avait une fiancée qui était probablement déjà sa maîtresse, puisqu'elle venait le voir dans son logement de garçon. Quel était le rôle d'Éveline entre les deux hommes ?

Pourquoi Maigret avait-il l'impression que, d'un côté comme de l'autre, elle avait été frustrée ?

Ce n'était qu'une intuition. Il revoyait la photographie, les cuisses maigres, le regard, qui manquait d'assurance, semblait quêter l'indulgence ou la sympathie.

Tout gamin, à Paray-le-Frésil, il avait pitié des lapins parce qu'il pensait que la nature ne les avait créés que pour servir de nourriture à des animaux plus forts.

Éveline lui rappela les lapins. Elle était sans défense. Quand, jeune fille, elle errait sur la plage de Beuzec, le premier homme venu, pourvu qu'il lui montre un peu d'intérêt et de tendresse, ne pouvait-il pas l'emporter ?

Jave l'avait épousée. Elle en avait eu un enfant.

Négrel, à son tour, comme la petite amoureuse de la veille le prétendait, était-il entré dans sa vie ?

Il finit son verre, remit sa pipe entre ses dents et, quand Mme Maigret rentra un peu plus tard, cette pipe pendait sur son menton, car Maigret s'était assoupi.

Ce fut une vraie dînette, comme quand ils étaient jeunes mariés et qu'ils habitaient encore un hôtel meublé où il était interdit de cuisiner. Mme Maigret, pourtant, l'observait d'un œil soucieux.

— Je me demande si tu ne ferais pas mieux de téléphoner à Janvier.

— Pourquoi ?

— Pas pour t'occuper de l'affaire, mais pour qu'il te tienne au courant. Il y a des moments où j'ai l'impression que tu te ronges. Tu n'es pas habitué à ne pas savoir, à devoir attendre les journaux.

Il fut tenté. C'était facile. Mais Janvier ne manquerait pas de lui demander des conseils. Et, de fil en aiguille, il se retrouverait assis dans son bureau du Quai des Orfèvres, à diriger toute la machine policière.

— Non ! décida-t-il.

— Pourquoi ?

— Je ne peux pas faire ça à Janvier.

C'était vrai aussi. Celui-ci avait sa chance de mener à bien, tout seul, une affaire sensationnelle. Il devait en trembler mais, en même temps, il vivait les plus beaux jours de sa carrière.

— Tu fais la sieste ?

Il dit encore non, car les journaux de l'après-midi allaient paraître et il avait hâte de savoir si Lassagne avait trouvé la réponse à sa question.

— On se promène, décida-t-il.

Il attendit patiemment qu'elle eût fait la vaisselle et il fut même sur le point de l'aider.

— On va loin ?

— Je ne sais pas encore.

— Tu ne crois pas qu'il va y avoir de l'orage ?

— S'il pleut, nous entrerons dans un café.

Ils cheminèrent tranquillement jusqu'au canal Saint-Martin, où il lui était arrivé tant de fois d'enquêter et où il n'était jamais venu avec sa femme. Quelques gros nuages blancs avaient envahi le ciel et, à l'est, il y en avait un plus lourd que les autres, avec un centre plus gris, qui faisait penser à une tumeur prête à crever. L'air était chaud, immobile.

A peine aperçut-il un crieur de journaux qu'il tendit le bras et, comme la veille, il acheta les deux journaux concurrents de l'après-midi.

— On s'assied quelque part pour y jeter un coup d'œil.

Mme Maigret regardait avec inquiétude les petits bistrots du quai qui, à ses yeux, n'avaient rien d'engageant.

— N'aie pas peur. Ce sont des braves gens.

— Tous ?

Il haussa les épaules. Bien sûr qu'il ne se passait guère de semaine sans qu'on retrouve un corps dans le canal. A part ça...

— Tu crois que les verres sont propres ?

— Certainement pas.

— Tu bois quand même ?

Il n'y avait que trois guéridons à la terrasse qu'il avait choisie, en face d'une péniche qui déchargeait des briques. A l'intérieur, un jeune homme en chandail noir et en espadrilles était penché sur le zinc et parlait à voix basse au patron.

Maigret commanda un marc pour lui, un café pour sa femme, qui ne le boirait pas.

Troublant rapport des toxicologues

Cela, il l'avait déjà lu dans les journaux du matin, sauf que Lassagne avait eu le temps de fignoler et d'interviewer plusieurs médecins connus. Leur opinion était à peu de chose près celle de Pardon : une erreur était possible ; elle n'était pas probable.

Lassagne avait trouvé un précédent dans les archives du journal. Il s'agissait d'un médecin du Midi chez qui on avait découvert, dans un placard aussi, le cadavre d'un de ses clients.

Le docteur en question, aux Assises, avait plaidé l'erreur, prétendant s'être trompé d'ampoule, puis, devant le cadavre, avoir perdu la tête.

— J'ai eu peur que la bonne entre dans mon cabinet et aperçoive le mort. J'ai commis un acte stupide. Pour me donner le temps de réfléchir, je l'ai poussé dans un placard.

Il était criblé de dettes. On n'avait jamais retrouvé le portefeuille du client, qui contenait une somme importante, et le médecin avait été condamné au bagne.

Lassagne savait-il que Jave avait des dettes, lui aussi ? Si oui, il ne le disait pas. Il imprimait, par contre, en sous-titre :

Où était Josépha ?

Et Maigret avait ainsi la réponse à la question qu'il avait posée le matin. Sans être vaniteux, il n'en eut pas moins une moue satisfaite, car il ne s'était pas trompé, encore que n'ayant à sa disposition que les éléments connus du grand public.

Lassagne exposait la question des deux appartements, des deux portes face à face. Le ménage des locaux professionnels terminé, le matin, Josépha, en effet, passait de l'autre côté du palier, et c'est dans l'appartement aussi qu'elle se tenait l'après-midi. La sonnerie l'avertissait lorsqu'un client sonnait en face.

Le samedi du drame, elle se trouvait dans les locaux d'habitation où, comme chaque jour, elle avait ouvert les fenêtres et pris les poussières.

Lassagne avait été plus loin, car le coup de téléphone de Maigret lui avait mis la puce à l'oreille. Trois fois, il avait tenté d'entrer dans l'immeuble sans être vu par la concierge. Deux fois, celle-ci l'avait arrêté au passage. La troisième fois, il avait pu gagner l'ascenseur sans être aperçu.

Il n'était donc pas impossible qu'Éveline Jave soit montée à son appartement à l'insu de la concierge.

Fallait-il en déduire que Jave avait pu le faire à son tour, puis quitter la maison dans les mêmes conditions ?

Quelqu'un, en outre, était sorti avec un paquet sous le bras, puisque les vêtements de la jeune femme avaient disparu. Avait-on demandé à la concierge si le docteur Négrel, en sortant à cinq heures et demie, portait un paquet ?

— Tu crois à un accident, toi ?

Mme Maigret commençait à se passionner pour l'affaire en feignant un air détaché.

— Tout est possible.

— Tu as lu ce qu'ils disent de la fiancée ?

— Pas encore.

Dans son journal à lui, cela ne venait qu'en troisième page. Une photographie de jeune fille sympathique, au visage ouvert, vêtue d'une robe-chemisier très nette. Elle fixait franchement l'appareil.

Comme titre :

Nous devons nous marier à l'automne

Elle ne disait pas :

— Nous devions.

Elle était optimiste, sûre d'elle et de son fiancé.

— *Nous devons...*

Lassagne ne dormait pas beaucoup depuis quatre jours, à en juger par la besogne qu'il abattait.

Nous avons pu rejoindre hier soir, chez elle, ou plutôt chez ses parents, puisque c'est avec eux qu'elle habite, la fiancée du docteur Négrel.

Il s'agit de Mlle Martine Chapuis, fille unique de maître Noël Chapuis, l'avocat bien connu.

Ni maître Chapuis ni sa fille n'ont fait de difficulté pour nous recevoir dans leur appartement de la rue du Bac, à deux pas de la rue des Saints-Pères.

Mieux ; l'avocat, fort élégamment, nous a laissés en tête à tête avec sa fille, donnant ainsi toute liberté à celle-ci pour nous répondre.

Disons d'abord que Martine Chapuis, âgée de vingt-quatre ans, est ce qu'on appelle une jeune fille moderne, dans le meilleur sens du mot. Après avoir pris sa licence en Droit, elle a fait une année de philosophie à la Sorbonne pour s'orienter enfin vers la médecine, où elle suit les cours de troisième année.

Intelligente, curieuse de tout, elle est en outre une sportive accomplie, fait du ski chaque hiver et possède son diplôme de monitrice de culture physique.

Loin de la trouver abattue, nous avons eu devant nous une jeune personne pleine de confiance et presque souriante.

— C'est exact que Gilbert et moi sommes fiancés depuis six mois. Il y a un an que nous nous connaissons. J'ai attendu quelques mois avant de le présenter à mes parents et ceux-ci ont autant confiance en lui que moi-même.

— Où vous êtes-vous rencontrés ?

— Chez le professeur Lebier, dont je suis les cours et dont Gilbert est l'assistant.

— Vous avez l'intention de continuer la médecine et de travailler avec votre mari ?

— C'est notre intention. J'espère l'aider tout au moins jusqu'au moment où nous aurons des enfants. Après, on verra.

— Vous connaissiez Mme Jave ?

— Je ne l'ai jamais rencontrée.

— Votre fiancé vous a parlé d'elle ?

— Incidemment.

— *Vous en parlait-il comme d'une amie ?*

— *Vous pouvez y aller plus franchement avec moi. Je vois fort bien où vous voulez en venir. Ce que vous désirez savoir, c'est si Mme Jave était la maîtresse de Gilbert.*

— *Je n'osais pas poser la question aussi crûment.*

— *Pourquoi, puisque tout le monde se la pose ? C'est compréhensible. Il est évident que Gilbert a eu des maîtresses avant de me connaître et je ne suis pas sûre qu'il n'en ait pas eu après. Je ne suis pas jalouse de ce genre d'aventures-là. Quant à Mme Jave, je serais surprise qu'il y ait eu quoi que ce soit entre elle et lui.*

— *Pour quelle raison ?*

— *A cause du caractère de Gilbert. Son travail est ce qui l'intéresse le plus au monde.*

— *Plus que vous ?*

— *Probablement. Il y a déjà des années qu'il aurait pu s'installer mais il préfère les recherches qu'il accomplit avec le professeur Lebier. L'argent ne compte pas pour lui. Il a peu de besoins. Vous avez vu son appartement.*

— *Je sais que vous y êtes allée.*

— *Je ne le cache pas. Je ne l'ai pas caché davantage à mon père. Nous nous aimons. Nous nous marierons à l'automne. Je ne vois pas pourquoi, quand je désire le voir, je n'irais pas chez lui. Nous ne sommes plus à l'époque des chaperons. Gilbert a eu des maîtresses, je vous l'ai dit, mais il s'est toujours gardé des liaisons qui entraînent des complications et des pertes de temps.*

— *Il aurait pu aimer Éveline Jave. L'amour ne se commande pas.*

— *Dans ce cas, je m'en serais aperçue.*

— *Vous n'avez pas cherché à le revoir, depuis qu'il a été questionné par la police ?*

— *Je lui ai téléphoné plusieurs fois. En fait, nous passons une bonne partie de la journée au téléphone. Si je ne suis pas allée rue des Saints-Pères c'est qu'il préfère me laisser autant que possible en dehors de cette affaire et qu'il y a des photographes en permanence devant sa maison.*

— *Quelle a été la réaction de votre père ?*

Un instant d'hésitation.

— *Il a d'abord été contrarié, car il n'est jamais agréable, surtout pour un avocat, d'être mêlé de près ou de loin à un drame de ce genre. Nous avons bavardé tous les deux. Mon père et moi sommes de grands amis. C'est lui qui a téléphoné à Gilbert pour lui offrir ses services en cas de besoin.*

— *Il lui a donné des conseils ?*

— *Je n'ai pas écouté leur conversation. Ce que je sais, c'est que, si Gilbert est interrogé à nouveau par le juge d'instruction, comme c'est probable, papa l'accompagnera en tant qu'avocat.*

— *Avez-vous vu votre fiancé samedi soir ? Car je suppose que vous avez l'habitude de passer les dimanches ensemble ?*

— *Je ne l'ai pas vu samedi soir, parce que mes parents et moi avons quitté Paris samedi midi pour la campagne. Nous avons une petite maison à Seineport, où nous passons les week-ends. Gilbert est venu nous y rejoindre dimanche matin par le premier train. Il n'a pas d'auto.*

— *Il ne paraissait pas préoccupé ?*

— *Il était comme toujours. Nous avons passé une partie de la journée en canoë et papa, qui avait du travail lundi matin de bonne heure, l'a ramené le soir à Paris dans sa voiture.*

— *Vous est-il arrivé d'aller voir votre fiancé boulevard Haussmann ?*

— *Une fois. Je passais dans le quartier. J'avais envie de connaître l'endroit où il travaillait. J'aime connaître toutes les atmosphères dans lesquelles il vit, afin de le suivre en pensée.*

— *Vous avez été introduite par Josépha ?*

— *Par la bonne, oui. Je ne savais pas encore qu'elle s'appelait Josépha.*

— *Vous avez attendu dans l'antichambre ?*

— *Comme une cliente. Il y avait deux personnes avant moi.*

— *Vous avez pénétré dans d'autres pièces que le premier bureau de consultation ?*

— *J'ai visité toutes les pièces.*

— *Y compris celles de l'appartement ?*

— *Non. Je parle des locaux professionnels, ceux de gauche.*

Aucune gêne. Aucune hésitation. Nous nous sommes permis d'insister :

— *Y compris la chambre ?*

Et sans rougir, elle nous a répondu en nous regardant dans les yeux :

— *Y compris la chambre et la salle de bains encombrée de malles.*

Maigret passa l'article à sa femme et, pendant qu'elle lisait, ne cessa de l'observer du coin de l'œil, car il savait d'avance à quels passages elle allait tiquer. Elle n'y manqua pas. Deux ou trois fois, elle poussa un soupir. A la fin, au lieu de se tourner vers lui, elle regarda fixement la péniche de déchargement.

— Drôle de jeune fille, murmura-t-elle.

Pour la taquiner, il fit semblant de ne pas entendre. Après un temps, elle questionna :

— Tu approuves ?

— Quoi ?

— Tu n'as pas lu ? Les visites rue des Saint-Pères. La chambre à coucher... De mon temps...

Il hésita. Il ne voulait pas lui faire de la peine, mais il risqua néanmoins :

— Tu ne te souviens pas ? Le petit bois, dans la vallée de Chevreuse...

Si Martine Chapuis n'avait pas rougi, Mme Maigret, elle, piqua un phare.

— Tu ne vas pas prétendre que c'est la même chose ?

— Pourquoi ?

— C'était une semaine avant notre mariage.

— Eux, c'est deux mois.

— S'ils se marient !

— S'ils ne se marient pas, ce ne sera pas sa faute à elle.

Elle le bouda pendant près d'un quart d'heure. Ils atteignaient le bout du canal, marchant au bord de l'eau et s'arrêtant derrière chaque pêcheur à la ligne, quand elle sourit enfin, incapable de lui en vouloir plus longtemps.

— Pourquoi as-tu dit ça ?

— Parce que c'est vrai.

— Et tu l'aurais raconté aux journalistes, avec l'air de t'en vanter ?

Ne trouvant pas de réponse à cette question-là, il préféra bourrer sa pipe. Au moment où il s'arrêtait pour l'allumer, de larges gouttes d'eau commençaient à s'écraser sur le sol et sur son chapeau.

5

L'alibi du docteur Jave

L'orage avait duré une partie de la nuit et brouillé le temps qui, depuis plus d'une semaine, restait au beau fixe. Ce matin-là, l'air était presque froid, avec une buée grisâtre qui traînait dans les rues et un soleil aussi pâle qu'en février.

Ce n'est pas ce qui rendit Maigret maussade. Au moment où il sortait pour aller chercher ses journaux, sa femme lui avait demandé, comme les autres matins :

— Tu as des projets pour aujourd'hui ?

Il avait dit non, comme les autres jours aussi.

— Cela t'ennuierait qu'on déjeune à la maison ?

Il n'avait pas compris tout de suite où elle voulait en venir.

— Pourquoi cela m'ennuierait-il ?

C'est alors qu'elle avait soupiré :

— J'ai si mal aux pieds. Je voudrais me reposer une journée.

Autrement dit, ce n'était pas le déjeuner au restaurant qui l'effrayait, mais les déambulations à travers Paris que son mari lui imposait par la suite. Quel jour était-on ? Depuis qu'il était en vacances, il ne s'en préoccupait pas. On devait être vendredi, et elle était déjà lasse.

— A tout à l'heure, avait-il murmuré.

— Tu n'es pas déçu ?

— Mais non.

— Il faut d'ailleurs que j'arrange mes robes.

Chaque jour, en effet, pour lui faire plaisir, elle avait porté une robe fraîche et elle n'avait pas tant de robes d'été.

Quand même ! Il n'aurait peut-être pas dû la faire manger dans un bistrot douteux, près du boulevard de la Chapelle, et la ramener ensuite à pied dans la pluie. Il avait cru que cela l'amusait. Ils étaient trempés tous les deux et, chaque fois qu'ils recevaient une rafale, Maigret lui lançait :

— Imagine-toi que tu es au bord de la mer !

Cela n'avait pas d'importance. Elle avait sans doute réellement mal aux pieds, qu'elle avait toujours eus sensibles.

Il acheta ses journaux, s'assit dans son coin de terrasse, malgré le temps frisquet, commanda son café déjà traditionnel.

Il n'y avait rien dans les journaux du matin. Ils se contentaient de reproduire, avec moins de détails, ce que les journaux du soir avaient publié la veille.

C'était comme un vide, tout à coup, comme si l'affaire en était arrivée à un point mort. Il se sentait frustré. Sa première pensée fut :

— Qu'est-ce qu'ils font donc ?

Il pensait à Janvier et aux autres du Quai des Orfèvres, dont c'était le métier de résoudre le problème, et il se passa plusieurs minutes avant que son sens de l'humour reprenne le dessus et qu'il se moque de lui-même.

Il venait de réagir en lecteur moyen. On ne lui avait pas fourni sa pitance biquotidienne et il en était dépité. Comme le grand public, il avait eu l'impression, un moment, que les policiers ne faisaient pas leur métier et il comprenait mieux l'insistance des reporters qui, au cours d'une affaire sensationnelle, assiégeaient sa porte.

— Donnez-nous n'importe quoi, commissaire, mais donnez-nous quelque chose !

Du coup, il lut tout le reste du journal, le temps qu'il faisait dans les différentes stations balnéaires et sur les plages à la mode, les bons mots des vedettes, les accidents de la route et jusqu'à un long article sur l'avenir de la télévision.

Le reste de la matinée fut sans histoire. Il marcha dans les rues, au petit bonheur, entra dans deux petits bars pour y prendre l'apéritif. Quand il rentra, un poulet bonne-femme l'attendait et une Mme Maigret qui regrettait ce qu'elle lui avait dit le matin.

— Tu n'es pas fâché ?

— Pourquoi ?

— J'espère que tu ne te figures pas que je m'ennuie avec toi ? Ce sont vraiment mes pieds...

— Je sais.

— Cela ne t'empêche pas de sortir, toi.

Peut-être allait-il y avoir un nouvel orage, ou simplement de la pluie, car le soleil avait disparu et le ciel était d'un gris uni. Il ne savait pas où il irait mais il sortit quand même, toujours grognon. Au lieu de tourner à gauche, une fois boulevard Voltaire, il tourna à droite et la pluie commença effectivement à tomber, en larges hachures, au moment où il atteignait la place Voltaire.

Il entra dans un café d'habitués, en face de la mairie, où il savait qu'il y avait des billards dans l'arrière-salle, et il se disait que, s'il trouvait un partenaire, cela ne lui déplairait pas de faire deux cents points. Il n'était pas mauvais au billard, autrefois. Il aimait le mouvement des billes qui, lorsqu'on leur donne l'effet voulu, ont une façon presque intelligente de se mouvoir et il aimait aussi le bruit qu'elles font en s'entrechoquant.

Les deux billards étaient couverts de leur housse. Par contre, près de la vitre, il y avait des joueurs de belote et Maigret s'assit non loin d'eux. Il voyait deux jeux à la fois, de sa place sur la banquette, et un des joueurs ne tarda pas à se tourner vers lui avec un clin d'œil chaque fois qu'il avait de bonnes cartes.

Ce n'était pas désagréable, après tout. Le plus âgé des quatre devait être un retraité qui avait appartenu à la haute administration, car il était officier de la Légion d'honneur, et on appelait son partenaire « professeur ». Un professeur de lycée, probablement.

— Pique maître, encore pique maître et atout...

Le retraité fut le seul à tendre la main quand un vendeur de journaux entra dans le café. Il se contenta d'ailleurs de poser le journal sur la table voisine sans le regarder et à ne se préoccuper que de ses cartes.

On annonçait enfin du nouveau. Comme Maigret s'en doutait, la P.J. n'était pas restée inactive, mais on ne peut pas offrir des nouvelles sensationnelles à la presse deux fois par jour.

Plusieurs titres se succédaient en première page, sous un titre plus gros que les autres :

L'alibi du docteur Jave
L'inspecteur Janvier à Cannes
Les bijoux de la morte

C'était beaucoup en une seule fois et Maigret cessa d'observer les joueurs pour se plonger dans sa lecture.

L'affaire du boulevard Haussmann, écrivait le petit Lassagne, *vient, dans les dernières vingt-quatre heures, de prendre une tournure nouvelle qui permet de s'attendre à des surprises.*

Le mérite en revient, semble-t-il, à l'inspecteur Janvier qui, en l'absence du commissaire Maigret, toujours en vacances, dirige l'enquête.

Dès le début de celle-ci, une commission rogatoire avait été envoyée à la Brigade Mobile des Alpes-Maritimes qui avait été chargée d'interroger Mlle Jusserand, la nurse de la petite Michèle Jave, toujours à la villa Marie-Thérèse.

Quels sont les renseignements que la P.J. a obtenus de la sorte ? Il ne nous a pas été permis de le savoir mais, hier matin, un de nos reporters au Quai des Orfèvres a suivi l'inspecteur Janvier qui partait précipitamment en voiture.

Cette filature, si nous osons nous exprimer ainsi, a conduit notre collaborateur à Orly, où l'inspecteur Janvier s'est précipité vers l'avion de Nice quelques instants seulement avant son envol.

Nous avons téléphoné aussitôt à notre correspondant de la Côte d'Azur et c'est ainsi que nous avons été mis au courant des nouveaux développements de l'affaire.

Comme nous l'avons déjà dit, Mlle Jusserand, jusqu'ici, s'était refusée à toute déclaration et c'est à peine si les reporters pouvaient parfois l'entrevoir avec l'enfant dans les jardins de la villa Marie-Thérèse.

Cette villa, louée pour six semaines par le docteur Jave, est située un peu en dehors de la ville, à mi-hauteur de la Californie. C'est une bâtisse peinte en jaune, construite au début du siècle dans le style rococo qui florissait à l'époque. Le jardin, assez vaste, est planté d'eucalyptus et de pins parasols.

Pendant trois jours, les journalistes locaux, ainsi que les photographes, ont fait en vain le pied de grue devant la grille qui ne s'ouvrait que pour laisser passer les fournisseurs.

L'inspecteur Janvier, dès son arrivée, a été reçu en compagnie d'un inspecteur de Cannes et leur entrevue avec Mlle Jusserand a duré plus de trois heures.

Mlle Jusserand est une femme d'une cinquantaine d'années, peut-être davantage, au maintien rigide, au visage pâle et peu mobile, qui ne paraît pas commode. Elle a longtemps été infirmière dans une clinique privée et c'est là, semble-t-il, que le docteur Jave l'a engagée à la naissance de l'enfant.

Elle est célibataire et il est même difficile d'imaginer, à la voir, qu'il y ait jamais eu un homme dans sa vie.

Notre correspondant nous a fourni quelques détails sur la vie que les Jave menaient à Cannes jusqu'au moment du drame.

Ils avaient là-bas la grande Pontiac grise dans laquelle ils étaient venus de Paris par la route, il ne semble pas qu'Éveline Jave l'ait jamais conduite.

Le docteur s'en servait chaque matin pour conduire sa femme, la nurse et l'enfant à la plage où lui-même ne restait pas, car il se rendait aussitôt sur un court de tennis proche, où il s'entraînait pendant deux heures avec un professeur.

Sur la plage, Éveline Jave ne s'est liée avec personne. Elle se baignait avec l'enfant et restait ensuite allongée sur le sable, toujours sous un parasol, sans s'exposer au soleil, tandis que la nurse surveillait sa fille.

Vers midi, le docteur revenait les prendre et tout le monde rentrait à la villa Marie-Thérèse.

Notre correspondant, qui a pu bavarder avec la cuisinière engagée dans le pays pour le temps des vacances, lui a demandé :

— Était-ce un ménage uni ?

— Je ne sais pas.

— Leur arrivait-il de se disputer ?

— Je n'ai rien entendu.

— *Les avez-vous parfois surpris en train de s'embrasser ?*

— *Oh ! monsieur...*

Le docteur passait ses après-midi, soit à lire des ouvrages médicaux au fond du jardin, soit à se promener sur la Croisette, où il prenait invariablement son apéritif au bar du Majectic.

Au sortir de la villa Marie-Thérèse, l'inspecteur Janvier, qui paraissait soucieux, s'est refusé à toute déclaration et s'est dirigé vers l'aéroport. Mais ce matin, à Paris, vraisemblablement après consultation avec le juge Coméliau, il s'est décidé à recevoir les journalistes et à leur donner quelques indications sur les résultats de son voyage.

Cela s'est passé un peu comme les fameuses conférences de presse de la Maison Blanche, sur une échelle réduite, bien entendu, chacun lui posant des questions. L'inspecteur n'a pas répondu à toutes.

Voici tout d'abord, en quelques mots, l'emploi du temps de Jave et de sa femme pendant les heures qui ont précédé la mort de celle-ci. Il s'agit de la version fournie par Mlle Jusserand.

Le vendredi, vers neuf heures du soir, alors que son mari était sorti pour une marche dans le quartier, Éveline Jave a appelé Paris et a eu une assez longue conversation.

L'inspecteur Janvier ne nous a pas caché qu'on avait retrouvé le numéro demandé et qu'il s'agit de celui du docteur Négrel, à son domicile de la rue des Saints-Pères.

Un peu plus tard, Mme Jave annonçait à la nurse :

— *Demain, je serai absente toute la journée. Je vais voir une amie à Saint-Tropez.*

Et elle lui donnait des instructions au sujet de la maison.

Il est probable qu'elle a annoncé la même chose à son mari. Elle devait prendre la micheline qui quitte Cannes à huit heures dix et avait commandé un taxi pour se faire conduire à la gare.

C'est ici que nous assistons à un véritable renversement de la situation. On avait admis que Jave était parti sur les traces de sa femme, qu'il avait raté, à Nice, l'avion de neuf heures quinze et qu'il avait pris l'avion de Londres pour la rejoindre au plus vite.

Les déclarations de Mlle Jusserand anéantissent cette théorie et montrent le médecin du boulevard Haussmann sous un jour nouveau.

Jave a quitté la villa Marie-Thérèse peu après sa femme, en effet, comme s'il avait attendu que la voie soit libre, et, au volant de son auto, s'est dirigé vers l'aéroport de Nice, où il a raté l'avion de Paris de deux ou trois minutes seulement.

Il ne s'est informé de sa femme auprès d'aucun employé. Selon la nurse, il ignorait à ce moment que Mme Jave avait pris l'avion et il la croyait réellement chez une amie à Saint-Tropez.

C'était lui, en réalité, qui profitait de l'absence de sa femme pour faire une escapade.

Et c'est bien d'une escapade qu'il s'agit, les vérifications de la police allaient le prouver.

Maigret dut tourner la page de son journal et suivit machinalement une partie de cartes. En troisième page, il y avait un nouveau titre.

La vie secrète du docteur Jave

Nous ne pouvons mieux faire que reproduire ici quelques-unes des questions et réponses qui se sont échangées dans le bureau de l'inspecteur Janvier, qui n'est autre que le bureau du commissaire Maigret où l'inspecteur s'est installé.

Maigret tiqua, sans raison.

— *Mlle Jusserand a-t-elle parlé de bon cœur ?*
— *Non. En réalité, il a fallu lui arracher les réponses une à une, et non sans peine.*
— *Semble-t-elle dévouée à ses patrons ?*
— *J'ai l'impression qu'elle voue une même haine à tous les hommes.*
— *Quelles étaient ses relations avec Mme Jave ?*
— *Je crois qu'elle ne l'aimait pas.*
— *En somme, elle n'aime personne ?*
— *L'enfant, qu'elle considère un peu comme le sien, et elle-même. Elle a une très haute opinion d'elle.*
— *Est-ce la femme à écouter aux portes ?*

Ici, Janvier avait risqué une petite phrase qui allait lui mettre quelques millions de lectrices à dos.

— *Toutes les femmes n'écoutent-elles pas aux portes ?*
— *Vous avez foi en son témoignage ?*
— *Jusqu'ici, tout ce qu'elle a dit, ou presque, a été vérifié.*
— *Le docteur avait une liaison à Paris ?*
— *Oui. Et même plus qu'une liaison. On pourrait peut-être parler d'un grand amour.*
— *Sa femme le savait ?*
— *Officiellement, non.*
— *Mais Mlle Jusserand était au courant ?*
— *Apparemment.*
— *D'autres personnes étaient dans le secret ?*
— *Josépha.*
— *Pourquoi ?*
— *Parce qu'il s'agit de sa fille Antoinette, qui habite la rue Washington, à deux pas de l'appartement du boulevard Haussmann.*
— *Josépha était consentante ?*
— *Oui.*

L'inspecteur Janvier, alors, nous a fourni quelques détails troublants. Voilà deux ans environ, Antoinette Chauvet, la fille de Josépha, qui était alors vendeuse dans un magasin des Grands Boulevards, a fait un début de phtisie et le docteur Jave s'est proposé pour la soigner.

Signalons en passant que la jeune fille n'est pas sans rappeler physiquement Mme Jave. Comme elle, elle est plutôt maigre, avec un visage chiffonné et des yeux qu'on dirait peureux.

Jave a pris l'habitude d'aller la voir rue Washington. Comme elle avait besoin de repos complet, il a subvenu à son entretien, l'a même envoyée deux mois à la campagne.

A son retour, les visites ont continué et n'ont pas cessé depuis deux ans.

C'est cette situation qui a fait dire à certains que la jeune fille était de mœurs légères. En effet, elle n'a pas repris son travail, une fois guérie, et chaque fois qu'il avait un moment de libre entre deux visites professionnelles, le docteur Jave se précipitait rue Washington.

— Même quand Josépha s'y trouvait ?

— Même quand Josépha s'y trouvait. Pour celle-ci, Jave est une sorte de demi-dieu qui a tous les droits.

— C'est chez Antoinette Chauvet que Jave se rendait précipitamment samedi ?

— La concierge de la rue Washington le confirme, car elle l'a vu arriver trois quarts d'heure à peine après que l'avion de Londres eut atterri à Orly.

— Jusqu'à quelle heure est-il resté ?

— Un instant. A ce moment-là, Josépha était absente, de sorte que nous n'avons que le témoignage d'Antoinette. Selon celle-ci, Jave n'a quitté la rue Washington qu'à sept heures du soir, juste à temps, étant donné l'encombrement des rues à cette heure-là, pour prendre le train de huit heures à la gare de Lyon.

— Et Josépha ?

— Elle prétend toujours avoir quitté le boulevard Haussmann peu de temps après le docteur Négrel, soit vers six heures, et être allée chez sa fille.

— Où elle a trouvé Jave ?

— Oui.

— Elle est restée avec le couple jusqu'à sept heures ?

— Elle l'affirme.

— De sorte que Jave a un alibi ?

L'inspecteur Janvier ne s'est pas montré aussi catégorique. Étant donné la dévotion d'Antoinette et de sa mère pour le docteur, il est certain que leur témoignage peut être considéré comme suspect. La concierge d'autre part, qui a vu entrer Jave, ne l'a pas vu sortir. Il est vrai que, vers cette heure-là, elle était chez un épicier voisin et que la loge est restée vide pendant quinze ou vingt minutes.

A supposer que Philippe Jave ait quitté la rue Washington vers sept heures, n'a-t-il pas eu le temps de courir boulevard Haussmann, de tuer sa femme, de l'enfermer dans le placard et de se précipiter à la gare de Lyon ?

C'est peu probable, mais une reconstitution doit être faite aujourd'hui afin d'éclaircir ce point.

Maigret était soucieux. Il y avait jusqu'ici quelque chose qui ne collait pas. Pardon ne lui avait-il pas confié que Jave passait pour être criblé de dettes et pour danser sur la corde raide ?

Antoinette, dans son logement modeste de la rue Washington, ne devait pas être une femme bien coûteuse.

Il était un peu jaloux aussi, jaloux de Janvier, non pas à cause de son succès, mais pour une question ridicule. Chaque fois qu'une enquête entraîne des frais, des déplacements, il faut se battre, à la P.J., avec les dispensaires de fonds, et ceux-ci épluchent les notes de frais avec une minutie vexante.

Comment Janvier avait-il obtenu de se rendre à Cannes par avion ? Il fallait qu'on attache une importance exceptionnelle à cette affaire pour délier ainsi les cordons de la bourse.

La femme aux bijoux

De temps en temps, un des joueurs l'observait, et il y en eut même un pour se pencher vers lui afin de jeter un coup d'œil au journal.

— C'est Jave ? questionna-t-il.

— On ne sait pas encore.

— Pour moi, c'est lui.

S'il avait lu la suite de l'article, il aurait sans doute été moins affirmatif.

Le voyage de l'inspecteur Janvier à Cannes a apporté une autre surprise qui n'est pas moindre que la première.

Depuis plusieurs jours, déjà, le bruit courait que les Jave, malgré leur aisance apparente, n'étaient pas dans une situation financière brillante et que le docteur avait des dettes.

L'idée qui venait tout de suite à l'esprit était que Jave avait une seconde vie, probablement une maîtresse dépensière, car il n'était ni joueur, ni spéculateur.

Quel gouffre engloutissait donc les revenus importants de Mme Jave et les honoraires plus que respectables de son mari ?

C'est Mlle Jusserand, une fois encore, qui a apporté la clef de l'énigme.

L'a-t-elle fait par vengeance féminine ou innocemment ? Ce n'est pas à nous d'en juger. Toujours est-il qu'au moment où l'inspecteur Janvier allait se retirer, elle lui a demandé :

— Vous ne voudriez pas emporter le coffret à bijoux ? Puisque je reste seule ici avec l'enfant et la cuisinière, je n'aime pas en prendre la responsabilité.

— Où se trouve ce coffret ?

— Dans la chambre de madame. Elle l'emporte toujours avec elle quand elle voyage et je suis surprise qu'elle l'ait laissé ici.

Il s'agit plutôt d'une mallette, qui vient de chez un sellier fameux du faubourg Saint-Honoré. Comme il fallait s'y attendre, elle était fermée à clef.

— *Je sais où se trouve la clef*, a déclaré Mlle Jusserand qui, décidément, est au courant de bien des choses.

Elle a désigné le tiroir d'une commode, où la clef était en effet glissée sous une pile de lingerie.

L'inspecteur Janvier ne nous a pas caché sa surprise à la vue des bijoux que contenait la mallette. Ils n'ont pas encore été expertisés, mais on peut, à première vue, évaluer leur valeur à une trentaine de millions, bagues, colliers, bracelets, clips et boucles d'oreilles, le tout provenant des meilleures maisons de la rue de la Paix.

On comprend maintenant pourquoi nous avons parlé de retournement de la situation.

On s'attendait à découvrir que le docteur Jave, dont la femme était si simple et si modeste en apparence, avait une maîtresse gaspilleuse.

Il apparaît tout à coup que c'était sa femme qui déséquilibrait son budget, alors que sa maîtresse se contentait d'une existence obscure.

Nous avons pu joindre le frère de la victime, Yves Le Guérec, par téléphone. Il se trouve toujours à l'Hôtel Scribe et il ne nous a pas caché la raison de son séjour prolongé à Paris.

Il entend emmener la dépouille mortelle de sa sœur à Concarneau, afin qu'elle soit inhumée dans le caveau de famille.

Or, en tant que mari, c'est à Jave de décider.

— *Vous lui avez posé la question ?*

— *Je n'ai pu, ni le voir, ni lui parler au téléphone. Je lui ai écrit, ou plutôt je lui ai fait écrire par mon avocat, car je ne veux avoir aucun rapport avec cet homme, et nous n'avons encore reçu aucune réponse.*

Une bataille va-t-elle s'engager autour du cadavre entre le mari et le frère ?

Le Guérec, lorsque nous avons pris contact avec lui, n'était pas au courant de la découverte des bijoux, nous lui avons demandé :

— *Votre sœur était-elle coquette ?*

— *Trop peu à mon avis. Malgré sa fortune, elle a toujours refusé de s'habiller chez les grands couturiers et elle faisait une partie de ses robes elle-même.*

— *Elle aimait les bijoux ?*

— *Elle n'en portait pour ainsi dire pas. Quand ma mère est morte, on a fait, entre elle et ma femme, le partage des bijoux de famille. Ils étaient sans grande valeur, surtout des bijoux anciens. Éveline a laissé ma femme choisir sans s'inquiéter de sa part.*

— *Elle possédait pourtant une trentaine de millions de bijoux.*

— *Vous dites ?*

— *Je dis une trentaine de millions.*

— *Qui prétend cela ?*

— *On les a découverts à Cannes.*

Le Guérec a soudain changé de ton au bout du fil :

— *Où voulez-vous en venir ?*

— *Nulle part. Je me demandais si vous étiez au courant, si, jeune fille, votre sœur avait déjà une passion pour les diamants, les rubis et les émeraudes.*

— Je suppose que ce serait son droit ?

— Sans aucun doute.

— Je vous fais remarquer, en outre, qu'avec sa part des revenus de l'usine, elle pouvait se le permettre sans avoir besoin de faire appel à son mari. C'était son argent, non ?

— D'une façon, oui...

— Dans ce cas, je ne vois pas pourquoi on s'occupe de savoir ce que ma sœur en faisait. Si elle a préféré acheter des bijoux, cela la regarde.

— Bien entendu.

Sur quoi Yves Le Guérec a raccroché assez brutalement.

Nous nous sommes rendus, vers midi, rue Washington, où le trottoir était encombré de photographes.

L'immeuble dans lequel Antoinette Chauvet habite un logement au quatrième étage est vieillot, mais décent. L'ascenseur ne fonctionnant pas, nous avons monté les étages à pied, mais c'est en vain que nous avons frappé à la porte qui nous était désignée.

Une porte voisine s'est ouverte. Une femme d'un certain âge à cheveux gris, vêtue de noir, nous a annoncé :

— Si c'est Mlle Chauvet que vous cherchez, elle n'est pas chez elle.

— Il y a longtemps qu'elle est sortie ?

— Deux jours.

— Vous ne l'avez pas vue depuis deux jours ?

— Non. Il n'y a que sa mère qui soit venue deux fois, mais elle a la clef.

— Vous ne savez pas si la jeune fille a emporté des bagages ?

— Vous appelez ça une jeune fille ? Quelqu'un qui reçoit des hommes mariés ?

— Pourquoi dites-vous des ? Il y en avait plusieurs ?

— Si on en reçoit un, on est capable d'en recevoir d'autres, voilà mon opinion. Et quand une mère assiste à ces choses-là, je prétends...

Nous n'avons pas pu connaître l'opinion complète de la voisine sur Josépha, car, suffoquée par l'indignation, elle a brusquement battu en retraite et nous a fermé la porte au nez.

Où est Antoinette Chauvet ? A-t-elle voulu échapper aux journalistes et aux photographes ?

La police doit le savoir, puisqu'elle a été à même de l'interroger, mais, quand nous avons téléphoné à l'inspecteur Janvier pour avoir son adresse actuelle, il nous a répondu qu'il était inutile de la déranger pour le moment.

Il est difficile, on le voit, de résumer la situation. L'affaire, au lieu de se simplifier, devient plus confuse.

Un certain nombre de questions se posent, auxquelles il est encore impossible de répondre.

Éveline Jave était-elle au courant de la liaison de son mari ?

Pourquoi, vendredi soir, a-t-elle téléphoné au docteur Négrel, chez lui ? (A noter que ce coup de téléphone semblerait confirmer les dires de la concierge de la rue des Saints-Pères, qui prétend avoir vu la jeune femme deux fois au moins se rendre chez son locataire.)

Pourquoi, après avoir prétendu qu'elle allait rendre visite à une amie, à Saint-Tropez, Mme Jave a-t-elle pris l'avion pour Paris ?

Éveline et Gilbert Négrel se sont-il rencontrés ?

Les témoignages d'Antoinette Chauvet et de Josépha sont-ils des témoignages de complaisance et le docteur Jave n'a-t-il vraiment pas eu le temps de se rendre boulevard Haussmann avant le départ du train Bleu ?

Enfin, pourquoi Éveline Jave, qui n'était pas coquette et qui portait peu de bijoux, en amassait-elle avec une sorte de frénésie maladive ?

Maigret replia le journal en soupirant et appela le garçon pour commander une nouvelle consommation. Son voisin questionna :

— C'est lui ?

— On ne sait toujours pas.

— Croyez-moi ! les jeunes sont rarement assez jaloux pour tuer. Ce sont les hommes de votre âge et du mien qui voient rouge.

Le commissaire s'efforça de ne pas sourire. Le joueur de belote se doutait peu qu'il s'adressait à un homme qui, en trente ans, avait eu à se pencher sur tous les drames de Paris.

Il est vrai que, s'il l'avait su, il n'aurait sans doute pas eu moins d'assurance. Les gens ont d'autant plus confiance dans leur propre jugement qu'ils ont moins de connaissance ou d'expérience pour l'étayer.

— La même chose, garçon.

Il louchait vers les deux billards avec une envie enfantine de jouer. Il y avait bien un petit vieux, en face de lui, qui avait une tête d'amateur de billard, mais il lisait le journal en buvant un café-crème et Maigret n'avait pas l'audace de le déranger.

Janvier s'en tirait bien. Le commissaire, à présent, pouvait se faire une idée de ses allées et venues, du sens de ses recherches. On devait être en train, Quai des Orfèvres ou boulevard Haussmann, de questionner à nouveau le docteur Jave.

Et Maigret aurait donné gros pour procéder lui-même à cet interrogatoire-là. Il aurait aimé aussi se trouver une demi-heure face à face avec Mlle Jusserand, la nurse qui détestait les hommes et qui, de son plein gré, sans qu'on le lui demande, avait révélé le secret des bijoux.

Josépha, pour lui, ne posait pas de problème. Il en avait connu beaucoup comme elle, des veuves laborieuses, qui avaient obéi toute leur vie à la morale traditionnelle mais qui, quand il s'agissait de leur fille, se montraient soudain pleines d'indulgence.

Le petit Lassagne écrivait qu'à ses yeux, Jave était un demi-dieu.

Cela se comprenait. Il avait sauvé sa fille. Il avait dû, au début, se pencher sur elle avec une tendresse presque paternelle.

Cela ne le surprenait pas non plus que Jave soit tombé amoureux d'une femme qui ressemblait à la sienne. C'est fréquent. Chaque homme est plus ou moins attiré par un type déterminé.

Peut-être même était-ce la preuve que le docteur, à Concarneau, n'avait pas fait un mariage d'argent, mais un mariage d'amour ?

Il s'était trouvé en présence d'une jeune fille frêle, repliée sur elle-même, qui menait une vie sans joie.

Éveline s'était-elle révélée plus tard différente de ce qu'il avait pensé ? N'y avait-il pas une indication dans l'histoire des bijoux amassés comme des provisions dans une fourmilière ?

Le hasard lui faisait connaître, trois ans plus tard, une autre jeune fille, malingre aussi, malade aussi, menacée, comme la première, dans sa chair.

Était-il étrange que le déclic se produise à nouveau comme il s'était produit une première fois ?

Il était parti pour Cannes avec sa famille, laissant Antoinette à Paris. Sa femme lui annonçait qu'elle allait passer la journée, peut-être la nuit suivante, chez une amie, à Saint-Tropez.

N'en avait-il pas profité pour se précipiter à l'aéroport afin d'avoir quelques heures avec Antoinette ?

Cela se tenait. On pouvait faire un certain nombre d'objections, mais on pouvait aussi y trouver des réponses.

S'il en était ainsi, il n'avait aucune raison de se rendre boulevard Haussmann. Pas tant que Négrel y était, en tout cas. Après six heures, une fois la place libre.

Que serait-il allé y faire ?

D'autre part, pourquoi, venu en avion, n'était-il pas reparti par l'avion, qui l'aurait déposé à Nice le soir même, de sorte qu'Éveline aurait ignoré sa fugue, en supposant qu'il l'ait crue à Saint-Tropez ?

Parmi les questions qu'il posait, Lassagne glissait :

Mme Jave était-elle au courant des amours de son mari ?

Il en oubliait une autre, aussi plausible, à laquelle on n'avait pas encore de réponse non plus : *Le docteur Jave était-il au courant des relations entre sa femme et son remplaçant ?*

Car des relations existaient entre eux, sur un plan ou sur un autre, puisque Mme Jave avait téléphoné le vendredi soir au jeune médecin.

On ne doutait plus du témoignage de la concierge. Il lui était bien arrivé, par deux fois au moins, de se rendre rue des Saints-Pères.

Si Jave savait sa femme à Paris, et non à Saint-Tropez, il n'avait pas manqué l'avion, mais il en avait pris volontairement un autre.

Qu'est-ce que Janvier allait faire ? Maigret imaginait l'impatience du bouillant juge Coméliau qui devait insister pour qu'on arrête le docteur Négrel.

Il pleuvait toujours. Il n'y avait toujours personne pour faire un billard. Maigret paya ses consommations, adressa un vague signe de tête aux joueurs de belote et sortit, les mains dans les poches.

Il lui semblait qu'à la place de Janvier...

Ce n'était pas une pluie désagréable et il marcha sans s'en rendre compte jusqu'à la place de la République, entra dans sa brasserie du matin, commanda un demi, de quoi écrire, et s'appliqua à tracer des lettres en caractères d'imprimerie, comme il l'avait déjà fait une fois.

Son message était aussi bref que le premier, adressé à Janvier encore :

A VOTRE PLACE, J'IRAIS A CONCARNEAU.

Puisque aussi bien l'administration se montrait assez généreuse pour payer l'avion de Nice !...

6

Le voyage à Concarneau

L'avis anonyme envoyé par Maigret n'avait pas eu le temps d'atteindre le Quai des Orfèvres que quelqu'un d'autre décidait le voyage à Concarneau et l'entreprenait d'une façon spectaculaire. Il y avait eu d'abord un événement beaucoup plus important, mais le commissaire ne devait l'apprendre qu'en même temps que le gros public.

Il avait fini, sous la pluie, par retourner boulevard Richard-Lenoir. Comme dans un hôtel de plage par mauvais temps, il avait questionné, sans même s'asseoir dans son fauteuil :

— Qu'est-ce que nous faisons ?

— Ce que tu voudras.

Il n'était que cinq heures de l'après-midi et il fallait remplir le reste de la journée.

— Pourquoi n'irions-nous pas au cinéma ?

Cela ferait deux fois dans la même semaine, ce qui ne leur était pas arrivé depuis des années et des années. Cette fois, seulement, pour marquer la différence, au lieu de se contenter de leur cinéma de quartier ils prirent le métro et choisirent une grande salle des Champs-Élysées.

C'est là qu'après les actualités et la bande documentaire il y eut un silence prolongé et qu'on projeta ensuite sur l'écran un texte qu'on avait dû écrire à la hâte sur une plaque de verre comme au moment des élections et des grandes catastrophes.

Dernière minute
L'affaire du boulevard Haussmann
Le docteur Gilbert Négrel
a été arrêté cet après-midi à son domicile

C'était impressionnant, dans l'immense salle qui n'était qu'au tiers pleine, après les images mouvantes soutenues par la musique, de ne voir qu'un texte immobile qui semblait émaner d'une ancienne lanterne magique. Des spectateurs bougeaient, mal à l'aise dans leur fauteuil. On entendit tousser à différents endroits, puis il y eut des chuchotements.

L'écran redevint blanc, mais toujours lumineux, et c'est une photographie du jeune médecin qui prit la place de l'information. Il n'était pas seul. Il faisait partie d'un groupe de médecins en blouse blanche, dans la cour d'un hôpital. Une croix, sous un des personnages, désignait celui que Coméliau venait d'envoyer au Dépôt sous l'inculpation de meurtre.

Enfin, l'image effacée, une autre pris sa place, la photographie que les journaux avaient déjà publiée d'Éveline Jave, en maillot de bain sévère, sur la plage bretonne.

Quelqu'un, dans l'obscurité de la salle, cria :

— Assez !

Un homme d'un certain âge murmura, derrière Maigret :

— Je savais bien que c'était lui.

L'écran s'obscurcit encore et ce fut un soulagement d'entendre la musique qui préludait au grand film, dont le générique commença à apparaître.

Maigret ne fut pas soulagé comme les autres parce que, tout en s'efforçant de s'intéresser au film qui se déroulait, il était malgré lui en esprit Quai des Orfèvres, où il imaginait Négrel dans son bureau, puisque aussi bien c'était dans son bureau que Janvier s'était installé.

A certain moment, Mme Maigret glissa sa main dans la sienne, comme si elle comprenait, et, quand ils sortirent avec la foule, elle ne lui posa aucune question, ne se permit aucun commentaire.

Les Champs-Élysées avaient commencé, aux lumières, leur vie du soir et, comme des centaines, des milliers d'autres, ils restèrent hésitants à se demander dans quel restaurant ils iraient dîner. Ils choisirent en fin de compte, pour ne pas marcher, un vaste établissement qui avait la spécialité des poissons et des fruits de mer et se trouvèrent installés à une table minuscule où Maigret n'avait pas de place pour ses jambes.

Ce n'est que le lendemain qu'il devait apprendre le reste, en ouvrant les journaux du matin place de la République. Le vent avait remplacé la pluie.

Maître Chapuis à Concarneau

Comme la radio l'a annoncé hier soir, le juge d'instruction Coméliau a pris, au début de l'après-midi, la décision de placer le docteur Négrel sous mandat de dépôt et l'inspecteur Janvier, accompagné de son collègue Lapointe, s'est rendu vers trois heures rue des Saints-Pères.

Ils ont trouvé le jeune médecin en compagnie de sa fiancée, Martine Chapuis, et de son futur beau-père, l'avocat Noël Chapuis.

Tous les trois paraissaient calmes et s'attendaient visiblement à cette mesure.

En traversant le trottoir pour pénétrer dans la voiture de la police, le docteur Négrel s'est arrêté un instant afin de permettre aux photographes d'opérer et, comme on le verra sur notre cliché, il avait aux lèvres un sourire à la fois amer et confiant.

Maître Chapuis l'a accompagné dans l'auto. Quant à Martine Chapuis, restée seule en proie aux journalistes, elle s'est contentée de déclarer :

— Je ne crains rien. Gilbert est innocent.

L'interrogatoire, à la P.J., n'a duré que quarante minutes, après quoi, sans menottes, toujours maître de lui et presque serein, Négrel a été conduit par deux inspecteurs dans une des cellules du Palais de Justice.

Aux journalistes qui le harcelaient, dans le couloir de la Police Judiciaire, maître Chapuis a annoncé :

— Je suis plus confiant que jamais. Pour défendre mon client, il me faut découvrir la vérité et je sais que je la découvrirai. Je prends, ce soir, le train pour Concarneau.

— Vous croyez, maître, que la vérité est à Concarneau ?

L'avocat s'est contenté d'un geste vague, mais n'a pas dit non.

Cela explique pourquoi, à sept heures trente-cinq, une demi-douzaine de reporters prenaient, en même temps que le défenseur du docteur Négrel, le train à la gare Montparnasse.

L'avocat et les journalistes ont fait le voyage dans le même compartiment et sont arrivés ce matin dans le port breton.

Peut-être est-ce une coïncidence, mais Yves Le Guérec, frère de la victime, se trouvait dans un autre wagon du même train. Il n'a eu aucun contact avec le premier groupe.

Le docteur Jave, de son côté, n'a toujours pas quitté son appartement du boulevard Haussmann, où Josépha prend soin de lui. Le téléphone reste muet. Vers six heures, l'inspecteur Lapointe, qui est le plus jeune inspecteur de la P.J., lui a rendu visite et a passé près de deux heures avec lui. A sa sortie, il s'est refusé à toute déclaration.

Selon une information que nous n'avons pu contrôler, Antoinette Chauvet se trouverait dans un hôtel dont seule la police et sans doute sa mère et le docteur Jave connaissent l'adresse.

Maigret, impatient, faillit succomber et téléphoner au Quai des Orfèvres. Cela commençait à lui peser de jouer le public. Il sentait que l'affaire prenait enfin un rythme accéléré, que la vérité n'était probablement pas loin et il se morfondait dans l'attente des nouvelles.

Cela l'avait impressionné, la veille, au cinéma, de voir les deux photographies, un peu comme s'il se fût agi d'une exhibition indécente.

Ils déjeunèrent dans le quartier, Mme Maigret et lui, dans un restaurant proche de la Bastille dont les habitués étaient presque tous en vacances et que les touristes ne connaissaient pas, de sorte que la salle était aux trois quarts vide.

Le patron vint lui serrer la main.

— Je vous croyais en vacances, commissaire.

— J'y suis.

— A Paris ?

— Chut !

— Vous êtes revenu pour l'affaire du boulevard Haussmann ?

Il n'aurait pas dû se montrer dans un endroit familier.

— Nous sommes de passage, ma femme et moi. Nous repartons tout à l'heure.

— Quelle est votre opinion ? C'est le jeune ?

— Je n'en sais rien.

Cela dépendait de tant de choses dont il n'avait pas la moindre idée ! Janvier possédait-il des informations dont il n'avait pas parlé à la presse ? C'était possible et c'était bien ce qui vexait le commissaire. D'une part, il ne pouvait s'empêcher d'essayer de résoudre le problème et, de l'autre, il n'avait pas toutes les cartes en main.

Comme, un peu plus tard, ils s'installaient à une terrasse, place de la Bastille, sans s'être donné la peine de changer de quartier, Mme Maigret remarqua :

— Je me demande comment ils font à Londres et à New York.

— Que veux-tu dire ?

— Il paraît qu'ils n'ont pas de terrasses.

C'était vrai qu'ils venaient de passer une bonne partie de la semaine à la terrasse des cafés. Le commissaire guettait l'arrivée des journaux. Deux filles encore jeunes faisaient les cent pas devant la porte d'un hôtel meublé.

— Tu vois qu'il y en a encore.

Et elle ne fit aucune réflexion quand son mari répliqua :

— J'espère bien !

Un gamin apparaissait, une pile de journaux sur le bras, et Maigret avait de la monnaie toute prête.

D'un geste qui était déjà devenu machinal, il passa une des feuilles à sa femme, déploya l'autre, celle où écrivait Lassagne.

> *Fièvre à Concarneau*
> *Pour ou contre Éveline Jave*
> *Le divorce du dentiste*

Lassagne racontait d'abord, presque dans les mêmes termes que les quotidiens du matin, l'arrestation de Gilbert Négrel, ajoutant seulement un détail : le docteur avait emporté une valise qui semblait préparée avant l'arrivée des policiers. Dans l'escalier, Martine Chapuis avait tenu à porter cette valise.

Il semblait que maître Chapuis l'avait fait exprès d'annoncer d'une

façon spectaculaire son voyage à Concarneau et que son arrière-pensée
était d'entraîner la presse avec lui.

Était-ce pour créer une diversion ? Avait-il réellement son idée, lui
aussi ? Lui avait-elle été suggérée par son futur gendre ?

Toujours est-il qu'en Bretagne la petite troupe avait envahi l'*Hôtel
de l'Amiral,* quai Carnot, que Maigret connaissait pour y avoir mené
jadis une enquête qui avait fait un certain bruit.

Selon son habitude, Lassagne commençait par brosser un tableau de
la ville, du port, des remparts de la vieille ville.

*Voilà deux jours encore, paraît-il, il y avait du soleil, mais c'est une
tempête de nord-ouest qui nous a accueillis. Le ciel est bas et sombre.
Les nuages passent vite presque au ras des toits et la mer est rageuse,
même dans le port on voit les thoniers s'entrechoquer.*

*En ce qui concerne l'affaire du boulevard Haussmann aussi, c'est
un climat tout différent de Paris que nous trouvons ici. On sent que
les passions couvent, que la population a déjà pris parti pour ou
contre.*

*Et ce n'est pas pour ou contre le docteur Jave ou le docteur Négrel,
que nous voulons dire. C'est pour ou contre Éveline Jave, peut-être
pour ou contre les Le Guérec.*

*Il s'est produit, à la gare, un incident significatif. Alors que nous
descendions du train en compagnie de maître Chapuis, Yves Le Guérec,
sortant d'un autre wagon, paraissait attendre notre groupe. Il nous
attendait, en effet, et ce n'était plus tout à fait le même homme que
celui que nous avions rencontré à l'Hôtel Scribe, à Paris.*

*Plus dur, cassant, il nous a soudain interpellés, au milieu du flot
des voyageurs.*

*— Messieurs, j'ignore ce que vous êtes venus chercher ici, mais je
vous avertis que je poursuivrai en diffamation quiconque se permettra
de calomnier ma sœur ou ma famille.*

*Nous avouons que c'est la première fois, au cours de notre carrière,
que pareil avertissement nous est donné et, bien entendu, cela ne nous
empêchera pas d'accomplir les devoirs de notre profession.*

*Après avoir rôdé deux heures dans la ville, déjà, nous avons mieux
compris l'attitude agressive d'Yves Le Guérec.*

*Les Le Guérec font partie du clan des gros bourgeois, usiniers,
armateurs, qui constituent un petit groupe fermé et qui ont peu de
contacts avec le reste de la population.*

*Nous avons vu l'ancienne demeure des Le Guérec, face à la mer,
boulevard Bougainville, et nous croyons avoir compris beaucoup de
choses. C'est une énorme bâtisse de style néo-gothique, avec une tour
et des fenêtres qui font penser à un couvent ou à une église. La pierre
est sombre. Le soleil doit rarement pénétrer dans les pièces aux plafonds
à poutres apparentes.*

*C'est ici que celle qui devait devenir Mme Jave a passé son enfance
et son adolescence. En fait, les Le Guérec ont habité la maison jusqu'à*

la mort du père et Yves s'est alors fait construire une villa moderne au bout de la plage des Sables Blancs.

Nous avons vu l'usine aussi, dont on reconnaît l'odeur à plus de deux cents mètres et où, à la saison, travaillent trois cents femmes dont l'âge va de quatorze à quatre-vingt-deux ans.

Pourquoi, dans cette ville, le contraste entre les patrons et le petit peuple est-il plus grand que partout ailleurs ? Est-ce le temps, le ciel maussade, le vent et la pluie tombant par rafales, qui nous a donné cette impression ?

Nous avons parlé à des pêcheurs sur les quais, nous sommes entrés dans des boutiques, dans des bars. Nous avons écouté. Nous avons posé des questions.

Certes, il y a unanimité pour plaindre Éveline Jave et nul ne se réjouit de sa mort. Mais on entend dire, par exemple :

— Cela devait arriver un jour.

Il n'a pas toujours été facile d'en obtenir davantage. Les gens se méfient des étrangers, à plus forte raison des journalistes. En outre, la plupart dépendent des Le Guérec pour leur gagne-pain, ou d'autres usiniers et armateurs qui font cause commune avec eux.

Une petite vieille, pourtant, dans une épicerie, un châle noir serré sur sa poitrine, nous a dit, en dépit des coups d'œil de la boutiquière qui tentait de la faire taire :

— Ce pauvre docteur ne pouvait pas savoir ce qu'il épousait. Il venait de Paris, il était en vacances. Il a cru ce qu'on lui racontait. Si seulement il s'était donné la peine de se renseigner, il en aurait appris long sur la demoiselle. Et, d'abord, on lui aurait parlé de M. Lemaire, le dentiste, qui était un si gentil garçon.

En dépit des menaces d'Yves Le Guérec, force nous est de raconter cette histoire, qui nous a d'ailleurs été confirmée par une personne bien placée pour savoir et dont nous tairons le nom.

Éveline avait seize ans à l'époque et, d'après la rumeur publique, ce n'était pas sa première aventure. Elle recevait les soins d'un certain docteur Alain Lemaire, dentiste installé en face de la poste, alors marié depuis cinq ans et père de deux enfants.

— Ce n'est quand même pas pour ses dents, nous a dit la vieille, qu'elle allait le voir chaque jour, pendant tout un hiver, et qu'elle attendait sur la place la fin de ses consultations. Je l'ai vue de mes propres yeux, collée contre un mur, à épier les lumières du premier étage. Une autre fois, je les ai vus passer ensemble, dans l'auto du docteur Lemaire, et elle était si serrée contre lui que je me demande comment il pouvait conduire.

» Mme Lemaire les a surpris dans une pose qui ne laissait aucun doute. C'est une femme orgueilleuse. Elle a commencé par gifler la gamine et par la jeter dehors, puis, pendant au moins une heure, on a entendu des bruits de dispute dans l'appartement.

» Elle est partie, avec les enfants, et quelques semaines plus tard, de chez ses parents, à Rennes, elle a demandé le divorce.

» *Tout Concarneau est au courant. Les Le Guérec le savent et ils ont été assez embêtés. Pendant six mois, ils ont mis leur fille dans un couvent, je ne sais où, mais elle a fini par obtenir de revenir.*

» *C'est le pauvre dentiste qui a été obligé de s'en aller parce qu'on l'accusait de détourner les gamines.*

» *Et il n'y a pas eu que lui. Je pourrais vous citer d'autres hommes mariés, des gens très bien, très sérieux, après qui elle a couru. C'était plus fort qu'elle.*

» *Ils ont essayé de la marier, mais personne d'ici ne l'aurait épousée. Un jeune notaire de Rennes a fréquenté leur maison pendant un temps, puis, une fois au courant, n'est plus revenu.*

» *Vous imaginez l'aubaine quand un docteur de Paris s'est entiché d'elle ?*

Mme Maigret, à côté de lui, devait lire à peu près la même chose, en d'autres termes, car elle se montrait choquée.

— Tu crois ça, toi ?

Il préféra ne pas répondre, sachant que sa femme n'aimait pas voir certaines réalités en face. Après tant d'années de vie avec lui, elle avait gardé du monde l'image qu'elle s'en était faite au temps de son enfance. Plus exactement, elle s'y raccrochait sans trop y croire.

— A seize ans ! soupirait-elle.

— Il semble qu'elle ait commencé avant ça.

— Tu as pourtant vu sa photographie.

Lassagne continuait :

Le docteur Lemaire, qui pourrait seul confirmer cette histoire, est maintenant installé au Maroc et sa femme, nous dit-on remariée, vivrait dans le Midi.

Nous avons recherché un certain nombre d'amies d'enfance d'Éveline et avons trouvé trois de ses compagnes de classe, dont deux sont maintenant mariées et ont des enfants. La troisième, qui travaille dans les bureaux d'un armateur ami des Le Guérec, nous a répondu vivement :

— *Tout cela est faux. Et, d'ailleurs, cela ne regarde personne.*

Quand nous avons interrogé une des deux autres, son mari était présent et l'a empêchée de nous répondre.

— *Ne te mêle pas de ça. Tu sais que cela ne peut t'apporter rien de bon. Au surplus, ce n'est pas aux journalistes à mener l'enquête, mais à la police.*

Sa femme s'est tue, à regret, croyons-nous, car elle semblait en avoir gros sur le cœur.

Une seule, donc, nous a répondu franchement, tout en continuant à faire son ménage.

— *Tout le monde, à l'école, puis au lycée, savait qu'Éveline était malade et qu'elle pouvait mourir d'un moment à l'autre. C'est elle-même qui nous l'a dit et on nous avait averties qu'il fallait la ménager. Elle le savait aussi. Elle disait :*

» — *Il faut que je profite de la vie, puisque je ne suis pas sûre d'avoir un jour vingt ans.*

» *Nos jeux ne l'intéressaient pas. Aux récréations, elle restait seule dans un coin, à rêvasser. Un jour — elle devait avoir quatorze ans — elle m'a annoncé avec assurance :*

» — *Je suis amoureuse.*

» *Elle m'a cité le nom d'un homme fort connu en ville, un homme d'une quarantaine d'années, que nous rencontrions presque chaque soir en sortant du lycée.*

» — *Il ne fait pas attention à moi, parce qu'il me prend pour une petite fille, mais je l'aurai.*

» *Elle a pris l'habitude de sortir la dernière de l'école, afin de marcher seule dans les rues. C'était en décembre, si je me souviens bien. Il faisait noir de bonne heure.*

» *A un mois de là, peut-être, elle m'a déclaré :*

» — *Ça y est.*

» — *Quoi ?*

» — *Ce que je t'ai dit.*

» — *Tu as... ?*

» — *Pas encore tout à fait, mais presque. Je suis allée chez lui.*

» *C'était un célibataire qui passait et qui passe encore pour avoir de bonnes fortunes. Je ne croyais pas Éveline. Je le lui ai laissé entendre.*

» — *Bon ! Alors, demain, tu n'as qu'à me suivre.*

» *Je l'ai fait. Il l'attendait à un coin de rue et ils ont marché tous les deux jusqu'à une maison où ils sont entrés et où j'ai vu s'allumer les lampes et se fermer les rideaux.*

» — *Est-ce que je t'ai menti ? m'a-t-elle demandé le lendemain.*

» — *Non.*

» — *Avant une semaine, je serai une vraie femme.*

» *Elle ne m'en a plus parlé mais je l'ai vue sortir un soir, à un mois de là, de la même maison.*

» *Je sais qu'il y en a eu d'autres. Cependant, elle se montrait plus discrète. Ce n'est pas sa faute. Elle était malade, n'est-ce pas ?*

Selon Lassagne, il y avait l'autre camp, celui des défenseurs d'Éveline, et on allait jusqu'à mêler à cette affaire des questions politiques.

L'arrivée de maître Chapuis a eu pour résultat de pousser les passions au paroxysme, il était à peine installé dans la chambre d'hôtel que le téléphone commençait à sonner et les avis, anonymes ou non, se suivaient sans interruption.

Il est certain que, si les renseignements que nous avons recueillis, si les rumeurs dont nous venons, en dépit des menaces de Le Guérec, de nous faire l'écho, se confirment, l'affaire du boulevard Haussmann se présenterait sous un jour nouveau.

Ce que Maigret aurait voulu, c'était une réponse à deux questions :

Éveline était-elle au courant de la liaison de son mari avec la fille de Josépha ?

Philippe Jave était-il au courant des relations de sa femme avec le docteur Négrel ?

Janvier, dans son bureau du Quai des Orfèvres, avait-il obtenu ces réponses-là ?

Maigret se souvenait d'une autre question, qu'il s'était posée le premier jour :

Pourquoi Éveline Jave était-elle nue quand on l'avait découverte dans le placard et pourquoi ses vêtements avaient-ils disparu ?

C'était un drame à trois personnages, tout comme un vaudeville, à la différence que quelqu'un y avait laissé la vie et qu'un homme allait y laisser sa tête ou tout au moins sa liberté.

— Tu penses, toi, que c'est nécessaire de raconter tout ça ?

Ou il fallait ne rien raconter du tout, ou il fallait tout dire.

— Si ce que dit le journal est vrai, c'était une malheureuse, plus à plaindre qu'à blâmer.

Il savait d'avance que ce serait la réaction de sa femme. Elle poursuivait, après un silence :

— Ce n'est pas une raison pour tuer quelqu'un, surtout d'une manière aussi lâche.

Elle n'avait pas tort, bien entendu. Mais qui l'avait tuée ? Et pourquoi ? C'était surtout le pourquoi qui l'intriguait.

Ce n'est qu'en connaissant mieux Éveline qu'on arriverait à comprendre les mobiles de son meurtrier.

Durant les dernières années, deux années au moins, elle s'était trouvée en quelque sorte entre deux hommes, son mari d'une part, le docteur Négrel de l'autre.

Si on pouvait supposer que chacun l'avait aimée à un moment donné, aucun des deux ne l'aimait plus le samedi où elle était morte.

Philippe Jave, pour des raisons que Maigret ignorait, mais qu'il croyait deviner, s'était peu à peu détaché d'elle et était tombé amoureux d'Antoinette Chauvet.

Gilbert Négrel, lui, s'était fiancé à une jeune fille qui paraissait être, pour lui, la compagne idéale.

Éveline savait-elle ? Lui avait-il parlé de rompre leur liaison ?

Et de quel genre au juste était cette liaison ?

Les renseignements de Concarneau permettaient maintenant de s'en faire une idée. Éveline n'attendait pas qu'un homme lui fasse la cour. C'était elle qui attaquait.

— Je l'aurai ! avait-elle déclaré, encore gamine, à son amie, en parlant d'un quadragénaire.

Elle l'avait eu.

Quand Négrel avait commencé à fréquenter le boulevard Haussmann, n'avait-elle pas juré aussi :

— Je l'aurai !

Son mari, à cette époque-là, déjà amoureux d'Antoinette, devait la délaisser. Il lui était arrivé d'aller le soir en consultation alors qu'Éveline et Négrel restaient en tête à tête.

Négrel n'avait pas encore rencontré la fille de maître Chapuis. Studieux, travailleur, il n'avait guère connu que des amours de rencontre.

Tout cela était plausible. Il ignorait le passé de la jeune femme à l'air si sage qui semblait sans défense devant la vie.

Il y avait quelque chose d'à la fois ironique et tragique dans cette situation.

Éveline, qui avait une si furieuse envie de vivre intensément, de vivre vite, de tout absorber de l'existence, restait seule entre deux hommes, et chacun des deux aimait ailleurs.

Son mari avait Antoinette — qui lui ressemblait !

Négrel avait Martine Chapuis, aussi décidée à l'épouser qu'Éveline l'avait été jadis d'avoir le quadragénaire de Concarneau.

Il ne lui restait rien, que ses bijoux, car son enfant ne semblait pas avoir pris une place importante dans sa vie et c'était surtout la nurse qui s'en occupait.

Cette accumulation de bijoux, qu'elle ne portait pas, jetait aussi une curieuse lueur sur son caractère.

Était-ce par avarice qu'elle les amassait de la sorte, comme certaines femmes qui se disent que c'est un capital qui leur restera quoi qu'il arrive ?

Maigret n'avait vu aucun des personnages du drame en chair et en os. Ce n'est qu'à travers les journaux qu'il s'était familiarisé avec eux. Il avait pourtant l'impression de ne pas se tromper en pensant que les bijoux constituaient une sorte de vengeance.

S'il avait pu téléphoner au Quai des Orfèvres, il aurait demandé à Janvier :

— A quelle date a-t-elle commencé à s'acheter ou à se faire offrir des bijoux ?

Il aurait juré que cela coïncidait avec les débuts de l'aventure du docteur Jave avec Antoinette, en tout cas avec le moment où Éveline avait découvert qu'elle n'était plus aimée.

Elle restait une Le Guérec malgré tout. C'était *son* argent, l'argent Le Guérec, qui avait permis à son mari de s'installer boulevard Haussmann et de devenir un médecin à la mode.

Ne l'avait-elle pas acheté ? Les revenus Le Guérec, encore, n'étaient-ils pas la plus grosse ressource du ménage ?

Il ne l'aimait plus. Il avait une maîtresse. Il payait le loyer du logement de la rue Washington. Il entretenait la fille de Josépha, qui ne travaillait plus.

Dans son esprit à elle, n'était-ce pas toujours l'argent Le Guérec ?

Alors, elle se mettait à dépenser à son tour. Et, pour dépenser plus vite, pour dépenser davantage, c'étaient des bijoux qu'elle s'offrait ou qu'elle exigeait de son mari.

Cela, Janvier était à même de le contrôler en examinant les comptes en banque. Il pouvait savoir aussi si la part des revenus de l'usine qui revenait à Éveline lui était versée directement ou était versée à son mari.

Les familiers du boulevard Haussmann ne s'étaient doutés de rien. Les patients du docteur non plus. Il marchait sur la corde raide.

Avait-il le droit, devant les exigences de sa femme, de dire :

— Non !

Il aimait Antoinette, se consolait avec elle d'un amour raté. Ne préférait-il pas payer le prix, pour être tranquille ?

La situation de Négrel n'était pas plus enviable que la sienne. Il n'avait pas repoussé les avances d'Éveline. Elle l'avait ému. Il était devenu son amant.

Quelle découverte avait-il faite à son tour qui l'avait éloigné d'elle ?

Il avait rencontré Martine et tous les deux avaient envisagé l'avenir ensemble.

Seulement, autant qu'on en pouvait juger, Éveline ne le lâchait pas. Elle allait le relancer rue des Saints-Pères. Elle lui téléphonait de Cannes. Elle se précipitait à l'aéroport pour venir le rejoindre le samedi.

Que voulait-elle, qu'exigeait-elle de lui ?

Elle en devenait pitoyable, dans sa course vers un bonheur impossible. Même divorcé, le dentiste de Concarneau avait quitté la ville sans plus se préoccuper d'elle. Les autres avaient profité du plaisir qu'elle leur offrait puis s'étaient hâtés de mettre fin à l'aventure.

Cela faisait penser à quelqu'un qui, tombé à l'eau dans un fort courant, se raccroche en vain à des épaves pourries.

L'amour la fuyait. Le bonheur la fuyait. Têtue, talonnée par l'idée de la mort, elle ne s'en obstinait pas moins.

Cela avait fini par un corps plié en deux, dans un placard.

Selon le médecin légiste, on l'avait d'abord frappée, à moins qu'elle ait été projetée contre un meuble ou contre l'angle d'un mur. L'ecchymose révélait une scène violente.

Scène de jalousie ?

Philippe Jave, depuis la veille, avait un alibi, mais cet alibi était douteux puisqu'il venait d'Antoinette et de Josépha.

Négrel, lui, avait passé l'après-midi du samedi boulevard Haussmann et, pendant la plus grande partie du temps, Josépha s'était tenue dans l'appartement d'en face.

Éveline avait-elle été dévêtue avant ou après sa mort ?

Si c'était avant, il fallait supposer que Négrel s'était laissé émouvoir et que le couple était passé dans la chambre qui se trouvait derrière le cabinet de consultation.

Une dispute avait-elle éclaté alors ? Éveline avait-elle menacé d'empêcher le mariage de son amant ? Avait-il frappé, puis, affolé, lui avait-il fait une piqûre ?

Dans ce cas, s'était-il trompé d'ampoule ou avait-il choisi sciemment le produit qui allait la tuer ?

Les deux versions étaient possibles. Les deux s'expliquaient. Et aussi qu'il ait caché le corps dans le placard, puis remis de l'ordre dans la chambre, qu'au dernier moment, avisant les vêtements sur le sol ou sur un meuble, il les ait emportés pour les détruire.

Il était plus difficile d'imaginer Jave, arrivant de Cannes, passant d'abord chez sa maîtresse et, trouvant ensuite sa femme boulevard Haussmann, la déshabillant pour faire l'amour.

Si c'était lui qui l'avait tuée, c'était dans d'autres circonstances. Mais lesquelles ?

Fallait-il croire à une machination cynique, quasi scientifique ? Jave, par exemple, désireux depuis un certain temps de se débarrasser d'Éveline, afin de gagner à la fois sa liberté et la fortune, suivant celle-ci à Paris, se créant un alibi en passant rue Washington, surgissant boulevard Haussmann après le départ de son remplaçant et mettant son projet à exécution ?

Un fait était certain, à moins que les journaux n'aient pas écrit toute la vérité au sujet des clefs. Selon eux, il n'existait que quatre clefs de l'appartement, ouvrant toutes les deux portes donnant sur le palier. Josépha en avait une, Jave une autre, la concierge une troisième et c'était la clef de Mme Jave qui avait été remise au docteur Négrel pour le temps de son remplacement.

A moins que la concierge ait menti, pour une raison difficile à comprendre, quelqu'un, donc, avait ouvert la porte à Éveline.

Josépha affirmait que ce n'était pas elle.

Jave prétendait n'avoir pas mis les pieds boulevard Haussmann.

Négrel jurait qu'il n'avait pas vu la jeune femme.

Négrel, il est vrai, avait déjà deux mensonges à son actif, qui, tous les deux, pouvaient être mis sur le compte d'une certaine délicatesse masculine.

Il avait nié d'abord avoir eu des relations avec Mme Jave.

Il avait nié ensuite que celle-ci eût jamais pénétré dans son logement de la rue des Saints-Pères.

— Qu'il se débrouille ! grommela soudain Maigret en faisant signe au garçon de lui apporter un autre demi.

— Tu parles de Janvier ?

C'était à Janvier qu'il pensait, en effet. Cela l'irritait de rester dans le noir, de penser qu'au Quai ils avaient en main des éléments qui lui permettraient d'y voir clair.

— Tu crois qu'il ne s'y prend pas bien ?

— Au contraire, il s'y prend admirablement. Ce n'est pas sa faute si Coméliau a voulu coûte que coûte arrêter Négrel.

— Il est innocent ?

— Je n'en sais rien. De toute façon, c'est une faute de l'arrêter avant d'en savoir davantage. Surtout que, maintenant, Noël Chapuis va s'arranger pour brouiller les cartes. Ce n'est pas pour rien qu'il s'est rendu à Concarneau.

— Qu'est-ce qu'il espère ?

— Prouver que Jave avait de bonnes raisons pour se débarrasser de sa femme.

— Ce n'est pas vrai ?

— Si. Son client en avait autant.

— Tu es sûr que tu n'as pas envie de passer par ton bureau ?

— Certain. D'autant plus que Janvier s'y est installé. Encore heureux qu'il ne fume que la cigarette, car il se servirait peut-être de mes pipes.

Cette sortie le soulagea et il se moqua de lui-même.

— N'aie pas peur. Je ne suis pas jaloux de ce brave Janvier. Cela me fait juste un peu mal au cœur. Allons !...

— Où ?

— N'importe où. Sur les quais, si tu veux, du côté de Bercy.

Et Mme Maigret, qui pensait à ses pieds et à la longueur des quais, étouffa un soupir.

7

Le petit bar du quai de Charenton

Maigret s'était enfin assis sur un banc et y était resté près d'une demi-heure sans éprouver le besoin de se lever. Sa femme, à côté de lui, n'en revenait pas de le voir si paisible et lui jetait de temps en temps un coup d'œil étonné, s'attendant toujours à le voir se dresser d'une détente en disant :

— Viens !

C'était quai de Bercy, où l'ombre des arbres était aussi douce et aussi quiète, cet après-midi-là, que sur le mail d'une petite ville. Le banc, Dieu sait pourquoi, tournait le dos à la Seine, et les Maigret avaient devant eux une étrange ville soigneusement gardée et entourée de grilles où les maisons n'étaient pas des maisons mais des entrepôts de vins et où les noms, sur les panneaux, étaient les noms familiers qu'on voit sur les bouteilles et, en plus grosses lettres, le long des routes, sur le pignon des fermes.

Il y avait des rues, comme dans une vraie ville, des carrefours, des places et des avenues et, au lieu d'autos, c'étaient des barriques de tous calibres qui les encombraient.

— Tu sais comment, en langage policier, nous appelons un ivrogne qu'on ramasse sur la voie publique ?

— Tu me l'as déjà dit, mais j'ai oublié.

— Un Bercy. Par exemple, on demande à un agent cycliste si sa nuit a été calme et s'il ne s'est rien passé dans le secteur. Il répond :

» — Pas grand-chose. Trois Bercy.

Il avait tout à coup regardé sa femme avec un léger sourire.

— Tu ne trouves pas que je suis un idiot ?

Elle avait feint de ne pas comprendre. Il n'en était pas moins persuadé qu'elle savait à quoi il faisait allusion. Elle trouvait en effet un air candide pour questionner.

— Pourquoi ?

— Je suis en vacances. Pardon a fini par me laisser à Paris, à la condition expresse de n'avoir aucun souci et de m'amuser. Pour une fois, les gens peuvent s'entretuer sans que cela me regarde.

— Et tu te ronges les sangs à cause de cette affaire, acheva-t-elle pour lui.

— Je ne me ronge pas les sangs. Je vais même t'avouer une chose : il y a des moments où cela m'amuse de jouer les détectives amateurs. Tu as déjà vu, à la foire, des soldats qui tirent sur des pipes avec de petites carabines ? Parfois, le jour même, ils ont râlé parce qu'on les faisait tirer sur le champ de manœuvres avec des vrais fusils. Tu comprends mon idée ?

C'était rare qu'il en dise autant de ce qu'il avait sur le cœur et cela prouvait qu'il était détendu.

— Au début, cette histoire m'a intrigué. Elle m'intéresse encore. Malheureusement, un moment vient où je ne peux m'empêcher de me mettre dans la peau des gens.

Elle pensait évidemment à Jave et à Négrel en demandant :

— Dans celle de qui ?

Et, riant, il répondit :

— Peut-être dans celle de la victime. Laissons donc Janvier à ses responsabilités et n'y pensons plus.

Il tint parole un bon bout de temps. Quand il se leva, ce fut pour entraîner Mme Maigret, non vers le boulevard Richard-Lenoir, mais vers le quai de Charenton où Paris prend tout à coup des airs de banlieue. Il avait toujours aimé les larges quais de déchargement encombrés de tonneaux et de matériaux de toutes sortes, les pavillons grisâtres, entre les immeubles neufs, qui rappelaient le Paris d'autrefois.

— Je me demande pourquoi nous n'avons jamais eu l'idée de chercher un appartement sur les quais.

De sa fenêtre, il aurait vu les péniches fraternellement collées les unes contre les autres, les marinières et les enfants aux cheveux couleur de chanvre, le linge qui sèche sur des cordes tendues.

— Tu vois ce pavillon qu'on est en train de démolir ? C'est là qu'habitait un petit jeune homme qui est venu me voir un jour dans mon bureau avec sa mère et qui a chipé une de mes pipes.

Il y avait peu d'endroits à Paris à ne pas évoquer une enquête plus ou moins difficile, plus ou moins retentissante. Mme Maigret les connaissait par ouï-dire.

Elle questionnait :

— Ce n'est pas ici aussi que tu as passé trois jours et trois nuits, dans je ne sais quel restaurant, quand on a découvert un inconnu assassiné place de la Concorde ?

— Un peu plus loin. Le restaurant a été transformé en garage. C'était où tu aperçois maintenant les deux pompes à essence.

Une autre fois, il avait parcouru les quais à pied, depuis l'écluse de Charenton jusqu'à l'île Saint-Louis, sur les talons d'un propriétaire de remorqueurs qu'il avait fini par envoyer en prison.

— Tu n'as pas soif ?

Mme Maigret n'avait jamais soif, mais elle était toujours prête à le suivre.

— Dans ce bar-là aussi, au coin de la rue, j'ai passé des heures à guetter quelqu'un.

Ils y entrèrent. Il n'y avait pas de terrasse, personne à l'intérieur, qu'une femme maigre et blonde qui écoutait la radio en cousant derrière le comptoir.

Il commanda un apéritif pour lui, un jus de fruit pour sa femme et ils s'assirent à une table cependant que la propriétaire les observait en fronçant les sourcils.

Elle n'était pas sûre de le reconnaître. Il y avait plus de trois ans qu'il n'avait pas mis les pieds dans le bar. Sur les murs peints en jaune, on voyait des réclames comme dans les cafés et les auberges de campagne et une odeur de ragoût émanait de la cuisine. Pour compléter le tableau, un chat roux ronronnait sur une chaise à fond de paille.

— De l'eau nature ou de l'eau à ressort ?

— De l'eau à ressort.

Elle continuait à se montrer intriguée, comme quand on cherche à mettre un nom sur un visage. Quand elle les eut servis, elle se pencha sur un journal qui se trouvait sur le zinc, hésita, saisit le journal et vint, un peu gênée, vers le commissaire.

— Ce n'est pas vous ? questionna-t-elle alors.

Elle soulignait du doigt un titre en « Dernière heure ». C'était le même journal que Maigret avait en poche, mais il s'agissait d'une édition qui venait de sortir de presse.

A-t-on fait appel à Maigret ?

Ce fut son tour de froncer les sourcils tandis que sa femme se penchait sur son épaule pour lire en même temps que lui.

Nous avions demandé à notre correspondant des Sables-d'Olonne de se rendre à l'Hôtel des Roches Noires, dans cette ville où le commissaire Maigret est supposé être en vacances. Nous aurions aimé, en effet, donner à nos lecteurs l'opinion du célèbre commissaire sur une des affaires les plus troublantes des dix dernières années.

Or, le propriétaire des Roches Noires s'est montré embarrassé.

— Le commissaire est sorti, a-t-il répondu tout d'abord.

— A quelle heure rentrera-t-il ?

— Il ne rentrera peut-être pas aujourd'hui.

— Sa femme est à l'hôtel ?

— Elle est sortie aussi.

— Quand ?

Bref, après de longues tergiversations, le propriétaire a fini par admettre que Maigret n'était pas dans son établissement depuis vingt-quatre heures au moins.

C'est en vain que notre correspondant a essayé d'obtenir des détails.

L'inspecteur Janvier, qui se trouve pour la première fois porter la responsabilité d'une affaire aussi délicate, a-t-il fait appel à son patron et celui-ci s'est-il précipité à Paris ?

Nous lui avons téléphoné aussitôt. Nous avons pu l'avoir au bout du fil. Il nous a affirmé qu'il n'était entré à aucun moment en contact avec le commissaire et que, à sa connaissance, celui-ci devait toujours se trouver en Vendée.

Nous avons tenté aussi de téléphoner au domicile de Maigret, boulevard Richard-Lenoir, mais c'est le service des abonnés absents qui nous a répondu.

Petit mystère à ajouter au mystère plus angoissant de la morte du boulevard Haussmann.

La patronne du bar le regardait, interrogative.

— C'est vous, n'est-ce pas ? Vous êtes déjà venu, il y a deux ou trois ans. Vous étiez même, je m'en souviens, avec un petit gros qui marchait en sautillant.

Elle parlait de Lucas.

— C'est moi, avoua-t-il, faute de pouvoir faire autrement. Nous sommes venus passer quelques heures à Paris, ma femme et moi, mais je suis toujours en vacances.

— On ne peut jamais croire ce que disent les journaux, conclut-elle en allant reprendre sa place derrière le comptoir.

Il y avait une autre information dans le journal.

Au début de l'après-midi, le juge d'instruction Coméliau a fait comparaître le docteur Négrel dans son cabinet avec l'intention de l'interroger. Simplement, mais fermement, le jeune médecin a refusé de répondre en dehors de la présence de son avocat. Or, maître Chapuis, qui est à la fois son futur beau-père et son défenseur, se trouve toujours à Concarneau, où sa présence n'est pas sans surexciter la population. Aux dernières nouvelles, satisfait des résultats de son séjour dans le port breton, il reprendra ce soir le train pour Paris.

Est-il entré en contact avec sa fille par téléphone ? Celle-ci a-t-elle agi de sa propre initiative ? Toujours est-il qu'elle s'est présentée à la Police Judiciaire, où elle n'était pas convoquée, et a demandé à parler à l'inspecteur Janvier.

Celui-ci, plus loquace qu'au début de l'affaire, ne nous a pas caché le but de la visite de la jeune fille.

Elle voulait lui déclarer qu'elle était au courant des relations qui avaient existé entre Négrel et Éveline Jave et qu'elle n'y attachait aucune importance.

— Gilbert, a-t-elle dit avec force, a eu pitié d'elle. Elle s'est

littéralement jetée dans ses bras voilà deux ans. Il ne l'aimait pas. Il la voyait aussi rarement que possible. Il ne m'a pas caché que, depuis que nous nous connaissions, il l'a revue trois ou quatre fois et qu'elle l'avait poursuivi jusque chez lui. Jave, qui connaissait bien sa femme, ne devait pas l'ignorer et je suis sûre qu'il n'était pas jaloux d'elle.

Après le départ de la jeune fille, une certaine agitation a régné Quai des Orfèvres, où on semble s'attendre à de très prochains développements. Au moment où nous écrivons ces lignes, deux inspecteurs, Lapointe et Neveu, viennent de partir pour une destination inconnue.

Dans le bureau de Maigret, occupé par l'inspecteur Janvier depuis que son patron est en vacances, le téléphone fonctionne sans arrêt.

C'en était fini de la détente. Quelques minutes plus tôt, Maigret se promenait tranquillement avec sa femme le long du quai et lui racontait de vieilles enquêtes.

Son visage venait à nouveau de s'alourdir et il n'avait plus l'air de voir les murs jaunes ornés de chromos.

— Tu crois, questionna sa femme, qu'ils vont nous guetter boulevard Richard-Lenoir ?

Ce n'était pas à cela qu'il pensait sur le moment et il tressaillit, il fallut quelques secondes pour que les mots qu'il venait d'entendre comme à travers un brouillard prennent un sens.

— C'est possible. Oui. C'est probable.

Lassagne, toujours à Concarneau, devait rester en contact permanent avec son journal et il enverrait certainement quelque jeune reporter monter la garde devant l'appartement de Maigret.

— Donnez-moi la même chose, madame.

— Vous avez lu ?

— Oui. Je vous remercie.

Il n'était plus dans le petit bar. Sa femme, comme ses collaborateurs, connaissait bien cette tête-là. Quai des Orfèvres, quand cela le prenait, on marchait sur la pointe des pieds et on parlait à voix basse, car il était alors capable d'une colère aussi violente que brève qu'il était le premier, ensuite, à regretter.

Mme Maigret poussait la prudence jusqu'à ne pas regarder de son côté et feignait de parcourir la page féminine du journal, sans cesser d'être attentive aux réactions de son mari.

Lui-même, sans doute, n'aurait pas pu dire à quoi il pensait. Peut-être parce qu'il ne pensait pas ? Car il ne s'agissait pas d'un raisonnement. C'était un peu comme si les trois personnages du drame s'étaient mis à vivre en lui, et les comparses eux-mêmes, comme Josépha, Antoinette, la petite fiancée, Mlle Jusserand, n'étaient plus seulement des entités mais devenaient des êtres humains.

Hélas, c'étaient encore des humains incomplets, schématiques. Ils restaient dans une pénombre dont le commissaire s'efforçait de les tirer d'un effort presque douloureux.

Il sentait la vérité toute proche et il était impuissant à la saisir.

Des deux hommes, l'un était coupable, l'autre innocent. Parfois ses lèvres s'entrouvraient comme pour prononcer un nom et, après une hésitation, il y renonçait.

Il n'y avait pas, comme dans la plupart des cas, une seule solution possible. Il y en avait au moins deux.

Pourtant une seule était la bonne, une seule était la vérité humaine. Il fallait, non la découvrir par un raisonnement rigoureux, par une reconstitution logique des faits, mais la *sentir*.

Éveline, le vendredi, avait téléphoné à Négrel, qui était son amant plus ou moins résigné.

Lui avait-elle annoncé qu'elle allait prendre, le lendemain matin, l'avion pour Paris ?

Était-ce, au contraire, à cause de la froideur du jeune médecin, qu'elle s'était décidée tout à coup à ce voyage ?

Elle était à peine partie, le samedi matin, que Jave se précipitait à l'aéroport et, faute d'un avion pour Paris, prenait l'avion de Londres afin de ne pas attendre.

— Tu crois ça, toi ? questionna-t-il soudain, se parlant à lui-même plutôt qu'à Mme Maigret.

— Quoi ?

— A une coïncidence. Éveline Jave est amoureuse de Négrel et, après quelques semaines de séparation, n'y tient plus et se précipite à Paris. Son mari est amoureux d'Antoinette Chauvet et, le même jour, éprouve le besoin urgent de faire le voyage pour l'embrasser.

Mme Maigret réfléchit.

— Il a profité de l'absence de sa femme, non ?

Maigret ne le sentait pas ainsi. Il n'aimait pas le hasard.

— A Paris, où il n'avait pas sa voiture, il a dû prendre au moins deux taxis, un pour se rendre du boulevard des Capucines, où le car de l'aéroport l'a déposé, à la rue Washington, un autre pour aller le soir à la gare. Janvier, comme je le connais, a dû faire interroger tous les chauffeurs de taxis.

— Tu crois que cela peut donner quelque chose ?

— Nous avons souvent eu des résultats de cette façon, mais cela prend du temps.

Après un assez long silence, pendant lequel il but une gorgée et alluma une nouvelle pipe, il soupira :

— Elle était nue...

L'image d'Éveline, nue, pliée en deux dans le placard, lui revenait sans cesse à l'esprit.

Il fut surpris de voir sa femme surmonter pour une fois sa pudeur, au sujet de laquelle il lui arrivait de la taquiner.

— Étant donné ce qu'elle venait faire boulevard Haussmann, c'était naturel, non ?

Il avait envie de répondre :

— *Non.*

Cela ne collait pas. Était-ce à cause du caractère de Négrel que cette version des événements lui semblait fausse ? Le jeune médecin remplaçait un confrère dans un des cabinets les plus luxueux de Paris. Il avait un certain nombre de rendez-vous avec des patients. On avait parlé de cinq. D'autres pouvaient arriver à tout moment, puisque c'était l'heure des consultations. Enfin, Josépha était en face.

Même si Éveline s'était déshabillée dans la chambre, même s'il l'avait tuée, volontairement ou non, Négrel n'était-il pas justement l'homme qui l'aurait rhabillée ?

Pas nécessairement pour détourner les soupçons. Plutôt par une sorte de réflexe.

La radio jouait toujours en sourdine sans que Maigret l'entende et il continuait, les yeux mi-clos, à reprendre un à un les événements du samedi après-midi.

Josépha, selon elle, avait quitté le boulevard Haussmann vers six heures pour se rendre chez sa fille, où elle avait trouvé le docteur Jave.

Lors de son premier interrogatoire, elle avait menti, affirmant qu'elle n'avait pas revu son patron depuis le départ de celui-ci pour Cannes. Cela pouvait s'expliquer par son désir de ne pas compromettre sa fille. Cela pouvait s'expliquer autrement aussi.

Il lui sembla soudain qu'une petite lueur commençait à percer le brouillard, mais elle était encore si vague qu'il ne pouvait la saisir. Il pensait au palier, avec ses deux portes... Qu'est-ce que ce palier... ?

Mme Maigret, à ce moment-là, lui posa la main sur le poignet.

— Écoute !

Il ne s'était pas rendu compte que la radio avait cessé de donner de la musique et que quelqu'un parlait.

Dernières nouvelles de l'après-midi. Il semble bien que l'affaire du boulevard Haussmann entre dans sa dernière phase...

La voix était monotone. Au micro, le speaker devait lire un texte qu'on venait de lui passer et il lui arrivait de buter sur certaines syllabes.

A trois heures, cet après-midi, deux inspecteurs de la Police Judiciaire se sont présentés au domicile du docteur Jave, boulevard Haussmann, et, quelques minutes plus tard, ils sortaient de l'immeuble en compagnie du médecin.

Celui-ci, en quatre jours, paraît avoir maigri et il a traversé le trottoir sans un regard aux journalistes qui ont essayé en vain de lui arracher un mot.

A peu près au même moment, un autre inspecteur amenait en taxi Quai des Orfèvres un personnage resté jusqu'ici mystérieux, puisqu'il a été impossible de le rencontrer au cours des derniers jours : nous voulons parler de Mlle Antoinette Chauvet, la maîtresse du médecin.

Moins abattue que Jave, elle a traversé la cour de la P.J. derrière l'inspecteur, a gravi les marches du grand escalier et a été introduite immédiatement auprès de l'inspecteur Janvier.

Jave devait arriver quelques minutes plus tard. La même porte s'est ouverte devant lui et s'est aussitôt refermée.

L'interrogatoire du docteur et d'Antoinette Chauvet dure déjà depuis plus de deux heures et rien ne laisse prévoir qu'il va bientôt se terminer. On a l'impression, au contraire, à l'atmosphère des couloirs et des bureaux, où les policiers vont et viennent, affairés, que l'inspecteur Janvier est décidé à en finir.

Un seul élément nouveau est venu à notre connaissance : dans la chambre qui se trouve derrière le bureau de consultation du boulevard Haussmann, la police aurait découvert un bouton qui semble avoir été arraché du veston de Gilbert Négrel.

Et maintenant, nous passons à l'activité politique des dernières douze heures qui...

La patronne du bar tourna le bouton.

— Je suppose que cela ne vous intéresse plus ?

Maigret la regarda comme s'il n'eût pas entendu. Il venait d'avoir un serrement de cœur, car les paroles prononcées par le speaker avaient, pour lui, une autre résonance que pour le commun des auditeurs.

Comme on dit qu'un soldat renifle la poudre, il sentait, lui, que quelque chose se préparait là-bas, dans son propre bureau. Cette fièvre particulière dont parlait la radio, il la connaissait bien pour l'avoir déclenchée des centaines de fois.

Une enquête piétine, ou semble piétiner, pendant des jours, parfois des semaines. Et soudain, au moment où on s'y attend le moins, un déclic se produit, qui peut être provoqué par un coup de téléphone anonyme, par une découverte insignifiante en apparence.

— Allez me chercher Jave...

Il croyait voir Janvier, un peu pâle, comme un acteur que le trac saisit au moment de son entrée en scène, arpentant son bureau en attendant Antoinette et le médecin.

Pourquoi les avait-il convoqués ensemble ? Quelles nouvelles questions allait-il leur poser ?

Maigret, en prenant ses vacances, n'avait même pas emporté toutes ses pipes. Il devait en rester quatre ou cinq à côté de son sous-main, près de la lampe à abat-jour vert. Il y avait aussi une demi-bouteille de cognac dans le placard où il avait l'habitude de se laver les mains à la fontaine d'émail et où pendait un de ses vieux vestons.

Comment Janvier allait-il s'y prendre ? Il avait vingt ans de moins que le commissaire, mais il avait suivi celui-ci dans la plupart de ses enquêtes et connaissait ses méthodes mieux que personne.

Ne manquait-il pas un peu d'épaules pour le rôle qu'il était en train de jouer ? En langage de cinéma, on dit « de la présence ». Jave était son aîné, un homme solide, qui avait beaucoup vu et beaucoup vécu.

— Nous partons ? demandait Mme Maigret comme il se levait et se dirigeait vers le comptoir pour payer les consommations.

— Oui.

Cette fois, il ne l'obligeait pas à marcher. Au bord du trottoir, il guettait un taxi, et il y en eut un qui finit par s'arrêter.

— Au coin du boulevard Richard-Lenoir et du boulevard Voltaire.

Une fois installé sur la banquette, il expliqua :

— Pour le cas où des journalistes monteraient la garde devant chez nous.

— Tu veux dire que je rentre seule.

Il battit affirmativement des paupières et elle ne lui posa pas d'autres questions.

— Rentre comme si de rien n'était. Si des reporters te questionnent, dis-leur que nous sommes venus passer quelques heures à Paris et que je suis en ville. Prépare le dîner et, au cas où je ne rentrerais pas à huit heures, mange sans moi.

Comme quand il travaillait Quai des Orfèvres et qu'il était sur une affaire. Non seulement il lui arrivait alors de ne pas rentrer dîner, mais elle ne le revoyait parfois qu'au petit matin.

— Je suis au Quai, annonçait-il alors par téléphone. Je ne sais pas quand j'aurai fini.

Elle avait entendu la radio, elle aussi. Elle devinait ce qui se passait là-bas. Elle se demandait si son mari allait enfreindre la promesse qu'il s'était faite — et qu'il avait faite à Pardon — de ne pas mettre les pieds à la P.J. durant ses vacances.

Elle savait qu'il en avait envie. Elle le voyait sombre, tourmenté. Au moment où le taxi s'arrêtait, elle murmura :

— Après tout, pourquoi n'y vas-tu pas ?

Il fit non de la tête, attendit qu'elle se fût éloignée pour dire au chauffeur :

— Boulevard Saint-Michel. Devant la fontaine.

C'était peut-être enfantin, mais il éprouvait le besoin de se rapprocher du champ de bataille. Il arrive que des curieux stationnent pendant des heures devant une maison où un crime s'est commis, encore qu'il n'y ait rien à voir.

Tout ce qu'il pouvait voir, lui, c'était l'entrée monumentale de la P.J. avec un agent en faction, la cour aux petites autos noires et les fenêtres dont une était celle de son bureau.

Sur le quai, deux photographes attendaient avec leurs appareils, et il devait y en avoir d'autres, ainsi que des reporters, dans le vaste corridor du premier étage.

Janvier avait-il réellement découvert un fait nouveau ? Agissait-il de son plein gré, ou sous les ordres de l'irascible juge Coméliau ?

Gilbert Négrel, lui, était seul dans une des cellules qui donnent sur la seconde cour intérieure.

On ne parlait plus des obsèques d'Éveline, comme si soudain tout le monde, y compris son frère, s'en fût désintéressé.

Maigret gagna le quai des Grands-Augustins, juste en face du Palais de Justice, hésita un instant avant d'entrer dans un petit bar normand, un peu en contrebas, où il fallait descendre deux marches. Il y faisait toujours frais, même au plus fort des chaleurs, et dans aucun bistrot de Paris l'odeur du calvados n'était aussi forte.

— Ainsi, le journal a raison...

Le patron aux joues couperosées le connaissait depuis des années et la dernière édition du journal était déployée devant lui.

— Qu'est-ce que je vous offre ? Il n'est pas trop tard pour un petit calva ?

Il remplit d'autorité deux verres. Il n'y avait, dans un coin, qu'un client qui lisait les prospectus d'une agence de voyages, et la fille de salle mettait les couverts sur les six tables couvertes de nappes à carreaux rouges.

— Quel temps avez-vous, aux Sables ? Ici, à part un orage, nous avons eu des journées splendides. A votre santé !

Maigret choqua son verre au sien et but une gorgée.

— Je me doutais bien, dès le début, qu'ils vous feraient revenir. Je l'ai même dit à ma femme :

» — Cette affaire-là, il n'y a que le commissaire Maigret à la débrouiller.

» Parce que, si vous voulez mon avis, ils mentent tous. Ce n'est pas votre impression, à vous ?

» A la place de l'inspecteur Janvier — au fait, il y a un bout de temps qu'il n'est pas venu prendre un verre ! — à sa place, dis-je, je les aurais mis face à face, tout docteurs qu'ils sont, et je leur aurais dit :

» — Débrouillez-vous tous les deux...

Maigret ne put s'empêcher de sourire mais son regard, à travers la vitre, restait fixé sur les fenêtres ouvertes de son bureau. A certain moment, il aperçut le profil d'un homme qui marchait de long en large et il reconnut la silhouette de Janvier. Il pouvait même, malgré la distance, distinguer la fumée de sa cigarette dans le clair-obscur.

L'histoire du bouton tarabustait le commissaire, lui apparaissait comme une fausse note. Cela laissait supposer qu'il y avait eu lutte entre Éveline et le docteur Négrel. De là à croire que c'était celui-ci qui avait frappé la jeune femme, ou qui l'avait projetée contre un meuble, il n'y avait qu'un pas.

Et, dès lors, la piqûre de digitaline s'expliquait, voire l'erreur de médicament.

— Elle était nue... murmura-t-il sans s'en rendre compte.

— Vous dites ?

— Rien. Je me demande...

Il retrouvait la petite lueur entrevue tout à l'heure quai de Charenton. Quelque chose clochait. Un des personnages secondaires lui revenait obstinément à la mémoire, un de ceux dont on avait le moins parlé.

Il s'agissait de Claire Jusserand, la nurse que le docteur Négrel avait prise dans une clinique parisienne, où elle était infirmière, pour s'occuper de son enfant.

A en croire les journaux, elle avait commencé par se taire, par s'enfermer dans la villa Marie-Thérèse où on ne pouvait l'apercevoir que de loin dans le jardin avec la petite Michèle.

Il se remémorait une phrase anodine qu'il avait lue quelque part, dans un article de Lassagne ou dans un autre.

« *Elle a une cinquantaine d'années et semble détester tous les hommes...* »

Il en avait connu de cette sorte-là. La plupart, d'ailleurs, ne détestent pas seulement les hommes, mais les femmes, et vivent comme enfermées en elles-mêmes.

Mais elles ne détestent pas nécessairement *tous* les hommes. Parfois, elles vouent à un seul un culte secret qui devient leur seule raison d'exister.

Connaissait-elle Jave depuis longtemps ? Étant donné sa profession, c'était possible et même probable, le médecin ayant des clients dans la plupart des cliniques de Paris.

Maigret essayait de l'imaginer boulevard Haussmann et dans la villa Marie-Thérèse. Elle n'avait pas connu l'amour ou, si elle l'avait connu, cela avait été un amour malheureux.

Quels étaient ses rapports avec Éveline, qu'elle voyait entasser des bijoux et qui avait non seulement un mari mais un amant ?

Le soleil se couchait et les derniers remorqueurs, avec leur train de péniches, se hâtaient vers quelque port de la Seine. Un pêcheur à la ligne démontait sa canne et les boîtes des bouquinistes étaient déjà fermées.

— Je n'ose pas vous demander si vous dînerez ici ? Je suppose que vous êtes trop occupé ?

— Je n'ai rien à faire. Je suis en vacances.

Il disait cela avec une certaine amertume.

— Qu'est-ce que vous avez au menu ?

Celui-ci était écrit à la craie sur une ardoise. Il y avait des soles normandes et du rôti de veau.

— Je dînerai ici.

Le patron avait un air malicieux, car il ne croyait pas un mot de ce que le commissaire lui avait dit au sujet de ses vacances. Pour lui, comme pour tant d'autres, ce qui est imprimé dans les journaux est parole d'évangile.

— Maria ! vous réserverez la table près de la fenêtre au commissaire.

Et il adressait un clin d'œil à celui-ci, persuadé que Maigret n'était chez lui que pour observer Dieu sait quoi.

— Vous pouvez remplir les verres... Cette fois, c'est ma tournée...

Cela faisait près de quatre heures que Jave et Antoinette se trouvaient dans le bureau de Maigret, face à un Janvier de plus en plus nerveux.

La lampe à abat-jour vert s'alluma. Quelqu'un vint fermer la fenêtre.

Une demi-heure plus tard, alors que Maigret était en train de dîner, il aperçut le garçon de la Brasserie Dauphine avec un plateau recouvert d'une serviette.

Cela aussi était caractéristique. Verres de bière et sandwiches signifiaient que l'interrogatoire allait se poursuivre tard dans la soirée.

On s'attendait si peu à des résultats immédiats que trois ou quatre reporters quittèrent le Quai des Orfèvres et se dirigèrent vers le restaurant de la place Dauphine. Ils ne se seraient pas éloignés si on ne leur avait assuré qu'ils avaient le temps d'aller dîner.

Cinq clients avaient pris place autour des tables du restaurant, deux hommes, ensemble, sur une banquette, qui discutaient carburateurs et qui devaient être des représentants de commerce, un couple étranger qui avait de la peine à se faire comprendre et enfin une jeune fille blonde qui, en entrant, avait regardé dans la direction du commissaire en fronçant les sourcils.

Il ne l'avait pas reconnue tout de suite, encore que les journaux eussent publié sa photographie. C'était Martine Chapuis, qui portait une robe de coton imprimé et qui se révélait plus grassouillette, plus moelleuse que sur ses portraits.

Elle aussi avait choisi une place près de la vitre et ne quittait des yeux le Quai des Orfèvres que pour lancer des coups d'œil au commissaire.

Elle lui fut tout de suite sympathique. Elle avait un visage ouvert, une bouche bien dessinée, était beaucoup plus femme qu'on l'aurait pensé d'une personne accumulant les succès universitaires.

Il eut presque envie d'aller lui parler et elle eut plusieurs fois la même idée car, lorsque leurs regards se rencontraient, un léger sourire lui montait aux lèvres.

Elle savait, par les journaux et la radio, ce qui se passait en face. Par son père, elle n'était pas sans connaître les habitudes de la police et elle s'attendait, elle aussi, à un dénouement.

Elle voulait être aux premières loges. N'était-elle pas une des principales intéressées ?

— Une vraie femme, pensa-t-il au moment où on lui servait le fromage.

Soudain, il se leva, pénétra dans la cuisine où le patron, qui avait mis sa toque blanche, s'affairait devant le fourneau.

— Je peux téléphoner à Cannes ?

— Vous connaissez la cabine. Vous n'aurez qu'à demander combien ça fait.

Martine Chapuis, qui le suivait des yeux, le vit franchir la porte vitrée et décrocher le récepteur.

— Je voudrais la villa Marie-Thérèse, à Cannes, mademoiselle. C'est un appel personnel pour Mlle Jusserand.

— Quelques minutes d'attente.

Il regagna sa place et il avait à peine fini son camembert que la sonnerie se faisait entendre.

Ce fut son tour d'avoir le trac, car il se livrait à une expérience qui ne lui était pas familière et qu'il ne se serait pas permise s'il s'était trouvé à la place de Janvier dans son bureau.

La communication, comme il s'y attendait et comme il l'espérait, était mauvaise. Il entendait, à l'autre bout du fil, une voix qui répétait avec impatience :

— Allô... Allô... Ici la villa Marie-Thérèse... Qui parle ?

Les journaux avaient écrit que la cuisinière était du pays. Or, la personne qui lui répondait n'avait pas d'accent, ce qui laissait supposer que c'était Mlle Jusserand.

Il déguisa sa voix de son mieux.

— Allô ! Claire ?

Il prenait ses risques, ignorant comment le docteur Jave appelait la nurse.

— C'est moi, oui. Qui est à l'appareil ?

Il lui fallait prendre un autre risque.

— Ici, monsieur.

— La communication est mauvaise, dit-elle. Je vous entends à peine. La petite est en train de pleurer dans la chambre voisine.

Tout allait bien. Il avait employé les mots qu'il fallait. Il ne lui restait plus qu'à poser sa question.

— Dites-moi, Claire, quand la police vous a questionnée au sujet du coup de téléphone que madame a donné vendredi, avez-vous répondu que vous m'en aviez parlé ?

Il attendait, le cœur battant, et, à travers la vitre, il pouvait voir Martine Chapuis qui le regardait fixement.

— Bien sûr que non, faisait la voix à l'autre bout du fil.

On aurait dit que la nurse était choquée, comme si on eût douté d'elle.

— Je vous remercie. C'est tout.

Il se hâta de raccrocher, oublia de demander à l'inter ce qu'il devait, n'y pensa qu'une fois assis à sa table.

En face de lui, de l'autre côté de l'étroite pièce, la jeune fille l'observait avec inquiétude et il se contraignit à ne pas lui sourire.

8

La grande nuit de l'inspecteur Janvier

Les deux voyageurs de commerce étaient partis les premiers. Comme le patron était venu le dire à Maigret vers la fin du repas, sa vraie clientèle était à la campagne ou à la mer et, avec les touristes, « on ne savait jamais ». Un jour c'était plein, sans raison, « parce qu'ils se suivaient comme des moutons », un autre jour, comme c'était le cas, il n'y avait que « deux pelés » qui, après avoir renvoyé des plats qui ne leur plaisaient pas, discutaient maintenant l'addition franc par franc.

Martine Chapuis avait fini son café avant Maigret et avait ouvert son sac pour se remettre un peu de rouge à lèvres. Elle avait regardé ensuite vers le fond de la salle où le patron se tenait, ainsi que la serveuse, comme pour demander l'addition.

Maigret, qui fumait sa pipe à petites bouffées, le dos à la banquette, l'observait en se demandant si elle oserait... Il s'amusait parfois ainsi à essayer de prévoir ce que les gens allaient faire et il éprouvait toujours une certaine satisfaction quand il ne s'était pas trompé.

Lèverait-elle la main pour appeler la fille de salle ? Elle commençait le geste, jetait un coup d'œil au commissaire. Bon ! Elle changeait d'avis, regardait Maigret avec plus d'insistance, en écarquillant un peu les yeux comme pour poser une question.

De son côté, il battit alors des paupières, l'air quasi paternel.

Ils s'étaient compris. Assez gauche, elle se levait, se dirigeait vers la table du policier qui se levait afin de la faire asseoir.

C'était lui qui appelait la serveuse, mais pas pour l'addition.

— Deux calvados, mon petit. De la bouteille du patron.

Et, à Martine, surprise :

— Vous devez en avoir besoin. C'est long, n'est-ce pas ?

— Ce que je ne comprends pas, avoua-t-elle, c'est que vous ne soyez pas en face. J'ai lu le journal et j'ai écouté la radio.

— Je suis réellement en vacances.

— A Paris ?

— Chut ! C'est un secret. Nous avons décidé, ma femme et moi, de passer nos vacances à Paris afin d'être plus tranquilles et Janvier lui-même ne le sait pas. Alors, comme vous le voyez, je me cache.

— Vous vous êtes quand même occupé de l'affaire ?

— En amateur, comme tout le monde. J'ai lu les journaux, moi aussi, et tout à l'heure, par hasard, dans un bar, j'ai entendu les nouvelles à la radio.

— Vous croyez que l'inspecteur Janvier est capable de comprendre ?

— De comprendre quoi ?

— Que Gilbert n'a pas tué cette femme.

Le restaurant, maintenant, était aussi calme qu'un aquarium. Le patron et la patronne, une femme toute petite et ronde, aussi rouge de visage que son mari, mangeaient à la table la plus proche de la cuisine et la fille de salle les servait.

Sur l'autre quai, en face, on avait vu repasser les journalistes qui avaient dû largement arroser leur dîner rapide car, même de loin, on les sentait exubérants.

Presque toutes les lumières de la P.J. s'étaient éteintes. Au premier étage, il n'y en avait plus que dans le bureau de Maigret et dans le bureau des inspecteurs qui était voisin.

Le commissaire prenait son temps et avait retrouvé son air bon-homme.

— Vous en êtes sûre, vous, qu'il est innocent ?

Elle rougit et il en fut content, car il n'aimait pas les femmes qui ne sont plus capables de rougir.

— Certainement.

— Parce que vous l'aimez ?

— Parce que je le sais incapable de commettre un acte honteux, à plus forte raison un crime.

— Vous avez pensé cela dès le premier jour ?

Elle détourna la tête et il poursuivit :

— Avouez que vous avez douté.

— Je me suis d'abord dit que c'était peut-être un accident.

— Et maintenant ?

— Je suis persuadée que ce n'est pas lui.

— Pourquoi ?

Depuis le début du repas, il avait eu l'intuition qu'elle avait envie de lui parler et qu'elle avait réellement quelque chose à lui dire, quelque chose de difficile. A la façon dont elle se comportait avec lui, il croyait comprendre qu'elle avait des rapports amicaux, confiants, avec son père. C'était un peu comme si, en l'absence de celui-ci, elle eût choisi le commissaire pour le remplacer.

Au lieu de répondre, elle posa une question à son tour.

— C'est à Concarneau que vous avez téléphoné tout à l'heure ?

— Non.

— Ah !

Elle paraissait déçue de s'être trompée.

— Je me demande ce qu'ils font, en face, depuis des heures.

— Il vaut mieux ne pas vous impatienter, car cela peut durer toute la nuit.

— Vous croyez qu'ils interrogeront Gilbert aussi ?

— C'est possible, mais improbable. Négrel, lui, est déjà entre les mains du juge d'instruction et ne peut plus être questionné qu'en présence de son avocat.

— Papa n'arrive que demain matin.

— Je sais. Vous ne m'avez toujours pas dit pourquoi vous avez la quasi-certitude que ce n'est pas votre fiancé qui a tué Mme Jave.

Elle alluma une cigarette, avec une certaine nervosité.

— Vous permettez ?

— Je vous en prie.

— C'est difficile à expliquer. Vous n'avez jamais vu Gilbert ?

— Non. Je crois cependant que je me fais une idée assez exacte de son caractère.

— Et aussi de son comportement devant une femme ?

Il la regarda, surpris, intrigué.

— Je n'ai pas à faire ma mijaurée, n'est-ce pas ? Vous avez compris, à mes déclarations, que nous n'avons pas attendu d'être mariés pour être l'un à l'autre. Maman est furieuse, à cause des gens, mais papa, lui, ne m'en veut pas. Quand on a découvert le corps de cette femme, il était entièrement nu...

Les yeux de Maigret se firent plus petits, plus aigus, car elle touchait à un point qui l'avait intrigué dès le début.

— Je ne sais comment dire... C'est assez délicat... Avec certains hommes, cela aurait pu être possible... Est-ce que vous comprenez ?

— Pas encore.

Elle but la moitié de son verre pour se donner du courage.

— S'il s'était passé quelque chose entre eux ce samedi-là et si Mme Jave s'était déshabillée, Gilbert se serait déshabillé aussi.

Il sentait soudain que c'était vrai. Certains hommes auraient été capables d'agir autrement, avec plus de désinvolture. Pas un garçon comme Négrel, qui aurait tenu à se trouver, en quelque sorte, à égalité avec sa compagne.

— Qu'est-ce qui prouve qu'il ne l'était pas ?

C'est à peine une question qu'il posait, car il connaissait d'avance la réponse.

— Vous oubliez que cela se passait pendant les heures de consultation, que Josépha pouvait à tout instant introduire un client. Imaginez-vous un médecin surgissant, nu, dans son cabinet ?

Elle-même parvint à rire. Puis elle reprit sa gravité, jeta un coup d'œil de l'autre côté de la Seine.

— Je vous jure, commissaire, que c'est la vérité. Je connais Gilbert. Si étrange que cela paraisse, il est timide et, dans ses rapports avec les femmes, d'une extrême délicatesse.

— Je vous crois.

— Alors, vous croyez aussi qu'il ne l'a pas tuée ?

Il préféra ne pas répondre et eut un coup d'œil, à son tour, aux fenêtres de son bureau où l'inspecteur Janvier vivait ce qu'on pouvait appeler sans exagération la grande nuit de sa vie. Les reporters, les photographes attendaient dans le couloir. Les journaux, la radio avaient annoncé que l'interrogatoire décisif avait commencé.

Ou bien, tout à l'heure, l'affaire du boulevard Haussmann serait résolue et Janvier aurait gagné la partie, ou bien, dès demain matin, il y aurait dans le public une déception mêlée de rancune. Et pas seulement dans le public. Coméliau devait téléphoner toutes les demi-heures, de son domicile, afin de se tenir au courant.

— Vous permettez un instant, mon petit ?

Il fut surpris de l'avoir appelée ainsi et c'était parce qu'il l'aimait bien. S'il avait eu une fille, il n'aurait pas été fâché, en définitive, qu'elle lui ressemble. Mme Maigret aurait réagi comme la maman de Martine, mais, lui, aurait sûrement réagi comme Chapuis.

Il se dirigea vers le fond de la salle.

— Vous avez du papier sans en-tête et une enveloppe ?

— Nous n'avons que du papier sans en-tête. Prenez le buvard, derrière le comptoir. Il y a aussi une bouteille d'encre et une plume.

— Depuis combien de temps employez-vous le gamin que j'ai vu tout à l'heure laver la vaisselle dans la cuisine ?

— Sa mère est venue nous le présenter il y a trois semaines. Il retourne au lycée en octobre. Ce sont des gens pauvres et, pendant les vacances, il s'efforce de gagner un peu d'argent.

— Janvier n'est pas venu ici depuis trois semaines ?

— Je ne l'ai pas vu, non. Quand ils ont envie de prendre un verre, ils se rendent plutôt à la Brasserie Dauphine, qui est plus près.

Maigret le savait mieux que quiconque.

— Ne laissez pas partir le gamin avant que je le charge d'une commission.

— Il en a encore pour un moment à mettre de l'ordre dans la cuisine.

Maigret ne retourna pas à sa table mais s'installa, assez loin de Martine Chapuis, à une autre table. Sur l'enveloppe, il écrivit :

A REMETTRE DE TOUTE URGENCE
A L'INSPECTEUR JANVIER

La jeune fille voyait bien, de sa place, qu'il traçait des caractères bâtonnets et elle ne comprenait pas.

Le texte, sur la feuille, était court.

JAVE SAVAIT PAR LA NURSE, DÈS VENDREDI SOIR, QUE
SA FEMME VIENDRAIT A PARIS.

Il pénétra dans la cuisine.

— Comment t'appelles-tu ? demanda-t-il au gamin à tignasse ébouriffée qui rangeait des assiettes.

— Ernest, monsieur le commissaire.

— Qui t'a dit qui j'étais ?

— Personne. Je vous ai reconnu d'après vos photos.

— Tu veux faire une commission pour moi ? Tu ne te laisses pas facilement intimider ?

— Par vous, peut-être. Mais pas par quelqu'un d'autre.

— Tu vas courir en face, à la P.J. Tu connais ?

— Le grand portail où il y a toujours un agent en faction ?

— Oui. Tu remettras cette enveloppe à l'agent en lui disant qu'il doit la faire porter tout de suite à l'inspecteur Janvier.

— J'ai compris.

— Un moment. Ce n'est pas tout. Il est possible que l'agent te demande de la monter toi-même.

— Je dois le faire ?

— Oui. Au premier. Il y aura beaucoup de monde. Derrière un pupitre, tu apercevras un vieil huissier qui a une chaîne autour du cou.

— Je sais ce que c'est. Il y en a dans les banques.

— Tu lui diras la même chose. Si un inspecteur est dans les environs, il te posera peut-être des questions. Retiens bien ceci : tu passais sur le pont Saint-Michel quand un monsieur t'a donné cinq cents francs pour porter une lettre à la Police Judiciaire.

— J'ai compris.

— Le monsieur était petit et maigre...

Le gamin, amusé, avait hâte de s'envoler.

— Petit et maigre, assez vieux...

— Oui, monsieur Maigret.

— C'est tout. Il vaudra mieux ne pas revenir ici ce soir, car on pourrait te suivre.

— C'est une farce que vous leur faites ?

Maigret se contenta de sourire et regagna sa place près de la jeune fille.

— Cela donnera ce que cela donnera.

— Qu'est-ce que vous avez fait ?

— Je me suis comporté comme un lecteur moyen, celui qui signe ses messages : « Quelqu'un qui sait. »

Elle vit Ernest partir avec la lettre après avoir parlé à mi-voix au patron et elle le suivit des yeux sur le pont Saint-Michel où il courait plutôt qu'il ne marchait.

— C'est à cause de ce que je vous ai dit ?

— Non.

— A cause de votre coup de téléphone ?

— Oui.

Le patron et la patronne avaient fini de dîner. Leur table était débarrassée.

— Vous ne croyez pas qu'ils attendent que nous partions pour fermer ?

— Certainement.

— Ils doivent se lever de bonne heure.

— L'ennui c'est qu'après nous n'avons nulle part où aller.

Il n'y avait pas d'autre café ou d'autre bar ouvert en face de la P.J. Le gamin, sur l'autre quai, était en conversation avec l'agent en faction. Il disparaissait bientôt sous la voûte.

— Je me doutais qu'on le ferait monter. L'agent n'a pas le droit de quitter son poste. Pourvu...

Les choses durent bien se passer, car Ernest reparut trois ou quatre minutes plus tard et se dirigea cette fois vers le Pont-Neuf.

Janvier avait reçu le message anonyme. Même s'il n'y ajoutait qu'une foi relative, il ne pourrait s'empêcher de poser au docteur Jave une question au moins à ce sujet.

— Vous ne paraissez pas impatient, remarquait Martine comme il se tassait sur la banquette, le regard vague.

Parce qu'elle ne le connaissait pas. C'était la première fois qu'il vivait cette phase d'une enquête ailleurs que dans son bureau et il avait la même sensation que quand c'était lui qui posait les questions.

Il avait fait subir à des gens de toutes sortes des centaines d'interrogatoires. La plupart duraient plusieurs heures. Certains se poursuivaient, dans la fumée de pipe ou de cigarettes, une partie de la nuit, et les inspecteurs étaient souvent obligés de se relayer.

On citait encore, au Quai, un interrogatoire de vingt-sept heures, à la fin duquel Maigret était aussi épuisé que l'homme qui avait fini par avouer.

Or, chaque fois, après tant d'années, le même phénomène se produisait.

Tant que le suspect, devant lui, se débattait, refusait de répondre ou mentait, c'était en quelque sorte une lutte à égalité, sur un plan presque technique. Les questions succédaient aux questions, aussi imprévues que possible, tandis que le regard du commissaire restait attentif au moindre tressaillement de son interlocuteur.

Presque toujours, après un temps plus ou moins long, un moment venait où la résistance craquait soudain et où le policier n'avait plus en face de lui qu'un homme aux abois. Car, à ce moment-là, il redevenait un homme, un homme qui avait volé, ou tué, mais un homme quand même, un homme qui allait payer, qui le savait, un homme pour qui cette minute marquait la cassure avec son passé et avec ses semblables.

Comme un animal qu'on va achever — et Maigret n'avait jamais pu tuer une bête, même nuisible — il avait presque toujours, pour celui qui l'acculait aux aveux, un regard étonné qui contenait un reproche.

— C'est bien ainsi que cela s'est passé... murmurait-il, à bout de forces.

Il n'avait plus qu'une hâte : signer sa déposition, signer n'importe quoi et aller dormir.

Combien de fois Maigret n'avait-il pas, alors, sorti la bouteille de cognac du placard, non seulement pour en offrir à sa victime, mais pour s'en verser un grand verre ?

Il avait fait son métier de policier. Il ne jugeait pas. Ce n'était pas à lui, mais à d'autres, plus tard, de juger, et il préférait qu'il en soit ainsi.

Où en étaient-ils, là-haut, derrière les fenêtres éclairées du bureau de Maigret ? La résistance de Jave avait-elle commencé à céder et Janvier en était-il à l'hallali ?

On aurait dit que la jeune fille, en face du commissaire, suivait sa pensée.

— C'est drôle, murmurait-elle d'une voix sourde. Je n'aurais pas cru le docteur Jave capable de ça non plus. Il a si peu une tête d'assassin !

Maigret ne dit rien. A quoi bon lui expliquer que, dans toute sa carrière, en dehors de quelques professionnels, il n'avait jamais rencontré un meurtrier ayant une tête de criminel.

— Qu'est-ce que je vous dois, patron ?

— Les deux dîners ?

— Je tiens à payer le mien, protesta Martine Chapuis.

Il n'insista pas.

— Les calvados sont pour moi.

— Si vous voulez.

Ils sortirent ensemble et ils n'avaient pas atteint le pont Saint-Michel que le patron fermait les volets.

— Vous allez là-bas ?

— Non. J'attends.

Le quai des Orfèvres, heureusement, était mal éclairé. En restant sur le trottoir longeant la Seine, ils étaient dans l'ombre et l'agent en faction ne pouvait les reconnaître.

— Vous croyez qu'il avouera ?

Maigret se contenta de hausser les épaules. Il n'était pas Dieu-le-Père. Il avait fait son possible. Le reste regardait Janvier.

Ils marchaient en silence et, de loin, on devait les prendre pour des amoureux, ou plutôt pour un couple qui vient respirer l'air du soir sur les quais avant d'aller se coucher.

— Je regrette presque, grommela soudain le commissaire, que ce ne soit pas Négrel.

Elle sursauta, lui lança un regard soudain dur.

— Qu'est-ce que vous voulez dire ?

— Ne vous fâchez pas. Je n'ai rien contre votre Gilbert, au contraire. Mais, si cela avait été lui, il aurait pu être question d'un accident. Vous comprenez ?

— Je crois que je commence à comprendre.

— D'abord, votre fiancé n'avait pas de raison suffisante pour tuer. Surtout que vous étiez au courant de sa liaison avec Éveline Jave. Car vous étiez au courant, n'est-ce pas ?

— Oui.

Il s'arrêta de marcher, questionna sans la regarder :

— Pourquoi mentez-vous ?

— Je ne mens pas. C'est-à-dire...

— Continuez.

— Je savais, parce qu'il me l'avait avoué, qu'il avait eu des relations avec elle. Elle l'y avait presque obligé. Je savais aussi qu'elle continuait à le poursuivre...

— Mais pas qu'elle devait venir de Cannes samedi pour le voir ?

— Non.

— Ni qu'elle était allée chez lui depuis qu'il vous connaissait ?

— Non. Vous voyez que je suis franche. C'est par délicatesse qu'il ne m'en a pas parlé. Cela change quelque chose ?

Il prit le temps de réfléchir.

— Plus maintenant. De toute façon, le motif n'aurait pas été suffisant. Et, comme je vous l'ai dit tout à l'heure, dans le cas Négrel, cela aurait été un accident, une erreur d'ampoule.

— Vous pensez encore que c'est possible ?

— Je crains que non.

— Pourquoi ?

— Parce que Jave savait, dès le vendredi soir, que sa femme viendrait à Paris par avion le samedi. Il n'y est pas venu, lui, pour voir Antoinette. Il n'a pas raté l'avion où Éveline avait pris place. C'est sciemment qu'il a pris l'avion de Londres et je suis persuadé qu'il connaissait d'avance les horaires.

Les fenêtres, là-haut, étaient toujours éclairées. Deux ou trois fois on vit une silhouette qui passait, Janvier sans doute, trop surexcité pour rester assis devant le bureau de Maigret.

— Vous trouvez que le docteur Jave, lui, avait des raisons suffisantes ?

— Ce qu'on a appris d'Éveline n'est-il pas une raison suffisante ?

— Pour la tuer ?

Il haussa les épaules une fois de plus.

— Ce que je n'aime pas, avoua-t-il comme à regret, c'est qu'il l'ait déshabillée.

— Que voulez-vous dire ?

— Cela indique qu'il voulait faire tomber les soupçons sur quelqu'un d'autre.

— Sur Gilbert !

— Oui. Il a cru agir en homme intelligent. Or, si étrange que cela paraisse, ce sont toujours les hommes intelligents qui se font prendre. Certains crimes crapuleux, commis par une petite gouape quelconque, ou par un déséquilibré, restent impunis. Un crime d'intellectuel, jamais. Ils veulent tout prévoir, mettre les moindres chances de leur côté. Ils fignolent. Et c'est leur fignolage, c'est quelque détail « en trop » qui les fait prendre en fin de compte.

» Je suis persuadé que Jave se trouvait dans l'appartement d'en face pendant que sa femme était avec votre fiancé.

» Ce qu'elle a dit à Négrel, je l'ignore et, étant donné le caractère de celui-ci, je doute qu'il vous le répète jamais.

— J'en suis certaine.

— Je ne serais pas surpris qu'elle lui ait appris sa décision de divorcer, ou même d'aller vivre tout de suite avec lui.

— Vous croyez qu'elle l'aimait ?

— Il lui fallait au moins un homme à elle. Elle a tant essayé ! Depuis l'âge de quatorze ans, elle a essayé en vain...

— C'était une malheureuse ?

— Je n'en sais rien. Elle s'est raccrochée à lui. Elle a arraché un bouton de sa veste.

— Je n'aime pas imaginer cette scène-là.

— Moi non plus. Négrel a préféré s'en aller. Remarquez qu'il est parti à cinq heures et demie, alors que les heures de consultation sont de deux à six. Jave n'a eu, la place une fois libre, qu'à traverser le palier.

— Taisez-vous !

— Je ne tiens pas à entrer dans les détails. Je souligne seulement le fait qu'il l'a ensuite déshabillée et qu'il a fait disparaître les vêtements.

— Je comprends. Ne parlez plus, voulez-vous ? S'ils n'allaient pas comprendre, eux, là-haut ?

Elle levait la tête vers les fenêtres éclairées.

— Pourquoi n'y allez-vous pas, commissaire ? Ce serait fini tout de suite. Je suis sûre que, vous...

Il était passé minuit. Le quai était désert, le pont Saint-Michel aussi. On entendait les bruits de loin et Maigret reconnut celui des pas de plusieurs personnes dans la cour de la P.J.

Martine s'arrêta et lui prit machinalement le bras.

— Qu'est-ce que c'est ?

Il tendait l'oreille, suivait la direction des pas. Enfin, il se détendit.

— Quelqu'un l'a conduit au Dépôt.

— Vous êtes sûr ?

— Je reconnais le grincement de la grille.

— Jave ?

— Je le suppose.

Au même moment, une des fenêtres devenait obscure, celle du bureau des inspecteurs.

— Venez ici.

Il l'entraînait dans une tache d'ombre plus dense et quelques instants plus tard, en effet, il voyait sortir Santoni, Lapointe et Bonfils. Lapointe et Santoni se dirigèrent vers le pont Saint-Michel, Bonfils vers le Pont-Neuf.

— *A demain.*

— *Bonne nuit.*

— C'est fini, murmura Maigret.

— Vous êtes sûr ?

— Janvier est en train de donner de la copie aux journalistes. Nous allons les voir sortir d'un moment à l'autre.

— Et la jeune femme, Antoinette ?

— Ils vont la garder et il y a des chances qu'elle soit poursuivie pour complicité, car elle a fourni un alibi au docteur.

— Sa mère aussi ?

— Probablement.

— A votre avis, elles savaient ?

— Voyez-vous, mon petit, cela ne me regarde pas, car je suis en vacances. Et, même si j'étais à la place de Janvier, je ne me permettrais pas d'en décider, car cela regarde les jurés.

— Ils ne vont pas relâcher Gilbert ?

— Pas avant demain matin, car le juge d'instruction est seul habilité pour signer les papiers nécessaires.

— Il sait déjà ?

— Il a dû entendre qu'on lui donnait un voisin et je jurerais qu'il a reconnu les voix. Qu'est-ce qui vous arrive ?

Elle pleurait, tout à coup, sans savoir pourquoi.

— Je n'ai même pas de mouchoir... balbutia-t-elle. C'est bête ! A quelle heure, demain matin ?

— Sûrement pas avant neuf heures.

Il lui avait passé son mouchoir et il guettait toujours le portail de la P.J.

Une auto ne tarda pas à sortir, une auto grise qui devait appartenir à un des journalistes et où ils étaient entassés à quatre ou cinq. Deux photographes sortirent à pied et se dirigèrent vers le Pont-Neuf.

Il restait de la lumière dans le bureau de Maigret et enfin elle s'éteignit à son tour.

— Venez ici...

Il s'éloignait un peu, cherchait l'ombre la plus épaisse. Un moteur commençait à tourner dans la cour et une des petites voitures noires de la P.J. apparaissait.

— Tout va bien. Il est seul, murmura le commissaire.

— Qui ?

— Janvier. S'il n'avait pas réussi, il aurait fait reconduire ou aurait reconduit Jave chez lui.

L'auto noire s'éloignait à son tour vers le Pont-Neuf.

— Et voilà, petite demoiselle. C'est fini.

— Je vous remercie, commissaire.

— De quoi ?

— De tout.

Elle était sur le point de pleurer à nouveau. Il marchait à son côté vers le pont Saint-Michel.

— Ne me reconduisez pas. J'habite presque en face.

— Je sais. Bonne nuit.

Il y avait un café ouvert, au Châtelet, et Maigret y entra, s'assit à une des tables, dans la salle presque vide, but lentement un demi. Il prit ensuite un taxi.

— Boulevard Richard-Lenoir. Je vous arrêterai.

Le boulevard était désert. Il ne vit aucune silhouette sur le trottoir. Quand il monta la dernière volée d'escalier, la porte s'ouvrit, comme toujours, car Mme Maigret reconnaissait son pas.

— Alors ? questionna-t-elle, les cheveux sur des bigoudis.

— C'est fini.

— Négrel ?

— Jave.

— Je ne l'aurais pas cru.

— Il n'est venu personne ?

— Non.

— Il n'y avait pas de journalistes à rôder quand tu es rentrée ?

— J'ai fait attention. Je suis sûre.

— Quel jour sommes-nous ?

— Samedi. Ou plutôt, comme il est une heure et demie du matin, nous sommes dimanche.

— Cela t'ennuie de préparer une valise avec des effets pour quelques jours ?

— Quand veux-tu partir ?

— Dès que tu seras prête. Demain matin, nous serions sûrement repérés.

— Il faut que je me recoiffe.

Il était deux heures et demie et la nuit était calme et douce quand ils descendirent, Maigret portant la valise dont ils se servaient au cours de leurs rares *week-ends*.

— Où comptes-tu aller ?

— Où nous trouverons de la place. Il existe bien quelque part, pas trop loin de Paris, une auberge qui a une chambre libre.

Ils suivirent la Seine, en taxi, dans la direction de la forêt de Fontainebleau. Un peu après Corbeil, Maigret se souvint d'une auberge, à Morsang, où il était descendu au cours d'une enquête.

— Tu vas les réveiller ?

Il n'avait pas de projet. Il ne savait pas ce qu'il allait faire. Il était en vacances, pour de bon, cette fois-ci.

Et il n'avait pas tort de compter sur sa bonne étoile, car il n'eut pas besoin de réveiller les gens de l'auberge dont on voyait tous les volets clos au clair de lune.

Au bord de la Seine, dans un scintillement argenté, un homme était occupé à préparer des nasses et Maigret reconnut le patron.

— Nous avons en effet une chambre libre, mais elle est retenue pour demain soir.

Quelle importance cela avait-il ? Le lendemain, ils en seraient quittes pour tenter leur chance un peu plus loin.

En attendant que le patron ait éveillé sa femme, ils restaient assis tranquillement sur la terrasse, devant une table de fer, en regardant l'eau qui coulait.

Ce n'est que quatre jours plus tard, dans une auberge des bords du Loing, que Maigret reçut une carte postale représentant le Quai des Orfèvres. Son nom et son adresse étaient écrits en caractères bâtonnets et, dans la partie réservée à la correspondance, il n'y avait que deux mots :

MERCI, PATRON.

Golden Gate, Cannes, le 13 septembre 1956.

INDEX

Cette liste répertorie « romans » et « Maigret » (indiqués par la lettre M).
Chaque titre est suivi du lieu et de la date de sa rédaction, du nom de
l'éditeur et de l'année de la première édition.

M **L'affaire Saint-Fiacre,** Antibes (« Les Roches-Grises »), janvier 1932. Fayard, 1932

L'aîné des Ferchaux, Saint-Mesmin-le-Vieux, décembre 1943. Gallimard, 1945

M **L'ami d'enfance de Maigret,** Épalinges (Vaud), 24 juin 1968. Presses de la Cité, 1968

M **L'amie de Madame Maigret,** Carmel (Californie), décembre 1949. Presses de la Cité, 1950. TOUT SIMENON 4

L'Ane-Rouge, Marsilly, automne 1932. Fayard, 1933

Les anneaux de Bicêtre, Noland (Vaud), 25 octobre 1962. Presses de la Cité, 1963

Antoine et Julie, Lakeville (Connecticut), 4 décembre 1952. Presses de la Cité, 1953. TOUT SIMENON 6

L'assassin, Combloux (Savoie), décembre 1935. Gallimard, 1937

Au bout du rouleau, Saint Andrews (Canada), mai 1946. Presses de la Cité, 1947. TOUT SIMENON 1

M **Au rendez-vous des Terre-Neuvas,** Morsang (à bord de l'*Ostrogoth*), juillet 1931. Fayard, 1931

Les autres, Noland (Vaud), 17 novembre 1961. Presses de la Cité, 1962

Le bateau d'Émile, recueil de nouvelles. Gallimard, 1954

Bergelon, Nieul-sur-Mer, 1939. Gallimard, 1941

Betty, Noland (Vaud), 17 octobre 1960. Presses de la Cité, 1961

Le bilan Malétras, Saint-Mesmin (Vendée), mai 1943. Gallimard, 1948

Le blanc à lunettes, Porquerolles, printemps 1936. Gallimard, 1937

La boule noire, Mougins (Alpes-Maritimes), avril 1955. Presses de la Cité, 1955. TOUT SIMENON 8

Le bourgmestre de Furnes, Nieul-sur-Mer, automne 1938. Gallimard, 1939

Il pleut, bergère..., Nieul-sur-Mer, septembre 1939. Gallimard, 1941

Il y a encore des noisetiers, Épalinges (Vaud), 13 octobre 1968. Presses de la Cité, 1969

Les inconnus dans la maison, Nieul-sur-Mer, janvier 1939. Gallimard, 1940

Les innocents, Épalinges (Vaud), 11 octobre 1971. Presses de la Cité, 1972

M **L'inspecteur Cadavre,** Fontenay-le-Comte (château de Terre-Neuve), été 1941. Gallimard, 1944

M **Jeumont, 51 minutes d'arrêt !** La Rochelle, juillet 1938. Publié dans *Les nouvelles enquêtes de Maigret*. Gallimard, 1944

La Jument Perdue, Tucson (Arizona), 16 octobre 1947. Presses de la Cité, 1948. TOUT SIMENON 2

Lettre à mon juge, Bradenton Beach (Floride), décembre 1946. Presses de la Cité, 1947. TOUT SIMENON 1

M **Liberty-bar,** Marsilly (« La Richardière »), mai 1932. Fayard, 1932

Le locataire, Marsilly, mars 1932. Gallimard, 1934

Long cours, Paris, octobre 1935. Gallimard, 1936

M **Maigret,** Porquerolles, juin 1933. Fayard, 1934

M **Maigret à l'école,** Lakeville (Connecticut), décembre 1953. Presses de la Cité, 1954. TOUT SIMENON 7

M **Maigret à New-York,** Sainte-Marguerite-du-Lac-Masson (Canada), mars 1946. Presses de la Cité, 1947. TOUT SIMENON 1

M **Maigret a peur,** Lakeville (Connecticut), mars 1953. Presses de la Cité, 1953. TOUT SIMENON 6

M **Maigret au Picratt's,** Lakeville (Connecticut), décembre 1950. Presses de la Cité, 1951. TOUT SIMENON 5

M **Maigret aux Assises,** Noland (Vaud), novembre 1959. Presses de la Cité, 1960

M **Maigret à Vichy,** Épalinges (Vaud), 11 septembre 1967. Presses de la Cité, 1968

M **Maigret chez le coroner,** Tucson (Arizona), 30 juillet 1949. Presses de la Cité, 1949. TOUT SIMENON 3

M **Maigret chez le ministre,** Lakeville (Connecticut), août 1954. Presses de la Cité, 1955. TOUT SIMENON 7

M **Maigret en meublé,** Lakeville (Connecticut), février 1951. Presses de la Cité, 1951. TOUT SIMENON 5

M **Maigret et l'affaire Nahour,** Épalinges (Vaud), 8 février 1966. Presses de la Cité, 1967

M **Maigret et la Grande Perche,** Lakeville (Connecticut), mai 1951. Presses de la Cité, 1951. TOUT SIMENON 5

M **Maigret et la jeune morte,** Lakeville (Connecticut), janvier 1954. Presses de la cité, 1954. TOUT SIMENON 7

NOUVELLES

parues dans **Tout Simenon**

M Le client le plus obstiné du monde, Saint Andrews (N.B.), Canada, 2 mai 1946. In *Maigret et l'inspecteur Malgracieux*. Presses de la Cité, 1947. TOUT SIMENON 2

Le deuil de Fonsine, Les Sables-d'Olonne (Vendée), 9 janvier 1945. In *Maigret et les petits cochons sans queue*. Presses de la Cité, 1950. TOUT SIMENON 4

L'escale de Buenaventura, Saint Andrews (Canada), 31 août 1946. In *Maigret et les petits cochons sans queue*. Presses de la Cité, 1950. TOUT SIMENON 4

M L'homme dans la rue, Nieul-sur-Mer, 1939. In *Maigret et les petits cochons sans queue*. Presses de la Cité, 1950. TOUT SIMENON 4

Madame Quatre et ses enfants, Les Sables-d'Olonne (Vendée), janvier 1945. In *Maigret et les petits cochons sans queue*. Presses de la Cité, 1950. TOUT SIMENON 4

M Maigret et l'inspecteur Malgracieux, Saint Andrews (N.B.), Canada, 5 mai 1946. In le recueil du même titre. Presses de la Cité, 1947. TOUT SIMENON 2

M Maigret se fâche, Paris, rue de Turenne, juin 1945. In *La pipe de Maigret,* Presses de la Cité, 1947. TOUT SIMENON 1

M On ne tue pas les pauvres types, Saint Andrews (N.B.), Canada, 15 avril 1946. In *Maigret et l'inspecteur Malgracieux*. Presses de la Cité, 1947. TOUT SIMENON 2

Le petit restaurant des Ternes, Tucson (Arizona), décembre 1948. In *Un Noël de Maigret*. Presses de la Cité, 1951. TOUT SIMENON 5

Le petit tailleur et le chapelier, Bradenton Beach (Floride), mars 1947. In *Maigret et les petits cochons sans queue*. Presses de la Cité, 1950. TOUT SIMENON 4

Les petits cochons sans queue, Bradenton Beach (Floride), 28 novembre 1946. In *Maigret et les petits cochons sans queue*. Presses de la Cité, 1950. TOUT SIMENON 4

M La pipe de Maigret, Paris, rue de Turenne, juin 1945. In le volume du même titre. Presses de la Cité, 1947. TOUT SIMENON 1

Sept petites croix dans un carnet. In *Un Noël de Maigret*. Presses de la Cité, 1951. TOUT SIMENON 5

Sous peine de mort, Bradenton Beach (Floride), 24 novembre 1946. In *Maigret et les petits cochons sans queue*. Presses de la Cité, 1950. TOUT SIMENON 4

Tout Simenon 1   La fenêtre des Rouet / La fuite de Monsieur Monde / Trois chambres à Manhattan / Au bout du rouleau / La pipe de Maigret / Maigret se fâche / Maigret à New-York / Lettre à mon juge / Le destin des Malou

Tout Simenon 2   Maigret et l'inspecteur Malgracieux / Le témoignage de l'enfant de chœur / Le client le plus obstiné du monde / On ne tue pas les pauvres types / Le passager clandestin / La Jument Perdue / Maigret et son mort / Pedigree

Tout Simenon 3   Les vacances de Maigret / La neige était sale / Le fond de la bouteille / La première enquête de Maigret / Les fantômes du chapelier / Mon ami Maigret / Les quatre jours du pauvre homme / Maigret chez le coroner

Tout Simenon 4   Un nouveau dans la ville / Maigret et la vieille dame / L'amie de Madame Maigret / L'enterrement de Monsieur Bouvet / Maigret et les petits cochons sans queue / Les volets verts / Tante Jeanne / Les Mémoires de Maigret

Tout Simenon 5   Le temps d'Anaïs / Un Noël de Maigret / Sept petites croix dans un carnet / Le petit restaurant des Ternes / Maigret au *Picratt's* / Maigret en meublé / Une vie comme neuve / Maigret et la Grande Perche / Marie qui louche / Maigret, Lognon et les gangsters

Tout Simenon 6   La mort de Belle / Le revolver de Maigret / Les frères Rico / Maigret et l'homme du banc / Antoine et Julie / Maigret a peur / L'escalier de fer / Feux rouges

Tout Simenon 7   Maigret se trompe / Crime impuni / Maigret à l'école / Maigret et la jeune morte / L'horloger d'Everton / Maigret chez le ministre / Les témoins / Le Grand Bob

Tout Simenon 8   Maigret et le corps sans tête / La boule noire / Maigret tend un piège / Les complices / En cas de malheur / Un échec de Maigret / Le petit homme d'Arkhangelsk / Maigret s'amuse

Tout Simenon 9   Le fils / Le nègre / Maigret voyage / Strip-tease / Les scrupules de Maigret / Le président / Le passage de la ligne / Dimanche

Tout Simenon 10   Maigret et les témoins récalcitrants / Une confidence de Maigret / La vieille / Le veuf / Maigret aux assises / L'ours en peluche / Maigret et les vieillards / Betty

Aux Presses de la Cité

Patrick et Philippe Chastenet
présentent

Simenon - Album de famille
Les Années Tigy (1922-1945)

Album cartonné, 22,5 × 27 cm, 128 pages
140 photos inédites sépia et couleur

Printed in Great Britain by
Richard Clay Ltd, Bungay, Suffolk